# מקראות גדולות

# *Mikraoth Gedoloth*

## משלי

## PROVERBS

# מקראות גדולות

# משלי

## תורגם מחדש לאנגלית

מתורגם ומבואר עם כל דבורי
רש״י ולקט המפרשים על ידי

**הרב אברהם י. ראזענברג**

הוצאת יודאיקא פרעסס
ניו יורק תשס״א

# *Mikraoth Gedoloth*

# PROVERBS

## A NEW ENGLISH TRANSLATION

TRANSLATION OF TEXT, RASHI
AND OTHER COMMENTARIES BY

RABBI A. J. ROSENBERG

THE JUDAICA PRESS
NEW YORK, 2001

123 Ditmas Avenue, Brooklyn, New York 11218
718-972-6200 • 800-972-6201
info@judaicapress.com • **www.judaicapress.com**



ISBN 0-910818-79-7

*First Printing 1988*
*Second Printing 1993*
*Third Printing 2001*

*Manufactured in the United States of America*

# CONTENTS



**Note: * Asterisks indicate additional material in Appendix.**

RABBI MOSES FEINSTEIN
455 F. D. R. DRIVE
New York 2, N. Y.
ORegon 7-1222

משה פיינשטיין
ר"מ תפארת ירושלים
בנוא יארק

בע"ה

הנה ידוע ומפורסם טובא בשער בת רבים ספרי הוצאת יודאיקא פרעסס על תנ"ך שכבר יצא לאור על ספרי יהושע ושמואל ועכשיו בחסדי השי"ת סדרו לדפוס ג"כ על ספר שופטים והוא כולל הפירושים המקובלים בתנ"ך הנקוב בשם מקראות גדולות ועל זה הוסיפו תרגום אנגלית שהוא השפה המדוברת במדינה זו על פסוקי תנ"ך וגם תרגום לפרש"י מלה במלה עם הוספות פירושים באנגלית הנצרכים להבנת פשוטו של קרא והכל נערך ע"י תלמידי היקר הרב הגאון ר' אברהם יוסף ראזענבערג שליט"א שהוא אומן גדול במלאכת התרגום, והרבה עמל השקיע בכל פרט ופרט בדקדוק גדול, וסידר את הכל בקצור כדי להקל על הלומדים שיוכלו לעיין בנקל ואפריון נמטיה למנהל יודאיקא פרעסס מהור"ר יעקב דוד גאלדמאן שליט"א שזכה ומזכה את הרבים בלימוד התנ"ך שמעורר לומדיה לאהבה וליראה את שמו הגדול ולהאמין בו ובעבדיו הנביאים שהוא יסוד ושורש בעבודתו יתברך ואמינא לפעלא טבא יישר ויתברכו כל העוסקים בכל ברכות התורה וחכמינו ז"ל בברוך אשר יקים את דברי התורה הזאת.

וע"ז באתי עה"ח ביום ה' שבט תשל"ח

משה פיינשטיין

# FOREWORD

This book, Proverbs, is the first of the Judaica Press series of the Holy Writings. As in the series of the Prophets, we have translated the text into idiomatic English, except in instances in which accuracy would suffer; there we have rendered the text more literally. Again, the translation is based mainly on Rashi's commentary, which is of primary interest. Although we have sometimes encountered difficulty in rendering the text according to Rashi's interpretation, we have seldom deviated from this pattern. However, where Rashi follows a variant reading of the text, or his commentary is midrashic rather than in accordance with the simple meaning of the verse, we have rendered the text according to other commentators.

In addition to basing our translation on Rashi, we have presented his commentary verbatim, following the most accurate edition available—taking into consideration the Salonica edition of 1515, the Vilna edition of 1839, the Warsaw edition of 1862-66, the Malbim edition, the Waxman edition, and the Etz Chaim ms. appearing in the Jerusalem reprint of the Warsaw edition, 1974. On several occasions, we followed the emendations of Shem Ephraim.

[Note that many additions appear within the text of Rashi. Since they appear in Nach Lublin, we have included them in our commentary, but they do not originate from Rashi or his disciples. They were first introduced into the 5459 Amsterdam edition of Nach from *Agudath Shmuel,* by Shmuel ben Moshe Delugatch, anthologized from many sources, e.g. glosses of Rabbi Obadiah the prophet from Guratham, *Sod Meisharim,* and others. These additions met sharp opposition from the rabbis and many of them were deleted in subsequent editions. However, several of them remain in the Lublin edition. For a complete account, see Joshua, Judges with Rashi, Mossad Harav Kook, Jerusalem 1987, pp. 4-6.]

After Rashi, we drew from Ibn Ezra, Ralbag, and Mezudoth, whose commentaries all appear in Nach Lublin. It is interesting to note that Ibn Ezra's commentary on Proverbs is believed to have been attributed to him by error; in reality, it was probably written by Rabbi Moses Kimchi. (See *Commentaries of Rabbi Joseph son of Nachmiash on Proverbs, Esther, Jeremiah,*

*Pirkei Avoth, and the Service for Yom Kippur,* pp. xif.) Rather than confuse the reader, we have quoted these comments under the name of Ibn Ezra as they appear in all printed editions.

Among other early commentaries, we have drawn upon Rabbi Isaiah da Trani, Rabbi Menachem HaMeiri, *Sefer Hukkah* by Rabbi Joseph Kimchi, Rabbenu Bechaye, Rabbenu Yonah Gerondi, and Rabbi Joseph Ibn Nachmiash. The last is an unusual gem, covering the entire Book, and found only on Jeremiah, Proverbs, and Esther. Since he quotes Rashi often, we have compared our edition of Rashi to that quoted by Ibn Nachmiash to determine the correct reading. He also sheds light on Rashi's sources, occasionally attributing Rashi's comment to a midrashic source not obvious from the original text.

Mezudath David occupies the most prominent position of the later commentaries, because he gives a clear, simple meaning to each verse. Indeed, Rabbi Chaim of Volozhin, an outstanding disciple of Rabbi Elijah of Vilna, encouraged the study of Nach with Rashi and Mezudoth (*Kether Rosh* 58).

Of the modern commentaries, we have quoted often from Malbim and occasionally from Alschich, whose comments bring clarity to the text.

Last, but of major importance, we have frequently quoted Talmudic and Midrashic literature. We have attempted to trace each passage to its original source, not being satisfied with secondary sources such as Rashi and Yalkut Shimoni. In some instances, however, the original midrashim are no longer extant, except for fragments quoted by medieval authors who were in possession of these prized manuscripts. Fortunately, most midrashic passages originate from Midrash Mishle or are found with their sources in Yalkut Machiri or Yalkut Shimoni.

**ותורת חסד על לשונה** (משלי לא:כו)

ספר זה יוצא לאור
לעלוי נשמת האברך
אב בחסד ורך בשנים

**הרב משה שמואל יעקב פיינשטיין ז"ל**

שבשלשים שנות חייו
אהב וקיים את מצות החסד
לימד לאחרים את דרך החסד
והשאיר אחריו שם טוב

**נפ' כ"ב אייר תשמ"ח**
**תנצב"ה**

*And the Law of Kindness*
*is on her Tongue*
(*Proverbs* 31:26)

This volume is dedicated to the memory of

**Rabbi Moshe Shmuale Yaakov Feinstein**

of blessed memory

Mature in kindness
Soul of chesed
Young in years
Father and teacher of benevolence

Departed this world with a good name
on the 22nd day of Iyar 5748
May his soul be bound up in the bond of eternal life.

# ACKNOWLEDGEMENTS

We wish to thank our friend, Dr. Paul Forchheimer, who, as in earlier volumes, has given of his time to enlighten us regarding Old French and Provençal expressions found in Rashi's commentary.

# PREFACE

## I. Authorship

Although Scripture states explicitly that the Book consists of the proverbs of Solomon, the Talmud (*Baba Bathra* 15a) attributes the authorship of the Book to Hezekiah and his followers. *Rashi* (ad loc.) bases this assertion on Proverbs 25:1: "These too are Solomon's proverbs, which the men of Hezekiah, king of Judah, copied out." Apparently, the Talmud understands this verse to mean that these too—in addition to the previous ones—are Solomon's proverbs that Hezekiah's men copied. This is indeed the explanation given by *Ibn Ezra*. However, *Ralbag* explains that the previous proverbs were found in their present form in Solomon's own writings, whereas the proverbs contained in chapter 25 until the end of the Book were copied from various sources by Hezekiah and his men. *Mezudath David* explains that the previous proverbs were already in everyone's possession; the latter proverbs were copied from various scrolls that Hezekiah's followers came across. In any case, Hezekiah and his followers were the final editors who turned out the Book of Proverbs in the form we have it today.

*Rabbi Joseph Ibn Nachmiash* maintains that Solomon's proverbs were committed to memory by the sages of the generations from Solomon to Hezekiah. Hezekiah, who excelled in poetry and realized the power of the proverb or the allegory, decided that these *mashalim*, authored by King Solomon through divine revelation, be committed to writing.

## II. Composition

As is apparent from the superscriptions, the Book is composed of five parts, the first one comprising nine chapters dealing with the advantage of wisdom. The second, comprising sixteen chapters, deals with miscellaneous matters. The third part, also containing miscellaneous proverbs, spans chapters 25 through 29, separated because it was copied by Hezekiah's followers. The last two parts of the Book, the words of Agur the son of Jakeh (chapter 30) and the words of Lemuel (chapter 31), according to the Talmud and the midrashim, deal with Solomon's follies. The first details his transgression of the three commandments imposed upon the kings of Israel—not to acquire many horses, many wives, or much silver and gold. As will be explained in its place, Solomon relied on his wisdom in transgressing these commandments, confident that he would not return the people to Egypt in order to acquire many horses and that his heart would not turn away from God because of his many wives and his abundance of silver and gold. He ultimately learned that no one can be wiser than the Torah, and nothing is written in the Torah without good reason.

The final part, the words of Lemuel, deals with Solomon's folly in marrying Pharaoh's daughter. She caused him to oversleep on the morning after their wedding, thereby delaying the Temple service on the very first day of the dedication of the Temple. According to some commentators, these chapters (30-31) deal with contemporary sages, whose wisdom is included in the Book of Proverbs.

## III. Canon

The Rabbis teach us (*Midrash Mishle* 25:1, *Avoth d'Rabbi Nathan* 1:2) that Solomon's books—Proverbs, Ecclesiastes, and Song of Songs—were hidden away from their inception until Hezekiah's reign. They were regarded as mere parables, bereft of divine inspiration, and were put aside as apocryphal. Hezekiah, however, inspired the wise men of his time to delve into them and draw out the sanctity found in these three volumes. Thus the Rabbis explain the word הֶעְתִּיקוּ, usually rendered *copied out*, as *allowed to age*. They went about their studies slowly and deliberately, not hastening to pass a verdict upon these books.

Another view is that they indeed copied them; they explained them in a favorable light and then copied them with the sanctity of Holy Writ. See also *Shabbath* 30b, where the Talmud relates that the Sages sought to exclude Proverbs and Ecclesiastes from the canon because of several seeming contradictions in these books. When they discovered a reconciliation of their difficulties, they vindicated both books. This may refer to the same episode or it may have been a later one. In *Hullin* 57b, we find that Rabbi Simon the son of Halafta conducted an experiment to prove that the ant has no ruler, as is stated in Proverbs 6:7. He finally concluded that it could not be proven, but that Solomon's honesty must be relied upon, and we must believe the statement because it was uttered with divine inspiration.

## IV. Sequence of Solomonic Writings

As to the sequence of the composition of Solomon's three books—Proverbs, Ecclesiastes, and the Song of Songs—various opinions are stated in the Midrash, in the Talmud, and by the Kabbalists. We find in Song Rabbah (1:1, 10):

He wrote three books—Proverbs, Ecclesiastes, and The Song of Songs. Which did he compose first? R. Hiyya the Great and R. Jonathan gave different answers. R. Hiyya the Great said: He first wrote Proverbs and afterwards The Song of Songs and afterwards Ecclesiastes. He based his view on this text: *And he spoke three thousand proverbs* (I Kings v. 12)—this is the book of Proverbs; *And his songs were a thousand and five*—this is The Song of Songs. Ecclesiastes he composed subsequently. The Baraitha of R. Hiyya the Great differs from this report [of the Amoraim]. The Baraitha says that he composed all three together, while according to this statement he composed each separately. R. Hiyya the Great taught: Only in the period of his old age did the holy spirit rest upon Solomon, and he composed three books—Proverbs, Ecclesiastes, and The Song of Songs. R. Jonathan said: He first wrote The Song of Songs, then Proverbs, then Ecclesiastes. R. Jonathan argues from the way of the world. When a man is young he composes songs; when he grows older he makes sententious remarks; when he becomes an old man he speaks of the vanity of things. R. Jannai the father-in-law of R. Ammi said: All agree that he composed Ecclesiastes last.

The Talmud, however, states the order of the canon, listing Proverbs, Ecclesiastes, and The Song of Songs (*Baba Bathra* 14b). On The Song of Songs, Rashi comments: It appears to me that he recited it in his old age. This is apparently based on the order of the Kethubim listed in the Baraitha (*Rif*).

Several commentators on *'En Ya'akob* question Rashi's statement in the light of the Midrash. However, we find in *Beer Moshe*, a commentary by R. Moshe Moth (1551-1606), an interesting essay reconciling the view that Solomon wrote The Song of Songs in his old age and explaining the order of three books of Solomon.

Concerning the changes in the titles of these books, that in Ecclesiastes he says: The words of Koheleth, the son of David, king in Jerusalem; in Proverbs he states: The proverbs of Solomon, the son of David, king of Israel; and in The Song of Songs he states: Which is Solomon's, mentioning neither his father's name nor his place, it appears that he wrote Ecclesiastes first, then Proverbs, and the last, most beloved book, The Song of Songs. This is the view of the Kabbalists, and so it is found in *Midrash Hane'elam*.

This is indeed the correct order, that he composed the book of Ecclesiastes first, concerning matters of this world. 'And he spoke of trees, from the cedar that is in Lebanon even unto the hyssop that springeth out of the wall; he spoke also of beasts, and of fowl, and of creeping things, and of fishes, (I Kings v. 13) in a way that the entire book is based on investigation and on the foundations of nature, and he refuted corrupt foreign views, and he spoke of the occurrences of one's birth until his death, and concerning all possessions of this world, that all is vanity. He taught us that all the natural sciences and the philosophies are vanity, except the fear of God. He, therefore, concluded the book with the words, 'The end of the matter, all having been heard; fear God, and keep His commandments etc.' After he composed the book of Ecclesiastes, which includes the refutation of all foreign theories, and he clarified the 'food' from the 'refuse,' by informing his readers of the aim toward which everyone must strive, viz. the fear of God, he commenced his second work, viz. the Book of Proverbs, with the identical theme with which he concluded the Book of Ecclesiastes. His openings words are: 'The fear of the Lord is the beginning of knowledge' (Prov. 1:7). Throughout the entire book, he expounds at length on the details of the fear [of God], elaborating upon the desirable character traits that a person should cultivate in order to live to eternal life, and he concludes the book with this same theme, to instruct us and to give us to understand that all the desirable traits to attain spiritual excellence are included in the fear of God. That is his intention when he states, 'Grace is deceitful, and beauty is vain; But a woman that feareth the Lord, she shall be praised.' After expounding thoroughly on this important premise and the firm foundation of the fear of God, he expounds in this third book [The Song of Songs] the final aim, superior to the fear of God, from which it results, viz. the love of God, the final and highest level of achievement. . . .

Now that we have them arranged in this order, we can understand the differences in the titles of these three books. When he composed the Book of Ecclesiastes, he was not yet renowned in the world. He, therefore, had to call himself by his father's name as unknown authors do if their fathers are famous, that they call themselves by the name of their fathers, the name of their place, or their position. Therefore, he called himself, 'the son of David, king in Jerusalem.' He mentioned even his place to make himself known.

When he composed the Book of Proverbs, he did not mention the name of his place, only his father's name and his position, since he was already somewhat famous, more than when he had composed the Book of Ecclesiastes.

Later, however, when he composed the Book of The Song of Songs, he was already so famous that he did not need to mention anything but his name alone, for with his name alone he was well-known to all. He, therefore, stated, 'The Song of Songs, which is Solomon's.'

# ספר משלי

•

## מקראות גדולות

# PROVERBS

א א מַתְלוֹי דִשְׁלֹמֹה בַר דָוִד מַלְכָּא דְיִשְׂרָאֵל: ב לְמֵדַע חָכְמְתָא וּמַרְדוּתָא לְאִתְבַּיְנָן אִמְרֵי בִיוּנְתָא: ג לְמְקַבְּלָא מַרְדוּתָא דְשׁוּכְלָא וְצִדְקְתָא וְדִינָא

א א מִשְׁלֵי שְׁלֹמֹה בֶן־דָּוִד מֶלֶךְ
יִשְׂרָאֵל: ב לָדַעַת חָכְמָה
וּמוּסָר לְהָבִין אִמְרֵי בִינָה: ג לָקַחַת
מוּסַר הַשְׂכֵּל צֶדֶק וּמִשְׁפָּט וּמֵשָׁרִים:

כ׳ רבתי

## רש״י

א (א) משלי. כל דבריו דוגמות ומשלים משל התורה באשה טובה ומשל הע״ג באשה זונה: (ב) לדעת חכמה ומוסר. המשלים האלו אמר להודיע להת לבריות (חכמה ומוסר) שיהיו עמלים בתורה. שהיא חכמה ומוסר ובינה: (ג) צדק ומשפט ומשרים. צדק, צדקה ממונו. ומשפט. לשפוט אמת. ומשרים. היא הפשרה דרך

## אבן עזרא

א (א) משלי שלמה וגו׳. זה חלק האזהרה הודיע בו מעלת החכמה הקדומה כי בה נברא יש מבלי מה והזהיר להדבק בה ולסור מן האשה הזונה והיכיה להמית הפתאות ותאות הנולד מן האדמה ולהחיו׳ הנשמ׳ התמימ׳: בן דוד. לספר מעלתו שהיה בן חכם ומשכיל: מלך. כי בעבור חכמתם מלכו שניהם על ישראל או שהיה מלך עם חכם ונבון ומלך שם התואר כמו עבד ארץ אבר: (ב) לדעת. התי״ו נוסף וכן לקחת וכן הלמ״ד וטעם במשלים ידע האדם. חכמה והיא שרש הכל שהוא ירא ה׳ שנאמר ראשית חכמה יראת ה׳. ומוסר לשמור מצותיו וי״א המנהג בן עם הארץ. בינה להבדיל בין דבר לדבר שלא ישים חשך לאור ואור לחשך: (ג) לקחת. השמיעה והלמוד מפי המוסר הם הלקיחה: השכל. שם הפועל והוא חסר וי״ו: צדק. כולל עבודת האלהים וכל מעשה הטוב: ומשפט. שישפוט בין

## מנחת שי

(כל תיבה אשר אותיותיה נפרדות אליה ירה המחבר אבן פנת רעיוניו):

א (א) משלי. מ׳ רבתי ומדרש אגדה מלמד שהתענה מ׳ יום שתשכן לו חכמת התורה כמשה דכתיב ויהי שם עם ה׳ מ׳ יום ומ׳ לילה והכי איתא באגדת משלי ועיין מסורת הברית הגדול: (ג) ומשרים. ג׳ וסימן כי אתה בחן לבב (ד״ה א כ״ט). לקחת מוסר השכל. כל מעגל טוב (משלי ב׳) ע״כ. ובכמה ספרים מסור ג׳ ב׳ מלא וחד חסר ולא מסיימי ומדחזינן בכולהו ספרי דההוא דד״ה ודמשלי ב׳ מלאים אית לן למימר דדין חסר ובקלת ספרים נמסר

## ביאור המלות

(א) משלי. הנה המשל הוא דבר נאמר על צד הדמיון פעם לתת ציור בדבר הנרצה לדבר בו ופעם להעיר על ענין הדבר אשר יכוין בו מצד שהוא מרוחק או נרצה או מה שידמה לזה וזה כי הדבר המרוחק ימשיל אותו בדבר שיש לו בו קצת דמיון שהוא יתבאר הענין בדבר הנרצה ובשאר מה שידמה לזה: (ב) לדעת חכמה. היא הידיעה אשר בדברים יבואו לה מדברים עצמיים ומתיחסים לה. מוסר הנה יאמר על המוסר אשר במדות ועל המוסר אשר בדעות. המוסר אשר במדות הוא לעזוב המדות המגונות ולהתנהג בבדו׳ המשובחות והמוסר אשר בדעות הוא לדרוך בחשגות כפי סדורם ולפי הדרכים אשר יובילו׳ אליהם ושלא לעיין במה שאין דרך להגיע אל השגתו ושלא לקצר מלעיין במה שאפשר לאדם להשיגו. בינה היא הידיעה אשר בדברים יבואו לה מדברים בלתי עצמיים כאמרנו שהשמש יחמם והירח יקרר ואם אין להם בעצמם דבר מאלו האיכיות הה גם כן יקרא תבונה: (ג) מוסר השכל. היא המוסר אשר בענין. צדק ומשפט ומישרים. אלו הג׳ נופלים על דבר אחד או קרוב מאחד והם בכללם נופלים על הישר והראוי

## רלב״ג

## ביאור הדברים

(א) משלי. אלו הם המשלים אשר דבר שלמה בן דוד מלך ישראל והנה התועלת בהם הוא לדעת החכמה המופתים אשר יבואו בה כמו ראיה או במופת סבה ומציאות: (ב) לדעת. ולדעת המוסר במדות אשר בדברים המדיני׳ וזה יהיה בעזיבת המדות המגונות וברדיפת במדות המשובחות והנה הקדים החכמה למוסר ואע״פ שהמוסר ראוי להיות קודם בזמן לפי שהחכמה היא כמו סבה תכליתית למוסר. ולהבין אמרי בינה הם ההקדמות המפורסמות אשר יבואו מהם אל הידיעה בחכמת האלהות וכמה שינהג מנהגה שלא תהיינה ההקדמות המגיעות אל השלמיות וכו׳ גם כן תועלת: (ג) לקחת. המוסר בעיון ר״ל שידרך בהגעתו בדרכים הראויים ולא יעיין במה שאין דרך אל העיון בו ובהם ג״כ תועלת להתנהג בדרכים הישרים במדותיו ובדעותיו ר״ל בצדק ובמשפט ובמישרים ובהם ג״כ תועלת:

## מצודת דוד

א (א) משלי שלמה. רוצה לומר אלה הם המשלים שאמר שלמה כי את התורה המשיל אל אשה טובה והמינות לזונה וכן כרוב הדברים אחז בדרך משל: (ב) לדעת. תועלת הדברים להודיע לבני אדם חכמה ומוסר ואחז במשל למען הבין לזולת דברי בינה כי הוא מבוא גדול לקנות הבינה: (ג) לקחת. ללמוד מוסר מתוכם: צדק. היא עבודת האלהים: ומשפט. מה שבין אדם

## מצודת ציון

א (ג) לקחת. ענין ידיעה ולימוד כמו לקח טוב נתתי לכם (לקמן

**standing**—If one disciplines himself to combat his lusts and his evil inclination, he must do so according to the dictates of the Torah; he may not mortify himself by fasting all week, including the Sabbath, or the like.—[*Gra*]

3. **To receive**—This is synonymous with "to know" or "to learn."—[*Meiri, Mezudath Zion*]*

**the discipline of wisdom**—To acquire wisdom in the proper sequence, lest he acquire wisdom with which he is yet unable to deal, sometimes causing him to deny fundamentals of the faith.—[*Gra*]

**righteousness, justice, and equity**—*"Righteousness" denotes charity from his money; "justice" means to judge honestly, and "equity" denotes*

## 1

1. The proverbs of Solomon the son of David, king of Israel, [are]: 2. To know wisdom and discipline, to comprehend words of understanding; 3. To receive the discipline of wisdom, righteousness, justice, and equity;

1. **The proverbs of**—*All his words are illustrations and allegories. He compared the Torah to a good woman, and he compared idolatry to a harlot.*—[*Rashi*]

**Solomon the son of David, king of Israel**—These are the proverbs of Solomon, the wise king. He was the son of David, who was known for his piety. In this respect, Solomon probably followed his father's ways. He was the king of Israel—the nation of Torah.—[*Gra*]

*Ibn Ezra* explains that the author was a wise man and the son of a wise man, and that because of their wisdom they ruled over Israel. Alternatively, they were both kings over a wise people.

Several commentators note the difference between this superscription and that of Ecclesiastes, in which Koheleth is described as "a king in Jerusalem." In his commentary on the Song of Songs, *Ho'il Moshe* explains that when Solomon wrote Ecclesiastes, he was young and not well known. Therefore, his detailed address is given. When Solomon composed Proverbs, however, he was better known, and the title "king of Israel" sufficed. He composed the Song of Songs in his later years, by which time he was so well known that the mere mention of his name, even without his father's name, was sufficient. This follows *Midrash Hane'elam,* which asserts that Solomon wrote Ecclesiastes, Proverbs, and the Song of Songs in this order.

However, *Song Rabbah* 1:10 states three different views: One, that Solomon first composed Proverbs, then the Song of Songs, and finally, Ecclesiastes; that all three were composed at one time; and that he first composed the Song of Songs, then Proverbs, and finally, Ecclesiastes. According to all these views, we still cannot account for the different wording in the superscriptions.*

2. **To know wisdom and discipline**—*He stated these proverbs to make known to the people [wisdom and discipline], that they toil in the Torah, which is wisdom, discipline, and understanding.*—[*Rashi*]

*Gra* explains "wisdom" to mean the methods used to avoid being trapped by the evil inclination. "Discipline" means the ways one must discipline himself if he sees that the evil inclination is overpowering him.

**to comprehend words of under-**

**Note: * Asterisks indicate additional material in Appendix.**

ד לָתֵת לִפְתָאיִם עָרְמָה לְנַעַר דַּעַת
וּמְזִמָּה׃ ה יִשְׁמַע חָכָם וְיוֹסֶף לֶקַח וְנָבוֹן
תַּחְבֻּלוֹת יִקְנֶה׃ ו לְהָבִין מָשָׁל וּמְלִיצָה
דִּבְרֵי חֲכָמִים וְחִידֹתָם׃ ז יִרְאַת יְהוָה

ת"א יִשְׁמַע חכם. (כלאים לג): הא' נחה

**תרגום**

וְתְרִיצוּתָא: ד לְמִתַּן לְשַׁבְרֵי עֲרִימוּתָא וְלִטְלָאֵי יְדִיעְתָא וְתְרֵיצִיתָא: ה יִשְׁמַע חַכִּימָא וְיוֹסִיף מַדְעָא וְסוּכְלְתָנָא מַדְבְּרָנוּתָא יִקְנֵי: ו לְמִתְבְּנָנָא מַתְלָאָה וּפְלַאתָא וּמִלֵּי דְחַכִּימֵי וְאוּחֲדָתְהוֹן: ז רֵישׁ חָכְמְתָא דַחְלְתָא

**רש"י**

חלק ומישור שוה לזה ולזה: (ד) **לתת לפתאים ערמה.** משלים אלו אמר קהלת לקנות בהם הפתאים ערמה: **לנער דעת.** וגם לנער המגוער מכל שלא למד עדיין כלום: **ומזמה.** מחשבת עצה: (ה) **ישמע חכם.** המשלים הללו: **ויוסף.** על חכמתו: **לקח.** למוד: **חכם.** זה בעל השמועה: **ונבון.** מוסיף על ידיעת חכם שיודע להבין דבר מתוך דבר ומוסיף על השמועה: (ו) **להבין משל ומליצה.** שיתנו לב להבין במקראות שתי הדרכים המשל והמליצה שיבינו את מה המשיל למליצה. ואף מן המליצה לא יסירו לבם שגם היא צריכה להבין. כשאמר להצילך מאשה זרה ונכריה על ע"א נאמר הרי המשל ואף המליצה שבולאה משלו כל' אשה הבן בה והזהר מאשה זרה (ס"א זונה): **דברי חכמים וחידותם.** דורשי רשומות מקרא מלא וחסר רמז דמיון וחידה: (ז) **יראת ה' ראשית**

**מנחת שי**

ואישרים ג' ומו לא ונכתבו שלשתן מלאים: (ד) לתת לפתאים. כס"ס האל"ף נחס והיו"ד נפס כמ"ש בתהלים סי' קי"ו:

**אבן עזרא**

איש וכין רעהו: **ומשרים.** שידבר היושב במשפט וי"א השכל לדעת לעשות לדק: (ד) **לתת.** על משקל הרה ללת מן תלה והנכון לתנת ללכת על משקל לשבת וטעמו יכינו לתת בהם לפתאים ערמה שיסורו הפתיות מהם כיון שלא יוכלו להשיג חכמה ובינה יבינו דרכם בעולם הזה ואיך יחיו שנא' חכמת ערום הבין דרכו: **לנער.** ולתת לנער במשלים דעת והאל"ף פתאים תחת יו"ד פתי וכן רפאים. ואם הנזהר חכם יוסיף לקח ואם נבון תחבולות יקנה וכל זה: (ו) **להבין.** משל ומליצה וחידות. משל שממנו יוצא דבר אחר. חידה דבר מכוסה ואינו מובן עד שיפורש שנאמר הלא אלה כלם עליו משל ישאו ולקח יקרא כן בעבור מה שיקח אדם מן הדעת וכן מה יקחך לבך ותחבולות ענין עצה ומחשבה והעד מחשבות לדיקים משפט וגו' וכן חובליך והטעם תחבולות יקנה בעבור שיבין משל ומליצה ודברי חכמים אחרים: (ז) **יראת.** יודיע

**רלב"ג**

**ביאור הדברים**

(ד) לתת לפתאים. פומק מחשבה וקלת פלפול ישמרו בו מהפתיות ולתת לנעיר השנים הדברים אשר הם התחלות העיון והם המחשבה והמושכלות הראשונות הו מה שיקרב אליהם ואולם זכר תחלה הדעת כי הוא יותר נכבד מהמחשבות ולא תחשוב שלא יהיה בהם תועלת כי אם לאלו שזכר שאין להם שום שלימות אבל ימלא ג"כ תועלת גם לחכמים ולנבונים וזה שבכבר ישמע חכם אלו המשלים ויוסיף קנין בחכמה וישמע אותם הנבון ויקנה תחבולות להמציא ההקדמות המפורסמות אשר יובילו אל ההשגה בדרוש דרוש מאלו החקירות הפילוסופיות הנה אלו המשלים יישירו האנשים: (ו) להבין משל ומליצה אשר יאמרו החכמים והנביאים כי בהם ילמד האדם דרכי המקויים אשר ירגילו להמשיל ולחקות בהם ובהם יתיישר להבין דברי החכמים ואם הם רבי העומק ויבין חידותיהם מלד הבינו דרכי המקויים אשר ירגילו להמשיל בהם: (ז) יראת ה'. היא המוסר במדות והיא התחלה והישרה אל קנין הדעת כי לא יתכן שירדוף האדם לקנין המושכלות עם היותו

**ביאור המלות**

(ד) **ערמה.** הוא פלפול בדברים חזה אם בדעות אם במדות: **בדברים המדינים.** דעת הם מושכלות ראשונות או מה שקרוב אליהם להגלות האמת בו. ומזמה היא המחשבה שהיא התחל' לדעת ומישרת אליו וזה שכאשר ירצה האדם לעמוד על האמת בדבר יקח המחשבות הנופלות בו ויקח הצודק מהם ויניח הבלתי צודק כמו שנזכר בספר הניצוח ובספר מה שאחר הטבע: (ה) **לקח.** קנין: **תחבולות.** דברים לקוחים ברקות מחשבה: (ו) **וחידותם.** הנה החידה היא מאמר סתום נאמר על דבר צד המשל ויסכול כוונות כתחלפות:

**מצודת ציון**

(ד) **ערמה.** ענין התחכמות כמו ערום יערם הוא (שמואל א' כ"ג): **ומזמה.** ענין מחשבה כמו זממה שדה ותקחהו (לקמן ל"א): (ה) **תחבולות.** ענינו דקות העיון כמו ובתחבולות עשה מלחמה (לקמן כ'): **יקנה.** ענינו לשון קנין אף אם אין שם מוכר כמו קונה שמים וארץ (בראשית י"ד) ורבים כמוהו: (ו) **ומליצה.** ענינו אמרים נאים המקובלים על הלב: **וחידותם.** ענינו דברים בעיון רב בדקות המחשבה:

**מצודת דוד**

לחכירו: **ומשרים.** בדבר המדות והנהגת האדם: (ד) **לתת.** הדברים הנאמרים פה יועילו לתת לבוסים התחכמות להכיר את הפתיות מלבם: **לנער.** למי שהוא רך בשנים אשר יעבה מעשיו בבלי דעת ובלי מחשבה קודמה הדברים ההם יועילו לקנות דעת ומחשבה. רולה לומר מעתה יחשוב בדבר עד לא יעשנה: (ה) **ישמע חכם.** רולה לומר וגם לחכם יועילו הדברים כי כשישמעם יוסיף עוד ללמוד מדעתו והנבון יקנה על ידו תחבולות והם דברים עמוקים בעיון רב בדקות המחשבה: (ו) **להבין משל ומליצה.** רולה לומר הדברים האלו נאמרים על שני דרכים להבין את המשל רולה לומר מה שהמשיל אל המליצה וגם את המליצה עלמה כשאומר בהמליצה להשמר מזונה ואמריה להמשיל על המינות. הנה יש להבין בה להיות נזהר ממינות גם מאשה זונה ולתוספת ביאור אמר דברי חכמים וחידותם ר"ל הדברים האמורים בפה מלא והרמוזים בדרך חידה: (ז) **יראת**

**dles**—*Those who interpret the Torah metaphorically, full verses and elliptical ones, allusions, comparisons, and riddles.*—[*Rashi*]

Those things expressed explicitly and those to which a riddle alludes.—[*Mezudath David*]

7. **The fear of the Lord is the beginning of knowledge**—*Until here, he explained for what purpose Solomon composed this book, and now the book commences* (in some editions, this is omitted).—[*Rashi*]

**The fear of the Lord is the begin-**

4. To give prudence to the simple, knowledge and discretion to the youth. 5. Let the wise man hear and increase learning. The understanding man shall acquire wise counsels 6. to understand an allegory and a figure, the words of the wise and their riddles. 7. The fear of the Lord

*compromise—the smooth and straight road, equal to this one and to that one.*—[*Rashi*]

4. **To give prudence to the simple**—*Koheleth stated these proverbs so that the simple should gain prudence.*—[*Rashi*]

The "simple" is a naive person, one who believes anything he hears and is easily enticed and misled. By studying Solomon's proverbs, such a person will gain the ability to discern between truth and untruth and will no longer be naive.—[*Meiri, Gra, Malbim*]

**knowledge . . . to the youth**—*And also to the youth, who is devoid of all* [knowledge], *who has not yet learned anything.*—[*Rashi*]*

**and discretion**—*Thoughts of counsel.*—[*Rashi*]

5. **Let the wise man hear**—*these proverbs.*—[*Rashi*] The wise man, who has already accumulated knowledge.—[*Gra*]

**and increase**—*to his wisdom.*—[*Rashi*]

**learning**—Heb. לֶקַח, *learning.*—[*Rashi*]

**the wise man**—*This is the one who has heard wisdom.*—[*Rashi*]

**The understanding man**—*who has knowledge superior to the knowledge of the wise man, for he knows how to derive one idea from another, and he adds to what he* [has] *heard.*—[*Rashi*]

**wise counsels**—Heb תַּחְבֻּלוֹת, counsel and thought.—[*Ibn Ezra*] Ideas requiring profound thought.—[*Mezudath David*]

The meaning of the verse is that these proverbs will help not only the simple and the youth, but even the erudite, who has a vast store of knowledge, and the astute, who is able to derive one idea from another—for the wise will gain knowledge, and the understanding will learn to reason more profoundly.—[*Mezudath David*]

*Isaiah da Trani* derives תַּחְבֻּלוֹת from חֶבֶל, *a rope,* meaning the methods by which to draw the wisdom to oneself.

6. **to understand an allegory and a figure**—*That they should direct their attention to understand the verses through two methods: the allegory and the figure. They should understand what he compares to the figure, but they should not neglect the figure itself, for that, too, requires understanding. When he states, "To save you from a strange woman and a foreign one"* (2:16), *idolatry is meant; this is the allegory, and also the figure—for he expressed his allegory in terms of a woman—should be understood by it,* [meaning that] *you shall beware of a strange woman* (other editions: *a harlot*).—[*Rashi*]

**the words of the wise and their rid-**

רֵאשִׁית דַּעַת חָכְמָה וּמוּסָר אֱוִילִים
בָּזוּ: ח שְׁמַע בְּנִי מוּסַר אָבִיךָ וְאַל־תִּטֹּשׁ
תּוֹרַת אִמֶּךָ: ט כִּי ׀ לִוְיַת חֵן הֵם לְרֹאשֶׁךָ
וַעֲנָקִים לְגַרְגְּרֹתֶךָ: י בְּנִי אִם־יְפַתּוּךָ

דַיְ וְחָכְמְתָא וּמַרְדוּתָא
סִכְלֵי שָׁיְטִין: ח שְׁמַע
בְּרִי מַרְדוּתָא דַאֲבוּךְ
וְלָא תִטְעֵי מִנִּימוּסָא
דְאִמָּךְ: ט מְטוּל דְּרֵאוּתָא
וְחִסְדָא אִנּוּן לְרֵישָׁךְ
וְהַמְנִיכָא לְצַוְרָךְ: י בְּרִי
אִין נִשַׁדְלוּ לָךְ חַטָּאֵי

ת״א שמע בני . ברכות לד פסחים נ׳ סנהדרין קב זוהר יתרו : ואל תטוש . חולין לג : לוית חן . עירובין נד סוטה מו אבות יג : וענקים . עירובין נד ב״ב פה : אם יפתוך . עקידה שער לג כל הפרשה ;

**רש״י**

דעת . ע״כ פירש לצורך מה עשה שלמה הספר הזה ועתה מתחיל הספר (סא״א) : **יראת ה׳ ראשית דעת**. היא תרומ׳ עיקר הדעת והיא תהיה לך הראשונה לדעת לפני חכמתך הקדם ליראה את יוצרך והיא תתן בלבבך לעסוק בחכמה ובדעת כי האוילים אשר אינם יראים את ה׳ הם בוזים את החכמה ואת המוסר : (ח) **שמע בני מוסר** אביך . מה שנתן הקב״ה למשה בכתב ובעל פה : **אמך** . אומתך כנסת ישראל כמו (יחזקאל י״ט) מה אמך לביאה . והם דברי סופרים שחדשו והוסיפו ועשו סייגים לתורה : (ט) **לוית חן**. חבור של חן הם לראשך . כלומר התורה והמוסר יהיו לראשך לוית חן וכענקים של עדי זהב יהיו : לגרגרותיך . לצוארך . ועל שם שהקנה עשויה טבעות

**אבן עזרא**

כי ראשית הדעת והמוסר הוא שיהיה ירא שמים אף על פי שחכמת היראה והמוסר אוילים יבוזו אין ראוי לבוז אותם על כן אחריו : (ח) **שמע בני מוסר וגו׳. תורת אמך** . כי האשה חכמה מורה הדרך הישרה לבנה כבת שבע שהי׳ יסרה למואל ומלת אל לשון **פיום** מן המענה ומהם אלקוח עמו אל מות : (ע) **כי לוית**. חסר כ״ף והוא מענין ילוה אישי ופירושו כהביר דבר חן כן הם המוסר והתורה נאים

**מנחת שי**

(ט) לגרגרתך . במקצת ספרים מדוייקים חסר וא״ו וחסר יו״ד עיין

**רלב״ג**

נלכד ברשת המדות הפחותות והנה האוילים אשר הם המואסים המוסר ובוזים אותו הם בוזים חכמה ומוסר ולא ירגישו זה כי במאסם המוסר ירחיקו מהם החכמה והוא מבואר כי האויל לא יקח מוסר מוסר לא לקחו : (ח) שמע בני . הנה המוסר הראשון שיקח הוא מוסר האב והאם כי הם ייסרו אותו וינהיגוהו בקטנותו ואח״כ יתישר ללקיחת המוסר מדברי התורה ולזה ענשה התורה העונש הנפלא לבן סורר ומורה מפני שלא שמע בקול אביו ובקול אמו ולזה הזהיר זה החכם ואמר שמע בני מוסר אביך ואל תעזוב ההנהגה שתנהיגך אמך זה כי אלו המוסרי׳ שתקנה תחלה מהם הם כמו תכשיטים לך להסיר ממך ללכת המדות הפחותות או קרא מוסר אב ותורת אם התורה והנה קרא הש״י אב כאמרו הלא הוא אביך קנך והאם הוא השכל הפועל אשר באמצעיתו הגיעה הנבואה והמשילו אל הנקבה ביחס אל הש״י כי הוא שיקבל הכח ממני והש״י הוא הפועל השלימות לו כטעם אמרו בעטרה שעטרה לו אמו לזאת הסבה קראוהו ז״ל מטטרון שהוא שם בלשון רומי (ט) כי לוית חן . ואמר אחר זה משבח אלו המוסרים הנה הם לראשך כמו חיבור והוא הקשוט היפה אשר כשיתחבר לראש האדם ישא חן בעיני רואיו והם לצואר כמו ענקים הם התכשיטים אשר מדרכם שיושמו בצואר כמו באחד ענק מצורוניך וממה שזכר הראש והגרגרת להעיר שזה המוסר הוא הישרה אל היופי בראש אשר בו הרבה מהכחות המשיגות המישירות אל ההשגות השכליות ואל היופי בגרגרות שהם כלי הדבור להוציא מהם דברי חכמה בלמידה ולמוד ולפי שיצר לב האדם רע מנעוריו והוא מוכן מפני׳ זה אל הדרכים הרעים אשר יפתוהו אליהם האנשים החטאים הזהיר זה החכם ואמר בני אם יפתוך חטאים להתחבר עמהם ולהתנהג בדרכיהם אל תאבה ולא

**מצודת דוד**

ה׳ . עתה החל לדבר דבריו ואמר יראת ה׳ וגו׳ ר״ל בראשית למוד הדעת יקנה יראת ה׳ כי הלא אוילים ורשעים בזו את החכמה והמוסר ואם לא יקנה יראת ה׳ בראשיתה מה הועלת בלימודה הלא יבזה אותה וימאס בה : (ח) **שמע** . קבל מוסר מאביך כי בודאי חפץ הוא בתקנתך : **תורת אמך** . מה שאמך מלמדתך : (ט) כי לוית חן . המוסר והלמוד הזה הם לראשך חבור של חן ועדי ענקים סביב לצוארך : (י) **אם יפתוך** . ללכת אחר דעתם : **אל תבא** .

**מצודת ציון**

פתוחים קשה ההבנה : (ז) **אוילים** . רוצה לומר רשעים כי אין אדם עובר עבירה אלא אם כן נכנס בו רוח שטות : (ח) **תטוש** . ענין עזיבה כמו כי לא יטוש ה׳ את עמו (שמואל א׳ י״ב) : **תורת** . ענין לימוד והוראה : (ט) **לוית** . **ענין** חבור ודבוק כמו הפעם ילוה אישי (בראשית כ״ט) : **וענקים** . **ענינו** עדי הצואר כמו ולבד מן הענקות (שופטים ח׳) : **לגרגרותך** . מלשון גרון וצואר ; (י) **יפתוך** . מלשון פיתוי והסתה : **תבא** . ענין רצון כמו לא אבה יבמי (דברים כ״ה) :

necklace, which arouses the admiration of all those who gaze upon its wearer.

10. **My son, if sinners entice you**—As the inclination of a person's heart is evil from his youth, and he is therefore inclined to follow the evil ways to which people may entice him, Solomon warns his son not to join the sinners or the wicked men—lest they entice him to join them and to follow their ways.—[*Ralbag*]

**sinners**—Heb. חַטָּאִים, sinners.—[*Rashi*] [Lest we confuse חַטָּאִים, *sinners,* with חֲטָאִים, *sins, Rashi* clarifies the matter.]

**do not consent**—Heb. אַל תֹּבֵא, *do not consent to them.*—[*Rashi*]

This is the first lesson a father teaches his son. When a father wishes to teach his son how to

is the beginning of knowledge; fools despise wisdom and discipline. 8. Hearken, my son, to the discipline of your father, and do not forsake the instruction of your mother; 9. for they are a wreath of grace for your head and a necklace for your neck.

10. My son, if sinners entice you, do not consent;

**ning of knowledge**—*This is the separation of the fundamentals of knowledge, and what shall be for you first, preceding knowledge: Before your wisdom, first fear your Creator, and that will give your heart the desire to engage in wisdom and in knowledge, for the fools, who do not fear the Lord, despise wisdom and discipline.*—[*Rashi*]

[*Rashi* connects the word רֵאשִׁית, *beginning*, with תְּרוּמָה, the part of the produce given the priest, also called רֵאשִׁית. Just as this is the sanctified part of the produce and the most esteemed part thereof, so is the fear of the Lord the most esteemed part of a person's knowledge. The verse may also be explained according to its simple meaning: Before one acquires wisdom, he must have the fear of God. Otherwise, he will have no desire to acquire wisdom, for fools, who do not fear God, despise wisdom.]*

8. **Hearken, my son, to the discipline of your father**—*What the Holy One, blessed be He, gave Moses in writing and orally.*—[*Rashi* from *Berachoth* 35b, *Sanhedrin* 102a, *Zohar* 2:85a]

**your mother**—Heb. אִמֶּךָ [like אֻמָּתְךָ], *your nation, the nation of Israel, as in* (Ezek. 19:2): *"What a lioness was your mother* [meaning your nation]*!" These are the words of the Scribes, which they innovated and added and made safeguards for the Torah.*—[*Rashi*, based on above sources.]*

9. **a wreath of grace**—*They are a wreath of grace for your head; i.e., the instruction and the discipline will be a wreath of grace for your head, and they shall be like the rings of a golden ornament.*—[*Rashi*]

**for your neck**—Heb. לְגַרְגְּרֹתֶיךָ. *Since the trachea is composed of many rings, he refers to the neck in the plural form.*—[*Rashi*]

*Malbim* sees here an allusion to the thoughts and speech of one who hearkens to the discipline of God and to the instruction of the nation of Israel. The head represents the thoughts, and the neck—actually the trachea—represents the speech. These teachings will bring grace upon one's thoughts and speech.

*Ralbag* explains this phrase in a similar manner: the discipline will train one to think straight, thereby enabling him to reach a high degree of intellect. This is represented by the wreath on the head; i.e., an ornament attached to the head, which arouses the admiration of all who gaze upon its wearer. The instruction teaches him to speak words of wisdom, which are compared to the

חַטָּאִים אַל־תֹּבֵא׃ יא אִם־יֹאמְרוּ לְכָה
אִתָּנוּ נֶאֶרְבָה לְדָם נִצְפְּנָה לְנָקִי חִנָּם׃
יב נִבְלָעֵם כִּשְׁאוֹל חַיִּים וּתְמִימִים
כְּיוֹרְדֵי בוֹר׃ יג כָּל־הוֹן יָקָר נִמְצָא
נְמַלֵּא בָתֵּינוּ שָׁלָל׃ יד גּוֹרָלְךָ תַּפִּיל
בְּתוֹכֵנוּ כִּיס אֶחָד יִהְיֶה לְכֻלָּנוּ׃ טו בְּנִי
אַל־תֵּלֵךְ בְּדֶרֶךְ אִתָּם מְנַע רַגְלְךָ

לָא תִתְפְּיֵס: יא אִין
יֵימְרוּן אֱתָא עִמָּנָא נִכְמוֹן
לִדְמָא נִטְשֵׁי לְזַכָּיֵי מַגָּן:
יב נִבְלְעִנּוּן כִּשְׁיוֹל לְחַיֵּי
וְלִדְלָא מוּם הֵיךְ נָחְתֵי
גוּבָא: יג כָּל עוֹתְרָא
וִיקָרָא נִשְׁכַּח וּנְמַלֵּי
בָּתָּנָא בִּזְתָא: יד פֵּיסָךְ
אַרְמֵי בֵּינָתָנָא כִּיסָא
חַד יֶהֱוֵי לְכוּלָּנָא:
טו בְּרִי לָא תֵיזִיל בְּאָרְחָא
עִמְּהוֹן מְנַע רִגְלָךְ מִן
שביליהון

**רש"י**

טבעות קורא הצואר בלשון רבים: (י) חטאים. חוטאים: אל תבא. אל תאבה להם: (יא) נארבה לדם. לשפוך דם: נצפנה. לשון מארב: נצפנה לנקי חנם. הכתוב אומר שצפינתם לנקי חנם הוא: (יב) נבלעם. לנקיים כשהם חיים: כשאול. הבולע כל גוף שלם: ותמימים. אינו לשון צדיקים אלא מל' שלמים נבלעם כשהם שלמים כאדם היורד בתוך הבור כשהוא שלם. כלומר בעודם בעשרם נהרגם ונירש נכסיהם: (יד) גורלך תפיל

**מנחת שי**

במסורת: (יד) גורלך תפיל. התי"ו דגושה מפני הספחא שבמלת

**אבן עזרא**

לראשך: לגרגרותך. סביבות הגרון נקראו גרגרות וכן על צוארי בנימין וכן סביבות הראש מראשותיו: (יא) אם. לדם. לשפוך דם: חנם. מלשון חנן אלהים מלשון מתנה והמ"ם נוסף כמו ריקם: (יב) נבלעם. ותמימים. יהיו נבלעים כיורדי בור פ"א שלמים כלם שאול פי' מטה פעם בלשון זכר ערום שאול ופעם בלשון נקבה שאול מתחת רגזה לך: (יג) כל הון. ממון מכסף וזהב. שלל בגדים:

**רלב"ג**

תשמע אליהם: (יא) אם יאמרו לכה אתנו. ונארבה להרוג איש א' כדי שנקח קניינו נצפון ונסתיר לאיש אע"פ שהוא נקי מה שישחת בו אע"פ שלא חטא לנו ולא לאחר הנה כמו שיבלע הקבר המת שנקבר בו נבלע אלו האנשים בעודם חיים ונבלע האנשים ואם הם תמימים כאילו הם יורדים לקבר והנה הסכמנו להריגת אלו האנשים בעבור שנקח שללם כי כבר נמלא עמהם כל הון יקר ונמלא בתינו מהשלל שנקח מהם לחלק השלל: (יד) גורלך תפיל בתוכנו. ויהיה לך עמנו בו חלק כחלקנו לכלנו יהיה כיס אחד לא יהיה בו יתרון לאחד על האחר והנה זכר דבר הצליחה כדי להרחיקו יותר מלכת אחר עצתם ועוד כי הוא התכלית אשר יביאוהו אליו דרכיהם הרעי' וזה שאם יפנו אל רבוי האכילה והשתיה פעמים שלא ימלא להם ויבואו לגנוב ולפעמים ימלאם האדון וירצחוהו וכן אם יפנו אל העריות וליתר הדברים הרעים אשר אפשר שיפנו אליהם: (טו) בני אל תלך בדרך אתם. בדרך אחד כדי שלא תלמד מעשיהם: מנע רגלך

**מצודת ציון**

(יא) נארבה. נשב במארב לארוב: נצפנה. ענין הסתר: (יד) כיס.

**מצודת דוד**

אל תרצה: (יא) לדם. לשפוך דם: נצפנה. נסתיר לארוב על דם נקי לשפוך חנם על לא חמס בכפו וכפל הדבר במלות שונות כדרך המליצה ולהתמדת הפתוי: (יב) כשאול. כמו השאול בולע כל הגוף כן נבלע הכל כשהם בחיים רוצה לומר בעודם בחוזק העושר: ותמימים. נבלע אותם כשהם שלמים במרבית ההון וכמו היורד לבור שיורד בו שלם בכל איבריו והיא היא וכפל הדבר במלות שונות: (יג) כל הון. הן נמלא אצלו כל הון יקר ואת בתינו נמלא מהשלל אשר נקח ממנו: (יד) גורלך. ויוסיפו לומר לך ואם תרצה אתה תפיל את הגורל אשר תרצה לברר לכל אחד חלקו: כיס. אם תרצה יהיה כיס אחד לכלנו רוצה לומר נאכל ונשתה בשותפות מן דמי הגזלה: (טו) בדרך אתם.

**sessions**—We will find all kinds of precious possessions on his person, with which we will fill our houses.—[*Mezudath David*]

*Malbim* explains that they expect to find two kinds of loot: 1) silver and gold, and 2) valuable articles. The silver and gold are the precious possessions of the verse, which the robbers place in a common treasury, whereas the valuable articles are the plunder distributed to the members of the band, with which they fill their houses.

14. **Cast your lot among us**—*If you wish, you may share; if you wish, it will be common property.*—[*Rashi*]

**we will all have one purse**—*together.*—[*Rashi*] *Malbim* explains that the precious articles are divided by lot, and the silver and gold remain common property.

15. **do not go on the way with them**—Do not follow the general

11. if they say, "Come with us; let us lie in wait for blood; let us
hide for the innocent, without cause; 12. let us swallow them
up alive like the grave, and the whole ones like those who
descend into the pit. 13. We will find all precious possessions;
we will fill our houses with plunder. 14. Cast your lot among
us; we will all have one purse"— 15. my son, do not go on the
way with them; restrain your foot from their path,

behave intelligently, he first teaches him obvious things that even a young child can understand—to beware of associating with murderers, not to murder, nor to rob—because these acts are inhumane and will imperil his life.—[*Malbim*]

11. **let us lie in wait for blood**—*to shed blood.*—[*Rashi*]

*Rabbenu Yonah* explains this verse as referring to robbery, which the Bible compares to murder. As the Talmud states, "Taking a penny from a poor man is tantamount to taking his soul" (*Baba Kamma* 119a).

**let us hide**—Heb. נִצְפְּנָה, *an expression of ambush.*—[*Rashi*]

**let us hide for the innocent, without cause**—*Scripture states that their hiding for the innocent is without cause.*—[*Rashi*]

*Rashi* wishes to bring out the point that the word חִנָּם, *without cause,* is not part of the quotation, since it would be redundant. However, *Mezudath David* states that Scripture is sometimes repetitious in poetic books. The intention is that they wish to kill the innocent who did no harm to them.

*Rabbenu Yonah* explains that the robbers and murderers hate the righteous and those innocent of sin, and lie in wait to kill them although the innocent did them no harm.

12. **let us swallow them up**—*The innocent when they are alive.*—[*Rashi*]

**like the grave**—*which swallows up the entire body.*—[*Rashi*]

**and the whole ones**—Heb. וּתְמִימִים. *This is not an expression of righteous men, but an expression of whole ones. Let us swallow them up when they are whole, like a man who descends into a pit when he is whole; i.e., when they are still wealthy, let us slay them and inherit their property.*—[*Rashi*]

*Rabbenu Yonah,* as above, explains this verse as referring to robbery, which is tantamount to murder. The wicked hate the righteous and the innocent, and seek to harm them. Since a poor man is like a dead man, according to a Talmudic maxim, mortal harm is the intention of the robbers who propose to "swallow up the righteous and the innocent like the grave." The תְּמִימִים, *the perfect ones,* are more righteous than the innocent mentioned in verse 11. The father warns his son to beware of believing what the wicked tell him about the righteous, as all their statements are motivated by hatred.

13. **We will find all precious pos-**

מנתיבתם: טז כי רגליהם לרע ירוצו
וימהרו לשפך-דם: יז כי-חנם מזרה
הרשת בעיני כל-בעל כנף: יח והם
לדמם יארבו יצפנו לנפשתם: יט כן
ארחות כל-בצע בצע את-נפש בעליו
יקח

שביליהון: טז מטול
דרגליהון לבישתא
רהטן ומסתרהבין
למשפך דמא: יז מטול
דמגן פריסא מצודתא
על פרחתא דגפא:
יח והנון לדמהון כמנן
ומטשין לנפשתהון:
יט היכדין אנון ארחתא
דכל דעבדין עילא

ת"א כי חנם. סוטה לח: כן ארחות. ב"ק קיט ב"מ קיב:

## רש"י

**בתוכנו**. אם תרצה תחלוק או אם תרצה יהיה בשותפות: **כיס אחד יהיה לכלנו**. ביחד: (טז) **לרע ירוצו**. לרעת עצמם הם רצים ואינם יודעים לתת לב לדבר: (יז) **כי חנם מזורה הרשת**. כי העופות הרואות חטים וקטניים מזורים על הרשת חנם הוא בעיניהם שאינם מכירים על מה הם מרת ויורדין בה ואוכלין: (יח) **והם לדמם יארובו**. והציידים יארובו לדמם של עופות: (יט) **כן ארחות כל בוצע בצע**. גוזל גזלה, נאה ונחמדה היא אליו וחנם היא

## אבן עזרא

(יז) **כי חנם**. שלא יראה הרשת ולא יפחד ממנה עד שינוח בה ירצה האוכל שבה ולא הרשת כך הם יראו מה שיקחו ויאמר כל הון יקר נמצא לא יראו הרשת שהם הולכים עליה שנא' כי שלח ברשת ברגליו: (יט) **כן. נפש בעליו**. הגזל

## מנחת שי

גורלך: (יז) מזרה. בספרים מדוייקים חסר וא"ו וכן נמסר עליו לית וחסר: (יח) יארבו. ברוב הספרים האל"ף בחטף סגול: (יט) **בצע בצע**. כן הוא במדוייקים בב' טעמים ובס"א נמסר לית בטעם מלעיל ותו אשכחנא בשטה חדא דכל חד וחד מלעיל ולית דכוותיה דחשיב ליה כגוויהו ועמ"ש בישעיה ס"ג:

## רלב"ג

מנתיבתם. באר זה דבר מהדברים שימשכום אליהם: (טז) כי רגליהם לרע ירוצו. ואע"פ שיחשב מתחלת הענין שאין דרכם אל הרציחה הנה הם ימהרו לשפוך דם כי הם בדרכים רעים מביאין אל הרציחה כמו שזכר וזה בלא פשע ובלא חטא: (יז) כי חנם מזורה הרשת. ללכוד בה כי העוף לא חטא למי שהוא צד אותה. ועכ"ז: (יח) והם לדמם יארובו. הנה פורשי הרשת אורבים לדמם וצופנים לקחת נפשותם: (יט) כן ארחות. כל מי שבוצע ממון אחר שלא כדין הנה הוא יקח את נפש בעליו ר"ל שבבר יהרגהו כדי שלא תגלה חרפתו אם ימלאהו או אם יתעלם כנגדו למנוע ממנו מה שירצה ללקחו. והנה אחשוב שהמשיל זה הענין לפרישת הרשת על צד ההפלגה והגוזמא וזה כי פרישת הרשת יהיה עקר הכוונה בה ללכוד העוף ובשנית יתישר בה להאכיל העוף מזון מהמאכלות ובזה יאמר שהבא לגנוב יכוין בגניבה להמית בעליה על הכוונה הראשונה ובשלישית יתישר בה לתועלת הממון וזה כלו אמר להעיר כל אלו הדברים הרעים יתיבו מאד לרציחה כאלו היתה הרציחה היא המכוונת בהם ראשונה כי אלו הרעים יסכימו עם מחשבתם בתחלה שאם ימלא להם מונע מעבות מה שכוונו יהרגוהו הנה זה ביאור דברי זה החלק שהגבלנו ביאורינו פה. ואולם התועלות המגיעות ממנו הנה: התועלת הראשון הוא להודיע מי הוא המחבר הספר ותועלתו ומדרגת הלימוד הנעשה בו ואולם התועלת בידיעה מי הוא המחבר הוא הישרה על אמתת הכוונה בדברים כשיהיו דעות האיש ההוא מפורסמות לנו ממקומות אחרים או מקום אחר ואולם התועלת בידיעת תועלת הספר הוא גם כן להעמיד על כוונת הדברים כי צריך שיפורשו במקום מקום בדרך יגיע מהם תועלת במין אחד ממיני התועלות הנזכרות בזה המקום ואולם התועלת בידיעת מדרגת הלימוד הנעשה בו והוא שהוא ידבר על צד המשל והדמיון הוא מבואר כי כן הישרה שנלאה לעמוד על הכוונה במקום מקום. הב' הוא להודיע כי שלמות המדות הוא הצעה לשלמות המושכלות כי לא יתכן שישלים האדם נפש במושכלות בעוד הנאת המדות הפחותות בו והוא אמרו יראת ה' ראשית דעת. הג' הוא לזרז על קבול המוסר מההורים לפי שהוא המוסר הראשון שיקנה האדם והיא דרך אל לקיחת האדם המוסר על השלמות והוא אמרו שמע בני מוסר אביך ואל תטוש תורת אמך. הד' הוא אזהרה מחברת הרעים כי היא מביאה בקלות לחטאים גדולים עם שהאדם מוכן מאד מתחלת ענינו לחטא והוא אמרו בני

## מצודת דוד

רוצה לומר בדרך אשר אתם אשר הם הולכים בה שלא תלמד ממעשיהם: מנתיבתם. מהדרך שהם הולכים בה: (טז) לרע ירוצו. ר"ל עם כי לא ניכר לעין שהדרך הזה הוא רע מכל מקום סוף כוונתם על הרעה וימהרו לשפוך דם כאשר תמצא ידם: (יז) כי חנם. ר"ל כמו שנדמה בעיני כל בעל כנף שעל חנם פרושה הרשת ואין הכוונה על הלכידה ומתוך כך יורד בתוך הרשת לאכול מהזרעונים אשר בה: (יח) והם. אבל באמת פורשי הרשת לא בחנם פרשוה כי הם יארבו לדמי העופות ומסתירים עצמם לקחת נפשותם וללכוד פרשוה: (יט) כן ארחות. כן הדרך של הגזלן לעשות תחבולות ובכל

## מצודת ציון

אמתחת ובק: (יז) מזורה. ענין פזור ופרישה כמו מזרה בעיניו כל רע (לקמן כ'): בעל כנף. הצפרים שיש להם כנפים: (יט) **ארחות**.

16. for their feet run to evil, and they hasten to shed blood.
17. For the net is scattered without cause in the eyes of all
winged fowl, 18. but they lie in wait for their blood; they hide
for their lives. 19. So are the ways of everyone who commits
robbery; it will take away the life of its owner.

habits and behavior of the robbers.—[*Malbim*]

**restrain your foot from their path**—Even from the path of an individual robber.—[*Malbim*]

16. **run to evil**—*They run to their own harm, and they do not know to pay heed to the matter.*—[*Rashi*]

The father tells his son that wherever the robbers go, it is to do evil, for robbery is an evil thing.—[*Malbim*]

**and they hasten to shed blood**—The father tells his son that they will eventually murder him, too.—[*Malbim*]

17. **For the net is scattered without cause**—*For the fowl that see wheat and legumes spread out upon the net—it appears to them that it is without cause; they do not realize for what reason they are spread, and they go down into it and eat.*—[*Rashi*]

18. **but they lie in wait for their blood**—*But the hunters lie in wait for the blood of the birds.*—[*Rashi*]

19. **So are the ways of everyone who commits robbery**—Heb. בֹּצֵעַ בָּצַע, *who commits robbery. It is beautiful and precious to him, and it is free to him. But his end will be that . . .*

**it will take away the life of its owner**—*His own life, for he has now become the owner of the money that he stole from his neighbor.*—[*Rashi*]

In *Baba Kamma* 119a, there is a controversy over whether the verse means that the robber takes away the life of his victim, or whether the robbery takes away the life of the robber, who is the present owner of the stolen articles. *Rashi* follows the latter opinion. According to this interpretation, we must explain that the birds "overreach themselves and become the executors of their own doom" (*Ibn Nachmiash*).

*Gra* and *Malbim* explain these verses in a different vein: The father is warning his son that the robbers, who wish to entice him to join their band and participate in their robberies, will offer him a share of the loot, as stated above. The father compares their offer to the wheat spread out on the net as bait to catch the birds, who think that the wheat is free. In fact, the hunters lie in wait for them and seek either to kill them or to seize them alive—"they lie in wait for their blood, they hide for their lives." So are the ways of everyone who commits robbery; the one who shared in the spoils will eventually be murdered.

יִקָּח: כ חָכְמוֹת בַּחוּץ תָּרֹנָּה בָּרְחֹבוֹת
תִּתֵּן קוֹלָהּ: כא בְּרֹאשׁ הֹמִיּוֹת תִּקְרָא
בְּפִתְחֵי שְׁעָרִים בָּעִיר אֲמָרֶיהָ תֹאמֵר:
כב עַד־מָתַי ׀ פְּתָיִם תְּאֵהֲבוּ פֶתִי וְלֵצִים
לָצוֹן חָמְדוּ לָהֶם וּכְסִילִים יִשְׂנְאוּ־דָעַת:

ת"א תכמות. ברכות נז ה"ק ס' זוהר תולדות אדרת נשא: התשובו

נַפְשָׁא דְמָרֵיהוֹן נָסְבִין:
כ חָכְמְתָא בְּשׁוּקָא
מִשְׁתַּבְּחָא וּמִשְׁקָקֵי
יָהֲבָא קָלָהּ: כא בְּרֵישׁ
בִּירָתָא מַכְרְזָא
וּבְמַעֲלָנָא דְתַרְעֵי
בִּכְרַכֵּי מִלְּהָא אָמְרָה:
כב עַד אֵימַת שַׁבְרֵי
רַחֲמִין שַׁבְרוּתָא וּמִמְקְנֵי
מִמְקְנוּתָא רְגִיגוּ לְהוֹן
וְסַכְלֵי סָנְיָן יְדִיעְתָּא:

## רש"י

לו. וסופו. **את נפש בעליו יקח**. נפש עלמו שנעשה עכשיו בעל הממון שגזל מחבירו: (כ) **חכמות בחוץ תרונה**. הרי חכמותיה של תורה בחוצותיה תזעקנה להזהירם לסור אליהם. ומה הן חוצותיה בתי מדרשות: **ברחובות**. במקום שמרחיבין אותה. כך דרש רבי תנחומא: (כא) **בראש הומיות תקרא**. במקום שהיא נשמעת ונקראת שם היא קוראת ואומרת ענין של מטה עד מתי פתים וגו': **בפתחי שערים**. הם מקום ישיבת הזקנים: (כב) **פתים**. המתפתים ע"י מסיתים ומינים: **תאהבו פתי**. הסתה. שם דבר לפתיות כמו כלי קרי שני (שפי):

## מנחת שי

(כא) תאמר. ב' בלירי בהפסק וסי' ועתה לזה ויכרתו לי ארזים (מלכים א' ה'). בפתחי שערים: (כב) פתים. נכתב בלא אל"ף עם יו"ד למ"ד הפעל לבד ויו"ד הרבים נפלה וכן כי משובת פתים מהרגם שבסמוך והמסורת תבא עליהם ב' חסר כתיב בחד יו"ד לחוד: תאהבו פתי. בגעיא והה"א בחטף פתח ועיין בס' הרכבה: תאהבו. בילקוט איכה רמז תתקל"ח תאהבו פתי תאהבון כתיב אמר הקדוש ברוך הוא בנוהג שבעולם אדם אוכל לחנה ב' ימים או ג' ימים ונפשו קנוטה עליו ואתם הרי כמה שנים ואתם עובדים אלילים שכתוב בה לא תאמר לו לואה תאמר לו ואין נפשכם קנוטה ע"כ פי' לחנה דגים קטנים כבושים כדתנן פרק י' דתרומות רבי יהודה מתיר בלחנה. ובפ' הנודר מן המבושל מן סלחנה מותר בטרית טרופה. והא דרים נו"ן תאהבון

## אבן עזרא

יקח הגוזל: (כ) **חכמות**. הודיע כי כאשר יסרתיך כן החכמה מזהרת הפתאים וזה דרך משל: **בחוץ**. שבה המון העם: **תרונה**. ענין קריאה כמו ותעבור הרנה: **ברחובות**. במקום העוברים והשבים: (כא) **בפתחי**. בעבור היולאים והבאים: **בעיר אמריה**. מוסריה חסר או. תאמר בלרי במקום פתח והטעם או בעיר אמרי מוסריה תאמר כאשר אין השערים פתוחים: (כב) **עד. תאהבו פתי**.

## ביאור הדברים

אם יפתוך חטאים אל תאבה אל תלך בדרך אתם וגו': (כ) הנה החכמות הנפלאות יגביהו קולן בחוץ כדי שישמעו האנשים דבריהם ברחובות אשר בעיר: תתן קולה. כל אחת מהן: (כא) בראש. המדברת בקול גדול היא קוראה לאנשים: בפתחי. כל שער ושער בעיר תאמר דבריה והנה אמר זה להגלות חכמת הש"י בנפלאות הגלות נפלא כשיעויין באופן החכמה הנפלאה שיש ביצירת נמלא הנה את החכמה הנפלאה תקרא האנשים קריאה חזקה כשיעיינו בה מצד תשוקה הטבעית שתהיה לאישי האדם בזה מזה כמו שבארנו בספר שיר השירים לאמרו נריח שמניך טובים ואמר חכמות בחוץ תרונה בלשון רבות לפי שבחוץ יראו דברים רבים יעידו על חכמות רבות נפלאות יותר ממה שיראה מזה ברחובות העיר ובפתחי שעריה ולזה אמר תתן קולה: אמריה תאמר. לשון יחידה: (כב) עד מתי. ואמר ממשל שהחכמה תקרא ותאמר עד מתי אתם פתיים תאהבו פתיות ותתפרשו בהבלי העולם ולא תחקרו בחכמת הש"י

## רלב"ג ביאור המלות

(כ) חכמות בחוץ תרונה. יגביהו קולם: (כא) **בראש הומיות**. מדברות בקול רם: (כב) **עד מתי פתים**. הם אשר דעתם קלה והם מתפתים בקלות אל איזה דבר שיעלה במחשבתם מזולת חקירה אם הוא ראוי אם לא. לצים הם האנשים המדברים דברי לעג ושחוק. וכסילים הם בעלי הסכלות שהוא קנין ר"ל

## מצודת ציון

ענין הנהגה וסדר: **בוצע בצע**. ענין גזל כמו מה תקות חנף כי יבלע (איוב כ"ז): (כ) **תרונה**. ענין הכרזה והשמעת קול כמו ויעבור הרנה במחנה (מלכים א' כ"ב): (כב) **פתים**. כמו פתאים

## מצודת דוד

ירגיש מי בו להשמר ממנו ואחר זה יגזול העושר וגם יקח נפש בעל העושר למען לא יודע: (כ) **חכמות**. הלא כל חכמה מהחכמות תכריז בחוץ במקום פרסום: (כא) **בראש הומיות**. בראש מקום שנשמע שם המיית בני אדם: **בפתחי שערים**. מקום הנכנסים והיולאים: **בעיר**. בכל עיר ועיר תאמר כל חכמה את אמריה והוא ענין מלילה וכאומר הלא התורה גלויה לכולם ומזהירה על קיומה: (כב) **ולצים**. מוסב על עד מתי כאמור בתחלת המקרא וכן וכסילים וגו':

22. **you naive ones**—Heb. פְּתָיִם. *Those who are enticed by enticers and sectarians.*—[*Rashi*]

**naiveté**—Heb. פֶּתִי, *enticement, the noun for simplicity; like* כֶּלִי, *a vessel,* קֶרִי, *a happening,* שֶׁפִי, *silence.*—[*Rashi*] [In many editions, the word שֶׁנִי appears instead of שֶׁפִי. However, this is a different structure and is not to be compared to פֶּתִי.]

**and the scoffers covet scoffing**—This is an ellipsis: And the scoffers—how long will they covet scoffing?—[*Mezudath David*] The scoffers do not hate knowledge as do the fools mentioned next. They

20. Wisdoms shout in the street; in the squares she gives forth her voice. 21. She calls at the head of the noisy streets; she utters her words at the entrances of the gates in the city: 22. "How long will you naive ones love naiveté, and the scoffers covet scoffing, and the fools hate knowledge?

20. **Wisdoms shout in the street**—*Behold, the wisdoms of the Torah cry out in her streets to admonish* [the people] *to turn to them* [the streets]. *Now what are her streets? The study halls.*—[*Rashi*]

**in the squares**—Heb. בָּרְחֹבוֹת, *in the place where it is broadened* [in the place where Torah is studied intensively and elaborated upon]. *In this manner, Rabbi Tanhuma expounded* [upon this verse].—[*Rashi* from *Midrash Tanhuma, Behukothai* 3, *Buber* 4]

This interpretation is based on the simple meaning of the verse, namely that the Torah should be taught in public, in the streets and in the squares. This notion contradicts a Talmudic maxim requiring that the Torah be taught discreetly, not in the streets. The streets and the squares are, therefore, understood as the study halls, where the knowledge of the Torah is broadened.

The Talmud (*Moed Katan* 16b) explains the verse figuratively: Whoever studies the Torah inside—his Torah publicizes his accomplishment in the street. The Torah scholar, the Torah personality, is always recognizable to the extent that he attracts people to the Torah.

*Ralbag* also explains the verse figuratively: God's wisdom in the Creation is manifest in nature, visible to all—as though it cries out to the naive and the fools to leave their foolish ways.

**she gives forth**—Although the beginning of the verse is written in the plural, the end is written in the singular, meaning that each wisdom gives forth her [own] voice.—[*Ralbag*]

21. **She calls at the head of the noisy streets**—*In the place where she is heard and called [and proclaimed*—Vilna, Warsaw ed.*] there she calls out and makes the following statement: "How long will you naive ones, etc?"*—[*Rashi*]

**at the entrances of the gates**—*They are the place where the elders sit.*—[*Rashi*]

*Mezudath David* explicates the verse as follows:

**[21]at the head of the noisy streets**—At the head of every place where people stir.

**at the entrances of the gates**—The place where people come and go.

**in the city**—In every city, each wisdom will make its statements. This is figurative, as if to say that the Torah is revealed to all, and it admonishes concerning its observance.

כג תִּתְפְּנוּן לְמַכְּסָנוּתִי
אַבַּע לְכוֹן רוּחִי
וְאוֹדְעִינוּן מִלַּי: כד עַל
דְּקָרִית וְלָא הֵימַנְתּוּן
אֲרֵימִית אִידַי וְלָא
אֲצִיתוּן: כה וְשַׁנֵּתוּן
כָּל תַּרְעִיתִי וּמַכְּסָנוּתָא
לָא אֲבֵיתוּן: כו אַף
אֲנָא בְּתַבְרְכוֹן אֶגְחַךְ
וְאֶדְחַךְ כַּד יֵיתֵי דְלוּחְיָא
עֲלֵיכוֹן: כז כַּד יֵיתֵי
בְשִׁלְיָא דְלוּחְיְכוֹן
וְתַבְרְכוֹן כְּעַלְעוֹלָא יֵיתֵי
כַּד תֵּיתֵא עֲלֵיכוֹן עָקְתָא
וְשָׁנוּקָא

כג תָּשׁוּבוּ לְֽתוֹכַחְתִּי הִנֵּה אַבִּיעָה לָכֶם
רוּחִי אוֹדִיעָה דְבָרַי אֶתְכֶם: כד יַעַן
קָרָאתִי וַתְּמָאֵנוּ נָטִיתִי יָדִי וְאֵין
מַקְשִׁיב: כה וַתִּפְרְעוּ כָל־עֲצָתִי
וְתוֹכַחְתִּי לֹא אֲבִיתֶם: כו גַּם־אֲנִי
בְּאֵידְכֶם אֶשְׂחָק אֶלְעַג בְּבֹא פַחְדְּכֶם:
כז בְּבֹא כְשׁוֹאָה ׀ פַּחְדְּכֶם וְאֵידְכֶם
כְּסוּפָה יֶאֱתֶה בְּבֹא עֲלֵיכֶם צָרָה
וְצוּקָה

כשואה קרי

## רש"י

(כד) נטיתי ידי. לרמוז להם לסור אלי כאדם המרמז לחבירו בידו ונוטה ידו אליו לסור אליו: (כה) ותפרעו. ותבטלו: כל עצתי. שיעצתי לגדל אתכם בעולם: (כז) כשואה. כענן העולה פתאום: כסופה. (עורלביו"ן

## אבן עזרא

תדברו לבני אדם שיאהבו הפתיות עם התאר: (כג) תשובו. עד מתי תשובו לשמוע תוכחתי: אביעה. מן נחל נובע: (כו) גם אני באידכם. יתכן שהיה מל' ואיד יעלה כענין

## מנחת שי

תרגום דג נוגא אבל לא נמצאת בספרים שלנו: (כג) תשובו. בס"י כ"י ומהדפוס מלא וא"ו: לתוכחתי. הלמ"ד בגעיא: (כז) כשאוה. כשואה קרי: ואידכם. בגעיא הוא"ו בס"ס: יאתה. האל"ף בחטוף סגול ברוב הספרים לא בשוא לבדו כמו שנמצא בקצתם וכן בשרשים עדיך תאתה (מיכה ד) בנוח האל"ף ובנוע (איוב לז) מצפון זהב יאתה. כסופה יאתה והמסורת עליהם יאתה

## ביאור המלות

שתהא להם דעת כוזבת בדברים אם מפני מיעוט חקירתם או מפני שנגדלו על האמנתם או בעלי הסכלות שהוא העדר קנין חכמה: (כג) תשובו. אביעה לכם רוחי. הוא מענין נביעה והרצון בו אוציא לכם רצוני כאילו הוא נובע כפי או מלבי בדברי שאודיע אתכם או יהיה הרצון בו הנה אשים לכם נובע השפע שלי: (כה) ותפרעו. ותבטלו ר"ל שלא שמעתם: (כז) בבא כשואה. ר"ל בהמיה גדולה:

## רלב"ג

## ביאור הדברים

בדברים עם הוזק הגלותה ועד מתי חמדו להם לצון הלצים ויתעסקו בדברי ההבלים האלו אשר לא די שאין להם תועלת אבל יש להם הפסד רב בדברים המדיניים עד מתי ישנאו דעת הכסילים שלא ישתדלו לחקור בעיון האמת: (כג) תשובו. שובו מדרכיכם וקבלו התוכחות ממני הנה אביס אני רוחי נובע בדברים להשפיע לכם כמו שיהיו נובעים המים מהמקור כי הדברים המיוחסים מעידים על החכמה אשר ילדם הש"י בה וזאת החכמה נובעת מהם תמיד כל מה שיפליגו החקירה בהם ובזה האופן אני מודיע דברי אתכם:

(כד) יען. ואתם עזבתם אותי אם להתעסק בדברים בטלים אם לעמוד בשלוה ובבטלה לבלתי עמול בהכמה: (כו) ותפרעו. ובטלתם כל עצתי ולא רציתם לקבל תוכחתי ר"ל להתעורר על החקירה בחכמה הנה זה גמול לכם על זה כי במקום שהייתם ועוזרים כי את השגתם אותי ר"ל החכמה וזהו בעת הרעה כי מלך החכמה יהיה האדם מושגח מהש"י וניצול מהרעות כמו שבארנו בד' מספר מלחמות ה' אז יסיר מכם העזר ואלו הרעות הם אם פחד עלום אם רב בפועל: (כז) בבא. כסופה. ובבא עליכם צרה וצוקה כי מידכם היתה זאת לכם.ועוד

## מצודת דוד

(כג) לתוכחתי. לשמוע תוכחתי: אביעה. הלא אדבר לכם רוח פי. רוצה לומר הלא אני מזהיר לכם בכל עת: אודיעה וגו'. כפל הדבר במלות שונות: (כד) יען. לכן הואיל ומאנתם לשמוע מה שקראתי: נטיתי. כדרך אדם אשר מרמז בנטיית היד להקשיב מאמריו: ואין מקשיב. אין מי מקשיב: (כה) ותפרעו. בטלתם עצתי ולא רציתם לקבל תוכחתי: (כו) גם אני. לכן גם אני לא אחום עליכם ואשחק בעת בוא אידכם: (כז) בבוא. בעת בוא לכם פחד כחושך ואידכם כרוח סערה ולתוספת ביאור אמר בבוא

## מצודת ציון

רוצה לומר שופיע הנפתים מהר: (כג) אביעה. אדבר כמו יביע אומר (תהלים י"ט): (כה) ותפרעו. ענין בטול והשבתה כמו למה משה ואהרן תפריעו וגו' (שמות ה'): לא אביתם. לא רציתם: (כו) באידכם. ענין לער ומקרה רע כמו הלא איד לעול (איוב ל"א): (כז) כשואה. כחושך כמו אמש שואה ומשואה (שם ל'): יאתה.

they fear their impending doom.—[*Gra, Malbim*]

27. **when your fear comes like a storm**—*Like a cloud that comes up suddenly.*—[*Rashi*]*

**like a whirlwind**—*Tourbillon in Old French, in German wirbelwind* (Cf. *Rashi,* Jer. 4:13, Ps. 83:16).

**comes**—Heb. יֶאֱתֶה.—[*Rashi*] It comes suddenly and blows in a circle, moving the earth and light articles away very quickly. Scripture then explains that this refers to trouble and straits.—[*Meiri*]

23. You shall repent because of my reproof; behold! I will pour out my spirit to you; I will let you know my words. 24. Since I called you and you refused, I stretched out my hand and no one listened, 25. and you have made nothing of all my advice, and you did not desire my reproof— 26. I, too, will laugh at your calamity, I will scoff when what you fear comes; 27. when your fear comes like a storm, and your calamity comes like a whirlwind; when trouble and straits come upon you.

merely scoff at anything that cannot be proven. Therefore, they reject the faith. The fools, however, hate knowledge since it prevents them from enjoying everything they desire.—[*Malbim*]

23. **You shall repent because of my reproof**—This follows *Rabbenu Yonah* and *Malbim. Mezudath David* renders: You shall return to hear my reproof. *Meiri* suggests: How long will you backslide against my reproof? Accordingly, he connects this verse to the preceding one and derives תָּשׁוּבוּ from שׁוֹבָב, *backsliding.*

**I will pour out my spirit**—I will express my will, as though it is flowing from my mouth.—[*Ralbag, Meiri*]

Another explanation is: I will pour out my breath to you, denoting speech.—[*Mezudath David*]

24. **and you refused**—You refused to hearken to what I called for.—[*Mezudath David*]

**I stretched out my hand**—*to beckon to you to turn to me, like a man who beckons to his friend with his hand, stretching out his hand to him to turn to him.*—[*Rashi*]

*Meiri* explains the outstretched hand as wisdom's willingness to accept all. He also suggests that the outstretched hand may denote chastisment for their sins.

**and no one listened**—No one heeded wisdom's willingness to accept all, or its chastisement of the sinners.—[*Meiri*]

25. **and you have made nothing**—Heb. וַתִּפְרְעוּ, *and you nullified.*—[*Rashi*] You did the opposite of my advice.—[*Ibn Nachmiash*]

**all my advice**—*that I advised, in order to aggrandize you in the world.*—[*Rashi*]*

**and you did not desire my reproof**—You did not wish to hearken to it.—[*Ibn Nachmiash*]

26. **I, too, will laugh**—I, too, will have no pity on you and will laugh when a calamity befalls you.—[*Mezudath David*]

**at your calamity**—Heb. אֵיד, pain and misfortune.—[*Mezudath Zion*] Darkness.—[*Ibn Ezra, Ibn Nachmiash*]

**I will scoff when what you fear comes**—This translation follows *Meiri.* Others explain that God will laugh when the calamity itself befalls the scoffers, and He will scoff when

וְצוּקָה׃ כח אָז יִקְרָאֻנְנִי וְלֹא אֶעֱנֶה
יְשַׁחֲרֻנְנִי וְלֹא יִמְצָאֻנְנִי׃ כט תַּחַת כִּי־
שָׂנְאוּ דָעַת וְיִרְאַת יְהוָה לֹא בָחָרוּ׃
ל לֹא־אָבוּ לַעֲצָתִי נָאֲצוּ כָּל־תּוֹכַחְתִּי׃
לא וְיֹאכְלוּ מִפְּרִי דַרְכָּם וּמִמֹּעֲצֹתֵיהֶם
יִשְׂבָּעוּ׃ לב כִּי מְשׁוּבַת פְּתָיִם תַּהַרְגֵם
וְשַׁלְוַת כְּסִילִים תְּאַבְּדֵם׃ לג וְשֹׁמֵעַ לִי
יִשְׁכָּן בֶּטַח וְשַׁאֲנַן מִפַּחַד רָעָה׃ ב א בְּנִי

וְשִׁנוּקָא׃ כח הֵידֵין
יִקְרוּנִי וְלָא אֶעֱנֶה נִקְרִין
וְלָא תִשְׁכְּחֻנַנִי׃ כט עַל
דְסַנוּי יְדִיעֲתָא וּדְחַלְתֵּיהּ
דֶאֱלָהָא לָא אִתְרְעוּ׃
ל לָא צְבוּ בְּתַרְעִיתִי
וְאַשְׁלִיאוּ כָּל מַכְסָנוּתִי׃
לא נֵאכְלוּ מִן פֵּרֵי
דְאָרְחַתְהוֹן וּמִמַּלְכֵיהוֹן
יִסְבְּעוּן׃ לב מְטוּל
דְנֶהְפְּכָנוּתָא דְשַׁבְרֵי
תִקְטוֹל אִנוּן וְטוּעֵי
דְסַכְלֵי תוֹבְדִנוּן׃ לג מַן
דְשָׁמַע לִי נִשְׁרֵי בְּסַבְרָא
וְנִשְׁרָא מִן דְלוֹחָא
דְבִישְׁתָא׃ א בְּרִי אִין
תקבל

ה״א וממעלותיהם . קדושין מ׳ (פאה טו) :

### רש״י

בלע״ז. בל״א ווירבעלווינד. וכן פירש רש״י בירמיה ד׳ י״ג. תהלים פ״ג ט״ז): יאהה. יבא: (כח) ישחרונני. יבקשוני: (לא) מפרי דרכם. הפירות שאוכלים בחייהם בצרות המוצאות אותם והקרן שמורה להם בגיהנם: (לב) משובת פתים. את אשר לבם שובב: ושלות כסילים תאבדם. לפי שרואים הרשעים שהם מצליחים נדבקים ברעתם ואינם חוזרין: (לג) ישכן בטח. בעולם הזה: ושאנן. לעולם הבא: מפחד רעה. מדינה של גיהנם. ושאנן. ויהי שליו ושקט. ושאנן לשון עתיד לכן נקוד פתח: ב (א) בני אם תקח אמרי. בני תהיה אם

### מנחת שי

ב׳: (כח) אענה. העי״ן בחטף סגול: (לא) ויאכלו. הוא״ו בגעיא בס״ם: (לג) ושאנן. הנו״ן בפתח וזה א׳ מן הארבעה וסי׳ נמסר בירמיה סימן ל׳ במסרה גדולה:

### אבן עזרא

יום ענן וערפל: (לב) כי משובת. מן בשובה ונחת והענין ושלות כסילים ופירושו מנוחת פתאים תאבדם היא תהרגם כי בהיות להם מנוחה יעשו רשע וכשהם שלוים מפגעי העולם השלוה תאבדם. פירוש אחר מענין שלו כל בוגדי בגד כמו אשר חוטא עושה רע וגו׳ על כן מלא לב וגו׳ והוא הנכון: (לג) ושומע לי. וכל זה דבר החכמה שנאמר חכמות בחוץ תרונה: ב (א) בני אם תקח אמרי וגו׳. אז תבין צדק

### רלב״ג

#### ביאור הדברים

אמרה החכמה לאלו האנשים ע״ד משל אז יקראונני להעזר בי ולא אענה ישחרונני כי לא השיגוני ולזה אעדר מהם את פניי: (כט) תחת כי שנאו דעת. ולא בחרו ביראת ה׳ אשר היא הצלחה והישרה לקנין הדעת: (ל) לא אבו לעצתי. להשתוקק לחקור בחכמה מפני מה שיגלה מענינה בדבר דבר מה בעלי נפש ומאסו כל תוכחתי בזה הענין: (לא) ויאכלו. הנה ימשך להם שיאכלו מפרי דרכם וישבעו מהדרכים הפחותים שהיתה עצתם להתנהג בהם: (לב) משובת פתיים תהרגם. כי זה יהיה סבה שתפול לאחיתם ברע פעמים רבות והשלוה אשר בחרו בה הכסילים לבלתי עמול בחכמה תאבדם כי דרכיהם יהיו בזולת חכמה והשתכלות: (לג) ושומע לי ישכן בטח. ואולם מי שישמע לי לחקור בחכמת הש״י בנפלאות ישכן בטח ושאנן מפחד רעה כי מפני חכמתו תדבק השגחת הש״י בו: (א) בני אם תקח. אמרה

#### ביאור המלות

(לב) כי משובת פתים. הפתי הולך שובב בדרך לבו מזולת חקירה על מה שראוי וזאת התכונה ממנו תקרא משובה לפי שלא יתקיים בענין אחד אבל פעם יתפתה לענין זה ופעם

### מצודת ציון

ענין ציאה כמו מלפון זהב יצאה (שם ל״ז): (כח) ישחרונני. ענין דרישה כמו לשחר פניך (לקמן ז׳): (ל) נאצו. הוא לשון מושאל על בזיון וכן כי נאצו האנשים את מנחת ה׳ (ש״א ב׳): (לב) משובת. ענינו ההשקט והמרגוע כמו בשובה ונחת תושעון (ישעיה ל׳): (לג) ושאנן. ענין השקט כמו לעשתות שאנן (איוב י״ב):

### מצודת דוד

עליכם צרה וצוקה: (כח) אז. בבוא הצרה: יקראונני. יקראו אלי: (כט) תחת. בעבור אשר שנאו דעת: (ל) לא אבו. לא רצו לשמוע עצתי: נאצו. בזו את התוכחה: (לא) ויאכלו. רוצה לומר כמו הנוטע אילן אוכל הוא מפירותיו כן יקבלו פרי גמול דרכם ויהיו שבעים מגמול עצתם כי הם יקבלו את הגמול משלם: (לב) משובת. רוצה לומר מה שבחרו לשבת בהשקט ומרגוע מבלי טורח עול תורה המרגוע ההיא תהרוג אותם כי יקבלו גמולם: ושלות. היא היא וכפל הדבר במלות שונות: (לג) ושומע לי. זו סוף דברי החכמה שאמרה אבל השומע לי ישכון בטח מן פחד רעה ר״ל בטוח יהיה שלא תבוא עליו פחד רעה: ב (א) בני. אמר שלמה במקום ה׳ לכן תחשב לי אם

*to their evil and do not repent.*—[*Rashi*]

33. **shall dwell confidently**—*in this world.*—[*Rashi*]

**and shall be tranquil**—*in the world to come.*—[*Rashi*]

**from the fear of harm**—*From the punishment of Gehinnom.*—[*Rashi*]

**and shall be tranquil**—Heb. וְשַׁאֲנַן, *and shall be tranquil and at rest.* The word וְשַׁאֲנַן *is in the future tense; therefore,* [the "nun"] *is vowelized*

28. Then they will call me, and I will not answer; they shall
seek me, and they shall not find me. 29. Because they hated
knowledge, and did not choose the fear of the Lord; 30. they
did not desire my advice, they despised all my reproof—
31. they will eat of the fruit of their way, and from their
counsels they will be sated, 32. for the backsliding of the naive
shall slay them, and the tranquility of the fools shall cause them
to perish. 33. But he who hearkens to me shall dwell confident-
ly and shall be tranquil from the fear of harm."

28. **Then**—when the trouble comes.—[*Mezudath David*]

**they will call me**—for help.—[*Ralbag*]

**they shall seek me**—Heb. יְשַׁחֲרֻנְנִי.—[*Rashi*] Scripture first depicts wisdom as being nearby, so that they have but to call it. Later, it draws farther away, so that they must seek it.—[*Malbim*]*

29. **Because they hated knowledge**—Here he refers to the fools, those who cannot control their lusts, who hate knowledge, as in verse 22.—[*Malbim*]

**and did not choose the fear of the Lord**—Since they follow their lusts, they do not choose the fear of the Lord, which will bring them to knowledge and prevent them from following their lusts.—[*Malbim*]

*Yad Avshalom* points out that the fools mentioned here are indeed aware of good and bad. They hate knowledge, however, because it limits their freedom.

30. **they did not desire my advice**—They did not desire to listen to my advice.—[*Mezudath David*]

They did not wish to delve into wisdom lest something be revealed to them that would discourage them from following their lusts, and therefore, they despised my reproof.—[*Ralbag*]

*Gra* explains that the advice is the father's instruction to his son to avoid associating with robbers and murderers; the reproof is what wisdom says to the naive ones, the scoffers, and the fools in verse 22.

31. **they will eat, etc.**—Their punishment will be that they shall eat of the fruit of their way, etc.—[*Ibn Nachmiash*]

**of the fruit of their way**—*The fruit of the troubles that befall them they eat in their lifetime, and the principal is preserved for them in Gehinnom.*—[*Rashi*]*

**and from their counsels**—From the fruit of their counsels.—[*Meiri*]

32. **for the backsliding of the naive**—Heb. מְשׁוּבַת פְּתָיִם. *Insofar as their heart backslides.*—[*Rashi*]

**and the tranquility of the fools shall cause them to perish**—*Since they see the wicked who prosper, they adhere*

תְּקַבֵּל מִלַּי וּפוּקְדָנַי
תִּטְשֵׁי גַּבָּיךְ׃ ב וְתַצְלֵי
אֶדְנָךְ לְחָכְמְתָא וְתַפְנֵי
לִבָּא לְבִיוּנָא׃ ג וְאִמָּא
לְבִיוּנְנוּתָא תִּקְרֵא
וְלִבְיוּנָא תִּתֵּן קָלָךְ׃
ד וְתִבְעֵי הֵיךְ סִימָא הֵיךְ
סִימָתָא תִּצְבְּיָהּ׃ ה הֵידֵין
תִּתְבַּיַּן דַּחַלְתֵּיהּ
דֶּאֱלָהָא וִידִיעֲתָא מִן
קֳדָם אֱלָהָא תִּשְׁכַּח׃
ו מְטוּל דֶּאֱלָהָא יָהֵב
חָכְמְתָא מִן פּוּמֵיהּ
יְדִיעֲתָא וּבִיוּנָא׃ ז יְטַשֵּׁי
לְתְרִיצֵי שְׁבְהוֹר וּמְסַיַּע
לְאִילֵּין דִּמְהַלְּכִין בְּלָא

אִם־תִּקַּח אֲמָרָי וּמִצְוֺתַי תִּצְפֹּן אִתָּךְ׃
ב לְהַקְשִׁיב לַחָכְמָה אָזְנֶךָ תַּטֶּה לִבְּךָ
לַתְּבוּנָה׃ ג כִּי אִם לַבִּינָה תִקְרָא
לַתְּבוּנָה תִּתֵּן קוֹלֶךָ׃ ד אִם־תְּבַקְשֶׁנָּה
כַכָּסֶף וְכַמַּטְמוֹנִים תַּחְפְּשֶׂנָּה׃ ה אָז
תָּבִין יִרְאַת יְהוָה וְדַעַת אֱלֹהִים תִּמְצָא׃
ו כִּי־יְהוָה יִתֵּן חָכְמָה מִפִּיו דַּעַת
וּתְבוּנָה׃ ז וצפן לַיְשָׁרִים תּוּשִׁיָּה מָגֵן

ת"א לבינה. ברכות נז: אם תבקשנה. עקרים מ"ג פכ"ג: אז תבין. (ברכות ה' שקלים מב) כי ה'. נדה ע' עקרים מ"ב פי"ז: יצפן קרי

## רש"י

תקח אמרי: (ב) להקשיב לחכמה. לעסוק בתורה: (ה) אז תבין יראת ה'. מוסב על ענין שלמעלה שאמר כי אם לבינה תקרא: (ו) כי ה' יתן חכמה. הא למדת שגדולה היא שהרי נתנ' מפי הקב"ה לכך אתה צריך לקנותה: (ז) יצפון

## אבן עזרא

הנזכרים בראש הספר וכאשר תשיג לזה המקום ואמר. כי תבוא חכמה היא תבוא לך כמו איש לביתו. תבונה תנצרכה. להצילך מאשה זרה: (ז) תושיה. התי"ו נוסף מן יש ותקרא

## מנחת שי

ב (ב) אזנך. חד מן החסרים יו"ד במסורת: (ג) כי אם לבינה. בכל הספרים האל"ף בחירק ובמקרא גדולה כתוב בגליון כי לפי התרגום הוא אם בצירי שתרגם אימא ע"כ. ויראה לי שזהו כפי מדרשי רבותינו ז"ל שדרשו כן על דרך אל תקרי **אִם** אלא **אֵם** דיש אם למקרא ולמסורת כי הא דאמרינן בחלומות בפ' הרואה הבא על אמו בחלום יצפה לבינה שנאמר כי **אם** לבינה תקרא וככי איתא בהדיא במדרש רבה פ' נשא דברי למואל מלך משא וגו' זו היתה תורה שמסרתי לשלמה שנקראת אם לומדיה כמה דתימה כי אם לבינה תקרא אם כתוב ע"כ. וכן הוא בהקדמת תיקוני הזוהר דף כ' י"א ותיקונים דל"ד מ"ח ל"ט ובזוהר פ' תרומה דף קס"ו וריקאנטי פ' כי תצא דף ר"י בשם ספר הבהיר ושערי צדק סוף מדה שמינית נדרש כאילו נכתב בצירי **אֵם** וכולן יאמרו דרך דרש וכיוצא בזה נדרש בתיקוני זוהר דף ל' ודף כ"ה אם תשכבון בין שפתים אל תקרי **אִם** אלא **אֵם** עוד שם דף ל"ח כי אם ליראה אל תקרי **אִם** אלא **אֵם** הה"ד איש אמו ואביו תיראו וגו': (ד) וכמטמנים. הוא"ו בגעיא בספרים ישנים: (ז) וצפן. יצפן קרי:

## ביאור המלות רלב"ג ביאור הדברים

לחשבו לפי העולה על רוחו: (ז) יצפון לישרים תושיה. הרצון עוד החכמה על לב המשל בני אם תקח אמרי שהוריתיך כמה שקדם ותשמור אתך מצותי להקשיב לחכמה אזנך וגו': (ב) להקשיב. אזנך לחכמה ללמוד אותה מהיודעים עם מה שיעיר אותך לחשוק ולחקור בה מה שיג לה ויראה מהחכמה בדברים עלמיים כמו שזכרנו ואחר שתדע החכמה תטה לבך לדעת התבונה: (ג) כי אם לבינה. ולא תחשוב שהשגתם נמנעת ממך מצד שלא ימצאו אל הידיעה בה מהדברים עלמיים אך תדע באמת שאם תחשוק להשיג הבינה חשק רב כדרך שתקרא ותתן קולך לבינה כמו שיקרא האדם מי שירצהו ויחשוק בו: (ד) אם תבקשנה. ותבקשנה עם זה כמו שיבקשו הכסף ותחפש עליה כמו שיחפשו המטמונים שיחפרו פה ופה עד שימצאום הנה בזה האופן תמצא התבונה ר"ל שתקבץ כל ההקדמות המפורסמות הנופלות בדרוש אשר תחקור בו ואחר תברר הצודקת מהבלתי צודקת ובזה האופן תבקשנה ככסף וכמטמונים וזה כי כבר יחפרו במקום לראות אם יש שם לכסף מוצא ואם לא נתברר להם שהחפירה ההיא תובילם למוצא הכסף וכן יעשו זה עד שימצאו המקום אשר בו יש לכסף מוצא וכן ראוי שיעשו למצוא התבונה לפי שלא ימצאו בה בהקדמות עצמיות ולזה אין לבטוח בהקדמות שימצאו בה מתחלת העניין שיתנו האמת עד שתשלם החקירה בכלם כמו שזכרנו הנה כשתעשה זה בזה האופן אז תבין יראת ה' ותמצא דעת אלהים כי זה יעמידך על הדברים האלהיים ולמה שתשיג מעולם מדרגת מציאות הש"י תירא ממנו מרוב רוממות וגדולתו אשר לא יושג לזולתו ואמנ' תעזר בש"י בזאת ההשגה כשתתעורר בה מעצמך באופן אשר זכרנו: (ו) כי ה'. כי הוא יתן חכמה לאדם בשפע השופע לו ממנו כמו שנתבאר בספר הנפש והשלמנו הביאור בו במאמר הא' מספר מלחמות ה' ומפי הש"י ישפיע לאדם שפע ותבונה באופן הנזכר: (ז) יצפון לישרים. הנה הוא מסתיר התושיה והוא הנימוס המושכל אשר לנמצאות ושומר אותה לתתה לישרים כי

## מצודת דוד

תקח אמרי בלבך: תצפון. לשמרם מן השכחה: (ב) להקשיב. ר"ל אמרי המה להקשיב אזנך לחכמה ולהטות לבך לתבונה: (ג) כי אם. כאשר תקרא לבינה להתקרב אליה: (ד) ככסף. כהמבקש את הכסף: (ה) ודעת אלהים. הם רזי התורה: (ו) יתן חכמה. יתן לך חכמה מפיו רוצה לומר יגלה לך מסתרי החכמה כאלו מפיו יאמר לך: (ז) יצפן. ה' הסתיר רזי התורה ושומרם לתתם לישרים בלבותם.

## מצודת ציון

ב (ד) וכמטמנים. אוצרות הטמונים בארץ: (ו) תושיה. התורה

[*Rashi* from *Tanhuma Yithro* 9; *Mechilta d'Rabbi Shimon ben Yochai, Yithro* 19:11]

**sound wisdom**—Heb. תּוּשִׁיָּה, a common term in Proverbs and Job. *Ibn Ezra* and *Ibn Nachmiash* derive it from יֵשׁ, *there is*. This refers to the Torah, which is the essence of this world and its preservation, as well as the preservation of the soul in the hereafter.

*Rabbenu Yonah* explains it as

## 2

1. My son, if you accept my words, and treasure my commandments, 2. to make your ear attentive to wisdom, [if] you incline your heart to discernment; 3. for, if you call for understanding [and] raise your voice for discernment, 4. if you seek it like silver, and hunt for it like treasures, 5. then you will understand the fear of the Lord, and you will find the knowledge of God. 6. For the Lord gives wisdom; from His mouth [come] knowledge and discernment. 7. He lays up sound wisdom for the upright, a shield for those who walk in integrity;

*with a "pattach."*—[*Rashi*] [If the word וְשַׁאֲנַן were an adjective, it would be vowelized וְשַׁאֲנָן. *Rashi* therefore deduces that it is a verb in the past tense, made future by the "vav hahipuch."]

1. **My son, if you accept my words**—*You will be my son if you accept my words.*—[*Rashi*]

Solomon says in the place of God, "You will be considered My son if you accept My commandments in your heart."—[*Mezudath David*]

**and treasure My commandments**—to guard them from being forgotten.—[*Meiri, Mezudath David*]

2. **to make your ear attentive to wisdom, etc.**—My words are spoken so that you make your ear attentive to wisdom and incline your heart to discernment.—[*Mezudath David*]

3. **for, if you call for understanding**—When you call for understanding, to draw close to it.—[*Mezudath David*]*

4. **like silver**—If you seek it as one seeks silver.—[*Mezudath David*]

*Malbim* renders: like money. It is comparatively easy to acquire money, either by working or by engaging in commerce. So can one acquire wisdom comparatively easily.

**and hunt for it like treasures**—One must toil by digging in the ground to find treasures. So must one toil to acquire discernment, by delving deeply into the words of wisdom.—[*Malbim*]

5. **then you will understand the fear of the Lord**—*This refers back to the topic above, in which he said, "For if you call for understanding."*—[*Rashi*]

6. **For the Lord gives wisdom**—*Here you have learned that it* [wisdom] *is great, for it was given from the mouth of the Holy One, blessed be He. Therefore, you must acquire it.*—[*Rashi*]

7. **He lays up sound wisdom for the upright**—*The Holy One, blessed be He, hid it* [wisdom] *with Him for twenty-six generations until He gave it to the generation of the desert.*—

לְהֹלְכֵי תֹם׃ ח לִנְצֹר אָרְחוֹת מִשְׁפָּט
וְדֶרֶךְ חֲסִידָו יִשְׁמֹר׃ ט אָז תָּבִין צֶדֶק
וּמִשְׁפָּט וּמֵישָׁרִים כָּל־מַעְגַּל־טוֹב׃ י כִּי־
תָבוֹא חָכְמָה בְלִבֶּךָ וְדַעַת לְנַפְשְׁךָ
יִנְעָם׃ יא מְזִמָּה תִּשְׁמֹר עָלֶיךָ תְּבוּנָה
תִנְצְרֶכָּה׃ יב לְהַצִּילְךָ מִדֶּרֶךְ רָע מֵאִישׁ

ת״א סוטה. ע״ג יז: חסידיו קרי מדבר

**תרגום**

מוּם: ח לְמִנְטוּר אָרְחָתָא דְדִינָא וְאָרְחָתָא דְצַדִּיקִין נִנְטַר: ט הֵידֵין תִּתְבַּיַּן צִדְקְתָא וְדִינָא וּתְרִיצוּתָא דְכָל שְׁבִילֵי שַׁפִּירֵי: י אֲרֵי תֵּעוּל חָכְמְתָא לְלִבָּךְ וִידִיעָתָא לְנַפְשָׁךְ יִבְסַם: יא תַּרְעִיתָא תִּנְטוּר עֲלָךְ בִּיוּנְתָא תִּנְצְרָךְ: יב דִי תִּתְפְּצֵי מִן אָרְחָא בִּישָׁא וּמִן גַּבְרָא דְמַמַּלֵּל

## רש״י

לישרים תושיה. גנוזה הקב״ה אצלו כ״ו דורות עד שנתנה לדור המדבר: מגן להולכי תום. (ילפין מגן להולכי תם) כלומר והיא תהיה לך למגן: (ח) לנצור ארחות משפט. שעל ידה ינצרו ארחות משפט והוא דרך חסידיו ישמור שלא יכשלו: (יא) מזימה תשמור עליך. התורה תשמור עליך: (יב) מאיש מדבר

## מנחת שי

(ח) חסידו. חסידיו קרי: (י) לנפשך. בס״ס הלנ״ד בנעימה: (יא) מְזִמָּה תִּשְׁמֹר עָלֶיךָ תְּבוּנָה תִנְצְרֶכָּה. כן הם הטעמים

## אבן עזרא

כן החכמה בעבור שהיא יש ועומדת לעד והשם יצפנה לישרים בעבור שינצרו בה ארחות משפט והם המצות. ודרך חסידיו ישמור השם כאשר ישמרו האורחות: (ט) אז תבין. מושך שנים עמו וכן הוא תבין מישרים ותבין כל מעגל טוב: (י) כי תבוא. כאשר תבוא חכמה בלבך: ינעם. בלשון זכר כמו דעת לנבון נקל: (יא) תנצרכה. כדי שתצילך מדרך איש רע: (יב) ההפוכות. הדברים שאינם על תקונם והענין

## רלב״ג

### ביאור הדברים

הם לבד יתכן שיגיעו להשגות העיוניות מפני היותם ישרים במדות ואוהבים היושר והאמת בדעות והוא מגן להולכי׳ בתמימות ובשלימו׳ באלו החקירות העמוקות האלהיות לשמרם מהטעות כי הטעות המעט באלו הענינים הגדולי׳ ירחיק האדם משלימותו וזה יעשה הש״י מצד ההשגחה הפרטית: (ח) לנצור ארחות משפט. והוא יישירהו לשמור הדרכים שיובילוהו אל המשפט האמת ובזה הוא מגן לו: ודרך חסידיו. בחקירותיהם העיוניות ישמור שלא יכשלו בהליכתם כמו שאפשר ליכשל בו אם מפאת לקיחת מה שבמקרה תמורת מה שבעצם ומה שידמה לזה אם מפאת המחשבה והדמיון וזולת זה מהדברים המטעים: (ט) אז תבין. הנה כשתעשה כן ותשיג הענינים האלהיים בזה האופן הקודם הנה תתישר מזה להבין הפילוסופיא המדינית המישרת אל צדק ומשפט ומישרים וכל דרך טוב במדות והתכונות וזה כי כשתסתכל באופן החסד והחנינה וסיובר הגמלא במה שישפע מהש״י בעולם העליון והאמצעי והשפל הנה יישירך זה לקנות ממנו תכונה ומנהג ללכת בדרכי הש״י שבזאת ההשגה גם כן תהיה נעזר בש״י למצוא הדרכים והסדרים המישירים להגיע אל השלימות בזאת הפילוסופיא: (י) כי תבא. כאשר תבא חכמה בלבך בהשתדלך בלמודה באופן הקודם להקשיב אליה אזניך ויערב הדעת לנפשך וימתק: (יא) מזמה. הנה החכמה תשמור עליך המחשבה באופן שלא תוליך המחשבה אל שבוש בעניני החכמה ובעניינים האלהיים והפילוסופיא המדינית ותשמור לך התבונה שלא תטעה בה לא מצד המחשבה כמו שזכר ולא מצד דברים אחרים כמו שזכר אחר זה או ירצה באמרו תבונה תנצרכה והתבונה שתגיע לך באופן הקודם אחרי השגתך החכמה תשמור אותך מהשבוש באלו הענינים הגדולים כמו דבר ההשגחה האלהית ומה שידמה לזה ממה שאפשר לטעות בו בזאת המלאכה אשר יהיה הטעות בהסבה להרחיק האדם משלימותו האחרון: (יב) להצילך מדרך רע. הנה התבונה היא תשמור אותך להצילך מדרך רע בזה הלימוד הפילוסופי והוא הטעות אשר יקרה מצד הדמיון מדרך איש מדבר תהפוכות וכזבים בש״י ומדרך העוזבים ארחות יושר בדעות ללכת בדרכי חשך וזה קרה להם מפני הקדמה מה קדמוס והוא תביאם להכחיש המוחש כמו שקרה למי שבטל ההויה מהדברים מפני הקדמה אחת טעה והביאו זה לקיים שאין בכאן פועל אבל

### ביאור המלות

בתושיה הנימוס המושכל אשר בדברים וזה הנימוס יותר אמתי בזולת היש והנמצא מהדברים המורכבים מחומר וצורה כי המציאות לדברים הוא בזה הצד כמו שהתבאר במקומותיו וזה הענין: קרא יש במקום אחר אמר להנחיל אוהבי יש:

## מצודת ציון

נקראת תושיה מלשון יש כי ישנה לעולם ולא תחשוב לאין כשאר הדברים שבעולם. ורבותינו ז״ל אמרו על שם שמתשת גוף האדם הלומדה: (ט) מעגל. שביל ודרך כמו רשת ליד מעגל (תהלים ק״מ): (י) ינעם. ענין מתיקות ועריבות:

## מצודת דוד

ומגן הוא להולכי תום דרך. להצילם ממכשול השטות: (ח) לנצור. להשכילו לשמור ארחות משפט כי הוא ישמור דרך חסידיו לבל יטו מדרך האמיתי: (ט) אז. רוצה לומר כאשר תחפש אתה אחר החכמה ובעבור זה ישכילך ה׳ אז תבין וגו׳: כל מעגל טוב. תבין מהו המעגל היותר טוב: (י) כי תבוא. כאשר תבוא החכמה בלבך והדעת תהיה נעים אל נפשך להתאוות לה בחשק נפלא: (יא) מזמה. אז מחשבת החכמה תשמור עליך: (יב) מדרך רע. הוא דרך מינות: מאיש. מפתויי

8. to keep the paths of justice, and watch the way of His pious.
9. Then you shall understand righteousness, justice, and
equity, every good path. 10. When wisdom comes into your
heart, and knowledge shall be pleasant to your soul,
11. thought shall watch over you; discretion shall guard you,
12. to save you from an evil way. From a man

"foundation," for the Torah is the foundation of the world. However, the Rabbis (*Sanh.* 26a) explain that the Torah is called תּוּשִׁיָּה because it weakens (מַתֶּשֶׁת) a person's strength.—[*Ibn Nachmiash*]

*Tanhuma Lech-Lecha* 11 explains it as referring to Abraham, whose existence God anticipated and who observed the commandments of the Torah. *Midrash Mishle* states: "At the time a person is formed in his mother's womb, the Torah that he is destined to learn is laid away for him."

**a shield for those who walk in integrity**—*(He lays up a shield for those who walk with integrity); i.e., it will be a shield for you.*—[*Rashi*]

Just as a shield protects a man, so does the Torah protect all those engaged in it.

8. **to keep the paths of justice**—*For through it, they will keep the paths of justice, and He will guard the way of His pious so that they do not stumble.*—[*Rashi*]

9. **Then you shall understand, etc.**—This may be a second reward for the meritorious deeds enumerated in the first four verses of the chapter. First, the author states one reward, commencing with verse 5, and then he states a second reward in this verse. Understanding may also be the reward for the intensive study mentioned in verse 10.—[*Ibn Nachmiash*]

**and equity**—The verse is elliptical. The intention is: you shall understand equity, and you shall understand every good path.—[*Ibn Ezra*]

**path**—Heb. מַעְגָּל. *Ibn Nachmiash* explains it as a straight path which one can traverse quickly. *Malbim* and *Wertheimer* explain it as a circuitous path.

10. **When wisdom comes into your heart**—When wisdom will come into your heart by itself, after you have toiled to master it, then "knowledge will be pleasant to your soul, thought will watch over you, etc." It may also be explained: When wisdom will come into your heart by itself, then knowledge will be pleasant to your soul. A person does not appreciate the sweetness and pleasantness of the Torah when he must toil to master it. It is only after it comes into his heart by itself, that he appreciates its pleasantness.—[*Ibn Nachmiash, Mezudath David*]

11. **thought**—Heb. מְזִמָּה. *The Torah shall watch over you.*—[*Rashi*] The thought of wisdom will watch over you.—[*Mezudath David*]

מְדַבֵּר תַּהְפֻּכוֹת: יג הַעֹזְבִים אָרְחוֹת
יֹשֶׁר לָלֶכֶת בְּדַרְכֵי־חֹשֶׁךְ: יד הַשְּׂמֵחִים
לַעֲשׂוֹת רָע יָגִילוּ בְּתַהְפֻּכוֹת רָע:
טו אֲשֶׁר אָרְחֹתֵיהֶם עִקְּשִׁים וּנְלוֹזִים
בְּמַעְגְּלוֹתָם: טז לְהַצִּילְךָ מֵאִשָּׁה זָרָה
מִנָּכְרִיָּה אֲמָרֶיהָ הֶחֱלִיקָה: יז הַעֹזֶבֶת
אַלּוּף נְעוּרֶיהָ וְאֶת־בְּרִית אֱלֹהֶיהָ
שָׁכֵחָה: יח כִּי שָׁחָה אֶל־מָוֶת בֵּיתָהּ

מְפַרְכִיָתָא: יג דְשָׁבְקִין
אָרְחָתָא תְרִיצָתָא וְאָזְלִין
בְּאָרְחָתָא דַחֲשׁוֹכָא:
יד דְחָדְיָן לְמֶעְבַּד בִּישׁ
וְדִיצִין בְּהוּפְכָא
דְבִישְׁתָא: טו דְאָרְחָתְהוֹן
מְעַקְמָן וּמְפַתְּלִין
שְׁבִילֵיהוֹן: טז דְתִתְפַּצֵי
מִן אִתְּתָא חִילוֹנִיתָא
מְנוּכְרֵיתָא דְמַלְּהָא
חַלִּין: יז דְשָׁבְקָה
מְרַבְּיָתָא דְטַלְיוּתְהָא
וּקְיָמָא דֶאֱלָהָא טָעַת:
יח דִבְעֻמְקָא דְמוֹתָא
בֵּיתָהּ וּלְגַבְרַיָּא הִלְכָתָא

ת"א השמחים, עקידה שער יב:

ואל

## רש"י

ההפכות. הם המהפכין את הדבר: (טו) ונלוזים במעגלותם. כל לשון נליז לשון עקמימות הוא. שבכל עקום הוא סמוך לעקש ועקש הוא לשון עקים כמו שנאמר (ישעיה מ"ב) ומעקשים למישור: ונלוזים במעגלותם. הם עקומים בדרכיהם המקולקלים: (טז) מאשה זרה. מכנסיה של ע"ז והיא המינות. ולא יתכן לומר שלא דבר אלא על המנאפת ממש כי מה שבחה של תורה שאמר כאן להצילך מאשה זרה ולא מעבירה אחרת אלא זו פריקת עול של כל המצות: (יח) כי שחה אל מות ביתה. מוסב על להצילך וגו' כי הבא אל ביתה ישח ומחליק כמדרון היורד

## אבן עזרא

העוזבים ארחות יושר והם תהפוכות: (יד) בתהפוכות רע. פירוש איש רע: (טו) ונלוזים. מעוקלים: (טז) להצילך. פירושו כי כאשר התבונה תנצרכה מאיש רע כן תצילך מאשה רעה ונכריה בעבור שלא למדו מעשה הטוב כאילו הם מזרע זר ונכרי: (יז) ברית אלהיה. כי הנשים נכנסות עם האנשים בברית השם שלא יבגודו איש באשתו והיא בגדה בזרותה. פ"א שם שמו ביניהם ואם הוסר מהם נותר אש ואש: (יח) כי שחה. האשה עצמה שחה אל מות שהיא ביתה והוא עומד ואיננו יוצא כאשר חשבו רבים: רפאים.

## מנחת שי

במדוייקים כ"י: (יד) בתהפכות. הבי"ת בגעיא בס"ס: (טז) להצילך מאשה זרה. בדפוס מנאפולי כתוב רעה וטעות הוא: החליקה. ברוב הספרים החי"ת בחטף סגול וכן חברו שבסי' ז':

## רלב"ג

### ביאור המלות

(יד) השמחים וגו' בתהפוכות רע. בתהפוכו' איש רע: (טו) ונלוזים. הם כמו עקשים: (יז) העוזבת אלוף נעוריה. ר"ל כי שהוא אלוף נעוריה ואמר זה על צד המשל כאשה עם בעלה כי הוא רחוק שתעזוב האשה בעל נעוריה: (יח) כי שחה. השפילה:

### ביאור הדברים

המתחדש מתחדש מחקרי והלכו בדרכים חשוכים יבטלו הדברים הנגלים האמת והיושר: (יד) השמחים לעשות רע. הנה האנשים השמחי' לעשות רע ולהמשך אחר תאותם הבהמית יגילו בתהפוכות איש רע ובספריו בפילוסופיא האלהית והמשל כי מי שהקים שאין שם אלוה או שאינם גמול ועונש יכין הדרך לחטאים לחטא לחשבם שלא יקרם עונש על זה וכן יגילו בתהפוכות הרע המטעה ובכזביו: (טו) אשר ארחותיהם. האנשים אשר דרכיהם מעוותים בדעות גם תשמור אותך להצילך מאשה זרה והיא הנפש המתאוה כי היא זרה ונכריה לאדם ר"ל שאינה לו במה שהוא בן אדם אשר החליקה אמריה למשוך האדם אל המרד והחטא מצד הערבות אשר יראה הכח המדמה שיש בפועל ההוא המגונה: (יז) העוזבים. והנה זאת האשה הזרה עוזבת מי שהוא אדוניה מנעוריה והוא השכל האנושי כי הוא הושם באדם למשול באלו הכחות העובדים אותו ושוכחת ברית אלהיה כי אין לה חפץ בברית הש"י להשיג הקיים הנצחיים כי שפלה במציאותה ובמדרגתה לעלות בזאת המעלה: (יח) כי שחה.

## מצודת דוד

איש המדבר תהפוכות. רוצה לומר שמהפך את דברי התורה אחר דעתו המשובשת: (יג) העוזבים. רוצה לומר העוזבים דרך האמיתי להעמיד על דרכי המינות: (יד) השמחים. כאשר יעשו הרע ישמחו ולא ידאגו כדרך המאמין בהשגחה ושכר ועונש שאף אם בא לידו דבר עבירה בהסתת היצר הרע מלא הוא מדאגה מאימת הדין: בתהפוכות. בעת ימצאו מקום להפוך הכוונה אחר רוע מחשבתם: (טו) ארחותיהם עקשים. רוצה לומר אין סברא ישרה בכל דרכי למודם: (טז) להצילך. מוסב למעלה לומר החכמה תשמור עליך להצילך מאשה זרה והיא אשת איש שהיא זרה לך: מנכריה. מן האשה הנכריה ההיא אשר מחלקת אמריה בפתוי והסתה: (יז) אלוף נעוריה. בעל נעוריה: ואת ברית. כי גם הנשים נכנסו בברית ה' לקיים את מצות ה' ולא תמעול מעל באישה: (יח) כי שחה.

## מצודת ציון

(טו) עקשים. עקומים: ונלוזים. נוטים מדרך הישר וכן ונלוז דרכיו בוזהו (לקמן י"ד): (יז) אלוף. שר כמו אלופי ומיודעי (תהלים נ"ה) ורוצה לומר הבעל: (יח) שחה. ענין כפיפה והשפלה כמו

*from any other sin. Rather, this is the casting off of the yoke of all the commandments.—[Rashi]*

18. **for her house sinks to death**—*This refers back to "to save you, etc." for whoever comes to her house will sink and slip as if down an incline that leads to death, and the Torah will guard you from this fall. Hence, it is a great thing for you.—[Rashi]*

who speaks perversity; 13. [from] those who forsake the ways of uprightness, to go on ways of darkness; 14. [from] those who rejoice to do evil, and delight in the perversity of evil, 15. who are crooked in their ways and perverse in their paths. 16. To save you from a strange woman, from a foreign one who makes her words smooth, 17. who deserts the lord of her youth and forgets the covenant of her God— 18. for her house sinks to death,

12. **who speaks perversity**—*Those are the people who distort the thing.*—[*Rashi* as it appears in Lublin and Waxman ed.] *Malbim* ed. reads: *who distorts the words of the Torah after his erroneous view.* Vilna and Warsaw editions read: *They are the apostates who distort the words of the Torah to evil.* [Perhaps the former editions were emended to satisfy the censors; the latter edition may also have been emended, originally reading: מִינִים, *sectarians,* interpreted as a reference to the Christians.]

*Ibn Ezra* interprets this passage to mean "things that are not true or proper."

13. **those who forsake, etc.**—They abandon the way of truth to adhere to ways of apostasy.—[*Mezudath David*]

Not only do they forsake the way of uprightness, but they go on ways of darkness.—[*Ibn Nachmiash*]

14. **those who rejoice to do evil**—Unlike a believer in Divine retribution, who dreads the day of judgment if he falls into sin, these people rejoice when committing sins.—[*Mezudath David*]

**delight in the perversity of evil**—Whenever they find an opportunity to distort the intention according to their evil thoughts.—[*Mezudath David*]

*Ibn Ezra* renders: they delight in the perversity of the wicked.

15. **who are crooked in their ways**—There is no logic in any of the ways of their studies.—[*Mezudath David*]

**and perverse in their paths**—Heb. וּנְלוֹזִים. *Every expression of* נָלוֹז *is an expression of crookedness, as it is always next to* עִקֵּשׁ, *and* עִקֵּשׁ *is an expression of crookedness, as it is stated* (Isa. 42:16): *"and crooked paths* (וּמַעֲקַשִּׁים) *into straight ones."*—[*Rashi*]

**and perverse in their paths**—*They are crooked in their corrupt ways.*—[*Rashi*]

16. **To save you from a strange woman**—*From the assembly of idolatry* [*apostasy*—Vilna, Warsaw ed.], *which is sectarianism. It cannot be said that he spoke only of the actual adulteress, for what is the praise of the Torah, that he says here, "to save you from a strange woman," and not*

ואל־רפאים מעגלתיה: יט כל־באיה
לא ישובון ולא ישיגו ארחות חיים:
כ למען תלך בדרך טובים וארחות
צדיקים תשמר: כא כי־ישרים ישכנו־
ארץ ותמימים יותרו בה: כב ורשעים
מארץ יכרתו ובוגדים יסחו ממנה:

דשבילהא: יט כל דעילן
לא חזרין בשלם ולא
צידין ארחתא דחיי:
כ בדיל הלך בארחתא
דטבי ושבילי דצדיקי
תנטור: כא מטול
דתריצי עמדין בארעא
ואלין דלא מום
משתותרין בה:
כב ורשיעיא מן ארעא
נסופון ובזוזי נתעקרון
ת"א כל באיה. ע"ג יג: למען. ב"מ פג:

## רש"י

אל מות והתורה תשמור עליך מנפילה זו. הרי דבר גדול היא לך: **רפאים.** נרפים מדרך הטוב ונעזבים מאין סומך עד שנופלים בגיהנם: (יט) **לא ישובון.** קשה בעיניהם לפרוש ממנה ולחזור בהם: (כ) **למען תלך.** מוסב על המקרא שלמעלה להצילך מדרך רעה למען הוליכך בדרך טובים: (כא) **כי ישרים ישכנו ארץ.** לעוה"ב:

## אבן עזרא

מתים והוא מלשון נרפים בעבור שתשש כחם כענין וגבר ימות ויחלש: (יט) **כל באיה.** באים אליה: **לא ישובון.**

## רלב"ג

הנה ביתה ומשכנה הוא אל המות וההפסד ודרכיה יביאו אל המתים: (יט) כל באיה. כי אין לה בעלמה השארות אחד מהבאים אליה להמשך לפתיותה לא ישוב מהחטאים ההם כי תמיד תתחזק עליו ותמשול בו ותפיתהו לחטא ולא ישיגו ארחות חיים כי ההמשך אל התאוה ימנע האדם מהשתדל במושכלות אשר הדריכה להשגתם היא דרך החיים ובזה האופן תהיה התאוה סבה לטעות בעניני התבונה כי היא תמשיך האדם לקיים הדעת אשר לא ינעול הדלת בפניה מהתנהג לפי התאוה והמשל כי האיש רב התאוה יבחר לקיים שאין יתברך יודע דבר באלו הענינים השפלים שאינו משגיח בהם ושאין שם גמול ועונש ממה שידמה לזה ממה שלא ימנע האדם מרדוף אחר התאות והנה כמו שזכרנו החכמה והתבונה יצילוך מהאשה שזכרנו: (כ) למען תלך בדרך טובים. ותשמור דרכי צדיקים שהם נזהרים מהמשך אחרי האשה הזרה והנה התועלת שיגיע לך מזה הוא הקיום והתמדת המציאות גם בזה העולם הגופיי. וזה: (כא) כי ישרים וגו'. האנשים הישרים יתמידו לשכון בארץ לא תבואם יד רשעים להנידם והתמימים יותרו בה: (כב) ורשעים. ואמנם הרשעים יכרתו מארץ ובוגדים יהיו נעקרים ממנה והיה זה כן כי השגחת השם יתברך תדבק בטובים לשמרם מכל רע ותסור מהרעים. זה הוא ביאור אלו הדברים. ואולם התועלות המגיעות מהם הנה: הראשון הוא להודיע כי השם יתברך שם חכמתו נגלית ביצירת הדברים הנמצאות אלינו באופן שתעיר האדם לחקור בה ותביאם להשתוקק אל השגתה תשוקה נפלאה וזאת התשוקה הטבעית אשר שם הש"י באדם בזה האופן הוא הכלי להגיע אל שלימותו כמו שביארנו בספר שיר השירים ולזה אמר על צד המשל כי החכמה קורא לאנשים בקול גדול שיחקרו בה כי הוא מביעה להם רוחה ומודעת אותם דבריה במה שיראו ממנה ודברים הנמצאים העלולות ממנה כי מהם נובעת החכמה האלהית אשר שמה אותם בתה שהם עליו מהמציאות: הב' הוא להודיע כי מצד השגת החכמה יהיה האדם נשמר מהרעת כי תדבק בו ההשגחה האלהית לשמרו מהם ולזה לא יהיה לו להתאונן בבא פחדו ואידו כי אם מעצמו שלא השתדל לחקור בחכמה האלהית עם עולם קריאתה לו והבאתה תשוקה נפלאה לחקור בה כמו שקדם: הג' הוא להודיע כי הדרך בהשגת הבינה היא אחר השלימות בחכמה והיה זה כן לפי שבהשגת הבינה יש מן הסכנה מה שלא ימלט לפי שלא יבאו בה בהקדמות מופתיות באופן האמת המגיע בלמודיות ולא ג"כ במופת ראיה כמו הענין בחכמה הטבעית אבל בהקדמות מפורסמות וכבר ימלא בהם הרבה ביאור לדבר והפכו ובזה יקרה הטעות אם מפני ההקדמות הלקוחות בתחלת המחשבה אם מפני טעות הדמיון אם מפני שגדל האדם בדעות מגונות בזה הענין או למדה מאנשים מוטעים ויטה אליהם מצד הלמוד או המנהג או מפני התאוה שתביאהו לבחור הדעת אשר הוא יותר נאות לה לרוות צמאה והנה כאשר יקדים האדם העיון בחכמה לפי מה שראוי באופן שיהיה שלם בה הנה יעזר בה להשמר מהטעות אשר מפאת הענינים הנזכרים עם שהש"י על צד ההשגחה ישמרהו מהטעות ויישירהו אל הסדרים והדרכים המביאים אותו אל ההשגות העמוקות אשר בחכמה הזאת והנה מפני הקושי המגיע בהשגת זאת החכמה יצטרך לו עוד שיבקשנה ככסף וכמטמונים שיחפרו עליהם פה ופה עד שימצאום לכן צריך בזאת החכמה שלא יקבל מלקיחת כל ההקדמות המפורסמות אשר אפשר שיהיה מהם עזר בהשגת סדרים אשר ירצה לחקור עליו ובזה הדרך ג"כ ישיג האמת בפילוסופיה המדינית

## מצודת ציון

וישח אדם (ישעיה ה'): (כא) **יותרו.** מלשון נותר: (כב) **יסחו.** ענין עקירה ממקום כמו ויסחך מאהל (תהלים נ"ב):

## מצודת דוד

בית הזונה הוא מקום מדרון לרדת בה אל המיתה: **מעגלותיה.** ההולכים אל ביתה הולכים המה אל מקום הרפאים הם המתים שנרפו ונחלשו וכחם תש ורוצה לומר הבא אל ביתה יוכשל בה ויאבד נפשו:

(יט) **כל באיה.** כל הבאים אליה לא ישובון מדרכם הרע כי קשה מאוד לפרוש ממנה ולא ישיגו עוד מעתה אורחות חיים. ונאמר אף למשל על דרכי המינות כי קשה מאד לפרוש ממנה אחר שהוא הורגל בה: (כ) **למען תלך.** מוסב למעלה לומר החכמה תשמור עליך מזה למען תלך בדרך טובים אשר ימנעו ללכת בדרך הזה: **וארחות וגו'.** וכפל הדבר במלות שונות: (כא) **ישכנו ארץ.** יהיו שוכנים בארצם עד עולם: **יותרו בה.** בעת יגרשו ממנה הרשעים אז המה ישארו בה:

poor, we worked all day, we are hungry, and we have nothing." "Pay them their wages," ordered Rav. "Is that the law?" asked Rabbah. "Yes," replied Rav, "'and you keep the ways of the righteous.'"*

21. **For the upright shall dwell in the land**—*In the world to come.*—[*Rashi*]

**shall remain therein**—*when the wicked descend to Gehinnom.*—[*Rashi*]

and her paths [lead] to the dead; 19. none who go to her return,
neither do they achieve the ways of life— 20. in order that you
go in the way of the good, and you keep the ways of the right-
eous. 21. For the upright shall dwell in the land, and the perfect
shall remain therein. 22. But the wicked shall be cut off from
the land, and the treacherous shall be uprooted therefrom.

According to this interpretation, the verse is elliptical, since what sinks is not the house, but the one who comes to it—who is not mentioned explicitly in the verse. The Vilna and Warsaw editions read: *For if you come to her house, it will sink, etc.*

*Ibn Ezra* renders: For she sinks to death, her house.

**the dead**—Heb. רְפָאִים, *those who neglect* (נִרְפִּים) *the way of goodness and are forsaken without support until they fall into Gehinnom.*—[*Rashi*] *Ibn Ezra* and *Mezudath David* interpret this word to mean the dead, who have no more strength. They explain these verses literally, as referring to an adulterous woman who seeks to lure men.

19. **none . . . return**—*It is hard for them to part with it and to repent.*—[*Rashi*]

Those who are intimate with the adulteress will find it difficult to part from her, and they will no longer achieve the ways of life. Similarly, those who adhere to the ways of apostasy find it extremely difficult to return to Judaism.—[*Mezudath David*]

The Talmud (*Avodah Zarah* 17a) explains that as a rule, those who convert to heathenism do not repent, but if they do repent, they do not achieve the ways of life.

*Rashi* (ad loc.) explains that those who convert to heathenism because they strongly adhere to it, do not repent—and if they do repent, they soon die from their troubles and their frustration in overcoming temptation. This death is a divine decree upon them.

20. **in order that you go**—*This refers back to the above verse* (verse 12): *"To save you from an evil way," in order to lead you in the way of the good.*—[*Rashi*]

The Talmud (*Baba Metzia* 83a) explains this verse to mean that one must go beyond the law in his dealing with his fellow man. A story is told of a rabbi named Rabbah bar Hannah, who hired porters to transport a cask of wine. In doing so, they broke the cask. As payment for the damages, Rabbah bar Hannah confiscated their cloaks. The porters summoned him before Rav, who immediately ordered the return of their garments. When Rabbah asked, "Is this the law?" the reply he received was, "Yes, 'in order that you go in the way of the good.'" He complied and returned their cloaks. The porters complained, "We are

ג א בְּנִי תּוֹרָתִי אַל־תִּשְׁכָּח וּמִצְוֹתַי יִצֹּר
לִבֶּךָ׃ ב כִּי אֹרֶךְ יָמִים וּשְׁנוֹת
חַיִּים וְשָׁלוֹם יוֹסִיפוּ לָךְ׃ ג חֶסֶד
וֶאֱמֶת אַל־יַעַזְבֻךָ קָשְׁרֵם עַל־גַּרְגְּרוֹתֶיךָ
כָּתְבֵם עַל־לוּחַ לִבֶּךָ׃ ד וּמְצָא־חֵן וְשֵׂכֶל
טוֹב בְּעֵינֵי אֱלֹהִים וְאָדָם׃ ה בְּטַח אֶל־
יְהוָה בְּכָל־לִבֶּךָ וְאֶל־בִּינָתְךָ אַל־
תִּשָּׁעֵן׃ ו בְּכָל־דְּרָכֶיךָ דָעֵהוּ וְהוּא

**תרגום**

מִנֵהּ׃ א בְּרִי נִימוֹסִי לָא
תִנְשֵׁי וּפוּקְדָנַי יִנְטַר
לִבָּךְ׃ ב מְטוּל דְנוּגְדָא
דְיוֹמָתָא וּשְׁנַיָא דְחַיֵי
וּשְׁלָמָא נוֹסְפוּן לָךְ׃
ג טֵיבוּתָא וְקוּשְׁטָא לָא
נִשְׁבְּקוּנָךְ קְטוֹרְנוּן
בְּצַוְרָךְ וּכְתוֹב אִנוּן עַל
לוּחַ דְלִבָּךְ׃ ד וְתַשְׁכַּח
חִסְדָא וְשִׂכְלָא וְטִיבוּתָא
קֳדָם אֱלָהָא וְקֳדָם בְּנֵי
אֱנָשָׁא׃ ה סְבִיר בֶּאלָהָא
מִן כְּלֵי לִבָּךְ וְעַל בִּיוּנְתָא
דְלִבָּךְ לָא תִסְתְּמִיךְ׃
ו בְּכָל אָרְחָתָךְ דְעֵהוּ
וְהוּא יְתָרֵיץ שְׁבִילָךְ׃

**ת"א** כי ארך. יומא פא אבות יג: ומלא. שקלים ה' עקידה שער עב (ברכות ח' שקלים מב): בטח. עקידה שם: דעהו. ברכות סג עקידה שם:

**רש"י**

יוהרו בה. כשירדו רשעים לגיהנם: ג (ב) **אורך ימים וגו'**. ושלום יוספו לך. תורתי ומצותי: (ה) **בטח אל ה'**.

**אבן עזרא**

מדרכם הרע ולא יוכלו להשיג ארחות חיי נפש: ג (א) **בני**. (ב) **יוספו לך**. התורה והמצוה: (ג) **קשרם. כתבם**. על התורה והמצוה כי השם ישלח חסדו ואמתו לנצרך ולא יעזבוך על כן קשרם וגו' והטעם שלא תבקשם. פי' עשה אתה שלא יעזבוך חסד ואמת קשר' וגו': (ד) **ומצא**. פי' ותמצא: (ה) **בטח אל ה'**. כמו על והטעם אם למדת תבונה אל תשען עליה שתאמר היא תשמרני אלא בטח על השם: (ו) **בכל דרכיך**. עסקיך וחכמתך דעהו על

**רלב"ג**

**ביאור המלות**

(ג) **חסד ואמת**. חסד הנושא והרצון בו אדון החסד והאמת:

**ביאור הדברים**

כמו שזכרנו בביאורנו אלו הדברים במה שקדם: (א) אמרה החכמה בני אל תשכח תורתי והיא תורת משה וקבלה אותה תורתי לפי שהיא מסודרת מהחכמת הש"י וישמור לבך מצות תורה ללמד אותם ולעמוד אותם על כונתם ומה שיש מהחכמה בעניינים: (ב) כי ארך. הם יוסיפו לך אורך ימים ושנות חיים ועל הקץ המוגבל לך לפי מערכת הכוכבים ובזה יוסיפו לך שלום וטוב על הטוב והשלום המסודר לך מהכוכבים לפי מה שנתן להם הש"י מהכח ביום הבראם כי ההשגחה האלהית תדבק באדם כשיתחכם בחכמת התורה ומלד זה יסור ממנו הרע המוגבל לו מלד הכוכבים ויהיה נוסף טוב על הטוב המסודר לו מהם: (ג) חסד ואמת. מי שהוא אדון החסד והאמת אל יעזבך כי תמיד יתן עיניו להשגיח בך ולזה אני מלוה אותך שתקשור המלות על גרגרותיך לדבר בם תמיד כדי שתבין עניינם ויהיה מצוייר בלבך תמיד: (ד) ומלא חן ושכל טוב. והנה אם תנהיג מעשיך לפי משפטי התורה תגיע למצוא חן בעיני אלהים ואדם כי הם כלולים מבלימות המדות מה שימלא בו האדם חן בעיני האנשים ואם תעמוד כפי מה שאפשר על אופן החכמה שיש באלו המלות אז תמצא שכל טוב בעיני אלהים ואדם בכל מה שתחפוץ אותו: (ה) בטח אל ה' בכל לבך. שים מגמתך בהשגחת הש"י ולא תשען על בינתך לחשוב במה שתחפוץ לעשותו מחכמתך לומר כבר התבוננתי ועשיתי דברי בחכמה בדרך שאשיג המבוקש בלי ספק כי אז תסור ממך העזר שיהיה מגיע לך בזה מהשם יתברך אם נשענת על בינתך כי רלון הש"י שיכירו האנשים המושגחים ממנו מה שישפע להם מהטוב מלד השגחתו ומי שהוא נשען על בינתו יחשוב שלא יצטרך לו בזה עזר אלהי: (ו) בכל דרכיך ומעשיך השתדל לדעת הש"י והמשל שכאשר תאכל תדע במאכל הש"י בהתבוננך עולם חכמתו בבריאה זה המזון ובשומו בחי כח להשיב אותו אל עלם הנזון וכשתשגל תתבונן במה ששם הש"י מהכח הנפלא בזרע לצייר כמו זאת היצירה הנפלאה ובזה תדבק תמיד בש"י גם בעשותך הפעולות הגופיות וזה יהיה סבה שיישר הש"י אורחותיך מלד השגחתו הדבקה בך:

**מצודת דוד**

ג (א) **בני**. אמר במקום ה' אתה ישראל אשר חביב לי כבן לאב הנני מזהירך תורתי אל תשכח: (ב) **ושנות חיים**. ר"ל שנות הטוב והשלוה: **ושלום יוספו לך**. התורה והמצות הם יוסיפו לך כי הם ילמדו עליך זכות: (ג) **אל יעזבך**. אל תהיה נעזב מהם כ"א אחוז בהם: **קשרם**. רוצה לומר בכל עת תהא מדבר בם והושב בעניינם: (ד) **ומצא חן**. ובזה תמצא חן ותהיה ידוע למשכיל בשכל טוב בעיני וגו': (ה) **אל תשען**. אל תחשוב בודאי אצליח הואיל ונעשה הדבר בבינה כי הכל ביד ה' ולא ביד בינת אדם: (ו) **בכל דרכיך**. בכל עניניך דע את ה' רוצה לומר תן דעתך לחשוב לעשות מעשיך למען יבוא בדבר תועלת לקיים דבר ה' ואז הוא יוליך

**מצודת ציון**

ג (ג) **לוח**. נסר והוא ענין מגילה ושאלה:

*der your money to seek for yourself a teacher from whom to learn, and do not rely on your understanding.*—[*Rashi*] *Mezudath David* explains: Do not think that you will surely succeed since you perform your undertaking with understanding, for everything is in God's hands, not in the power of man's understanding.

6. **in all your ways**—In all your affairs, know the Lord; concentrate on performing your deeds so that they will be useful toward fulfilling God's word. Then He will direct you

3

1. My son, forget not My instruction, and may your heart keep My commandments; 2. for they shall add length of days and years of life and peace to you. 3. Kindness and truth shall not leave you; bind them upon your neck, inscribe them upon the tablet of your heart; 4. and find favor and good understanding in the sight of God and man. 5. Trust in the Lord with all your heart and do not rely upon your understanding. 6. Know Him in all your ways, and He

1. **My son**—Solomon is speaking in the name of God; you, Israel, who is dear to Me as a son, behold! I admonish you not to forget My instruction.—[*Mezudath David*]

2. **and years of life**—Years of peace and tranquility.—[*Mezudath David*]

**they shall add length of days . . . and peace**—*The Torah and the commandments.*—[*Rashi, Ibn Ezra, Mezudath David*] For the Torah and the commandments will plead in your favor.—[*Mezudath David*] They will bring about your good fortune, for God will add to your life according to the merit of your diligence in the study of the Torah and the observance of the commandments.—[*Meiri*]

3. **Kindness and truth shall not leave you**—Accustom yourself to the traits of kindness and truth so that they will never leave you. These traits are interpreted in various ways by the commentators. *Ibn Nachmiash* explains them in terms of man's relationship with his fellow men. Kindness denotes any consideration given another person, whereas truth denotes a consideration that is obligatory—for instance, reciprocating another person's kindness. The commentator cites several biblical quotations to support his definitions.*

4. **and find favor and good understanding**—Thereby, you will find favor and be known as an understanding person by both God and man.—[*Mezudath David*] *Ibn Nachmiash* renders: And you shall find favor and good appearance in the eyes of God and man, meaning that through the kind deeds, you will find favor in the eyes of God and man. Also, you must appear honest before both God and man. The *Yerushalmi* (*Shekalim* 5:1) gives an example of a practice that was instituted on the basis of this verse: The family Avtinos, which was appointed to compound the incense for the Temple service, would not allow their women to use perfume lest they be suspected of using the incense for their own use.

5. **Trust in the Lord**—*and squan-*

יְיַשֵּׁר אֹרְחֹתֶיךָ׃ ז אַל־תְּהִי חָכָם בְּעֵינֶיךָ
יְרָא אֶת־יְהֹוָה וְסוּר מֵרָע׃ ח רִפְאוּת
תְּהִי לְשָׁרֶּךָ וְשִׁקּוּי לְעַצְמוֹתֶיךָ׃ ט כַּבֵּד
אֶת־יְהֹוָה מֵהוֹנֶךָ וּמֵרֵאשִׁית כָּל־
תְּבוּאָתֶךָ׃ י וְיִמָּלְאוּ אֲסָמֶיךָ שָׂבָע

ז לָא תְהֵי חַכִּים בְּאַפָּךְ
דְחִיל מִן אֱלָהָא וּסְטָא מִן
בִּישְׁתָא׃ ח אַסְיוּתָא
תֶהֱוֵי לְכוּנְשְׁרָךְ
וְדוּהֲנָא לְגַרְמָיךְ׃ ט יַקַּר
לֶאֱלָהָךְ מִן מָמוֹנָךְ
וּמְרֵישׁ כּוּלְהוֹן עֲלַלְתָּךְ׃
י וּמִתְמַלְיָן אוֹצְרָךְ
שְׂבְעָנָא וּמַעֲצַרְתָּךְ
חמרא

ת״א אל תהי. עקידה שם: רפאות. עירובין נד תענית ז׳ אבות יג: כבד. קדושין ל׳ לב (פאה טו כתובות כח):

הר׳ דגושה

## רש״י

ופזר מעותיך לבקש לך רב ללמוד ממנו. ואל בינתך אל תשען: (ז) **אל תהי חכם בעיניך.** להיות מואס בדבר מוכיחך: (ח) **רפאות תהי לשרך.** החכמה. שרך כמו (שיר ז׳) שררך וזהו טבורך: **ושקוי לעצמותיך.** הוא המוח כענין שנאמר (איוב כ״א) ומוח עצמותיו ישוקה: (ט) **מהונך.** מכל מה שחננך אפי׳ מקול

## אבן עזרא

משכל שאהו: (ז) **אל תהי חכם בעיניך.** שתאמר בחכמתי אישר ארחי: **וסור מרע.** ממעשה הרע ואז ירפאך השם מכל מחלה: (ח) **לשרך.** הזכירו כי הוא מוסד הגידים וכו׳ יכנס הדם להם בבטן האם והטעם תוקף כמו שריר וקיים:

## רלב״ג

### ביאור הדברים

(ז) אל תהי חכם בעיניך. ותתרשל מפני זה מלחקור עוד בעניני החכמה כי זה ימנע ממך הרבה מהשלימות אשר אפשר לך לקנותו אך תמיד חשוב היותך חסר בחכמה ותהיה מפני זה חוקר בה תמיד ותוסיף על שלימותך שלימות: ירא את ה׳. תמיד מעבור על מצותיו: וסור מרע. במדות ובעיון ג״כ מלד היותך ירא את ה׳ זה ימנע מלהשתבש בהשגה בחכמה וזה שאם תשים השורש והעקר שהש״י הוא נמצא באופן שתיטיר אל זה התורה ושהוא משגיח באישי האדם לפקוד אותם כל מעשיהם כמו שהתבאר זה בתורה הנה אז יסור ממך הטעות בהרבה מהספקות הגדולות בחכמה האלהית: (ח) רפאות תהי לשרך. הנה התורה היא מרפא לך מחולי המדות והדעות בעת שהתחלת לדרוך אל השלימות ותתחיל לקחת מזון ההשגות העיוניות והמשל בזה אל מה שיקח הולד מהמזון בעת היותו במעי אמו שיקחהו דרך הטבור גם אחרי השלמך בחכמה היא שקוי לעצמותי׳ למלא אותם מוח ואמר זה שלא תחשוב שאחרי השלמך בחכמה לא תצטרך אל התורה אחר שספרי התורה היא להעמיד האדם על השלימות מהשגיות העיוניות כי באמת תמיד תצטרך לחקור בה וללכת במצותיו כי היא מוספה לך שלימות תמיד ועזיבתך אותה תהיה סבה להסיר ממך השלימות ולהפסקדו כמו שהעצמות יצטרכו תמיד אל המוח אשר בתוכם להזין ממנו ואע״פ שכבר נשלמה היותם באופן מה ובכורו מהם יפקד מהם מזונם ויפסדו ואפשר שאמר לזאת הסבה ג״כ אל תהי חכם בעיניך ירא את ה׳ וסור מרע כ״ל שלא תחשוב כבר השגתי החכמה ואיני צריך עוד אל התורה שהיא מישרת אליה כי בודאי אתה צריך אליה תמיד ולזה ראוי שתירא את ה׳ לשמור מצותיו ובזה תסור מרע תמיד בדעות: (ט) כבד את ה׳ מהונך. כמו שצותה אותך התורה מראשית כל תבואת זרעך ופירותיך לתת המתנות הראויות לכהנים וללוים כי בזה תועלת נפלא להישי׳ אל שכל הטובות הם שופעות מהש״י ועוד בזה תועלת להישיר ישראל להשגת החכמה והשלימות כי זה יהיה סבה לשלימות זה השבט בעיון ובחכמת התורה והם ילמדו זה את העם כאמרו יורו משפטיך ליעקב ותורתך לישראל ואמר כי שפתי כהן ישמרו דעת והנה אם תעשה זה יתן הש״י שכרך שיתברכו פירותיך עד שימלא אולרותיך בר וגו׳: (י) וימלאו. עד שכבר ימלאו אולריך בר ויקביך יהיה רבוי מהתירוש כמו שאמר בספר דברי הימים מהחל התרומה לבוא בית ה׳ אכול ושבוע והותר עד לרב כי ה׳ ברך את עמו והנה העיר בזה עוד לדבר אחר נמשך לכוונה הקודמת וזהו משלימות זה המאמר והרלון בזה היא מסלול והדרך לעמוד על החכמה אשר בילירתם וזה כי אם יונח שאין שם פועל כמו שאמרו הפיקורום וסיעתו הנה תסור החכמה מהדברים ולא יתכן לחקור דרך משל למה היה הענין בזאת התמונה ובאלו המינים שהלחויות וכן הענין בדבר דבר כי לא תתכן זאת החקירה אחר שהם יניחו שזה הענין היה במקרה אך כשנודע שיש בכאן פועל הוא הש״י הנה זה יכין לנו הדרך להשגת החכמה הנמלאים אשר בילירי הדברים אשר לפי השיעור שנשיג ממנה יהיה דבקותינו בש״י אשר מושכל כל אלו הדברים הוא אלו ומהמושכל אשר אלו שפע מליאותם והנה כשתפליג לחקור באלו הסבות היותר שלימות אם תהיה כוונתך תמיד לתת בו כבוד לה׳ ותשתדל מפני זה למלוא הסבות היותר שלימות בתוכל שילאה בהם כבוד לש״י הנה זה יהיה סבה למלאות אולרות שכלך מקנין החכמה האמתית כי בזה תתישר לעמוד לפי מה שאפשר על עומק החכמה האלהית שמה זכר דבר מאלו הדברים על מה שהם עליו הנה כשיקרה שיגיעו לך קלת רעות גופיות הנה זהו בהכרח על לד המוסר אחרי היותך מתהלך בחכמה ובתורה וזהו להסירך מקלת דעות מגונות שהתחלת להתישר אליהם או מפני עברך על קלת מלות התורה כי השם יתברך ישגיח

### ביאור המלות

(ח) רפאות תהי לשרך. הוא הטבור:

## מצודת ציון

(ח) **לשרך.** הוא הטבור כמו שררך אגן הסהר (שה״ש ו׳): **ושקוי.** ר״ל המוח המשקה העצמות: (י) **אסמיך.** הם אולרות התבואה כמו את הברכה באסמיך (דברים כ״ח): **יקביך.** הם הבורות אשר היין

## מצודת דוד

(ז) **אל תהי חכם בעיניך.** להקל בדבר באורח מישור ותלליח בה: הנאסר לעשות גדר ושימור בחושבך שאין חכם כמותך לריך גדר אלא ירא את ה׳ פן עם כל חכמתך תכשל: **וסור מרע.** הרחק מאד ועשה גדר: (ח) **רפאות.** רולה לומר הלא הגדר לא יזיק כי עוד יועיל ותהיה רפאות וגו׳ רולה לומר יחזק אותך בקיום המלות: (ט) **מהונך.** להפריש ממנו לדקה: **ומראשית.** לתת תרומות ומעשרות: (י) **וימלאו.** רולה לומר לא תחסר כלום בעבור זה כי הברכה ישולח בהם ועוד תוסיף: **ותירוש.** היין אשר ביקבים

for God will send His blessing upon your produce, and it will increase dramatically.—[*Mezudath David*] The midrash relates incidents of people who were prosperous as long as they separated the tithes properly and suffered calamities when they failed to do so.

will direct your paths. 7. Do not be wise in your own sight; fear
the Lord and turn away from evil— 8. it shall be healing for
your navel and marrow for your bones. 9. Honor the Lord
from your substance and from the first of all your grain,
10. and your barns shall be filled with plenty,

on the straight path, and you will succeed.—[*Mezudath David*]

*Rabbenu Yonah* explains that a person must remember the Lord in *all* his undertakings, not only in his major undertakings. In that way, God will direct his paths and make him succeed.

7. **Do not be wise in your own sight**—*to despise the word of the one who reproves you.*—[*Rashi*] *Mezudath David* explains: Do not be wise in your own sight to decide that you may be lenient in the case of a forbidden act, that you do not need to impose safeguards upon yourself because a wise man like you finds them unnecessary. Rather, fear the Lord lest you stumble despite your wisdom, and turn away from evil by enacting safeguards for yourself.

8. **It shall be healing for your navel**—Heb. לְשָׁרֶּךָ. *The wisdom* shall be healing. שָׁרֶּךָ *is like* (Song 7:4): *"Your navel* (שָׁרְרֵךְ)*,"—that is your navel.*—[*Rashi*] *Rashi* explains that the word שרר in biblical Hebrew is equivalent to the word טַבּוּר in mishnaic Hebrew, which is also used in the Bible but in a slightly different sense. Cf. Judges 9:37, Ezekiel 38:12.

**and marrow for your bones**—Heb. וְשִׁקּוּי, lit. moisture. *That is the marrow, as the matter is stated* (Job 21:24): *"and the marrow of his bones is moistened."*—[*Rashi*] The meaning is that God will grant health and strength to those who fear Him.—[*Rabbenu Yonah*]

*Mezudath David* explains that the safeguards he imposes upon himself will strengthen him in his observance of the commandments.

9. **from your substance**—*From whatever He favored you* [with], *even from a pleasant voice. (Do not read: from your substance* [מֵהוֹנֶךָ] *but: from your throat* [מִגְּרוֹנֶךָ].*)*—[*Rashi* from *Pesikta Rabbathi,* ed. Meir Ayin p. 127a, Warsaw ed. p. 221; *Pesikta d'Rav Kahana* p. 97a]*

**and from the first**—*(These are the terumoth and the tithes.)*—[*Rashi*] This refers to the *terumah,* the first priestly gift given from one's produce. The Rabbis require everyone to give between 1/60 and 1/40, each according to his generosity. After the *terumah* is set aside, one tenth of the remaining produce is set aside for the Levite. This is known as the first tithe. Then the second tithe is set aside to be taken to Jerusalem and eaten in purity. Every third year, this second tithe must be given to the poor, who may eat it anywhere and need not preserve its purity.

10. **and your barns shall be filled**—You will lack nothing because you give the *terumoth* and tithes to the priests, the Levites, and the poor,

וְתִירוֹשׁ יְקָבֶיךָ יִפְרֹצוּ: יא מוּסַר יְהֹוָה
בְּנִי אַל־תִּמְאָס וְאַל־תָּקֹץ בְּתוֹכַחְתּוֹ:
יב כִּי אֶת אֲשֶׁר־יֶאֱהַב יְהֹוָה יוֹכִיחַ וּכְאָב
אֶת־בֵּן יִרְצֶה: יג אַשְׁרֵי אָדָם מָצָא
חָכְמָה וְאָדָם יָפִיק תְּבוּנָה: יד כִּי טוֹב
סַחְרָהּ מִסְּחַר־כָּסֶף וּמֵחָרוּץ תְּבוּאָתָהּ:

חַמְרָא נִשְׁפְּעָן: יא בְּרִי
מַרְדּוּתָא דֶאֱלָהָא לָא
תְסַלֵּא וְלָא תַמְרִיק
בְּמַכְסְנוּתֵיהּ: יב מְטוּל
דְלַמַן דְרָחֵם לֵיהּ אֱלָהָא
רָדֵיהּ לֵיהּ וְהֵיךְ אַבָּא
דְרָדֵי לִבְרֵיהּ: יג טוּבוֹהִי
לְבַר נָשָׁא דְאַשְׁכַּח
חָכְמְתָא וּבַר נָשָׁא
דְמַבִּיעַ בְּיוּנְתָּא:
יד מְטוּל דְטָבָא תַּגְרוּתָהּ
מִן תַּגְרוּתָא דְסִימָא וּמִן
דַהֲבָא סְנִינָא עֲלַלְתָּהּ:

ת"א ותירוש. יומא עו: מוסר. מגלה לא זוהר בחקותי עקידה שער סד ט' עב: יוכיח. ברכות ה':
סגול בלי מקף

## רש"י

ערב (אל תקרא מהונך אלא מגרונך): ומראשית. (אלו תרומות ומעשרות): (יא) מוסר ה' בני אל תמאס. אם יבואו עליך יסורין יהיו חביבין עליך: ואל תקוץ. מל' קצתי בחיי (בראשית כ"ז): (יב) וכאב את בן ירצה. שרוצה בבנו להטיב לו ויפייסהו לאחר שמכהו בשבט כן יערב לך הטובה אחר המכה: (יג) אשרי אדם מצא חכמה ואדם יפיק תבונה. שלמד חכמה עד שסגורה היא להוציא בפיו: (יד) כי טוב סחרה מסחר כסף. כל חליפין שאדם מחליף בסחורה זה נוטל זה וזה נוטל זה. אבל האומר לחבירו שנה לי פרקך ואני אשנה לך פרקי

## אבן עזרא

(י) יפרוצו. יפולו מרוב עד שיפרצו פרץ ביקבים: (יא) מוסר ה'. (יג) אשרי אדם מצא חכמה. כי בה ישמרנו מהטעות ולא יבואו עליו ייסורין: יפיק. יוציא תבונה

## מנחת שי

ג (יב) כי את אשר. הכלל את בצירי. ובמקף בסגול וזולתי מקף לא בסגול בג' מקומות וזה אחד מהם כמ"ש בתהילים סי' ס' ובאיוב סוף סימן מ"א: יאהב. ברוב הספרים האל"ף בחטף סגול: יקרה היא. לית מלעיל ונמנה במסרה חדא דכל חד וחד

## רלב"ג

### ביאור המלות

(יג) יפיק. יוציא: (יד) כי טוב סחרה מסחר כסף. הנה הסחר הוא

### ביאור הדברים

כאוהביו להצילם מהרעו' הגופיות לפי מה שביארנו בג' מספר מלחמו' ה': (יא) מוסר ה' בני אל תמאס. אל תמאס מוסר ה' כשיקרו לך קצת רעות גופיות ממנו באופן שזכרנו כי זה יהיה סבה למנוע ממך התועלת אשר בעבורו היה זה התוכחות ואל תמאס בתוכחתו כי הש"י יוכיח הם אשר יאהב וגו': (יב) כי את אשר יאהב. כי הש"י יוכיח את אשר יאהב וירצה להתנהג עמו כאב את הבן שייסר אותו לטוב לו וכאשר תעשה כן יגיע לך מן התועלת מה שתפשפש במעשיך ובדעותיך עד שיתברר לך מה שנתחברת לחטא בו כאמרו ויגל אזנם למוסר ויאמר כי ישובון מאון: (יג) אשרי אדם מצא חכמה. כמה מאושר האדם שימצא החכמות הש"י בדברים לפי מה שאפשר לו ואדם שיוציא מלבו תבונה בדרכים הנזכרים במה שקדם: (יד) כי טוב סחרה. כי ההשתדלות לבקש אותה הוא טוב לאין שיעור מהשתדלות לבקשת הכסף אשר בו תועלת

## מצודת דוד

יתדבקו: (יא) מוסר. ואם בא לך מה' מוסר יסורים אל תמאס בהם הנה קבלם באהבה: ואל תקוץ. כפל הדבר במלות שונות: (יב) יוכיח. לגלות אזנו ליישר דרכו: וכאב. וכמו האב אשר יכוון בהכאה לגלות את בנו להיטיב דרכו ולא לנקום נקם: (יג) ואדם. מוסב על אשרי לומר אשרי לאדם אם מוציא את התבונה מן החכמה רוצה לומר מבין דבר מתוך דבר: (יד) כי טוב. מסחר החכמה ממסחר הכסף כי מי שהוא נוטל מחיר הכסף לא ישאר הכסף בידו וגם המחיר ביד האחר ולא כן הוא בדבר החכמה כי אם מי שלומד עם אחר חכמה אחת במחיר למוד חכמה אחרת אם כן שניהם ביד

## מצודת ציון

יורד בהם כמו וגם יקב חצב בו (ישעיה ה'): יפרצו. ענין התחזקות ורבוי כמו פרצו לרוב (דברי הימים א' ד'): (יא) תקוץ. ענין מאוס כמו קצתי בחיי (בראשית כ"ז): (יב) ירצה. מלשון רצוי ופיוס: (יג) יפיק. יוציא כמו ויפק רצון (לקמן ח'): (יד) ומחרוץ.

*wisdom until he is so accustomed to it that he can express it with his mouth.*—[*Rashi*]

14. **for its commerce is better than the commerce of silver**—*In any exchange, when a person exchanges* [something] *for merchandise, this one takes this, and that one takes that; but if one says to his friend, "Teach me your chapter, and I will teach you my chapter,"* [then] *both chapters are found in the hand of each of them.*—[*Rashi*]

**than fine gold**—Heb. מֵחָרוּץ. *That is a type of gold.*—[*Rashi*]

and your vats will overflow with new wine. 11. My son, despise
not the discipline of the Lord, and do not abhor His chastening,
12. for the Lord chastens the one He loves, as a father placates
a son. 13. Fortunate is the man who has found wisdom and a
man who gives forth discernment, 14. for its commerce is bet-
ter than the commerce of silver, and its gain [is better] than fine
gold;

**and your vats will overflow**—They will be filled to capacity.—[*Mezudath David*] This appears to be the meaning of the Targum as well. *Ibn Ezra* renders: will burst.

11. **My son, despise not the discipline of the Lord**—*Should pains come upon you, they should be dear to you.*—[*Rashi*] Should you despise the Lord's discipline, you will defeat the purpose of the pains that He sends upon you, "for the Lord chastens the one He loves, etc."—[*Ralbag*]

*Rabbenu Yonah* connects this verse with the preceding one: Should one give much charity and yet see that, instead of prospering, he suffers from pains and troubles, let him not despise the discipline of the Lord. He should know that his sufferings benefit him more than wealth and tranquility, for tranquility in this world is of no value—a person's days are like a fleeting shadow, and one hour of satisfaction in the world to come is better than his entire life in this world. Only God knows what is best for man, whether it be tranquility or suffering.

The *Zohar* (Soncino volume 5, p. 158) comments on this verse: Israel is beloved to God, and therefore God is inclined to reprove the people and to lead them in the right path as a loving father leads his son—with a rod in his hand to prevent him from straying to the right or the left. But from him whom He loves not and hates, God withdraws His reproof and His rod . . .

This is the meaning of the verse: you should not despise discipline, because it is an indication of God's love for you.—[*Leket Shmuel*]

**and do not abhor**—Heb. תָּקֹץ, *from the expression of* (Gen. 27:46) *"I abhor* (קַצְתִּי) *my life."*—[*Rashi*]

12. **chastens**—to let him know how to straighten his way.—[*Mezudath David*] He chastens him so that no trace of his sin should remain lest it lessen His love for him, and to increase his humility lest the tranquility decrease his fear for Him.—[*Rabbenu Yonah*]

**as a father placates his son**—*He desires to benefit his son and he placates him after striking him with the staff. So will the benefit be pleasant to you after the smiting.*—[*Rashi*]

13. **Fortunate is the man who has found wisdom and a man who gives forth discernment**—*One who learned*

טו יְקָרָה הִיא מִפְּנִיִּים וְכָל־חֲפָצֶיךָ לֹא
יִשְׁווּ־בָהּ׃ טז אֹרֶךְ יָמִים בִּימִינָהּ
בִּשְׂמֹאולָהּ עֹשֶׁר וְכָבוֹד׃ יז דְּרָכֶיהָ
דַרְכֵי־נֹעַם וְכָל־נְתִיבוֹתֶיהָ שָׁלוֹם׃
יח עֵץ־חַיִּים הִיא לַמַּחֲזִיקִים בָּהּ
וְתֹמְכֶיהָ מְאֻשָּׁר׃ יט יְהוָה בְּחָכְמָה יָסַד

**תרגום**

טו יקירא היא מן כיפי טבתא וכל מדעם לא פחים ליה׃ טז נוגדא דיומתא בימינה ובשמאלה עותרא ויקרא׃ יז ארחתהא ארחתא דבוסמא וכלהון הליכתהא שלמא׃ יח אילנא דחיי היא לאלין דמתחזקין בה ואלין דמתעסקין בה טוביהון׃ יט אלהא

**ת״א** מפנינים. מ״ק ט׳ סוטה ד׳ הוריות יג׳: וכל חפציך. (פאה טו) : ארך. שבת כ״ג ב״ב כה מכות יג׳: דרכיה. סוכה לב יבמות טו פו נדרים סב גטין נט וזהר בגלות עקידה שער כא (ערובין כ׳ כז) : עץ חיים. ברכות לב תענית ז׳ נדרים סב אבות יג ערכין טו זוהר מקץ עקידה ש׳ ס׳ (סוטה כא) : ה׳ בחכמה. ברכות נה חגיגה יב זוהר ויגש (סנהדרין כב) :

## רש״י

כמלאו שניהם ביד כל אחד ואחד: ומחרוץ. מין זהב הוא: (טו) וכל חפציך. כל חמדותיך: לא ישוו בה. לא יהיו שוין בשויה ודמיהן בדמיה: (טז) בימינה. למיימיני׳ בה ועוסקים בה לשמה. אורך ימים וכל שכן עושר וכבוד. ולמשמאילים בה שעוסקים שלא לשמה מ״מ עושר וכבוד יש: (יח) למחזיקים בה. לאוחזים בה. כמו (שמות ד׳) וישלח ידו ויחזק בו: ותומכיה מאושר. המתקרבים לה. וכן כל לשון תמיכה שבספר זה שהוא אוחז בה: (יט) ה׳

## מנחת שי

מלמיל ולית דכוותיה בסוף מסורת גדולה: (טו) מפניים. מפנינים קרי והכתיב מפניים ודין הוא חד מן מלין דחסרין נו״ן וקריין ודרשו בבבלי סוף הוריות ובירושלמי פרק הבונה ובמדרש רבה ריש פרשת נשא יקרה היא מפניים מכ״ג שנכנס לפני ולפנים ונראה לי דדרשו מלה יו״ד קדמאה אדלקמיה דהוי מפני ובתר הכי דרשו יו״ד תניינא אדבתריה דהוה מפנים והיינו דאמר יקרה היא מכ״ג שנכנס לפני ולפנים וקרוב לזה ראיתי אחר כך במסורת הברית הגדול והנאני: (יז) וכל נתיבותיה. הוא״ו בגעיא: (יח) ותמכיה. הוא״ו בגעיא: (יט) יסוד בחכמה. יו״ד של שם בגעיא בס״י:

## אבן עזרא

מאחר וילמדנה: (טו) חפציך. כל דבר שתחפוץ: ישוו. מענין ולמלך אין שוה ופי׳ אין העם שוה כלום ונחשב למלך שיניחם כי הוא עם מפוזר ומפורד ונבזה: (טז) עושר וכבוד. משל שהחכמה תביאהו לשתי מעלות: (יז) דרכי נועם. שיטעמו ויערבו לו: נתיבותיה. נתיבות שלום: (יח) עץ. כמן חיים שהאוכל מפריו יחיה שנים רבות: ותומכיה. שלא יעזבוה כאשר אמר כי ההכמה תחיה האדם שהוא עולם קטן: (יט) ה׳ בחכמה יסד ארץ. ספר

## רלב״ג

### ביאור המלות

המסבב בארצות לבקש דבר הסחורה שירצה לקנות ולזה אמר כי טוב לסבב ולשוטט בעבור בקשת החכמה ותתבתה יותר מסבוב

### ביאור הדברים

מה לסממדת חיי הגוף ופריה יקר מזהב: (טו) יקרה היא מפניני׳ וכל חפציך וגו׳. הנה היא יקרה מכל המרגליות ובכלל הנה כל חפצי האדם לא ישוו בה והרצון בחפצי האדם הדברי׳ האחרים אשר ישתוקק האדם כי כל אלו החפצים הם כאין נגדה׳ ואפשר שישוב זה אל התורה והוא הנכון יותר ויורה כי מאושר מאד מי שימלא החכמה הנרמזת בתורה ואדם שיולא ממנה התבונה הנרמזת בה כי הכל נרמז בתורה כמו שביארנו בביאורינו לדברי התורה: (טז) אורך ימים בימינה בשמאלה עושר וכבוד. הנה בימין התורה יהיה אורך ימים ר״ל השגת החיים הנצחיים כי זהו פריה ולזה ייחס זה אל ימינה וזה יהיה במה שישיג בה מן החכמה והתבונה והנה על הכוונה השנית ישיג בה עושר וכבוד כי מלד ההשגחה האלהית שתדבק באדם בעבורם ימשכו לו ג״כ טובות גופיות כמו שנתבאר בתורה וביארנוהו עוד במאמר הד׳ מספר מלחמות ה׳: (יז) דרכיה דרכי נועם. הנה דרכי התורה הם דרכים שינעמו וימתקו מאד לאדם כי לא העמיסה על האדם שום משא יקשה לו אבל כל מה שבא מן המלות והאזהרות הם דברים ערבים ורלויים בעצמותם לא כנימוסי הגוים שהיו מעמיסים בהם דברים קשים גם את בניהם ואת בנותיהם ישרפו באש לאלהיהם וכל נתיבות התורה הם שלום לגוף ולנפש כמו שהתבאר מדברינו בדברי התורה כי כולם ישירו אל בריאות הגוף ובריאות הנפש. הנה התורה היא עץ חיים לאשר הם מחזיקים בה לשמור ולעשות ולחקור בעניינים ובאופן החכמה אשר יישירו אליה וסומכי התורה שמחזיקים אותה לעמוד על הסבות בדבריה הוא מאושר כי מזה הלד יתיישר לעמוד על כוונותיה לא שיקל בעניניה ויעבור בהם כעברו על ספרי קורות הימים אשר יגידו איש לאיש אך יחקור על כל פנים לתמוך אותה כדי שיעמוד על כוונותיה כאלו תאמר שיעמיק לעמוד על דבר דבר ממנה למה היה באחר כך ולמה נסמך זה המאמר לזה המאמר כי בזה האופן ימלא בה ויפיק ממנה תבונה לפי שבבח החכמה והתבונה והדעת באר עתה אי זה דבר מהם ומפני מה ראוי לשבחם ואמר ה׳ בחכמה וגו׳: (יט) ה׳ בחכמה יסד ארץ. ואמר כי בחכמה יסד הש״י הארץ וזה היסוד הוא מה שהשרים ושם בטבע הנמלאות הטבעיות אשר

## מצודת ציון

היא הזהב הטוב כמו בירקרק חרוץ (תהלים ס״ח): (טו) מפנינים. הם המרגליות: (יח) מאושר. משובח כמו אשרי האיש (תהלים א׳):

## מצודת דוד

כל אחד ואחד: תבואתה. פרי החכמה ורוצה לומר מה שהבין מדעתו מתוך דבר החכמה שלמד הנה טובה היא מחרוץ: (טו) יקרה. חשובה היא מפנינים הם המרגליות: וכל חפציך. כל הדברים שאתה חפץ בהם ורוצה בהם לא יהיו שוין בשוויה: (טז) אורך ימים. רוצה לומר על ידה ישיג אורך ימים ועושר וכבוד. ורבותינו ז״ל אמרו למיימינים בה לעוסק לשמה היא לו לאורך ימים וכל שכן עושר וכבוד אבל למשמאילים בה לעוסקים שלא לשמה עם כל זה יהיה עושר וכבוד: (יז) דרכי נועם. רוצה לומר לא יבא בשום לד מכשול בדבר קיום דברי התורה: וכל וגו׳. כפל הדבר במלות שונות: (יח) למחזיקים בה. להאוחזים בה היא להם לעץ חיים כי בעבורה ישיגו החיים: ותומכיה. הסומך אותה בגדרים וסייגים הוא משובח: (יט) בחכמה. באמצעות חכמת התורה ברא את

15. it is more precious than pearls, and all your desirable things
cannot be compared to it. 16. Length of days is in its right
hand; in its left hand are riches and honor. 17. Its ways are
ways of pleasantness, and all its paths are peace. 18. It is a tree
of life for those who grasp it, and those who draw near it are
fortunate. 19. The Lord founded the earth with wisdom,

15. **and all your desirable things**—Heb. חֲפָצֶיךָ, *all that you desire.*—[*Rashi*]

**cannot be compared to it**—*They are not equal to its worth, nor their price to its price.*—[*Rashi*]

16. **in its right hand**—*Those who make the right use of it and engage in it for its own sake will have length of days and surely riches and honor, but those who make the wrong* [lit. *left*] *use of it, who engage in it not for its own sake, will still have riches and honor.*—[*Rashi* from *Shabbath* 63a] *Rashi* ad loc. suggests an alternative meaning: those who study the Torah intensively will merit both length of days and riches and honor, whereas those who study the Torah merely superficially will merit only riches and honor.

17. **Its ways are ways of pleasantness**—No one who observes the commandments of the Torah will meet any obstacles in its observance.—[*Mezudath David*]

18. **for those who grasp it**—Heb. לַמַּחֲזִיקִים, *for those who hold onto it, as in* (Ex. 4:4): *"and he extended his hand and grasped* (וַיַּחֲזֶק) *it."*—[*Rashi*]

**and those who draw near it are fortunate**—Heb. וְתֹמְכֶיהָ, *those who draw near it. Likewise, every expression of* תְּמִיכָה *in this Book means that he holds onto it.*—[*Rashi*] *Mezudath David* renders: Those who support it, i.e. who support its observance with safeguards.

19. **The Lord founded the earth with wisdom**—*According to the Torah. This is the Torah, which is discernment and which is knowledge.*—[*Rashi*] This explanation probably follows the maxim of *Gen. Rabbah* (1:2), that God looked into the Torah and created the world. The Torah was, so to speak, the blueprint of the world. From this verse, however, *Gen. Rabbah* (1:6) derives the belief that the world was created through the merit of the Torah.

*Malbim* draws a parallel between this verse and 24:3f. The earth resembles the foundation, the heavens the ceiling, and the depths the source of blessing and plenty for the world. Therefore, the earth, which was created from nothing, was founded with wisdom as the foundation. The heavens were established—perfected—with discernment, the facts and principles derived from the wisdom; and the depths, symbolizing the Divine Providence, were split with knowledge, as are the clouds, which drip dew.

ארץ כונן שמים בתבונה: כ בדעתו
תהומות נבקעו ושחקים ירעפו־טל:
כא בני אל־ילזו מעיניך נצר תושיה
ומזמה: כב ויהיו חיים לנפשך וחן
לגרגרותיך: כג אז תלך לבטח דרכך
ורגלך לא תגוף: כד אם־תשכב לא־
הפחד

בחכמתא שתאסיא
ארעא ואתקין שמיא
בביונה: כ בדעתיה
תהומי אתבזיעו ושמיא
צעי מטליא: כא ברי
לא נזל בעינך נטר
מדעא ותרעיתא:
כב ויהוון חיי לנפשך
וחסדא לצורך: כג הידין
תיזל בסברא בארחתך
ורגלך לא תתקל:
כד אם תשכוב ותדמוך
לא

ת"א אל ילוזו. (כלאים לא יבמות ג סוטה יח קידושין סד ב"ב יז):

## רש"י

בחכמה יסד ארץ. ע"פ התורה. והיא התורה והיא התבונה והיא הדעת: (כ) ירעפו. כמו יטיפו ואחר שכל העולם נברא בהם. לכך: (כא) אל ילוזו מעיניך. אל יתעקמו מנגד עיניך. להסירם מכנגדך: (כב) ויהיו חיים לנפשך. שהרי עץ החיים היא: וחן לגרגרותיך. שהרי זה שבהם האמור למעלה וענקים לגרגרותיך: (כג) לא תגוף. לשון כשלון (אצופיר"ה בלע"ז. אשאפע"ר בל"א שטרויכלען. וכן בירמיה י"ג ט"ז. תהלים צ"א י"ב) וכן

## אבן עזרא

תמלתה שבה נברא העולם העליון: (כ) בדעתו תהומות נבקעו. להשקות בהם חיה ועוף: (כא) אל ילוזו. הנכון תלונה כי על התושיה והמזמה ידבר כמו ויחמו הצאן: (כג) אז. לא תגוף. פועל יוצא והענין שלא תשימהו כאבן

## מנחת שי

(כא) אל ילזו מעיניך. קדמאה ילזו חנינא ילי ז ו לקמן סימן ד' ובמסרה ריש פרשת בהעלתך חשיב להנך עם ז' זוגים מתחלפים קדמאה וא"ו חנינא יו"ד ואע"ג דכתיב הכא ילזו חסר וא"ו לאו לענין הכתיבה איתשיל במסורה רק לענין הקריאה כדאשכחן מנחת קנאות הוא מאחת קנאות היא וכמ"ש בפ' נשא:

## רלב"ג

סגליא מארן והנה בחכמת הש"י שפע מציאותם ביום הבראם ונתיסד ענינם ומה שיושג לאדם מפני החקירה בהם יקרא חכמה כי כל מה שבהם שמחדש מסבות עלמיות ומתיחסות כאלו תאמר שהחם יחמם ושהאדם יולידו האדם ובתבונה יכונן שמים על מה שהם עליו מהמרחק ממנו ומגודל הכוכבים אשר יניעם ומחלוף תמונות הגלגלים אשר יניעו הכוכב וחילופי התנועות באורך וברוחב עד שיתחדשו מזה חלופים רבים בתנועת הכוכב הנראית לנו ויתחדשו מפני זה ממנו פעולות מתחלפות בזה העולם השפל כמו שביארנו בחמישי מספר מלחמות ה' והנה יקרא זה הענין תבונה לפי שמה שיתחדש בהם איננו מתחדש בדמיון מה שהתחדש מן הסבות העלמיות או המתיחסות כי הם יחממו ואין בהם חום ויקררו ואין בהם קור וכן הענין בשאר מה שישפע מהם ואולם מה שהמציא השם ית' מהבקע התהומות ושירעפו השחקים טל אשר לו תועלת גדול בקיום זה העולם השפל כי זה מה שאי אפשר עמידת הצמחים והב"ח מזולתו וכי ג"כ יהיה השווי גשמר ביסוד המים עם שאר היסודות המקבילים לו הנה היה חדוש זה הענין בדעות השם יתברך וההשגה בו היא קרובה אל המושכלות הראשונות וזה כי סאיד הלח כשיתהוה בבטן הארץ וימנעהו מונע מעלות וילטרך לרדת יתעבה מפני זה וישוב מים או כשיעלה ויפגוש המקום הקר מהם הקרירות יעבה אותו ויתהוה ממנו מים הנה מה שזה דרכו יקרא דעת ואחרי שהענין הוא כן ר"ל שאלו הדברים נשפעו מחכמת השם יתברך בינתו ודעתו בזה האופן הנה האדם בעמדו על מה שאפשר לו להשיג מאלו הדברים ידבק בחכמת השם ובינתו ודעתו לפי מה שאפשר: (כ) בדעתו תהומות נבקעו. כי בעבור דעת האדם החכמה והתבונה הזאת נבקעו תהומות מלמטה נובעות מהם אלו הידיעות ומלמעלה ג"כ ירעפו טל ישפעו בו אלו הידיעות והנה רמז במה שישפע מלמטה יהיו נובעות אלו הידיעות אל הדברים הטבעיים המוחשים אלינו אשר יעירו אותנו על החכמה והתבונה הזאת ובמה שישפע לנו מלמעלה רמז אל השפע שישפע לנו מהש"י להשיג אל הידיעות במלאות השכל הפועל והמשיל השפע ההוא לטל לא לגשם כי הטל מתפשט הכל האויר אינו יורד טפין טפין כמו המטר וכן השפע הזה מגיע בכל המקומות שיהיו נאותים לקבלו יחד לא במקום זולת מקום: (כא) בני אל ילוזו. אל יסורו מעיניך החכמה והתבונה אך שמרם תמיד שמור הנימוס המושכל שהגיע לך בזה ושמור ג"כ המחשבה שהביאה אותך להשגתו כדי שתדע תמיד האמת בדרכיו ויהיו החכמה והתבונה חיים לנפשך כי הם בעצמם הם השכל הנקנה הנשאר מהאדם אחר המות כמו שביארנו בראשון בספר"י ובהם תמצא חן בדרכיך עם האנשים הנה בשכתם תדבק בך ההשגחה האלהית עד שלא תכשל בלכתך בדרך: (כד) אם תשכב. גם בהיותך בדרך לא

## מצודת דוד

העולם: בתבונה. תבונת התורה: (כ) בדעתו. בדעת התורה נבקעו תהומות הם המעיינות הנובעים מתחת: ושחקים. מוסב על בדעתו לומר בדעת התורה יטיפו השמים טל: (כא) אל ילוזו. הואיל ותשובה היא כל כך מהראוי שלא יסורו מנגד עיניך: נצור תושיה ומזמה. רוצה לומר שמור התורה במעשה ובמחשבה: (כב) ויהיו. שמירת המעשה והמחשבה יהיו סיבה להביא חיים לנפשך ולהלביש לוארך כחן: (כג) אז. כשתהיה נשמר במעשה ובמחשבה אז תלך

## מצודת ציון

(כ) ירעפו. יטיפו כמו יערוף כמטר לקחי (דברים ל"ג): (כא) ילוזו. ענין הטיה והסרה: (כג) תגוף. ענין הכאה כמו פן

established the heavens with discernment. 20. With His knowledge the depths were split, and the heavens drip dew. 21. My son, let them not depart from your eyes; guard sound wisdom and thought, 22. and they shall be life for your soul, and grace for your neck. 23. Then you shall go securely on your way, and your foot shall not stumble. 24. If you lie down, you shall not fear,

20. **drip**—Heb. יִרְעֲפוּ, *like* יַטִּיפוּ. *Now, since the entire world was created with them, therefore . . .*—[*Rashi*]

21. **let them not depart from your eyes**—*Let them not be curved away from before your eyes, to remove them from before you.*—[*Rashi*]

*Ralbag* explains that "them" refers to the wisdom, discernment, and knowledge mentioned above, while *Meiri* explains that "them" refers to "sound wisdom and thought" which follows it.—[*Ibn Nachmiash*]

**guard sound wisdom and thought**—Keep the Torah in deed and in thought.—[*Mezudath David*]

22. **and they shall be life for your soul**—*for it is a tree of life.*—[*Rashi*] This may refer to longevity, or to life in the hereafter.—[*Meiri*]

**and grace for your neck**—*For this is its praise that is mentioned above* (1:9): *"and a necklace for your neck."*—[*Rashi*]

*Rabbenu Yonah* explains that "grace for your neck" symbolizes the acceptance of reproof. One who engages in the study and the observance of the Torah and its commandments will find that when he reproves others, his reproof will find favor, and his words will be accepted.

23. **Then**—when you will observe the commandments strictly and conscientiously, both in deed and in thought, you will go securely on your way because no one will frighten you.—[*Mezudath David*] However, if you do not adhere to them strictly, you will have something to fear.—[*Rabbenu Yonah*]

**shall not stumble**—Heb. לֹא תִגּוֹף. This is *an expression of stumbling, (achopper in French, straucheln in German. And so in Jeremiah 13:16, Psalms 91:12.) And so* (Ps. 91:12): *"Lest your foot stumble* (תִּגֹּף) *on a stone"; and so* (Jer. 13:16): *"And before your feet stumble* (יִתְנַגְּפוּ)*;" and so* (Ex. 21:22): *"and they dash* (וְנָגְפוּ) *a pregnant woman."*—[*Rashi*] [The parenthetic material, comparing the word to quotations from Jeremiah and Psalms, is obviously an error since these are quoted further in *Rashi*. It does not appear in other editions.] Accordingly, the word תִּגּוֹף is an intransitive verb.—[*Ibn Nachmiash*] *Ibn Ezra* interprets it as a transitive verb, meaning "you shall not dash your foot."

תפחד ושכבת וערבה שנתך: כה אל־
תירא מפחד פתאם ומשאת רשעים
כי תבא: כו כי־יהוה יהיה בכסלך
ושמר רגלך מלכד: כז אל־תמנע־טוב
מבעליו בהיות לאל ידיך לעשות:
כח אל־תאמר לרעיך לך ושוב ומחר
אתן ויש אתך: כט אל־תחרש על־
רעך רעה והוא־יושב לבטח אתך:

יתיר י׳ לרעך קרי

**תרגום**

לָא תִדְחַל וְתִשְׁכַּב וְתִבְסַם שִׁנְתָךְ: כה לָא תִדְחַל מִן דַחֲלָיָא וּמִן שְׁלָיָא וּמִן חָיְסָא דְרַשִׁיעֵי כַּד יֵיתֵי: כו מְטוּל דֶאֱלָהָא יְהֵי בְסַעְדָךְ וְיִנְטַר רִגְלָךְ וְלָא תִתְצְיִד: כז לָא תִתְכְּלֵי לְמֶעְבַּד שַׁפִּיר כַּד אִית חֵילָא בִידָךְ לְמֶעְבַּד: כח לָא תֵימַר לְחַבְרָךְ אֱזַל וְתוּב וְלִמְחַר אֶתֵּן וְאִית גַבָּךְ: כט לָא תְתַשֵּׁב עַל חַבְרָךְ בִּישְׁתָא וְהוּא יָתֵב עִמָּךְ

ת״א בכסלך. (פאה פו): אל תמנע. בבא קמא פ״א: לך ושוב. ב״מ קי: אל תחרוש. יבמות לו גטין ל״ב

**רש״י**

פן תגוף כאבן (תהלים צ״א) וכן ובטרם יתנגפו רגליכם (ירמיה י״ג) וכן ונגפו אשה הרה (שמות כ״א): (כד) **ושכבת וערבה שנתך**. ותנעם שנתך כשתישן שלא תירא מפחד פתאום: (כה) **ומשואת**. כשתבוא על הרשעים: (כו) **כי ה׳ יהיה בכסלך**. כמבטחך. ד״א בדברים שאתה כסיל בהם. כן מצאתי בירושלמי: (כז) **אל תמנע טוב מבעליו**. אם ראית חבירך חפץ להטיב לעניים אל תמנעהו: **בהיות לאל ידך**. להחדילו. ד״א אל תמנע טוב מבעליו. אל תמנע צדקה מן העני. בהיות לאל ידך. לעשות צדקה שמא יבא יום ואין לאל ידיך. וכן: (כח) **אל האמר לרעך**. לעני: **ויש אתך**. מה שתתן לו. ורבותינו פירשו לך ושוב על שכר שכיר: (כט) **אל תחרוש על רעך**. אל תחשוב ואינו זז ממשמעות חרישה מה דרך החורש מכין מקום לזמן הזריעה אף החושב רעה

**מנחת שי**

(כד) וערבה שנתך. הוא״ו בגעיא: (כז) לאל ידיך. ידך קרי: (כח) לרעיך. לרעך קרי: (כט) והוא יושב. חד מן ג׳ מלא בספרא:

**אבן עזרא**

נגף כאשר תלמד התושיה: (כז) **אל תמנע טוב מבעליו**. העני. פ״א מבעל הטוב: (כח) **לך ושוב**. כי הוא דרך

**רלב״ג**

**ביאור הדברים**

מפחד גם מחיה רעה ומן הלסטים אך תשכב ותערב לך שנתך: (כה) אל תירא מפחד. הרעות הגדולות כמשחיתו׳ פתאום ולא משואת רשעים כי תבא: (כו) כי ה׳ יהיה. במה שתבטח בו ותקוה ממנו וישגיח בך מהלכד באלו הרעות ואחר זה הזהיר עוד ואמר אל תמנע טוב מבעליו ממי שהוא ראוי לו בהיות כח בידך לעשות זה הטוב וזאת האזהרה כוללת בעיון ובדברים המדינים אם בעיון הזהירו שלא ימנע למודו מהבא ללמד הראוי לכך לפי מה שיש מן הספק בידו וכאשר יבא לבקש ממך הטוב הזה לא תטנה אותו על זה באמרך לו לך ושוב ומחר אתן ויש אתך אך תן לו זה תכף אחר שיש אתך והוא ראוי לזה: (כט) אל תחרוש. אל תחשוב ותשתדל להביא על רעך רעה והוא

**ביאור המלות**

על בקשת הכסף: (כו) בכסלך. בתקותך:

**מצודת ציון**

תגוף כאבן רגלך (תהלים צ״א): (כד) **וערבה**. ענין מתיקות כמו וערבה לה׳ מנחת יהודה (מלאכי ג׳): (כה) **ומשואת**. ענין חושך כמו אמש שואה ומשואה (איוב ל״ח): (כו) **בכסלך**. ענין בטחון ותקוה כמו אשר יקוט כסלו (שם ח׳): (כז) **לאל**. ענין כח ואמלות: (כט) **תחרש**. ענין מחשבה כמו חורשי און (איוב ד׳):

**מצודת דוד**

לבטח בדרכיך כי אין מחריד: **לא תגוף**. לא תכה במכשול המוטלים בדרך רוצה לומר לא תאונה אליך רעה: (כד) **וערבה שנתך**. כדרך הישן בוטח מבלי פחד: (כה) **אל תירא**. כי לא תבא אליך: **כי תבא**. כאשר תבא חשכת הרשעים לא תירא מזה כי לא תגע בך לרעה: (כו) **בכסלך**. במה שתבטח ותקוה אליו והוא ישמור רגלך מן הלכידה: (כז) **מבעליו**. מבעל הטובה רוצה לומר ממי שבא לקבל הטובה: **בהיות**. בעת היות כח בידך לעשות הטובה: (כח) **לרעך**. המבקש הטובה: **לך ושוב**. לך היום ושוב למחר ואז אתן שאלתך: **ויש אתך**. דבר הטובה יש עמך ותוכל לתת מיד: (כט) **והוא**. הלא הוא יושב אתך לבטח רוצה לומר בוטח

*the meaning of plowing* (חֲרִישָׁה); *just as it is customary for the plower to prepare a place for the time of sowing, so does one who devises harm prepare a place for devices in his heart, how he will get up and execute it.*—[*Rashi*]

**when he dwells securely with you**—If your fellow harmed you, do not devise harm against him when he dwells securely with you because that is an ignoble character trait and a way of dishonesty. Instead, tell him first that you hate him because of the harm he did you and that he should no longer have confidence in you. This does not mean that one may devise harm against his fellow if he does *not* dwell securely with him. It means that his sin is much more

and when you lie down, your sleep shall be sweet. 25. Be not
afraid of sudden terror, or of the darkness of the wicked when it
will come. 26. For the Lord shall be your trust, and He shall
keep your foot from being caught. 27. Do not withhold good
from the one who needs it when you have power in your hand
to do it. 28. Do not say to your fellow, "Go and return, and
tomorrow I will give," though you have it with you. 29. Devise
no harm against your fellow, when he dwells securely with you.

24. **and when you lie down, your sleep shall be sweet**—*Your sleep shall be sweet when you sleep, that you will not fear sudden terror.*—[*Rashi*] No nightmares will frighten you.—[*Ibn Nachmiash*]

25. **Be not afraid of sudden terror**—for it will not befall you.—[*Mezudath David*]

**or of the darkness**—*when it comes upon the wicked.*—[*Rashi*] When darkness comes upon the wicked, you need not fear; it will not befall you.—[*Mezudath David*] See 1:27.

26. **For the Lord shall be your trust**—Heb. בְּכִסְלֶךָ, *in your trust. Another explanation: in the things concerning which you are a fool* (כְּסִיל). *This I found in Yerushalmi.*—[*Rashi* from an obscure source]

**and He shall keep your foot from being caught**—He will watch you lest you be caught in any calamity.—[*Isaiah da Trani*] Lest you be caught in the sins of the city, as you are innocent, for the righteous who are innocent of sin and trust in the Lord will merit a miracle and be saved from the destruction of a city that is to be destroyed.—[*Rabbenu Yonah*]

27. **Do not withhold good from the one who needs it**—*If you see that your friend wishes to benefit the poor, do not prevent him* from doing so.—[*Rashi*]

**when you have power in your hand**—*to stop him. Another explanation:*

**Do not withhold good from the one who needs it**—*Do not withhold charity from the poor man.*

**when you have the power in your hand**—*to do charity; perhaps a day will come when you will not have the power in your hand, and similarly . . .*—[*Rashi*]*

28. **Do not say to your fellow**—*To the poor man.*—[*Rashi*]

**though you have it with you**—*what to give to him. But our Sages explained: "Go and return" regarding the wages of a hireling.*—[*Rashi* from *Baba Mezia* 110b] The Talmud states that if one does not pay a hireling during the time prescribed by the Torah, and keeps the wages still another night, he transgresses this verse—in which King Solomon, through divine inspiration, forbids one to send away his hireling when he has money to pay him.*

29. **Devise no harm against your fellow**—Heb. אַל־תַּחֲרשׁ, *do not think—but it does not deviate from*

אַל־תָּרוֹב עִם־אָדָם חִנָּם אִם־לֹא
גְמָלְךָ רָעָה: לא אַל־תְּקַנֵּא בְּאִישׁ חָמָס
וְאַל־תִּבְחַר בְּכָל־דְּרָכָיו: לב כִּי תוֹעֲבַת
יְהוָה נָלוֹז וְאֶת־יְשָׁרִים סוֹדוֹ: לג מְאֵרַת
יְהוָה בְּבֵית רָשָׁע וּנְוֵה צַדִּיקִים יְבָרֵךְ:
לד אִם־לַלֵּצִים הוּא־יָלִיץ וְלַעֲנָיִים יִתֶּן־
חֵן: לה כָּבוֹד חֲכָמִים יִנְחָלוּ וּכְסִילִים

בְּשְׁלְוָה: ל לָא תִנְצֵי
עִם בַּר נָשָׁא מַגָּן אִם
לָא עֲבַד לָךְ בִּישָׁא:
לא לָא תִתַּן בְּגַבְרָא
חֲטוּפָא וְלָא תִצְבֵי
בְּכָל הוֹן אָרְחָתֵיהּ:
לב מְטוּל דִמְרַחַק עֲוָתָא
מִן קֳדָם יְיָ וְעִם תְּרִיצֵי
שׁוּעִיתֵיהּ: לג לְוָטְתָא
דַאֲלָהָא בְּבָתֵּיהוֹן
דְרַשִּׁיעֵי וּמַעֲמַדְהוֹן
דְצַדִּיקֵי יְבָרֵךְ:
לד וְלִמְמַקְנֵי נִסְחוּף
וּלְעִנְוֵי יִתֵּן חִסְדָּא:
לה יְקָרָא חַכִּימֵי נַחְסְנָן

ה"א מארת, סנהדרין לד: אם ללצים. יומא לח מכות י' מנחות כט (פלא טו קידושין מא סנהדרין כז שבועות לג): כבוד. אבות ל' ב"ב י' עקידה שער סה (פלא טו קדושין מא סנהדרין מ):

### רש"י

מכין מקום תחבולות בלבו איך יעמוד ויעשנה: (ל) אל תריב עם אדם. להתלונן עליו: אם לא גמלך רעה. שעבר על המצות הכתובה בתורה (ויקרא י"ט) ואהבת לרעך כמוך. ומי שהוא רשע רשאי אתה לשנאתו: (לא) אל תקנא באיש חמס. לעשות כמעשיו אם תראה אותו ומצליח: (לב) כי תועבת ה' נלוז. מעוות בדרכיו: ואת ישרים סודו. ועם ישרים סודו: (לד) אם ללצים. אדם נמשך אחריהם לסוף אף הוא יהיה לץ עמהם: ולענוים יתן חן. אם לענוים יתחבר סוף שיהנו מעשיו חן בעיניהם של בריות: (לה) כבוד חכמים ינחלו וכסילים

### אבן עזרא

בזיון: (לב) ישרים סודו. עם ישרים נודע סודי ועלתו ממה שהוא גוזר להביא על הרשע: (לג) מארת. מן ארור והוא חסרון: (לד) אם ללצים. הפסוק הזה דבק בעליון וללצים מן ליצנות. יליץ מן כי המליץ פי' השם יברך נוה הצדיקים אם ללצים ידבר הצדיק ויזהיר לסור מן דרך הליצנות ולענוים ולמוכיחים יתן חן כלומר יתן הגם בעיני כל אדם והענוים הם הנטועים מדבר ליצנות. פ"א אם ללצים השם יליץ יתן גמול הליצנות ולענוים יתן חן כמו הן זחסד להם: (לה) כבוד. השם ינחיל כבוד הממון והעושר אבל הכסילים ירומו הקלון עליהם והטעם שיסבבו שיקלום

### מנחת שי

(ל) אל תרוב. תריב קרי: (לב) ואת ישרים, הוא"ו בגעיא בספרי ספרד: (לד) ולעניים. ולענוים קרי:

### ביאור המלות

(לב) נלוז. הוא הנוטה מהדרך הראויה: (לה) כבוד. מרים קלון. הקלון מסיב אותם או ירצה בו שכל אחד מהכסילים מרים ומגביה הקלון עליו מצד סכלותו:

### רלב"ג

### ביאור הדברים

יושב לבטח אתך כי זה מגונה מאד: (ל) אל תריב עם אדם חנם. אם לא גמלך רעה. כי זה מגונה מאד להתרעם על האדם ולהריב עמו בזולת סבה: (לא) אל תקנא באיש חמס. להתאוות ולחמוד ולעשות כמוהו לחמוס האנשים ולא תבחר בשום דרך מדרכיו כי זה יביאך להשוא במה שהוא חוטא והמשל כי איש החמס ישלח מנחה גדולה למלך או לשר ויכבדוהו ואם ירצה האדם לעשות כן לא ימלא לו ויצטרך לו לעשוק ולחמוס האנשים וכן הענין בשאר דרכיו אשר הם לו מפני היותו איש חמס כי מתועב אל השם יתברך האיש העקש רוצה לומר הבלתי ישר והפך בישרים כי הוא דבק בהם: (לג) מארת. קללת השם תמצא בבית רשע והוא יברך נוה צדיקים והנה אמר רשע בלשון יחיד לפי שהקללה לא יחייב שתמשך לכל הרשעים ולזה פעמים רבות רשע וטוב לו ואולם ברכת הש"י היא בבית כל הצדיקים הראוים לה והם אשר תדבק בהם ההשגחה האלהית כמו שביארנו הסבה בכל זה בד' מספר מ"י: (לד) אם ללצים. הנה ללצים המתלוצצים ומלעיגים על האנשים הש"י יסבב שאחרים ילעיגו עליהם בבוא אידם ואולם לענוים המכבדים לאנשים שפלים עצמם יתן הש"י חן להם בעיני האנשים: (לה) כבוד חכמים ינחלו. כי יכבדום האנשים וכל אחד מהכסילים מגביה קלון לו או אמר על צד ההפלגה כי עולם הקלון שינחלו מפני

### מצודת דוד

בך כאיש על רעהו ולמה תחשוב עליו רעה: (ל) גמלך רעה. גם תחילת המעשה נקרא במקרא בלשון גמול וכן ואם גומלים אתם עלי (יואל ד'): (לא) באיש חמס. בהצלחת איש חמס: (לב) נלוז. הסר והנוטה מדרך הישר: ואת. עם ישרים מעמיק סוד עצתו מאהבתו אותם וכמו שנאמר וה' אמר המכסה אני מאברהם וגו' (בראשית י"ח): (לג) מארת ה'. רוצה לומר העושר אשר בבית הרשע קללת ה' היא כי שמורה לרעתו ויחשב אם כן לקללה: יברך. מוסב על ה' לומר שהוא יברך את אשר בנוה הצדיקים רוצה לומר לברכה תחשב כי ישפיעו מטובם לדל ויקבלו גמול: (לד) אם ללצים. רוצה לומר לכל אחד משלם גמול במדה שמדד אם ללצים המלעיגים בבני אדם יסבב סיבה אשר יתלוצצו בהם בבוא יום אידם: ולענוים. אשר הם שפלי הרוח ומכבדים לכל אדם יתן חנם בעיני הכל ויכבדו להם: (לה) ינחלו. נוחלים לעצמם הכבוד: מרים. כל אחד מפריש הקלון לחלקו:

### מצודת ציון

(לב) נלוז. הנוטה מדרך הישר: (לג) מארת. מלשון ארור: ונוה.

**35. The wise shall inherit honor, but the fools take disgrace as their portion**—*For himself, he takes disgrace for his portion.*—[*Rashi*]

**but [if he goes] to the humble, he evokes grace**—*If he joins the humble, eventually his deeds will evoke grace in people's eyes.*—[*Rashi*]

30. Do not quarrel with anyone without cause, if he did you no harm. 31. Do not envy a man of violence and do not choose any of his ways; 32. for the perverse is an abomination to the Lord, but His counsel is with the upright. 33. The curse of the Lord is in the wicked man's house, but He shall bless the dwelling of the righteous. 34. If [one goes] to the scoffers, he will scoff; but [if he goes] to the humble, he evokes grace. 35. The wise shall inherit honor, but the fools take disgrace as their portion.

severe if he devises harm against him in such a situation. It is also possible that the verse refers to a case in which one may plot against his fellow to lower the latter's esteem in public, lest this wicked man gain power to harm him. He must, however, warn his fellow not to have confidence in him.—[*Rabbenu Yonah*]

30. **Do not quarrel with anyone**—*to complain about him.*—[*Rashi*]

**if he did you no harm**—*I.e. unless he transgressed a commandment written in the Torah.* The Torah states (Lev. 19:18): *"And you shall love your fellow as yourself," but one who is wicked, you may hate.*—[*Rashi*]

*Ibn Nachmiash* quotes *Rashi* as follows: *Unless he transgressed the commandment: "And you shall love your fellow as yourself," and because he is a wicked man, you may hate him.* The commentator points out that it is not proper to quarrel with anyone even if he did you harm. But it is a far greater transgression to quarrel with someone without cause if he did no harm. *Rabbenu Yonah* explains that "without cause" means that he harmed only with words but did not inflict physical injury or loss.

31. **Do not envy a man of violence**—*to do as his deeds if you see him prospering.*—[*Rashi*]

32. **for the perverse is an abomination to the Lord**—*One who is crooked in his ways.*—[*Rashi*]

**but His counsel is with the upright**—Heb. וְאֶת, *and with, etc.*—[*Rashi*] *Rashi* means that אֶת is the equivalent of עִם, *with.*

33. **The curse of the Lord is in the wicked man's house**—All the riches the wicked man has accumulated represent God's curse because they will only bring harm upon him.—[*Mezudath David*]

**He shall bless**—God will bless whatever is in the dwelling of the righteous. Since the righteous bestow their bounty upon the poor, they will receive their reward.—[*Mezudath David*]

34. **If [one goes] to the scoffers**—*If a person is attracted to them, he too will scoff with them.*—[*Rashi*]

מרים קלון: ד א שמעו בנים מוסר אב
והקשיבו לדעת בינה: ב כי לקח טוב
נתתי לכם תורתי אל־תעזבו: ג כי־בן
הייתי לאבי רך ויחיד לפני אמי:
ד וירני ויאמר לי יתמך־דברי לבך
שמר מצותי וחיה: ה קנה חכמה קנה

וסכלי נקבלן צערא: א שמעו בניא מרדותא דאב ואציתו למדע ביונא: ב מטול דיולפנא טבא יהבית לכון ונימוסי לא תשבקון: ג מטול דברא הוית לאבא מפנק ויחידא קדם אמי: ד ואלפני ואמר לי (יי) יקמט מלי לבך נטר פקודי וחיה: ה קנה חכמתא קנה

ת"א שמעו בנים, פקידה שמר פ׳: לקח טוב. ברכות ה׳ מ"ח תענית ז׳ ע"ג יג אבות ח׳ יב מנחות נג: כי בן. זוהר משפטים ואתחנן: ויורני, נדה ל׳: קנה חכמה. ברכות ח (הוריות מח):

## רש"י

מרים קלון. לעצמו מפריש קלון לחלקו: ד (א) שמעו בנים מוסר אב. הקב"ה: (ב) נתתי לכם. הנביא מתנבא ומדבר בשלוחתו של הקב"ה והרי הוא כפיו: (ג) כי בן הייתי לאבי. א"ת שלמה היה שונא הבריות שהזהירן על הגזל ועל העריות דבר שנפשו של אדם מתאוה להם לכך נאמר כי בן הייתי וגו׳ רך ויחיד וגו׳ שהיה אוהב אותי ביותר: (ד) ויורני. על כך ייוכיחני: ויאמר לי יתמך דברי לבך. ולפי שהוכיחני

## מנחת שי

ד (א) מוסר אב. חד מן י"ב פתחים וסימן נמסר בסימן ז׳ במ"ג והמלה מלעיל: (ג) לפני אמי. במקצת דפוסים אחרונים לפני כתיב לבני קרי. ויש ספרים שכתוב בהם לבני אמי בכתיב וכן פירש העמנואל ואין הדבר כן שהרי חבירו מלמד עליו לפני אפרים ובנימן ומנשה תהלים סימן פ׳ והמסורת לוותת ואומרת ב׳ סבירין לבני וקריין לפני ומטעין בהו ס"מ דכי הדדי נינהו והכי אשכחנא בספרי דוקני דכתיבין וקריין לפני: (ד) יתמך דברי. במקצת ספרים כתוב יתמוך דברי בחולם המ"ס. וזהו דעת ב"נ וברוב הספרים בקמן חטף וכב"א. וכן כתב רד"ק במכלול דף כ"ב בא

## אבן עזרא

בני אדם: מרים קלון. על כל אחד ידבר כמו ולדיקים ככפיר יבטח. פ"א כסיל מרים ומכבד איש קלון כמו בא זדון חסר איש:

ד (א) שמעו בנים. אחר שהזהיר בנו הוכיח בנים אחרי׳ שישמעו מוסר אביהם אף על פי שהם רכים לאביהם

## רלב"ג

סכלותם הוא מפרים ומסיר אותם מהמקום ההוא שהם נכרים בו: (א) שמעו בנים מוסר. השם יתברך שהוא אביכם והנה זה המוסר הוא תורתו שנתן לישראל והקשיבו ושמעו אותה כדי שתדעו בינה כי הוא יישיר אתכם אל הבינה כמו שזכרנו ר"ל כי התורה תישיר בהרבה מדבריה לידיעת הבינה כמו שבארנו בביאורנו לדברי התורה: (ב) כי לקח טוב. כי כבר נתתי לכם קנין טוב אל תעזבו את התור׳ שנתתי לכם הנה אלה דברי הש"י ר"ל שאמרם בלשון כאילו הש"י ידבר. ואח"כ אמר שלמה: (ג) כי בן הייתי לאבי. הנה הייתי בן לאבי ורמז בזה נעם ישראל שהוא בן לש"י היותו נער ורך כשאמר לו הש"י אלו הדברים והייתי אז יחיד לפני אמי כי אומה אחרת לא קבלה התורה זולתי וזה היה בעת קטנותי בלאתי ממלרים כי במעט זמן העתיקני הש"י לאמונתו ולזאת הסבה אמר ג"כ לפי הנמשל הנביא זכרתי לך חסד נעוריך ואמר לפני אמי לפי המשל והוא ג"כ לפי הנמשל רמז אל השכל הפועל אשר באמלעותו תשפיע הש"י התורה לישראל ובאמלעותו הגיעה הנבואה: (ד) ויורני. אז הש"י ואמר לי לבך יתמוך דברי ויסמוך אותם בחקרו כלאוי על כוונת מלות התורה כי בזה יגלה מה שיש מהשלימות והחכמה הנפלאה בדברי התורה. שמור בלבך דברי מלותי ותשיג בזה החיים האמתיים אשר אין עמה מות: (ה) קנה

## מצודת ציון

מדור כמו נוה איתן (ירמיה מ"ט): (לה) מרים. מלשון תרומה והפרשה: קלון. בזיון והוא מלשון קלוי באש (ויקרא ב׳) כי בעבור הבזיון יתאדם הפנים כאלו נקלה באש. או הוא מלשון קלות: ד (א) והקשיבו. ענין שמיעה והאזנה: (ג) רך. מעונג: (ד) ויורני. ענין למוד כמו את מי יורה דעה (ישעיה כ"ח):

## מצודת דוד

ד (א) שמעו בנים. אתם בני אל חי שמעו אל מוסר האב שבשמים המייסר על הבינה והקשיבו לדעת אותה: (ב) כי לקח טוב. וכה אמר במוסרו הלא נתתי לכם למוד טוב ומתוכה אל תעזבו את התורה ההיא: (ג) כי בן. אמר שלמה אל תחשבו שאני שונא את הבריות ולזה אני מזהירכם מן הדברים שנפשו של אדם חומדתן אל תאמרו כן כי הלא בן אהוב הייתי אני לאבי ומעונג ויחיד לאמי: (ד) ויורני. ועם כל אהבתו אלי למדני הדברים האלה ואמר לי כי דברי תוכחתי יסעדו לבך למען תשאר עומד ביראת ה׳: שמור מצותי. סמלות אשר אני דובר אליך בשם ה׳: וחיה. בשמירתם תשיג את החיים: (ה) קנה. ראה שתהא החכמה והבינה קנוים

*like a tender and only son. Therefore, my father instructed me.*—[*Rashi*]

**[4]And he instructed me**—And with all his love for me he taught me these things, and he said to me that my words of discipline shall support your heart in order that you adhere to the fear of God.—[*Mezudath David*]

**keep my commandments**—The commandments that I speak to you in the name of the Lord.—[*Mezudath David*]

**and live**—With their observance you will achieve life.—[*Mezudath David*]

5. **Acquire wisdom, etc.**—Acquire wisdom and afterwards acquire understanding.—[*Ibn Nachmiash*]

## 4

1. Children, hearken to the discipline of the Father, and listen to know understanding. 2. For I gave you good teaching; forsake not My instruction. 3. For I was a son to my father, a tender one and an only one before my mother. 4. And he instructed me and said to me, "May your heart draw near to my words; keep my commandments and live. 5. Acquire wisdom, acquire

1. **Children, hearken to the discipline of the Father**—*The Holy One, blessed be He.*—[*Rashi, Ibn Nachmiash* from an unknown midrashic source]

You, the children of the living God, hearken to the discipline of the Father in heaven, who disciplines concerning the understanding; and listen to know it.—[*Mezudath David*]

*Ibn Nachmiash* explains the verse simply as the teacher instructing his disciples concerning the understanding of the Torah. In the previous chapters of *Proverbs,* the father admonished his son, and in this chapter the teacher admonishes his disciples—also known as children—as we find in I Kings 20:35: the disciples of the prophets. Indeed, the teacher is higher than the father since he brings his pupils into the World to Come, whereas the father brings his children only into this world.

2. **For I gave you**—*The prophet prophesies and speaks as an agent of the Holy One, blessed be He, and he is like His mouth.*—[*Rashi*]

3. **For I was a son to my father**—*Lest you say that Solomon hated people because he admonished them concerning robbery and immorality, something a person desires, he therefore states: I was a son, etc., a tender one and an only one, etc., that he loved me very much.*—[*Rashi*]

4. **And he instructed me**—*concerning that and he chastised me.*—[*Rashi*]

**and said to me, "May your heart draw near to my words**—*And since he chastened me with these words, therefore I admonish you concerning this* (*Rabbi Joseph Kara*). *Another explanation:*

**For I was a son to my Father**—*The prophet says, "I was a son to the Holy One, blessed be He, Who caused His spirit to rest upon me." Now we find that the Holy One, blessed be He, called Solomon a son, for it is stated* (II Sam. 7:14): *"I will be to him a father, and he shall be to Me a son."*—[*Rashi, Ibn Nachmiash* from an unknown midrashic source, see *Tanhuma Pekudei* 3]

**a tender one and an only one before my mother**—Heb. לִפְנֵי אִמִּי, *before my nation* (אֻמָּתִי) *I am chosen and beloved*

בִּינָה אַל־תִּשְׁכַּח וְאַל־תֵּט מֵאִמְרֵי־פִי׃
ו אַל־תַּעַזְבֶהָ וְתִשְׁמְרֶךָּ אֱהָבֶהָ וְתִצְּרֶךָּ׃
ז רֵאשִׁית חָכְמָה קְנֵה חָכְמָה וּבְכָל־
קִנְיָנְךָ קְנֵה בִינָה׃ ח סַלְסְלֶהָ וּתְרוֹמְמֶךָּ
תְּכַבֵּדְךָ כִּי תְחַבְּקֶנָּה׃ ט תִּתֵּן לְרֹאשְׁךָ
לִוְיַת־חֵן עֲטֶרֶת תִּפְאֶרֶת תְּמַגְּנֶךָּ׃
י שְׁמַע בְּנִי וְקַח אֲמָרָי וְיִרְבּוּ לְךָ שְׁנוֹת

חיים

בִּיוּנָא לָא תִנְשֵׁי וְלָא תִסְטֵי מִן מֵאמְרֵי פוּמִי׃ ו וְלָא תִשְׁבְּקִנָּהּ וְתִנְטְרִיךְ רַחֲמָהּ דְּתִשְׂגְּבִיךְ׃ ז רֵישׁ חָכְמְתָא קְנֵה חָכְמְתָא וּבְכָל קִנְיָנָךְ קְנֵה בִּיוּנָא׃ ח חַבְּבִיהּ דִּי תְרוֹמְמָךְ וְחַבְּקִיהּ דְּתִיקְרָךְ׃ ט וְתִשִּׂים בְּרֵישָׁךְ יָאֵיוּתָא דְחִסְדָּא כְּלִילָא דְשִׁבְהוֹרָא עֲלָךְ׃ י שְׁמַע בְּרִי וְקַבֵּל מִנִּי וְנִסְגּוּן שְׁנַיָּא דְחַיָּךְ׃

ארחתא

ת"א סלסלה. ר"ה כו מגלה יח נזיר ג׳: לוית חן. אבות יג:

### רש"י

בדברים אלו. לכך אני מזהירכם על כך (רבי יוסף קר"א). ד"א כי בן הייתי לאבי הנביא אומר בן הייתי להקב"ה שהשרה רוחו עלי ומצינו שקראו הקב"ה לשלמה בן שנאמר (שמואל ב' ז') אני אהיה לו לאב והוא וגו': רך ויחיד לפני אמי. לפני אומתי אני נבחר וחביב כבן רך ויחיד לכך ויורני אבי: (ו) אל תעזבה ותשמרך אהבה. אהוב אותה: (ז) ראשית חכמה קנה חכמה. תחלת חכמתך למוד מאחרים וקנה לך שמועה מפי הרב ואח"כ בכל קנינך קנה בינה. התבונן בה מעצמך להשכיל הטעמים דבר מתוך דבר: (ח) סלסלה. חפשה. היה חוזר עליה לדקדק בה כמו (ירמיה ו') כבוצר על סלסלות החוזר והולך בכרם ומשיב ידו לבקש את העוללות ובלשון חכמים מסלסל בשערו: (ט) תתן לראשך לוית חן. חברת חן כמו לוית חן הם לראשך:

### אבן עזרא

נחשב כמוני: (ו) אל תעזבה. החכמה כי היא תשמרך מצרה: (ז) ראשית חכמה קנה חכמה. במקצת הונך ואם לא תוכל לדעתה תן כל הונך: (ח) סלסלה. הגביהה ורוממה מן סולו לרוכב: תכבדך. תשימך במעלת הכבוד: כי תחבקנה. ללמוד אותה תמיד: (ט) תמגנך. מן מגן

### מנחת שי

כן בקמץ חטף אף על פי שלא בא על מלה זעירא או מלה מלעיל לפי שהיו"ד מועמדת בגעיא ע"כ. ומכל מקום קריאת השוא נח כמו יקטל עני (איוב כ"ד): וחיה. השי"ן בשוא לבדו: (ח) סלסלה. במקצת דפוסים אחרונים כתב יו"ד אחר למ"ד ושבוש הוא ועיין מ"ש בדברי הימים א' ה': תכבדך. ב' בטעם מלעיל דלא כמנהגא שלא אביך ויגדך ודין וכן כתבו המכלול בדף ע"ז:

### רלב"ג

חכמה. בכם תקנה החכמה ותקנה בינה. אל תשכח דבר מדברי ואל תטה כלל מאמרי פי כי בזה האופן עם רוב השקידה והחקירה יגלו לך הדבה מכוונות התורה: (ו) אל תעזבה. אל תעזוב התורה ואם תהיה נזהר מזה היא תשמרך מכל רע מצד מה שימשך לך בסבתם מההשגחה האלהית אהוב את התורה והיא תנצרכה וזה שאהבתך אותה יסבב שתבקש סבות לאויות לדבר דבר מדבריה ובזה האופן תעמוד על קצת כוונותיה: (ז) ראשית. בראשית החכמה שתקנה מהתורה תקנה חכמה וזה יגיע לך ממנה בזולת עמל רב אך בקנין הבינה הצטרך שתעזר בה בכל קנינך שתקנה ממנה וכלם יישירוך אל העמידה עליה והנה אמר זה כי קנין החכמה מגיע מדברים עצמיים לה והם ראשית החכמה ולא כן ענין הבינה כמו שזכרנו: (ח) סלסלה. דרוך וסלול תמיד במסלול התורה והיא תתן לך כבוד כי תדבק בה ותתן לראשך כתר יהודר בו לך חן ותתן לך עטרת תפארת והנה אמר זה כי מצד השקידה בתורה ובכוונותיה יגיע לאדם הרוממות והכבוד ואם אין זה המכוון בה אך הטוב המכוון בה הוא החיים הנצחיים וכבר זכרו רז"ל בזה באמרו שמור מצותי וחיה אמר כאילו ידבר הש"י: (י) שמע בני וקח אמרי. והם ספורי התור': וירבו לך שנות חיים. כי הם מישרים מאד לשלימות המדות ולשלימות המושכלות כמו שביארנו

### מצודת דוד

לך ומלייס אלנך ואל תשכחם: מאמרי פי. מדברי אזהרותי: (ו) אל תעזבה. אל תעזוב את התורה וגם היא תשמרך מן כל מכשול: (ז) ראשית חכמה. בראשית לימוד החכמה ראה שתהא קנויה לך רוצה לומר מעט תתחיל ללמוד אותה דרך קבע שתהא בקועה בך: ובכל קנינך. המיוחדת בכל הדברים אשר קנויים לך ושקועים אצלך תהיה קניית הבינה: (ח) סלסלה. תהא ממשמש בה בקביעות ותרומם אותך: כי תחבקנה. כאשר תחבק אותה להיות דבוקה בך: (ט) לוית חן. תדבק אל ראשך חבורי החן: תמגנך. תמסור לך עטרת תפארת: (י) שמע בני. ענין חיבה הוא זה לומר חביב

### מצודת ציון

(ח) סלסלה. ענין ממשמש כמו כבוצר על סלסלות (ירמיה ו') ובדרבותינו ז"ל מסלסל בשערו (נזיר ג'): (ט) תמגנך. ענין מסירה

9. **She will give your head a wreath of grace**—Heb. לִוְיַת חֵן, *a wreath of grace, as in* (1:9): *"They are a wreath of grace* (לִוְיַת חֵן) *for your head."*—[*Rashi*] *Sifre* (Deut. 11:22) explains this as meaning that the Torah gives honor in this world.

**she will transmit to you a crown of glory**—This refers to the glory of the world to come.—[*Sifre* ad loc., quoted by *Ibn Nachmiash*]

10. **Hearken, my son**—This is an expression of affection, meaning that you are dear to me, and I have

understanding; do not forget, and do not turn away from the words of my mouth. 6. Do not forsake her, and she will preserve you; love her and she will guard you. 7. The beginning of wisdom [is to] acquire wisdom, and with all your possession acquire understanding. 8. Search for her, and she will exalt you; she will honor you when you embrace her. 9. She will give your head a wreath of grace; she will transmit to you a crown of glory. 10. Hearken, my son, and take my words, and years of life will increase for you.

**do not forget, and do not turn away**—Do not engage in other things lest you forget the Torah and transgress the commandment (Deut. 4:9), "Beware and watch yourself exceedingly lest you forget the things, etc."—[*Ibn Nachmiash*]

*Rabbenu Yonah* explains that Solomon warns not to forget the ethical teachings because of one's intense engrossment in the study of wisdom. He therefore admonishes, "Do not forget and do not turn away from the words of my mouth," meaning that observance of the ethical teachings is more essential than the study of wisdom.

*Gra* explains: Do not forget the Torah, and do not turn away from the observance of the commandments.

6. **Do not forsake her, and she will preserve you; love her**—Heb. אֱהָבֶהָ.—[*Rashi*] Do not forsake my Torah; perform the commandments out of love.—[*Rabbenu Yonah*]

*Gra* explains: Do not forsake wisdom, and love the Torah; review it constantly to derive one thing from another, for this constitutes understanding.

7. **The beginning of wisdom [is to] acquire wisdom**—*At the beginning of your wisdom, learn from others and acquire for yourself the tradition from the mouth of the teacher, and afterwards with all your possession acquire understanding. Concentrate on it by yourself to understand the reasons, thereby deriving one thing from another.*—[*Rashi*]

This represents the sequence of study prescribed by the Talmud (*Shabbath* 63a)—first to study [the Torah] to acquire knowledge, and then delve into it to understand its reasons.—[*Ibn Nachmiash*]

8. **Search for her**—Heb. סַלְסְלֶהָ, *search for her. Review it to examine it minutely, as in* (Jer. 6:9): *"as a vintager over the searchings* (סַלְסִלּוֹת)*," who goes repeatedly through the vineyard and brings back his hand to search for the single grapes. In the expression of the Sages* (*Rosh Hashanah* 26b), *curls* (מְסַלְסֵל) *his hair.*—[*Rashi*] Cf. Commentary Digest on Jeremiah 6:9.*

חַיִּים: יא בְּדֶרֶךְ חָכְמָה הֹרֵיתִיךָ
הִדְרַכְתִּיךָ בְּמַעְגְּלֵי־יֹשֶׁר: יב בְּלֶכְתְּךָ
לֹא־יֵצַר צַעֲדֶךָ וְאִם־תָּרוּץ לֹא תִכָּשֵׁל:
יג הַחֲזֵק בַּמּוּסָר אַל־תֶּרֶף נִצְּרֶהָ כִּי־הִיא
חַיֶּיךָ: יד בְּאֹרַח רְשָׁעִים אַל־תָּבֹא וְאַל־
תְּאַשֵּׁר בְּדֶרֶךְ רָעִים: טו פְּרָעֵהוּ אַל־
תַּעֲבָר־בּוֹ שְׂטֵה מֵעָלָיו וַעֲבוֹר: טז כִּי לֹא
יִשְׁנוּ אִם־לֹא יָרֵעוּ וְנִגְזְלָה שְׁנָתָם אִם־
לֹא יַכְשׁוֹלוּ: יז כִּי לָחֲמוּ לֶחֶם רֶשַׁע וְיֵין

ת"א החזק במוסר. עקידה שער סד: פרעהו. יבמות כא: יכשילו קרי חמסים

תרגום

יא אָרְחָתָא דְחָכְמְתָא אַלֵּפְתָּךְ וְהַלֵּכְתָּךְ בִּשְׁבִילֵי תְרִיצֵי: יב כַּד תֵּיזַל לָא תִתְעוּק אָרְחָךְ וְאִין תִּרְהַט לָא תִתְקַל: יג תִּתְחַזַּק בְּמַרְדוּתָא וְלָא תִרְפֵּא נַטַּרְיָהּ מְטוּל דְּהִיא חַיָּךְ: יד בְּאָרְחָא דְרַשִׁיעֵי לָא תֵיזַל וְלָא תְּמַן בְּאָרְחָא דְבִישִׁין: טו אֲרֵישׁ וְלָא תֶעְבַּר עִמְּהוֹן סְטֵי וַעֲבַר מִנְּהוֹן: טז לָא דְמִכִין עַד מָה דְמַבְאֲשִׁין וּפְרִידָא שִׁנַּתְהוֹן עַד מָה דְעָבְדִין תַּקְלָא: יז דְמֵיכַלְתְּהוֹן מֵיכַלְתָּא דְרַשִׁיעֵי וְחַמְרָא דְחָטוֹפַיָא

## רש"י

(יב) בלכתך לא יצר צעדך. מי שאינו מרחיק רגליו קרוב ליפול: (יג) החזק במוסר אל תרף. אחוז בתור' כמו והחזיקי את ידך בו (בראשית כ"א) וישלח ידו ויחזק בו (שמות ד'): (יד) באורח רשעים אל תבא ואל תאשר. אל תדרוך כמו באשורו אחזה רגלי (איוב כ"ג) וכן ונכון יבין לאשורו (לקמן י"ד): (טו) פרעהו. בטלהו: שטה מעליו. סור: (טז) כי

## מנחת שי

(יא) הריתיך. חסר וא"ו אחר ה"א ומלא יו"ד אחר רי"ש ואחר תי"ו והמסורת לית והד והורתיך אשר תדבר ועיין מה שכתבתי בספר ואלה שמות: (יב) בלכתך. הבי"ת בגעיא בספרי ספרד: (יג) נצרה. דגש סלדי"י לתפארת: (טו) פרעהו. בר"ש ולית כוותיה וחד בדל"ת פדעהו מרדת שחת (איוב ל"ג) ובמ"ג מערבת אות הדל"ת נמנה מאלפ"א ביתא מן חד דל"ת וחד רי"ש ולית דכוותא: (טז) כי לא ישנו. נעלמת היו"ד פ"א הפעל מהמכתב ויו"ד אית"ן מועמדת בגעיא להורות עליה. מכלול דף קל"א. וכתב ר' אליה המדקדק בספר טוב טעם פרק ז' ובהגהת שרשים שהמתג לפעמים מבדיל בין

## אבן עזרא

צריך: (יא) בדרך חכמה. בעבור דרך חכמה שתלמדה: (יב) בלכתך. כאשר תלך בדרך החכמה: (יג) נצרה. ראוי להיות בפתח והה"א כנוי לחכמה הנזכרת למעלה בדרך החכמה והטעם החזק במוסר שיסרתיך ללכת בה: (טו) פרעהו. מן ותפרעו כל עצתי מן למפרע: שטה.

## רלב"ג

שם או ידבר בזה שלמה ולזה לקחת אחריו שילוה עליהם: (יא) בדרך חכמה הוריתיך. ללכת בדרך חכמה ובדרכי יושר והוא מה שהזהרתיך ללכת בדרכי התורה ולחקור בה מחקר הראוי ואם תעשה כן תהיה נעזר בש"י באופן שיכונו מחשבותיך וישלימו חפציך במה שתרצה לעשותו: (יב) בלכתך לא יצר צעדך. הנה בלכתך לעשות דבר מה לא יצר צעדך מלעשותו ולהשלים הדרך וגם אם תרוץ בדרך לא תכשל באבן נגף וצור מכשול: (יג) החזק במוסר. התורה. אל תרף ממנו נצור התורה בלבך כי היא בעצמה היא חייך הנצחיים במה שתלמד בכוונותיה מהחכמה והבינה: (יד) בארח רשעים אל תבא. אל תבא ואל תהלך בדרך אנשים רעים: (טו) פרעהו אל תעבר בו. אם תוכל בטל והשבית הדרך הרע רוצה לומר שתפרע דרך הרשעים בדרך שלא ישלמו הרע אל תעבור להסכים עמם ואם לא תוכל לבטלו נטה מעליו ועבור ויגלה מהרשעים רשע וידך לא תהיה עמם וזה כי הרשעים הם חפצים לעשות רע כל כך עד שכאשר התהלכו בדרך ובמנהג אחד לא יוסיפו שנית להתהלך בו אם לא היה בדרך ההיא רעה והשחתה: (טז) כי לא ישנו אם לא ירעו. גם לא יוכלו לישן בלילה אם לא עשו רע להכשיל האנשים: (יז) כי לחמו לחם רשע. מאכלם ומשתיהם יהיו כלם רשע וחמס כי הרשע נותן

## מצודת ציון

כמו אשר מגן צריך (בראשית י"ד): (יא) הוריתיך. ענין למוד: (יב) צעדך. פסיעותיך: תרוץ. ענין מהירת ההליכה: (יד) תאשר. ענין הילוך ופסיעות כמו ואשרו בדרך בינה (לקמן ט'): (טו) פרעהו.

## מצודת דוד

אתה לי כי בני אתה ואני אתקנך: שנות חיים. ר"ל שנים טובים ושלוים: (יא) הוריתיך. אני מלמדך ללכת בדרך חכמה: הדרכתיך. אני מוליכך בדרך ישר: (יב) לא יצר. לא יהיה לך מקום הפסיעות צר ואף אם תרוץ בו לא תכשל ורוצה לומר לא תכשל במעשיך: (יג) אל תרף. אל תרפה ידך ממנו: (טו) פרעהו. בטל הדרך ההוא ואל תעבור בו נטה מאליו ועבור ממנו: (טז) כי לא ישנו. ההולכים בדרך ההוא לא יוכלו לישן אם לא עשו הרעה: אם לא יכשילו. את אחרים וכפל הדבר במלות שונות: (יז) לחם

with Psalms 132:4f., where King David states, "I will not give sleep to my eyes, nor slumber to my eyelids, until I find a place for the Lord."

17. **For they eat the bread of wickedness** — Bread acquired through robbery.—[*Mezudath David*]

**the wine of violence**—Wine acquired through violence.—[*Mezudath David*]

11. In the way of wisdom I instructed you; I led you in the
paths of uprightness. 12. When you walk, your step will not be
straitened, and if you run, you will not stumble. 13. Take fast
hold of discipline, do not let it loose; guard it, for it is your life.
14. You shall not come in the way of the wicked, and do not
walk in the way of the evil. 15. Avoid it, do not pass through it;
turn away from it and pass. 16. For they will not sleep if they
do not commit evil, and their sleep will be robbed away if they
do not cause stumbling. 17. For they eat the bread of wicked-
ness, and they drink the wine of violence.

your best interests in mind.—[*Mezudath David*]

**years of life**—Years of happiness and tranquility.—[*Mezudath David*]

11. **In the way of wisdom**—This refers to the study of the Torah.—[*Gra*]

**in the paths of uprightness**—This refers to the performance of good deeds. Learning Torah is referred to as "a way," denoting a wide road, because learning Torah involves one way. The performance of good deeds is referred to as "paths" in the plural, because there are many paths and ways to do good deeds, as are explained at the beginning of the book: righteousness, justice, and equity.—[*Gra*]

12. **When you walk, your step will not be straitened**—*One who does not spread out his legs is likely to fall.*—[*Rashi*]

**and if you run, you will not stumble**—although runners are likely to fall. The intention is that, in all your deeds, those performed slowly as well as those performed hurriedly, wisdom will guide you and teach you how to perform them so that they will bring the proper results.—[*Ibn Nachmiash*]

13. **Take fast hold of discipline, do not let it loose**—*Grasp the Torah, as in* (Gen. 21:18) *"and grasp* (וְהַחֲזִיקִי) *your hand onto him";* (Ex. 4:4) *"and he stretched out his hand and grasped it* (וַיַּחֲזֶק)*."*—[*Rashi*]

14. **the wicked**—Those who sin against God.—[*Gra*]

**the evil**—Those who sin against their fellow men.—[*Gra*]

15. **Avoid it**—Heb. פְּרָעֵ, *put it to naught.*—[*Rashi*] Keep far from temptation by intentionally avoiding the company of evil-doers.—[*Gra*]

**turn away from it**—Heb. שְׂטֵה, *turn away.*—[*Rashi*]

16. **For they will not sleep**—*They are unable to sleep.*—[*Rashi*] They are unable to sleep from vexation and disappointment if the day has passed without gain from an act of violence.—[*Meiri*]

*Ibn Nachmiash* contrasts this verse

חֲמָסִים יִשְׁתּוּ: יח וְאֹרַח צַדִּיקִים כְּאוֹר
נֹגַהּ הוֹלֵךְ וָאוֹר עַד־נְכוֹן הַיּוֹם: יט דֶּרֶךְ
רְשָׁעִים כָּאֲפֵלָה לֹא יָדְעוּ בַּמֶּה יִכָּשֵׁלוּ:
כ בְּנִי לִדְבָרַי הַקְשִׁיבָה לַאֲמָרַי הַט
אָזְנֶךָ: כא אַל־יַלִּיזוּ מֵעֵינֶיךָ שָׁמְרֵם בְּתוֹךְ
לְבָבֶךָ: כב כִּי־חַיִּים הֵם לְמֹצְאֵיהֶם וּלְכָל־
בְּשָׂרוֹ מַרְפֵּא: כג מִכָּל־מִשְׁמָר נְצֹר לִבֶּךָ

שְׁתַיִן: יח וְאָרְחָא
דְצַדִּיקֵי כִּנְהוֹרָא דְמַזְהַר
וְאָזֵל נְהָרֵיהּ עַד מָה
דְתַקִּין יוֹמָא: יט וְאָרְחָא
דְרַשִׁיעֵי חֲבִירָא וְלָא
יָדְעִין בְּמָנָא מִתְתַּקְלִין:
כ בְּרִי לְמִלַּי אֲצִית
וּלְמֵאמְרֵי צַלֵּי אוּדְנָךְ:
כא לָא נִזְלָן מֵעֵינָךְ
נַטְרִנּוּן בְּגַוֵּיהּ דְלִבָּךְ:
כב מְטוּל דְחַיֵּי אִנּוּן לְמַן
דְמַשְׁכַּח לְהוֹן וּלְכוּלָא
בִּשְׂרֵיהּ מַאסֵי: כג מִכָּל
זְהוֹרָא נְטַר לִבָּךְ מְטוּל
דְמִנֵּיהּ הוּא מַפְקָנָא

ת"א וארח לצדיקים. זוהר בראשית ויקהל עקידה שער סח עקרים מ"ד פל"ג: דרך רשעים. עקידה שער סח: שמרם. שם שער סד: כי חיים. עירובין נד אות יג: מכל משמר. (פאה טו):

### רש"י

לא ישנו. אינם יכולין לישן: (יח) ואורח צדיקים כאור נגה. שהולך ומאיר מעמוד השחר: עד נכון היום. עד חצות היום שהיא בירורו של יום: (יט) דרך רשעים כאפלה לא ידעו במה יכשלו. פתאום יבא להם מכשול ולא ידעו להזהר ממנו: (כב) למוצאיהם. לשון מציאה: (כג) מכל משמר. מכל מה שאמרה תורה השמר נצור לבך (מעבור עליו) בין עבירה קלה בין עבירה חמורה: כי ממנו תוצאות חיים. כי מאותה

### אבן עזרא

סור: (יח) ואורח צדיקים. חסר והנכון אור אורח צדיקי': (כ) בני לדברי. (כג) מכל משמר. הם מצות לא תעשה שהאדם ראוי לישמר מהם פי' יותר מכל משמר נצור לבך

### מנחת שי

לשון ללשון כגון לא ישנו אם לא ירעו היו"ד במתג להורות על יו"ד השרש ששרשו ישן. ואחרי דברי לא ישנו שאין בו מתג שרשו שנה. וכן וייראו שהוא לשון מורא במלאים חסרים יו"ד השרש והמתג מורה עליו להבדיל בין לשון מורה ללשון ראיה: ונגלה. הוא"ו בגעיא בספרי ספרד: יכשלו. יכשילו קרי: (יט) כאפלה. בכ"ף ולית כותיה:

### רלב"ג

שנת לעיניהם לרוב שמחתם בו גם לא ישערכו למזון אחר מרוב התענוג בו: (יח) וארח צדיקים. הנה זה דרך הצדיקים הוא כאור נוגה השחר שהולך אורו ומתחזק עד נכון היום והוא עד חצי היום כי אז האור והיום בשלימותו ובתקפו: (יט) דרך רשעים כאפלה. ואולם דרך הרשעים כאפילה שלא יראו בו ולא יוכלו להתיישר אל התכלית שכוונו אליו ולזה יכשלו במרוצתם ולא ידעו במה יכשלו כי אינם רואים אור כלל ואמנם אמר זה כי דרך הצדיקים בלכתם לעשות דבר מה יהיה בו האור להצילם מהמכשולות והמונעים ולהישירם ללכת אל התכלית שכוונו אליו כי הם נעזרים בכל זה בשם יתברך ואמנם דרך הרשעים שיכוונו בו עשיית הרשע הוא בהפך זה כי השם יתברך מפר מחשבותיהם פעמים רבות ולא יעשו הרע אשר יזמו לעשותו כמו שזכרנו בספר איוב: (כ) בני לדברי הקשיבה לאמרי הט אזנך: (כא) אל יליזו מעיניך. אל יסורו מעיניך שמרם תמיד בתוך לבך: (כב) כי חיים הם למוצאיהם. כי אלו הדברים אשר אני אומר לך הם בעצמם חיים למי שימצאם ויעמוד על כוונתם והם עם זה מרפא לכל בשרו להסיר ממנו חולי המדות הפחותות והנה אמר זה כי זה הספר בכללו מישיר לשלימות המושכלות ולשלימות המדות: (כג) מכל משמר נצור לבך. והוא השכל ר"ל שמרהו שלא יהיה נאסר במאסר הנפש המתאוה באופן שהמנעהו מעשות פעולתו המיוחדת לו גם שומרהו שלא יהיה נאסר במאסר שאר הכחות המשיגות במה שימנעהו פעולתו: כי ממנו. מהשכל תוצאות חיים ואם לא יבלבלו הכחות האחרים פעולתו הנה תשיג אחרית חיים ממנו ובעבור שלא יהיה שכלך נאסר בשום מאסר

### מצודת דוד

רשע. רוצה לומר הבא מגזל: חמסים. הבא מן חמס: (יח) ואורח צדיקים. האורח שהצדיקים הולכים בו הוא כאור היום המזהיר והולך ומאיר בכל פעם יותר עד אשר יכון היום בשלימותו והוא חצות היום רוצה לומר בכל עת ישכילו יותר לעמוד על דעת התורה: (יט) כאפלה. כהולכים בדרך חשיכה ולא ידעו במה יוכלו להכשל להיות נשמר ממנו רוצה לומר שוגים בדעתם ותועים מדרך האמת ואינם יודעים ממה להזהר: (כב) למוצאיהם. המוצא חכמת התורה המה לו לחיים ומרפא לכל בשרו: (כג) מכל משמר. יותר מכל הדברים שאתה משמרם שמור לבך מלחשוב בעון כי עיקר

### מצודת ציון

ענין בטול והשבתה כמו ותשבתו כל עלתי (לעיל כ'): שטה. ענין הטיה והסבה כמו אל ישט אל דרכיה (לקמן ז'): (יח) נוגה. ענין הארה כמו מנוגה נגדו (תהלים י"ח): הולך ואור. רוצה לומר בכל פעם יותר וכן וירח יקר הולך (איוב ל"א): (כא) אל יליזו. אל ינטו:

22. **for they are life for those who find them**—The one who finds the wisdom of the Torah will find that it is life for him and healing for all his flesh.—[*Mezudath David*]

**for those who find them**—Heb. לְמֹצְאֵיהֶם, *an expression of finding.*—[*Rashi*] Although the Talmud (*Erubin* 54a) interprets this verse homiletically to mean that the words of Torah are life for those who express them aloud, like לְמוֹצִיאֵיהֶם, the simple meaning is "those who find them."

23. **From every interdict**—*From whatever the Torah commanded to*

18. But the way of the righteous is like the light of dawn; it shines ever brighter until the day is perfect. 19. The way of the wicked is like pitch darkness; they do not know on what they stumble. 20. My son, hearken to my words; incline your ear to my sayings. 21. Let them not depart from your eyes; guard them within your heart, 22. for they are life for those who find them, and for all his flesh a healing. 23. From every interdict guard your heart,

18. **But the way of the righteous is like the light of dawn**—*which shines and illuminates from the first ray of dawn.*—[*Rashi*] *Ibn Ezra* explains this verse as an ellipsis. It should be understood to mean: The light of the way of the righteous is like the light of dawn, etc.

**until the day is perfect**—*Until midday, which is the brightest time of day.*—[*Rashi*] The righteous constantly gain more and more insight into the understanding of the Torah.—[*Mezudath David*]

19. **The way of the wicked is like pitch darkness; they do not know on what they stumble**—*Suddenly, an obstacle will come to them, and they will not know how to beware of it.*—[*Rashi*]*

20. **My son, hearken to my words**—This denotes the lengthy explanations of the laws and the admonition to keep them.—[*Malbim*]

**incline your ear to my sayings**—This denotes the statements themselves without any embellishments, e.g. the written Law, without its oral interpretation. You must hearken to both.—[*Malbim*]

This verse introduces a segment devoted to caution in the observance of the commandments.—[*Rabbenu Yonah*]

21. **Let them not depart from your eyes**—King Solomon admonishes his son not to forget the commandments. Forgetfulness of the commandments can happen in one of two ways: by forgetting the commandment itself—such as forgetting the interdict of performing labor on the Sabbath or the interdict of a particular type of labor; or by losing sight of a commandment temporarily—such as one who knows that he must recite the *Shema,* but it slips his mind at the moment, and he fails to fulfill this commandment. Because he is aware of the commandment, this latter type of forgetfulness involves more carelessness and negligence than does the former. Therefore, King Solomon first admonishes concerning the latter type of forgetfulness by stating, "Let them not depart from your eyes." Then he admonishes concerning the former type, by stating, "Guard them within your heart."—[*Rabbenu Yonah*]

כִּ֣י מִ֝מֶּ֗נּוּ תּוֹצְא֥וֹת חַיִּֽים׃ כד הָסֵ֣ר מִ֭מְּךָ
עִקְּשׁ֣וּת פֶּ֑ה וּלְז֥וּת שְׂ֝פָתַ֗יִם הַרְחֵ֥ק
מִמֶּֽךָּ׃ כה עֵ֭ינֶיךָ לְנֹ֣כַח יַבִּ֑יטוּ וְ֝עַפְעַפֶּ֗יךָ
יַיְשִׁ֥רוּ נֶגְדֶּֽךָ׃ כו פַּ֭לֵּס מַעְגַּ֣ל רַגְלֶ֑ךָ וְֽכָל־
דְּרָכֶ֥יךָ יִכֹּֽנוּ׃ כז אַל־תֵּט־יָמִ֥ין וּשְׂמֹ֑אול
הָסֵ֖ר רַגְלְךָ֣ מֵרָֽע׃ ה א בְּ֭נִי לְחָכְמָתִ֣י
הַקְשִׁ֑יבָה לִ֝תְבוּנָתִ֗י הַט־אָזְנֶֽךָ׃ ב לִשְׁמֹ֥ר

דְחַיֵּי׃ כד אַעְבַּר מִנָּךְ
עֲקוּמָא דְפוּמָא וְעַאתָא
דְשִׂפְוָתָא אַרְחֵק מִנָּךְ׃
כה עַיְנָךְ בְּתְרִיצוּתָא
נָאוְרָן וְתִמְרָיךְ נִתְרְצוּן
לְקוּבְלָךְ׃ כו אַעְבַּר
רִגְלָךְ מִשְׁבִילֵי בִּישֵׁי
וְכוּלְהוֹן אָרְחָתָךְ מִתַּקְנָן׃
כז לָא תִסְטֵי לְיַמִּינָא
וְלִשְׂמָאלָא אַעְבַּר רִגְלָךְ
מִן בִּישְׁתָּא׃ א בְּרִי
לְחוּכְמְתִי צִית לְבִיוּנַי
צְלֵי אֻדְנָךְ׃ ב דְתִזְדְהַר
בְּתַרְעִיתָא

**ת"א** תוצאות חיים. עקידה שער עח: הסר ממך. כתובות כא: יבמות כד: יביטו. עקידה שער פב: ועפעפיך. מגלה יח: פלס. מ"ק ט עקידה שער עב: בני לחכמתי. עקידה שער לג:

## רש"י

שהוא קל יהיו לך חיים ושכר גדול אם תקיימנו. כך דרש תנחומא: (כד) הסר ממך עקשות פה. לא תעשה דבר שילעיזו בו הבריות ויעקימו עליך פיהם: עקשות פה. לשון עקום כמו תם אני ויעקשני (איוב ט') ובמשנה שניה עקומות ועקושות: ולזות שפתים. עקמימו' שפתים. שלא ירחיבו הבריות פה עליך: (כה) עיניך לנכח יביטו. יסתכלו אל האמת ואל היושר: יישרו נגדך. יסתכלו על הישרה ליושר דרכך נגדך: (כו) פלס מעגל רגלך. שקול דרכך הפסד מצוה כנגד שכרה ושכר עבירה כנגד הפסדה ואז כל דרכיך יכונו: (כז) אל תט ימין רגלך מרע. מדרך רע שלא תבחר בו: ה (א) בני לחכמתי: (ב) לשמור מזמות. שתשמור

## מנחת שי

(כד) עקשות פה. דגש הקו"ף לתפארת: (כה) יישרו. חד מן ד' חסרים יו"ד בתר שי"ן בליסנא ועיני המדפיסים לא הביטו לנוכח המסרה שלפניהם: (כו) רגלך. בלא יו"ד: וכל דרכיך. הוא"ו בגעיא: יכנו. בלא וא"ו אחר כ"ף:

## אבן עזרא

מלהרהר רע. כי ממנו תוצאות חיים והוא כמלך בגוף: (כה) יישירו. יבחרו הדרך הישרה: (כו) פלס. במאזני המחשבה וראה אי זה דרך טוב: וכל דרכיך יכונו. כאשר תפלכם: (כז) אל תט. מהמעגל אשר תבחר: הסר

## רלב"ג

ימנעהו מן ההשגחה הסר ממך הדברים הכוזבים בדעות אשר יאסרו שכלך במאסרם והמשל כי הדעות הכוזבות כשיקבלם האדם בעניין ההתחלפות ישימו שכלו נאסר במה שאחר ההתחלפות ההן שלא יוכל לחקור בהן מחקר ראוי כי הטעות אשר בשרש וההתחלה יאסור אותו וילך לעדו ממלואת האמת: (כה) עיניך לנוכח יביטו. עיניך יביטו אל היושר והאמת ולא יעקך מעוק: ועפעפיך יישירו נגדך. להשים אזנך בעלם הדבר המבוקש העיון בו: (כו) פלס מעגל רגלך. ישר מעגל רגלך לקחת הסדרים והדרכים המוליכים אל הדרוש אשר תחקור בו וזה יהיה סבה שיכונו כל דרכיך בעיון: (כז) אל תט בדרכיך מן האמת כלל לגד מהלדדים הסר רגלך מדעת נפסד אשר יקרה מפני טעות הכח הדמיוני או מפני זולתו מהסבות: (א) בני לחכמתי הקשיבה לתבונתי הט אזנך. בני הקשיבה לחכמתי והט אזנך לתבונתי: (ב) לשמור המחשבות היצירוך למלא התבונה והדעת שהישיר למלא החכמה ינלורו שפתיך כדי שיהיה עמך

## מצודת ציון

(כד) ולזות. ענין נטיה ועקימה: (כה) ועפעפיך. אישון העין: (כו) פלס. ענין יושר ועש"ז נקרא מטה המאזנים פלס ומאזני וגו' (לקמן ט"ז) לפי שבו מיישר המשקל:

## מצודת דוד

תוצאות חיים באה היא מן הלב ואיך תחשוב בו בדבר המאבד את החיים: (כד) הסר ממך. רוצה לומר אל תעשה דבר שיהא בו מקום לבני אדם לרנן אחריך וירמזו הרנון בעקימת הפה ונטיית השפתים כדרך המרננים ברמז: (כה) לנכח. ראה בהתבוננות יתירה תכלית המעשה אשר תעשה ואז עפעפיך יוליכוך בדרך הישר: (כו) פלס. ראה ליישר מעגל רגליך ולא תלך כפי הקרי וההזדמן ואז יהיו כל דרכיך נכונים: (כז) אל תט. בכל דבר אל תטה עצמך ימין ושמאל מן דרך הממוצע אבל מרע הסר רגליך מכל וכל: ה (א) בני לחכמתי הקשיבה. עוד זה מדברי דוד שאמר לשלמה בנו שמע להחכמה אשר למדתיך: (ב) לשמר. הזהר לשמור

*lished.*—[*Rashi* from an unknown midrashic source] (According to *Ibn Nachmiash,* this maxim appears to be in *Midrash Mishle.* However, it is not found in extant editions.)

27. **Turn neither right nor left**—*of the good weight.*—[*Rashi*] Presumably, this refers back to the preceding verse, in which King Solomon exhorts his son to weigh the path of his feet. He now exhorts him to be careful not to deviate from that weight, as *Rashi* explains above.*

1. **My son**—This, too, is what David taught Solomon—to hearken to the wisdom that David taught him.—[*Mezudath David*] *Meiri* explains that this is the introduction to

for the issues of life [come] out of it. 24. Take crooked speech away from yourself, and put devious lips far away from you. 25. Let your eyes look forward, and let your eyelids look straight ahead of you. 26. Weigh the path of your feet, and all your ways will be established. 27. Turn neither right nor left; keep your feet from evil.

5

1. My son, hearken to my wisdom; incline your ear to my understanding, 2. to watch

*beware of, guard your heart (from transgressing), regardless whether it is a minor sin or a grave sin.*—[*Rashi*]

**for the issues of life [come] out of it**—*For from even a minor one you shall have life and a great reward if you fulfill it—so did Rabbi Tanhuma expound.*—[*Rashi* from *Midrash Tanhuma, Ki Theze* 2] This idea is echoed by the Mishnah (*Avoth* 2:1): "Be as scrupulous in the observance of a minor commandment as in the observance of a major one, for you do not know what reward is given for the observance of the commandments."*

24. **Take crooked speech away from yourself**—*Do nothing for which people will slander you and make their mouths crooked* [when talking] *about you.*—[*Rashi*] They will hint to their companions by making their mouths crooked.—[*Mezudath David*]

**crooked speech**—Heb. עִקְּשׁוּת. This is *an expression of* עִקּוּם, *crooked, as in* (Job 9:20): "Though I was innocent, *He would prove me perverse* (וַיַּעְקְשֵׁנִי)," *and in the Mishnah* (*Hullin* 3:3) *"its teeth are crooked and twisted* (עֲקוּשׁוֹת)."—[*Rashi*] (These words are not found in our editions of the Mishnah or the Talmud. However, they are found in the Munich ms., see *Dikdukei Soferim* to Hullin 56a.)

**devious lips**—*Crooked lips, that the people should not open their mouth wide* [when talking] *about you.*—[*Rashi*]

25. **Let your eyes look forward**—*Let them look to truth and uprightness.*—[*Rashi*]

**and let your eyelids look straight ahead of you**—*Let them look at what is upright, to straighten your way before you.*—[*Rashi*] Concentrate on the aim of the deed you are planning to do and then your eyelids will lead you in the straight path.—[*Mezudath David*]

26. **Weigh the path of your feet**—*Weigh your way: the loss of a commandment against its reward and the reward of a sin against its loss, and then all your ways will be estab-*

מְזִמּוֹת וְדַעַת שְׂפָתֶיךָ יִנְצֹרוּ: ג כִּי נֹפֶת
תִּטֹּפְנָה שִׂפְתֵי זָרָה וְחָלָק מִשֶּׁמֶן חִכָּהּ:
ד וְאַחֲרִיתָהּ מָרָה כַלַּעֲנָה חַדָּה כְּחֶרֶב
פִּיּוֹת: ה רַגְלֶיהָ יֹרְדוֹת מָוֶת שְׁאוֹל
צְעָדֶיהָ יִתְמֹכוּ: ו אֹרַח חַיִּים פֶּן תְּפַלֵּס

ת״א ארח חיים. מ״ק ס עקידה שער עט: (פ״ב טו): נעז

בְּהַרְעִיתָא וְדַעְתָּא
שִׂפְוָתָךְ נִנְטְרָן: ג מְטוּל
דְּכַבְרִיתָא מְנַטְּפָן
שִׂפְוָתָא דְנוּכְרֵיתָא
וְשִׁעִיעַ מִן מִשְׁחָא חִכָּהּ:
ד וְאַחֲרִיתָהּ מְרִירָא הֵיךְ
גִּירָא חֲרִיפָא מִן סַיְפָא
דְּתְרֵין פּוּמִין: ה רִגְלָהּ
נָחֲתָן לְמוֹתָא שְׁיוֹל
הִלְכָתְהָא מְסַמְּכָן:
ו בְּאָרְחָא דְחַיֵּי לָא

## רש״י

ושאול. מן המשכל הטוב:
ה (ג) כי נופת תטופנה. לשון מתיקה: שפתי זרה. אפיקורסת: וחלק משמן חכה. לשון חיך: (ה) יתמוכו. לשון קורבה: (ו) ארח חיים פן תפלס. כך דרשוהו הכמים שלשל הקב״ה מתן שכרן של מצות ולא פירשן כדי שלא יראה אדם מצוה שמתן שכרה מרובה וידבק בה ויניח שאר המצות וזה פתרונו כדי שלא תפלס ארחות התורה אי זו ליקח ואי זו להניח לכך נעו מעגלותיה הניע הקב״ה פי׳ נתיבותיה ולא הודיעם. זהו מדרש אגדה. אבל לפי סדר המקראות שכתוב אחריו הרחק מעליה דרכך. נראה שעדיין לא הפסיק בענין אשה הזונה וכן יש לפרש. ארח חיים פן תפלס. אל תשקל ארח חיים

## אבן עזרא

המזימות כלכך: ינצורו. בעסק הלמוד: (ה) רגליה. יורדות למות ולשאול יורדות לצדיה אשר יתמכוה: (ו) תי״ו תפלס ותי״ו תדע לנוכח המוזהר והוא בני לחכמתי הקשיבה. נעו מעגלותיה חסר וכן הוא נעו רגליו מעגלותיה או המעגלות הם ינועו על דרך משל כאילו הם נעות ומניעות הזרה ופי׳ ראשון נכון וכן הפי׳ ארח שתשים בו חיים אולי תפלס ותבחרהו נעו מעגלותיה והטעם הורדתיה לשאול פתאום ולא תרגיש אתה עד רדתה שמא תוסר אתה ותפלס

## מנחת שי

ה (ד) ואחריתה. בגעיא הוא״ו בספרי ספרד: מרה כלענה.

## רלב״ג

תמיד האמת באלו הדברים בסבותיו ובדרכיו ואמנם לויתיך על זה כי נופת תטופנה שפתי האשה הזרה והוא הכח הדמיוני: (ג) תטופנה. דבר ידמה שהוא מתוק כנפת וחכה אשר בו תטעם הדברים ידמה היותו ערב מאד וחלק יותר משמן: (ד) ואחריתה מרה כלענה. ואחריתה תמלא מרה כמו הלענה וחדה וחותכת כמו חרב בעל פיות שחותך ומכחית מכל צדדיו: (ה) רגליה. יורדות אל מות והשחתה וצעדיה הם תומכים ומחזיקים המות ר״ל שהם עוזרים להביא המות באופן שלא ינצל וכזה הם כאילו סומכים ידי המות ומחזיקים אותה על החיים: (ו) אורח חיים פן תפלס. ואם תחשוב שיהיה תקוה שתפלס ארח חיים ותישר אליו הנה באמת אין תקוה בזה כי מעגלותיה נעו וסרו מדרך החיים ולא תוכל לדעת אותן והנה אמר זה לפי שהמדמה אע״פ שהוא עוזר עזר מה אל השכל כמו שהתבאר במקומו הנה בליורו יטעה מאד בעמיקות החכמה והתבונה והטעות שיקרה ממנו בדברים הגדולים וההתחלות יהיה סבה להרחיק האדם מאד משלימותו ולהתיר לו לעזוב החכמה ולהתענג בתאוות ולזאת הסבה יערבו מאד דבריו אל האדם כמו שזכר וזה מבואר במעט עיון למעיין בזה הספר כי דברינו בו הם למי שנשלם בפילוסופיא וראה דברינו בספר מ״י ואפשר שירמוז באשה זרה אל הנפש המתאוה ויקבור הענין אל מ״ש

## מצודת דוד

את המחשבות ושפתיך ינצורו לדבר דעת: (ג) כי נופת. ר״ל מאוד צריך להיות נזהר לבל יפותה כי אמרי הזונה המה ערבים ומתוקים כנופת צופים והמה חלקים יותר משמן והוא גם למשל על המינות: (ד) ואחריתה. אבל אחרית הפתוי מרה כלענה וממית הנפתים כחרב שיש בו שני חדודים מזה ומזה: (ה) רגליה. ר״ל דרך רגלי הפתוי מביא המיתה: יתמוכו. תומכים ומחזיקים את השאול שיהיה הנפתה נופל בה: (ו) אורח חיים. רוצה לומר חכמת התורה: פן תפלס. פן תיישר לה להדמות אליה: נעו. דע לך כי

## מצודת ציון

ה (ג) נופת. ענין הזלה והתכה וכן ונופת צופים (תהלים י״ט) ותחסר מלת צופים וכוא מובן מעצמו כר״ל כהזלת חלות הדבש: תטופנה. תרד טיפין: חכה. רוצה לומר מאמרה הבאה בנגיעת הלשון בחיך: (ד) כלענה. שם עשב מר: (ה) צעדיה. ענין פסיעות והלוך: (ו) תפלס. תיישר: נעו. מל׳ נע ונד: מעגלותיה.

*did not explain it* [the reward], *so that a person should not see a commandment for which the reward is great and cling to it and leave over the other commandments. This is the interpretation: Lest you weigh the ways of the Torah, which one to take and which one to leave, therefore its paths wandered off—God caused them to wander off and He did not make them known.*

*This is the Midrash Aggadah, but according to the sequence of the verses, since after it is written: "And now, children, hearken to me and do not turn away from the sayings of my mouth. Distance your way from her," it appears that he has not yet ended the section dealing with the harlot, and it should be interpreted as follows:*

**Lest you weigh the path of life**—*Do*

[your] thoughts, and your lips shall guard knowledge. 3. For the lips of a strange woman drip honey, and her palate is smoother than oil. 4. But her end is as bitter as wormwood, as sharp as a two-edged sword. 5. Her feet descend to death; her steps come near the grave. 6. Lest you weigh the path of life,

the next words—Solomon wishes to admonish his son and he exhorts him to listen.

2. **to watch**—Be careful to watch your thoughts in your heart, and your lips shall be sure to speak knowledge—the study of the Torah.—[*Ibn Ezra, Mezudath David*]

*Ibn Nachmiash* explains that this chapter admonishes one to ponder the results of his deeds, for some things appear sweet and pleasant at the start but result in disaster, as Solomon proceeds to delineate.

3. **drip honey**—Heb. נֹפֶת, *an expression of sweetness.*—[*Rashi*] One must be very careful not to be enticed, for the words of the harlot are pleasant, as sweet as honey, smoother than oil.—[*Mezudath David*]

**the lips of a strange woman**—*Apostasy.*—[*Rashi*] Throughout the Book, *Rashi* interprets the figure of the strange woman as a symbol of apostasy or disbelief, as he explains above (1:2).

**her palate**—Heb. חִכָּהּ, *an expression of* חֵךְ, *a palate.*—[*Rashi*] This represents her speech. Her ideas are appealing, and you may easily become enticed to follow her unless you are cautious and wary of her.—[*Meiri*]

4. **But her end is as bitter, etc.**—But the end of her enticement is as bitter as wormwood, and it kills the enticed ones like a two-edged sword.—[*Mezudath David*]

5. **Her feet descend to death**—Heb. יֹרְדוֹת, an intransitive verb. Others interpret this word as the causative, "bring down": Her feet bring all those enticed by her down to death.—[*Ibn Nachmiash*]

**come near**—Heb. יִתְמֹכוּ, *an expression of nearness.*—[*Rashi*] Her steps stay close to the grave lest it separate from them.—[*Ibn Nachmiash*] *Mezudath David* explains: Her steps grasp the grave so that the enticed should fall into it.

*Midrash Mishle* explains that one must beware of the strange woman, who may mislead you with her sweet voice, but whose end is as bitter as wormwood, sharp as a two-edged sword. Just as this sword cuts from both sides, so does the strange woman bring destruction both in this world and in the next; as Scripture states further, her feet bring down to death—the depths of death being pains and tortures—and yet her steps come near to the grave, denoting punishment after death.—[*Ibn Nachmiash*]

6. **Lest you weigh the path of life**—*So did the Sages* (*Tanhuma Ekev* 2) *expound it: The Holy One, blessed be He, moved away* (טִלְטֵל) *the reward for the commandments and*

נָעוּ מַעְגְּלֹתֶיהָ לֹא תֵדָע: ז וְעַתָּה בָנִים
שִׁמְעוּ־לִי וְאַל־תָּסוּרוּ מֵאִמְרֵי־פִי:
ח הַרְחֵק מֵעָלֶיהָ דַרְכֶּךָ וְאַל־תִּקְרַב אֶל־
פֶּתַח בֵּיתָהּ: ט פֶּן־תִּתֵּן לַאֲחֵרִים הוֹדֶךָ
וּשְׁנֹתֶיךָ לְאַכְזָרִי: י פֶּן־יִשְׂבְּעוּ זָרִים כֹּחֶךָ
וַעֲצָבֶיךָ בְּבֵית נָכְרִי: יא וְנָהַמְתָּ
בְאַחֲרִיתֶךָ

ה"א ועתה בנים. פקידה שער מו: הרחק. ע"ג יז:

**תרגום**

דרכא מטלטלין שבילהא ולא ידעה: ז והשתא בניא שמעון לי ולא תסטון מן מימרי דפומי: ח ארחק מנה ארחך ולא תקרב לתרעא דביתה: ט דלא תתן לאחרני חילך ושניך לנוכראין: י דלא נשבעון נוכראי חילך ולעותך תעל לביתא דאחריני: יא ותנהום

## רש"י

אבל אותה זרה לומר איזו לעשות זו או זו כי מעגלות הזונה נעו לשאול ולא תדע להזהר עד אשר תנוע ותפול: (ט) **פן תתן לאחרים הודך**. פן תפנה לבך לאלהים אחרים לתת להם תפארת הודך ושבחך: **ושנותיך לאכזרי**. לשר של גיהנם: (י) **פן ישבעו זרים כחך**. נביאי הבעל הגובין ממון בשקריהם ובפחזותם: **ועצביך**. ויגיעך שנעצבת וטרחת בו: **בבית נכרי**. בבית עובד ע"א של עובדי כוכבים: (יא) **ונהמת באחריתך**. סוף שתנהום

## מנחת שי

הכ"ף רפה: (ו) נעו. מלרע רב פעלים: (ט) ושנותך. הנוקים הספרים במילוי וחיסור יו"ד אחר תי"ו וגם בוא"ו אחר נו"ן: (יא) ונהמת. במקצת ספרים כ"י הוא"ו בגעיא ואומרים

## אבן עזרא

אורח חיים. פ"א במקום שתפלס אורח חיים נעו מעגלותיה והיא לא תדע: (ז) **ועתה בנים**:

## רלב"ג

לשמור מזמות ודעת וגו' שהוא יזהירהו לידבק תמיד בחכמה ובתבונה באופן שתערב בו כל כך עד שלא יפותה בשפתי זרה המפתה המשך אל התאוות אשר יגיע מהם הרע שזכר והנה זה הביאור השני הוא הנכון יותר: (ח) הרחק מעליה דרכך. הרחק דרכך מעל האשה הזרה שקדם זכרה ואל תקרב אל פתח ביתה ר"ל שלא תמשך אל התאוות: (ט) פן תתן לאחרים הודך. פן תתן ההוד הנתון לך לקנות השלימות לאחרים ולא יהיה לך תועלת בו אבל יהיה בו השתמשות לעשות תחבולות להשיג התאוות. ושנותיך שהיה ראוי שתשתמש בהם לקנות קנין השלמות אשר הוא חייך תתן אל זה הכח האכזרי שישחיתך באכזריות וישבעו הכחות הזרים לאדם במה שהוא אדם כחך ועמלך ויגיעך יהיה בבית נכרי ר"ל שהכח השכלי הנתון לך לעמל בקנין השלימות האנושי ישבעו אלו הזרים מכחו ויגיעו כי כל כחו ויגיעו יהיה בעבודתם ובהמצאת התחבולות אל שישיגו מבוקשם: (יא) ונהמת. והנה בסוף כלות בשרך בעת הזקנה אז תזעק ותתאונן:

## מצודת ציון

דרכיה: (יא) ושארך. גם הוא נאמר על הבשר כמו אם יכין שאר לעמו (תהלים ע"ח) וכפל דבריו בשמות נרדפים כמו אדמת עפר

## מצודת דוד

נעו המעגלות שלה מן אורח חיים ורחקו ממנה ולא תדע להם שום דמיון והשוואה כי לא קרב זה אל זה: (ז) ועתה. מוסב למעלה לומר הואיל ושמעתם שגם דוד אבי הזהירני בדברים האלה עם כי הייתי חביב לו לזאת אתם בני אל מי שמעו לי וגו' כי לא משנאת הבריות אני מזהיר על כל אלה: (ח) מעליה. מן הזרה האמור למעלה: (ט) הודך. ההוד הנתון לך מן השמים תתן במעשיך לאחרים כי תהיה נלקח ממך ותנתן לאחרים ותמות בחצי שנותיך והנותרים תמסור לאכזרי והוא שר של גיהנם ר"ל תהיה מסור בידו לכל חפצו: (י) פן ישבעו זרים. הזרים ממך באינם ראוים ליורשך הם ישבעו כוחך והוא העושר הבא בכח והתאמצות וכן ככחם נתנו לאוצר (עזרא ב'): ועצביך. העושר הבא בעצבון ויגיעה וכפל

**your strength**—*The prophets of Baal, who collect money with their lies and their hastiness.*—[*Rashi*]

**and your labors**—*And your toil, with which you were saddened and fatigued.*—[*Rashi*]

**in the house of an alien**—*In the pagan temple of the pagans.*—[*Rashi* according to *Nach Lublin* and Waxman ed.] *In the pagan temples.*—[Warsaw and *Malbim* ed.] Vilna edition reads: *In the house of the futilities of the Egyptians and the Canaanites.* [It is difficult to ascertain which is the original reading and which editions were the result of censorship.]

*Midrash Mishle* explains this verse as a continuation of the previous verse. The cruel angels will sate themselves with you in Gehinnom, and your labors will be in the house of an alien, for you will be considered strange and alien to them.

11. **And you shall moan when your end comes**—*The end will be that you will moan when your end comes.*—[*Rashi*] Not only will you be pun-

her paths have wandered off and you shall not know. 7. And now, children, hearken to me and do not turn away from the sayings of my mouth. 8. Distance your way from her and do not draw near to the entrance of her house, 9. lest you give others your glory, and your years to a cruel one; 10. lest strangers be sated with your strength and your labors be in the house of an alien. 11. And you shall moan

*not weigh the path of life in conjuction with that strange one, saying what to do, whether this one or this one* [i.e. whether to follow the path of life or the path of the strange woman], *for the paths of the harlot have wandered off to the grave, and you will not know how to beware until you wander off and fall.*—[*Rashi*] [Since the Lublin edition of *Mikraoth Gedoloth* contains several errors, we have followed other editions in the translation of *Rashi's* commentary on this verse. However, since no edition is perfect, it was necessary to draw from a number of editions, viz. Waxman, Vilna, Warsaw, and *Malbim.*]

*Mezudath David* renders: Lest you compare the way of life—the wisdom of the Torah—to her, you should know that her paths have wandered very far from it, so far that you will not know any comparison or likeness to the wisdom of the Torah.

7. **And now, children**—This refers back to the beginning of chapter 4. Since you hear that my father, David, also admonished me although I was dear to him, you, the children of the living God, also hearken to my admonition, for I am admonishing you out of love, not out of hate.—[*Mezudath David*]

8. **Distance your way from her**—From the strange woman mentioned above.—[*Mezudath David*]*

9. **lest you give others your glory**—*Lest you turn your heart to other gods to give them the glory of your beauty and your praise.*—[*Rashi*] The glory given you by Heaven you will put into your deeds for others, for it will be taken from you and given to others, and you will die an untimely death.—[*Mezudath David*]

*Midrash Mishle* states: For she [the strange woman] will cause your glory and the glory of the Shechinah to be taken from you.

**and your years to a cruel one**—*To the prince of Gehinnom.*—[*Rashi* from *Midrash Mishle*] [The *Midrash* reads: To a cruel angel, which *Rashi* construes as meaning the prince of Gehinnom.]

The rest of your allotted years will be given to the prince of Gehinnom, for you will be given into his hands to be done to as he wishes.—[*Mezudath David*]

10. **lest strangers be sated with**

בְּאַחֲרִיתֶךָ בִּכְלוֹת בְּשָׂרְךָ וּשְׁאֵרֶךָ׃
יב וְאָמַרְתָּ אֵיךְ שָׂנֵאתִי מוּסָר וְתוֹכַחַת
נָאַץ לִבִּי׃ יג וְלֹא־שָׁמַעְתִּי בְּקוֹל מוֹרָי
וְלִמְלַמְּדַי לֹא־הִטִּיתִי אָזְנִי׃ יד כִּמְעַט
הָיִיתִי בְכָל־רָע בְּתוֹךְ קָהָל וְעֵדָה׃
טו שְׁתֵה־מַיִם מִבּוֹרֶךָ וְנֹזְלִים מִתּוֹךְ
בְּאֵרֶךָ׃ טז יָפוּצוּ מַעְיְנֹתֶיךָ חוּצָה

בְּסוֹפָךְ עַד מָה דְיִגְמַר
בִּשְׂרָךְ וְגוּשְׁמָךְ׃
יב וְתֵימַר הֵיכְנָא סְנֵית
מַרְדוּתָא וּמַכְסְנוּתָא
אֲשְׁלֵי לִבִּי׃ יג וְלָא
שְׁמָעִית קָלָא דְמָרְוָתִי
וּלְמַלְּפָנַי לָא צְלִית אֻדְנָי׃
יד עַל כְּלִיל הֲוֵית לִי
בְּכָל בִּישִׁין בְּגוֹ כְנִשְׁתָּא
וְעֵדְתָא׃ טו אִשְׁתֵּי מַיָא
מִן גּוּבָךְ וּרְדָיָא מִן
בֵּירָךְ׃ טז נִשְׁפְּעוּן
מַעְיָנָךְ לְבָרָא וּבִפְתָיֵי

ת"א שתה מים. ע"ג יט זוהר ויחי: יפוצו. תענית ז:

### רש"י

ברחובות

באחריתך: (יד) כמעט הייתי בכל רעה. כפתע בינו ובין גיהנם (כלומר בשביל דבר מועט הייתי עכשיו בכל רע שלא שמעתי לקול מורי שאלו שמעתי להם לא יארע כי כך. מרבי יוסף קר"א): (טו) שתה מים מבורך. מבור שנתן לך הקב"ה לחלקך היא תורת משה: בורך. מים מכונסים: ונוזלים מתוך בארך. מים חיים. כלומר תחלה כמים מכונסים ולבסוף נובעין הם והולכין: (טז) יפוצו מעינותיך חוצה. סוף שתקנה תלמידים

### אבן עזרא

(יד) כמעט. עדה, כמו שנה מן המועדים כמעט שתבא עוד מעט מן הצרות. הייתי תחת ההי'. פ"א כמעט שאוחיל ויעבור יגה"ר לא עשיתי כן אלא הייתי בכל רע: (טו) מבורך. מקוה מים: בארך. נובע מים פירוש שידבק באשתו ולא בזולתה: (טז) יפוצו. פי' יזלו מימי בארך עד שיפוצו מעיינותיך אל

### מנחת שי

שכן הוא לב"א אמנם בחילופים שלנו כן הוא לב"נ: בכלות. בבי"ת וחד בכ"ף ככלות כחי (תהלים ע"א) ואיתון מן א"ב חד כ"ף וחד בי"ת ועיין גם כן במסורת תהלים ע"א במ"ג: (יב) ואמרת. הוא"ו בגעיא ובטעם מיושב: (יג) ולא שמעתי. הוא"ו בגעיא בס"ם. (טו) ונזלים. בהרבה מדוייקים חסר וא"ו אחר נו"ן: (טז) יפוצו. בכל ספרים ישנים בוא"ו שורק:

### רלב"ג

(יב) ואמרת איך שנאתי מוסר. התורה ומאס לבי תוכחת התורה: (יג) ולא שמעתי בקול מורי. המרחיק אלו התאוות ולא הטיתי אזני למלמדי: (יד) כמעט הייתי בכל רע בתוך וגו'. שלא הייתי בוש מהם לעולם שנאתי מוסר או יהיה הרצון בזה כמעט שהייתי מפני זה בכל רע וצרה בתוך קהל ועדה שיתפרסם זה לכולם ויראו ברעתי. התרחק מאד מזאת האשה הזרה ולא תתן כח שכלך לה אך שתה מים מבורך והוא השכל אשר ממנו נובעים מים תמיד לא יחסרו בשתותך מהם ישפעו המושכלות ושתה המים הנוזלים מתוך בארך וג"כ הוא בכל אשר ממנו. והאפשר שרמז באמרו שתה מים מבורך שהיא החפירה אשר בה מים בלתי נובעים אל הצורות הדמיוניות והשגות החושים שמהם נלקחו ההקדמות הראשונות עם ההשגות כי אלו ההשגות החושיות אינם נובעות אך יחסרו בשילקחו קצתם אחר קצתם עד שאפשר שילקחו כולם ורמז באמרו ונוזלים מתוך בארך אל השכל שיושפע ממנו המושכלות והם נובעות תמיד ולזה המשילו לבאר מים חיים ואחר שיגיע לך השלמות בעיון יפוצו מעינותיך חוצה להשפיע מהם לזולתך יפוצו מהם פלגי מים ברחובות אשר ימלאו שם אנשים רבים ללמד אותם האמת ולהישירם אל השלמות כי עם שזה הענין בלכתך אחרי שהוא ראוי מצד עצמו להיטיב לזולתו הנה יתוסף שלמותך בו הנה אלו המעינות יהיו לך לבדך ואין לזרים אתך בהפך מה שהיה הענין בלכתך אחר עצת האשה הזרה כי אז תתן יגיעך לאחרים אך יגיעך ועמלך בחכמה ובשלמות האנושי יהיו לך לבדך ר"ל שאתה לבדך תאכל פרים במה שתקנה מזה מהחיים הנצחיים והערבים בתכלית הערבות כמו שבארנו בראשון מספר מ"י ואין זה סותר מ"ש יפוצו מעינותיך חוצה כי בעמלו בזה יאכל פרים הוא לבדו והם יקחו חלקם בעמלם שעמלו

### מצודת דוד

הדבר במלות שונות: (יא) באחריתך. באחרית ימיך ביום המיתה בעת אשר יכלה בשרך אז תנהום מכאב לב: (יב) נאץ לבי. מאס לבי בתוכחה: (יד) כמעט הייתי. בעבור הנאה קטנה כשיעור היותר מועט הייתי עתה בכל רע בתוך קהל רב ועדה גדולה בפרסום רב: (טו) שתה מים. ר"ל תשמש באשתך ולא בזרה: ונוזלים וגו'. כפל הדבר במלות שונות: (טז) יפוצו. אז יפוצו מעינותיך חוצה עד כי

### מצודת ציון

(דניאל י"ב): (יב) נאץ. מושאל הוא על הבזיון וכן נאצו כל תוכחתי (לעיל א'): (יג) מורי. מלשון הוראה ולמוד: (טו) ונוזלים. ענין נטיפה: בארך. באר הנובע: (טז) יפוצו. ענין פזור: פלגי מים.

bolized by the cistern in which the rain water is stored. It is usually cemented with lime to prevent leakage, which symbolizes the preservation of studies in the student's memory. As the student advances, his Torah becomes like running water, gushing out of a spring. The student learns to develop original ideas and interpretations of the subject matter, thus constantly increasing his knowledge. Cf. *Avoth* 2:11.]

16. **May your springs spread out**—*In the end you will acquire disciples, and you will promulgate decisions in public, and you will gain a reputation.*—[*Rashi*]

when your end comes, when your flesh and your body are consumed, 12. and you will say, "How [is it that] I hated discipline, and my heart despised reproof; 13. and I did not hearken to my instructors, and to my teachers I did not incline my ear? 14. I was almost in all evil, in the midst of the congregation and the assembly." 15. Drink water from your own cistern and running water from your own spring. 16. May your springs spread out

ished as mentioned in the preceding verses, but your destiny will be that when your end comes, you will moan because of what you did, and what will you say?—[*Midrash Mishle*]

**when your end comes**—The end of your days, the day of death, when your flesh will be consumed; then you will moan brokenheartedly.—[*Mezudath David*] *Ralbag* understands "your end" as a reference to old age.

12. **"How [is it that] I hated, etc. . ."**—the discipline of the Torah, and how did my heart despise the reproof of the Torah?—[*Ralbag*]

*Malbim* interprets מוּסָר, *discipline*, as referring to the divine punishment meted out to one or to the fear of such punishment. This you hated completely.

**and my heart despised reproof**—He would not *hate* the arguments of the people who tried to bring him back to the good way through logical proofs, but he was contemptuous of this reproof in his heart, not attributing any value to it.

13. **and I did not hearken to my instructors**—who instructed me once what to do and how to do it.—[*Malbim*]

**and to my teachers**—who taught me many times and explained each matter to me clearly and logically, yet I did not incline my ear to grasp their teachings.—[*Malbim*]

14. **I was almost in all evil**—*There is but a step between me and Gehinnom. (Because of a little thing, I was now in all evil, for I did not obey my instructors; had I obeyed them, this would not have happened to me. From Rabbi Joseph Kara)*—[*Rashi*]*

From the most minute pleasure, I was now in all evil in the midst of the congregation and the assembly—publicly.—[*Mezudath David*]

15. **Drink water from your own cistern**—*From the cistern that the Holy One, blessed be He, gave you for your share, viz. the Law of Moses.*—[*Rashi*]

**your own cistern**—*This denotes gathered water.*—[*Rashi*]

**and running water**—Heb. וְנֹזְלִים, *spring water. In the beginning it is like gathered water, and at the end it gushes out more and more.*—[*Rashi*] [*Rashi's* intention is that the study of the Torah first involves learning and remembering. This process is sym-

בָּרְחֹבוֹת פַּלְגֵי־מָיִם׃ יז יִהְיוּ־לְךָ לְבַדֶּךָ
וְאֵין לְזָרִים אִתָּךְ׃ יח יְהִי־מְקוֹרְךָ בָרוּךְ
וּשְׂמַח מֵאֵשֶׁת נְעוּרֶךָ׃ יט אַיֶּלֶת
אֲהָבִים וְיַעֲלַת־חֵן דַּדֶּיהָ יְרַוֻּךָ בְכָל־
עֵת בְּאַהֲבָתָהּ תִּשְׁגֶּה תָמִיד׃ כ וְלָמָּה
תִשְׁגֶּה בְנִי בְזָרָה וּתְחַבֵּק חֵק נָכְרִיָּה׃
כא כִּי נֹכַח עֵינֵי יְהוָה דַּרְכֵי־אִישׁ וְכָל־

**ת"א** יהי מקורך. יבמות סג סנהד' כב (ברכות ד מגלה עה): אילת אהבים. עירובין נד כתובות עו: באהבתה. (ברכות ט):

### תרגום

טְפַּיֵ דְמַיָא: יז יֶהֶווּן לָךְ לְחוּדָךְ וְנוּכְרָאֵי לָא נִשְׁתַּתְּפוּן עִמָּךְ: יח יֶהֱוֵי מַבּוּעָךְ בְּרִיךְ וַחֲדִי מִן אִתַּת טַלְיוּתָךְ: יט אַיַּלְתָּא דְרַחֲמוּתָא וְדִיצְתָּא דְחֶסְדָא תַּדְוָנָא אֲלַף בְּכָל זְמַן וּבְרַחֲמוּתָה תִּגְרַם תְּדִירָא: כ וּלְמָא תְשַׁרְגֵג בְּרִי בְּנוּכְרֵיתָא אוּף לָא תְחַבֵּק עוּבָא(נ"עת)חוּבָא דְאַחֲרָיְתָא: כא מְטוּל דְקֳדָם עַיְנוֹ דֶאֱלָהָא אִנוּן אָרְחָתֵיהּ דְגַבְרָא

### רש"י

ותורה הוראות ברבים ויאל לך שם: **ברחובות**. עיר תפוליה פלגי מימיך: **(יז) יהיו לך לבדך**. אתה לבדך תתכבד בהם ולא יחלוק אחר עמך לפי שאמר למעלה פן ישבעו זרים כחך אמר כאן יהיו לך לבדך. ומתוך כך: **(יח) יהי מקורך ברוך ושמח מאשת נעוריך**. היא התורה שלמדת מנעוריך: **(יט) תשגה תמיד**. ראיתי בדברי רבי משה הדרשן תשגה תעסוק תמיד והוא לשון ערבי והביא ראיה כמו לבקש שגייה לבקש עסק. ולא ידעתי איפה נשנית ורבותינו פירשו לשון משגה כמשמעו בעבור אהבתה תהיה שוגג בשאר עסקיך כי היא משמרת על שלך אמרו עליו על רבי אלעזר בן פדת שהיה דורש בשוק התחתון וסדינו מוטל בשוק העליון פעם אחת בא אדם אחד ומצא נחש כרוך עליו: **(כא) כי נכח עיני ה' וגו' מפלס**. שוקל דרכיו ויודע כמה עונות וכמה זכיות בידו:

### מנחת שי

(יח) מקורך ברוך. הבי"ת רפה: (יט) ויעלת חן. הוא"ו בגעיא: (כא) וכל מעגלתיו. הוא"ו בגעיא:

### אבן עזרא

החוץ והוא משל על רוב הבנים: **(יז) יהיו לך**. הפלגים שהם הבנים הכשרים: **(יח) מקורך**. מקור הבנים: **(יט) אילת אהבים**. שהוא אוהבה והיא מוצאת חן בעיניו: **(כ) תשגה**. תחשב כשוגה אם תמיד תתעסק באהבתה וכ"ש בזולתה וזהו שאמרו באשתו אמרו כי המרבה באהבת אשתו ומשיח עמה תמיד יותר מדאי הוא שוגה כי אהבת האשה תסיר

### רלב"ג

#### ביאור הדברים

במה שהשיגו ממנו מהחכמה והתבונה: (יח) יהי. המקור שתדלה ממנו ברוך כי המים הנובעים ממנו תמיד לא יכזבו והם הנוזלים שתקח מתוך בארך והוא השכל הפועל ושמח וגו' אשר תמצא לך מהמוחשות בדרוש דרוש מה שתעזר בו לדעת ההקדמות הראשונות המובילות אל הדרוש ההוא: (יט) אילת אהבים. מרוב אהבים שתאהבך תרוץ למלאת חפצך כמרוצת האילת או תרצה בזה שהיא רצה כמרוצת האילת למלאת האהבים שדרשת השגתם בדרוש שתחקור בו והיא כמו יעלה לרוץ בקלות למלאת מה שינעם לך וישא חן בעיניך במה שתרצה לחקור בו מדדיה תמיד אלו ההשגות החושיות והצורות הדמיוניות המצטרכות לך בדרוש דרוש לקחת מהם המושכלות הראשונות באופן שהתבאר בספר הנפש ובארנוהו בראשון מספר מלחמות ה' תמיד התעסק באהבתה עד שמעולם התעסקך בה תהיה שוגה בשאר הענינים לפי שלא תוכל להפרד מחשבתך ממנה: (כ) ולמה תשגה בני. בעבור אהבת האשה הזרה ר"ל הנפש המתאוה ותחבק חיק נכריה: **(כא) כי**

#### ביאור המלות

(כא) וכל מעגלותיו מפלס. ר"ל וכל דרכיו שוקל:

### מצודת ציון

אמת המים: **(יט) אילת**. נקבת האיל: **ירווך**. ענין שביעה: **(כ) תשגה**. מלשון משגה וחטא:

### מצודת דוד

ילכו ברחובות פלגי מים רוצה לומר תזכה אל בנים אשר יצא שמעם למרחוק: (יז) יהיו לך לבדך. הבנים האלה יהיו שלך לבדך ואתה תתכבד בהם ואין לזרים חלק אתך אבל בני הזרה אינם מיוחדים לך לבד: (יח) יהי מקורך ברוך. אשתך תהא ברוכה וחביבה בעיניך ושמח מאהבת אשת נעוריך: **(יט) אילת אהבים**. תהיה בעיניך כאילה האהובה על הזכר ביותר על כי רחמה צר: ויעלת חן. היא תהיה מעלת חן בעיניך: בכל עת. רוצה לומר בכל עת ההכרח והצורך: **באהבתה תשגה תמיד**. ר"ל אף באהבתה למשגה תחשב אם תמיד תהיה וכמ"ש רבותינו ז"ל אל תרבה שיחה עם האשה באשתו אמרו וגו': **(כ) ולמה תשגה**. רוצה לומר אם באשתו תחשב התמידות למשגה למה תקל ראש לשגות בזרה: **(כא) כי נוכח**. רוצה לומר ופן תאמר מי רואני לזה אמר דע כי מול עיני ה' דרכי איש ומיישר מעגלותיו אל הגמול רוצה לומר משלם מדה במדה לדעת שבגמול באה ולא במקרה:

**be intoxicated by a strange woman, etc.**—Why should you forsake the sages of Israel and go to the sages of the nations to study profane books? The Midrash words it as follows: It is better for you to embrace the breasts of the Torah, which brings you to merit, than to embrace the bosom of an alien woman, who brings you tō sin.—[*Ibn Nachmiash*]*

21. **For man's ways are opposite the Lord's eyes, and He weighs, etc.**—*He weighs his ways and knows how many sins and how many merits he has.*—[*Rashi*]

rivulets of water in the squares. 17. You alone shall have them,
and strangers shall have nothing with you. 18. Your fountain
shall be blessed, and you shall rejoice with the wife of your
youth; 19. a lovely hind and a graceful mountain goat, her
breasts will satisfy you at all times; you shall always be intoxicated with her love. 20. Now why should you, my son, be intoxicated by a strange woman, and embrace the bosom of an alien one? 21. For man's ways are opposite the Lord's eyes, and

**in the squares**—*of the city the rivulets of your water shall spread.*—[*Rashi*]*

17. **You alone shall have them**—*You alone will be honored by them, and no one else will share your honor with you. Since he says above, "Lest strangers be satisfied with your strength," he says here, "You alone shall have them, and thereby . . .*

18. **Your fountain shall be blessed, and you shall rejoice with the wife of your youth**—*That is the Torah that you learned in your youth.*—[*Rashi*]*

**Your fountain**—The source of your children.—[*Ibn Ezra*]

19. **a lovely hind**—She shall be in your eyes as a lovely hind in the eyes of her mate, because the sexual gratification of hinds is very great.—[*Mezudath David* from *Erubin* 54b]

The word אֲהָבִים, *lovely,* literally "loves," denotes the male's love for the female and the female's love for the male.—[*Ibn Ezra*]

**you shall always be intoxicated**—Heb. תִּשְׁגֶּה. *I saw in the words of Rabbi Moshe Hadarshan that* תִּשְׁגֶּה *means "you shall always busy yourself," and it is an Arabic expression. He cited as proof, "to seek shegiah," meaning to seek business, but I do not know where it is stated. But our Sages explained it as an expression of intoxication* (lit. inadvertence), *as its apparent meaning. Because of her love, you shall be inadvertent in your other affairs, because she will guard your things. They said concerning Rabbi Eleazar the son of Pedath, that he was preaching in the lower market and his cloak was lying in the upper market. Once a man came and found a snake coiled on it.*—[*Rashi* from *Erubin* 54b] According to the manuscript quoted in the Jerusalem edition of the Bible (1974), *Rashi* supports *Rabbi Moshe Hadarshan* by citing verse 20, which is more easily rendered: Why do you busy yourself, my son, with a strange woman?

*Ibn Nachmiash* renders: You shall always delight. *Ibn Ezra:* You shall always err. Although one must love his wife, if he overdoes his love and converses with her constantly, it is frowned upon by the Rabbis in *Avoth* 1:5: "They said this even about one's own wife, etc."

20. **Now why should you, my son,**

וכולהון שבילוי גלן
קדמוי: כב חובוי
דרשיעא קמטין ליה
ובחבלי דחטוי נתפכך:
כג הוא ימות בלא
מרדותא ובסוגאי
דשטיותיה נמעי:
ו א ברי אין ערבתא
לחברך אשלימתא
לנוכראה ידך:
ב אתצידתא במאמרא
דפומך אתאחדתא
במאמרא דפומך:
ג עביד היכנא בני
ואתפצא מטול דנפלתא

מעגלתיו מפלס: כב עוונותיו ילכדנו את־
הרשע ובחבלי חטאתו יתמך: כג הוא
ימות באין מוסר וברב אולתו ישגה:
ו א בני אם־ערבת לרעך תקעת לזר
כפיך: ב נוקשת באמרי־פיך נלכדת
באמרי־פיך: ג עשה־זאת אפוא בני
והנצל כי באת בכף־רעך לך התרפס

ת"א הוא ימות. סנהדרין קו: אם ערבת. יומא פז ב"מ קטו ב"ב קסג עקידה שער כג (יבמות יג):

### רש"י

(כב) עוונותיו ילכדונו. כמו ילכדוהו: ובחבלי חטאתו יתמך. יאלה שהתלוי נתמך בהבלים שהוא תלוי בם: (כג) הוא ימות באין מוסר. בשביל שלא לקח מוסר: ו (א) בני אם ערבת. ערבות ממון כמשמעו פירשו רבותינו: (ג) לך התרפס. התר לו פס יד לשלם לו ממונו: ורהב רעך. ואם אין לו ממון עמך אלא שנוקשת במאמרי פיך לדבר לו קשות הרבה עליו רעים לבקש ממנו שימחול לך. ד"א בני אם ערבת לרעך. אחר שנעשית ערב להקב"ה שהוא רעך כדכתיב זה דודי וזה רעי (שיר ה') וקבלת עליך בסיני וערבות מואב באלה ובשבועה לשמור מצותיו: תקעת לזר כפיך. שתשוב ותסיר מדרכיו ותדבק באפיקורסין ללכת בדרכיהם: נוקשת באמרי פיך. שתקעת כף להדבק עם הזרים: עשה זאת אפוא בני והנצל. הואיל ובאת בכף רעך בסיני וקבלת אלהותי עליך: לך התרפס. הכנע לפניו כאסקופה הנרפסת ונדרסת: ורהב רעך. הרבה רעים

### אבן עזרא

האדם מעבודת השם: (כג) ימות באין מוסר. בעבור שאין מקבל מוסר ובעבור רוב אולתו ישגה דרך הישרה: ו (א) בני אם ערבת. תקעה לזר כפיך. לזר המלוה תקעת כפיך לפרוע החוב הוא המוקש שנלכדת בו הם אמרי פיך: (ג) כי באת. אף על פי כמו כי רכב ברזל כי עם קשה עורף: בכף. ברשותו כמו מן הבא בידו: התרפס. מן ברגלה רפסה והטעם לך אליו והכנע והיה לו

### מנחת שי

(כב) עוונותיו. חד מן ד' דכתיבין בהון תרי ואוי"ן בליבנא. ועיין פירוש רש"י (בדברי הימים א' כ"א) והטי"ן בגעיא בס"ם וטעם המלה מיושב: ו (ג) והנצל. בגעיא הוא"ו:

### ביאור המלות

(כב) ילכדנו את הרשע. הב שתי הורעות כמו ותראהו את הילד: (ג) עשה זאת. התרפס. הכנע: ורהב רעיך. תן לו רוממות וגאוה עליך:

### רלב"ג

### ביאור הדברים

נוכח. הנה דרכי איש הם נגד עיני ה' והוא שוקל כל דרכיו לתת לאיש כדרכיו וכפרי מעלליו: (כב) עוונותיו ילכדונו את הרשע. ברשתם ובחבלי חטאתו יתמך ויתחזק הלכד שילכד הרשע בו וזה מבואר בהרבה מהחטאים שהם דעצמם כלי להפלת הרשעים ברע:

(כג) הוא ימות באין מוסר. הנה הרשע ימות ועדיין לא לקח מוסר וברוב אולתו יהיה שוגה בעניינים אשר ירלה להרשיע בהם עד שבגייתו בהם תהיה סבת הפלתו וזה מבואר מאד: אמר עוד ממשל ע"ד האשה הזרה שזכר אשר השומע לה ערב בעבורה אל הש"י והוא יהיה נפרע ממנו ר"ל שהשכל האנושי הוא ערב בעבורה אל הש"י והוא נלכד בפתיותיה: (א) בני. אם קרה שערבת לרעך בעבור איש זר תקעת לו כפך לפרוע החוב בעבורו: (ב) נוקשת. הנה באמרי פיך נוקשת ונלכדת כי אין לך הנאה בזה הענין תבואך להשתעבד בזה החוב אך אמרי פיך לבד הם אשר נוקשת ונלכדת בהם, וכן הענין בשכל האנושי עם הנפש המתאוה כי הוא לא יתענג כלל בתענוגים הגופיים ההם והוא ערב בעבירה לפרוע החוב אל הש"י הנה כשיהיה הענין כן עשה זאת איפוא בני והנצל כי באת בכף רעך ונשתעבדת לו בזה החוב אין לך תקנה בזה אלא שתלך ותכנע לפניו ותתן לו הגאוה והרוממות בהשתדלך בחכמה והתבונה כי אז תשיג לו שהוא בתכלית הרוממות

### מצודת דוד

(כב) עוונותיו. עונות הרשע הם ילכדו אותו ולתוספות ביאור אמר את הרשע: ובחבלי. בהחבלים הנעשים מחטאתו בהם יהיה נשען כאשר יתלוהו בהם ר"ל הצון עלמו יקטרג עליו ויפרע ממנו: (כג) באין מוסר. בעבור שלא לקח מוסר ובעבור רוב אולתו אשר ישגה בהם: ו (א) אם ערבת. ערבת ממון בשביל אחר: לזר. בעבור הזר תקעת כפיך והוא ענין קיום ותוקף על הערבות: (ב) נוקשת. הנה דע שבאת למוקש ונלכדת בה על ידי אמרי פיך: (ג) עשה זאת איפוא בני. ר"ל עתה עשה זאת בני והנצל מיד המלוה כי באת

### מצודת ציון

ו (ג) אפוא. כמו עתה וכן מה לך אפוא (ישעיה כ"ב): התרפס.

*curse and with an oath to observe His commandments.*—[*Rashi* from an unknown midrashic source]

**have given your hand to a stranger**—*You have repented and turned from His ways and clung to the disbelievers to go in their ways.*—[*Rashi*]

**[2]you have been trapped by the sayings of your mouth**—*You have given your hand to cling to strangers.*—[*Rashi*]

He weighs all his paths. 22. His iniquities shall trap the wicked
man, and he shall be hanged with the ropes of his sin. 23. He
shall die without discipline, and he shall err with his exceeding
foolishness.

## 6

1. My son, if you have stood surety for your fellow, have given
your hand for a stranger, 2. you have been trapped by the say-
ings of your mouth; you have been caught by the sayings of
your mouth. 3. Do this then, my son, and be saved for you
have come into your fellow's palm; go, humble yourself

22. **His iniquities shall trap**—Heb. יִלְכְּדֻנוֹ, lit. shall trap him, *like* יִלְכְּדוּהוּ—[*Rashi*]

**and he shall be hanged with the ropes of his sin**—Heb. יִתָּמֵךְ, lit. he shall be supported. *He shall be hanged, for the one hanged is supported by the ropes with which he is hanged.*—[*Rashi*]

23. **He shall die without discipline**—*Because he did not accept discipline.*—[*Rashi, Ibn Ezra*]

**and he shall err with his exceeding foolishness**—Because of his exceeding foolishness, he errs.—[*Ibn Ezra*] *Mezudath David* renders: And because of his extreme foolishness with which he errs.

1. **My son, if you have stood surety**—*Our Sages explained this as referring to surety in monetary matters, according to its apparent meaning.*—[*Rashi*]

**have given your hand for a stranger**—This is an act of confirming the guarantee.—[*Mezudath David*]

2. **you have been trapped**—You should know that you have fallen into a trap by standing surety for your fellow, and this has occurred merely with an oral statement.—[*Mezudath David*]

3. **go, humble yourself**—Heb. הִתְרַפֵּס [a combination of two words, הַתֵּר פַּס], *open the palm of your hand for him to pay him his money.*—[*Rashi* from *Baba Metzia* 115a]

**and give your fellow superiority**—Heb. וּרְהַב. *And if he has no money with you, only that you were trapped with the sayings of your mouth by speaking harshly to him, bring many friends about him to beg him to forgive you* (*Baba Metzia* ad loc.). *Another explanation:*

**[1]My son, if you stood surety for your Friend**—*After you stood surety for the Holy One, blessed be He, Who is your "friend," as it is written* (Song 5:16): *"This is my beloved and this is my friend"; you undertook at Sinai and in the plains of Moab with a*

וּרְהַב רֵעֶיךָ׃ ד אַל־תִּתֵּן שֵׁנָה לְעֵינֶיךָ
וּתְנוּמָה לְעַפְעַפֶּיךָ׃ ה הִנָּצֵל כִּצְבִי מִיָּד
וּכְצִפּוֹר מִיַּד יָקוּשׁ׃ ו לֵךְ אֶל־נְמָלָה
עָצֵל רְאֵה דְרָכֶיהָ וַחֲכָם׃ ז אֲשֶׁר אֵין־
לָהּ קָצִין שֹׁטֵר וּמֹשֵׁל׃ ח תָּכִין בַּקַּיִץ
לַחְמָהּ אָגְרָה בַקָּצִיר מַאֲכָלָהּ׃ ט עַד־
מָתַי עָצֵל תִּשְׁכָּב מָתַי תָּקוּם מִשְּׁנָתֶךָ׃

ת״א אל נמלה. חולין יז עקידה שער כח עקרים מ״ג פ״ח: בקיץ לחמה. סנהדרין ז: עצל תשכב. סוכה כו:

**תרגום**

בְּיַד דְחַבְרָךְ אֱזַל גְרַג חֲבִיל חַבְרָךְ׃ ד לָא תִתֵּן שִׁנְתָא לְעֵינָךְ וְנִימְתָא לְגְבִינָךְ׃ ה דְתִתְפְּצֵי הֵיךְ טַבְיָא מִן נִשְׁבָא וְהֵיךְ צִפְּרָא מִן פּוּחָא׃ ו אִתְרְמֵי לְשׁוּמְשְׁבְּנָא עַטְלָא חֲמֵי אֻרְחָתְהוֹן וְאִתְחַכַּם׃ ז דְלֵית לָהּ חֲצָדָא הֵיךְ אַף לָא סַרְבָא וְשַׁלִּיטָא׃ ח מְתַקְנָא בְּקַיְטָא לַחְמָהּ וְגָבְשָׁא בְחַצְדָא מֵיכְלָהּ׃ ט עַד מָה לְאֵימַת אַנְתְּ דָמוּךְ אַנְתְּ עַטְלָא וְלְאֵימַת

**רש״י**

שיתפללו עליך לפניו וכן נדרש במדרש תהלים: (ה) הנצל כצבי מיד. מהר והשמט משם כלבי הנמלט מיד האדם: (ו) לך אל נמלה עצל וגו׳ וחכם. והתחכם: (ז) אשר אין לה קצין. שיוכיח אותה ויזרזנה ויוציא מידה אם הגזול דבר מחברתה. ואעפ״כ: (ח) תכין בקיץ לחמה אגרה בקציר מאכלה. מזונה כל אחת ואחת אינה

**מנחת שי**

ורהב רעיך. כל רעך שבספר משלי חסר יו״ד אחר עי״ן חוץ מזה שהוא מלא והיינו דדרש רבי ילחק ביומא פרק י״ח אם ממון יש לו בידך התר לו פסת היד ואם לאו הרבה עליו רעים ופירש רש״י רעיך כתרא דקרא כתיב מלא לפי

**אבן עזרא**

למרמס: ורהב. פועל עומד והוא סבות דבק עם רעך: (ד) אל תתן. אחר התרפסך יתיגע ולא תישן עד שתפרע החוב. אז תנצל כלבי שימלט מיד אדם: (ו) אל נמלה. שהיא מקטני ארץ ותלמוד מחכמתם: (ז) אשר אין לה קצין. שיכריחנה לעשות כן אלא מחכמתה תכין לחמה: (ט) אתה עצל מתי תקום תעור משנתך:

**ביאור הדברים**

והנאוה ואתה בתכלית השפלות כיתם אל רוממותו וכזה האופן תמלט מזה הערבות ר״ל בהפרדך מהמשך אחר התאוה ובהיותך נכנע מאד לפני הש״י והשכילך רוממותו והתנשאותו אל תתעלל בזה אך נהוג בו בזריזות: (ד) אל תתן שנה לעיניך. אל תתעלל בזה אך נהוג בו בזריזות ואל תתן שינה לעיניך ולא תמונה לעפעפיך אך חקור תמיד בהשגת העיוניות ובזה תדבק בש״י ויסור הרע ממך: (ה) הנצל כלבי מיד. שנצל ברוב מרולה ובמהירות כמו שינצל הלבי מיד הבא ללקחו ברוב מרולתו במהירות וכמו שינצל הצפור מיד המוקש אשר תקנוהו שיהיה נוקש במהירות עוספותו עד שילא משם קודם יפול המוקש עליו: (ו) לך אל נמלה עצל. אתה האיש העצל מלהשתדל בקנין המושכלות בהיות לאל ידך לעשות לך אל נמלה שהיא בריה קטנה מהבעלי חיים הבלתי בעלי שכל ראה דרכיה וחכם ולמד חכמה מזה: (ז) אשר אין לה קצין. שיישירה אל מה שתעשהו כי אין לה קצין שוטר ומושל שישגיח בהנהגתה ובמוסרה: (ח) וכבר תראה ממנה שהיא מכינה בקיץ לחמה בהביאה מפסירות בחוריה מה שימלא לה בכל השנה וגם היא אוגרת בקיץ מאכלה ותפלא מאד מדרכיה בזה הענין כי אתה תמלא שאם היתה חורה בכותל הנה היא תעלה בו ארחות עקלקלות באופן שלא תקשה כל כך העליה עם כובד המשא שתשא בפיה גם תמלא מדרכיה שהיא אוכלת חודו של זרע אשר בו מה שמדרגתו מדרגת זרע הזכר כמו שנזכר בספר הלמחים בדרך שלא ימלא מהגרגרים הסמון באחרן ובזה יהיה נשמר מהעיפוש גם תמלא מדרכיה שאם יבואו מים בחורי הנמלים יוליאו תכף הזרע משם ליבשו ואחר כן ישובו להכניעו לשמרו מהעיפוש: (ט) עד מתי. אתה העצל תשכב ותתרשל מקנין השלימות מתי תקום משנתך לעשות מעשיך האנושים תן לעלמך מעט שינות ומעט תנומות להיות מתנמנם לא ישן ולא ער כמשפט האיש האחרון הזריז כאשר תבואהו השינה ותנמנם מעט להסיר

**רלב״ג**

**ביאור המלות**

(ה) הנצל כצבי מיד. מיד המקום אשר נוקש בו והוא הפח או הרשת ומה שידמה להם:

**מצודת ציון**

ענין דריסה ורמיסה כמו ושאלה כרגלה רפסה (דניאל ז׳): ורהב. ענין התחזקות כמו ירהבו הנער בזקן (ישעיה ג׳): (ו) נמלה. שם בריה קטנה: (ז) קצין. שר ומושל: (ח) אגרה.

**מצודת דוד**

לידו ונתחייבת לו: לך התרפס. היה לו למרמס הרגל ר״ל הכנע עלמך לפניו: ורהב רעך. החזק והמשל רעך על עלמך: (ד) אל תתן שנה. ר״ל אל תתעלל בדבר: (ה) הנצל כצבי. ראה להנצל במהירות כלבי הממהר לברוח מיד הלוכדו כשימלא מנוס: ביד יקוש. מיד מוקש הפח: (ו) עצל. אתה העצל לך אל הנמלה וראה מנהגה ולמד ממנה חכמה: (ז) אשר אין לה קצין. להכריחה על מעשיה להכין מאכלה לבל תגזול מחברתה: (ח) תכין. עכ״ז מעלמה בחכמתה תכין בקיץ לחמה עת תמלא ע״ס השדה וממנה למוד

food for their families.—[*Ibn Nachmiash*]

9. **how long will you lie [there]**—After the summer and the harvest, you are still lying in bed and have not collected what you need. How long will you lie in bed after you have woken up?—[*Malbim*]

**when will you get up from your sleep**—Moreover, when will you wake up? This is figurative, meaning that the fool will no longer wake up from his lethargy and his laziness and turn to studying the Torah.—[*Malbim*]

and give your fellow superiority. 4. Give no sleep to your eyes nor slumber to your eyelids. 5. Save yourself like a deer from the hand and like a bird from the hand of the snare. 6. Go to the ant, you sluggard; see her ways and become wise, 7. for she has no chief, overseer, or ruler; 8. yet she prepares her bread in the summer; she gathers her food in the harvest. 9. O lazy one, how long will you lie [there]; when will you get up from your sleep?

**[3]Do this, then, my son, and be saved**—*Since you have come into the palm of your Friend at Sinai and you have accepted His Godliness over you,*

**go, humble yourself**—Heb. הִתְרַפֵּס. *Humble yourself before Him like a threshold, which is trodden* (נִרְפֶּסֶת) *and stepped on.*

**and increase your friends**—*Bring many friends who will pray for you before Him. In this manner it is expounded on in Midrash Psalms.*—[*Rashi*] (This is not found in extant editions of *Midrash Psalms.*)

4. **Give no sleep to your eyes**—Do not be lazy concerning the matter.—[*Mezudath David*] After you have humbled yourself before the lender, toil and do not sleep until you have paid the debt.—[*Ibn Ezra*] Do not sleep your regular hours, and do not even snatch a nap.—[*Malbim*]

5. **Save yourself like a deer from the hand**—*Hasten and extricate yourself from there like a deer that extricates itself from a man's hand.*—[*Rashi*] Then you will be saved like a deer that flees from a man's hand.—[*Ibn Ezra*]

**from the hand of the snare**—Lit. from the hand of that which snares, omitting the word פַּח, *a trap.*—[*Ibn Nachmiash*]

6. **Go to the ant, you sluggard . . . and become wise**—Heb. וַחֲכָם, *and wisen yourself.*—[*Rashi,* explaining an unusual word]

*Ibn Nachmiash* remarks: How harsh is this reprimand for the lazy one! He reproves him with the ant, a tiny, insignificant creature. The Rabbis state: Rabbi Shimon the son of Eleazar says: Man is lowly, for he must learn from the ant. Had he learned and obeyed, he would still be lowly. How much more so now that he had to learn but did not.—[*Sifre* Deut. 32:1]

7. **for she has no chief**—*who would reprove her and alert her and take out of her hand if she steals anything from her companion, nevertheless . . .*—[*Rashi*]

8. **yet she prepares her bread in the summer, she gathers her food in the harvest**—*She gathers her food, each one of them, and does not rob her companion.*—[*Rashi*]

They do not have any officer to coerce them to gather their food, but rather they are endowed with the intelligence to gather food by themselves.—[*Ibn Ezra*] They gather the

י מְעַט שֵׁנוֹת מְעַט תְּנוּמוֹת מְעַט חִבֻּק
יָדַיִם לִשְׁכָּב: יא וּבָא כִמְהַלֵּךְ רֵאשֶׁךָ
וּמַחְסֹרְךָ כְּאִישׁ מָגֵן: יב אָדָם בְּלִיַּעַל
אִישׁ אָוֶן הוֹלֵךְ עִקְּשׁוּת פֶּה: יג קֹרֵץ
בְּעֵינָו מֹלֵל בְּרַגְלָו מֹרֶה בְּאֶצְבְּעֹתָיו:
יד תַּהְפֻּכוֹת בְּלִבּוֹ חֹרֵשׁ רָע בְּכָל־עֵת

ברגליו קרי     מרנים

וְלָאִיתָ קִימָה מִן שִׁנְתָךְ:
י קְלִיל שִׁנְתָא קְלִיל
נוּמְתָא קְלִיל תְּחַבֵּק יְדָךְ
לְמִדְמְכָא: יא וְתֵיתֵי
וְתִדְרוֹךְ מִסְכְּנוּתָךְ
וְחוּסְרָנָךְ הֵיךְ גַּבְרָא
כַּשְׁרָא: יב בַּר נָשׁ
טְלוּמָא גַּבְרָא עַוְלָא
מְהַלֵּךְ בְּעַקִּימוּת פּוּמֵיהּ:
יג רָמֵז בְּעַיְנוֹי וְתָכֵס
בְּרַגְלוֹי וְרָמֵז
בְּאֶצְבְּעָתֵיהּ: יד וּמְתַהַפְכָן
בְּלִבֵּיהּ וְחָשֵׁל בִּישְׁתָא

### רש"י

גוזלת מהבירתה: (י) **חבוק ידים**. הישן חובק ידיו (אברא"ר בלע"ז מלשון אטאליה אבראטשאר"א בלשון אשכנז אומפאנגגען וברש"י כ"י פלייר שהוא פניע"ר בל"א פאלטען נו זאממענלעגען): (יא) **ובא כמהלך ראשך**. אם תעשה כן יבא חסרונך ודבר שאתה רש ממנו יבוא לך מיד כאדם המהלך מהר ומחסורך יבא ויתמלא כאיש מגן הבא מהר להגין על אדוניו. המקראות אלו עקרן משל על המתעצלין לעסוק בתורה: (יב) **הולך עקשות פה**. ההולך בעקימת שפתים: (יג) **קורץ בעיניו**. רמיזות של מרמה: **מולל ברגליו**. כלומר מפשפש זה על זה: **מורה באצבעותיו**. כולם מן לשון רמזים הם זה נופל על העין וזה נופל על הרגל וזה נופל על האצבעות והעיקר מדבר על הרשעים: (יד) **מדינים ישלח**. בין אדם לבוראו:

### אבן עזרא

(י) **מעט שנות**. בל' רז"ל והטעם תישן פעם אחר פעם תישן מעט ותנום מעט ותחבק ידיך שלא תיגע: (יא) והנה יבא רישך כמהלך. כאורח הבא שלא יודע עד בואו: **ומחסורך**. יבוא כאיש הבא במגן לגנוב אחר: (יב) **אדם בליעל**. אלו הם ענייניו: (יג) **קורץ. מולל**. דובר. מורה לעשות **רע** כתוב בעיניו ברגליו באחת מעיניו ואחת מרגליו וכן

### מנחת שי

שהוא לשון רבים וכתב בחיי פרשת ויגש רעיך השני מלא כלומר שצריך להתרפס לפני שניהם לפני המלוה שימתין לו ולפני הלוה שיוליאנו מן העבדות: (יא) ובא כמהלך ראשך ומחסרך. וכסימן כ"ד. ובא מתהלך רישך ומחסריך. וסימן שבחך ומשבחך. ובמדרש משלי ובא כמהלך ראשך. זה מלך המשיח שעתיד לעבור בראש ישראל שנאמר ויעבר **מלכם לפניהם** וה' בראשם: (יב) **הולך** עקשות פה. בכל ספרים ישנים **מהדסים** וכ"י **מלא** וא"ו **וכן נכון** עפ"ה דקהלת ס': (יג) **קורץ בעיניו**. בכמה **ספרים** כתיב בעינו וקרי בעיניו כמו שהוא **מולל ברגלו שבפסוק** אולם בספר מוגה מעוליטולא שכיה כתיב כן בתחלה נמחק הקרי מבחוץ ונתקן בפנים בעיניו איברא ודאי דהכי **מוכח מהמסורת** דבמערכת **אות** היו"ד נמסר סימן מן ל"ו מלין דחסרין יו"ד באמצע תיבותא וקריין וחסיב בהדייהו מולל ברגליו ושביק מלת בעיניו **למימרא** דהכי כתיב ביו"ד:

### רלב"ג

ממנו אוכם השינה ומעט יחבק ידיו לשכב נחת מרגוע אל חושיו הלואים מלד טרדתם בהקילו הנה כשתנהג זה המנהג יבא זה העוני לך: (יא) ובא כמהלך. ר"ל שמדי בואו ילך לו ויסור ומחסורך יבא לך כאיש בעל מגן וכלי מלחמה שכאשר יבא במקום מה לא **יתפרד שם אבל** ילך אל מלחמתו וזה כי מלד זריזותך בחכמה ישגיח הש"י ויתן לך מה שיצטרך לך או ירצה בזה כי מלד הזריזות **יקלו בעיניו לכנוס ולאסוף** בו באמצו מה שיספק בו והביאור הראשון הוא יותר נכון והנה הזהיר תחלה לבלתי היות בעל תאוה כי היא **תמנעם השלימות ואחר זה** הזהיר מהעצלה כי היא ג"כ תמנע השלימות ותהיה סבה אל שימות האדם בחוסר **כל ואחר** זה הזהיר מדבור השקרים **אשר יחשוב האדם** שלא יתעה והם סבה לדעות גדולות עם שזה יסבב שיאחוז האיש הזה דעות כוזבות **לאהבתו השקר**. ואמר: (יב) **אדם בליעל**. הנה אדם רשע הוא מי שהיה איש און אשר הולך עקשות פה ר"ל ידבר שקרים בפה: (יג) קורץ בעיניו. או ברמיזותיו אם **בשיקרו בהם כמנהג** הדוגזים בעיניהם ומולל ברגליו לרמוז בהם ומורה באלבעו: (יד) **תהפוכות בלבו**. הנה בלב כזבים תמיד ובכזבים **שיתמיד וימליא** בלבו הוא חורש רע בכל עת ומשלח מדנים **בין אחים ומחלוקות וריבות בין האנשים בשיספר** כזבים מזה לזה **ויתחדש מזה הפסד רב**

### מצודת דוד

להכין הכל בעוד יש לאל ידך: (י) **מעט שנות**. פן תחשוב לישן מעט ואחר זה לנום מעט ואחר זה לשכב בחבוק ידים לנוח כי כן דרך השוכב לחבק ידיו זה בזה: (יא) **ובא כמהלך**. בעבור זה יבוא עליך עניות פתאום כאורח אשר מהלך **בדרך** הבא פתאום לבית מלונו ולא נודע טרם בואו: **ומחסורך**. דבר המחסר עושרך מהרה יבא כאיש המלובש במגן לרדת אל המלחמה שאין דרכו להתעכב בדרך מהלכו: (יב) **אדם בליעל**. מי שפורק מעליו עול מקום הוא איש און והולך עקשות פה ר"ל מעקם פיו לרמז לשון הרע: (יג) **קורץ בעיניו** וגו'. ענין כולם הם רמיזות לשה"ר: (יד) **תהפוכות** בלבו. מחשבות לבו להפוך הדבר מכמות שהוא: **חורש רע**. חושב רע בכל עת ומגרה מחלוקת בין אנשים ר"ל כיון שפרק עול

### מצודת ציון

ענין אסיפה כמו חוגר דקין (לקמן י"): (י) **תנומות**. היא שינה קלה: (יא) **ראשך**. ענין עוני ודלות כמו ראש **עשה** כף רמיה (שם): (יב) **בליעל**. בלי עול רולה לומר הפורק **עול שמים**: (יג) קורץ. ענין הנדנוד לרמז הלעג והוא מלשון קרץ מלפון (ירמיה מ"ו) כי ברוב הנדנוד כאלו כורת ומשבר העינים: **מולל**. הוא מלשון מלה ודבור רלונו לומר כאלו מדבר ברגליו דבר הלעג: **מורה**. כאלו מדבר דבר

*one applies to the finger, but the main idea is that it is speaking of the wicked.*—[*Rashi*]

14. **Contrariness is in his heart**—His thoughts are to pervert things from the way they actually are.—[*Mezudath David*] Although he says, "yes" to you, in his heart he thinks "No."—[*Ibn Nachmiash*]

10. "A little sleep, a little slumber, a little folding of the hands
to lie." 11. And your poverty shall come like a fast walker and
your want as an armed man. 12. An unscrupulous man, a man
of violence, walks with a crooked mouth; 13. he winks with his
eyes, shuffles with his feet, points with his fingers. 14. Contrari-
ness is in his heart; he plots evil at all times;

10. **"A little sleep, etc."**—Lest you think, "I will sleep a little, and then I will slumber a little, and then I will lie down with my hands folded," for it is the habit of one lying down to nap to fold his hands.—[*Mezudath David*]

**a little folding of the hands**—*The sleeper folds his hands, embrasser in French (abrasar in Provençal,) umfassen* [in German], *to embrace.* In Rashi ms. *plier in French* [to fold] *in German etwas falten, to fold a little.*—[*Rashi*] Although *Nach Lublin* states: *abbracciare in Italian,* it is more likely that *Rashi* uses the Provençal word *abrasar* than the Italian word.—[Forchheimer]

*Ibn Ezra* explains: You sleep time after time; you sleep a little, and you slumber a little, and you fold your hands so that you should not tire yourself.

11. **And your poverty shall come like a fast walker**—*If you do this* [keep sleeping], *your loss and the thing from which you are impoverished shall come to you immediately, like a man walking fast, and your want will come and fill up like an armed man who comes quickly to protect his master. These verses are mainly an allegory concerning those who are* [too] *lazy to engage in the Torah.*—[*Rashi*]

*Meiri* and *Mezudath David* interpret this verse to mean that "your poverty will come like an unexpected guest, and your want like an armed man," who does not stop on the way but proceeds to go to war.

*Ibn Nachmiash* quotes the Midrash, which construes this as referring to lazy people who do not prepare themselves for the next world.

12. **An unscrupulous man**—Heb. בְּלִיַּעַל, a combination of בְּלִי עוֹל, *without a yoke,* meaning a person who has cast off the yoke of the Torah.—[*Mezudoth*]

*Ibn Nachmiash* explains it as one who has no good points, a combination of בְּלִי and יַעַל, *without ascent.*

**a man of violence**—One who plots to commit violence.—[*Ibn Nachmiash*]

**walks with a crooked mouth**—*He walks with crooked lips.*—[*Rashi*] With his mouth, he expresses the evil thoughts in his mind. His words are not right but crooked and twisted.—[*Ibn Nachmiash*]

13. **he winks with his eyes**—*winks of deceit.*—[*Rashi*]

**shuffles with his feet**—*He rubs one on the other.*—[*Rashi*]

**points with his fingers**—*They are all expressions of hinting: one applies to the eye, one applies to the foot, and*

מְדָנִים יְשַׁלֵּחַ׃ טו עַל־כֵּן פִּתְאֹם יָבוֹא
אֵידוֹ פֶּתַע יִשָּׁבֵר וְאֵין מַרְפֵּא׃ טז שֶׁשׁ־
הֵנָּה שָׂנֵא יְהוָה וְשֶׁבַע תּוֹעֲבוֹת נַפְשׁוֹ׃
יז עֵינַיִם רָמוֹת לְשׁוֹן שָׁקֶר וְיָדַיִם שֹׁפְכוֹת
דָּם־נָקִי׃ יח לֵב חֹרֵשׁ מַחְשְׁבוֹת אָוֶן

מדיעים קרי תועבת קרי

בכל זמן תגרי רמי:
טו מטול הכנא מן שליא
ניתי תבריה ומן שליא
נתבר ולא תהוי ליה
אסיותא: טז שית אינון
דסני אלהא ובשבע
אסלית נפשיה: יז עיני
רמתא ולישנא דשקרא
וידי דשפכן דמא זכיא:
יח לבא דחשל
מחשבתא

## רש"י

(טו) פתאום וגו' פתע. לשון תכיפה היא ולא ידע את המפלה הקרובה ליפול עליו: (טז) שש הנה שנא ה'

## מנחת שי

(יד) מדנים. מדיינים קרי: (טו) יבוא אידו. בנסחא כ"י יבוא לית מלא בספרא וכמסורת פרשת בהעלתך איכא פלוגתא ולישנא דהכא דהכא אית דאמרי פתאום יבוא אידו לית מלא במשלי ועמ"ש בסי' ז': (טז) תועבות. תועבת קרי:

## אבן עזרא

ויקבר בערי הגלעד באחת מערי: (יז) רמות. המתגאה

## רלב"ג

בקבולים המדיינים על אלו הרעות שהוא עושה ישיב הש"י גמולו: (טז) ששהנה שנא ה'. והשביעי הוא מהם תועבת נפשו והם. (יז) עינים רמות מלך הגאוה ועזות המצח: לשון שקר. שהוא אוהב לדבר שקרים והידים שופכות דם נקי: (יח) לב חורש. אל האנשים מחשבות שקר ומרמה להרע להם והרגלים שימהרו לרוץ לעשות רע ומי שידבר כזבים ויהיה עד שקר והנה זה יכלול לשון שקר ועדות שקר מי שמשלח מדנים בין אחים בספרו כזבים מזה לזה. והנה זכר האיברים על הסדר והתחיל מהאבר הגבוה ובשפל כלה. הנה זה ביאור אלו הדברים שסגבלנו ביאורם פה. ואולם התועלות המגיעות מהם הנה י"ט: הא' הוא להודיע כי התורה ומצותיה מביאות האדם אל הבנת החכמה והתבונה אם בפילוסופיא האלהית אם בפילוסופיא המדינית אם יעמיק האדם לחקור בה ובמצותיה מחקר ראוי וזה יהיה כשישמרו בלבבו תמיד וכה יגיע לו הבריאות בגוף ובנפש בהתנהגו לפי מצותיה ויהיה אהוב ואהוב לאנשים ולשם עד שתמיד ישים עיניו בו לא יעזביהו וישיג בזה החיים הערבים הנצחיים והטובות הגופיות עד שאין פחד אליו מהרעות: הב' הוא להודיע שאין ראוי לאדם שיבטח בדברים אשר ירצה להשיגם בבינתו ובסבות אשר המציא להגיעו אליהם אך ישים מבטחו בש"י לבד ויעזר עם זה בסבות המביאות הדבר ההוא: הג' הוא להודיע שראוי לאדם שיתן כבוד לש"י בחקירותו בחכמה ובתורה כי זה ממה שיישירהו למצוא האמת בדברים לפי מה שאפשר לו והיה זה כן כי חכמת הש"י היא נפלאה מאד וכאשר ירצה האדם למצוא באלו הדברים חכמה נפלאה ולא יסתפק בסבות המלוגות אז יתיישר מאד למצוא דברי חפץ ועם זה למדנו מזה תועלת אחר והוא שמי שיכבד ה' מהונו וממבחר פירותיו ותבואתו יתן הש"י שכרו בשיתרבו קניניו: הד' הוא להודיע שכבר יקרה שיבואו לטובים רעות על צד המוסר וההשגחה ולזה ראוי לאדם שיקבלם מאהבה ואז יגיע לו מהם התועלת אשר בעבורו הביאם הש"י עליו: הה' הוא להודיע שכמו שסגולת החכמה מאלו הדברים השפלים בהקרנו בהם למה היו כמה שהם עליו מהמציאות ונוראת התבונה מהגרמים השמימיים בחקרנו בהם לפי מה שראוי כן שפע מציאותם מחכמת הש"י ותבונתו ולזה נדבק בזה האופן בחכמת הש"י ותבונתו דבקות מה אשר החכמה והתבונה ההיא היא עצמותו ית' וכבר בארנו זה והתרנו הספיקות הנופלות בו בראשון ובה' מספר מ"י ומזה האופן הותר הספק איך יתכן שיגיעו לנו הידיעות מההשגות החושיות ולא יפקדו בהספקדם כמו שבארנו בראשון מלחמות ה': הו' הוא להודיע שאין ראוי לאדם שימנע טוב מבעליו לו אם יש סיפק בידו לעשותו כי זה מטוב התכונה ימשך שלא יאמר לרעהו לך ושוב ומחר אתן ויש אתך במה שישנו אתו לתת לו: הז' הוא מה שהזהיר מלריב עם אדם אשר לא גמלו רע כי בזה מהפסד הקנין המדיני מה שלא יעלם וזה שהמדות החשובות שיהיו לאנשים לשמרם מריב יועילו להם מאומה עם בעל זאת התכונה הפחותה ויבא זה אל ההפסד במדות: הח' הוא להודיע שהחמס והרשע ראוי שירוחקו כי קללת הש"י תמצא בבית הרשע אמנם נוה לדיקים יברך: הט' הוא להודיע שהליצנות ראוי שירוחק וכן הענין בכסילות כי הקלון ימשך למניחם: הי' הוא להודיע כי החכמה תקנה עם ראשית החכמה כי כבר יבואו בחקירה בה ההקדמות מעלם החכמה ואולם הבינה תקנה עם כל הקניינים כי אין הקדמותיה עלמיות ולריך גם כן שיקדמו לקנייה כל הקניינים מההשגות האחרות כי בהם יתיישר לעמוד על אמתתה כמו שזכרנו: הי"א שאין ראוי לאדם ללכת בדרך רשעים ולהסכים עמהם בו אך יתחייב להשבית הפועל הרע ההוא ונבצלו אם יוכל בשום תחבולה ואם לא יוכל ראוי שיסלק עצמו ממנו: הי"ב הוא להודיע שהצדיקים נעזרים מש"י בדרכם שילכו בה בכל דרושיהם והם מתישרים בה תמיד אל התכלית יחפצו בו ואמנם הרשעים בהליכתם יכשלו ולא ידעו במה כי דרכם היא באפלה ולא יוכלו להתיישר בה אל חפציהם: הי"ג הוא להודיע שראוי לאדם שישמור שכלו שלא יהיה אסור בדבר מהדברים ימנעהו מעשות לפי מה שראוי כי כבר יאבד זה הפרי הטוב שראוי להגיע ממנו והוא החיים הנצחיים והערבים ומפני זה ראוי שישמור מלקבל שרשים והתהלות כוזבות מנטוהו מלהשיג האמת במה שאחריהם כי הם יאסרו שכלו מלחקור בהם מחקר ראוי ולזאת הסבה ראוי שיסלק לשון שקר וירחיקהו כי האנשים המורגלים בשקר לא יאהבו המוסר מאד ויסור מפני זה מהם כל פרי השכל ולזאת הסבה ג"כ ראוי שירחיק התאוות הגופיות ועלה כי בסבת כל אחד מהם יהיה השכל אסור מעשות פעולתו: הי"ד הוא להודיע לחוקר בדרוש שישים עיונו אל היושר ואמת ויתיישר אליו בתכלית מה שאפשר לו כי זה ממה שיישירהו למצוא האמת בדברים: הט"ו הוא להודיע שמי שישיג החכמה והתבונה ראוי שישמרם בלבו תמיד עם הדברים שהיו סבת התחדש הידיעה לו כאלו תאמר שישמור עם המושכלות השניות המושכלות הראשונות שהתבארו מהם וישמור עם התכונות המחשבות אשר יישירוהו אל השגתם: הט"ז הוא להודיע שראוי לאדם שירחיק התאוות הגשמיות כי הם יובילוהו אל המות ויביאו השכל אל שלא יעשה פעולתו אך יתן כחו בהמלאות התכונות להשגת התאוות המגונות האלו: הי"ז הוא להודיע שאשר חפצו ונמשך אל הנפש הבהמית ועזב פועל השכל ר"ל דרכיהו אל השלימות עד

## מצודת ציון

הלועג בתהפוכותיו: (יד) מדינים. מלשון מדון ומריבה: ישלח. ענין גרוי ושסוי כמו ושן בהמות אשלח בם (דברים ל"ב): (טו) אידו.

## מצודת דוד

המקום בודאי את כל אלה יעשה: (טו) ואין מרפא. לא יהיה רפואה אל שברו: (טז) ושבע. השביעית היא תועבת נפשו ר"ל שנואה מכולם: (יז) עינים רמות. זה המתגאה המרים עיניו כלפי מעלה לא כדרך שפלי הרוח אשר ישפילו עיניהם להסתכל כלפי מטה: (יח) לב חרש. המפנה לבבו לחשוב מחשבות און: לרוץ

he incites quarrels. 15. Therefore, calamity shall come suddenly; he shall suddenly be broken beyond repair. 16. There are six things that the Lord hates, and the seventh is an abomination of His soul: 17. Haughty eyes, a lying tongue, and hands that shed innocent blood; 18. a heart that thinks thoughts of violence;

**he incites quarrels**—*between man and his Creator.*—[*Rashi*] Since he casts off the yoke of the Omnipresent, he will surely commit all these evils, plot evil all the time, and incite quarrels between friends.—[*Mezudath David*]

15. **suddenly, etc. suddenly**—Heb. פֶּתַע פִּתְאֹם. *This is an expression of immediacy; he will not be aware of the downfall that is ready to descend upon him.*—[*Rashi*] Ultimately, his plots will be discovered, and his misfortune will then come upon him.—[*Meiri*] His misfortune will come very quickly and very abruptly, giving him no time to repent and save himself.—[*Malbim*]

16. **There are six things that the Lord hates, and the seventh is an abomination of His soul**—*The seventh, too, is* [included] *with them.*—[*Rashi*]

The Lord hates the six aforementioned evils, but the seventh—inciting quarrels—is an abomination of His soul. That is the worst of them all because by inciting quarrels one destroys society.—[*Malbim*]

*Meiri* explains this verse as referring to the seven evils listed in the following verses, commencing with the worst of the seven—haughty eyes—which is the abomination of God's soul, since it is the root of all evil.

17. **Haughty eyes**—Raised eyes are the symbol of haughtiness, the quest for triumph and victory in everything—not to bring out the truth, but to defeat others and to humble them and crush them under his feet. This trait leads to all the other six evils enumerated below.—[*Meiri*]

**a lying tongue**—He must support his haughtiness with lies, in order to boast and praise himself with qualities that he does not possess, and to humble others, making them as naught.—[*Meiri*]

**and hands that shed innocent blood**—These quarrels will bring about bloodshed.—[*Meiri*]

18. **a heart that thinks thoughts of violence**—This will cause him to plot violence against others in any way he can.—[*Meiri*]

רגלים ממהרות לרוץ לרעה: יט יפיח
כזבים עד שקר ומשלח מדנים בין
אחים: כ נצר בני מצות אביך ואל־
תטש תורת אמך: כא קשרם על־
לבך תמיד ענדם על־גרגרתך:
כב בהתהלכך תנחה אתך בשכבך

תשמור

סחשבתא רעתא ורגלי
דמסתרהבן למרהט
לבישתא: יט סהדא
דשקרא דמלל כדבותא
ומן דרמי תגרי בין אחי:
כ טור ברי פוקדנא
דאבוך ולא תטעי
מגימוסא דאמך:
כא קטורנון בלבך
תדירא וכרוך אנון
בצורך: כב במיזלך
תתדבר עמך במדמכך

ת"א בהתהלכך. סוטה כא אבות ו זוהר וישב:

## רש"י

ושבע תועבת נפשו. כלומר גם השביעית עמהם: (כא) ענדם. ל' קשר היא כמו אענדנו עטרות לי (איוב ל"א): (יט) יפיח. לשון דבור הוא כל דבור ברוח הפה הוא: (כב) בהתהלכך. בחייך: תנחה אותך. כמו

## אבן עזרא

שרים עיניו בגאוה. לשון שקר שופכות דם נקי. רוצח: (יט) יפיח. לשון דבור והכתוב פירש שהוא עד שקר: (כ) נצור בני. בלב שלא תשכחנה: (כב) תנחה אותך. שלא תגוף באבן רגליך: תשמור. שאינך יכול להשמר בעת

## מנחת שי

(יח) ממהרות. בוא"ו: (כא) על גרגרתיך. במקצת ספרים חסר וא"ו וחסר יו"ד עי' במסורת ריש משלי: (כב) בשכבך. בגעיא בספרי ספרד:

## ביאור המלות

(כ) בהתהלכך. תשיחך. תדבר עמך:

## רלב"ג ביאור הדברים

שהוא ראוי שיהי' השכל נשפה בחטא אשר היתה ההנאה בו אל החומר כמו הענין בערב שנשתעבד בעבור אחר הנה ראוי לו שיכנע אל הש"י בתכלית מה שאפשר לבקש מחילה וכפרה על חטאיו וישתדל בזריזות רב להשכיל ולדעת אותו בדרך שיתן לו רוממות נפלא על אשר סנמלאות כמו שהוא האמת בזה ובזה ינצל לו מחולי הערבות הזה כמו שאם ערב אדם לרעהו בעבור זה ונשתעבד לרעהו בפרעון החוב בעד הזר הנה אין לו תקנה אלא שיכנע לרעהו שנשתעבד ויתן לרעהו רוממות וכבוד כי בזה אולי יחמול עליו ויקל ממשאו קלת או יעזבהו: הי"ח הוא להודיע שראוי לאדם להרחיק העצלה ורבוי השינה והשכיבה כמנהג העצל כי זה ממה שימנעהו מהשגת שום שלימות גם די טרפו לא ישיג אבל ראוי לו שינהג בזריזות לקנות המעלה והטרף בעת אשר תמצא ידו וישלם לו זה הזריזות בהתרחקו מהשינה לפי מה שאפשר לו וזה ממה שיגיע אליו בזאת התחבולה והיא שכאשר יחזקהו אונס שינה יתנמנם מעט בזולת שכיבה כי בזה יסור בקלות וישתדל בכמו זאת התחבולה להרחיק השינה עד שכאשר יישן תהיה שנתו מעוטה וכאשר ילאו כחותיו מרוב היקיצה ישכב מעט ויחבק ידיו ר"ל שישבות מכל מלאכה ותנועה כי בזה יסור לאות כחותיו כאילו נתן שינה לעיניו וזה מבואר מאד מן החוש: הי"ט הוא להרחיק השקר ולזה אמר כי מי שהוא אוהב השקר הוא רשע כי זה יביאהו לחטאים גדולים מהם בדעות כי אהבתו השקר תסבב שלא ידרוש האמת בדעות ומהם במדות כי מזה ימשך שיהיה תמיד שקר בפיו וישתדל אל שיביא האנשים להאמין מה שאינו ברמיזותיו וקריצותיו במקומות שלא יוכל לדבר והמשל שכאשר יאמר על אדם דבר שאינו הנה יקרה כשידבר מה שאפשר שיובן ממנו באופן מה שאמר האחר עליו אז ירמוז לאנשים שיקחו עדות מזה על אמתית מה שאמר להם עליו ומזה ג"כ ימשך שיחשוב תמיד מחשבות איך יוכל למצוא דבר שקר שיחרוש בו רע לאיש מה וימשך ג"כ מזה שיעורר ריב בין אנשים בכזביו ובכלל הנה כמו שבאמת יתקיים הישוב כן יפסד בשקר ולהרחיק השקר ביאר שכבר יקרה ממנו עונש רב ונפלא והנה ביאר בו כי מסוג השקר מלאו מינים הם שנואים ומתועבים לש"י והם עינים רמות כי הוא דבר שקר שיתגאה האדם עם היותו בריה שפלה ונבזית מאד והנה הגאוה היא מדה מגונה מאד מסירה האדם מכל שלימות ולשון שקר ר"ל שיהיה דובר שקרים והיא ג"כ מדה מגונה ומונעת האדם ממצוא דברי חפץ חכמה ותבונה וידים שופכות דם נקי עושות ג"כ דבר שקר ועול להרוג איש על לא חמס בכפיו והנה עוצם גנות זאת המדה מבואר בנפשו ולב חורש מחשבות און היא ג"כ מדה מגונה מאד כי זה ממה שיביא לעשיית הרעות בדברי שקר אשר השתדל במלאכתם עם שזה לא ישתמש במה שהוא כלי אל קנין השלימות בהשתדלו במה שהוא מגונה בתכלית הגנות ורגלים ממהרות לרוץ לרעה הוא ג"כ לדבר שקר כמו שפיכת דם נקי או גניבה וגזילה ומשלח מדנים בין אחים הוא ג"כ בדברי השקר שיספר מזה לזה וגנות כל אלו המדות והתכונות הוא מבואר ונגלה: (כ) נצור בני מצות אביך. והוא הש"י שיצוה אותך לשמור תורתו ואל תעזוב התורה שנתן לך הש"י באמצעות השכל הפועל ואפשר שרמז במצוה כי הם מישירים אל החלק מהתורה אשר בו מצות ואזהרות ורמז בתורה אל ספורי התורה כי הם מישרים מאד על השלימות כמו שביארנו בביאורינו לדברי התורה וקרא הספורים תורת אמך כי הם הגיעו בנבואה מהשכל הפועל אשר הוא בזה הזמן כמו שביארנו בביאורינו לספר שיר השירים עד שרוב הספורים הם סיפור פעולת האבות אשר הם כמו אם ביחס אל הש"י והמשל כי כמו שהאם תתן החומר והאב יתן הצורה כמו שנתבאר בספר ב"ח: (כא) קשרם. על כלי הדבור לדבר בם תמיד כי בזה תתישר לעמוד על כוונתם והחכמה הנפלאה אשר בהם: (כב) בהתהלכך. בדברים העיוניים. תנחה אותך התורה להשיג דברי חפץ וזה שכבר תשמור בשרשים אשר סודרשו בה מהטעות בהתחלות וזה ממה שינחה אותך אל האמת בדרוש דרוש: בשכבך. באמצע הדרך אשר תדרוך בה למצוא הדרוש כי יחלשו כחותיך ותצטרך לשינה הנה התורה תשמור בעבורך מה שהתחלת להקדימו כדי להשיג הדרוש עד שלא תצטרך שנית להתחיל העיון בו מראשיתו וכאשר תיקן משנתך הנה התורה תדבר לך הדברים שמלאת

## מצודת דוד

לרעה. לעשותה במהירות עד לא יתנחם: (יט) יפיח וגו'. ר"ל עד שקר המדבר כזבים ואחת היא: בין אחים. בין אוהבים יגרה מחלוקת בספור לשון הרע והיא השביעית הקשה מכולן כי בזה הורג שלשה את עצמו והמקבלו והנאמר עליו: (כ) מצות אביך. כי הלא בודאי חפץ בתקנתך: תורת אמך. מה שהיא מלמדתך: (כב) תנחה אותך. תנהג אותך בדרך הישר: תשמור עליך. משודדי לילה: היא תשיחך. תדבר עמך כחבר טוב המדבר עם חבירו להשתעשע

## מצודת ציון

ענין לער ומקרה רע: פתע. הוא כמו פתאום: (יט) יפיח. ענין דבור על שם שבא בהפחת הפה: (כ) תטוש. ענין עזיבה: (כא) ענדם. ענין קשירה כמו אענדנו עטרות לי (איוב ל"א): גרגרותיך. מלשון גרון וצואר: (כב) תנחה. תנהג: והקיצות.

22. **When you walk**—*in your lifetime.*—[*Rashi* from *Midrash Mishle, Sotah* 21a, *Avoth* 6:9, *Zohar,* Vol. 1 p. 185a]

feet that hasten to run to evil; 19. [one who] speaks lies with false testimony and incites quarrels among brothers. 20. My son, keep the commands of your father, and do not forsake the instruction of your mother. 21. Bind them always upon your heart, tie them upon your neck. 22. When you walk, it shall lead you; when you lie down,

**feet that hasten to run to evil**—That will cause him to run to do evil, to execute his thoughts of violence.—[*Meiri*]

19. **[one who] speaks**—Heb. יָפִיחַ, lit. he blows. *This is an expression of speech since all speech is a product of the breath of the mouth.*—[*Rashi*] These are the deeds of violence he plots, namely, to testify falsely against his neighbors. This should not be confused with the "lying tongue," mentioned above, since that was only to aggrandize himself over others. This, however, means that he will bring false accusations against others and will testify against them.

**and incites quarrels among brothers**—By speaking falsely against his neighbors, he causes quarrels to arise among them.—[*Meiri*]

*Malbim* explains these seven evils as parallel to the seven enumerated earlier (verses 12-14), but these reprehensible traits are a higher dimension of evil: Haughty eyes—he winks with his eyes. This refers specifically to the haughty who show intellectual pride by rejecting the faith. A lying tongue—he walks with a crooked mouth, devising false arguments to refute the wisdom of the Torah. Hands that shed innocent blood—he points with his fingers. A heart that thinks thoughts of violence—he plots evil at all times. Feet that hasten to run to evil—shuffling with the feet. He speaks lies with false testimony—contrariness is in his heart, referring to matters of faith. The last, and worst, is "he incites quarrels among brothers."

20. **keep the commands of your father**—in your heart, not to forget them.—[*Ibn Ezra*] Your father is surely interested in your benefit.—[*Mezudath David*]

*Ralbag* explains this verse as referring to the commandments of God. The instruction of the mother symbolizes the stories of the Torah, which bring a person to perfection.

21. **Bind them always upon your heart**—Do not forget them.—[*Meiri*]

**tie them**—Heb. עָנְדֵם, *an expression of tying, as in* (Job 31:36) *"I will tie it* (אֶעֶנְדֶנּוּ) *as crowns to me."*—[*Rashi*]

*Ibn Nachmiash* renders: delight with them, transposing the letters of the root to עדן, *delight. Targum* renders: wrap them around your neck. *Ralbag* explains: Always speak of them. This is symbolized by tying them on the neck, over the trachea, through which a person speaks.

תִּשְׁמֹר עָלֶיךָ וַהֲקִיצוֹתָ הִיא תְשִׂיחֶךָ׃
כג כִּי נֵר מִצְוָה וְתוֹרָה אוֹר וְדֶרֶךְ חַיִּים
תּוֹכְחוֹת מוּסָר׃ כד לִשְׁמָרְךָ מֵאֵשֶׁת רָע
מֵחֶלְקַת לָשׁוֹן נָכְרִיָּה׃ כה אַל־תַּחְמֹד
יָפְיָהּ בִּלְבָבֶךָ וְאַל־תִּקָּחֲךָ בְּעַפְעַפֶּיהָ׃
כו כִּי בְעַד־אִשָּׁה זוֹנָה עַד־כִּכַּר־לָחֶם

תִּתְנַטַּר עֲלָךְ וְתִתְעָר הִיא תֶּהֱוֵי רָצְיָךְ׃
כג מְטוּל שְׁרָגָא הוּא פוּקְדָנָא וְנִימוּסָא נוּהֲרָא וְאוּרְחָא דְחַיֵּי וּמַכְסְנוּתָא וּמַרְדוּתָא׃
כד דְּתִנְטְרָךְ מִן אִתְּתָא בִּישְׁתָא וּמִן שְׁעִיעוּתָא דְּלִישָּׁנָא דְנוּכְרַיְתָא׃
כה לָא תְּרוּג שׁוּפְרָהּ בְּלִבְּבָךְ וְלָא תִשַּׁרְגִנָּךְ בְּבִינָתָהָא׃
כו מְטוּל דְּדָמְיָא מִלְּתָא דְּזָנְיָתָא

ת"א נר מצוה. ברכות ס תענית ו מגלה טז סוטה כא ב"ב ד עקידה שער פח עקרים מ"ג פכ"ט ות"ג פכ"ח זוהר ויקהל תרומה: אשה זונה. נזיר סג סוטה ד הוריות י (סוטה טו):

## רש"י

תנהיגך: בשכבך. בקבר: והקיצות. להחיות המתים לעמוד בדין: היא תשיחך. תליץ בעדך: (כג) כי נר מצוה ותורה אור. כמו שהאור מאיר לעולם תמיד כך התורה עומדת זכותה לעולם אל האדם וזכות מצוה לפי שעה כאור הנר. ד"א כי נר מצוה וגו' מצות האב הוא נר כל מי שמקיים מצות אביו כאלו נוטל נר בידו להדליק במקו' חשך ואם אבד שום דבר שם הוא מוצאו לאורו וכן מי שהוא מקיים הוראת אמו תורה היא לו וכן הוא אומר אל תטוש תורת אמך וכן הוא וודאי שמקרא זה מדבר במצות אביו ואמו דכתיב (לקמן כ') מקלל אביו ואמו ידעך נרו באישון חשך ואם נר של אדם ידעך (כוהה) כשאין מקיים מצות אבותיו נמצא כשמקיים מצוה מאיר נרו (רבי יוסף קרא): ודרך חיים תוכחות מוסר. תוכחות המוסר הם מטים את האדם לחיים נמצא שהם דרך החיים: (כד) לשמרך מאשת רע. התורה תשמרך מאשה של מנהג רע ועל כרחך לא דבר שלמה אשה רעה אלא כנגד ע"א מעובדי כוכבים שהיא שקולה כנגד הכל שאם תאמר אשה זונה ממש וכי כל שכרה ושבחה של תורה שמשמרת מן הזונה לבדה אלא ע"כ זו ע"א מעובדי כוכבים שהיא חמורה כנגד הכל: מחלקת לשון. מפתוח עינים של לשון נכריה: (כה) ואל תקחך. ואל תטול חכמתך ממך בעפעפי עיניה שקורצת בהם נגדך: (כו) כי בעד אשה

## אבן עזרא

הנומתך: והקיצות. והטעם אף אם אין מדבר פיך בהקיצך היא תשיחך כדי שלא תפחד: (כג) כי נר. כי המצוה כנר להאיר לפניך כענין מצות ה' ברה מאירת עינים והתורה כאור ללומדיה והכסיל בחשך הולך: ודרך חיים. והחכמה לאדם המקבל היא דרך שיחיה בה: (כד) לשמרך התוכחות הם לשמרך מאשה רעה שהיא קשה מכל העבירות שהיא גוררת הרעות: מחלקת. תאר לאשה שתדבר לשונה חלקות. ונכריה תאר הלשון: (כה) ואל תקחך. מן המוסר, בעפעפיה בעבור יופי עפעפיה והם העינים: (כו) עד ככר לחם. יאכל ממונו עד שהוא צריך לשאול מן

## רלב"ג

קודם שתשכב להישיבך להבלים המקירה והנה אמר זה כי עם שהתורה מישרת האדם למצוה החכמה והתבונה הנה שומר התורה מושגח מהש"י ולזה הוא נעזר בו בהשגותיו. ואפשר שתהיה הכוונה בזה בשכבך מהחקירה כי להקיצה לא תמצאהו ותפסק מפני זה דריכתך בה הנה התורה תשמר בעבורך לשמרך מהטעות וזה כי לולי התורה אולי מפני הקושי שיגיע לך בהתרת קצת ספקות יפלו בדרוש ההוא כבר תסכים לחות האמת ותגיע מזה להריסה רבה בהריסה מהדרושים אך מפני שהתורה השרישה האמת בזה הנה ישמרך זה מההודאה בסותרו ותמלט מזה מהטעות וכאשר הקיצות שנגלו לך הסתרים על הספקות אשר הספיקו דריכתך בזה העיון הנה התורה תדבר לך אותם הדברים או יהיה תשיחך יוצא לשלישי וירצה בו כי התורה תביאך לדבר אותם הדברים והכוונה בזה אחד איך שיפורש והכלה בזה כי מהתורה נתישבו לך אלו הדברים והנה זה הביאור האחרון הוא יותר נכון: (כג) כי נר מצוה. וזה כי המצוה היא נר להראות הדרך והדברים הנראים והתורה היא אור שהוא יותר חזק בזה הפועל לכן ייחס מה שישפע מהשלמות התורה אל מה שישפע מספוריה ויחס האור אל הנר כמו שהתבאר מדברינו בפתיחת באורינו לדברי התורה והיא ג"כ דרך השגת החיים הנצחיים והיא ג"כ דרך חיים ר"ל דרך תוכחות מוסר והוא לקיחת המוסר במדות ותכונות וזה כי המצוה והתורה כל אחד מהם מיישר אל דרך החיים ואל תוכחות מוסר ואם היתה התורה בשני אלו יותר חזקה. והיא דרך: (כד) לשמרך מאשת רע. מהמשך לפתוי אשת איש לנאוף עמה מלד העונש הנפלא אשר הטילה התורה במצות וגם בספוריה כמה שזכרה מענין אבימלך ופרעה על דבר שרי אשת אברם והנה קרא זאת האשה אשת רע להורות כי הש"י לא יתן כמו זאת האשה המנאפת לטובים וקראה נכריה לפי שאינה אשתו אבל היא אשת איש אחר: (כה) אל תחמוד. יופי האשה המנאפת בלבבך ואל יקחך בעפעפיה אשר לורת הבטחה בהם מושכת האדם לחשוק בה: (כו) כי בעד אשה זונה. כי בעבור אשה זונה יבא איש עד ככר לחם

## מצודת ציון

ענין הפרה מן השינה: תשיחך. מלשון שיחה ודבור: (כו) ככר

## מצודת דוד

עמו: (כג) כי נר מצוה. המצוה שאדם עושה מאירה לו כנר והלומד תורה היא לו כאור היום והשומע תוכחת מוסר היא לו דרך המביא חיים: (כד) לשמרך. כי המוסר יועיל לשמרך מאשה זונה: מחלקת. מחלקלקות פתויי הנכריה והוא כפל ענין במלות שונות: (כה) ואל תקחך. אל תקח לבך להיות נמשך אחריה על ידי רמזי עפעפיה: (כו) כי בעד אשה זונה. בעבור חמדת אשה זונה בא האדם לרוב

preaches apostasy and belief in paganism, blinds the eyes with its smooth talk and entices people to accept its doctrines.]

25. **do not let her captivate you**—*And let her not take away your wisdom from you with her eyelids that she winks toward you.*—[Rashi]

26. **Because a man is brought to a loaf of bread for a harlot**—*He is*

it shall guard you, and when you awaken, it shall speak for you.
23. For a commandment is a candle, and the Torah is light,
and disciplining rebukes are the way of life; 24. to guard you
from an evil woman, from the smoothness of the alien tongue.
25. Do not covet her beauty in your heart, and do not let her
captivate you with her eyelids. 26. Because a man is brought to
a loaf of bread for a harlot,

**it shall lead you**—Heb. תַּנְחֶה אוֹתָךְ, *like* תַּנְהִיגְךָ.—[*Rashi*]

**when you lie down**—*in the grave.*—[*Rashi* from aforementioned sources]

**and when you awaken**—*for the resurrection of the dead, to stand in judgment.*—[*Rashi* from *Zohar* vol. 1, p. 185a]

**it shall speak for you**—*It shall speak on your behalf.*—[*Rashi*]*

23. **For a commandment is a candle, and the Torah is light**—*Just as light always illuminates, so does the merit of the Torah stand for a person forever, but the merit of the commandment only for a time like the light of a candle* (*Sotah* 21a).

*Another explanation:* **For a commandment is a candle, etc.**—*The command of the father is a candle. Whoever fulfills the command of his father is as though he takes a candle in his hand to light a dark place, and if he loses anything there he finds it by its light; similarly, whoever fulfills his mother's instruction—it is light to him, and so* [Scripture] *states* (verse 20): *"and forsake not the instruction of your mother." It is certain that this verse speaks of the commands of one's father and mother, for it is written* (Prov. 20:20): *"If one curses his father or mother, his candle will be put out in the blackest darkness." Now if a person's candle goes out when he does not fulfill the commandments of his parents, conversely when he fulfills the command, his candle lights up (Rabbi Joseph Kara).*—[*Rashi*]

**and disciplining rebukes are the way of life**—*Disciplining rebukes incline a person to life. It is found that they are the way of life.*—[*Rashi*] If one listens to disciplining rebukes, they are the way that brings him to life.—[*Mezudath David*]

24. **to guard you from an evil woman**—*The Torah shall guard you from a woman of evil behavior—perforce, Solomon did not speak of an evil woman, but concerning idolatry,* [the prohibition of] *which is equal in gravity to all* [commandments], *for if you say that he meant a real harlot, is that all the reward and the praise of the Torah that it guards one only from a harlot? Rather, perforce this is idolatry,* [the prohibition of] *which is as stringent as all other* [commandments].—[*Rashi*]

**from the smoothness of the alien tongue**—*From the sealing of the eyes by an alien tongue.*—[*Rashi*] [I.e. the alien tongue, the tongue that

וְאֵשֶׁת אִישׁ נֶפֶשׁ יְקָרָה תָצוּד׃
כז הֲיַחְתֶּה אִישׁ אֵשׁ בְּחֵיקוֹ וּבְגָדָיו לֹא
תִשָּׂרַפְנָה׃ כח אִם־יְהַלֵּךְ אִישׁ עַל־
הַגֶּחָלִים וְרַגְלָיו לֹא תִכָּוֶינָה׃ כט כֵּן הַבָּא
אֶל־אֵשֶׁת רֵעֵהוּ לֹא יִנָּקֶה כָּל־הַנֹּגֵעַ
בָּהּ׃ ל לֹא־יָבוּזוּ לַגַּנָּב כִּי יִגְנוֹב לְמַלֵּא
נַפְשׁוֹ כִּי יִרְעָב׃ לא וְנִמְצָא יְשַׁלֵּם

הֵיךְ גְּרִצְתָּא דְלַחְמָא
וְאִתַּת גַּבְרָא נַפְשָׁא
יַקִּירְתָּא צָיְדָא׃
כז דִלְמָא סָיֵם בַּר נָשָׁא
נוּרָא בְעוּבֵּיהּ (בְּחוּבֵּיהּ)
וּלְבוּשֵׁיהּ לָא יָקִיד׃
כח אַי דִלְמָא מְהַלֵּךְ
גַּבְרָא עֲלַוַי גּוּמְרֵי
וְרִגְלוֹי לָא מִתְכַּוְיָן׃
כט הֵיכְנָא מָה דְעָאֵל עַל
אִתַּת חַבְרֵיהּ לְמֵגוּר
עִמָּהּ לָא נִזְכֵּי כָּל מַן
דְקָרֵיב בָּהּ׃ ל לָא
לְמִתְהַרְמָרוּ לְגַנָּבָא דְגָנֵיב
דְתִשְׂבַּע נַפְשֵׁיהּ מְטוּל דְכָפֵן׃ לא וּמַן דְמִשְׁתְּכַח פְּרִיעַ חַד בְּשִׁבְעָה וְכוּלֵּיהּ מָזְלָא דְבֵיתֵיהּ יְהִיב

**ת״א** ואשת איש. סוטה ד: היתחה. סנהדרין קז: לא יבוזו. עקידה שער לט עקרים מ״ג פכ״ג:

### רש״י

זונה עד ככר לחם. באה לידי עניות וחוסר כל טוב: (כז) **היתחה איש**. הישאב איש גחלים בשפולי בגדיו ולא ישרפו. כל לשון התיית גחלים לשון שאיבה הוא כמשמעה כשממלא הכלי בתוך המדורה: (כט) **אל אשת רעהו**. כמשמעו ואף על ע״א מעובדי כוכבים יש לדרשה: (ל) **לא יבוזו וגו׳**. ונמצא ישלם וגו׳ נואף אשה וגו׳ שלשתם מחוברים בדבור אחד אם הגנב יגנב גניבה אין לבזותו כל כך כמו הנואף למה כי לרעבון נפשו הוא עושה ואולי אין לו מה יאכל וכשנמצא יש לו תקנה בתשלומין ולכל היותר שבעתים ישלם כלומר תשלומי כפל הרבה ואפי׳ חמשים על אחד ויש מפרשים שבעתים כמו גונב שור וכליו וטבחו שמשלם חמשה בקר ותשלומי כפל על הכלים

### אבן עזרא

הבריות ככר לחם. ואשת איש תצוד נפש הנואף עמה. ואמר יקרה בעבור שהיא אצולה מאור השם: תצור. כי היא תצוד כענין מצודות את הנפשות: (כז) **היחתה**. פירוש נושא או מביא והטעם באש הבגדים תשרפנה והרגלים תכוינה: (כט) **כן**. הנואף. ינקה שפי׳ יכרת מן ונקה לא אנקך: (ל) **לא יבוזו**. אנשים לגונב שירעב אין לו מה יאכל כי אם יגנוב

### מנחת שי

(כט) כל הנגע. בספרי ספרד הכ״ף מחוגה אף על פי שהמלה מוקפת וככר נתבאר ענין זה בסוף פרשת ראה:

### רלב״ג

ר״ל שלא ישאר לו מהונו כי אם ככר לחם כי יאבד הונו בה כאמרו ורועה זונות יאבד הון והנה ראוי לאדם להשמר מאד מנפול במצודה כי בכר יש לה כח לצוד נפש יקרה מלד קלות התפתות האדם אל המשגל: (כז) היתחה. הנה רמז שאי אפשר שיהיה איש חותה אש בבגדיו ולא תשרפנה בגדיו: (כח) אם. או שילך על הגחלים לא תכוינה רגליו: (כט) כן הבא וגו׳ לא ינקה. שלא ישיגהו עונש נפלא ראה והתבונן איך הוא מגונה מאד ענין הניאוף: הנה (ל) לא יבוזו. האנשים לגנב כי יגנוב וגו׳: (לא) ונמצא ישלם שבעתים. ואם נמצא לנפשו המזון בזולת הגנבה הנה יענש על גנבתו בשישלם על אחד שבעה גם כל הון ביתו יתן או יהיה הרצון בזה והוא יותר נכון שאם נמצא הגנב בבית בעל הגנבה הנה נתפיים עם בעל הגניבה בשישלם לו על אחד שבעה גם יתן לו כל הון ביתו ויניחהו ובכפרו יתרלה לו בעל הגניבה בלי ספק ולזה הוא מבואר שלא ישיגהו בזה בשת מהאנשים כאשר לקחו למלא נפשו כי ירעב גם לא ישיגהו נגע בגופו מבעל הגנבה כי בכופר ובשחד יתרלה לו ואולם לנואף ראוי שיבוזו כי הוא לוקח לעצמו חוק הבעל וגונבו ממנו לא למלא נפשו כמו הענין בגנב אבל ישחית עצמו בניאוף בחסרו החומר היסודי ולחותו הטבעי ברבוי המשגל ולזה הוא מבואר כי נואף אשה הוא חסר דעת וזה כי משחית נפשו הוא יעשה

### מצודת דוד

הטועי עד כי ישאל ככר לחם: תצוד. בחלקת אמריה תלוד את הנפש עם שהיתה יקרה ונקיה מעון: (כז) היחתה. וכי אפשר שישאב איש בחיקו את האש ולא תשרפנה בגדיו: (כח) אם יהלך. וכי יהלך איש על גחלים ולא תשרפנה רגליו: (כט) כן הבא. כן הוא הבא אל אשת רעהו כי כל הנוגע בה לא ינקה מעונש הבא: (ל) לא יבוזו. אין מרבים לבזות את הגנב כאשר יגנוב למלא נפשו כי רעב הוא וגנב בשביל הרעבון ובמעט לאונס יחשב: (לא) ונמצא. וכאשר ימלא יוכל לתקן בתשלומין ואם יתן שבע פעמים כשיעור

### מצודת ציון

לחם. כן נקרא לחם שלם: (כז) היחתה. ענין שאיבת האש ממקומו כמו להתות אש מיקוד (ישעיה ל׳): בחיקו. רוצה לומר בבגדו שמתמול החיק: (כח) תכוינה. ענין שריפה כמו כויה תחת כויה (שמות

32. **One who commits adultery with a woman**—*The three of them are combined in one statement. If a thief commits a theft, he should not be despised as much as the adulterer. Why? Because he steals in order to sate his hunger, and perhaps he has nothing to eat. And, when he is found, he can rectify his sin with payment; at the most, he will pay sevenfold, i.e. many times the double payment, and even fifty times for one. Some explain "sevenfold" as referring to one who steals an ox and his trappings and slaughters it, who pays five cattle and double payment of the trappings (totalling seven).*—[Rashi]

and a married woman will hunt a precious soul. 27. Can a man rake embers with his skirt without burning his clothes? 28. Or can a man walk on live coals without scorching his feet? 29. So is he who goes in to his neighbor's wife; no one who touches her will go unpunished. 30. They will not despise a thief if he steals to sate his appetite, for he is hungry. 31. And if he is found, he will pay

*reduced to poverty and the lack of all good things.*—[*Rashi*]

One who chases after harlots will become continuously poorer and poorer by spending all his money on them until he is left without even a loaf of bread. In the words of our Sages (*Sotah* 4a): "Whoever patronizes a harlot will eventually seek a loaf of bread and not find it."—[*Ibn Nachmiash*] Until he will be compelled to beg for a loaf of bread.—[*Meiri*]

**will hunt a precious soul**—With her smooth talk, she captures the soul of one who was heretofore innocent of sin.—[*Mezudath David*]

*Ibn Ezra* explains that the soul is precious because it originates from the light of God. *Meiri* explains that she dooms the souls of her paramours to destruction.

27. **Can a man rake**—*Can a man pick up live coals with the skirt of his garments without burning them? Every expression of* חֲתִיָּה *is an expression of raking according to its apparent meaning, that he fills the vessel in the fire.*—[*Rashi*]

29. **to his neighbor's wife**—*According to its apparent meaning, and it can also be expounded upon as referring to the idolatry of the pagans.*—[*Rashi*]

**no one who touches her will go unpunished**—This can be interpreted in two ways. It may refer to acts of affection, such as embracing and kissing, or it may refer to the sex act. In the first case, the paramour has transgressed a negative commandment; in the second case, he has committed a capital sin. In either case, he will not go unpunished. The figure of the man raking embers with his skirt symbolizes the man embracing and caressing his neighbor's wife. Just as the one who rakes embers in his clothes will suffer a mild loss—only that of his property—so will that sinner be punished comparatively mildly, with lashes. The figure of the man walking barefoot on live coals symbolizes the one who engages in the sex act with his neighbor's wife; just as the one who walks on live coals sustains bodily injury, so does the one who commits adultery suffer the death penalty.—[*Meiri*]

30. **They will not despise a thief, etc.**

31. **And if he is found, he will pay sevenfold, etc.**

שִׁבְעָתָיִם אֶת־כָּל־הוֹן בֵּיתוֹ יִתֵּן: לב נֹאֵף
אִשָּׁה חֲסַר־לֵב מַשְׁחִית נַפְשׁוֹ הוּא
יַעֲשֶׂנָּה: לג נֶגַע וְקָלוֹן יִמְצָא וְחֶרְפָּתוֹ לֹא
תִמָּחֶה: לד כִּי־קִנְאָה חֲמַת־גָּבֶר וְלֹא
יַחְמוֹל בְּיוֹם נָקָם: לה לֹא־יִשָּׂא פְּנֵי כָל־
כֹּפֶר וְלֹא־יֹאבֶה כִּי תַרְבֶּה־שֹׁחַד:
ז א בְּנִי שְׁמֹר אֲמָרָי וּמִצְוֹתַי תִּצְפֹּן אִתָּךְ:
ב שְׁמֹר מִצְוֹתַי וֶחְיֵה וְתוֹרָתִי כְּאִישׁוֹן

יְהִיב: לב מַן דְגָיֵר
בְּאִתְּתָא חָסִיר דְרַעְיָנָא
וּמַן דְבָעֵי דִי יְחַבֵּל
נַפְשֵׁיהּ הוּא עָבֵד לָהּ:
לג מַכְתָּשֵׁי וְצַעֲרֵי יֶאֱרַע
וְחִסוּדֵיהּ לָא מִתְמְטֵי:
לד מְטוּל דְטַנְנָא חֶמְתָּא
דְגַבְרָא וְלָא חָיֵס בְּיוֹמָא
דְפוּרְעָנָא: לה וְלָא נָסֵב
בְּאַפֵּיהּ דְכָל דְיָהֵב לֵיהּ
מוֹהֲבָא וְלָא מִתְפַּס כַּד
תַּסְגָּא שׁוֹחֲדָא: א בְּרִי
נְטַר מֵימְרִי וּפִקּוּדַי
תַּטְמֵשׁ גַּבָּךְ: ב נְטַר
פִּקּוּדַי וְחַיֵּה וְנִימוּסַי הֵיךְ

ת״א נואף אשה. סנהדרין לח לס:

רש״י

(הרי שבעה): (לא) את כל הון ביתו יתן. ואפי׳ לריך למכור כל אשר לו על זה מכל מקום יש לו תקנה ומתחלה מחמת רעב עשה. אבל: (לב) נואף אשה חסר לב. הוא שהרי לא לרעבון עשה: משחית נפשו הוא יעשנה. הזמה: (לג) נגע וקלון ימצא. על עובדי כוכבים ועל גילוי עריות נגעים באים: (לד) כי קנאה. מתקנא לו להפרע בו חמתו של הקב״ה שהוא גבור על כל ולא יחמול ביום נקם: (לה) לא ישא פני. לכל ממון לכפר על אשר כפר בו ונדבק בעכו״ם. ורבותינו דרשו. לא יבוזו לגנב זה המתגנב אחר חבירו והולך לבית המדרש ועוסק בתורה. ונמצא ישלם שבעתים. סופו שמתמנה דיין ומורה הוראות שאין שבעתיים אלא תורה שנאמר מזוקק שבעתים (תהלים י״ב):

ז (א) בני שמור אמרי ומצותי וגו׳. כאישון עיניך

מנחת שי

ז (ב) וחיה. בספרי ספרד היו״ד בסגול כי המנהג בלירי וכן כתוב במכלול דף קנ״ג הלווי בנה בלירי ובא אחד בסגול שמר

אבן עזרא

למלאת התאוה הוא גונב: (לא) שבעתים. שבע לבד וכן את הכבשה ישלם ארבעתים כענין וארבע לאן תחת השה וכן שבעתים יוקם קין והענין כאור שבעת הימים ובעבור שרוב תשלומי הגנבה הנמכרת הם חמשה וקרוב בנמלאים שנים על כן אמר שבעתים: כל הון ביתו יתן. עד שישלם שבעתים וכבר אמר השם ונמכר בגנבתו:(לב)אבל הנואף אשת איש הוא חסר דעת כי אם ישחית אדם נפשו הוא סבב ההשחתה וזהו הוא יעשנה: (לג) נגע. השם יביא עליו נגעים כענין וינגע ה׳ את פרעה: וקלון. שיהיה נבזה בעיני כל רואיו: וחרפתו. בשכבו עם אשת איש לא תמחה מפני בני אדם: (לד) חמת גבר. כי הקנאה מולדת החמה וגבר הוא בעל האשה כי בעלות חמתו היה מקנא בו לשכבו עם אשתו: ז (א) בני שמור:

רלב״ג

זאת הספולה המגונה והיא ימלא נגע וקלון ימלא. מבעל האשה אשר ימלאהו וימלא קלון מכל האנשים שידעו זה בהסך הגנב הגונב למלא נפשו והנה זה הקלון הוא חזק ומתמיד עד שלא תמחה לעולם חרפתו ואמרו כי ימלא נגע המתגבר על הנואף עם אשתו כי קנאה חזקה ולא יחמול עליו מלהכותו מכת אכזרי באי זה נקם שיוכל לו להנקם ממנו וא״ת שיתרלה בממון כמו הענין בגנב הנה לא ישא פני כל כפר ולא יאבה כי תרבה שוחד: (א) בני שמור אמרי. בלבבך והם ספורי התורה ומלות התורה תלפון אתך לשמרם: (ב) שמור

מצודת ציון

כ״א): (לג) וקלון. ענין בזיון: תמחה. ענין מחיקה: (לד) קנאה. נקמה: חמת. מלשון חמה וכעס: (לה) כופר. שוחד. ענינם כמו פדיון:

ז (א) תצפן. תסתיר: (ב) כאישון. הוא בת העין ובעבור קטנות

מצודת דוד

שגניבה אז יחדל ממנו בעל הגנבה: את כל הון. ר״ל הלא לא יתן יותר מכל הון ביתו אבל לא נגע עד הנפש: (לב) נואף אשה. אבל המנאף עם אשה הוא חסר לב והרולה להשחית נפשו עשה יעשה כזאת הואיל ואין לו הכרחה כגונב ממון: (לג) נגע וקלון ימצא. מן השמים ימלא נגע כי על ידי גילוי עריות הנגעים באים ומן הבריות ימלא קלון: לא תמחה. לא תהיה נשכחת: (לד) כי קנאה. הנקמה תעורר חמת הבעל ולא יחמול עליו ביום אשר תמלא ידו לנקום נקם ותהיה א״כ הדבר שמור ולא תשכח: (לה) לא ישא. לא יהיה נושא פנים של כל מין ממיני הכופר להעביר הקלף בעבורו: ולא יאבה. לא ירלה לחמול אם תרבה שוחד והוא כפל ענין במלות שונות: ז (ב) וחיה. בעבורם תחיה: ותורתי. מוסב על מלת שמור

*found, he will pay sevenfold.* [The intention is that] *eventually, he will be appointed as a judge, and he will render legal decisions, for "sevenfold" refers only to the Torah, as it is said* (Ps. 12:7): *"refined sevenfold."*—[*Rashi*]

1. **My son, keep my sayings**—in your heart. These are the stories in the Torah.—[*Ralbag*]*

2. **and live**—Through them you shall live.—[*Mezudath David*] You will thereby achieve eternal life.—[*Ralbag*]

sevenfold; he must give all he owns. 32. One who commits adultery with a woman is devoid of sense; one who would destroy his soul—he will do it. 33. He will find wounds and disgrace, and his reproach shall not be erased— 34. for jealousy [shall arouse] the husband's wrath, and he will not have pity on the day of vengeance. 35. He will not have regard for any ransom, neither will he consent though you give him many bribes.

## 7

1. My son, keep my sayings, and hide my commandments with you. 2. Keep my commandments and live, and my instruction like the apple of your eyes.

31. **he must give all he owns**—lit. he must give all the property of his house. *And, even if he must sell all he owns because of this, he can nevertheless rectify it, and from the beginning he did it because of hunger. But . . .*—[*Rashi*]

32. **One who commits adultery with a woman is devoid of sense**—*since he does not do it because of hunger.*—[*Rashi*]

**one who would destroy his soul—he will do it**—*The lewd act.*—[*Rashi*] Since he is not compelled to commit this act, it is only one who wishes to destroy his soul who does it.—[*Mezudath David*]

*Malbim* explains that the adulterer's excuse that he wishes to satiate his sexual urge is not valid, for, on the contrary, that urge will become stronger the more he yields to it.

33. **He will find wounds and disgrace**—*Lesions are sent for idolatry and immorality.*—[*Rashi* from *Arachin* 16a]

Other commentators, such as *Ibn Ezra* and *Ibn Nachmiash,* also explain the wounds in the sense of "punishments inflicted by God." However, *Ralbag* and *Isaiah da Trani* explain it as bodily punishment caused by the outraged husband.*

34. **for jealousy**—*For the jealousy of the Holy One, blessed be He, Who is the Mighty One over all, will be aroused to mete out retribution upon him, and He will not have pity on the day of vengeance.*—[*Rashi*]*

35. **He will not have regard**—*for any money to expiate for his denial of Him and his cleaving to idolatry. And our Rabbis expounded* (*Tosefta Baba Kamma* 7:3): *They will not despise a thief—This is one who steals away from his friend and goes to the study hall and engages in Torah. If he is*

עֵינֶיךָ: ג קָשְׁרֵם עַל־אֶצְבְּעֹתֶיךָ כָּתְבֵם
עַל־לוּחַ לִבֶּךָ: ד אֱמֹר לַחָכְמָה אֲחֹתִי
אָתְּ וּמֹדָע לַבִּינָה תִקְרָא: ה לִשְׁמָרְךָ
מֵאִשָּׁה זָרָה מִנָּכְרִיָּה אֲמָרֶיהָ הֶחֱלִיקָה:
ו כִּי בְּחַלּוֹן בֵּיתִי בְּעַד אֶשְׁנַבִּי נִשְׁקָפְתִּי:
ז וָאֵרֶא בַפְּתָאיִם | אָבִינָה בַבָּנִים נַעַר
חֲסַר־לֵב: ח עֹבֵר בַּשּׁוּק אֵצֶל פִּנָּהּ וְדֶרֶךְ
בֵּיתָהּ יִצְעָד: ט בְּנֶשֶׁף־בְּעֶרֶב יוֹם

בַּבָּתָא דְעַיְנָא: ג קְטוֹר
אִנּוּן עַל אֶצְבְּעָתָךְ
כְּתוֹב אִנּוּן עַל לוּחַ
דְלִבָּךְ: ד אֱמַר
לְחָכְמְתָא אֲחָתִי אַנְתְּ
וּמוֹדַעְתָּא קְרֵי לְבִיוּנְתָּא:
ה דְנִנְטְרָךְ מִן אִתְּתָא
חִילוֹנִיתָא וּמִן נוּכְרֵיתָא
דְשִׁעִיעָן מִלָּהָא: ו מְטוּל
דְמִן כַּוְיָא זְעֵרְתָּא דְבֵיתִי
אַדְקֵית וּמִן חֲרַכִּין
דְדִירָא: ז וַחֲזֵית בְּשַׁבְרֵי
וְאִסְתַּכְּלֵית בְּטַלְיֵי
וְתַמְהֵית בַּחֲסִיר רַעְיוֹנָא:
ח עָבֵר בְּשׁוּקָא לְקֳבֵל
פִּנְתָהּ וּבְאָרְחָא דְבֵיתָהּ
מְהַלֵּךְ: ט בְּרַמְשָׁא

ת״א קשרם. נדרים סב קידושין ל: אמר לחכמה. ברכות נז שבת קמה עירובין נד סוטה יא קידושין ל׳ סנהדרין י ד: לשמרך. זוהר וישב: בחלון. עקידה שער סז: בנשף. ברכות ג׳:

## רש״י

שחור של עין שהוא דומה לחושך כמו אישון לילה: מודעתנו קרבנו (רות ג׳) כלומר קרבנה אלך תמיד: (ד) (אחותי את. קרבנה אליך): ומודע. קרוב כמו כותו (ז) אבינה. הבחנתי וראיתי: (ח) אצל פנה. פנה של זונה

## אבן עזרא

(ג) על לוח לבך. שלא תשכחם: (ד) ומודע. קרוב הידוע: (ה) לשמרך. כי קרוביו של אדם ישמרוהו מדרך רע: (ו) נשקפתי. אלה דברי שלמה וטעמו נגליתי ונראיתי למשקיפים אותי כדי שישמחו בני אדם בראותו וכן נשקפה ותיצב וטעם הנשקף להראות עצמו והמשקיף לראות אחרים:

## מנחת שי

מלותי וחיה: (ז) בפתאים. נכתב באל״ף יו״ד האל״ף נחה והיו״ד נעה: (ח) פנה. הה״א במפיק. מסורת ושרשים: (ט) בנשף־בערב יום. כ״כ בספרי ספרד ואין מקף אחר בערב:

## רלב״ג

מלותי וחיה. מלות התורה ותשיג החיים הנצחיים ושמור תורתי כשמרך אישון עיניך ולא די לך במלות שתשמרם בלבך אבל צריך וגו׳: (ג) קשרם. אבל צריך שתקשר על אצבעותיך לעשות אותם ואמר אצבעותיך כטעם אמרו מעשה אצבעותיך: כתבם על לוח לבך. שיהיו בזוכרך תמיד: (ד) אמור לחכמה אחותי את. לאהוב אותה: ומודע לבינה תקרא. ר״ל שכבר תאמר שהיא מודע לך וקרוב כטעם ולנעמי מודע לאישה בדרך שתתחבר תמיד לחכמה ולבינה: (ה) לשמרך מאשה זרה. וזה ישמרך מהמשך אחר אשה זרה והיא הנפש המתאוה. מנכריה שהיא מושלת האדם בחלק דבריה וזה כי החכמה והבינה הם אהובות וחושקות למודיהן אהבה נפלאה עד שיתאוו בעבורם אל התאוות הגשמיות והיה צריך לך זה לשמרך ממנה לפי שפתיותה חזק למשוך הסכלים אליה ואמר המשל להורות על רוב פתיותה לסכלים: (ו) כי בחלון. הנה בחלון ביתי נשקפתי בעד חלוני: (ז) וארא בפתאים. וראיתי בפתאים אשר דרכם להתפתות לסכלותם ובינותי בבנים קטני השנים והנה נער קטן שנים חסר השכל ממנו והוא עובר בשוק אצל זוית והולך דרך בית האשה הזרה וזה היה בנשף בערב יום בעת הנשף

## מצודת דוד

לומר שמור תורתי כאישון עיניך: (ד) אמר וגו׳. ר״ל תהא רגיל בחכמה כאדם באחותו: ומודע. כפל הדבר במ״ש: (ה) לשמרך. לנטון השמרך מאשה הזרה עמך שאינה מותרת לך: אמריה החליקה. אשר מן חלקת אמרי פתויה: (ו) כי בחלון ביתי. דרך חלון ביתי ואשנבי נשקפתי אל החוץ והוא ענין מליצה לומר בהשכיל בחכמה לדעת את מעשה הבריות: (ז) וארא בפתאים. ראיתי חבורות הפתאים והנה הבנתי והכרתי בין הבנים ההם נער חסר לב: (ח) עובר. כי ראיתי אותו עובר בשוק אצל פנתה של הזרה ולפי שאמר למעלה לשמרך מאשה זרה קלר כאן וסמך על המבין: (ט) בנשף. בעת הנשף למען לא יראו אותו אנשים:

## מצודת ציון

לורת האיש הנראה בה קרוי אישון כמו האמינון אחיך (שמואל ב׳ י״ג) שבאה תוספות הנו״ן להקטינו ולהשפילו: (ד) ומודע. ענינו כמו קרוב על כי הקרוב ידוע לאדם ומכירו כמו ולנעמי מודע לאישה (רות ב׳): (ו) אשנבי. ענין חלון כמו בעד האשנב (שופטים ה׳): נשקפתי. ענין הבטה ולפי שהמביט לחוץ נראה גם הוא למביט בו לזה אמר נשקפתי וכן בעד החלון נשקפה (שם): (ח) פנה. זוית: יצעד. ענין פסיעה והלוך: (ט) בנשף. ענין חושך כמו אך חשך

One who gazes upon others is usually seen by them.—[*Mezudath Zion*]

7. **and I saw among the simple**—Among those who are habitually enticed because of their foolishness.—[*Ralbag*]

**I discerned**—Heb. אָבִינָה, *I discerned and I saw.*—[*Rashi*] I perceived among them one young lad devoid of sense.—[*Ralbag*]

8. **next to her corner**—*The corner of the harlot and of the pagan house of worship.*—[*Rashi*]

**and he walks on the way to her house**—He directs his steps toward her house.—[*Meiri*]

3. Bind them on your fingers; inscribe them on the tablet of
your heart. 4. Say to wisdom, "You are my sister," and you
shall call understanding a kinsman; 5. to guard you from a
strange woman, from an alien woman who talks smoothly.
6. For from the window of my house, through my lattice I
gazed, 7. and I saw among the simple—I discerned among the
youths—a lad devoid of sense, 8. crossing the street next to her
corner, and he walks on the way to her house. 9. In the twi-
light, in the evening of the day,

**like the apple of your eyes**—*The pupil of the eye, which is like darkness, like the darkness of night.*—[*Rashi*] *Rashi* explains that the pupil of the eye is called אִישׁוֹן, as is the darkness of night. Cf. verse 9.

Just as one guards the pupil of his eye, lest he become blind, so must he guard the Torah, his intellectual eye, through which he sees light.—[*Malbim*]

3. **Bind them on your fingers**—This symbolizes the performance of the commandments.—[*Ralbag*] *Malbim* explains that all one's deeds must be performed according to the tenets of the Torah. *Ibn Nachmiash* explains the figure as a person who ties a string around his finger in order to remember something. Here too, Scripture admonishes us to remember the Torah as one remembers his affairs by tying a string around his finger. Accordingly, the two clauses—"Bind them on your fingers; inscribe them on the tablet of your heart"—are a repetition. *Ibn Nachmiash* further suggests that the Torah should be as an ornament, like a ring tied around the finger. In ancient times rings were made of pure gold and were pliable enough to tie around the finger. Cf. *Daath Mikra.*

4. **"You are my sister"**—*(Draw her near to you.)*—[*Rashi*] You should love wisdom with an inseparable love, as one loves a sister.—[*Meiri*]

**a kinsman**—Heb. מֹדָע, *a kinsman, as in* (Ruth 3:2): *"Boaz our kinsman* (מֹדַעְתָּנוּ)," *our close relative. I.e. draw her near to you always.*—[*Rashi*]

5. **to guard you**—For a person's kinsmen protect him from harm.—[*Ibn Ezra*] The wisdom guards you from being attracted to a strange woman, the symbol of the lustful soul.—[*Ralbag*]

6. **For from the window, etc.**—This is figurative of the wise man who understands people's deeds through his wisdom.—[*Mezudath David*]

**through my lattice**—This translation follows *Rav Saadiah Gaon,* quoted by *Ibn Nachmiash.*

**I gazed**—lit. I was gazed upon.

בְּאִישׁוֹן לַיְלָה וַאֲפֵלָה: י וְהִנֵּה אִשָּׁה
לִקְרָאתוֹ שִׁית זוֹנָה וּנְצֻרַת לֵב: יא הֹמִיָּה
הִיא וְסֹרָרֶת בְּבֵיתָהּ לֹא־יִשְׁכְּנוּ רַגְלֶיהָ:
יב פַּעַם | בַּחוּץ פַּעַם בָּרְחֹבוֹת וְאֵצֶל כָּל־
פִּנָּה תֶאֱרֹב: יג וְהֶחֱזִיקָה בּוֹ וְנָשְׁקָה לּוֹ
הֵעֵזָה פָנֶיהָ וַתֹּאמַר לוֹ: יד זִבְחֵי שְׁלָמִים
עָלָי הַיּוֹם שִׁלַּמְתִּי נְדָרָי: טו עַל־כֵּן יָצָאתִי
לִקְרָאתֶךָ לְשַׁחֵר פָּנֶיךָ וָאֶמְצָאֶךָּ:
טז מַרְבַדִּים רָבַדְתִּי עַרְשִׂי חֲטֻבוֹת אֵטוּן
מִצְרָיִם

ת"א והנה אשה. שבת סג: מרבדים. שבת קיד: נתפלשה, מנחות סו:

**תרגום**

בְּמַעֲרָב יוֹמָא בַּחֲשׁוֹכָא
דְלֵילְיָא וּבַחֲבִירָה:
י וְהָא אִתְּתָא לְעוּרְעֵיהּ
בְּאַסְכְּמָא דִזְנֵיתָא
דְמַפְרְדָא לִבָּא דְעָלֵימֵי:
יא וּמְרָדְתָא הִיא
וּפְרִדְתָּא בְּבֵיתָא לָא
שָׁכְנָן רִגְלָהָא: יב בְּעִדָּנָא
בְּשׁוּקֵי בְּעִדָּנָא בִשְׁקָקֵי
וְלִקְבֵל כָּל פִּנְתָא דְיָאְיָא
כָּמְנָא: יג וְאַתְקְפַת בֵּיהּ
וְנַשְׁקְתֵיהּ וְאַחְצְפַת
אַפָּהָא וַאֲמַרַת לֵיהּ:
יד דִבְחֵי דְקֻרְבָּנֵי עֲלַי
יוֹמָנָא שַׁלְמִית נִדְרָי:
טו מְטוּל הֵיכְנָא נְפַקִית
לְאוּרְעָךְ דְמַפְכָּא הֲוֵית
לְרָגְשָׁא וְאַמְרַת
אֶרְבְּרְנָךְ: טז בְּתַשְׁוְיָתָא

**רש"י**

וע"ז מעובדי כוכבים: (י) **והנה אשה.** כמשמעה ד"א אחד מן המסיתים: **שית זונה.** כמו (שמואל ב' י') שתותיהם כלומר ערות זונה: **ונצורת לב.** כמו (ישעיה א') עיר נצורה המוקפת כרכים כן לבה של זו מוקפת זימה ואולת: (יא) **וסוררת.** סרה מן הדרך: (יד) **זבחי שלמים עלי.** כלומר סעודה גדולה הכינותי כי היום הקרבתי נדרי ושלמי: (טו) **ואמצאך.** כדי שאמצאך: (טז) **מרבדים.** בגדי חופש וצוי ודוגמתו בסוף הספר שנאמר מרבדים

**מנחת שי**

(יג) העזה פניה. לית מלעיל מס"ג בסופה בספא חדא דכל חד וחד מלעיל ולית דכוותיה: ותאמר לו. ה' בפתח וזה לבדו מלעיל עיין במסורת אסתר סי' ה' ומכלול דק"ג והגהת המדקדק שם: (טז)אטון.

**אבן עזרא**

(יא) **הומיה.** כדי שתשמיע קולה למבקשיה באפלה: **וסוררת.** דוברת סרה: **ישכנו.** בלשון זכר והנכון תשכונה: (יב) **ואצל.** עד שתמצא חסר לב: (יג) **ותאמר.** נשתנה בעבור ההפסק כי לו מלה זעירה וכן ישפיעו הם: (יד) **זבחי.** דוברת לי כזבים: (טז) **חטובות.** מחוטבות תבנית היכל:

**רלב"ג**

בערב יום בחשך לילה ואפלה והנה הוא היה בא אל האשה הזאת: (י) **והנה האשה לקראתו.** וגם האשה באה לקראתו ערות זונה ונצורת לב שערותה מגולה והלב מכוסה לבד כי עד הלב תגלה עצמה וזה מהפלגת המשל כי דרך הזונה לגלות כנף בגדיה שתהיה גלוית הערוה כדי שיתעוררו האנשים לבא עליה ולא תשאיר מגופה מכוסה בבגדיה כי אם מן הלב ולמעלה ולפי הנמשל הנה הלב מכוסה בזה הפועל כי לא יוכל השכל לעשות פעולתו עם המשך אל התאוה: (יא) **הומיה היא וסוררת.** הנה היא משמעת קולה בהפך חק האשה הצנועה והיא נוטה מבית בעלה לא ישכנו רגליה בביתה: (יב) **פעם בחוץ.** אך תלך פעם בחוץ ופעם ברחובות ותארוב אצל כל פנה וזויות מהרחובות והחוצות אם תמצא שם נואף: (יג) **והחזיקה בו ונשקה.** כאשר תמצאהו תחזיקה בו ונשקה לו למשוך לבו אל הניאוף: (יד) **זבחי שלמים.** לא כוונה מלאמר לו אלו הדברים הנה זבחי שלמים אלא היום שלמתי נדרי בבית המקדש ולזה יש לי סרכה בביתי מבשר זבח השלמים: (טו) **על כן יצאתי לקראתך.** לדרוש פניך שתאכל עמי ואמצאך: (טז) **מרבדים.** הנה רבידים ותכשיטים יפים שמתי על מטתי והנה ערשי עשוי מכרותות

**מצודת ציון**

ישופני (תהלים קל"ט): **באישון לילה.** בשחרות הלילה כמו באישון חשך (לקמן כ'): (י) **שית.** ענין שימה ותקון: **ונצורת.** מל' מצור וכן נוצרים באים (ירמיה ד'): (טו) **לשחר.** ענין דרישה: (טז) **מרבדים.**

**מצודת דוד**

**בערב וגו'.** הוא כפל ענין כדרך המליצה: (י) **והנה אשה.** ראיתי והנה אשה באה לקראתו: **שית זונה.** ר"ל בתקון זונה: **ונצורת לב.** ונותנת מצור על לבות בני אדם לכבשם תחת ידה: (יא) **הומיה.** היא משמעת קול הומיה למען ימשכו הזונים אחר קולה: **וסוררת.** מדברת דברי סרה וניאוף: **לא ישכנו.** אינם שוכנים בביתה כדרך הנשים: (יב) **פעם בחוץ.** פעם הולכת בחוץ פעם ברחובות לרדוף אחר מאהביה: **תארב.** תשב במארב עד אשר יעברו דרך הפנה ההיא: (יג) **והחזיקה.** ראיתי האשה ההולכת אחזה הנער ונשקה לו: **העזה.** חזקה פניה ולא נכלמה: (יד) **זבחי שלמים עלי.** אמרה היה עלי זבחי שלמים והנה היום שלמתי נדרי והבאתים ויש א"כ עמדי בשר להאכיל לזה יצאתי לקראתך לשחר פניך לבוא אלי והנה מצאתיך: (טז) **מרבדים.** קשטתי מטתי בקשוט הראוי: **חטובות.** כדי שמטה המה חטובות ליושר רב ומסורגים המה

*similar term is found at the end of the book* (31:22): *"She made covers for herself."—[Rashi] Redak (Shorashim)* defines מַרְבַדִּים as ornaments of gold or other precious metals. He equates this with the golden necklace (רְבִד הַזָּהָב) that Pharaoh placed on Joseph's neck.*

**I have bedecked my couch**—Heb. רָבַדְתִּי, *I have adorned.—[Rashi]*

**with superior braided work of Egypt**—Heb. חֲטֻבוֹת אֵטוּן מִצְרָיִם,

in the pitch darkness of the night. 10. And behold a woman
[was coming] toward him, the nakedness of a harlot with her
heart besieged. 11. She is bustling and rebellious; her feet do
not dwell in her house. 12. Sometimes [she is] in the street,
sometimes in the squares, and she lurks at every corner.
13. She takes hold of him and kisses him; brazenly she says to
him, 14. "I had to bring peace-offerings; today I paid my
vows. 15. Therefore, I have come out toward you to look for
you, and I have found you. 16. I have bedecked my couch with
covers, with superior braided work of Egypt.

9. **In the twilight**—At twilight, when no one can see him.—[*Mezudath David*]

**in the pitch darkness of the night**—He walks out into the street at twilight and arrives at her house late at night.—[*Malbim*]

10. **And behold a woman**—*As its apparent meaning. Another explanation: One of the enticers.*—[*Rashi*]

**the nakedness of a harlot**—Heb. שִׁית, *as in* (II Sam. 10:4): *"their buttocks* (שְׁתוֹתֵיהֶם)*," i.e. the nakedness of a harlot.*—[*Rashi*]*

**with her heart besieged**—Heb. וּנְצֻרַת לֵב. *As a besieged city is surrounded by bulwarks, so is this one's heart surrounded by lewdness and foolishness.*—[*Rashi*] *Ralbag* explains: Only the upper part of her body, referred to as the heart, is surrounded or enwrapped in her clothing; the lower part is exposed.

11. **She is bustling**—She makes much noise so that her paramours should hear her voice in the dark.—[*Ibn Ezra*]

*Ralbag* explains that this is the opposite of the modest woman, who speaks in quiet tones.

**and rebellious**—Heb. וְסֹרָרֶת, *turning away from the road.*—[*Rashi*] *Ibn Nachmiash* explains this literally; she turns away from the road so that no one but her paramours will see her.*

12. **Sometimes [she is] in the street, etc.**—to chase after her lovers.—[*Mezudath David*]

**at every corner**—where she can seclude herself with her lover.—[*Ibn Nachmiash*]

13. **She takes hold of him**—I saw this woman take hold of the youth and kiss him.—[*Mezudath David*]

14. **I had to bring peace-offerings**—*I prepared a great feast, for today I sacrificed my vows and my peace-offering.*—[*Rashi*]*

15. **and I have found you**—*In order that I find you.*—[*Rashi*] *Rashi's* intention is obscure; he does not explain this word according to its apparent meaning, as *Mezudath David* explains it.

16. **covers**—Heb. מַרְבַדִּים. *Garments of freedom and beauty; a*

מִצְרָיִם: יז נַפְתִּי מִשְׁכָּבִי מֹר אֲהָלִים
וְקִנָּמוֹן: יח לְכָה נִרְוֶה דֹדִים עַד־הַבֹּקֶר
נִתְעַלְּסָה בָּאֳהָבִים: יט כִּי אֵין הָאִישׁ
בְּבֵיתוֹ הָלַךְ בְּדֶרֶךְ מֵרָחוֹק: כ צְרוֹר
הַכֶּסֶף לָקַח בְּיָדוֹ לְיוֹם הַכֵּסֶא יָבֹא
בֵיתוֹ: כא הִטַּתּוּ בְּרֹב לִקְחָהּ בְּחֵלֶק

שפתיה

ת״א אין האיש. סנהדרין לו: צרור. שם (תענית כג):

שַׁוְיַת עַרְסִי וּבְקַרְמָא
קַרְמְתָּא מִצְרָאָה:
יז רַסִּית עַל עַרְסִי מוֹרָא
וְכוּרְקְמָא וְקוּנְמָא:
יח תָּא נִתְבְּסַם בְּרַחְמְתָא
עַד צַפְרָא וְנֶעְסַק חַד
לְחַד בִּרְגְּנָתָא:
יט דְּגַבְרָא לֵית הוּא
בְּבֵיתָא אֲזַל בְּאוֹרַח
רְחִיקָא: כ צְרָרָא דִכְסַפָּא
נְסַב בִּידֵיהּ וּלְיוֹמָא
דְעִדָּא אָתֵי לְבֵיתֵיהּ:
כא וְאַטְעֵי יָתֵיהּ בְּסוּגְיָא

## רש״י

עשתה לה: **רבדתי ערשי**. קשטתי: **חטובות אטון מצרים**. מהוללות בגדי כלי פשתן חשובים הבאי׳ ממצרי׳ שם הפשתן מצוי כדכתיב בספר (ישעיה י״ט) ובושו עובדי פשתים: **אטון**. תרגום מיתריהם אטוניהם: **(יז) נפתי משכבי**. הנפתי הריח כמניף בסודר בבית הבושם להביא הריח מלמעלה למטה. ודונש פירש לשון קטור ואמר שאין לו דמיון: **(יט) כי אין האיש בביתו**. ראיתם שסילק הקב״ה שכינתו וכל טוב נתן לעו״ג: **(כ) צרור הכסף**. טובים שבהם הרג: **ליום הכסא**. לזמן המועד הקבוע וכן בכסא ליום חגנו (תהלים פ״א): **(כא) הטתו**. לאותו חסר לב אליה: **ברוב לקחה**. שהיא למודה להרגיל בכך אנשים: **בחלק שפתיה**. בדבור חלקלק: **תדיחנו**.

## אבן עזרא

**(יז) אהלים**. חסר וי״ו: **(יח) דודים**. אהבים אתן את דודי: **(יט) האיש**. ולא אמרה אישי כי איננו נחשב בעיניה מאומה בזנותה עם אחרים: **(כ) הכסא**. ראש חודש שיתכסה בו הירח:

## מנחת שי

כתיב בספר באר מים חיים בחלק שני ממנו הנקרא מקור חיים אטן חסר כתיב ועולה ששים ופירושו מרבדים רבדתי ערשי מספוקי דקאמי של מנין ששים שבהם נכרתים המזיקים ע״כ. ובספרים שלנו נכתב בוא״ו: (יח) באהבים. בכמה ספרים האל״ף בחטף פתח אבל רד״ק כתב בשרשים שהוא בחטף קמץ וכן הוא בספרי ספרד המדוייקים: (כ) לצור. בספרי ספרד סלד״י בגעיא וכן הוא לב״א: הכסא. הכ״ף בסגול: ליום הכסא יבא ביתו. במדוייקים חסר וא״ו ודוגמתו כשור אל טבח יבא

## רלב״ג

ארזים או שאר עצים והחבלים המסורגים בו הם מיתרים ממצרים ר״ל שהם נעשים מהפשתן הנקי שבמצרים כי שם הפשתן הנבחר: (יז) נפתי משכבי. ושמתי בו מאבקת הבשמים טובי הריח כדי שיערב המשכב יותר: (יח) לכה נרוה דודים עד הבקר. יחד נשמח באהבים כי אין לנו מונע עתה: (יט) כי. אין בעלי בביתי וה״ת הוא קרוב ויבא הנה הלך בדרך מרחוק ואם תאמר אולי יבא הלילה מדרכו תדע באמת כי לקח צרור הכסף לקנות סחורות רבות לא יבא לביתו עד יום הכסא ר״ל בר״ה פי׳ הוא נקרא כסה כאמרו תקעו בחדש שופר בכסא ואולם נקרא כן כי אז הש״י ע״ד משל יושב על כסא לשפוט תבל בצדק: (כא) הטתו ברוב לקחה. דבריה הלוקחים לבו בחלק שפתיה הדיחה אותו מדרך הראוי ומשכה לבבו אל דרכי הניאוף הנה האויל הולך אחריה פתאום ודומה בזה אל השור אשר הולך מעצמו במהירות אל מקום שיטבחוהו בו וכמו הנשים שיבאו במהירות אל העכס לחשבם כי יתקשטו בו ולא ירגישו כי הוא מוכן למאסרם ר״ל לקשור אותם באופן שלא יוכל להם ללכת כי לא יוכלו להרחיב לצעדיהם וגם הוא הוכן לשמרם מלפסע רגליהם למגאפים ולא ירגישו בזה והנה העכסים הם כמו תכשיטין היו נושאות אותן ברגליהם כאמרו וברגליהם תעכסנה והיתה הכוונה בהם למה שזכרנו והנה ילך האויל אחריה פתאום כמו שזכרנו

## מצודת דוד

במיתרי פשתן הבא ממצרים הנאות ביותר: (יז) נפתי. הזלתי על משכבי מור וגו׳ להביא הריח: (יח) נרוה. נשבעה באהבים עד הבוקר ונשמחה בה: (יט) כי אין האיש. אל תפחד מבעלי כי איננו בביתו כי הלך בדרך רחוק: (כ) צרור הכסף. אל תחוש פן בלילה יבוא מדרכו כי לקח בידו צרור כסף ויתאחר בדרך על כי יחוס הכסף לקנות בכולו סחורות רבות: ליום הכסא. לזמן המיועד אשר קבע יבוא הנה והזמן ההיא עדיין לא בא: (כא) הטתו. אמר שלמה כן ראיתי שהיא הטתה אותו אחר דעתה ברוב הרגל דבריה אשר היא למודה לפתות בני אדם ובחלקת מאמר שפתיה הדיחה

## מצודת ציון

מלטות נאים לקשוט כמו מרבדים עשתה לה (לקמן ל״א): ערשי. מטתי כמו ערש ילועי (תהלים קל״ב): חטובות. ענין כריתה וחתוך כמו חוטבי עצים (יהושע ט׳): אטון. תרגום של מיתריהם (שמות ל״ט) הוא אטוניהון: (יז) נפתי. ענין הזלה והטפה כמו נופת תטופנה (לעיל ה׳): מור אהלים וקנמון. שמות מיני בושם: (יח) נתעלסה. ענין שמחה כמו כחיל תמורתו ולא יעלוס (איוב כ׳): (כ) צרור. ענין קשר כמו צרור כספו בשקו (בראשית מ״ב): הכסא. ענינו זמן קבוע כמו בכסה ליום חגנו (תהלים פ״א): (כא) לקחה. ענין למוד והרגל כמו הלוקחים לשונם (ירמיה כ״ג):

Ammon and Moab, the wicked neighbors of Jerusalem, seek to entice Nebuchadnezzar to march on the Holy Land and conquer it, since the prophets have predicted its destruction. They assure him that God will not return to His people before the completion of seventy years of Babylonian exile.

*Ibn Ezra* defines כֶּסֶא as the New Moon, when the moon is covered up.

21. **She swayed him**—*that one devoid of sense, to her.*—[*Rashi*] Literally, she caused him to incline toward her. I saw that she caused him to yield to her enticement with her smooth talk, with which she is

17. I fanned my couch with myrrh, aloes, and cinnamon.
18. Come, let us take our fill of lovemaking until morning; let
us enjoy ourselves with amorous embraces. 19. For the man is
not at home; he has gone on a long journey. 20. He has taken
the bag of money with him; on the appointed day he will come
home." 21. She swayed him with all her talk; with the smooth
talk

*praiseworthy, high-quality linen garments coming from Egypt, where linen is common, as it is written in the Book of Isaiah* (19:9): *"And those who work at flax . . . shall be ashamed."*—[*Rashi*]

**braided work**—Heb. אֵטוּן. *The Aramaic translation of* מֵיתְרֵיהֶם, *their ropes* (Num. 4:32), *is* אֲטוּנֵיהוֹן.—[*Rashi*] According to *Rashi,* these are either bedspreads, decorated with linen ropes or woven of linen ropes, or perhaps tapestries hanging over the bed.

*Redak (Shorashim)* explains that the bed-posts were finely carved (חֲטֻבוֹת) and bedecked with linen ropes from Egypt.

17. **I fanned**—Heb. נַפְתִּי. *I fanned the scent as one fans with a scarf in a perfumery to bring the scent from above down below. Dunash* (*Teshuvoth Dunash* p. 22) *defines it as an expression of smoking, which he states has no comparison.*—[*Rashi*]

*Menachem* (*Machbereth Menachem* p. 124) explains: I enhanced my couch. *Redak:* I sprinkled my couch. *Ibn Ganah:* I lavished upon my couch.

18. **let us take our fill of lovemaking**—This translation follows *Mezudath David.* According to *Targum,* it means: Let us intoxicate ourselves with lovemaking.

19. **For the man is not at home**—*Have you seen that the Holy One, blessed be He, has removed His Shechinah and has given all good to the pagans.*—[*Rashi* from *Sanh.* 96b]

According to the simple meaning, the woman seduces the lad by telling him that her husband is not at home and there is nothing to fear.—[*Ralbag, Mezudath David*] She refers to him as "the man," rather than as "my husband," because she has no respect for him when she has affairs with other men.—[*Ibn Ezra*]

**he has gone on a long journey**—Therefore, there is no danger that he will return unexpectedly.—[*Ralbag*]

20. **the bag of money**—*He has slain the righteous among them.*—[*Rashi* from *Sanh.* 96b] According to the simple meaning, he has taken the bag of money with him and will not return until he has spent it all by purchasing many types of merchandise.—[*Ralbag, Mezudath David*]

**on the appointed day**—Heb. לְיוֹם הַכֶּסֶא. *At the set appointed time, and similarly* (Ps. 81:4), *"At the appointed time for the day of our festival."*—[*Rashi* from *Sanh.* 96b]

According to the Talmud,

שפתיה תדיחנו: כב הולך אחריה
פתאם כשור אל־טבח יבוא וכעכס
אל־מוסר אויל: כג עד יפלח חץ כבדו
כמהר צפור אל־פח ולא ידע כי־
בנפשו הוא: כד ועתה בנים שמעו־לי
והקשיבו לאמרי פי: כה אל־ישט אל־
דרכיה לבך אל־תתע בנתיבותיה:
כו כי־רבים חללים הפילה ועצמים כל־

דמלהא ובשעיעותא
דספיתהא תפתיה:
כב והוא אזל בתרהא
שליאית היך תורא
דאזיל לות טבחא והיך
כלבא לאסורא: כג והיך
אילא דמפריח גירא
בכבדיה ומסתרהב היך
צפרא לות פוחא ולא
ידע דלמותא דנפשיה
אזיל: כד והשתא בניא
שמעון לי ואציתו
למימרי דפומי: כה לא
יסטי לבך לארחתהא
ולא תטעי בשבילהא:
כו מטול דסגיעי קטיליא

**ת"א** ועתה בנים. עקידה שער פו: הללים. כיצה כב פ"ג יט:

### רש"י

מן הדרך: (כב) **וכעכס**. זה חרס נחש: **אל מוסר אויל**. כנחש הממהר לרוץ בשליחות הקב"ה ליסר האויל המחויב למקום כ"ה כן זה רץ אחריה עד שנכשל בה ויפלה חלה את כבדו: (כג) **כמהר צפור**. לרוץ אל הפח ואינו

### אפלת

### מנחת שי

שבסמוך וכן נכון ע"פ המסורת שכתבתי למעלה בסי' ו': (כג) כבדו. הכ"ף בגעיא: (כה) אל תתע. תעה לבדי שלוש בשתתני כראותי ריבוי החילופים שנפלו בספרים כלנו כצאן תעינו. איש לדרכו פנינו. ואין מי יורה דעה. ידין כהלכה. בכמה ספרים הדשים וגם ישנים נכתבים ונדפסים בלא וא"ו ואף באיזה ספר שבתחלה נכתב בוא"ו נגררה אחר כך ובקלת דפוסים ישנים כתוב ואל בוא"ו ואף בס"א כ"י מוגה בוא"ו אף על פי שלא נכתב כן בראשונה ונוספה זו מאוספת בעיני מפני שמלאתי במ"ג כ"ג פסוקים בקריאה רישא ומליעתא אל אל וסימן נמסר בשמואל ב' א' ואין זה ממנינם וכן הוא עם וא"ו בתרגום ובפירוש ן' עזרא ורלב"ג וקב ונקי ויחיא ועמנואל ומאיר נתיב. אך קשה שבמ"ג נמסר סימן מן כ"ב יחידאין ואל ולית להון זוגא ואין זה ממנינם השם יקיים בנו מקרא שכתוב וידעו תועי רוח בינה: תתע. בטעם אחד לבד בתי"ו בס"ם ואף בספרים שהם בב' טעמים שניהם בתי"ו ראשונה כי כן משפט המלה להיות מלעיל כמו ותלך ותתע (בראשית כ"א). תחת גערה במבין (משלי י"ז). וכל הקורא אותו מלרע אינו אלא תועה: בנתיבותיה. מלא וא"ו במדוייקים: (כו) ועצומים כל הרגיה. רבים ופלומים החילופים שנפלו על הרגיה ועל זוגה שבישעיה סוף סימן

### אבן עזרא

(כא) **תדיחנו**. מדרך הישרה: (כב) **וכעכס**. כמו תעכסנה פי' תראנה העכסים והם דומים לכבל וכן הפי' וכעכס שהאויל קשה להביא רגלו בו כן הוא קשה להביאו אל מוסר: (כג) **חץ**. מדמה נגע האל לחץ והטעם עד שיפלח חץ כבדו ולא יקבל מוסר: **אל פח**. כן מהרה יפלחהו חץ. ולא ידע האויל כי בעבור נפשו שתמות הוא שונא מוסר וזהו הנכון: (כד) **ועתה בנים**. כי העם כבנים: (כה) **ואל**

### רלב"ג

עד יפלח וגו': (כג) עד יפלח חץ. עד שיתתך חץ כבדו כמו שימהר הצפור לבא אל הפח שילכד בו ולא ידע כי בנפשו הוא והנה היה מחכמת זה המשל להיותם מסכים לנמשל אמרו כי בשוק או בחוץ הנך לזנות כי זה הפועל מהנפש המתאוה הו' מהדברים אשר הם חוץ מעלם האדם במה שהוא אדם כי זה הכרח הוא לאדם מצד מה שהוא בהמה לא מצד מה שהוא אדם ויחס זה אל עת החשך כי לא יפותה האדם להמשך אל התאוות בביאור לו בחור השכל ולזה אמר בתחלה וארא בפתאים אבינה בבנים וגו' ועתה בנים שמעו לי וגו': (כה) אל ישט. אל יטה לבך אל דרך האשה הזרה הזאת המביאה להמשך אל התאוות ואל תהיה טועה בדרכיה: (כו) כי רבים חללים הפילה.

### מצודת ציון

(כב) **וכעכס**. הוא ארס הנחש וכן וברגליהם תעכסנה (ישעיה ג'): (כג) **יפלח**. ענין בקיעה כמו פולח ובוקע (תהלים קמ"א): **כבדו**. הכבד שהמרה תלויה בה: **פח**. רשת: (כה) **ישט**. ענין נטיה וסרה: **תתע**. מלשון תועה: (כו) **חללים**. הרוגים:

### מצודת דוד

אותו מדרך הישר: (כב) **הולך**. והרי הוא הולך אחריה פתאום כמו השור הבא מעצמו אל מקום המטבח: **וכעכס**. וכאשר ירוץ הנחש מהרה בשליחות המקום לייסר את האויל באמרו כן איש מהר נמשך אחריה: (כג) **עד יפלח**. עד אשר נכשל בה וחלה יפלח את כבדו כי מאבד עולמו על ידה: **כמהר**. הרי הוא כצפור הממהר לעוף להפח בעבור הנאה מועטת לאכול מהזרעונים אשר בה ואינו יודע כי האכילה הזאת תהיה באבדן נפשו כן הוא מאבד עולמו בעבור הנאת שעה: (כד) **ועתה בנים**. הואיל ושמעתם שכן הוא לזאת שמעו לי ואל תהיו כמוהו: (כה) **אל ישט**. אל יסור לבך אל הדרך ההולך לבית הזונה ואל תתע מדרך הישר ללכת בנתיבותיה: (כו) **הפילה**. הזונה המחלקת את המריה: **ועצומים**. מספר עלום ורב:

24. **children**—The people are considered Solomon's children.—[*Ibn Ezra*]

25. **Let your heart not veer**—to the way leading to the house of the harlot, and do not stray from the straight road to go in her paths.—[*Mezudath David*]

**her ways . . . her paths**—Not only should you avoid going her "ways"—to associate with her in her main function, harlotry—but do not

of her lips she entices him. 22. He follows her immediately—as an ox goes to the slaughter, and as a viper to the chastisement of a fool— 23. until an arrow splits his liver, as a bird hastens to a snare, and he does not know that it is at the cost of his life. 24. And now, children, hearken to me, and listen to the sayings of my mouth. 25. Let your heart not veer off into her ways; stray not in her paths. 26. For many are the dead that she has felled, and numerous are all her victims.

accustomed to snaring her victims.—[*Mezudath David*]

**with all her talk**—Heb. בְּרֹב לִקְחָהּ. Some interpret this word by transposing the letters of the radical to חֶלְקָהּ, *her smoothness.*—[*Ibn Nachmiash*]

**she entices him**—*from the road.*—[*Rashi*] From the straight road.—[*Ibn Ezra*]

22. **He follows her**—He follows her immediately, like an ox that goes by himself to the place of slaughter.—[*Mezudath David*]

**and as a viper**—Heb. וּכְעֶכֶס. *This is the venom of a snake.*—[*Rashi*]

**to the chastisement of a fool**—*Like a snake that runs quickly as an agent of the Holy One, blessed be He, to chastise the fool who is condemned by the Omnipresent, blessed be He, so does this one run after her until he stumbles on her, and her arrow splits his liver.*—[*Rashi*]

*Ibn Ezra* defines עֶכֶס as a chain. Just as it is difficult for the fool to insert his foot into the chain, so is it difficult to bring him to chastisement—to learn his lesson.

*Ibn Nachmiash* explains that, just as the ox brought to the slaughterhouse does not realize that he will lose his life, neither does this fool realize that the woman with whom he is intimate is trapping him with her fetters, like the sturdy chain used to chastise the fool. He further suggests that the fool does not realize that the chain tied around his foot is meant as a chastisement, thinking that it is meant as an ornament.

23. **until an arrow splits his liver**—Scripture compares divine retribution to an arrow. Until the arrow splits his liver, he will not learn his lesson.—[*Ibn Ezra*]

**as a bird hastens**—*to run to a snare, and it does not know that the snare was spread out there for the life of the bird.*—[*Rashi*] Just as swiftly as the bird rushes into the snare, so swiftly will the arrow split his liver; but the fool does not know that he hates chastisement only to bring death to his soul.—[*Ibn Ezra*]

Just as the bird rushes to the snare for the little pleasure it will derive from the seeds scattered there, not knowing that the meal spells its doom, so does this lad lose his eternal life for the pleasure of a fleeting moment.—[*Mezudath David*]

אַפְלַת וַעֲשִׁינִין כּוּלְהוֹן
קְטִילָהָא: כז אָרְחָתָא
דִשְׁיוֹל בֵּיתָהּ נָחֲתָן
לְקִיטוֹנֵי דִקְבְרָא:
א מְטוּל הֵיכְנָא חָכְמְתָא
תִקְרָא וּבִיוּנָא תִרְמֵי
קָלָהּ: ב בְּרֵישׁ רָמְתָא
עַל אָרְחָא אִיתָא וּבֵינָת
שְׁבִילֵי קָיְמָא: ג וְעַל
תַּרְעֵי בְּפוּמָא דְקִרְיָא
וּבְמַעֲלָנָא דְתַרְעֵי
מִשְׁתַּבְּחָא וְאָמְרָה:
ד לְבוֹן גַבְרֵי קָרֵינָא

הֲרָגֶיהָ: כז דַּרְכֵי שְׁאוֹל בֵּיתָהּ יֹרְדוֹת
אֶל־חַדְרֵי־מָוֶת: ח א הֲלֹא־חָכְמָה
תִקְרָא וּתְבוּנָה תִּתֵּן קוֹלָהּ: ב בְּרֹאשׁ־
מְרֹמִים עֲלֵי־דָרֶךְ בֵּית נְתִיבוֹת נִצָּבָה:
ג לְיַד־שְׁעָרִים לְפִי־קָרֶת מְבוֹא פְתָחִים
תָּרֹנָּה: ד אֲלֵיכֶם אִישִׁים אֶקְרָא וְקוֹלִי

ת"א הלא חכמה. עקידה שער מו כל הפרשה: מרומים. ע"ג יט: אליכם. יומא עא:

## רש"י

יודע כי הפח נפרש שם בנפשו של צפור: ח (א) הלא חכמה תקרא. הלא התורה מכרזת עליכם דברים האמורים למטה בענין: (ג) לפי קרת. תקרה הנתונה על השער ויושבים עליה: תרונה. תזעקנה

## אבן עזרא

התע. מדרך הישרה בעבור נתיבות הזונה: (כז) שאול. שהיא ביתה. יורדת הדרכים ומורידות אותה כפי' נעו מעגלותיה אי יורדות רמז לרגליה וכאשר דבר גנות האשה הראה דבר מעלת החכמה בהיא מיסרת הפתאים: ח (ג) קרת. קריה: (ד) אישים. עשירים: אל בני אדם.

## מנחת שי

כ"ו והמסורת אומרת ב' חד מלא וחד חסר ולא מסיימי ואין לי להורות אך על פי הרוב הספרים שנזדמנו לפני דישעיהו מלא ודין חסר: (כז) ירדות. בספרי ספרד חסר וא"ו אחר יו"ד: ח (ב) בראש מרמים. בכמה ספרים כתוב מרומים מלא וא"ו ואינו נראה כן מהמסרה דאיוב י"ו נמסר ד' מלא בלישנא ואין זה מהם ובמסורה תהלים סימן קמ"ח נמסר ג' מלא בלישנא ולא נחשב בתוכם וסהדי במרומים דאיוב וחושבני לה מטעות: נתיבות. בספרים מדוייקים מלא וא"ו: (ג) מבוא פתחים. פליגי ביה ספרי החזק הוא הרפה:

## רלב"ג

כי ככר השחיתה והרגה רבים ותקיפים: (כז) דרכי שאול ביתה. הנה הדרכים שילכו בהם אל ביתה הם דרכי המות והקבר והם יורדות אל חדרי המות כי לא יושג עמה חיים כמו שקדם אבל תסבב מיתת הגוף והנפש לכן סור מהתפתות בפתויה ושמע לפתוי החכמה והבינה שהם מפתים האדם לחקור בהם באופן שקדם ואמר ממשל בזה המקום להודיע הדברים אשר בהם ישיגו החכמה והבינה ועצמותם ותועלתם באופן מה: (א) הלא החכמה תקרא. אל האנשים. ותבונה תתן קולה לקרוא להם וכדי שישמעו דבריה הן עומדות בראש מרומים עלי דרך להשמיע דבריהם לעוברים ולשבים ולהישירם אל הדרך אשר ילכו בה והמקום שאפשר שיקרא טעות לפי שיש בו נתיבות רבות היא נצבה שם להורות אי זה דרך ילכו בה: (ג) ליד שערים. למקום השערים אשר לפתח הקריה להורות באי זה שער יכנסו

## מצודת דוד

(כז) ביתה. דרך ההולך אל ביתה הוא דרך שאול ויורדות אל חדרי מות כי בקל יתפתה ומאבד עולמו: ח (א) הלא חכמה תקרא. ר"ל מעלת החכמה הלא נכרת מפאת עצמה וכאלו היא תאמר אמריה להמשיך אחריה: (ב) בראש מרמים. כאלו עומדת בראש ההרים הרמים, להשמיע קולה למרחוק: עלי דרך. נצבה אצל דרך מקום יתפרשו ממנו נתיבות רבות ומצויים שם אנשים רבים עוברים ושבים: (ג) ליד שערים. וסמוך הוא אל מקום השערים אשר לפתח הקריה: מבוא פתחים. ר"ל עשוים הם לבוא בפתחים כי השערים ההמה פתוחים ועומדים ולזה רבים נכנסים ויוצאים בהם: תרנה. שמה מכרזת החכמה את אמריה וכל זה הוא ענין מליצה לומר הלא שבחה ידוע וכאלו מכרזת בפרסום רב: (ד) אליכם. ואלה אמריה אליכם אישים וגו':

## מצודת ציון

ח (ב) בית. מקום: (ג) ליד. למקום: לפי קרת. לפתח העיר: תרונה. ענין הכרזה כמו בחוץ תרונה (לעיל א'): (ד) אישים. אנשים:

learning it, it will be found before him as though it were with him on the road.*

4. **"To you, O men, I call, etc.**— The Sages understand אִישִׁים, *men,* and בְּנֵי אָדָם, *children of man,* to have different connotations. Whereas אִישִׁים refers to men of esteem, בְּנֵי אָדָם refers to common people. Therefore, the Midrash states: If you are worthy and fulfill the words of the Torah, you are called men, like Abraham, Isaac, and Jacob, who fulfilled the words of the Torah. If not, you are called sons of man, like the first man, Adam, who did not fulfill the words of the Torah and was driven out of the Garden of Eden.

Another explanation offered by the Midrash is: If you are worthy and fulfill the words of the Torah, you are called אִישִׁים like the ministering angels, and if not, you are children of man.

The simple meaning is that אִישִׁים

27. The ways of the grave are to her house, descending to the chambers of death.

8

1. Will not wisdom call out, and understanding give forth its voice? 2. At the top of the heights upon the road; at the crossroads she stands. 3. Beside the gates, at the entrance of the roof, at the entrance of the portals she cries, 4. "To you, O men, I call, and my voice

even stray in her narrow "paths"; in any of the minor forms of relationship with her, such as conducting a conversation with her or looking at her.—[*Malbim*]

27. **The ways of the grave are to her house**—The way of the one going to her house is the way to the grave, and they descend to the chambers of death, for he can easily be enticed by her and lose his share in the future world.—[*Mezudath David*]

1. **Will not wisdom call out**—*Does not the Torah announce for you the things mentioned below in this section?*—[*Rashi*] *Mezudath David* explains that the advantage of wisdom is apparent, and it is as though it calls out to attract people.*

2. **At the top of the heights**—It is as though it stands atop the highest mountains to make its voice heard far away.—[*Mezudath David, Ibn Nachmiash*]

**at the crossroads**—where many people pass by.—[*Mezudath David*]

3. **Beside the gates**—Beside the gate at the entrance of the city.—[*Mezudath David*]

**at the entrance of the roof**—Heb. קָרֶת, *the ceiling above the gate, where people sit.*—[*Rashi*] Others render: at the entrance of the city, based on the Aramaic cognate, קַרְתָּא.—[*Targum, Meiri, Ibn Nachmiash, Ibn Ezra*]

**she cries**—Heb. תָּרֹנָּה, *she cries, and what does she say? "To you, O men, I call."*—[*Rashi*] Note that *Rashi* literally states: *They cry.* However, this does not agree with the concluding sentence: "And what does she say?" Therefore, we have followed the Waxman edition both in our translation of the text and in our translation of *Rashi's* commentary.

At the beginnning of the verse Scripture states, "At the top of the heights," and further, it states, "upon the road." The Talmud (*Avodah Zarah* 19b) attempts to reconcile this seeming discrepancy: In the beginning, the Torah appears to be at the top of the heights, and at the end it is upon the road. In the beginning, before a person is accustomed to learning Torah, he imagines it to be inaccessible, as though it were at the top of the heights, but after he has become accustomed to

אֶל־בְּנֵי אָדָם: ה הָבִינוּ פְתָאיִם עָרְמָה
וּכְסִילִים הָבִינוּ לֵב: ו שִׁמְעוּ כִּי־נְגִידִים
אֲדַבֵּר וּמִפְתַּח שְׂפָתַי מֵישָׁרִים: ז כִּי־
אֱמֶת יֶהְגֶּה חִכִּי וְתוֹעֲבַת שְׂפָתַי רֶשַׁע:
ח בְּצֶדֶק כָּל־אִמְרֵי־פִי אֵין בָּהֶם נִפְתָּל
וְעִקֵּשׁ: ט כֻּלָּם נְכֹחִים לַמֵּבִין וִישָׁרִים
לְמֹצְאֵי דָעַת: י קְחוּ־מוּסָרִי וְאַל־כָּסֶף
וְדַעַת מֵחָרוּץ נִבְחָר: יא כִּי־טוֹבָה חָכְמָה
מִפְּנִינִים וְכָל־חֲפָצִים לֹא יִשְׁווּ־בָהּ:
יב אֲנִי חָכְמָה שָׁכַנְתִּי עָרְמָה וְדַעַת

## תרגום

וְקָלִי עַל בְּנֵי נָשָׁא: ה אִתְבַּיְנוּ שַׂבְרֵי עֲרִימוּתָא וְשַׁטְיֵי נִסְתַּכְּלוּן בְּלִבְּהוֹן: ו שְׁמַעוּ מְטוּל דִשְׁרִירוּתָא מְמַלְלָא אֲנָא וּמְמַלֵל פּוּמִי תְרִיצוּתָא: ז מְטוּל דְקוּשְׁטָא רָגֵא פּוּמִי וְרִיחוּקָא דְשִׂפְוָתִי רִשְׁעָא: ח וּבִצְדְקוּתָא אִנוּן כָּל מֵימְרֵי פּוּמִי וְלֵית בְּהוֹן פְּתוּלָא וְעִקוּמָא: ט וְכוּלְּהוֹן גַלְיָן לֶאֱנָשׁ דְמִתְבַּיַן וּתְרִיצִין לְאִלֵין דְצָבְאִין בִּידִיעֲתָא: י קַבִּילוּ מַרְדוּתָא וְלָא כַּסְפָּא וּגְבוּ לְכוֹן יְדִיעֲתָא מִן דַהֲבָא סְנִינָא: יא מְטוּל דְטָבָא חָכְמְתָא מִן כֵּיפֵי טָבְתָא וְכָל מִדַעַם לָא פָּחֵים לָהּ: יב אֲנָא חָכְמְתָא דָרֵית עֲרִימוּתָא

## רש״י

ומה היא אומרת אליכם אישים אקרא: (ו) שמעו כי נגידים אדבר. דברי נגידות והשיבות: (ח) נפתל ועקש. עקמומיות: (י) מהרוץ. ממיני הזהב הוא: (יא) מפנינים. מרגליות: לא ישוו בה. לא ידמו לשויה: (יב) שכנתי

## מנחת שי

(ה) פתאים. האל״ף נחה והיו״ד נעה: (ז) כי אמת. הטעם באל״ף: (ט) למצאי דעת. בשו״א הצד״י: (יב) אני

## אבן עזרא

ענייס כמו כן גם בני אדם גם בני איש והענין יחד עשיר ואביון: (ה) ערמה. שיערימו להסיר הפתיות מהם: לב. דעת או הבינו ערמה ללב והוא פועל יוצא: (ו) נגידים. כמו נגיד והם דברים משובחים וכן הלא כתבתי לך שלישים מן ושלשים על כלו כי יש למלך משנה גם שליש: (ט) נכוחים. אמת: (יב) שכנתי ערמה. חסר

## רלב״ג

כשהתקרבו אל הדרוש במבוא הפתחים אשר בבית שירצו להכנס שם באמר זה פתח יכנס להביאו אל הדרוש ואמר זה כי בהרבה מהחקירות הקשות ילטרך להכנס בהם בהקדמות רחוקות מאד מהדרוש ויעתק מהם אל הקדמות יתקרבו יותר אל הדרוש וכן מדרגה אחר מדרגה עד הגיע ואל הדרוש והנה החכמה והתבונה יישירו תמיד בזאת החקירה אל הדרכים והסדרים אשר יובילו אליה וזה מאמרם על לד מלילת השיר הבינו פתאים ערמה וגו׳: (ה) הבינו פתאים ערמה. השתדלו להתישר אל החכמה ואחשוב שזאת הערמה תשלם בהתבוננות במלאכת ההגיון כי היא תיישר השכל אל דרכי ההשתדלות והעיון. וכסילים תנו בינה לבבכם בענינים העיוניים: (ו) שמעו. כי דברים נכבדים אדבר ופתיחת מאמרי היא דברי יושר ואמר זה שלא יחשוב חושב שהוא מדבר בזה על לד ההפלגה והגוזמא כמשפט המאמר בשירים ובמשלים כי הנה חכי ידבר אמת לא רשע וכזב הנה כל אמרי פי הם בלדק וביושר אין בהם מה שיטה מדרך האמת: (ט) כלם נכוחים. כל דברי נכוחים וישרים למי שיבינם וישיג מה שבהם מהחכמה: (י) קחו. בחרו בלקיחת מוסרי יותר מלקיחת הכסף הדעת אשר איישיר אליכם הוא יותר נבחר מזהב הנה החכמה היא טובה מכל מרגליות וכל חפלים אחרים שיחפוץ האדם בבאר ענינים זולתי בעיון לא ישוו בה אמרה החכמה לגלות הדברים ההכרחיים בהמלאתה: (יב) אני חכמה שכנתי ערמה. במקומות שנמלאת שם ערמה

## מצודת ציון

(ו) נגידים. ענין שרים ותשובים: (ז) יהגה. ידבר: (ח) נפתל. עקמימות כמו ועם עקש תתפתל (תהלים י״ח): (ט) נכחים. ענין יושר כמו עשות נכחה (עמוס ג׳): (י) מחרוץ. מין זהב טוב:

## מצודת דוד

(ה) ערמה. התחכמות ותחבולות להערים להסיר הפתיות: הבינו לב. תנו בינה אל הלב: (ו) נגידים. ר״ל דברים חשובים ונכבדים: ומפתח שפתי. מה שפתחי פותחים לדבר המה דברים מישרים וכפל הדבר במלות שונות: (ז) ותועבת וגו׳. דברי רשע מתועבת שפתי מלדבר: (ח) בצדק כל אמרי פי. נאמרים הם בלדק: (ט) למבין. למי שיש לו בינה להבין אמריה: (י) ואל כסף. ר״ל היו רולים לקחת את מוסר תוכחתי מלקחת את הכסף: (יא) וכל חפצים. כל הדברים שאדם חפץ ורולה בהם לא ידמו אליה: (יב) שכנתי ערמה. אני

**silver**—If you are given the choice to take either my discipline or silver, take my discipline and reject the silver.—[*Ibn Nachmiash*]

**is chosen above gold**—This may also be translated: and knowledge above choice gold.—[*Ibn Nachmiash*]

**gold**—Heb. חָרוּץ. *A type of gold.*—[*Rashi*]

11. **than pearls**—Heb. מִפְּנִינִים, *pearls.*—[*Rashi*] *Targum* renders:

[is] to the children of man. 5. O simpletons, understand cunning, and you fools, give understanding to your heart. 6. Hearken for I will speak noble things, and the opening of my lips shall be right things. 7. For my palate shall utter truth, and wickedness is an abomination of my lips. 8. All the sayings of my lips are with righteousness; there is nothing twisted or crooked in them. 9. They are all true to the understanding one, and straight to those who find knowledge. 10. Take my discipline and not silver; knowledge is chosen above gold. 11. For wisdom is better than pearls; all desirable things cannot be compared to it. 12. I am wisdom; I dwelt [beside] cunning, and the knowledge

refers to the princes of the people and בְּנֵי אָדָם to the populace.—[*Ibn Nachmiash*]

5. **understand cunning**—to remove simplicity from your hearts.—[*Ibn Ezra, Meiri, Mezudath David*]

**give understanding to your heart**—Lit. understand heart. "Heart" may represent knowledge, or the meaning may be: understand cunning with your heart. In both cases, this is a transitive verb.—[*Ibn Ezra*]

6. **Hearken for I will speak noble things**—*Words of nobility and importance.*—[*Rashi*]

7. **and wickedness is an abomination of my lips**—It is an abomination to my lips to speak words of wickedness.—[*Mezudath David*] I despise and reject speaking of wickedness.—[*Meiri*] When a person sits and engages in the study of the Torah, his palate utters truth, but when he inclines his ear and his lips to words of scorn, wisdom says, "Wickedness is an abomination of my lips."—[*Midrash*]

8. **there is nothing twisted or crooked in them**—There is no *crookedness.*—[*Rashi*] *Midrash Psalms* 1:3 explains that there is neither unwarranted brevity nor crookedness in the expressions of the Torah. An example is that the Torah used extra words and wrote, "and of the animal that is not clean," rather than "of the unclean animal."

*Midrash Mishle* explains that one who engages in the study of the Torah will never stumble.—[*Ibn Nachmiash*]

9. **true**—Heb. נְכֹחִים. This follows *Ibn Ezra, Ibn Nachmiash, Mezudath Zion. Targum* renders: apparent.

**to the understanding one**—But to the fool, they appear perverse and inconsistent.—[*Sefer Hukkah*]

10. **Take my discipline and not**

מְזִמּוֹת אֶמְצָא: יג יִרְאַת יְהוָה שְׂנֹאת
רָע גֵּאָה וְגָאוֹן וְדֶרֶךְ רָע וּפִי תַהְפֻּכוֹת
שָׂנֵאתִי: יד לִי־עֵצָה וְתוּשִׁיָּה אֲנִי בִינָה
לִי גְבוּרָה: טו בִּי מְלָכִים יִמְלֹכוּ וְרֹזְנִים

יְדִיעְתָא וְתַרְעִיתָא
מַשְׁכְּחָא אֲנָא:
יג דַחַלְתָּא דַיְיָ סָנְיָא
בִּישְׁתָא גֵאוּתָא וְרָמוּתָא
וְאָרְחָא בִישְׁתָא וּפוּמָא
הֲפִיכָא סָנְיָא אֲנָא:
יד דִי לִי הִיא תַרְעִיתָא
וּמַלְכְּנָא וּבִינוּיָא
וּגְבָרוּתָא: טו מְטוּל אֲנָא

ת"א יראת ה'. פסחים קיג: לי עלה. אבות יב: בי מלכים. יומא פב גטין סב (פאה כא):

### רש"י

ערמה. אלא ערמה. שכיון שלמד אדם תורה נכנס בו ערמומיות של כל דבר: (יג) יראת ה' שנאת רע. זהו המוסר שהחכמה מכרזת לבריות: (טו) בי מלכים ימלוכו. שהדיינים והמשפטים אני מלמדם:

### אבן עזרא

בי"ת כמו שכן ארץ והטעם שהערמה צריכה חכמה שלא תכון זולתה: ודעת מזמות אמצא. וידיעת מזימת הדורשים אותי אמצא ואגיע עד תכלית כוונתם ויתכן לפרש אני חכמה מכרת ויודעת כל ערמה כאילו שכנתי בתוכה וגם אני יורדת לסוף דעת כל מזמה ולפי שהדעת היא הנמצאת אחר החכמה והתבונה אמר מלת אמצא והטעם כי לא יבצר מן ההכמה כל מזמה: (יג) יראת ה' שנאת רע. שנאת מקור בשקל מלאת. ורע כלל כל חסרון ופרט ממנו גאה וגאון ודרך רע ופי תהפוכות דרך רע הנהגה רעה ופי תהפוכות שמתהפך מענין לענין ואמר שנאתי כאילו אמר שיראת ה' היא שנאת אלה גם אני שנאתי אותם כטעם הלא משנאיך ה' אשנא ובעל הטעמים שם טעם מפסיק במלת ופי לא ראה זה הפירוש ואולי שמלת ופי דברי ההכמה וכאילו אמרה אני חכמה שכנתי ערמה ודעת מזמות אמצא וידעתי כי יראת ה' שנאת רע וגאה וגאון ודרך רע ופי ר"ל תאמר כמו כי על פי ה' וזולתם או הסכמתי ודעתי כמו פה אחד טוב אל המלך תהפוכות שנאתי כי החכמה והתהפוכות שונאים זה את זה כי לא יעמדו בנושא אחד ותהפוכות כולל כל נגד וכל הפך מהטוב והיושר: (יד) לי עצה ותושיה. מפורש. אני בינה לי גבורה ואמר אני בינה ולא אמר לי בינה לפי שהבינה תולדת החכמה ואם אין חכמה אין בינה ואמר לי גבורה כטעם החכמה תעוז לחכם מעשרה שליטים: (טו) בי מלכים ימלוכו. שתעמוד מלכותם או נקראו על שם סופם כמו ועהני קמח: ורוזנים יחוקקו צדק. להקיק חוקי משפט לדק:

### מנחת שי

חכמה. האל"ף בגעיא בספרי ספרד וכן הוא לבן אשר. ועיין מה שאכתוב במשלי כ"ו: (יג) שנאת רע. הב"ין בגעיא: ופי תהפוכות. ברוב ספרים המדוייקים יש טעם מפסיק במלת ופי ותי"ו תהפכות דגושה וכ"כ ן' עזרא ובס"א מדויק יש במלת ופי כתף ימין ומיושב: (טו) ורזנים. חסר וא"ו אחר רי"ש ועיין מה שכתבתי בחבקוק א':

### רלב"ג

ודרך השתדלות והם הסדרים ההגיוניים ויצטרך לו גם כן שימלא יראת ה' ר"ל לקיחת המוסר במדות וילטרך לו עוד לשנא רע כדי שיתרחק מדרכיו וישנא מדת הגאוה כי היא מסירה השלימות מהאדם וישנא דרך רע בדעות ודברים המלועים שרשים כוזבים כי אלו ימנעו ממלאת החכמה לפי שהמעיין ירלה להמשיך המאמרים במה שאחר ההתחלות באופן שהולעו ההתחלות וירלה להמשיך תמיד לשמרם וזה יביאהו לטעות בהם: (יד) לי עלה. וזה כי העלה תלקח בדברים העלמיים כאילו תאמר שהעלה במי שהוא חלוש החום לחממו ובשיאכילוהו דברים חמים והנה העלה תהיה בחכמות המישרות לגד המעשה כמו חכמת הרפואה עבודת האדמה ומה שידמה להם ולי גם כן תושיה ר"ל השגת הנימוס המושכל אשר בדברים והוא מהותו ומשיגיו העלמיים ואלו הם חלקיו השנה הראשונה להעיר על תועלתם ומהותה איך לא תלפרך לזכות הדברים ההכרחיים קודם ההשתדלות בה לפי שכבר זכרה אחר החכמה וזה ממה שלריך שתוקדם תחלה החכמה קודם השתדלות בבינה וכבר זכר זה בביאור במה שקדם. אני בינה לי גבורה ר"ל כי לחכמה יהיה ההשגה בדברים הנמשכים לפי הסדור טבעי ואמנם מה שיתחדש שיהיה כנגד הסדור ההוא כמו הענין בנפלאות והוא הנקרא גבורה אשר לא יבואו בסבות העלמיות הנם החקירה עליו תהי גבורה והנה עוד לבינה השגת הפילוסופיא המדינית אשר בה יתחדש הבנין באלו הדברים המדיניים איך ינהגו בהם להעמיד הקבוץ המדיני ומזה יסתעף דבר העונשים אשר יוטלו על בעלי התכונו' הפחותיו' ולפי שבזאת הפילוסופיא על האופן הראוי ימלוכו המלכים וישורו השרים והרוזני' והנדיבים והשופטים להעמיד דבר ממשפט הפילוסופיא על האופן הראוי אמרה הבינה בי מלכים וגו': (טו) בי

### מצודת דוד

שוכן בערמה ר"ל אף לעשות תחבולות להערים להנצל מיד היצר הרע המסית בזולת חכמות התורה: ודעת. אני ממציא להודיע המחשבות העוזרים על ההצלה מיד היצר הרע המסית וכפל הדבר במלות שונות: (יג) יראת ה'. תוכן יראת ה' היא לשנוא את הרע והם הגאוה ודרכי עבירה והמהפך אמרי פיו ממחשבות לבו: שנאתי. ר"ל את כל אלה שנאתי גם אני: (יד) לי עצה. בי ימצא עלה להנצל מיד היצר הרע המסית: ותושיה. ר"ל ע"י יותש כח היצר הרע: אני בינה. אני הנותן בינה להלחם למולו: לי גבורה. ע"י יתגבר עליו וכפל הדבר פעמים הרבה כדרך המליצה ולחזוק הענין: (טו) בי מלכים ימלוכו. ע"י תתקיים מלכותם אם יתנהגו במשפט התורה: יחוקקו צדק. ע"י יעשו חוקים צודקים וישרים:

### מצודת ציון

(יב) מזמות. מחשבות: (יג) גאה וגאון. שניהם ענין גאוה: (יד) ותושיה. תשות הכח: (טו) ורזנים. שרים: יחוקקו. מלשון

might," we find an explanation in *Zohar Chadash* 5b: The Torah is called תּוּשִׁיָּה in the beginning because it weakens a person's strength, for he must battle his temptation and must "crush his whole body" in the study hall until he accustoms himself to the Torah. When he is accustomed to studying Torah, he has joy and might, as it is said: "I am understanding; I have might."

15. **Kings reign with me**—*for the*

of devices I will find. 13. Fear of the Lord is to hate evil, haughtiness, pride, the way of evil, and a perverse mouth; [these] I hate. 14. I have counsel and sound wisdom; I am understanding; I have might. 15. Kings reign with me, and rulers

than precious stones. Moderns identify them as corals.—[*Daath Mikra*]

**all desirable things**—Heb. חֲפָצִים, anything a person desires.—[*Mezudath David*] Whatever a person can desire in any field outside of study.—[*Ralbag*] First he mentions pearls and then he speaks of all desirable things.—[*Ibn Nachmiash*]

**cannot be compared to it**—*They will not equal its value.*—[*Rashi*] The Sages (*Yerushalmi Peah* 1:1) note both the similarity and the difference between this verse and 3:15: "It is more precious than pearls, and all your desirable things cannot be compared to it." Whereas the earlier verse states that all *your* desirable things cannot be compared to it, our verse states that *all* desirable things cannot be compared to it. The Sages explain that the earlier verse refers to jewels and precious stones, and this verse refers even to the commandments of the Torah, that the study of the Torah is superior to the fulfillment of the commandments. This is the reading according to *Yalkut Shimoni,* which coincides with *Gen. Rabbah,* end of ch. 35, and *Moed Katan* 9b.*

12. **I dwelt [beside] cunning**—*Beside cunning, for since a man has learned Torah, cunning about everything enters into him.*—[*Rashi* from *Sotah* 21b] This means that when a person learns Torah, he becomes capable of trickery. Therefore, the Torah must be accompanied by piety.*

**and the knowledge of devices**—I teach the knowledge of the devices used to save oneself from temptation, which entices a person to sin.—[*Mezudath David*]

13. **Fear of the Lord is to hate evil**—*This is the discipline that wisdom announces to the people.*—[*Rashi*]

**haughtiness, pride,**—*Rav Saadiah Gaon* explains that the first term refers to the haughty spirit in a person and his haughty behavior, such as curling and stroking his hair and the like. The second term refers to his domination over his fellow man. Others explain that the repetition is merely for emphasis.—[*Ibn Nachmiash*]

14. **and sound wisdom**—Heb. וְתוּשִׁיָּה. This is a common word in Proverbs. *Ibn Nachmiash* derives it either from יֵשׁ, *there is,* meaning wisdom of substance, or from a similar word meaning *a foundation.* See above, 2:7. However, the Sages attribute this word to the root תוש, *weak.* The Talmud (*Sanh.* 26b) states: "Why was it called תוּשִׁיָּה? Because it weakens a person's strength." Though this appears inconsistent with the end of the verse, "I have

יְחֹקְקוּ צֶדֶק: טז בִּי שָׂרִים יָשֹׂרוּ וּנְדִיבִים
כָּל־שֹׁפְטֵי צֶדֶק: יז אֲנִי אֹהֲבַיה אֵהָב
וּמְשַׁחֲרַי יִמְצָאֻנְנִי: יח עֹשֶׁר־וְכָבוֹד אִתִּי
הוֹן עָתֵק וּצְדָקָה: יט טוֹב פִּרְיִי מֵחָרוּץ
וּמִפָּז וּתְבוּאָתִי מִכֶּסֶף נִבְחָר: כ בְּאֹרַח
צְדָקָה אֲהַלֵּךְ בְּתוֹךְ נְתִיבוֹת מִשְׁפָּט:
כא לְהַנְחִיל אֹהֲבַי יֵשׁ וְאֹצְרֹתֵיהֶם

בקצת ספרים ארץ אהבי קרי

ת״א ומשחרי. זוהר תרומה: להנחיל. סוכה מה ב״ב קל״ד סנהדרין ק׳ אבות יב עוקצין עת זוהר תרומה (נדרים לט):

**תרגום:** מַלְכֵי מַלְכִין וְשַׁלִּיטֵי אֱנָא מְשִׁחָא בְּצִדְקוּתָא: טז מְטוּל אֱנָא רַבְרְבָנֵי מִתְרַבְרְבִין וְסַרְכֵי כָּלְהוֹן דַּיָּנֵי דְּתְרִיצוּתָא: יז אֱנָא רָחְמָא רַחְמַי וְאִלֵּין דִּמְקַדְּמִין לִי יַשְׁכְּחֻנַּנִי: יח עֻתְרָא וִיקָרָא דִּילִי מָמוֹנָא וּמַזָּלָא וְצִדְקְתָא: יט טָבִין פֵּרַיי מִן דַּהֲבָא סְנִינָא וּמִן דַּהֲבָא אוֹבְרִיזִין וַעֲלָלְתִי מִן סַנְיָא נַבְיָא: כ בְּאָרְחָתָא דְּצִדְקְתָא מְהַלְּכָא אֲנָא בְּגוֹ שְׁבִילֵי דְּדִינָא: כא דְּאוֹרִית לְרַחֲמַי שְׁנַיָּא סַגִּיאָתָא וְסִימָתְהוֹן אֲמַלֵּא אַלְהָא:

## רש״י

(יז) אוהבי. אהביה כתיב אמר הקב״ה אני אהביה של תורה אהב. זו שמעתי מרבי אהרן בשם רבי נתן: אהב. כמו אאהב: ימצאונני. נו״ן יתירה המשים שערי בינה אמליאנו: (כא) להנחיל אוהבי יש. יש אתי נחלה

## מנחת שי

יחקקו. במדוייקים חסר וא״ו אחר הי״ת: (טז) כל שופטי צדק. כמה ספרי וספריא איסתפקו בהך תיבותא מן בנין קדמאין אי קריא ארץ או צדק ולא ידעו לאכרועי איכא נוסחי עתיקא דבקדמיתא הוו כתיבי צדק ובתר הכי גרירו לה וכתבו ארץ ואיכא נוסחי דעבדי איפכא ואיכא מאן דהרכביה אתרי רכבי וכתב ארץ צדק ואיכא מינייהו דכתבי מלה חדא בבתי גואי ומלה אחרא בבתי בראי ולא ידענא מאי אדון בה דלית בינגא לא מחזיק בדק ולא שופט צדק להוד דין אשכחנא דמתרגמינן דייני דתריצותא והזינא כמי במאיר אה״כ דמייתי ליה בשרש נדב: שפט. ובשרש צדק וכן הוא בפירוש יהייא ובדפוס נאפולי. גם בספרו של בעל אור תורה נמחק מלת ארץ ונכתב צדק ואמר שבס״ס כתוב צדק ועל פי הכללי הגיהו ארץ ותבנין צדק ופימנך צדק צדק תרדוף ע״כ. פירוש דאיגון תרי פסוקי דסמיכי להדדי וסופיהון צדק. ה׳ יקיים בנו מה שאמר ע״י ישעיה נביאו כי ה׳ שופטנו ה׳ מחוקקנו ה׳ מלכנו הוא יושיענו אמן כן יהי רצון: (יז) אהביה. אהבי קרי: (כ) נתיבות. בספרים מדוייקים מלא וא״ו: (כא) ואצרתיהם. במקצת ספרים הוא״ו בגעיה:

## אבן עזרא

(טז) בי שרים ישרו. משפט הרי״ש להיותה דגושה כשקל יסבו עליו רביו לולי שאין מקבלת דגש: (יז) אני אוהבי אהב. חסר אל״ף השרש להקל על הל׳ כמו ואחר עד עתה: (יח) עושר וכבוד. עתק. ענין עובי והזוק וכן יצא עתק מפיכם וצדקה במקום כטעם הגלהה וכן יתכן לפרש וצדק משמי׳ נשקף: (יט) טוב פריי. ותבואתי מכסף נבחר. ותבואתי טוב׳ מכסף נבחר או מלת נבחר כאילו אמר נבחרת כמו תפלתך השיא אותך והראשון נכון והטעם על המתחייב מן החכמה מתיקון הנפש והנהגת המדינה: (כ) באורח צדקה אהלך. דברי החכמה כדברי החכם והטעם כי מי שרוצה החכמה צריך שיתנהג בזה הדרך ואמר בתוך נתיבות משפט לבל יטה ימין ושמאל מהדרך האמצעי: (כא) להנחיל. יש. הוא כינוי לקנין הנגלהי הנקנה לנחלה עולמית וגם כינוי לקנין הממון יש זהב ורב פנינים וכלי יקר ויש כלל ואחר כן פרט זהב ורב פנינים

## רלב״ג

מלכים ימלוכו. על העם. ורוזנים יחקקו חקים של סדר ויושר: (טז) כי שרים ישורו. ימשולו: (יז) אני אוהביה אהב. ר״ל שלא ימלא מי שאינו אוהבה אך מי שהוא אוהבה ותושק בה יטרח לעמוד על אמתתה והוא ימצאה מפני היותו משחר ודורש אותה תמיד: (יח) עושר וכבוד אתי. הנה אתי עושר וכבוד כי בדלקי הבינה יוכל האדם להשיג עושר וכבוד מפני שלימותו במדות והתישרו בהם אל הבנה זו באופן שלם כי לזאת המלאכה סדרים יישירו לקנין אלו השלימיות. ואתי הון עתק וקנין הצדק והיושר במדות: (יט) טוב פריי. הנה טוב פריי מזהב והוא נבחר מכסף כי ההליכה באורח הצדקה והיושר בתוך נתיבות שיהיו למשפט שיבאו לאמת דבריו וסותרו והיה גם מהבבות יקימו כל אחד מהדרכים ההם והנה יהיה מהתועלות בהיות מבוארת האמת בזה להנחיל אוהבי יש והוא דעת המוסכם לנמלא

## מצודת ציון

חוק וגזרה: (טז) ישורו. יעשו שררה וממשל: (יז) אהב. כמו אאהב: (יח) עתק. חוזק כמו יכיעו ידברו עתק (תהלים ל״ד):

## מצודת דוד

(טז) בי שרים. ע״י תתקיים ממשלת השרים והנדיבים שבכל השופטים כי כאשר ילכו בחוקות התורה תמשך ממשלתם: (יז) אוהבי אהב. אוהב אני את האוהבים אותי: ומשחרי. הדורשים להבין אמרי ימצאו כי שמים הרבה: (יח) אתי. ע״י ישיג עושר וכבוד: הון עתק וצדקה. ישיג הון חזק רב ובצדקה תנתן לו מה׳ כי לא יקופח שכר תורתו לעולם הבא בעבור ההון שהשיג: (יט) פריי. מתן שכר תורה: ותבואתי. מוסב על מלת טוב לומר ותבואתי טוב מכסף נבחר ומעולה וכפל הדבר במלות שונות: (כ) אהלך. אני מוליך את האדם בדרך צדקה וגו׳: (כא) יש. ר״ל שיש אתי

to give as an inheritance to those who love me, and I will fill their treasuries with it.—[*Mezudath David*]

The Mishnah (*Okotzin* 3:12) interprets יֵשׁ according to its numerical value of three hundred and ten. The Mishnah states: "The Holy One, blessed be He, is destined to give as an inheritance to every righteous

legislate righteousness. 16. Through me princes govern, and
nobles, yea, all judges of righteousness. 17. I will love those
who love me, and those who seek me eagerly will find me.
18. Riches and honor are with me, powerful wealth and
charity. 19. My fruit is better than gold—yea than fine gold—
and my produce [is better] than choice silver. 20. In the way of
righteousness I will go, in the midst of the paths of justice.
21. There is substance to give inheritance to those who love
me, and I will fill their treasuries.

*judges and the judgments I teach them.*—[*Rashi*] Other editions read: *for the laws and the judgments I teach them.* This appears to be the correct reading. *Mezudath David* explains: Through me their kingdom will be preserved if they behave according to the judgments of the Torah.

**legislate righteousness**—They will enact just laws.—[*Mezudath David, Ibn Ezra*]

16. **Through me princes govern**—Through me the government of the princes and the nobles will be preserved, if they govern according to the laws of the Torah.—[*Mezudath David*]*

17. **I will love those who love me**—Heb. אֹהֲבַי. [This is the reading.] *The text is written:* אֹהֲבֶיהָ, *those who love her. Said the Holy One, blessed be He: "I will love those who love the Torah." I heard this from Rabbi Aaron in the name of Rabbi Nathan.*—[*Rashi*]

**I will love**—Heb. אֵהָב, *like* אֶאֱהַב.—[*Rashi*] The first radical is defective.

**will find me**—Heb. יִמְצָאֻנְנִי. *There is an extra "nun," denoting fifty. I will allow him to find the fifty gates of understanding.*—[*Rashi* from unknown midrashic source] *Rashi* alludes to the fifty gates of understanding, mentioned in *Nedarim* 38a and *Rosh Hashanah* 21b, that fifty gates of understanding were created in the world and all of them were given to Moses except one.*

18. **Riches and honor are with me**—Through me, one can attain riches and honor.—[*Mezudath David*]*

19. **My fruit**—The reward for the Torah.—[*Mezudath David*]

**than choice silver**—Is better than choice silver.—[*Mezudath David*]

20. **In the way of righteousness I will go**—Wisdom is speaking for the wise man. The meaning is that whoever wants wisdom must go in the way of righteousness.—[*Ibn Ezra*]

**in the midst of the paths of justice**—not to turn right nor left from the middle path.—[*Ibn Ezra*]

21. **There is substance to give inheritance**—Heb. יֵשׁ, lit. there is. *There is with me a great inheritance.*—[*Rashi*] I have much benefit

אֲמַלֵּא: כב יְהֹוָה קָנָנִי רֵאשִׁית דַּרְכּוֹ
קֶדֶם מִפְעָלָיו מֵאָז: כג מֵעוֹלָם נִסַּכְתִּי
מֵרֹאשׁ מִקַּדְמֵי־אָרֶץ: כד בְּאֵין־תְּהֹמוֹת
חוֹלָלְתִּי בְּאֵין מַעְיָנוֹת נִכְבַּדֵּי־מָיִם:
כה בְּטֶרֶם הָרִים הָטְבָּעוּ לִפְנֵי גְבָעוֹת
חוֹלָלְתִּי: כו עַד־לֹא עָשָׂה אֶרֶץ וְחוּצוֹת
וְרֹאשׁ עַפְרוֹת תֵּבֵל: כז בַּהֲכִינוֹ שָׁמַיִם

### תרגום

כב אֱלָהָא בְּרָאַנִי בְּרֵישׁ
בְּרִיָתֵיהּ וּמִן קֳדָם עוֹבָדוֹי
מִן רֵישׁ: כג וּמִן קֳדָם
עַלְמָא אִתְתַּקְנֵית מִן
רֵישֵׁיהּ וּמִן קֳדָם
דְּתֶהֱוֵי אַרְעָא: כד עַד לָא
נֶהֱוֹן תְּהוֹמֵי אִתְיְלִדֵית
וְעַד דְּלָא נֶהֱוֹן מַעְיְנֵי
עִשׁוּנֵי דְמַיָּא: כה קְדָם עַד
לָא נִטְבְּעוּן טוּרֵי וּקְדָם
רָמָתָא אִתְבְּנֵית: כו עַד
לָא עֲבַד אַרְעָא וְנַחְלֵי
בְּרֵישׁ עַפְרָא דְתֵבֵל:
כז כַּד אַתְקֵין שְׁמַיָּא תַּמָּן

### רש"י

רבה: (כב) ראשית דרכו. קודם בריאתו של עולם: (כג) נסכתי מראש. ל' נסיכי בני אדם (יחזקאל ל"ה): (כד) חוללתי. נבראתי: (כה) בטרם הרים הטבעו. בתוך המים: (כו) ארץ וחוצות. ארץ ישראל ושאר שם

### אבן עזרא

וכלי יקר וכן טעם ואולרותיהם: (כב) ה' קנני ראשית. זה גם מדברי החכמה. קנני מל' קונה שמים. ראשית דרכו כלומר ראשית כוונתו בבריאה כמו כי הוא ראשית דרכי אל. קדם מפעליו מאז קדם כמו ראשית והטעם קדימה לעולם קדימת חיוב לא קדימת זמן כי הזמן מכלל הנבראים כאמרו ה' בחכמה יסד ארץ: (כג) מעולם. דרך המקרא לסמוך הקדומים למלת עולם כמו מעולם אל גוי מעולם הוא כלומר קדמון. נסכתי נבחרתי כמו נסיכי סיחון: מקדמי ארץ. מקדמוני ארץ: (כד) באין. חוללתי. ענינו שׂשתי וטעמו ענין התחלה וקרוב מלשון ואל שרה תחוללכ': באין. נכבדי מים. טעמו ובאין נכבדי מים והוא ענין כבדות ורבוי וממנו התכבד כילק התכבד כארבה: (כה) בטרם הרים הטבעו. כמו על מה אדניה הטבעו ושניהם עקרם מל' טבעו בים סוף והטעם על יסודותם הטבועים בעמקי המים: (כו) עד לא עשה ארץ וחוצות. כתרגום בטרם. עשה כמו אני ה' עשיתי. ארץ והוצות הם השווקים והטעם על הקרקעות הראויה ליישוב. וראש כטעם קדם וכן מעולם נסכתי מראש. עפרות תבל כאילו אמר וקודם עפרות תבל. הוא הישוב והוא כפל ענין במלות שונות: (כז) בהכינו

### מנחת שי

(כב) ה' קנני. יו"ד של שם בגעיא: (כד) באין תהמות. מתחלפת תהמות חסר וא"ו קדמאה וזה תלוי בחילוף המסורת שסובא במקרא גדולה פרשת בשלח: (כה) לפני גבעות. הגימ"ל רפה:

### רלב"ג

כי בו תגיע ההצלחה האנושית והפך זה יהיה בדעת אשר לא יסכים למלאת. ואולרות אוהבי אמלא מאלו הדעות האמתיות כי מפני אהבתם אותו יקושרו בזאת החקירה וימלאו דברים רבים ימלאו בהם אולרותיהם על לד המשל אמרה הבינה להורות על מעלתה וקדימתה על החכמה: (כב) ה' קנני ראשית דרכו קדם מפעליו מאז ר"ל שבראשית הדברים שקנה אז ועשה קנה הדבר אשר היה חדושו בבינה ותבונת השם יתברך בו והם הגרמים השמימיים אבל תדע כי השי"ת לא חסר להיות עמו זאת התבונה והחכמה אשר נברא בה העולם כמו שבארנו בס' מספר מלחמות ה' ושם התרנו הספקות הנופלות בזה והנה מעת היות הזמן קנני קדם מפעליו האחרים: (כג) מעולם נסכתי מראש. מעת היות עולם נתנה לי הגבורה והשררה והגדולה. מקדמי ארץ. בראשית מה שנברא בארץ: (כד) באין תהומות חוללתי. קודם היות תהומות נבראתי כי השמים קודמים במעלה ובמציאות על התהומות קודם שיהיו שם מעינות ונהרות רבות מהמים: (כה) בטרם. שהטבעו ההרים על מכונם ולפני שימלאו גבעות חוללתי: (כו) עד לא עשה. הש"י ארץ וחוצות הנכבד שבעפרות תבל והגבוה מהם והוא מקום הנגלה מן הארץ וכו ג"כ ארץ וחוצות והנה כפל הענין במלות שונות: (כז) בהכינו. בעת שהכין הש"י

### מצודת דוד

טובה הרבה להנחיל את אוהבי ואמלא את אולרותיהם מן הטובה: (כב) ה' קנני. ברא אותי להיות קנויה לו וכן קונה שמים (בראשית י"ד): ראשית דרכו. בתחלת הבריאה: קדם. קודם מעביו מאז. מכבר ר"ל מזמן רב: (כג) מעולם. מימות עולם אני נסיכה ומושלת: מראש. אני מן הראשונים מהקדמונים לבריאת הארץ כי אמרו רבותינו ז"ל שבעה דברים קדמו לבריאת העולם והתורה אחת מהם: (כד) באין תהומות. בעוד לא היו תהומות נבראתי אני: (כה) בטרם. עד לא נטבעו ונקבעו ההרים בארץ ולפני הגבעות נבראתי אני: (כו) עד לא. מוסב על חוללתי לומר חוללתי עד לא עשה הארץ וחוצותיה והתחלת עפר האדמה המיושבת מבנ"א וכפל דברו כדרך המליצה: (כז) בהכינו. בעת הכינו את השמים הייתי

### מצודת ציון

(כג) נסכתי. ענין ממשלה כמו נסיכי סיחון (יהושע י"ג): (כד) חוללתי. ענין בריאה כמו ותחולל ארץ (תהלים צ): נכבדי מים. רבוי המים כמו בעם כבד (במדבר כ'): (כה) הטבעו. מל' טביעה: (כו) תבל. כן נקראת הארץ אשר היא מיושבת מבנ"א:

streets, meaning the civilized world.—[*Ibn Ezra, Ibn Nachmiash, Mezudath David*]

**and the beginning of the dust of the earth**—*The first man.*—[*Rashi* from an unknown source] The allusion is to Adam, who was created from earth. As explained above, *Sifre* identifies תֵּבֵל with the Holy Land, deriving the word from תַּבְלִין, *spices.* Eretz Israel is spiced with all good things, unlike other lands, which are blessed with one thing and lack another.

22. The Lord acquired me at the beginning of His way, before
His works of old. 23. From the distant past I was enthroned,
from the beginning, of those that preceded the earth. 24. I was
created when there were yet no deeps, when there were no foun-
tains replete with water. 25. I was created before the mountains
were sunk, before the hills; 26. when He had not yet made the
land and the outsides and the beginning of the dust of the earth.
27. When He established the heavens,

man three hundred and ten worlds," meaning, according to *Rambam's* Commentary, that the reward in the world to come equals three hundred and ten times more than all the substance of this world. Hence, the verse is interpreted to mean that God will give those who love Him their reward in the world to come, but still will fill their treasuries in this world.—[*Ibn Nachmiash*]

22. **at the beginning of His way**—*before the creation of the world.*—[*Rashi*] Wisdom was God's main intent in the Creation.—[*Ibn Ezra*]

23. **I was enthroned, from the beginning**—Heb. נִסַּכְתִּי, *an expression of* (Ezek. 35): *"Princes* (נְסִיכֵי) *of the sons of man."*—[*Rashi*] [There appear to be a number of errors in *Rashi.* First of all, the verse reads: "Princes of man." Second of all, the verse appears in Micah 5:4, not in Ezekiel. The mistaken reference was obviously inserted by printers. It does not appear in the Salonica ed. of 1515.]

**of those that preceded the earth**—of those created before the earth, as our Rabbis say: Seven things preceded the creation of the earth (*Pesachim* 54b), one of which was the Torah.—[*Mezudath David*]

24. **I was created**—Heb. חוֹלָלְתִּי.—[*Rashi*] *Targum* renders: I was born.

25. **before the mountains were sunk**—*within the water.*—[*Rashi*] *Rashi* alludes to *Midrash Psalms* 90:11: "This teaches us that the early mountains were floating like water fowl that float upon the water, and wherever the Holy One, blessed be He, saw a very deep place, He would put a large mountain into it and fill it up, and wherever He would see a flat place (a sunken place), he would place a light mountain." See *Ibn Nachmiash.*

*Ibn Ezra* explains that the mountains were placed on foundations that were sunk into the depths of water.

26. **the land and the outsides**—*The land of Israel and other lands.*—[*Rashi* from *Ta'anith* 10a, *Midrash Psalms* 68:4] According to *Sifre* to Deuteronomy 7:12, "land" refers to the other lands; "outsides" refers to the deserts, and "the beginning of the dust of the earth" refers to the land of Israel. (See next paragraph.) Others render: the land and the

שָׁם אָנִי בְּחֻקוֹ חוּג עַל־פְּנֵי תְהוֹם:
כח בְּאַמְּצוֹ שְׁחָקִים מִמָּעַל בַּעֲזוֹז עִינוֹת
תְּהוֹם: כט בְּשׂוּמוֹ לַיָּם ׀ חֻקּוֹ וּמַיִם לֹא
יַעַבְרוּ־פִיו בְּחוּקוֹ מוֹסְדֵי אָרֶץ: ל וָאֶהְיֶה
אֶצְלוֹ אָמוֹן וָאֶהְיֶה שַׁעֲשֻׁעִים יוֹם ׀ יוֹם

ת"א בחוקי חוג. ברכות כ': אמון. זוהר תרומה:

משחקת

**תרגום**

הֲוֵיתִי וְעַד חָג חוּגְתָא עַל אַפֵּי תְהוֹמָא: כח וְכַד אַגְרִים עֲנָנֵי מִלְעֵיל וְכַד אַעֲשִׁין מַעְיָנֵי תְהוֹמָא: כט וְכַד שָׂם לְיַמָּא תְּחוּמֵיהּ וּמַיָּא לָא עָבְרִין לֵיהּ (וְכַד) שָׂם שַׁתְאַסַיָּא דְאַרְעָא: ל וַהֲוֵית בְּצִדּוֹי מְהֵימַנְתָּא וְכַד שְׁבוּחִין הֲוֵית כָּל יוֹמָא וְיוֹמָא

## רש"י

ארצות: **וראש עפרות תבל**. אדם הראשון: (כז) **בחוקו חוג על פני תהום**. כשחקק חוג הארץ על המים לחוק גבול בל יעבר. חוג ל' הקף כמו ובמחוגה יתארהו (ישעיה מ"ד) (קונפא"ש בלע"ז. בל"א צירקעל כמו. בראשית כ"ט י"ז. ישעיה ה' כ"ב מ"ד י"ג. איוב כ"ב י"ד): (כח) **בעזוז**. כשהגביר מעיינות תהום: (כט) **בשומו לים חוקו**. וגזר על ים סוף כשבראו על מנת להבקע לפני משה: **בחוקו מוסדי ארץ**. בחוקו מלשון חקו כמו על כפים חקותיך (שם מ"ט) וכן ומחיק הארץ (יחזקאל מ"ג): (ל) **אמון**. גדילה אצלו. ל' האמונים עלי תולע

## מנחת שי

(כז) בחקו חוג. רפה הקו"ף. מכלול דף קת"א ואבן עזרא: (כח) עינות תהום. בספרים כ"י מדוייקים העי"ן בחירק וכ"כ בשרשים ובסמוך עינות מים בצירי. בעזוז עינות תהום בחיר"ק כן צריך להגיה בספרי השרשים שלנו כמו שמצאתי בשרשים כ"י ישן. גם בעל מכלול יופי ובעל הלשון כתבו שזהו בחירק כי כן דרכם להעתיק מהרשי' וזה לשון בעל הלשון. ובסמיכות ממנו בצירי שתים עשרה עינות מים. וממנו בחירק בעזוז עינות תהום: (כט) בחוקו מוסדי. ממה שכתוב במכלול ובשרשים משמע שזה דומה לבחקו חוג. דלעיל חסר וא"ו ורפה הקו"ף וכן נמצא באיזה ספר. אמנם ברוב הספרים

## אבן עזרא

שמים שם אני. בי"ת בהכינו בחוקו בשומו בעזוז באמצע כלם נשיאי זמן והכוונה אני הייתי מלוחה אי לא קדמוני בבריאה וטעם בהכינו כטעם כונן שמים ובמאמר יהי רקיע: **בחוקו חוג**. בעת שחקק הגלגל על פני תהום שהוא המרכז וחוג כמו וחוג שמים יתהלך ונקרא הכלי העשוי לעשות בו הרושם העגולות מחוגה על שם החוק הנרשם בו ומלת בחוקו דינו להיות דגוש כי שרשי חקק מן וחקות עליה או יהיו שני שרשים בענין אחד חקק וחוק ומזה השרש מי יתן בספר ויוחקו: (כח) **באמצו שחקים ממעל**. הוא לשון אמץ וחוזק וטעמו כטעם בהכינו: **בעזוז**. לשון עוז הוא לשון כח וחוזק והוא מקור ובא בלא והושאל התוקף והחוזק למים כמו ובמים עזים נתיבה וכן הושאל לו גם העצמה כאומרו את מי הנהר העצומים: (כט) **בשומו לים וגו'**. כאמרו אשר שמתי חול גבול לים חק עולם ולא יעברנהו: (ל) **ואהיה. אמון**. מלשון כאשר ישא האומן את היונק והוא שם ומשפטו כאמון כמו כאשר היתה באמנה ובא כדרך משחך אלהים אלהיך שמן ששון: **ואהיה שעשועים יום יום**. יתכן לפרשו ואחר כן ואהיה שעשועים לא בהיותה כאמון. שעשועים שם ולא יפרד כמו נעורים זקונים ובא שם מקום תואר כמו והיה ברכה ויתכן

## רלב"ג

השמים להיות במספר ובתכונה ובמרחק ובגודל שהם בו והכוכבים אשר בהם כדי שיאות להמלא מהם אלו התנועות אשר בו העולם השפל שם הייתי כי בתכונה כונן הש"י השמים כמו שקדם כאשר חקר הש"י מחוגה על פני תהום שהוא כדור הארץ כמו שביארנו בפ' בראשית והוא כמו מרכז לגרם השמימי' ולפי המחוגה היא המלאת השמים סביבה במשכו רגלי המחוגה היא זה מזה בגלגל גלגל: (כח) באמצו שחקים ממעל. כאשר אמד שחקים ממעל ונתן להם חוזק וקיום עד שהם חזקים כראי מוצק וזה היה אפשר כאשר רצה הש"י שיקבל איכות דומה ומתיחסת לקושי כאמרם למים היו השמים ביום ראשון בשני נקרשו. בעזוז עינות תהום ר"ל כאשר נתן הש"י עוז וקושי למה שהיה מהחומר הראשון אלא עינות תהום והוא כדור הארץ כי זה כולו נעשה בתבונה וזה כי לולי עוז הארץ וקיומה לא היה בכאן דרך לתנועת הגלגלים: (כט) בשומו לים חקו. כאשר שם השם יתברך לים חוקו שם הייתי וזה היה כשגזר שיקוו המים מתחת השמים אל מקום אחד ותראה היבשה. ומים לא יעברו פיו בדרך שישאר זה המקום שרצה שיהיה נגלה תמיד כאשר חקק מוסדי ארץ והוא החלק הנגלה מהארץ שהוא היסוד למה שיתהוה בה מהצמחים והב"ח: (ל) ואהיה. אצל השם יתברך אמון ומגדל ומנהיג הדברים המיוחסים לבינה ובזה אהיה לו שעשועים יום יום כי תמיד הש"י מתענג ומשתעשע בהשיגו עצמו אשר בזה תושג לו זאת התבונה ובכל

## מצודת ציון

(כז) **בחקו**. מלשון חקיקה: **חוג**. הוא העגול הנעשה ע"י הכלי ולה ב' ראשים יעמיד ראש האחד במקום עמדו והשני יסבב סביבו ונעשה עגול וכן היושב על חוג הארץ (ישעיה מ'): (כח) **באמצו**. מל' אומץ וחוזק: **בעזוז**. מלשון עוז: (ל) **אמון**. ענין גדול הילד

## מצודת דוד

שם אני כי נבראתי קודם לכן: **בחוקו**. בעת חקק עגול הארץ לכסות על פני התהום: (כח) **באמצו**. בעת חיזק את השחקים אשר המה ממעל ובעת חיזק את מעינות התהום: (כט) **בשומו**. בעת שם לים חוק וגבול אשר מי הים לא יעברו פי ה' ללכת מן הגבול והלאה: **בחוקו**. בעת חקק יסודי הארץ וכ"ז מוסב על מלת אני האמור במקרא שלפני פניו: (ל) **ואהיה**. הייתי מגודלת אצלו והייתי לו לשעשוע בכל יום ובכל עת הייתי משחקת ומשמחת לפניו בכל עת אשר

*expression of* (Lam. 4:5): *"They that were reared* (הָאֱמֻנִים) *amid crimson.*—[*Rashi*]

**every day**—Heb. יוֹם יוֹם, lit. a day a day, *two thousand years.*—[*Rashi* from *Gen. Rabbah* 8:2] The Midrash states that the Torah was created two thousand years before the creation of the world.

31. **playing in the habitable world**

there I was, when He drew a circle over the face of the deep;
28. when He made the skies above firm, when He strengthened
the fountains of the deep; 29. when He gave the sea its boun-
dary, and the water shall not transgress His command, when
He established the foundations of the earth— 30. I was a nurs-
ling beside Him, and I was [His] delight every day,

*Ibn Ezra* renders the verse: and before the dust of the earth, meaning the civilized world. Accordingly, this is a repetition of the preceding verse.

27. **there I was**—When God established the heavens, I, the Torah, was already there, for I was created before them.—[*Ibn Ezra, Mezudath David*]

**when He drew a circle over the face of the deep**—*When He drew the circle of the earth over the water, to draw a boundary that it may not cross.* חוּג *is an expression of encircling, as in* (Isa. 44:13): *"and with a compass* (וּבַמְּחוּגָה) *he rounds it."* (*Compas in French, zirkel in German,* as in Gen. 29:17, Isa. 5:22, 44:13, and Job 22:14)—[*Rashi*] [The references were apparently inserted by the printer, perhaps the printer of the Lublin edition. They are not found in any other edition of Proverbs. It is obvious that *Rashi* did not quote chapter and verse since this system was not used in his time. Even the German is not found in earlier editions, except in Waxman's edition. The references are not all illustrations of the meaning of the Hebrew חוּג (cf. Gen. 29:17), but illustrate the French. The reference from Isaiah 5:22 appears to be entirely erroneous. Perhaps it should be 40:22, as is quoted by *Ibn Nachmiash.*]

28. **when He strengthened the fountains of the deep**—*When He made mighty the fountains of the deep.*—[*Rashi*] *Rashi* seems to be merely explaining the words in simpler Hebrew since the words of the verse are uncommon.

29. **when He gave the sea its boundary**—*and decreed upon the Red Sea when he created it, on the condition that it split before Moses.*—[*Rashi*] *Rashi's* intention is that the entire Creation was established with its nature; and all miracles, which are deviations from nature, were planned at the time of Creation.

**when He established the foundations of the earth**—Heb. בְּחֻקוֹ *from an expression of engraving* (חִקּוּי), *as in* (Isa. 49:16): *"Behold on [My] hands I have engraved you* (חַקֹּתִיךְ)*," and so* (Ezek. 43:14): *"And from the bottom* (מֵחֵיק) *upon the ground."*—[*Rashi*] We have followed the *Malbim* edition and the ms. appearing in the Etz Chaim edition, which seem more accurate than the Lublin edition.

30. **a nursling**—Heb. אָמוֹן, *one that was reared beside Him, an*

משחקת לפניו בכל־עת: לא משחקת
בתבל ארצו ושעשעי את־בני אדם:
לב ועתה בנים שמעו־לי ואשרי דרכי
ישמרו: לג שמעו מוסר וחכמו ואל־
תפרעו: לד אשרי אדם שמע לי לשקד
על־דלתתי יום | יום לשמר מזוזת
פתחי: לה כי מצאי מצאי חיים ויפק
רצון מיהוה: לו וחטאי חמס נפשו כל־

חדיא אנא קדמוי בכל
זמן: לא חדיא הוית
בתבל ארעיה ושבוחי
בבני נשא: לב והשתא
בניא שמעון לי וטובוי
למן דנטר אורחתי:
לג שמעו מרדותא
ואתחכמו ולא תדישון:
לד טובוי לבר נשא
דשמע לי ונשקוד על
אסקופתי בכל יומא
ויומא למנטר ספי
דתרעא: לה מטול מן
דמשכח לי משכח חיי
ותהוי ליה רעותא מן
קדם אלהא: לו ומן

ת"א אשרי אדם. (ברכות ס') : מוצאי. ברכות ו' תענית ז' ב"ב י' (ברכות ט') : מצא קרי

## רש"י

(איכה ד'): יום יום. אלפים שנה: (לא) משחקת בתבל ארצי. כל דורות הרשעים שהיו מאדם ועד נח ומנח עד אברהם הייתי משחקת עליהם: ושעשועי. לפיתי עד בא דור המדבר ויקבלוני: (לג) ואל תפרעו. ואל תבטלו מוסרי: (לד) לשקוד. לשמור: על דלתותי. להכנס ראשון לבהמ"ד ולבית הכנסת ולצאת אחרון:

## אבן עזרא

לפרש שחסר בי"ת והוא כמו בשעשועים יום יום בכל עת: (לא) משחקת בתבל. יתכן לפרש שזה הפסוק הוא פירוש מה שאמר למעלה אמר משחקת בתבל שהיא ארצו פירוש משחקת לפניו בכל עת ושעשועי את בני אדם כמו עם ב"א והטעם כי הם המקבלים והיא המאללת והשעשוע שוה בשניהם: (לב) ועתה בנים שמעו לי. לשון פיוס: ואשרי דרכי ישמרו. ל' הפלגה. וטעם דרכי כטעם והודעתי להם את הדרך אשר ילכו בה: (לג) שמעו מוסר וחכמו. הקדים המוסר כטעם כל שיראת חטאו קודמת לחכמתו: ואל תפרעו. יתפרש לבלתי יהפוך הסדר אלא שילמוד המוסר ואחר כן החכמ' ויתפרש לבל יהפוך או יבטל או יפסיק המוסר: (לד) אשרי. לשקוד על דלתותי. הטעם על ההרגל והקביעות בבתי החכמה ולפי שאמר דלתותי אמר מזוזות פתחי וכפל ענין ויתכן לפרש פתחי פתחי החכמה ודלתותיה ומזוזותיה הם התחבולות שבכל חכמה והם המושכלות הראשונות ומהם יתחברו ההקשות ולהם יחזרו התולדות הצודקות וזה טעם לשמור: (לה) כי מצאי מצא חיים. כוללת חיים גופנים למה לי חיים בריאות חיי בשרים מה לעני יודע להלך נגד החיים ומזון וחיים לנערותיך וחיי הנפש ראה נתתי לפניך היום את החיים ואת הטוב ופירוש מוצאי משיגי חיים והטעם על אשר נכנס בשלום על דרך הפתחים: ויפק רצון מה'. השיג רצון מאת בוראו: (לו) וחוטאי חומס נפשו. כמו אשר חטא על הנפש שהיא דרך פשיעה או

## מנחת שי

זה השני מלא וא"ו וכן במסורת ב' בענין חד חסר וחד מלא: (לד) אשרי אדם. כן הוא בספרי ספרד בשני מאריכין כמ"ש בריש ספרא: (לה) מצאי חיים. מצא קרי: (לו) וחטאי. געיא בפ"ס:

## רלב"ג

עת משמחת אני לפניו והיא עלמותו והשגחתו וכמה שאפשר בדברים העלונים מהתבונה אשר אצל הש"י: (לא) משחקת בתבל. אני משמחת האנשים בתבל ארצו. ושעשועי הם את בני אדם כי הם שמחים מאד במה שישיגו מעניני: (לב) ועתה בנים שמעו לי. ואשרי מי שישמרו דרכי: (לג) שמעו. תחלה מוסר המדות ואחר זה חכמו בחכמה ואל תבטלו מהשקידה על החכמה. או ירצה בזה אל תפרעו אלו הדרכים שלויתי אתכם שהם מסלול ודרך להשגת החכמה: (לד) אשרי אדם שומע לי. להמשך אל מה שהורהו אל השגתי וזה כשישקוד על דלתותי תמיד לשמור מזוזות פתחי עם שיתבאר לו באי זה פתח יכנס בדרש דרוש: (לה) כי מוצאי מצא חיים. כי מי שמצא אותי מצא חיים נצחיים ויוציא רצונו מהש"י ר"ל שהוא יהיה נעזר בו בכל חפצו: (לו) וחוטאי חומס נפשו. ואשר הוטא לי שלא

## מצודת דוד

היא אהובה לאביה: (ל) משחקת. אני היא המשמחת אנ"ש בתבל ארצו ושעשוע היא עם בני אדם ר"ל המה שמחים בי ואני בהם: (לב) ועתה בנים. הואיל ואני חשובה כל כך מן הראוי שתשמעו לי ואשרי לאלו אשר ישמרו דרכי: (לג) שמעו. בתחלה שמעו המוסר להיות יראת ה' על פניכם ואחר כך למדו חכמה ואז בודאי לא תבטלו את החכמה הואיל ותקדים לה היראה: (לד) לשקד. למהר לבוא אל דלתותי בכל יום ולשבת בקבע במזוזות פתחי כדרך השומר אשר יושב ומשמר בקבע: (לה) ויפק. ומוציא רצון מה' ר"ל ה' יהיה מרוצה לו: (לו) וחטאי. אבל החוטא לי וממאס בי

## מצודת ציון

והתעסקות בו כמו והיו מלכים אומניך (שם מ"ט): שעשועים. ענין התעסקות לשמוח: (לג) ואל תפרעו. אל תבטלו כמו תפריעו את העם (שמות ה'): (לד) לשקד. ענין מהירות כמו כי שוקד אני (ירמיה א'): (לה) ויפק. ויוציא כמו יפיק תבונה (לעיל ג'):

expressed by *Rambam* (*Hil. Rotzeach* 7:1), ". . . the lives of those who possess wisdom and seek it, without the study of the Torah, are regarded as death."

36. **But he who sins against me, etc.**—He who sins against me and rejects me robs his soul, for he destroys it.—[*Mezudath David*]

*Ibn Ezra* explains: But he who is

playing before Him at all times; 31. playing in the habitable world of His earth, and [having] my delights with the children of man. 32. And now, my children, hearken to me, and fortunate are those who observe my ways. 33. Hearken to discipline and become wise, and do not put it to naught. 34. Fortunate is the man who listens to me to watch by my doors day by day, to watch the doorposts of my entrances. 35. For he who has found me has found life, and he has obtained favor from the Lord. 36. But he who sins against me robs his soul; all

**of His earth**—*All the generations of the wicked that were from Adam to Noah and from Noah to Abraham, I was laughing at them.*—[*Rashi*]

**and [having] my delights**—*I waited until the generation of the desert came and accepted me.*—[*Rashi*]*

32. **And now, my children**—Because I am so important, it is proper that you listen to me, and fortunate are those who observe my ways.—[*Mezudath David*]

*Ibn Nachmiash* explains this verse in conjunction with (Prov. 3:17): "Its ways are ways of pleasantness."

33. **Hearken to discipline, etc.**—First listen to discipline to gain the fear of God, and then learn wisdom.—[*Mezudath David, Ibn Nachmiash*]

**and do not put it to naught**—Heb. תִּפְרָעוּ, *and do not put my discipline to naught.*—[*Rashi*] As discipline precedes wisdom, you will not put the wisdom to naught.—[*Mezudath David, Ibn Nachmiash*] This parallels the Rabbinic maxim: He whose fear of sin precedes his wisdom, his wisdom will be preserved.—[*Avoth* 3:11]

34. **to watch**—Heb. לִשְׁקֹד.—[*Rashi*] *Mezudath David* explains: to hasten to my doors every day and to sit habitually within the doorposts of my house like the watchman who stations himself by the door to watch.—[*Mezudath David*]

**by my doors**—[to be the] *first to enter into the study hall and the synagogue and* [the] *last to leave.*—[*Rashi*]*

35. **For he who has found me has found life**—This is a continuation of the preceding verse, as is explained by the Talmud: Said Rabbi Joshua to his sons, "Come early and stay late in the synagogue in order that you be blessed with longevity." Said Rabbi Chama bar Chanina, "On what verse is this based? 'Fortunate is the man who listens to me to watch by my doors day by day, to watch the doorposts of my entrances,' and immediately afterwards, it is written, 'For he who has found me has found life.' "—[*Ibn Nachmiash* from *Ber.* 8a]

This verse may also mean that he who has found wisdom has found true life.—[*Meiri*] This idea is best

משנאי אהבו מות: ט א חכמות בנתה
ביתה חצבה עמודיה שבעה:
ב טבחה טבחה מסכה יינה אף ערכה
שלחנה: ג שלחה נערתיה תקרא

דחטי עלי מחבל נפשה
וכולהון שנאי רחמי
למותא: א חכמתא בנת
ביתה ועתדת ביה
שבעא עמודין: ב ונכסת
נכסתא ומזגה חמרה
וסדרת פתורהא:
ג ושדרת טליתהא
דתקרין על גיב רמתא

ה"א משנאי. שבת קיד פרוכין לט מגלה כח: בנתה. סנהדרין לח עקידה שער סח: חצבה. שבת קיז חגיגה יב: טבחה. סנהדרין לח ע"ג נח עקידה שם (סנהדרין כב): שלחה. סנהדרין לח עקידה ש"ח:

**רש"י**

ט (א) **חכמות בנתה ביתה.** בחכמה בנה הקב"ה את העולם: **חצבה עמודיה שבעה.** שבעה ימי בראשית. דבר אחר שבע ספרים שיש בתורה ויהי בנסוע האחרון ספר לעצמו במס' שבת: (ב) **טבחה טבחה מסכה יינה.** מזגה במים כמו יין הזק שאינו ראוי לשתות הי': **אף ערכה שלחנה.** כל יצירת לה ויבש: (ג) **שלחה**

**עשינתא**

**מנחת שי**

ט (ג) נערתיה. הע"ין בחטף פתח:

**אבן עזרא**

מלשון קולע אל השערה ולא יחטיא והטעם על אחר לא השיג החכמה הסך המולא והוא על הלומד בדרך שבוש שחומס נפשו מן האמת. וכל משנאי הם השונאים ההכמה ואין לומדי אותה כל עקר. או פי' והוטאי הפושע והמורד כי כלומר השם מגמתו לדבר אחר חומס נפשו כי גורם לה ההעדר. וכל משנאי אהבו מות כפל ענין והאמר אהבו מות כדרך ויאהב קללה ותבואהו:

ט (א) **חכמות בנתה ביתה.** כמו בנות לעדה: **חצבה עמודיה.** ל' מוהאל מחולבי אבן והטעם על השוואת העמודים בחליכה ובזולתה מן התיקון ויתכן לפרש שאמר חכמות להודיע שההכמה בנתה ביתה מהכמות שבע וזה טעם חלבה עמודיה שבעה והם עמודי הבית והוא הביאור לאמר הכמות בנתה ביתה ובית לשון נקבה או עמדיה שבעה עמודי החכמה והעמודים הם שבע החכמות שבית החכמה נכון עליהם ויש מפרשים אלה השבעה על ענינים אחרי' וכל אחד בוחר לעצמו והאמת יורה דרכו: (ב) **טבחה.** הוא לשון זביחה נהשבנו כלאן טבחה וגם ל' בישול לרקחות ולטבחות ולאופות ושניהם מכוונים מלשון ערב בניקוד הטי"ת לזביחה ובניקוד החי"ת לבישול: **מסכה.** כמו מזגה וכן יין מזוג יין מסוך והוא תערובת המים עמו וזהו תיקונו לשתיה כבישול למזון: (ג) **שלחה נערותיה תקרא על גפי מרומי קרת.** כמו גבי כי אותיות בומ"ף מתחלפות. קרת תרגום עיר והטעם ששלחה נערותיה מכל צד והיה גם

**רלב"ג**

ילך במוסרי להתישר להשגתי הוא עושק השלימות מנפשו וכל מי שישנא אותי וירחיקני הוא אוהב המות והנפסד המוחלט כי אליו דרכו נפי שמי שישנא התבונה ישנא גם כן החכמה וזה בלתי צריך אל באור: (א) הכמות בנתה ביתה. הנה התבונה בנתה ביתה בחכמות כי השגת החכמות קודמת להשגת הבינה וגם חצבה עמודיה שבעה ר"ל הכמות רבות כי מספר השבעה יאמר על הרבוי כאמרו כי שבע יפול צדיק וקם הנה החכמות שם עמודי הבינה: (ב) טבחה. ואחר זה הכינה מאכל ומשקה לאנשים מהחכמות ותבונה: (ג) שלחה נערותיה. נא"ם והיא

**מצודת ציון**

ט (א) **חצבה.** ענין כריתה וחתוך הנופל באבנים: (ב) **מסכה.** ענין מזיגת היין במים כמו למסוך שכר (ישעי' ה'): **ערכה.** ענין סדור: (ג) **גפי.** ענין כנף ורבותינו ז"ל עד בין אגפים (חולין מ"ו) ורוצה לומר במקום גבוה שהעוף יפרח שם באגפיו:

**מצודת דוד**

הוא בעצמו גוזל נפשו כי מאבדה: **כל משנאי וגו'.** כפל הדבר במלות שונות:

ט (א) **חכמות.** כל אחת מן החכמות בנתה בית לעצמה: **חצבה.** בנויה על הרבה עמודים ומלובים המה זה כזה בהשואה גמורה והוא דבר הנחמד לעין הרואה: (ב) **טבחה טבחה.** שחטה זבחיה ומזגה יינה ואף ערכה שלחנה להאכיל להקרואים: (ג) **תקרא.** כל אחת תקרא על ידי נערותיה על גבהי מרום העיר להשמיע הקול למרחוק:

through intermediaries—the sages, the prophets, and the teachers.

3. **She has sent her maidens**—*Adam and Eve.*—[*Rashi* from *Sanh.* 38a, *Tosefta Sanh.* end of chapter 8] *Another explanation: Moses and Aaron.*—[*Rashi* from *Lev. Rabbah* 11:4]

who hate me, love death."

9

1. Wisdom has built her house; she has hewn her seven pillars.
2. She has prepared her meat; she has mingled her wine; she
has even set her table. 3. She has sent her maidens, she calls

wanting of me—who has not attained wisdom, but studies erroneously—robs his soul of the truth. Those who hate me—who hate wisdom and do not learn it at all—love death.

The Talmud (*Shabbath* 114a) explains the verse to mean "those who cause others to hate me love death," meaning that, if a Torah scholar wears a stained garment, thereby causing others to hate the Torah, he is liable to death by the hands of heaven.

1. **Wisdom has built her house**—*With wisdom has the Holy One, blessed be He, built the world.*—[*Rashi* from *Sanh.* 38a]

**she has hewn her seven pillars**—*The seven days of Creation.*—[*Rashi* from above source] Although the world was created in six days, it was still lacking rest, until the Sabbath arrived along with rest. Therefore, Scripture states (Gen. 2:2): "And God completed on the seventh day."—[*Tos.* ad loc.] *Another explanation: This refers to the seven books of the Torah,* since (Num. 10:35f.) *"And it came about when the ark traveled . . ." is an individual book, as is stated in tractate Shabbath* (116a).—[*Rashi*] The Talmud states that Rabbi [Yehudah HaNasi] believes that the inverted "nun"s surrounding these two quoted verses in the Torah scroll indicate that they are an individual book.

2. **She has prepared her meat, she has mingled her wine**—*She has mixed it with water, like strong wine, that is unfit to drink unmixed.*—[*Rashi*] This refers to the seas and the rivers.—[*Sanh.* 38a]

According to the interpretation of the *Gemara* in tractate *Shabbath,* we can explain the verse as does *Ibn Nachmiash,* that this symbolizes the various types of commandments in the Torah. Cf. *Yalkut Shimoni.*

**she has even set her table**—*All creations of liquid and solid.*—[*Rashi* from *Sanh.* 38a] *Malbim* explains that this metaphor pictures wisdom as doing three things: 1) building her house and hewing her pillars, 2) preparing a banquet full of fine food and drink for her guests, and 3) inviting her guests by sending her maidens—not inviting them personally to the banquet. Wisdom is food for the spirit, and supports the heart lest it be swayed by the winds and storms that symbolize various temptations. Wisdom does not come directly to each individual, but

עַל־גַּפֵּי מְרֹמֵי קָרֶת: ד מִי־פֶתִי יָסֻר
הֵנָּה חֲסַר־לֵב אָמְרָה לּוֹ: ה לְכוּ לַחֲמוּ
בְלַחֲמִי וּשְׁתוּ בְּיַיִן מָסָכְתִּי: ו עִזְבוּ
פְתָאיִם וִחְיוּ וְאִשְׁרוּ בְּדֶרֶךְ בִּינָה:
ז יֹסֵר ׀ לֵץ לֹקֵחַ לוֹ קָלוֹן וּמוֹכִיחַ לְרָשָׁע
מוּמוֹ

עַשִׁינָתָא דִנְצִירָן: ד מַן דִשְׁבַר גָאתָא לְוָתִי וַחֲסִיר רַעְיָנָא אֲמַרַת לֵיהּ: ה אֱתוּ אֱכוּלוּ לַחְמִי וְאִשְׁתּוּ חַמְרָא דִמְזַגִית: ו שְׁבוּקוּ מִנְכוֹן חֲסִירוּת רַעְיוֹנְכוֹן וְחִיוּ וְהַלִּיכוּ בְּאָרְחָא דְבִיוּנָא: ז דְרָדֵי מְסִיקְנָא נָסֵיב לֵיהּ צַעֲרָא וּמַכְסְנוּתָא לְרַשִׁיעָא מוּמָא הוּא

ת״א מי פתי. סנהדרין לח: לחמו. ברכות מ חגיגה יד:

## רש״י

נערותיה. אדם וחוה. דבר אחר משה ואהרן: (ד) מי פתי יסור הנה. וילמוד אותה ויהכם: (ה) ביין מסכתי. ביין שמזגתי: (ו) עזבו פתאים. את דרך הפתיות וחיו: ואשרו. ל׳ פעם כמו באשורו אחזה רגלי (איוב כ״ג): (ז) ומוכיח לרשע מומו. מום הוא למוכיח שזה מחרפו ואינו שומע לו זו היא אזהרה שאסור לדבר עם המסיתים

## אבן עזרא

עמהם תקרא במקומות הרמים שבעיר כדי שישמעו הכל: (ד) מי פתי. הפתי הוא אשר לא נקבעו בו הפתיותיות לגמרי ויש תקוה לתיקונו ואמר יסור הנה כלו׳ יסור ממקומו ויבא הנה חסר לב ואמר לו כלומר וכן קראה ואמרה להסר לב: (ה) לכו לחמו בלחמי. בי״ת בלחמי מקום מ״ם וכן בי״ת ביין מסכתי כמו והנותר בבשר ובלחם וטעמם כמו הוי כל צמא לכו למים כי הכל מתוקן לסעודה: (ו) עזבו פתאים. תאר לבעלי הפתיות וטעמו עזבו הפתאים וסורו אלי. פ״א קבוץ שם הפתיות כמו תאהבו פתי בבא כדרך אל תהי מרי כבית המרי ויתכן עוד לפרש שהוא דברי החכמה לנכח הפתאים שאומר להם עזבו דרכיכם פתאים והיו כדרך הרפו ודעו כי אנכי אלהים: ואשרו. פועל מן כונן אשורי: בדרך בינה. ודרך בינה היא החכמות וביתה הבנוי על השבעה עמודים: (ז) יוסר לץ לוקח לו קלון. ר״ל לעצמו כי הלץ היא מן המעוותי׳ שאין תקוה לתקונם: ומוכיח לרשע מומו. חוזר למיסר והוא כפל ענין עם הלוקח לו קלון והטעם הלץ ישנא המסר והרשע ישנא המוכיח ומגלים קלונם ואומרי׳ דברים מכוערים ובזויים. פ״א חוזר לרשע מומו לעצמו וכאילו אמר ייסר לץ ומוכיח לרשע במומו ליקח לו קלון וטעמו כי הרשע כל מעשיו נכוחים בעיניו או שהוא עצמו מכיר במומו ואינו רוצה שיוכיחהו אדם ויתכן עוד לפרש ייסר לץ כשהמיסר מתלוצץ ומרא׳ שחוק ולגנות כשהוא מיסר לוקח לו קלון כי היוסר שמיסרו ומוכיחו להרפתו ולבשתו ולכן

## מנחת שי

(ד) מי פתי. רפי הפ״א: חסר לב אמרה לו. הדין קדמאה חסר. אמרה בלא וא״ו ואידך דלקמן ואמרה לו בוא״ו והוא חד מן ח׳ זוגין מן ב׳ כהד ענינא מתחלפים קדמאה לא כתיב וא״ו ותניינא כתיב וא״ו וסימניהון במסורה רבתא אות׳: (ה) בלחמי. הבי״ת בגעיא וברוב הס׳ החי״ת בשוא לבדו: (ו) פתאים. האל״ף נחה והיו״ד נעה

## רלב״ג

ותקרא על כנפי מרומי העיר כדי שישמעו כלם דבריה: (ד) מי פתי יסר הנה. לקנות מוסר וחכמה ומי חסר שכל ויבא להשלימו: (ה) לכו אכלו בלחמי ושתו ביין מסכתי והכינותי לכם: (ו) עזבו דרך פתאים וחיו. ודרכו בדרך בינה להגיע אל זה מדרגה אחר מדרגה והנה זכר זה החכם לאיזו סבה לא אמרה דבריה כי אם לפתי ולסכל לא ללץ ולרשע ואמר כי מי שהוא יוסר האיש הלץ לוקח לו קלון כי היא

## מצודת דוד

(ד) מי פתי. ותאמר מי פתי שאין בו תבונה להבין מאכל יסור מן מקומו ויבא הנה וכן תקרא לחסר לב מכל וכל ותאמר לו: (ה) לכו לחמו. אם אין לכם משל עצמיכם בואו הנה ואכלו בלחמי ושתו ביין אשר מזגתי אני והוא ענין מליצה לומר הלא חכמת התורה היא נחמדת מאירת עינים ומוכנת דעת להנוגים בה וכאילו מכרזת ואומרת כל הרוצה ללמוד יבוא וילמוד ואם לפנן לבו משכל אני אשכילנו דעה: (ו) עזבו. לזאת אתם פתאים עזבו דרכיכם ותחיו ולעדו מעתה בדרך בינה: (ז) יסר לץ. ר״ל אכל את הלץ ואת הרשע לא אוכיח כי המוכיח את הלץ לוקח לעצמו קלון כי יתלוצץ בו ויבזהו והמוכיח לרשע מביא מום על עצמו כי ישיב לו אף אתה כמוני

## מצודת ציון

קרת. מלשון קריה ועיר: (ה) לחמו. אכלו לחם ולתוספת ביאור אמר בלחמי וכן מספף אחרה (ישעי׳ י׳): (ו) ואשרו. ולעדו כמו ואשר בדרך לבך (לקמן כ״ג):

*sion of stepping, as in* (Job 23:11): "To his steps (בַּאֲשֻׁרוֹ) *my foot was held fast.*"—[*Rashi*]

7. **He who chastens a scorner, etc.**—But the scorners and the wicked I will not reprove; the one who reproves the scorner takes disgrace for himself, for the scorner will mock and despise the reprover.—[*Mezudath David*]

**and he who reproves a wicked man, that is his blemish**—*It is a blemish to the one who reproves* [him], *for this one berates him and does not heed him. This is a warning that it is forbidden to talk with those who entice*

on the wings of the heights of the city, 4. "Whoever is simple, let him turn in here." To the one devoid of sense, she says to him, 5. "Come, partake of my bread and drink of the wine I have mingled. 6. Leave, you simpletons, and live, and step in the way of understanding." 7. He who chastens a scorner takes disgrace for himself, and he who reproves a wicked man, that is his blemish.

**on the wings**—On a high place, where a bird flies with its wings.—[*Mezudath Zion*] There wisdom announces through her maidens to make her voice heard from afar.—[*Mezudath David*]

4. **"Whoever is simple, let him turn in here"**—*and learn it and become wise.*—[*Rashi*] Whoever is simple, without understanding to prepare food, let him turn away from his place and come here, and so she calls to one devoid of sense and says to him . . .—[*Mezudath David*]

**To the one devoid of sense, she says to him**—lit. *devoid of heart.* The Sages explain this to mean a person lacking in faith, for one who does not engage in the Torah is lacking in faith, and is wholly blemished. The heavenly Torah calls such a person "devoid of heart."—[*Zohar, Kedoshim* 80a]

5. **partake of my bread**—If you have nothing of your own, come here and partake of my bread—symbolizing the wisdom of the Torah, which is precious, bringing light to the eyes and bestowing knowledge upon those who study it. It is as if to say, "Whoever wishes to learn shall come and learn, and if his heart is devoid of sense, I will bestow sense upon him."—[*Mezudath David*]

**of the wine I have mingled**—Heb. מָסָכְתִּי.—[*Rashi*] [*Rashi* wishes to illustrate that the root מסך is equivalent to the root מזג, whose definition is known. The second and third radicals of each root are interchangeable, as the "sammech" and the "zayin" are dentals, and the "chaf" and the "gimmel" are palatals.]

The bread symbolizes the written Torah, and the wine symbolizes the oral Torah, indicating that one must study both of them.—[*Zohar, Ekev* 271b] Just as bread is ready to eat, so is the written Torah ready to learn. Wine, however, requires mingling. So is the oral Torah, embodied in the Mishnah, a combination of many laws, written in various places in the Pentateuch and combined into one rule in the Mishnah.—[*Gra*]

6. **Leave, you simpletons**—*the way of simplicity and live.*—[*Rashi*] Accordingly, this is an ellipsis. *Ibn Ezra,* however, suggests two other renderings: 1) Leave the simpletons; 2) leave simplicity.

**and step**—Heb. וְאִשְׁרוּ, *an expres-*

מומו: ח אל-תוכח לץ פן-ישנאך הוכח
לחכם ויאהבך: ט תן לחכם ויחכם
עוד הודע לצדיק ויוסף לקח:
י תחלת חכמה יראת יהוה ודעת
קדשים בינה: יא כי-בי ירבו ימיך
ויוספו לך שנות חיים: יב אם-חכמת
חכמת לך ולצת לבדך תשא: יג אשת

ליה: ח לא תכוס
למסקנא דלא נסנך
אכים לחכימא
דנרחמך: ט אליף
לחכימא ויתחכם הוב
אורע לצדיקא ויוסף
מנדעא: י שירוי
דחכמתא דחלתיה
דאלהא וידיעתא
דקדישי ביונא:
יא מטול דבה נסגון
יומתך ויוספון לך
שנא דחיי: יב אין
חכימתא לנפשך
חכימתא ואם תהוי ממיק בלחודיך תטען: יג אתתא סכלתא ופרידתא שברתה ולא

ת"א אל תוכח. יבמות סה ערכין טז: עקידה שער סה: תן לחכם. שבת קיג ערכין שם יבמות ב' סוטה יח קדושין סד: חכמת. ע"ג יח זוהר ויקרא:

**רש"י**

לעביד אלילים מעובדי כוכבים ואפי' להוכיחם ולקרבם: (ט) תן לחכם ויחכם עוד. לתלמיד הגון (שנה) ומדרש אגדה נאמר לנח מכל הבהמה הטהורה וגו' (בראשית ז') וכשיצא ויקח מכל הבהמה וגו' (שם ח') אמר מה ראה הקב"ה להרבות באלו אלא שרצה שאקריב מהן: הודע לצדיק. ההכמה והוא יוסף לקח מדעתו ועל שמועתו: (י) ודעת קדושים. היא עיקר הבינה: (יא) ויוסיפו לך שנות חיים. שנים של חיים הם של פרנסה ועושר:

**מנחת שי**

כמ"ש בתהלים קי"ז: (ח) ויאהבך. בכול הספרים האל"ף בחטף סגול: (יב) לבדך תשא. הלמ"ד בגעיה:

**אבן עזרא**

יהרפהו וכן מוכיח לרשע ומגלה לו מומו לוקח לו קלון כי הרשע יהרפהו ואילו היה צדיק לא היה מחרפהו הואיל ואומר לו דרך מוסר ולא דרך ליצנות: (ח) אל הוכח לץ פן ישנאך. כי הוא חכם בעיניו: הוכח לחכם ויאהבך. כי הוא חפץ בתיקון מדותיו ואין מחזיק עצמו חכם והם שני הפכים: (ט) תן לחכם. הוסיף לבאר יתרון החכם על הכסיל והטעם כי החכם יחכם מעצמו במה שיותן לו וכן הצדיק יוסיף לקח על אשר יודיעוהו והוא כפל ענין: (י) תחלת חכמה יראת ה'. כטעם ראשית חכמה יראת ה': ודעת קדושים בינה. טעמו ותחלת הבינה דעת קדושים ודעת קדושים פירשוהו של הש"י כאמרו כי אלהים קדושים והטעם כי תחלת תולדת הבינה היא מציאות השם ויתכן לפרש דעת קדושים היא השגת מציאות השכלים הנפרדים והרוחניות כלם כי ידיעת מציאותם עיקר הבינה וממנה יעלה למציאות המעלה העליונה וכמו שאם אין יראה אין חכמה כן אם אין דעת אין בינה: (יא) כי בי. דברי החכמה הקוראה וטעם כי בי כמו בגללי ובסבתי ירבו ימיך: ויוסיפו לך. פירשוה שחוזר ליראה ולדעת הנזכרת ויתכן שטעם ויוסיפו לך חסר הפעלי' כמו ויקבור אותו בגיא והטעם על פרעי החכמו' והמוסרים כי הם יוסיפו שנות חיים כטעם כי היא חייך ואורך ימיך: (יב) אם חכמת חכמת לך. כטעם אם תצדק מה תתן לו: ולצת. הוא הפך חכמת: לבדך תשא. טעמו לבדך תשא העון או העונש כי סמך על דעת הקורא וכא ולצת כמו ולמית והלכת אל הכלים שטעמו ואם למית וכן זה: (יג) אשת כסילות הומיה. בעלת כסילות הומיה פתיות

**רלב"ג**

יו' עי"ג על החכם המייסר אותו ומי שהוא מוכיח לרשע לוקח מומו כי הרשע יאמר עליו שיש לו המומין שיש לו בעצמו: (ח) אל תוכח לץ פן ישנאך. אך תוכיח לחכם ויאהבך: (ט) תן לחכם ויחכם עוד. דבר חכמה ויחכם עוד בה על מה שתתן לו ממנה כי מצד חכמתו יוסיף עליו להשלים החקירה בה או ירצה בזה והוא יותר נכון תן לחכם דבר חכמה כדי שיוסיף קנין במדות החשובות: (י) תחלת החכמה והבינה היא תחלת דעת קדושים כי בבינה יתישרו לדעת עולם המלאכים. וזהו פריה אמרה הבינה הנה כי בי ירבו ימיך ויוסיפו לך שנות חיים וזה יהיה לשתי סבות האחת כי בהם יתישר אל המדות החשובות אשר שומרות האדם מרעות הרבה והשנית כי מפני דבקות ההשגחה האלהית באדם מצד הבינה ישמר מהרבה רעות וזה יהיה סבה שיוסיף על ימיו הנה: (יב) אם חכמת חכמת לך ולצת לבדך תשא. ר"ל שהתועלת הוא לך וכן אם נלצת לבדך תשא הנזק: (יג) אשת כסילות. מגבהת קולה ואשת הפתיות ובל ידעה מה תאמר לפתות האנשים שימשכו

**מצודת דוד**

ופוגע בכבודו ולזה אין לו פסק ממהם: (ח) פן ישנאך. כי הוא חכם בעיניו ודמה ישפה לפניו: ויאהבך. כי הוא חפץ בתקון מדותיו ולומד מכל אדם: (ט) תן לחכם. רצה לומר אמור לו דברי חכמה ויתחכם מדעתו עוד יותר: הודע לצדיק. משמרת הצדק ויוסף לקח. מדעתו יוסיף ליעוד לעשות משמרת למשמרת: (י) תחלת וגו'. יראת ה' היא תחלת החכמה כי היראה מביאה לידי חכמה: ודעת קדשים בינה. לקדש עצמו במותר לו מביא לידי בינה: (יא) כי בי. בעבור עסק החכמה ירבו ימיך והימים האלה יוסיפו לך שנות חיים כי ברבות הימים תרבה במעשים טובים ויתוסף לך בזה שנות חיים בעולם הבא: (יב) חכמת לך. החכמה תהיה לך לתועלת: ולצת. ואם תתלוצץ באנשים אתה לבדך תשא עונש: (יג) אשת כסילות. הנה אשה סכלה תהמה בקולה והיא פתיות

great avail to you.—[*Mezudath David*] You are doing God no favor.—[*Ibn Ezra*] You will receive great reward.—[*Midrash*]

in these many days, you will do many good deeds, which will increase your years in the hereafter.

12. **you have become wise for yourself**—The wisdom will be of

**and if you scorn, you will bear it**

8. Reprove not a scorner lest he hate you; reprove a wise man
and he will love you. 9. Give a wise man, and he will become
yet wiser; teach a righteous man, and he will increase in learn-
ing. 10. The beginning of wisdom is the fear of the Lord, and
the knowledge of the holy ones is understanding. 11. For with
me shall your days increase, and they will add to you years of
life. 12. If you have become wise, you have become wise for
yourself, and if you scorn, you will bear it alone.

*to worship idols, even to reprove them and to draw them near.*—[*Rashi*]

8. **lest he hate you**—for he is wise in his own eyes, and he feels that his way is proper.—[*Mezudath David, Ibn Nachmiash*]

Rabbi Ilai said in the name of Rabbi Yehudah bar Shimon: Just as it is meritorious for a person to say something that will be accepted, so is it meritorious not to say something that will not be accepted. Rabbi Abba says: It is obligatory, as it is said: Reprove not a scorner, etc.—[*Yevamoth* 65b]

**reprove a wise man and he will love you**—A wise man once said: A companion who tells me my faults whenever he meets me is better for me than a companion who gives me a golden dinar whenever he meets me.—[*Ibn Nachmiash*]

Said Rabbi Yochanan ben Nuri: I summon heaven and earth to bear witness that many times Rabbi Akiva was lashed because of me, for I would complain about him before Rabban Shimon ben Gamliel, and I surely instilled him with love for me, as Scripture states: "Reprove a wise man, and he will love you."—[*Arachin* 16b]

9. **Give a wise man, and he will become yet wiser**—*To a worthy pupil, and the Midrash Aggadah* (*Tanchuma, Vayakhel* 6) states: *It was said to Noah, "From every clean animal, etc."* (Gen. 7:2), *and when he went out, "And he took from all clean animals, etc."* (ibid. 8:20). *He said, "What did the Holy One, blessed be He, see to increase the number of these? It is only that He wished that I offer up some of them."*—[*Rashi*]

**teach a righteous man**—*wisdom, and he will increase in learning from his own knowledge in addition to what he heard.*—[*Rashi*]

10. **The beginning of wisdom is the fear of the Lord**—For the fear of the Lord leads to wisdom.—[*Mezudath David*]

**and the knowledge of the holy ones**—*is the root of understanding.*—[*Rashi*]

11. **For with me shall your days increase**—Because of the study of wisdom, your days will increase.—[*Mezudath David*]

**and they will add to you years of life**—*Years of life are those of sustenance and wealth.*—[*Rashi*]

*Mezudath David* explains: These days will add to you years of life, for

יָדְעָא מִבְּדָא: יד וְיָתְבָה עַל תְּרַע בֵּיתַהּ עַל כּוּרְסְיָא רָמָא וַעֲשִׁינָא: טו וְקָרְיָא לְעָבְרֵי אָרְחָא דְּתָרִיצֵי אוֹרְחָתְהוֹן: טז מְטוּל מַן דְּשָׁבַר גָּאתַא לְוָתַהּ וַחֲסִיר רַעְיָנָא וְאָמְרָה לֵיהּ: יז מַיָּא גְּנוּבְיָא חַלְיָן וְלַחְמָא דְּטִימוּרָא בַּסִּימָא: יח וְלָא יָדַע דְּגוּבְרֵי אַפְּלַת תַּמָּן

כְּסִילוּת הוֹמִיָּה פְּתַיּוּת וּבַל־יָדְעָה מָּה׃
יד וְיָשְׁבָה לְפֶתַח בֵּיתָהּ עַל־כִּסֵּא מְרֹמֵי
קָרֶת׃ טו לִקְרֹא לְעֹבְרֵי דָרֶךְ הַמְיַשְּׁרִים
אֹרְחוֹתָם׃ טז מִי־פֶתִי יָסֻר הֵנָּה וַחֲסַר־
לֵב וְאָמְרָה לּוֹ׃ יז מַיִם־גְּנוּבִים יִמְתָּקוּ
וְלֶחֶם סְתָרִים יִנְעָם׃ יח וְלֹא יָדַע כִּי־

ה"א על כסא. סנהדרין לט ע"ג יט: מים גנובים. נדרים לא סוטה ז' סנהדרין פה (סוטה מז):

## רש"י

(טז) וחסר לב. (ומי חסר לב): ואמרה לו. הדברים הללו מה אמרה לו: (יז) מים גנובים ימתקו. אין טעם ביאת פנויה כטעם אשת איש אף לענין המלו' (ס"א המינות) מים גנובים ימתקו שהיו יראים לעשות בגלוי ועושין בסתר:

## אבן עזרא

כלו' כל המייתה שענינו פתיות ופתיות דבורה אינו אלא פתיות והאתנח שבמלת הומיה והרביע שבמלת פתיות יעמוד כנגד זה הפירוש ויתכן לפרש כאילו אמר ואשת פתיות וכל ידעה מה כי מלת ואשת תמשת גם למטה ורבים כמוהו והטעם כי אשת כסילות הומיה וסוררת אבל אשת פתיות הומיה אבל מבלי דעת וזהו וכל ידעה מה לפי שאין לה ידיעת מה וחסר כמו ויעבור עלי מה או פירוש מאומה כמו הכמת מה על בלימה וכשיש לה מודיע או תדע מעלמה שתא תזהר ותסור מההמיה וכבר קדם כי כסיל הוא אשר אין תקיה לתיקונו ופתי הוא אשר יש לו תקוה לתיקונו: (יד) וישבה לפתח ביהה. מיכנת לפירענות מבלי בנין בית ועתוד אחר ולא כן מה שאמר בחכמה בנתה ביתה טבחה טבחה מסכה יינה אף ערכה שולחנה והטעם כי החכמה צריכה עתוד והכנה ולא כן הכסילות כי הוא העדר העתוד וההכנה: על כסא מרומי קרת. כי הכסילות יבא בדרך גאוה ולכן יחס לה הכסא והטעם כמו על גפי: (טו) לקרא לעוברי דרך. המישרים ארחותם והולכים לתומם וכוונתה להטעותם הפך קרואי הטועים שכוונתה להישיר דרכם: (טז) מי פתי. לא קראתם כן רק נקראו על שם סופם או תקראם בשם כך להפליג בחסרון הרגשתם עולם עונג וההנאה המגיעים להם עמה ועל שהוצרכה היא לקראם והם לא ידעו ערכה: (יז) מים גנובים ימתקו ולחם סתרים ינעם. כנוי על העברות והניאוף הנעשה בסתר וכל האיתנע היצר להוס אחריו יותר והטעם כי בזה יתפתה לב הפתי והחסר לב: (יח) ולא ידע. הפתי

## מנחת שי

(יג) הומיה. פליגי ספרי אי חסר הוא או מלא וזה תלוי בנסחאות המסרות דהכא אמרינן הומיה ג' ב' חסר וחד מלא וסימן נמסר במ"ג סימן ז' ובישעיה כ"ב אמר ד' מלא ואחד חסר: פתיות. בספרי ספרד התי"ו פתוחה והיו"ד דגושה ויש ספרים שהתי"ו קמולה: (יד) וישבה. הוא"ו בגעיא בספרי ספרד: (טו) המישרים. הה"א סמוכה במאריך בספרי ספרד: (יח) ולא ידע. הוא"ו בגעיא בספרי ספרד:

## רלב"ג

אליה והנה קרא אשת כסילות גוף הכסיל אשר יבקש שלוה ולזה נמנע שכלו מהשתדל בחכמה ובזה ירצה בפתיות גוף הפתי כי השכל לא יפותה כי אם לטוב או ירצה בזה שאשת הכסילות מגבהת קולה ואשת הפתיות וכל ידעה מה תאמר לפתותם כי אין לה שום השתלמות ופרעה: (יד) וישבה לפתח ביתה על כסא מרומי קרת. הפיר כי לסכלות' תחשב חסרונה לשלימות: (טו) לקרא. ושם קרת לעוברי דרך המישרים ארחותם כדרכי העיון: (טז) מי. בכם פתי יסור הנה ומסר שכל. ואמרה לו שיתחבר עמה ולא יטריח עצמו בעיון אשר הוא מזון השכל כי יותר טוב יערב לאדם שיזון במזון האחרים. וזה כי מים גנובים ימתקו. המים הגנובים ימתקו יותר והלחם שיגנוב האדם מאחר שצריך לאכלו בסתר הוא יותר ערב לו ויותר מתיק מהלחם שיקח מביתו וכן תאמר זאת האשה כי הוא ערב יותר לשכל שיתענג בתענוגי הגוף ויניח קנין החכמה: (יח) ולא ידע. מי שהוא נפתה לדבריה כי מתים שם ר"ל בביתה וקרואיה ירדו במעמקי הקבר

## מצודת דוד

ואינה ידעת מאומה והמה כלי דעת: (יד) לפתח ביתה. לראות העוברים דרך עליה: מרומי קרת. על כסא עומדת במרום העיר להשמיע קולה למרחוק: (טו) לעברי דרך. להעוברים שם דרך מהלכם ההולכים באורח מישור בדרכי ה' והוא ענין מליצה לומר שהנפש המתאוות פונה לעבירה ומראה ערבות ותענוג העבירה: (טז) מי פתי. מי הוא הפתי אשר מחסר נפשו מטובה יסור ממקומו ויבוא הנה והשכילו חכמה כי מניעת ערבות העבירה תחשב בעיניה לכסילות: וחסר לב. מי הוא החסר לב המונע עצמו מטובה והוא כפל ענין במלות שונות: ואומרת לו. וכן תאמר לו: (יז) מים גנובים. הלא מים גנובים יותר ימתקו משאינם גנובים ולחם גנוב הנאכל במסתר הלא למאוד יונעם ר"ל אין טעם ההיתר דומה לטעם האיסור ומדוע א"כ מנעת עצמך מהם: (יח) ולא ידע. הנמשך

## מצודת ציון

(יז) ינעם. ענין מתיקות וערבות:

13. The woman of folly is turbulent; [she is] simple and knows nothing. 14. She sits at the entrance of her house on a chair on the heights of the city, 15. to call the passersby, who are going straight on their ways, 16. "Whoever is simple, let him turn in here, and whoever is devoid of sense," and she says to him, 17. "Stolen water is sweet, and bread eaten in secret is pleasant." 18. But he does not know that

**alone**—If you scorn people, you alone will bear the punishment.—[*Mezudath David*]

*Zohar* (*Vayetze* 163a) explains: When a person becomes wise in the Torah, the benefit is his since he cannot add even one letter to the Torah. And if you scorn [the words of the Sages], you will bear the punishment alone, for the Torah will not lose any of its praise, and the scorn will remain with you to cause you to perish from this world and from the world to come.

13. **The woman of folly is turbulent**—She raises her voice and shouts.—[*Ralbag, Mezudath David*]

14. **at the entrance of her house**—to see who is passing by.—[*Mezudath David*]

**on a chair on the heights of the city**—On a chair situated on the heights of the city so that her voice will be heard from afar.—[*Mezudath David*]

15. **who are going straight on their ways**—She calls to those who follow the straight path and keep the commandments of God. This image represents the lustful soul, which seeks to entice the person to sin by leading him to believe that sin is very pleasurable.—[*Mezudath David*]

16. **and whoever is devoid of sense**—(lit. *and one devoid of sense.*)—[*Rashi*]

**and she says to him**—*these words. What does she say to him?*—[*Rashi*]

17. **Stolen water is sweet**—*The pleasure afforded by intimacy with a single woman does not equal that afforded by intimacy with a married woman. Also, regarding the commandments* (other editions: *sectarianism*), *stolen water is sweet, for they were afraid to do it in public, but did it in secret.*—[*Rashi*] [The second version appears more correct, because it is unlikely that the woman of folly should encourage people to perform the commandments in secret. It is more likely that she entices them to perform acts of heresy in secret.]

18. **But he does not know**—The one who is enticed to follow her does not take to heart that that is the place of the shades of the dead; that is to say, whoever follows his desires is destined to die because of them.—[*Mezudath David*]

רְפָאִים שָׁם בְּעִמְקֵי שְׁאוֹל קְרֻאֶיהָ:
י א מִשְׁלֵי שְׁלֹמֹה בֵּן חָכָם יְשַׂמַּח־אָב
וּבֵן כְּסִיל תּוּגַת אִמּוֹ: ב לֹא־יוֹעִילוּ
אוֹצְרוֹת רֶשַׁע וּצְדָקָה תַּצִּיל מִמָּוֶת:
ג לֹא־יַרְעִיב יְהוָה נֶפֶשׁ צַדִּיק וְהַוַּת
רְשָׁעִים יֶהְדֹּף: ד רָאשׁ עֹשֶׂה כַף־רְמִיָּה

וּבְעֻמְקֵי דְשִׁיוֹל כָּל דְמִזַּמְנִין לָהּ: א מַתְלֵוי דִשְׁלֹמֹה בַּר חַכִּימָא נֶחֱדֵי אֲבוּי וּבְרָא סַכְלָא מַחְמֵץ לְאִמֵּהּ: ב לָא מוֹתְרִין אוֹצְרֵי דְרַשִׁיעָא וְצִדְקְתָא מְפַצְיָא מִן מוֹתָא בִישָׁא: ג לָא מַכְפֵּן אֱלָהָא נַפְשֵׁהּ דְצַדִּיקָא וְקִנְיָנָא דְרַשִׁיעֵי נִסְחוּף: ד מִסְכְּנוּתָא מְמַכְּכָא לגברא

ת"א רפאים. ב"ב עב: בן חכם. זוהר אחרי (תענית כז): לא יועילו. ב"ב י' יוהר מקץ: וצדקה. ר"ה טז:

## רש"י

י (א) משלי שלמה בן חכם ישמח אב. זה הקב"ה ד"א אביו ממש: ובן כסיל תוגת אמו. תמיד הוא עם אמו בבית ורואה את שטותו ומגירה ולפי המשל בן כסיל כמו ירבעם בן נבט: תוגת אמו. תינת כניסיותו: (ב) לא יועילו אוצרות רשע. שהוא מתכבה בעברו שנא' (הושע י"ב) ויאמר אפרים אך עשרתי וגו': וצדקה תציל ממות. ואם תאמר צדיק שיזכו נכסיו לצדקה מהיכן יתפרנס: (ג) לא ירעיב ה' נפש צדיק. והות רשעים יהדף. יהדוף אותם והפיל: (ד) ראש עשה כף רמיה. מי שעני בתורה מורה הוראות שקר: כף

## מנחת שי

י (ג) והות רשעים יהדף. בכמה מקראות מהנדפסות באחרונה ראיתי בוגדים ואתקוטטה עם הקוראים כן כי בכל הספרים כ"י ודפוסים ישנים וכן בעברים והרבע גדול כתוב רשעים וכן בתרגום ופרשים ומאיר נתיב וכל המפרשים וזהו א' מהשיבושים שבאו שנפל בדפוס א' כולם טועים אחריו ועל כיוצא בזה אמרו שבשתא כיון דעאל עאל ולפיכך הוצרכתי לכותבו: יהדף.

## אבן עזרא

ההולך אחריה פתאום כי מתים שם בעמקי שאול שם קרואיה ומלת שם רמז לשאול:

נשלם החלק הראשון בספור מעלת החכמה ואזהרותיה ומוסריה: החלק השני:

י (א) משלי שלמה בן חכם ישמח אב. בעבור שהוא יכיר חכמתו: תוגת אמו. כי הכסיל עומד תמיד בבית והאם דואגת בשבילו. או בעבור שהזכיר האב הזכיר האם: (ג) לא ירעיב. בעת הרעב: והות רשעים יהדוף. השם מן הוה להם: (ד) ראש. יהיה מי שיעשה כף

## רלב"ג

והמית כי לא יקנה עמה קנין החיים. זה ביאור דברי זה החלק שהגבלנו ביאורו מזה הספר בזה המקום ואולם התועלות המגיעות ממנו הנה הם ה': התועלת הא' הוא להודיע שלא יספיק לאדם היותו יודע התורה אך יצטרך לו עם זה שיעשה את כל דברי התורה כמו שלוה הש"י ולזה אמר קשרם על אצבעותיך כתבם על לוח לבך: הב' הוא להודיע מה שיקרה מהרע למי שימשך אחר התאוות ולזה אמר הולך אחריה פתאום כשור אל טבח יבוא רבים חללים הפילה דרכי שאול ביתה: הג' הוא להודיע מהות החכמה והתבונה וקלת משיגיהם ותועלתם: הד' הוא להודיע שלא יועיל התוכחה' ללץ ולרשע כי אינם מקבלים מוסר אך יועיל לחכם ולצדיק: הה' הוא להודיע מה שיקרה מהרע מפני הכסילות והפתיות: (א) משלי שלמה בן חכם ישמח אב וגו' עד מגדל עוז שם ה'. והוא מקיף בגנות הרשע והכסילות והלילנות והעצלה והאולת והעקשות והשנאה ושבח הופכיהם. הנה הבן שהוא חכם ישמח אביו כי הוא משער כדבר החכמה יותר מאמו ואמנם הבן שהוא כסיל יביא יגון לאמו מפני חסרון הדעת ויגיע מזה לאמו מהלע' יותר ממה שיקרה ממנו לאביו מפני שהוא ירא מאביו יותר מאמו: (ב) לא יועילו אוצרות. לא יקבל אדם תועלת באוצרות שקבץ ברשע ובעול ואולם הפיזור בצדקה הוא מציל ממות בזכות הצדקה ינצל האדם ממות הנגזר לו מצד המערכת ויאריך הש"י ימיו והפך הענין בקבוץ ממון ברשע: (ג) לא ירעיב ה' נפש צדיק. נפש האיש הצדיק ר"ל שלא יחסר לו מזון ואולם שבר הרשעים והוותם יהדפנו השם עליהם וימהר להביא אליהם. הנה מי שהוא עושה כף וגו': (ד) ראש עושה כף רמיה. כי מפני עצלותו יצטרך לנהג ברמיה לקחת ממון האנשים שלא כדין הוא רש ויד האנשים

## מצודת ציון

י (א) תוגת. מלשון יגון ועצבון: (ג) והות. ענין שבר כמו יעוז בהותו (תהלים נ"ב): יהדף. ענין דחיפה כמו כהנדוף עשן (שם ס"ח): (ד) ראש. עני כמו ראש ועשיר (לקמן כ'): כף. כף.

## מצודת דוד

אחריה אין נותן לב לדעת כי שם הוא מקום הרפאים הם המתים שנרפו ונהגבו ע"י המיתה ר"ל הנמשך אחר התאוה הוא מעוהד למות על ידה: בעמקי. בעומק גיהנם ידדו הקרואים ממנה ובאים לה: י (א) משלי שלמה. לפי שעד כה דבר בשבח התורה וכאלו היא תאמר אמריה ועתה חזר לדבר דבריו כאשר ייסר איש את בנו לכן נאמר שוב משלי שלמה כאלו הוא ספר אחר: ישמח אב. בראותו יושב במושב חכמים: תוגת אמו. כי הכסיל יתמיד לשבת בית עם אמו וככל עת תראה בשטותו ועצבונה מרובה: (ב) אוצרות רשע. האוצרות הנאספות ברשע לא יועילו בעת בוא יום הפקידה כי לא יפדה את נפשו בממון: וצדקה. אבל הצדקה מצלת מן המיתה: (ג) לא ירעיב. כי מזמין לו די מחסורו: והות. השבר שהרשעים עושים הוא יהדף אותם ר"ל העבירה עצמה מבלמת לו גמול רע: (ד) ראש. הכף רמיה עושה את האדם לרש ר"ל השוקל בכף רמיה לרמות את הבריות יעני בעבור זה: ויד חרוצים.

And the desire of the wicked He will cast away. (This appears to be the interpretation according to the Midrash.) He also suggests: And the destruction of the wicked shall hasten.

4. **A poor man makes a deceitful scale**—*Whoever is impoverished in* [his knowledge of] *Torah promulgates false decisions.*—[*Rashi* from an unknown Midrashic source]

**deceitful scales**—*Scales of deceit.*

shades are there; her guests are in the depths of the grave.

10

1. Proverbs of Solomon: A wise son makes his father happy, but a foolish son is the grief of his mother. 2. Treasures of wickedness will not avail, but charity will save from death. 3. The Lord will not starve the soul of the righteous, but the destruction [wrought by] the wicked will cast [them] down. 4. A poor man makes a deceitful scale,

**in the depths of the grave**—Those she calls and who go to her descend into the depths of Gehinnom.—[*Mezudath David*]

1. **Proverbs of Solomon**—From here through chapter 24 is the second collection of Solomon's proverbs. There is no sequence in this section; each verse is an individual proverb, not necessarily related to the one preceding it or following it.—[*Meiri*]

**Proverbs of Solomon: A wise son makes his father happy**—*This is the Holy One, blessed be He (Midrash); another explanation: his actual father.*—[*Rashi*]

**but a foolish son is the grief of his mother**—*He is always with his mother at home, and she sees his foolishness and is troubled. And according to the allegory, a foolish son, like Jeroboam the son of Nebat, is the grief of his mother, the grief of his nation.*—[*Rashi*] Cf. above 1:5, *Rashi;* also *Zohar, Acharei* 74b.

2. **Treasures of wickedness will not avail**—*For he was boasting with his riches, as it is stated* (Hosea 12:9): *"And Ephraim said: Surely I have become rich, etc."*—[*Rashi*]

Treasures accumulated through wickedness will be of no avail when the day of judgment arrives, for he will not be able to redeem himself with his wealth, but if one gives away his money for charity, it will be of great avail—it will save him from death.—[*Rabbenu Yonah, Mezudath David*]

**but charity will save from death**—*And if you ask, "A righteous man who squanders his property for charity—from where will he sustain himself?"*—[*Rashi*]

3. **The Lord will not starve the soul of the righteous**—[This is the answer to the previous question.]

**but the destruction [wrought by] the wicked will cast [them] down**—*It will thrust them down and cause them to fall.*—[*Rashi*] The sin itself casts them down and requites them for their wickedness.—[*Mezudath David*]

*Targum* and *Ibn Ezra* render: And the property of the wicked He will cast away. *Ibn Nachmiash* renders:

וְיַד חָרוּצִים תַּעֲשִׁיר: ה אֹגֵר בַּקַּיִץ בֵּן
מַשְׂכִּיל נִרְדָּם בַּקָּצִיר בֵּן מֵבִישׁ:
ו בְּרָכוֹת לְרֹאשׁ צַדִּיק וּפִי רְשָׁעִים
יְכַסֶּה חָמָס: ז זֵכֶר צַדִּיק לִבְרָכָה וְשֵׁם
רְשָׁעִים יִרְקָב: ח חֲכַם־לֵב יִקַּח מִצְוֹת

ת"א אוגר. סנהדרין ז' עקידה שער כח: ברכות. זוהר ויצא: זכר. יומא לח תענית כח (שקלים מת תענית יח): ירקב יומא לח תענית כח: חכם לב. סוטה יג:

**תרגום**

וגַבְרָא רַמְיָא וִידָא
רְכַשְׁרָא מְעַתְּרָה לְהוֹן:
ה דְפָלַיחַ בְּקַיְטָא בְּרָא
סוּכְלְתָנָא הוּא וּדְדָמֵיךְ
בְּחַצְדָא בְּרָא מְבַהֲתָנָא
הוּא: ו בִּרְכָתָא תֶּהֱוְיָן
עַל רֵישֵׁי דְצַדִּיקַיָא
וּבְפוּמְהוֹן דְרַשִׁיעֵי נְכַסֵּי
חֲטוּפָא: ז דוּכְרָנָא
דְצַדִּיקֵי בִּרְכְתָא וּשְׁמָא
דְרַשִׁיעֵי נִרְעַךְ:
ח דְחַכִּים לְבֵיהּ יְקַבֵּל

## רש"י

**רמיה.** מאזנים של רמיה לפי פשוטו משמע בתגרים: **ויד חרוצים.** ישרים שחורצים דבר באמתו ומשפטו בלא עולה: (ו) **ופי רשעים יכסה חמס.** החמס יכסה על פיהם ויהרגם: (ז) **זכר צדיק לברכה.** המזכיר צדיק מברכו: **ושם רשעים ירקב.** רקבון עולה בשמם שאין אדם חפץ להזכיר שמו והוא משתכח מאליו: (ח) **חכם לב יקח מצות.** (זה) משה רבינו שכל ישראל היו עוסקין בביזת מצרים והוא היה עוסק במצות שנאמר (שמות י"ג)

## אבן עזרא

מאזנים לרמות. המתהלכים וסוחרים ואינם מרמים ידם תעשירם. פירוש אחר כף רמיה עושה לאיש רש: (ה) **בן מביש.** שיתן לאביו בושה בעבור שהוא עצל: (ו) **ברכות.** יביא השם לראש צדיק. פ"א ברכות לראש צדיק בחיים וזכר צדיק לברכה לאחר מותו: **יכסה.** יסתיר החמס שלא יפרידהו ממנו כמו יכחידנה תחת לשונו והטעם יעלימו הרעה וכן פי רשע יבלע און: (ז) **זכר צדיק.** יזכרהו השם בעבור ברכתו שתבואהו כענין ה' זכרנו יברך והטעם יזכרהו ויברכהו: **ירקב.** יהיה נשכח כעץ רקבון שלא יעלה: (ח) **חכם לב.** שהחכמה בלבו: **יקח מצות.** שילמדוהו

## מנחת שי

ספרים שלפני היו"ד בסגול חוץ מדפוס נאפולי שהוא בפתח ורד"ק כתב בשרשים כי מלא חילוף זה בין הספרים המדוייקים:

## רלב"ג

החרולים הנוהגים בזריזות לאסוף ולכנוס באופן ראוי תעשיר אותם. הנה הבן המשכיל ומשגיח לעשות מה שראוי הוא אוגר בקיץ: (ה) אוגר בקיץ. מאכלו כי אז ימצא לו ואולם הבן המביש ר"ל שהוא מאוחר התנועה ועצל הוא נרדם בקציר ולזה יחסר לו לחם כל השנה: (ו) ברכות לראש לצדיק. לראש לצדיק יבאו ברכות והוא הלב כי תמיד יחשוב בענין הטובות והם המפורסמות לאנשים בדבריו ומעשיו או ירצה בזה לראש הענין והתחלתו יגלה הצדיק הברכות שהוא דורך אליהם בפעולותיו והנה הרשעים הם בהפך זה כי לבם תמיד ברשע ובחמס אבל פיהם יעלים ויכסה החמס שירצו לעשותו ולא יגלוהו כי אם יגלו החמס שהם דורכים אליו ימנע מהם אשר יזמו לעשותו. או ירצה בזה כי מה שיתחיל בו הצדיק ימשכו לו ברכות תמיד ויתוספו בו טובות ועוזרים להגיע אל התכלית לפי שכוונתו תמיד לטוב ולהטיב לאנשים ולזה יש לו לבטוח לראש הענין והתחלתו שימשכו אליו ברכות כי אם ידעו זולתו מחשבתו כלם יעזרוהו ואולם הרשעים הם בהפך זה כי תמיד יראו שלא יוכלו להשיג הדבר המבוקש להם אם ידעו זולתו ולזה יעלמו מה שירצו לעשותו מן החמס ולזה יהיה גמולם מדה כנגד מדה והוא כי זכר לצדיק לברכה וגו': (ז) זכר לצדיק לברכה. כי תמיד יהיה נוסף ענין הטוב והשלמתו בזכרו ואולם שם רשעים ישחת וישיגהו הבלוי כמו שיכסה פיהם החמס שירצו לעשותו. הנה אויל יקרא מי שלא ינהג בבקשת הדברים בסבותיהם ולזה תסלף דרכו אולתו ולא יגיעו לו מבוקשיו ולזאת הסבה ג"כ ימהר האויל לדבר בטרם יעמוד בשכלו על האמת והנכון במה שידבר בו ומפני זה יקרא האויל אויל שפתים ואמנם חכם לב יקח למצות ומלות וסדרים יתנהג במה שירצה לעשותו כדי שיתישר אל התכלית ואמנם אויל שפתים הוא נמהר לעשות מחשבתו ויעשה מה שיעשה בזולת התישבות הנה מי שהוא הולך בדרכי תום ילך בטח אין לו מונע מן האנשים וגם נעזר בפעולתו הטובה מהש"י ואולם מי שהוא מעקש דרכיו והולך לעשות חמס יודע ענינו ואע"פ שהוא מעלים ענינו בכל עוז ולזה יסור

## מצודת דוד

אבל היד של הזריזים המתנועעים וטורחים על מזונם ואין מספיקים לשמות הנה היד ההיא תעשיר את בעליה: (ה) **אגר.** ר"ל בן משכיל דרכו לאסוף גרנו בימי הקיץ ועושה כל דבר בזמנו: **בן מביש.** אבל הכסיל אשר כל דבר בושה נמצא בו דרכו להיות נרדם בעת הקציר ואין עושה שום דבר בזמנו: (ו) **ברכות לראש צדיק.** יבואו ברכות: **יכסה חמס.** החמס שעושה יכסה את פיהם למען יחנקו בה ר"ל העבירה עצמה נפרעת ממנו: (ז) **זכר צדיק.** זכרון הצדיק היא לברכה כי בכל עת יזכרו בו יברכוהו: **ירקב.** על כי אין רצון של הבריות לזכרו נשכח שמו כאלו נרקב: (ח) **יקח מצות.** יקחם

## מצודת ציון

המאזנים: **חריצים.** ענינו תנועה וזריזות כמו אז תחרץ (שמואל ב' ה'): (ה) **אגר.** ענין אסיפה כמו אגרה בקציר (לעיל ו'): **נרדם.**

7. **The mention of a righteous man is for a blessing**—*Whoever mentions a righteous man blesses him.*—[*Rashi*]

**but the name of the wicked shall rot**—*Decay develops in their name, for no one wishes to mention his* [the wicked man's] *name, and it is automatically forgotten.*—[*Rashi*] *Ibn Ezra* renders:

**The remembrance of the righteous is for a blessing**—God will remember the righteous for the blessing that He will bestow upon him.

8. **The wise-hearted takes commandments**—*This alludes to our*

and the hand of those who make true decisions will make [them] rich. 5. An intelligent son gathers in the summer, whereas an embarrassing son sleeps soundly during the harvest. 6. Blessings [shall come] upon the head of a righteous man, but violence shall cover the mouth of the wicked. 7. The mention of a righteous man is for a blessing, but the name of the wicked shall rot. 8. The wise-hearted takes commandments,

*According to its simple meaning, it refers to merchants.*—[*Rashi*]

**and the hand of those who make true decisions**—*The upright, who decide a matter truly and justly without injustice.*—[*Rashi*] [According to the simple meaning, it refers to the honest merchants, who do not make any false claims but present their merchandise as it actually is.]

*Ibn Ezra* renders: He who makes a deceitful scale shall become poor, but the hand of the diligent—those who work hard and earn their living without deceit—shall make them rich. This interpretation is followed by *Mezudath David* and *Ibn Nachmiash.* The latter also suggests: A deceitful *hand* makes one poor, etc. He further notes that the word רָאשׁ, *poor,* is spelled with an "alef," yielding a word usually pronounced רֹאשׁ, *a head,* denoting that the deceitful, even if he is a head, a leader in the community, will eventually become poor.

5. **An intelligent son gathers in the summer**—An intelligent son gathers his grain in the summer; he does everything in its proper time.—[*Mezudath David*] For one's intelligence teaches him to be orderly and quick and to do each thing in its proper time.—[*Rabbenu Yonah*]

**whereas an embarrassing son sleeps soundly during the harvest**—But the fool, who has all embarrassing traits, sleeps soundly even during the harvest and does nothing in its proper time.—[*Mezudath David*] From this contrast, we learn that shame is the opposite of intelligence, for a person is praised according to his intelligence and shamed according to his foolishness.—[*Rabbenu Yonah*]

*Targum* renders: He who gathers in the summer is an intelligent son, and he who sleeps during the harvest is an embarrassing son.

6. **Blessings**—the Lord will bring upon the head of the righteous. Another explanation: Blessings are lavished upon the head of a righteous man during his lifetime, and the mention of the righteous is for a blessing after his demise.—[*Ibn Ezra*]

**but violence shall cover the mouth of the wicked**—The violence that they commit shall cover their mouth so that they choke with it—the sins they commit shall requite them.—[*Mezudath David*]*

וֶאֱוִיל שְׂפָתַיִם יִלָּבֵט׃ ט הוֹלֵךְ בַּתֹּם יֵלֶךְ
בֶּטַח וּמְעַקֵּשׁ דְּרָכָיו יִוָּדֵעַ׃ י קֹרֵץ עַיִן
יִתֵּן עַצָּבֶת וֶאֱוִיל שְׂפָתַיִם יִלָּבֵט׃
יא מְקוֹר חַיִּים פִּי צַדִּיק וּפִי רְשָׁעִים
יְכַסֶּה חָמָס׃ יב שִׂנְאָה תְּעוֹרֵר מְדָנִים
וְעַל כָּל־פְּשָׁעִים תְּכַסֶּה אַהֲבָה׃
יג בְּשִׂפְתֵי נָבוֹן תִּמָּצֵא חָכְמָה וְשֵׁבֶט

פוּקְדָנָא וְסַכְלָא בְּשִׂפְוָתֵהּ מִתְאַחֵד׃ ט דִמְהַלֵּךְ בִּתְמִימוּתָא נֵיזִיל בִּסְעָדָא וּדְמַעְקְמָן אוֹרְחָתֵהּ נִתְיְדַע׃ י דְרָמֵז בְּעַינוֹהִי יָהֵב כְּאֵבָא וְסָלֵיף בְּשִׂפְוָתֵהּ מִתְאַחֵד׃ יא מַבּוּעָא דְחַיֵּי פּוּמָא דְצַדִּיקָא וּפוּמְהוֹן דְרַשִׁיעֵי נִכְסָא חֲטוּפָא׃ יב סְנִיאֲתָא תְּגָרֵג תִּגְרֵי וְעַל כּוּלְהוֹן סוּרְחָנֵי מְכַסְּיָא רַחְמוּתָא׃ יג בְּשִׂפְוָתֵי דְסוּכְלְתָנָא

ת"א בתום. זוהר מקץ ושמות. פקידה שמר לו:

### רש"י

ויקח משה את עצמות יוסף וגו': **ואויל שפתים ילבט**. לשון יגיעה. ויש בספרי בפרשת ויהי העם כמתאוננים (במדבר י"א) אמרו כמה נתלבטנו בדרך: (ט) **ומעקש דרכיו יודע** ישבר ויתיסר כמו ויודע בהם אנשי סכות (שופטים ח'): (י) **קורץ עין יתן עצבת**. זה המסית אדם בקריצותיו לרעה: (יא) **מקור חיים פי צדיק ופי רשעים וגו'**. פיהם יכסה חמס שבלבם שמחליקין את שפתיהם ושנאה טמונה בלבם ואין פתרון מקרא זה דומה לפתרון העליון והענין יורה עליהם: (יב) **שנאה תעורר מדנים**. אפילו עבירה שנתנה לשכחה נזכרת ע"י מרבית עונות באה שנאה אחרונה ומעוררתן שכן יחזקאל הוכיח את ישראל על עבירו' מצרים ואומר להם (יחזקאל כ') איש שקוצי עיניו השליכו וגו' כמה (שנים היתה) שנאה זו כבושה ולא הזכירה להם הקדוש ברוך הוא עד עכשיו שהרבו עבירות על פשעיהם: (ועל כל פשעיו תכסה אהבה. כשישראל מטיבין מעשיהם הקדוש ברוך הוא מכסה על פשעיהם); (יג) **בשפתי נבון תמצא חכמה**. כשאדם מוכיח לנבון משיב לו חטאתי כגון דוד שאמר לנתן חטאתי (שמואל ב'

### מנחת שי

(ט) הולך בתם. הולך מלא: בתם. חסר עיין מסורת ס' בסר סיני:

### אבן עזרא

אחרים; **ואויל שפתים**. שתדברנה שפתיו אולת: **ילבט**. פי' יכשל: (ט) **ילך בטח**. שאיננו מפחד מצרה ומעקש דרכיו הטובים: **יודע**. הוא נודע לאחרים שהוא מעקש דרכיו בנפלו ברעות והעד ילך בטח. פ"א יודע ישבר מן וידוע חולי: (י) **קורץ**. לעשות רע. יתן עצבת. עצבון לנפשו ואמר קורץ שמתיירא לעשות בגלוי והוא ענין רמיזה. פ"א קורץ לועג. יתן עצבת להברו יחר לו אם ירצה כי ילעג לו וא' ירצה לומר כי לא טבה ללעג וילבטו שפתיו: (יא) **מקור**. כמקור חיים שיחיה מי שילמד מוסר מפיהו או פיהו הוא המקום שיקירו לו משם החיים בלמדו מוסריו: **יכסה חמס**. יסתירהו ולא ילמד מוסר: (יב) **שנאה**. היא סבה לעורר המדינים. והאהבה היא תכסה על הפשעים והעלמת דבר הוא הכסה שלא יודע והענין איש שנאה ואיש אהבה: (יג) **המצא חכמה**. למבקשיה: **ושבט**. בעבור

### רלב"ג

ממנו מה שיזום לעשות: (י) קורץ עין. להזיק לאנשים ברמיזותיו הנה הוא יתן עצבות וכעס להם וזה יהיה לכלימה אליו ונגרמו כי כשיבא לחשוב ברמיזות שזה האיש עושה כנגד כמחר או אומר דברים כנגדו ויכעס על זה הדבר ואולי יתפעל מזה באופן שיזיק אל הגרמו ישהית ויזיק בזה לשניהם וגם אפשר שיתבלבל אחר זה שהענין ההוא היה כזב ויצטער מאד על מה שהתפעל כנגדו בעבור רמיזות זה הקורץ עין ואולם מי שהוא אויל שפתים לא יאמר זה בסתר אבל יאמר זה דבריו כדי להרחיק ריב בין שניהם הנה הוא ילבט ר"ל שעלהו נמהרה ולא יזיק כי אם לעצמו להראותו כוונתו הרעה הנה פי צדיק הוא בעינו מן שהוא בלב שהוא מקור החיים וגו': (יא) מקור חיים פי צדיק. לאנשים השומעים דבריו כי ממנו תוצאות חיים ואולם פי הרשעים הוא בהפך זה כי הוא איננו מה שהוא בלב כי פיהם יעלים החמס אשר בלבם הנה שנאה תעורר מדנים גם בזולת פשע כי יחשוב השונא לשנאו לפשע מה שאינו פשע ויפשוט לרע מה שאינו מכוון לרע. והאהבה על כל פשעים תכסה כי יחשוב האוהב לאוהבו מה שהוא פשע ללא פשע: (יג) בשפתי נבון. הנה הנבון תמצא הכמה

### מצודת ציון

מלשון תרדמה והוא שינה עמוקה: (ח) ילבט. ענין טייסות וכשלון וכן ועם לא יבין ילבט (הושע ד'): (ט) יודע. ענין שבירה כמו ויודע בהם אנשי סוכות (שופטים ח'): (י) קורץ. ענין נדנוד ורמיזה כמו קורץ בעיניו (לעיל ו'): (יא) מקור. מעין: (יב) מדנים.

### מצודת דוד

בכל עת ולא יחדל מלקחת אבל האויל מייגע היא השפתים לבד לומר הרבה ואין עושה מאומה: (ט) בתום. בתמימות לב: ומעקש. המעקם דרכיו ללכת ברמיה הוא יושבר וידוכא: (י) קורץ עין. המרמז בעין לעשות רעה למי אז דבר זה יתן עצבון בלב הנרמז עליו כי לא ישקוט עד יגמור הדבר האויל ולא הוליא בשפתיו לא נח חמתו אבל אויל המדבר בשפתיו לעשות הרעה אז נעשה עיף ויגע מעשות הדבר ההוא כי נח חמתו בגזום דבריו: (יא) מקור חיים. פי צדיק הוא מקור הנובע חיים בעולם כי בלדק אמרי פיו מביא חיים בעולם אבל פי רשעים ידבר מרמה לכסות על מחשבת החמס שבלבבו: (יב) שנאה. השנאה שיש לאדם על מי היא מעוררת מדנים לעשות מריבה ולהקפיד על דבר קל אבל אהבת אדם לחבירו תכסה על כל דבר פשע לבל יקפיד אף על דבר קשה: (יג) בשפתי נבון. כאשר ישאלו מה מהנבון תמצא בתשובת אמרי שפתיו גם

*abominations of his eyes, etc.' " How many (years was) this hatred hidden, that the Holy One, blessed be He, did not mention it to them until now, when they added transgressions to their sins.*—[*Rashi* from *Lev. Rabbah* 7:1] In many editions, the parenthetic words do not appear. Accordingly, we read: *"How much this hatred was hidden . . ."*

but he who talks foolishly will weary. 9. He who walks in innocence walks securely, but he who perverts his ways will be broken. 10. He who winks his eye causes grief, and he who talks foolishly will weary. 11. The mouth of the righteous is a fountain of life, but the mouth of the wicked conceals violence. 12. Hatred arouses quarrels, but love covers all transgressions. 13. Wisdom is found in the lips of the understanding, but a rod is

*teacher, Moses, for all Israel were busy with the plunder of Egypt, and he was busy with the commandments, as is it said* (Exod. 13:19): *"And Moses took Joseph's bones, etc."*—[*Rashi* from *Mechilta, Beshallach,* introduction, *Sotah* 13a]

*Gen. Rabbah* 52:3 interprets this passage as referring to Abraham, who moved from Hebron to Gerar after the destruction of Sodom, in order to be able to continue practicing hospitality with the passersby.

**but he who talks foolishly will weary**—Heb. יִלָּבֵט, *an expression of weariness. It appears in Sifre, in the section commencing* (Num. 11:1): *"And the people were as complainers." They said, "How much have we wearied* (נִתְלַבַּטְנוּ) *on the way!"*—[*Rashi*]*

9. **walks securely**—without fear of trouble.—[*Ibn Ezra*]

**who perverts his ways**—His good ways.—[*Ibn Ezra*]

**will be broken**—Heb. יִוָּדֵעַ, *will be broken and chastised, as in* (Jud. 8:16): *"And with them he broke* (וַיּוֹדַע) *the men of Succoth."*—[*Rashi*] *Ibn Ezra* suggests: will be found out. Since he will be beset with troubles, it will become apparent that he was not walking with innocence but was perverting his ways.

10. **He who winks his eye causes grief**—*That is the one who entices a person to evil with his winks.*—[*Rashi*] If one winks to his friend to harm someone, he grieves the one about whom he hinted, since he will not rest until he executes his plan; but if one talks to another to do harm, since he has expressed this thought with his lips, he has already wearied and will not necessarily execute his plan.—[*Mezudath David*]

11. **The mouth of the righteous is a fountain of life, but the mouth of the wicked, etc.**—*Their mouth conceals the violence that is in their heart, for they talk smoothly with their lips, but hatred is hidden in their heart. Now the interpretation of this verse is not the same as the above verse* (8); *the context is indicative of their meaning.*—[*Rashi*]

12. **Hatred arouses quarrels**—*Even a sin that was forgotten is remembered though additional iniquities. The final hatred comes and arouses them, for Ezekiel reproved Israel for the transgressions of Egypt* (Ezek. 20:7), *"And I said to them, 'Every man shall cast away the*

תְּשַׁבַּח חָכְמְתָא וְשִׁבְטָא
לְפַגְרָא דַחֲסַר רַעְיָנָא :
יד חַכִּימֵי נַטְשׁוּן
יְדִיעֲתָא וּפוּמֵהּ דְשַׁטְיָא
שַׁצְיָא קָרִיב : טו קִנְיָנָא
דְעַתִּירָא כְּרַכָּא
דְעוּשְׁנֵיהּ וְשַׁצְיָא
דְמִסְכְּנָא צְרִיכוּתְהוֹן :
טז עוּבָדֵי דְצַדִּיקָא לְחַיֵּי
עֲלַלְתֵּהּ דְרַשִׁיעָא
לְחֲטוּתָא : יז אוֹרַח דְחַיֵּי
נָטְרֵי מַרְדוּתָא וּדְשָׁבֵק
מַכְסְנוּתָא תָעֵי : יח מַכְמֵין בְּעֵיל דְבָבָא סַפְוָתָא דְשִׁקְרָא וּמַפִּיק טָבָא הוּא סַכְלָא :

לְגֵו חֲסַר־לֵב׃ יד חֲכָמִים יִצְפְּנוּ־דָעַת וּפִי־
אֱוִיל מְחִתָּה קְרֹבָה׃ טו הוֹן עָשִׁיר קִרְיַת
עֻזּוֹ מְחִתַּת דַּלִּים רֵישָׁם׃ טז פְּעֻלַּת צַדִּיק
לְחַיִּים תְּבוּאַת רָשָׁע לְחַטָּאת׃ יז אֹרַח
לְחַיִּים שׁוֹמֵר מוּסָר וְעוֹזֵב תּוֹכַחַת
מַתְעֶה׃ יח מְכַסֶּה שִׂנְאָה שִׂפְתֵי־שָׁקֶר

### רש״י

י״ב) : ושבט לגו חסר לב. אבל חסר לב אינו שומע עד שילקה כמו פרעה : (יד) חכמים יצפנו דעת. ישמרוה בלבם שלא ישכחוהו : (טו) הון עשיר. בתורה : קרית עזו. היא לו : מחתת דלים רישם. עניות שלא עסקו בתורה היא מחיתתם : (טז) פעולת צדיק לחיים. כמשמעו ומדרש אגדה שלמה עשה פעולת המקדש לחייהם של ישראל לכפרתן : תבואת רשע. תבואתו (סא״א הבאתו) של מנשה שהכניס בו הסמל היא היתה לחטאת : (יז) אורח לחיים. השומר מוסר היא הדרך לחיים ; ועוזב תוכחת מתעה. את עצמו ואת אחרים : (יח) מכסה שנאה שפתי שקר. החונף שפתיו שקר ומכסה שנאה בלבו : ומוציא דבה הוא כסיל. לעז

### אבן עזרא

שאינו רוצה ללמוד הדעת צריך להכותו בשבט : (יד) יצפנו. בלבם הדעת שלא ישכחוה כענין בלבי צפנתי : ופי אויל. סבב לו מחתה שהיתה קרובה אליו בגלל אולתו והענין שיהתיהו ההריס : (טו) הון. ממון העשיר הוא כקרית עוז שיצילהו לרגעים מצרתו אע״פ שאינו חכם. ודלים שהם חסרי לב רישם יחת אותם : (טז) פעולת צדיק. מעשיו בשביל שישיג אורחות חיים. תבואת רשע. הוא פרי מחשבותיו שיחשוב לעשות הטאת : (יז) אורח. למצא חיים הוא שמירת המוסר. ועוזב התוכחת. הוא מתעה אחרים. פ״א שומר מוסר ועוזב תוכחת מתעה שיוכיחוהו לתעות ג״כ אורח חיים ופי׳ טוב מאד : (יח) מכסה. ברוב. שניהם דבקים. מכסה השנאה ומסתירה בקרבו שפתיו דוברות שקר על

### רלב״ג

בשפתיו והוא הטוב הנפלא מכל הטובות כמו שקדם ואמר מי שהוא חסר לב לא די לו שהוא נעדר זה הטוב אבל ידבק בו הרע והמכות לגופו תמיד לי יזיקוהו ויכוהו האנשים מפני מום פעולותיו ומאמריו הנפסדים בסבת חסרון דעתו : (יד) חכמים יצפנו. בלבם מה שהם יודעים ולא יפרסמוהו לאנשים כלם כי אולי יזיקו באלו הדברים קלת ההמון מלד קלורם מעמוד על כונתם ולזה יהיו נשמרים מלהגיד אלה הדברים הטובים בעצמותם מפני הרע שיגיע מהם במקרה ואולם פי האויל הוא בהפך זה כי יגיד הדברים אשר מהם מחתה קרובה לאנשים ולזה יזוקו בדבריו כל שומעיהם אשר לא יעמדו על מה שבהם מן הרע : (טו) הון העשיר הוא להמלט מן הרעות כמו קרית עוז שימלט האדם בה בעתות המלחמה ולזה יבטח לבו על הונו ויתחזק בו : (טז) פעולת הצדיק היא תמיד מתישרת למול החיים כי בה ישיג החיים הנצחיים והחיים הגופיים ואולם תבואת רשע והונו אשר יעשוק הוא לחסרון ולהשחתה ולמות כי בה המות לנפשו ולגוף וזה מבואר מאד לא יצטרך לביאור : (יז) אורח לחיים. מי שהוא שומר מוסר במדותיו הוא דורך אל החיים הנצחיים והגופיים כי טוב המדות והתכונות יועילו לאדם בדברים המדיניים ויהיה מפני זה אהוב לאנשים והוא גם כן מישיר אל קנין שלימות המושכלות כמו שקדם ואולם מי שהוא עוזב תוכחת הוא תועה בדעותיו ומתעה זולתו מאורח חיים כי רבים ימשכו לו להיות יצר לב האדם רע מנעוריו הנה הדובר שקרים יותר מגונה מהכסיל ויותר מזיק וזה כי מכסה שנאה שפתי השקר כי שפתי השקר יכסו השנאה ויהיה זה סבה אל שלא יהיה נשמר מבוגדו ויפול ברשתו ואולם הכסיל יוצא מפיו הדברי׳ והדבות ויהיה זה סבה אל שישמר השנוא ממנו ולפי שזכר שני אלו שאחד מדבר והאחר מעלים הוא היותר מגונה בא לבאר שבכר ימלא לך אחד שיהיה המעלים יותר משובח ואמר

### מצודת דוד

חכמת השכל גם שבט מוסר לגו חסר לב כי בדבריו יגנה מעשה חסר לב ותחשב לו לשבט המייסר : (יד) יצפני דעת. אף הדעת מסתירים לבל הגלות כ״א להראויים לה בחושבם פן יהיה למוקש למי שלא יבינם על האמת אבל פי כסיל תגיד דבר אשר המחתה קרובה ומעותד לבוא בעבורה ואינו חושש : (טו) הון עשיר. ממון העשיר היא לו למחסה כעיר מבצר ועל העשיר בתורה ידבר : מחתת. שברון הדלים בתורה היא עניותם כי בעבור חסרון התורה ישברו מהר : (טז) פעלת. מעשה הצדיק היא סיבה לחיים אבל פרי מעשה הרשע היא סיבה להחסיר ימי חייו : (יז) שומר מוסר. ר״ל שמירת המוסר הוא אורח לחיים : מתעה. הוא תועה מאורח חיים : (יח) מכסה שנאה. המכסה השנאה בלב ואינו עוזבה גורם עוד עבירה לדבר שפתי שקר להראות עצמו כאוהב : ומוציא דבה.

### מצודת ציון

מלשון מדון ומריבה : (יג) לגו. לגוף כמו גוי נתתי למכים (ישעי׳ נ׳) : (יד) מחתה. ענין שבירה כמו שמת מבצריו מחתה (תהלים פ״ט) : (טו) קרית. מלשון קריה ועיר : רישם. ענין עוני : (טז) תבואת. מלשון תבואה ופירות : לחטאת. ענין חסרון כמו קולע וגו׳ ולא יחטיא (שופטים כ׳) : (יז) מתעה. כמו תועה או

*Meiri* explains that he misleads those who reprove him so that they should cease their reproof and allow him to do as he pleases. *Ibn Nachmiash* explains that he intentionally misleads himself.

18. **He who covers up hatred has false lips**—*The flatterer has false lips,*

for the body of one devoid of sense. 14. Wise men store up knowledge, but the mouth of a fool [causes] destruction to come near. 15. The wealth of the rich is the city of his strength; the destruction of the poor is their poverty. 16. The act of the righteous is for life; what the wicked bring in is for sin. 17. The way to life is if one keeps discipline, but he who forsakes reproof misleads. 18. He who covers up hatred has false lips,

**but love covers all transgressions**—*When Israel improves their deeds, the Holy One, blessed be He, conceals their transgressions.*—[*Rashi*] This comment does not appear in the Salonica edition.

13. **Wisdom is found in the lips of the understanding**—*When a person reproves an understanding individual, he replies to him, "I have sinned," e.g. David, who said to Nathan, "I have sinned"* (II Sam. 12:13).—[*Rashi*]

**but a rod is for the body of one devoid of sense**—*But one who is devoid of sense does not listen until he is smitten, like Pharaoh.*—[*Rashi*]

14. **Wise men store up knowledge**—*They guard it in their heart so that they do not forget it.*—[*Rashi*]

*Mezudath David* explains that the wise conceal knowledge from being publicized to people unfit to know it, lest it produce dire results.

**but the mouth of a fool [causes] destruction to come near**—The fool tells anything, even things that will cause destruction when publicized.—[*Mezudath David*]

15. **The wealth of the rich**—*in Torah.*—[*Rashi*]

**is the city of his strength**—*to him.*—[*Rashi*]

**the destruction of the poor is their poverty**—*The poverty that they did not engage in the Torah is their destruction.*—[*Rashi*]*

16. **The act of the righteous is for life**—[This is to be understood] *according to its apparent meaning, but the Midrash Aggadah states: Solomon performed the construction of the Temple for the life of Israel, for their atonement.*—[*Rashi* from *Deut. Rabbah* 2:20]

In our editions of *Deut. Rabbah*, as well as in *Yalkut Shimoni*, no mention is made of the Temple. It states merely: All that David and Solomon built was for Israel's life. *Rashi's* reading is closer to that of *Ibn Nachmiash*, who apparently also refers to *Deut. Rabbah.*

**what the wicked bring in**—*What Manasseh brought in, for he brought in the image—that was for sin.*—[*Rashi* from the same source] *Mezudath David* renders: the product of the wicked is to lessen the days of his life.

17. **The way to life**—*He who keeps discipline—that is the way to life.*—[*Rashi*]

**but he who forsakes reproof misleads**—*himself and others.*—[*Rashi*]

וּמוֹצִא דִבָּה הוּא כְסִיל: יט בְּרֹב דְּבָרִים
לֹא יֶחְדַּל־פָּשַׁע וְחוֹשֵׂךְ שְׂפָתָיו מַשְׂכִּיל:
כ כֶּסֶף נִבְחָר לְשׁוֹן צַדִּיק לֵב רְשָׁעִים
כִּמְעָט: כא שִׂפְתֵי צַדִּיק יִרְעוּ רַבִּים
וֶאֱוִילִים בַּחֲסַר־לֵב יָמוּתוּ: כב בִּרְכַּת
יְהוָה הִיא תַעֲשִׁיר וְלֹא־יוֹסִף עֶצֶב
עִמָּהּ: כג כִּשְׂחוֹק לִכְסִיל עֲשׂוֹת זִמָּה

יט בְּסוּגְאָה דְמִלֵּי לָא פָסֵק חוֹבָא וּדְחָשֵׂךְ סִפְוָתֵיהּ סוּכְלְתָנָא: כ סְאמָא גַבְיָא לִשָּׁנֵיהּ דְצַדִּיקָא וְלִבָּא דְרַשִּׁיעֵי מַחְתָא: כא סִפְוָתָא דְצַדִּיקֵי רָעְיָן סַגִּיאֵי וְשַׁטְיֵי בְּחַסִּירוּת רַעְיָנָא יְמוּתוּן: כב בִּרְכְּתָא דֶאֱלָהָא הִיא מְעַתְּרָא וְלָא נוֹסֵף כִּיבָא עִמָּהּ: כג כַּד גָּחֵךְ סַכְלָא עָבֵד

ת״א דבה. פסחים ג׳: ברכת. זוהר נח עקרים מ״ב פכ״ו (ברכות ה׳ מ״ק פ״א):

### רש״י

שיהיו אנשים דוכבין בו על חבירו: (יט) **ברוב דברים לא יחדל פשע**. המרבה דברים מביא חטא: **וחושך שפתיו**. הוא משכיל: (כ) **כסף נבחר לשון צדיק**. שיודע להוכיח: **לב רשעים כמעט**. שאינו שומע לתוכחת צדיק. ומדרש רבי תנחומא אומר על עדוא הנביא נאמר שקרא על המזבח בבית אל. וירבעם אף על פי שיבשה ידו לא קבל תוכחה שנאמר (מלכים א׳ י״ג) חל נא את פני ה׳ אלהיך וגו׳ ולא הלהי וגו׳ (שם) ותשב ידו כבראשונה שובד ומקטיר לע״א ואף בסוף כן: (כא) **שפתי צדיק ירעו רבים וגו׳**. שרבים אוכלים בזכותו ובתפלתו: (כב) **ברכת ה׳ היא תעשיר וגו׳**. אין צריך להתייגע להעשיר כי די בברכה מה שהוא מברכו: (כג) **כשחוק לכסיל עשות**

### מנחת שי

(יח) ומוצא דבה. במדוייקים חסר יו״ד וכן במסורת ב׳ הד חסר וחד מלא והמלא הוא ומוציא כלי למעשהו (ישעיה נ״ד): (כ) נבחר.

### אבן עזרא

השווי. בעבור: (יט) **רוב דברים**. שידבר מוציא להגלל לשנוא מן הדבה לא יחדל פשע הרבה כלומר אינו יכול להשיב מה שידבר ולהחדילו ותגללהו לפניו. והושך שפתיו מדברי דבה הוא משכיל כנגד הוא כסיל: (כ) **כסף**. ככסף שמדבר דברים נבחרים נחשבות ככסף צרוף ונבחר: **כמעט**. למוד מהם מעט. פ״א לב עניני דעת פירוש דעתם כמעט הוא נבחר הפך לשון צדיק: (כא) **ירעו**. מל׳ מרעה כלומר ילמדו רוב בני אדם. וחסר לב כנגד צדיק. ואוילים כנגד רבים כלומר ואוילים בעבור איש חסר לב שיתעם ימותו טרס עת כלה: (כב) **ברכת ה׳**. שיתן לצדיק הוא תתן לו עושר. ולא יוסיף השם עצבון לצדיק עצב עם הברכה והפך זה בעצבון תאכלנה והברכ׳ להוסיף טוב והמארה חסרון: (כג) **בשחוק**.

### רלב״ג

כי מי שירבה וגו׳: (יט) ברוב דברים. ואמר כי מי שירבה לדבר בפני הגדולים הנה לא ימנע ברבוי דבריו שלא יקרה לו פשע ושגגה כי לא יוכל האדם לכלכל במשפט רבוי הדברים ואולם מי שימנע שפתיו מריבוי הדברים הוא משכיל ומגלה בקניניו וביהוד היה מי שידבר בש״י ראוי שיהיו דבריו מעטים כמו שבארנו בספר קהלת כי גבוה מאד מדרגתו ממנו: (כ) כסף נבחר. הנה לשון הצדיק הוא כמו הכסף שאין לו סיגים והוא מפני זה חזק הקיום וחזק מההפסד ואולם נפש הרשעים ולבם לא ישאיר כ״א מעט ולא זכר לשון הרשעים כי אינם מוציאים בפה מהשבותם כמו שקדם: (כא) שפתי צדיק. הנה בשפתי צדיק לא די שיחי׳ הצדיק אבל ינהיגו רבים ויכלכלו אותם כמו שירעה הרועה את הצאן ואולם האוילים לא די שלא יועילו לזולתם אבל יביאו על עצמם המות מצד חסרון דעתם: (כב) ברכת ה׳ הוא תעשיר. האנשים המושגחים מהש״י ולא יצטרך העשיר להיות יגע ועמל עמה כמו הענין בשאר העשירים שיעמלו ולא יניח להם עשרם לישן וזה כי הש״י הוא ייש׳ר עניניו כלם מצד דבקות השגחתו בו או ירצה בזה כי ברכת ה׳ היא תעשיר השכל האנושי מקניני החכמה והנה זה העושר הוא באופן שלא יוסיף עצב עמה כי הוא נצחי וקיים: (כג) כשחוק

### מצודת ציון

מתעה נפשו: (יח) **דבה**. ענין גנות והוצאת שם רע שרבים דוככים ומספרים בו כמו דבתם רעה (בראשית ל״ז): (יט) **וחושך**. ענין מניעה כמו ולא חשכת (שם כ״ב): (כא) **ירעו**. מלשון מרעה ורצונו לומר יאכילו: (כג) **זמה**. ענין מעשה הרעה:

### מצודת דוד

מי שאינו מכסה השנאה ומראה כעסו להוציא גנות על חבירו שיהיו אנשים דוככים בו הנה לכסיל יחשב כי הכל יאמרו כל הפוסל במומו פוסל: (יט) **ברוב**. במרבית הדברים לא יחדל מהם דבר פשע כי א״א להזהר בכולם על כי מרובים המה: **וחושך**. המונע אמרי שפתיו מכל וכל הוא משכיל: (כ) **לשון צדיק**. המוכיח לבני אדם הוא ככסף נבחר אבל לב הרשעים היא קטנה כשיעור היותר מעט כ״ל אין להם לב להבין כי אם מעט מזער: (כא) **ירעו רבים**. רבים אוכלים מפרי שפתיו כי יורה להם הדרך אשר ילכו בה לטוב להם: **ואוילים**. אבל האוילים אשר לא שמעו אליו ימותו בעבור חסרון לבם שלא בחנו דבריו: (כב) **ברכת ה׳**. הברכה שנותן ה׳ היא מעשרת את האדם ועם הברכה ההיא לא יצטרך להוסיף עוד עצבון ויגיעה להרבות הון כי יהיה די לו בהברכה הבאה: (כג) **כשחוק**. כמו השחוק הוא דבר נקל כן נקל לכסיל לעשות זמה וכ״כ נקל לאיש תבונה

will not add sadness with it. God's blessing is completely good, without any sadness accompanying the blessing. This appears to be the *Targum's* rendering as well.

*Ibn Nachmiash* explains that the blessing of God means satisfaction, for there is no greater blessing than to be satisfied with one's lot, as the Rabbis state (*Avoth* 4:1): "Who is rich? He who is happy with his lot." With such riches, there is no sadness, since the possessor of these riches does not strive to become

and he who spreads slander is a fool. 19. In a multitude of
words, transgression will not be avoided, and he who holds
back his lips is wise. 20. The tongue of the righteous is choice
silver; the heart of the wicked is worth little. 21. The lips of the
righteous will feed many, but the fools will die for lack of sense.
22. The blessing of the Lord will bring riches, and toil will add
nothing to it. 23. As it is sport for a fool to carry out a sinful
plot,

*and he hides hatred in his heart.*—[*Rashi*]

**and he who spreads slander is a fool**—Heb. דִּבָּה, *a rumor about his friend, about which people will converse* (דוֹבְבִין).—[*Rashi*] He will be considered a fool, because all will say that whoever finds fault with his friend attributes his own blemish to him.—[*Mezudath David*]

19. **In a multitude of words, transgression will not be avoided**—*He who talks too much brings on sin.*—[*Rashi* from *Avoth* 1:17]*

**and he who holds back his lips**—*he is wise.*—[*Rashi*]

20. **The tongue of the righteous is choice silver**—*for he knows how to reprove.*—[*Rashi*] He says choice words, analogous to refined silver.—[*Ibn Ezra*]

**the heart of the wicked is worth little** *for he does not heed the reproof of the righteous man. Midrash Rabbi Tanhuma* (*Ki Thissa* 6) *states: This was stated concerning Iddo the prophet, who called* [in prophecy] *about the altar in Beth-El, and Jeroboam, although his hand had become stiff, did not heed the reproof, as it is said* (I Kings 13:6): *"Entreat now the Lord your God, etc.," but not "my God, etc.";* (ad loc.): *"and the king's hand was drawn back to him, and it was as before."* Just as before, *he was standing and burning sacrifices to idols, so was it at the end.*—[*Rashi*] They have sense to understand but very little.—[*Mezudath David*]

21. **The lips of the righteous will feed many, etc.**—*Many eat in his merit and because of his prayer.*—[*Rashi*] *Ibn Ezra* explains: The lips of the righteous will lead many; i.e. they will teach them.

**but the fools will die for lack of sense**—The fools, who did not heed his teaching, will die because of lack of sense, for they did not test his words.—[*Mezudath David*]

*Ibn Ezra* renders: but the fools will die because of the one who lacks sense. Whereas the majority will heed the righteous man, the fools will instead heed the one who has no sense and misleads them.

22. **The blessing of the Lord will bring riches, etc.**—*One need not toil to gain wealth, for it is enough with the blessing that He blesses him.*—[*Rashi*] *Ibn Ezra* renders: and He

עבידתא וחכמתא
לגברא דמתבין:
כד חריצותא דרשיעא
היא אתיא ליה ורגגתא
דצדיקיא תתיהב להון:
כה היך דיעבר עלעולא
היכנא נעבר רשיעא
וצדיקא שתאסיא
בעלמא: כו היך חומצא
לשני ובתננא לעיני
היכנא שליחא עטלא
למשלחוי: כז דחלתה
דאלהא תוסף יומתא
ושני דרשיעי נזערן:
כח סברהון דצדיקי

וחכמה לאיש תבונה: כד מגורת רשע
היא תבואנו ותאות צדיקים יתן:
כה כעבור סופה ואין רשע וצדיק יסוד
עולם: כו כחמץ לשנים וכעשן לעינים
כן העצל לשלחיו: כז יראת יהוה
תוסיף ימים ושנות רשעים תקצרנה:
כח תוחלת צדיקים שמחה ותקות

ת"א מגורת. שקידה שער ס': ולדיק. יומא לח חגיגה יב גיטין סח: כחמץ. קדושין מה (שבת יד): יראת. יומא ס' עקרים מ"ג פל"ד (יומא לח):

### רש"י

זמה. עצת חטאים: וחכמה. כשחוק לאיש תבונה. כלומר קלה היא בעיניו לעשות: (כד) מגורת רשע. מה שהוא ירא יבא לו. דור הפלגה אמרו (בראשית י"א) פן נפוץ וסופן כתיב (שם) ויפץ ה' אותם משם: ותאות צדיקים יתן. מי שבידו ליתנה (לתת): (כה) כעבור סופה ואין רשע. פתאום בא עברת רוח סערה ונכרת הרשע ממקומו: (כח) תוחלת צדיקים שמחה. סופן מתקיימת ושמחים: ותקות רשעים תאבד. כי לא תבוא:

### אבן עזרא

זמה. היא מחשבת הרעות פירוש כשחוק שהוא נקל לכסיל לעשותו כן מעשה הזמה נקל בעיניו. והחכמה לאיש מבין כי היא תשמרנו מעשות זמה על כן חפץ בה. פ"א כחכמה לאיש תבונה כן ישים הכסיל לעשות זמה: (כד) ותאות צדיקים. להשמיד הרשעים. יתן השם והעד הפסוק הבא אחריו: (כה) כעבור סופה. מהרה כן יעבור רשע פתאום ואיננו. וצדיק חזק לגרות כיסוד עולם שלא ימוט: (כו) כחימץ. שתולדתו קרה ומשחית השנים או כעשן שתולדתו חמה ומשחית העינים כן העצל משחית ענינו השולחי' אותו לעשות מלאכתם וראוי לאדם להפרד מחברתו: (כז) תוסיף ימים. כי ימי האדם אינם קצובים רק הם כפי הטבע והטבע יתגבר ויעמוד כפי המעשים הנכונים והעד למען יאריכון ימיך ומה שאמר את מספר ימיך אמלא הם שיוכל לחיות כפי טבעו כי הם במספר: תקצורנה. מהזמן שיוכל לחיות כי השם יחליש כחו או ימיתם על ידי פגע ומקרה בעבו' שאינם יראים ממנו: (כח) תוחלת צדיקים.

### מנחת שי

יש ספרים נכתב בפתח: (כד) היא תבואנו. בספרים מדוייקים מלא וא"ו וכן במסורת תבואנו ג' ב' מלא ואחד חסר וסימן כל יד עמל תבאנו (איוב כ'). מגרת רשע. ודרש רעה תבואנו. קדמאה חסר ואידך דמסרי ודרש רעה תבואנו חסר:

### רלב"ג

לכסיל. הנה הכסיל לא ינהג בחכמה ענייניו וכמה שיחפוץ לעשותו וזה תהיה הגעת חפצו לו בדמיון מה שיתחדש מהקרי או מפעולת השחוק שאינם מכוונות לאותם התכליות ואולם לאיש תבונה תהיה עשות המחשבה כחפציהם כי בחכמה ישתדם שתגיע מחשבתם אל הפועל ובסבות הנאותות: (כד) מגורת רשע. מה שיירא הרשע שיבא עליו מהרעות היא תבואנו כי לא יצילהו הש"י ממנה וזאת היראה והפחד היא הודעה מחולשת השפע עליו מהש"י כמו שבארנו בביאורינו לספר איוב ובמאמר הד' מספר מ"י ואול' הצדיקי' לא די שיהיו נשמרים מאותן הרעות אבל יתן להם הש"י מהטובות מה שיתאוו מהם: (כה) כעבור סופה. הנה כשתעבור סופה תעבור על הרשע להשחיתו כאילו הוא סבת עבור הסופה לתכלית שתשחיתהו ואולם הצדיק הוא בהפך כי הוא יסוד עולם וסבת קיומו ושמירתו מהפגעים כאמרו ימלט אי נקי: (כו) כחומץ לשנים וגו'. הנה כמו שהחומץ לשנים שהוא מכאיב אותם מאד וכמו העשן שהוא מזיק לעינים כן העצל מכאיב לב שולחיו מפני היות תוחלתם ממושכה: (כז) יראת ה' תוסיף לאדם ימים על ימיו הקצובים כי מצד דבקות השגחת הש"י בו ינצל מהרעות אשר סודרו לו שהם סבות מיתתו קודם עת הכילוי הטבעי ואולם הרשעים הנה שנותם תהיינה קצרות ולא יגיעו אל קצת המוגבל להם כי רוע בחירתם ימיתם בלא עתם: (כה) תוחלת הצדיקים היא החיים הנצחיים והערבים אשר הם תכלית השמחה אשר

### מצודת דוד

לעשות דבר חכמה: (כד) מגורת. מן הדבר אשר יפחד הרשע היא תבוא עליו. ודבר הטובה אשר יתאוה לה הצדיק יתן לו מי שבידו ליתן והוא הקדוש ברוך הוא: (כה) כעבור סופה. מיד כאשר יעבור הסופה ר"ל כאשר תבוא הפורעניות יוכרת הרשע ואיננו אבל הצדיק דומה היא ליסוד העולם שאינו זז ממקומו: (כו) כחמץ. כמו שהחומץ מזיק הוא לשנים וגו' כן מזיק העצל למשלחו כי סומך עליו והוא מתעצל בדבר: (כז) תוסיף ימים. למי שאוחז בה: ושנות. אף השנים הקצובים לו תקצורנה כי פוחתין לו מהם: (כח) תוחלת. תקות לצדיקים היא להם לשמחה כי באה ושמחים המה על אשר היו מקוים לה אבל תקותם של הרשעים תהיה אבודה

### מצודת ציון

(כד) מגורת. ענין פחד כמו ויגר מואב (במדבר כ"ב): (כה) סופה.

all their desires and lusts, will not achieve longevity.—[*Ibn Nachmiash*]*

28. **The expectation of the righteous [will result in] joy**—*Eventually, it will be realized, and they will rejoice.*—[*Rashi*]

**but the hope of the wicked shall be lost**—*for it will not come.*—[*Rashi*]

[so is] wisdom for a man of understanding. 24. The dread of a wicked man—that will befall him, but the desire of the righteous He will grant. 25. When the whirlwind passes, the wicked man is no more, but the righteous is the foundation of the world. 26. Like vinegar to the teeth and like smoke to the eyes, so is the sluggard to those who send him. 27. Fear of the Lord will add days, but the years of the wicked will be shortened. 28. The expectation of the righteous [will result in] joy, but the hope

richer and richer; but if one is not satisfied with his life—even if he has all the gold and silver in the world—of what use is it to him? Are not all his days full of pain and anguish?

23. **As it is sport for a fool to carry out a sinful plot**—Heb. זִמָּה, *a plot of sins.*—[*Rashi*]

**[so is] wisdom**—*like sport to a man of understanding; i.e. in his eyes, it is easy to do.*—[*Rashi*] Others render: as wisdom to a man of understanding. Just as a man of understanding enjoys doing things of wisdom, so does a fool enjoy executing sinful plots.—[*Ibn Ezra, Ibn Nachmiash*]*

24. **The dread of a wicked man—that will befall him**—*What he fears will befall him. The generation of the Dispersion said, "Lest we scatter"* (Gen. 11:4), *and their end was that it is written* (ibid. 8), *"And the Lord scattered them from there."*—[*Rashi* from *Midrash Tanhuma, Noach* 18]

**but the desire of the righteous He will grant**—*He Who has the power to grant it.*—[*Rashi*] [It must be kept in mind that the pronoun does not appear in the Hebrew text except in the verb form. Moreover, there are no capital letters to indicate that the pronoun represents the Deity. Therefore, *Rashi* derives this meaning from the context.] As the following verse intimates, that desire is the destruction of the wicked.—[*Ibn Ezra, Ibn Nachmiash*]

25. **When the whirlwind passes, the wicked man is no more**—*Suddenly the fury of a whirlwind comes, and the wicked man is cut off from his place.*—[*Rashi*]

**but the righteous is the foundation of the world**—He is strong enough to withstand any troubles that befall him.—[*Ibn Ezra*]*

26. **Like vinegar, etc.**—Just as vinegar hurts the teeth and smoke hurts the eyes, so does the sluggard hurt those who send him, because they rely on him, and he neglects to perform his errand.—[*Mezudath David*]

27. **Fear of the Lord will add days, etc.**—Although worry and concern weaken a person, worry about his sins and about the fear of God lengthen his days. The wicked, although they enjoy life and satisfy

רְשָׁעִים תֹּאבֵד: כט מָעוֹז לַתֹּם דֶּרֶךְ יְהוָה
וּמְחִתָּה לְפֹעֲלֵי אָוֶן: ל צַדִּיק לְעוֹלָם בַּל־
יִמּוֹט וּרְשָׁעִים לֹא יִשְׁכְּנוּ־אָרֶץ: לא פִּי־
צַדִּיק יָנוּב חָכְמָה וּלְשׁוֹן תַּהְפֻּכוֹת
תִּכָּרֵת: לב שִׂפְתֵי צַדִּיק יֵדְעוּן רָצוֹן וּפִי
רְשָׁעִים תַּהְפֻּכוֹת: יא א מֹאזְנֵי מִרְמָה
תועבת

**תרגום**

חֶדְוָתָא וְסִבְרָא דְרַשִׁיעֵי
נֵאבַד: כט מַעְשְׁנָא
לְתַמִימֵי אוּרְחֵהּ דֶאֱלָהָא
וְשֵׁיצָיָא נֶהֱוֵי לְאִלֵּין
דְעָבְדִין עַוְלָתָא: ל צַדִּיק
לַעֲלָם לָא נְזוּעַ וְרַשִׁיעֵי
לָא יִתְוַעְדוּן בְּאַרְעָא:
לא פּוּמֵיהּ דְצַדִּיקָא מַבְּעָא
חָכְמְתָא וְלִישְׁנָא דַהֲפִיכוּ
נִתְפְּסַק: לב שִׂפְוָתֵיהּ
דְצַדִּיקָא יָדְעוּן צִבְיוֹנָא
וּפוּמְהוֹן דְרַשִׁיעֵי מְהַפַּךְ:
א מְסָחְתָא דְנִכְלָא

## רש"י

(כט) מעוז להם דרך ה' ומחתה לפועלי און. שאינן הולכין בה והיא נפרעת מהם: (ל) צדיק לעולם בל ימוט. כשהוא מט אין מוטתו מוטת עולם כי יפול וקם: (לא) פי צדיק ינוב חכמה. ידבר. ל' ניב שפתים (ישעיה נ"ז): (לב) שפתי צדיק ידעון רצון. יודעים לרצות ולפייס את בוראו ויודעים לרצות את הבריות ולהטיל

## אבן עזרא

שהם מיחלים לראות מות הרשע סוף תוחלתם תבואם לידי שמחה מהם במותם. ותקות רשע להאביד הצדיקים. תאבד התאוה והוא מפורש בפסוק הבא: (כט) מעוז לתום. תאר על משקל לחם חום או הלמ"ד כמו בעבור והוא שם דבר; דרך ה'. מצותיו: ומחתה. הוא הדרך שיהיה אותם בשביל שיעזבוהו שנאמר לדיקים ילכו בם ופושעים יכשלו בם: (ל) צדיק. לא ימוט לעולם בבא הצרות או אחרי מותו ישאר זרעו שנאמר ולדיקים ישכנו ארץ: ורשעים. יאבד זכרם וזרעם: (לא) ינוב. מענין תנובה ופי' יתן תנובת החכמה וניב שפתים כענין תבואת שפתיו ישבע וכמוהו בין אחים יפריא יתן פרי ולשון דוברות תהפוכות תכרת שפתם: (לב) ידעון. לדבר רצון. ופי רשעים. ידע לדבר תהפוכות:

## רלב"ג

אין לשמחות הגופיות שום יחס אליה כמו שביארנו בא' מספר מלחמות ה' והנה תקות הרשעים היא קנין נכסי הגוף מהקניינים והשמחות הגופיות וכל זה כלה ואובד: (כט) מעוז לתם. הנה המישרים אורחותיהם אל התמימות תהיה להם דרך ה' במצות התורה מעוז וחוזק לשמור דרכם אשר יכונו ההליכה אליה כי בזה ישלם להם באופן שלם מה שיכוונו אליו מהתמימות ואולם לפועלי און תהיה דרך ה' למחתה כי היא מתנגדת בתכלית מה שאפשר למה שיכוונו אליו מהשקר והעול והחמס: (ל) צדיק לעולם בל ימוט. הנה לעולם השגחת הש"י על הצדיק לא ימוט לעולם ר"ל כל ימיו ולא ימעדו קרסוליו אך יתקיים במקום שהוא בו מהארץ לא יגלה משם למקום אחר ואולם הרשעים לא ישכנו ארץ כ"א זמן מועט כי מפני רוע פעולותיהם יהיו להם שונאים רבים. או ירצה באמרו לא ימוט לעולם תוך הזמן הנגזר לו לחיות לא ימות כשעם אמרו את מספר ימיך אמלא ואולם הרשעים לא ישכנו ארץ הזמן המוגבל להם כי שנותם תקצורנה: (לא) פי צדיק. פי האיש הצדיק בדעותיו ידבר חכמה שהיא דבר קיים ונצחי ולא יפסק עמה הדבור כי האמת מעיד לעצמו מסכים מכל צד. ולשון איש תהפוכות והוא הטועה ואומר כזב בהתחלות הנה תפסק לשונו אם לא יסכים לדבריו מה שנמצא מזה אחר ההתחלות: (לב) שפתי צדיק ידעון להשיג רצון מהאנשים כי דבריהם נאותים וערבים להם ואמנם פי הרשעים הוא בהפך כי הוא לא ישיג רצון אך תהפוכות וכעס כי דבריו הם קשים ורעים או ירצה בזה כי שפתי צדיק בדעות ידעון להשיג מה שהיה הרצון בנמצאות בהטבעיות אשר יחקר בהם בחקרם בסבותיהם למה היו בזה האופן ואולם פי הרשעים בדעות אשר יטעו בהתחלות לא ידעון הרצון דברי' אבל יאמרו תהפוכות וכזבים: (א) מאזני. הנה תועבת ה' מי שישקול הדעות במאזני מרמה והוא אשר לא ידע להזהר בעיונו מהדברים המטעים כי זה ממה שיביאהו לטעות טעות גדולות יביאו להריסה גדולה וחזקה ואמנם רצונו הוא שישקלו אותם באבן

## מצודת ציון

רות סערה: (ל) ימוט. לשון נטיה: ישכנו. ענינו חניה בהשקט: (לא) ינוב. ענין דבור כמו בורא ניב שפתים (ישעי' נ"ז):
יא (א) מאזני. כלי המשקל:

## מצודת דוד

ולא תבוא ומילר על התוחלת: (כט) מעז. דרך ה' הוא לחוזק לאיש תם בעבור כי הלך בו והוא למחתה ושבר לפועלי האון על אשר לא הלכו בו. ור"ל מלמדת זכות על התם וחובה על הרשעים: (ל) לעולם. אף אם הוא מט לא לעולם ימוט כי יחזור ויקום: לא ישכנו. לזמן מרובה אף אם שעתם מוצלחת היא לפי שעה: (לא) ינוב וגו'. ר"ל באמרי פיו יוכלל חכמה ומוסר ומרמז לומר שפי תהפוכות תכרת ר"ל המהפך חכמת התורה למינות יוכרת: (לב) ידעון רצון. יודעים לרצות לה': תהפוכות. מוסב על ידעון לומר ידעון תהפוכות להפך דבר ה' כי כל עסקם בזה והורגלו בדבר:
יא (א) מאזני מרמה. השבוי להכריע הכף אשר ירצה לרמות את הקונים: ואבן שלמה. אבן משקל שהוא בשלימותה מבלי

study (*Sukkah* 21b). The fruit is his speech in Torah matters and in wisdom. Solomon's verse means that the mouth of the righteous is the fruit of wisdom. The righteous man is so accustomed to speaking Torah and wisdom that it becomes second nature, as it is the nature of a tree to produce fruit, the primary product of the tree.—[*Rabbenu Yonah, Rabbenu Bechaye*]

**but a perverse tongue shall be cut off**—The tongue that distorts the words of the Torah to apostasy shall be cut off.—[*Mezudath David*]*

32. **The lips of a righteous man**

of the wicked shall be lost. 29. The way of the Lord is a stronghold for the innocent, but ruin for those who work iniquity. 30. The righteous will not collapse forever, but the wicked shall not dwell in the land. 31. The mouth of a righteous man speaks wisdom, but a perverse tongue shall be cut off. 32. The lips of a righteous man know how to please, but the mouth of the wicked [knows] how to distort.

11

1. Deceitful scales are

29. **The way of the Lord is a stronghold for the innocent, but ruin for those who work iniquity**—*For they do not follow it, and it exacts retribution from them.*—[*Rashi*] According to this interpretation, this verse expresses the same idea as Hosea (14:10): "For the ways of the Lord are straight, and the righteous shall walk in them, and the rebellious shall stumble on them."—[*Ibn Ezra*]*

30. **The righteous will not collapse forever**—*When he collapses, his collapse is not a permanent collapse, but he will fall and rise* [again].—[*Rashi*] God is his stronghold in all his troubles. This is an additional explanation of the preceding verse.—[*Rabbenu Yonah*]

**but the wicked shall not dwell in the land**—Their prosperity will not last long, and the end of their tranquility will be destruction. They will live in constant fear of disaster.—[*Rabbenu Yonah*]

31. **The mouth of a righteous man speaks wisdom**—Heb. יָנוּב, *speaks, an expression of* (Isa. 57:9): *"the speech* (נִיב) *of the lips."*—[*Rashi*] Others interpret: gives forth the fruit of wisdom.

In this verse, King Solomon teaches us that the righteous and the wicked are opposites; the speech of the righteous is the fruit of wisdom, while the speech of the wicked is the opposite of this. In Psalms 1:3, the righteous man is compared to a tree: "And he shall be as a tree planted by rivulets of water, which gives out its fruit in its season, and its leaf shall not wither." The purpose of the leaf is to protect the fruit from the sun with its shade, but the fruit is the primary product of the tree. So is it with the righteous; he has a leaf and a fruit. The leaf is his speech concerning mundane matters, his reproof, and his stories. This speech has great use, just as the leaf that protects the fruit has great use. For this reason, the Rabbis expounded on this verse, "and his leaf shall not wither," to mean that the mundane speech of Torah scholars requires

תועבת יהוה ואבן שלמה רצונו: ב בא
זדון ויבא קלון ואת צנועים חכמה:
ג תמת ישרים תנחם וסלף בגדים ושדם:
ד לא יועיל הון ביום עברה וצדקה תציל
ממות: ה צדקת תמים תישר דרכו
וברשעתו יפל רשע: ו צדקת ישרים
תצילם ובהות בגדים ילכדו: ז במות

ת"א לנועים. (ברכות ט') : תומת. ב"מ לה : לא יועיל. ב"ב י' : וצדקה. שבת קנו ר"ב י' (אבות סו) : במות. עקרים מ"א פכ"א ומ"ד ח"ט :

מרחקתיה דאלהא ובמתקלא תריצא צביוניה: ב היך דעלא זידונתא על צערא ולאלין דצניעין חכמתא: ג תמימותא דתריצי תדבר אנון ונטלטלין בזוזי ונדכנון: ד לא מהני שקרא ביומא דרוגזא וצדקתא מפלטא מן מותא בישא: ה צדקתא דתריצי תפצי אנון ובזוזי בשלומהון מתאחדין: ו צדקתהון דתכימי תתרץ אורחתיה וברשעי נפל רשיעא: ז כר מית גברא רשיעא יוביד

## רש"י

סבריה

שלוש ביניהם: יא (ב) בא זדון וגו' ואת צנועים חכמה. תבוא חכמה: (ג) תומת ישרים תנחם. תנהלם: וסלף בוגדים ישדם. ישדדם: (ו) ובהות בוגדים ילכדו. בהוות שהם עושים הם נלכדים והמקרא מסורס הוא כלומר ובוגדים בהוות ילכדו: (ז) במות אדם רשע תאבד תקוה. תקוות כל הבוטחים בו: והוחלת אונים

## אבן עזרא

יא (ב) בא זדון. חסר איש והנה בבא איש זדון יבא קלון שילקה לבני אדם: ואת צנועים. ועם הצנועים חכמה שיסבלו הקלון ולא יענוהו וצנועים הם המתביישים מעשות זדון כמו והצנע לכת: (ג) תומת. ע"מ שמחת והראוי תומת: תנחם. שלא יכשלו: וסלף. עוות כלו' שיסלפו אחרים: ישדם. הסלף הוא ישודו אותם הבוגדים וזה הפירוש ע"ד הקרי ביו"ד. וע"ד הקרי בוי"ו וסלף יבא לבוגדים ושדד אותם הסלף: (ד) לא יועיל. לבוגדים ממונם ביום שיתעבר בהם השם: וצדקה. תציל לישרים ממות הבוגדים או תצילם שלא ימותו אלא בעת כלח: (ה) הישר. שלא יכשלו ויפולו והעד יפול רשע: (ו) תצילם. מצרה. ובהות בוגדים. בהוות הבגידה שיעשו בה ילכדו: (ז) במות.

## מנחת שי

יא (ב) ואת צנועים. הוא"ו בגעיא: (ג) ושדם. ישדם קרי והוא בקמץ חסף מן הכפולים כמ"ש במכלול דף קפ"א :

## רלב"ג

שלימה שלא תחסר תוספת ולא חסרון וזה אמנם יהיה בשמירת הדרכים והסדרים אשר יישירו האדם לשמרו מהטעות בעיון: (ב) בא זדון. הנה כשבא איש זדון והוא הרשע בדעות אשר יהרס לשפוט בדברים בזולת עיון הנה בא אחריו קלון ובושת כי לא יסכים המציאות למה ששפטו אותו מזה ואמנם האנשים הצנועים שלא יהרסו לעלות לזאת המדרגה כי אם אחר ההצעות הראויות ובדברים הראויים הנה תמלא אתם חכמה: (ג) תומת ישרים. תום הישרי' ינחה אותם אל מחוז חפצם להשיג מבוקשם ואולם עוות הבוגדים הוא ישחיתם וישדם: (ד) לא יועיל הנה ההון לא יועיל לאדם להמלטו ביום עברה אבל יהיה נספה אך הצדקה והיושר יצילו אותו ממות: (ה) צדקת תמים תישר דרכו. להמצא חפציו כי בעבורה תדבק השגחת הש"י בו אם שדרכו היא אל הצדק והיושר ואולם הרשע יפול ברשעתו כי דרכו אל הרשע ויפול מפני זה בהמלא דרכו כי הש"י ישמרהו ממלוא חפצו אשר יכוין בהם ברשע והזיק לזולתו: (ו) צדקת ישרים תצילם. מהרעות ואולם הבוגדים ילכדו בהוותם בעצמם אשר בה חשבו להזיק לזולתם והרצון בזה ובהות בוגדים ילכדו אלו הבוגדים שזכר: (ז) במות אדם רשע תאבד תקוה. כי אין לו השארות נפש ותוחלת שיהיה לו ברוב כחו אבדה או ירצה בזה כי במות הרשע

## מצודת דוד

חסרון הוא נרצון לה': (ב) בא זדון. כאשר בא איש זדון בא עמו קלון כי יבזה את הבריות וגם לצנועים בא חכמה: (ג) תומת. תמימות של הישרים תנהיגם בדרך הטוב להם: וסלף. עקמימות הבוגדים ישודד מהם את נפשותם: (ד) ביום עברה. ביום בא זעם מאת המקום לא יועיל העושר לכופר הנפש כי העומד עליו בוז יבוז למרבית ההון אבל צדקה מצילה מן המיתה: (ה) תישר. הצדקה שעושה היא מוליכה אותו בדרך הישר לטוב לו: וברשעתו. בהרשעה שהכין הרשע לזולתו בה בעצמה יפול הוא: (ו) תצילם. הצדקה תציל הישרים מרעה: ובהות. בהשבר אשר הכינו הבוגדים

## מצודת ציון

(ב) קלון. בזיון: צנועים. המסתתרים עצמם מרוב ענותנותם: (ג) וסלף. ענין עקום כמו ויסלף דברי צדיקים (שמות כ"ג): ישדם. מלשון שדידה וגזילה: (ו) ובהות. ענין שבירה כמו מדבר הות (תהלים נ"ז):

other means that it will save him from an unusual death. *Targum:* from a cruel death.

5. **will straighten his way**—so that he will not stumble.—[*Ibn Ezra*]

6. **but in the destruction**—*In the destruction that they perpetrate, they are caught; the verse is transposed.* [It means] *"and the treacherous in the destruction will be caught."*—[*Rashi*]

an abomination of the Lord, but a perfect weight is His will.
2. When willful wickedness comes, then comes disgrace, but
with the modest is wisdom. 3. The innocence of the upright
leads them, but the distortion of the treacherous robs them.
4. Riches will not avail on the day of wrath, but charity will
save from death. 5. The righteousness of the innocent will
straighten his way, but the wicked will fall in his wickedness.
6. The righteousness of the upright will save them, but in the
destruction, the treacherous will be caught.

**know how to please**—*They know how to please and placate his Creator, and they know how to please the people and how to make peace among them.*—[*Rashi*] Although Solomon mentioned that the righteous man speaks only wisdom, and he cursed the tongue that speaks the opposite, he nevertheless states that in order to make peace, the righteous man must sometimes say something that is not completely true, but the wicked are always accustomed to distort the truth.—[*Rabbenu Yonah*]

1. **Deceitful scales are an abomination of the Lord**—Just as deceitful scales are an abomination of the Lord, as in Deuteronomy 25:13, even if they were never used to deceive, so is the tongue of the wicked, which always speaks lies, even if it never did damage.—[*Rabbenu Yonah, Ibn Nachmiash*]

2. **When willful wickedness comes, etc. but with the modest is wisdom**—*comes wisdom.*—[*Rashi*]

This verse is elliptical. The meaning is: When a *man* of willful wickedness comes, then comes disgrace.—[*Ibn Ezra, Mezudath David*] The modest suffer disgrace and do not respond. The modest are those who are disgraced by the willfully wicked.—[*Ibn Ezra*]

3. **The innocence of the upright leads them**—תַּנְחֵם.—[*Rashi*] It leads them in the way that is good for them.—[*Mezudath David*]

**but the distortion of the treacherous robs them**—Heb. יְשָׁדֵּם, like יְשָׁדְדֵם.—[*Rashi*] [The root is שדד. Because the second and third radicals are identical, the second letter is defective.]

4. **Riches will not avail**—the treacherous on the day that God is wroth with them.—[*Ibn Ezra*]

**but charity will save from death**—It will save them from the death of the treacherous, or it will save them from an untimely death.—[*Ibn Ezra*] This is a repetition of 10:2.

The Talmud (*Baba Bathra* 10a) explains that one verse means that charity will save a person from the punishment of Gehinnom, and the

אָדָם רָשָׁע תֹּאבַד תִּקְוָה וְתוֹחֶלֶת אוֹנִים
אָבָדָה׃ ח צַדִּיק מִצָּרָה נֶחֱלָץ וַיָּבֹא
רָשָׁע תַּחְתָּיו׃ ט בְּפֶה חָנֵף יַשְׁחִת רֵעֵהוּ
וּבְדַעַת צַדִּיקִים יֵחָלֵצוּ׃ י בְּטוּב צַדִּיקִים
תַּעֲלֹץ קִרְיָה וּבַאֲבֹד רְשָׁעִים רִנָּה׃
יא בְּבִרְכַּת יְשָׁרִים תָּרוּם קָרֶת וּבְפִי
רְשָׁעִים תֵּהָרֵס׃ יב בָּז־לְרֵעֵהוּ חֲסַר־לֵב
ואיש

ת"א צדיק. ב"מ ס' (פרוס יג): ויבא רשע. סנהדרין לט: ובאבוד. סנהדרין לו לט קיג:

סְבָרֵיהּ וְסִבּוּרְהוֹן דְּאִלֵּין
דְּעָבְדִין עָאתָא יֵיבַד :
ח צַדִּיקָא מִן עָקְתָא
אִשְׁתֵּיזֵב וְעָל בִּישׁ
תְּחוֹתוֹהִי : ט נִכְלָא
בְּפוּמֵיהּ מְחַבֵּל חַבְרֵיהּ
וְצַדִּיקֵי בִּידִיעָתְהוֹן
מִשְׁתֵּיזְבִין : י בְּטָבָתְהוֹן
דְצַדִּיקֵי תְּדוּץ קִרְיָתְהוֹן
וּבְיוּבְדָנָא דְרַשִׁיעֵי
חֶדְוָתָא : יא בְּבִרְכַּתְהוֹן
דְצַדִּיקֵי תִּתְרוֹרַם
מְדִינְתָּא וּבְפוּמְהוֹן
דְרַשִׁיעֵי תִּתְעֲקַר :
יב דְּרָשֵׁט לְחַבְרֵיהּ חֲסִיר

## רש"י

**אבדה.** תוחלת בניו שהם אונים אבדה כי בזכותו לא תבוא להם טובה אבל במות צדיקים יש לבניהם מבטח בצדקתם: (ח) **צדיק מצרה נחלץ.** במות רשע ולמקרא העליון זה מחובר: (ט) **בפה חנף.** חנף המסית חבירו בדרך רע משחיתו בפיו: **ובדעת צדיקים יחלצו.** והצדיק נחלץ ממנו בדעת התורה שהזהירה עליו לא תאבה לו וגו' (דברים י"ג): (יא) **תרום קרת.** תתקיים תקרת הבית בגבהה מלפול בעוד שהיו מלכי יהודה ישרים העמידה

## אבן עזרא

**תאבד.** שיקוה לעשוק העניים: **אונים.** מן און כלומר שיחילו לעשות און או יהיה אונים שם התאר כמו בוסים טובים: (ח) **נחלץ.** מן וחלצו את אבנים כלומר השם יחלצהו מצרה הנגזרת על האדם: **ויבא רשע.** בצרה בעבורו להיות כפרו: (ט) **בפה חנף.** ענין רשע בפיהו שידבר עדות שקר על רעהו חפץ להשחיתו או ברכילות והצדיקים בדעתם ינצלו ויחלצו מן ההשחתה: (י) **בטוב צדיקים.** כאשר ייטיב להם השם אז ישמחו אנשי קריתם וכאשר יאבדו הרשעים ירננו: (יא) **בברכת.** דבק עם העליון וכן הוא ראויים הם שישמחו כי בעבור ברכת הצדיקים תרום קרת כלומר ירימו בניינה או רמז לאנשיה ובעבור פי רשע המעיד שקר או הרכילות תהרס קריתם: (יב) **בז.** מי שיבוז לרעהו הראוי לכבדו בעבור חכמתו הוא חסר דעת: **ואיש תבונות.** יסבול הבזיון ויחריש שלא יבוז

## רלב"ג

האבד התקוה שהיו מקוי' אוהביו שיגן עליהם בכחו והתוחלת שהיה להם בו שיוכל לעזור בהם כבר אבדה כי סר כחו במותו: (ח) צדיק. כבר יקרה שימלט הש"י הצדיק מצרה ויבוא הרשע תחתיו להיות כפרו: (ט) בפה. האיש החנף והרשע ישחית רעהו בפיו כי דבורו ימשוך האנשים לחטא ויבחית אמנם הצדיקים לא די שלא ישחיתו זולתם אבל ימלטו בדעתם מהרעות הנכונות לבא: (י) בטוב צדיקים. בהצלחת הצדיקים וטובתם תשמח העיר כי הם אוהבים לכלל העם וטובתם הם טוב ובהפך זה ימצא ברשעים לא ישמחו בני העיר בטובתם אבל ירננו ויגילו באבדם בהצלחת הישרים תתרומם העיר ותתנשא כי הם אוהבים לכל בני העם ומברכתם יתברכו ואולם העיר אשר תהי' מנהגת בפי רשעים תהרס כי הוא ישים הנהגתה מעוותת וזה יהיה סבת השחתת העיר: (יב) בז לרעהו. האיש שהוא חסר לב הוא המבזה רעהו שהוא חסר לב כמוהו כשיחשוב עצמו להכם ורעהו סכל ואולם איש תבונות אינו מבזה את שהוא רעהו אבל יחריש

## מצודת ציון

(ז) **אונים.** בנים הבאים מכחו כמו כחי וראשית אוני (בראשית מ"ט): (ח) **נחלץ.** ענין הוצאה ושליפה כמו וחלצה נעלו (דברים כ"ה): (י) **תעלוץ.** תשמח:

## מצודת דוד

לזולתם ילכדו הם בעצמם בה: (ז) **תאבד תקוה.** תקות הבוטחים בו: **ותוחלת.** תקות בניו אבדה כי לא היה בו זכות להגן על הבנים: (ח) **צדיק.** כשנגזרה צרה על הצדיק ובעבור הזכות בטלה הגזרה או כשנחלץ הצדיק מן הצרה יבוא רשע במקומו אל הצרה ההיא כי אין מדת הדין מתפייס עד יבא אחר תחתיו: (ט) **בפה חנף.** בדברי חנופה ישחית את רעהו המחניף לו כי ילכדנו להמשך אחר דעתו: **ובדעת.** בעבור דעת התורה יוצאו מלכד דברי החונף ואינם נמשכים אחריו: (י) **תעלוץ קריה.** כי משפיעים הם לזולתם מהטובה אשר חלק ה' להם: **רנה.** כי בעודם בחייהם הרעו לבריות: (יא) **בברכת.** בעת בוא הברכה לישרים ורק המה למעלה וינהיגו את בני העיר בהדרכה ישרה אז תתרומם עי"ז: **ובפי וגו'.** אבל כאשר הברכה היא בפי כסילים ורק המה למעלה ועל פיהם יהיה כל דברי העיר אז תהרס עי"ז: (יב) **בז.** המבזה לחבירו הוא חסר לב: **ואיש.** אם מי שמבזין אותו הוא איש תבונות אז יחריש ולא יענהו על כל דבריו ולא יחוש לדברי חסר לב:

**is demolished**—But when the blessing is in the mouth of the fools, and only they are on top and govern the city, it will be demolished through them.—[*Mezudath David*]

12. **He who despises his neighbor**—who is deserving of honor because of his wisdom, is devoid of sense.—[*Ibn Ezra*]

**but a man of understanding is**

7. When a wicked man dies, hope is lost, and the expectation of his children is lost. 8. A righteous man is extricated from trouble, and a wicked man comes in his stead. 9. With his mouth, the flatterer destroys his neighbor; but with knowledge, righteous men are extricated. 10. When it goes well with the righteous, the city rejoices, and when the wicked perish, there is song. 11. With the blessing of the upright, the ceiling is raised, but with the mouth of the wicked it is demolished. 12. He who despises his neighbor is devoid of sense,

7. **When a wicked man dies, hope is lost**—*The hope of all who trust in him.*—[*Rashi*]

**and the expectation of his children is lost**—Heb. אוֹנִים. *The expectation of his children, who are the products of his strength, is lost, for no good will come to them in his merit. But when the righteous die, their children have trust in their righteousness.*—[*Rashi*]

Others render: the expectation of the men of strength. As long as the wicked man was living, there was still hope that he would repent. After he dies, however, there is no longer any hope. And the expectation of men who once had strength is lost when they die. This is a repetition. Alternatively, those who relied on their wealth and power no longer have any hope after their death.—[*Ibn Nachmiash*] *Targum* renders: those who commit violence.

8. **A righteous man is extricated from trouble**—*when the wicked man dies, and this is connected to the preceding verse.*—[*Rashi*]

9. **With his mouth, the flatterer**—*The flatterer who entices his friend on an evil way, destroys him with his mouth.*—[*Rashi*]

**but with knowledge, righteous men are extricated**—*But the righteous man is extricated from* [the flatterer] *with the knowledge of the Torah, which warned concerning him* (Deut. 13:9): *"You shall not consent to him, etc."*—[*Rashi*]

10. **When it goes well with the righteous**—When God bestows goodness upon the righteous, the people of the city rejoice, and when the wicked perish, the people sing.—[*Ibn Ezra*]

11. **With the blessing of the upright**—When a blessing comes to the upright, and they are on top, they govern the city with uprightness, and it is elevated thereby.—[*Mezudath David*]

**the ceiling is raised**—*The ceiling of the Temple will be preserved at its height from falling. As long as the kings of Judah were upright, their prayer preserved the Temple.*—[*Rashi*]

**but with the mouth of the wicked it**

רעינא הוא וגברא
דמתבין שתיק : יג אכל
קרצא גלי רזא ודמהימן
ברוחיה מכסי מלתא :
יד באתרא דלית מדברא
נפל עמא ופורקנא ייתי
בסוגעה דמלכתנותא :
טו בישא מבאיש
בצדיקיא מטול דהוא
ערב חלוני וסני לאלין
דסמכין סברהון באלהא :
טז אתתא חסידתא
פלגא איקרא ועשיני רהטין בתר עותרא : יז פריע טבתא לנפשיה גברא חסידא ודמובד

ואיש תבונות יחריש : יג הולך רכיל
מגלה־סוד ונאמן־רוח מכסה דבר :
יד באין תחבלות יפל־עם ותשועה
ברב יועץ : טו רע־ירוע כי־ערב זר ושנא
תוקעים בוטח : טז אשת חן תתמך
כבוד ועריצים יתמכו־עשר : יז גמל

ת"א רכיל . ב"ק לט סנהדרין לא זוהר אדרת נשא : ותשועה . יבמות קכא : רע . יבמות קט : גומל . תענית יא עקידה ב' מג : גושמיה

## רש"י

תפלתם את בית המקדש : (יב) ואיש תבונות יחריש . כשמבזהו החסר לב כמו שאול דכתיב (ש"א י"א) ויבזהו ולא הביאו לו מנחה ויהי כמחריש : (יד) באין תחבולות . כשצרה באה על ישראל ואין נותנין לב להבין ולהתענות ולעשות תשובה יפול עם : (טו) רע ירוע . הרשע יתרועע אשר ערב לבו לעכו"ם : ושונא תוקעים . תוקעים כף למסיתיה' ללכת בעצתם ורבו' דרשוהו בערבות ממון : (טז) תתמוך כבוד . כנסת ישראל תקרב תמיד לכבוד הקב"ה ותורתו : (ועריצים יתמכו עושר . לבל יהיה אביד מהם) : (יז) גומל נפשו . גומל טובה לקרוביו : חסד . איש שהוא חסיד : ועוכר שארו

## אבן עזרא

לרעהו או יחריש ולא יענהו : (יג) הולך . יקרא כן בעבור שהוא מערב הענינים ואומר הולך כי ישמע מזה הסוד וילך לגלותו לאחר : (טו) רע . שם דבר . וירוע מענין תרועה וכן הוא שבר ישבר מי שערב זר שאינו מכירו . ושונא שיתקע כף בוטח ואינו מפחד ממלוה : (טז) אשת חן . בעלת החן והיופי היא תומכת כבודה שיכבדוה בעבור יפיה או כבוד רמז לממון והוא הנכון בעיני והתמיכה שלא תוציא ממנו לצרכה ותחסון במתנת אחרים . ועריצים . גוראים . יתמכו עשרם . ברוב מתנות אחרים שיחדום . אבל : (יז) איש חסד גומל נפשו ותומך אותה בחסדו ומשלימה עד שנת

## מנחת שי

(יג) ונאמן רוח . האל"ף בחטף סגול וכ"כ רב פעלים לבנין נפעל ופי' מ"ש בשמואל ב' סי' ז' : (טו) רע ירוע . בספרי ספרד אין שום טעם בריי"ש רע : ושנא . חסר וא"ו אחר שי"ן עפ"ה בישעיה סימן ס"א כי זהו אחד מן ד' חסרים הנזכרים שם וכן הגיה במקלת ספרים :

## רלב"ג

כשידבר לשמוע דבריו ואע"פ שאינו אומר דבר שלא ידע אותו הנה לכבודו ישמע דבריו ואע"פ שאין תועלת בדבריו : (יג) הולך רכיל מגלה סוד . הנה יגיע לו מהרוע בזאת התכונה שילך רכיל ויגרום ההפסד לאנשים ואמנם מי שהוא נאמן רוח מכסה ומעלים הדבר שנאמר לו אע"פ שלא נאמר לו בסוד או ירצה בזה מי שהוא מגלה סוד החכמה בעיוני' האלהיים והעמוקים מאד הנה הוא מגונה כמו הולך רכיל כי בזה יגרום הפסד רב לאנשים ואולם מי שהוא נאמן רוח וישמר מפני זה מלעשות דבר יביא בו האנשים להטא הוא מכסה דבר חן החכמה מהבלתי ראוי לה : (יד) באין תחבולות . מפני העדר לקיחת תחבולות במלחמה יפול עם ביד שונאיהם ואולם ברוב יועץ לקחת התחבולות יושע העם מאויביו במלחמה או ירצה בזה מפני העדר לקיחת תחבולות לגלה הנפש המתאוה יפול עם ברשתה ר"ל איברי האדם וכחותם הנפשיים ואולם ברוב יועץ תהיה התשועה ולזה הפי' ימשך הפסוק הבא אחריו להרחיק השכל מהיות ערב לנפש המתאוה לפרוע חובה לש"י והרלון בו שהאיש הרע ישבר ויאבד כי ערב בעד סכה שהוא זר לו במה שהוא אדם והוא הכח המתעורר אל התאוות הגשמיות . ומי שישנא תוקעים ר"ל שהוא ירצה לערוב לרעהו בזה האופן אך ישתדל השכל בקנין הדעות אשר הוא מיוחד לו הוא בוטח ואין פחד לנגד עיניו כי השגחת יתברך תדבק בו : (טז) אשת חן . הנה החכמים ינחלו כבוד כי להפלגת חקירתם כל נבון תקוס אתם למשפט ירשיעו והנה כבהיות הנפש המשרתת לשכל אשת חן שתהיה נושא חן בעיניו מפני שכוונתה לו תמיד למה שילטרך לו עדות מהחיים הנה היא תהיה סומכ' לחכם זה הכבוד וכאילו היא עמוד לזה הכבוד ישען עליו כמו . שהתקיפים הם סומכים העושר והם כמו עמודים לו לשמרו מכל שולל ובוזז : (יז) גומל נפשו . הנה מי שמגדל נפשו

## מצודת דוד

(יג) מגלה סוד . המגלה סוד חבירו הרי הוא הולך רכיל ואף אם לא ספר הדברים לפני מי שנאמר עליו כי חבירך חברא אית ליה ויגלה הדבר גם אליו : ונאמן רוח . מי שרוחו נאמנה לה' הוא מעלים כל דבר ואם לא נאמר בסוד : (יד) באין . כאשר לא יחשבו תחבולות בדבר המלחמה אז יפול העם ביד שונאיו אולם ברוב יועץ קרובה התשועה : (טו) רע ירוע . ישבר ויתרוצץ על אשר היה ערב בעבור איש זר אשר לא ידעוהו אם הוא נאמן אבל השונא לתקוע כפיו בערבות מכל וכל בטוח הוא משבירה ומן רצוצה : (טז) אשת חן . אשה הנושאת חן בעבור כשרון מעשיה דרכה לתמוך את הכבוד שלא תלך ממנה ועושה סמוכות אל הכבוד בהוספת כשרון מעשים : ועריצים . בעלי כח רב דרכם עשות סמוכות אל העושר לבל יהיה אבוד מהם : (יז) גומל נפשו . מי בגומל טוב לנפשו המתאוה לתת לה די מחסורה ההכרחי להחיותה ולהעמידה במלב הבריאות הוא

## מצודת ציון

(יב) יחריש . ישתוק : (טו) רע ירוע . ענין השבר והרצון כמו תרועם בשבט ברזל (תהלים ב') : (טז) ועריצים . חזקים כמו עריצי

charming woman, who wins admiration because of her talents, customarily supports honor so that it should not leave her, and she makes supports for honor by increasing her good deeds.—[*Mezudath David*]

**draws near to honor**—Heb. תִּתְמֹךְ. *The people of Israel constantly draw*

but a man of understanding is silent. 13. He who reveals secrets
is a talebearer, but one who is of faithful spirit conceals a mat-
ter. 14. Without strategy the people falls, but with many
counselors there is victory. 15. He who gives surety for a
stranger will be broken by it, but he who hates hand-claspers
[for surety] is secure. 16. A charming woman draws near to
honor, but strong men draw near to riches.

**silent**—*when the one devoid of sense despises him, like Saul, as it is written* (I Sam. 10:27): *"And they despised him and brought him no gift; and he was as one who kept his peace."*—[*Rashi*]

He who is silent and does not react to insults is a man of understanding, for the one who despises does so out of lack of sense, and the one who keeps his peace and does not retort, does so out of understanding.—[*Ibn Nachmiash*]

13. **He who reveals secrets is a talebearer**—He who tells his friend's secrets is considered a talebearer, because even if he tells them to people other than the one they were told about, the latter will eventually hear as well. The Talmud (*Baba Bathra* 28b) states this idea in a maxim: Your friend has a friend, and your friend's friend has a friend.—[*Mezudath David*]

**but one who is of faithful spirit conceals a matter**—He whose spirit is faithful to God conceals all matters even if they were not confided to him as secrets.—[*Mezudath David*]

14. **Without strategy**—*When trouble befalls Israel, and they do not put their heart to understand, to fast, and to repent, the people will fall.*—[*Rashi*]

The simple meaning is that if the army does not make plans to engage in battle, the army will surely fall, but with many counselors, they will be victorious.—[*Mezudath David*]

For the government of a people, it is necessary to have profound thoughts, to plan every move and to beware of the enemies and to foresee and beware of the enemies' moves. Thus, it is necessary to have many counselors so that among all of them, there will be a correct plan.—[*Rabbenu Yonah*]

15. **will be broken by it**—*The wicked man who gave his heart as surety to idolatry.*—[*Rashi*]

**but he who hates hand-claspers**—*Those who clasp hands with the enticers to follow their counsel. But our Rabbis expounded this in regard to surety in monetary matters.*—[*Rashi*] [Perhaps *Rashi* refers to *Yevamoth* 109b, where the beginning of the verse is interpreted as referring to the guarantors of Shelzion, a city where the creditors would go immediately to the guarantors rather than to the borrower.]

16. **A charming woman**—A

נפשו איש חסד ועכר שארו אכזרי:
יח רשע עשה פעלת־שקר וזרע צדקה
שכר אמת: יט כן־צדקה לחיים ומרדף
רעה למותו: כ תועבת יהוה עקשי־
לב ורצונו תמימי דרך: כא יד ליד לא־
ינקה

נושמיה נכריא:
יח רשיעא עבד עובדא
דשקרא וזרע לצדקתא
קושטיה הוא אגריה:
יט היכנא מן דעבד
צדקתא לחיי נטיר
ודרדף בישתא נטיר
למותא: כ מרחק אלהא
לעקימי לבא וצבי
באלין דתמימין:
כא דמושיט אידא על

רש"י

**אכזרי**. והאכזרי הוא עוכר את קרוביו: (יח) **רשע עושה פעלת שקר**. פעולתו של רשע משקרת לו כסבור שתתקיים בו הצלחתו והכל אבד: **וזורע צדקה שכר אמת**. והזורע צדק' היא פעולה של אמת כי בודאי בטוח הוא שיקבל פעלו בסוף: **שכר**. (קורניאל בלע"ז. וברש"י כ"י איסקלוזא והיא עקלוס"ע בל"א וואסער שלייזע) כאדם הסוכר את המים כדי ללקוט דגים ובטוח שימצא שם דגים הרבה ודומה לו כל עושה שכר אגמי נפש (ישעיה י"ט): (יט) **כן צדקה לחיים**. אמתה של צדקה סופה לחיים כמו כן בנות צלפחד דוברות (במדבר כ"ז): (כא) **יד ליד**. כלומר מיד הקב"ה

מנחת שי

תוקעים. במקצת ספרים חסר וא"ו: (יח) עשה פעלת. הס"א

אבן עזרא

כלה: **שארו**. בשרו הוא אכזרי שיעשה בעברת זדון עד שישחית אחר אמר שארו עם האכזרי כי רצונו להעמיד הגוף בתענוגי העולם והחסיד מעמיד הנפש בישרו ובהשדו: (יח) **שכר אמת**. ומי שיזרע הצדק שכרו שיתן לו השם הוא אמת וזריעת הצדק הוא המעשה: (יט) **כן צדקה**. כאשר שכר הצדק אמת כן הצדקה בעבור חיים שישיגוה בה והם חיי הנפש: **ומרדף**. פועל יוצא ללב או לאחר וכן הוא מגוה לרדוף בעבור מותו שימות בלא עתו: (כא) **יד ליד**. השם

רלב"ג

האומרית ומחזיק אותה לתת לאומר הסכלתי מן המזון והלבוש הוא איש חסד שלא יגרע מדבר הקו הראוי לו ויחמול על הראוי להמלה עניו והמגס מי שהוא עוכר בשרו ומצר לגופו הנה הוא אכזרי כי מי שהוא אכזרי לעצמו כ"ש שהוא אכזרי לזולתו והולם אמר זה כי קצת האנשים יחשבו עבודה לש"י מה שיענו גופם ענוי וזה הפך רצון הש"י ולזה תמצא שלא העמידה התורה דבר יהיה בו ענוי לנפש הבהמות רק מעט ביום אחד בשנה והיה זה כי כן הכחות הנפשיות האמריות הוכנו לעבודת השכל ולא יוכן להם זה אם לא היו בבריאות ולזה מי שיהיה סבה להחליף הגוף אשר בהלותו ייחלו אלו הכחות הנה הוא יבלבל כוונת הש"י: (יח) רשע עושה פעולת שקר. האיש הרשע במדות ובדעות עושה פעולה שאין בה תועלת אך היה הבל וכזב והולם מי שזורע צדקה במדות או בדעות יש לו שכר נפלא וקיים וזה השכר הוא השגת האמת אשר היא כל פרי הצלחה האנושית הנה כמו שימשך מזריעת הצדקה השגת האמת כן ימשך וגו': (יט) כן צדקה. כן ימשך ממנה השגת החיים האמתיים כי חלק הדבר במציאות אשר הוא החיים בחלקו באמת כמו שהתבאר בפילוסופיא הראשונה אמנם מי שהוא מרדף רעה ורשע במדות או בדעות הנה ימשך לו מזה מקרה המות והפסד: (כ) תועבת ה'. היא האנשים שהם עקשי לב כי עקשותם יביאם תמיד אל השבוש בדעות בפנות היותר גדולות מהם ורצון הש"י הוא האנשים ידרכו בעיונם בתמימות ובצמיות להשמר מן הטעיות: (כא) יד ליד. הנה הרעות הפתאומיות שיבואו מיד ליד לא ינקה האיש הרשע מהם כי אין הש"י משגיח עליו

מצודת ציון

גוים (יחזקאל כ"ח): (יז) **ועוכר**. ענין השחתה ובלבול כמו עכרתם אותי (בראשית ל"ד): **שארו**. בשרו כמו אם יכין שאר (תהלים ע"ח): (יח) **אמת**. ענינו דבר מקויים וכן ודבריך יהיו אמת (ש"ב ז'): (יט) **כן**. ענינו כמו אמת וצדק כמו כן בנות צלפחד דוברות (במדבר כ"ז): (כ) **עקשי**. ענין עקום:

מצודת דוד

בודאי איש חסיד כי כאשר יחמול על נפשו כן יחמול על נפש זולת אבל העוכר בשר עצמו ומרעיב עצמו כי יחוס על הממון כל שכן שהוא אכזרי על הזולת: (יח) **פעולת שקר**. ר"ל פעולתו משקרת בו ולא תשאר היא בקיומה: **וזורע**. הזורע צדקה שכרו בא באמת אם כן פעולתו היא גמול הצדקה הנה בא ומתקיים: (יט) **כן צדקה**. אמיתת הצדקה ר"ל התבונה לשמה היא סיבה להשיג החיים אבל המרדף עם הצדקה את הרעה לרמות בה את הבריות למען יחזיקוהו לצדיק היא עוד סיבה למותו כי לא תחשב לזכות כי אם לחובה: (כ) **עקשי לב**. מראה לאדם יושרו ומחשבות לבו לעקשות: **תמימי דרך**. התם בדרכיו ומשוה מסתרו לגלוהו הוא ירצה ה': (כא) **יד ליד**. מידו של מקום יבוא הגמול ליד המחוייב ולא ינקה הרע ממנו כי לא תשוב ריקם אבל זרע צדיקים לפעמים נמלטו מן

*confident that he will find many fish there. A similar instance is* (Isa. 19:10): *"all who make dams* (שֶׂכֶר) *for still ponds."*—[*Rashi*]

19. **The truth of charity**—Heb. כֵּן, *the truth of charity is that its end is for life, as in* (Num. 27:7): *"The daughters of Zelofchad speak right* (כֵּן)*."*—[*Rashi*]*

20. **Those who are perverse in heart**—They show people their honesty, but their thoughts are perverse.—[*Mezudath David*]

**who are sincere in their way**—Those who are sincere in their ways and whose inner thoughts conform with their actions are accepted by God.—[*Mezudath David*]

21. **From hand to hand**—*From the hand of the Holy One, blessed be He,*

17. A kind man does himself good, but a cruel one troubles his own flesh. 18. A wicked man earns illusory wages, but he who sows charity [receives] a true reward. 19. The truth of charity is for life, but one who pursues evil [leads] to his death. 20. Those who are perverse in heart are an abomination of the Lord, but He desires those who are sincere in their way. 21. From hand to hand the evil

*near to the honor of the Holy One, blessed be He, and His Torah.*—[*Rashi*] See above *Mezudath David's* rendering: supports honor.

(**but strong men draw near to riches**—*that it should not be lost to them.*)—[*Rashi*] This passage apparently is copied from *Mezudath David,* who renders: Those who have strength make supports for the wealth so that it should not be lost to them. No doubt, this copied passage is a result of censorship, as is apparent from other editions. In Vilna, Waxman, and *Malbim* editions, this entire passage does not appear.*

17. **does himself good**—*He does good to his kin.*—[*Rashi*]

**A kind man**—lit. a man of kindness, *a man who is kind.*—[*Rashi*] [Note that *Rashi's* commentary is presented here in the sequence of the original Hebrew text. It appears in this sequence in all editions. As the reader will note, the English translation transposes the words.]

**but a cruel one troubles his own flesh**—*But the cruel one troubles his kin.*—[*Rashi*] Others render: He who does good to himself is a kind man, but he who troubles his flesh is cruel. The meaning is that he who gives his body its due, not mortifying his flesh by excessive fasting and the like, is a kind man. He will be kind to others as well. But he who troubles his flesh by fasting excessively is a cruel person to others as well.—[*Mezudath David, Meiri, Rabbenu Yonah, Ibn Ezra, Ibn Nachmiash*]*

18. **A wicked man earns illusory wages**—*The wage of a wicked man lies to him. He thinks that his prosperity will remain, but all is lost.*—[*Rashi*]

**but he who sows charity [receives] a true reward**—*But he who sows charity, it is a wage of truth, for he is surely confident that he will receive his wage at the end.*—[*Rashi*] [*Rashi* explains שֶׂכֶר as synonymous with שָׂכָר, *reward,* as do the *Targum* and all other exegetes. However, the following comment explains it in a different manner.]

שֶׂכֶר—(*cornial in Old French.* [This appears to mean a *weir* in several dialects; i.e. a fence placed in the water to catch fish.] *Manuscripts of Rashi yield: eclusse or esklusa, which is écluse* [in modern French]; in German *wasserschleuse,* a lock or a sluice gate). *Like a man who locks a canal in order to gather fish, and he is*

ינקה רע וזרע צדיקים נמלט: כב נזם
זהב באף חזיר אשה יפה וסרת טעם:
כג תאות צדיקים אך־טוב תקות
רשעים עברה: כד יש מפזר ונוסף עוד

חבריה לא מזדכי מן בישתא וזרעא דצדיקי מתפרק: כב קדשי דדהבא בנחירי דחזירתא היכנא אתתא דשפירי וסרי טעמא: כג רגתא דצדיקי בטבתא וסבורא דרשיעי ברוגזא: כד אית דפרד ומוסיף

ת"א ינקה. ברכות סב מרובין יח סוטה ד': נזם. חבות יב: מפזר. ברכות סג זוהר בהעלותך:

## רש"י

לידו תבוא לו שכר פעולתו ולא ינקה מן הרע אשר עשה: (כב) נזם זהב באף חזיר. שמלכלך אותה באשפות כן תלמוד חכם הסר מן הדרך הטובה: **וסרת טעם**. פורש מן התורה: (כג) **תקות רשעים עברה**. בטוחים ומקוים לגיהנם: (כד) **יש מפזר**. ממונו כגון לצדקה ונוסף עוד: **וחושך**. עצמו מיושר: **אך למחסור**. יהיה לו:

## אבן עזרא

לנגד יד הרע על כן לא ינקה והטעם לא יהיה נקי כי השם ישיב גמולו בראשו: **וזרע צדיקים**. הם בני הצדיקים שימלטו

## מנחת שי

רפה: (כא) ינקה רע. הרי"ש בדגש במלה זעירא בבא עליו מלה

מגרה בשביל אבותם: (כב) **באף חזיר**. כי הוא יביאהו בטיט וישחיתהו וזהו משל וכן היופי כזהב והאשה האולת כחזיר שאין לה דעת והיופי בה נשחת כאשר סרה מטעם הכמה. וסרת על משקל ומגרת ביתה: (כג) **תאות**. אך ממעט כל התאוות לבד תאוות מעשה הטוב. והרשעים יקוו לעשות עברה והטעם להתעבר באחרים ומדת הכעס שתעבור על מדה תקרא עברה: (כד) **יש מפזר**. לעניים: **ונוסף עוד**. הממון. **וחושך** ממונו מיושר. מעשות יושר שלא יתן לעניים.

## רלב"ג

לשמרו להם ואמנם זרע הצדיקים נמלט ממנו כי השגחת הש"י תדבק בהם לשמרם. או יהיה הרצון בזה בעת הרעות הגדולות הפתאומיות שיבואו מיד ליד אשר אין אחד נקי מהרע כי הוא משחית הרעים והטובים הנה זרע הצדיקים והוא פרים אשר להם בשלימות השכל הוא נמלט כי לא יוכל זה הרע למשול בשכל: (כב) נזם זהב. הנה האשה היפה שהיא נעדרת השכל היא דומה לנזם זהב שיושם במקום הנבאש בתכלית והוא אף החזיר אשר הוא באשפות נמצא וכבר הישיר בזה להתרחק מן האשה הזונה אשר היא יפה כי בנאה ספק שהיא סרת טעם ולזה תפותה לזה השקין והגנות ונרמז בזה אל היופי וההכנה אשר שם הש"י בחומר האדם ובכחותיו הנפשיות לעבודת השכל ואם יסור מן ההשתדלות במה שהוכן לו מהשלימות הנה יהיה זה היופי וזאת ההכנה מונחת במקום אחר מגונה מאד וזה כי האדם החסר היא יותר רע מהרעים שבב"ח כי בהכנתו שהוכנה לו להשיג שלימות השכל ישתמש בפעולות המגונות ולזה יפליג להרע יותר מהחיות והב"ה: (כג) תאות צדיקים. הנה הצדיקים לא תהיה תאותם ותכליתם וגבולם אשר יכונו אליו רק אל הטוב ואולם **מה** שיקוו הרשעים מהתכלית אשר כונו אליו הוא דבר חמה ועברה כי הם משתדלים תמיד בעשיית הרעות וכבר באר זאת על צד מליצה השיר שכל אחד מאלו משיג מה שיקוה אליו וזה שהצדיק יבקש התכלית הטוב בכל אשר יעשה ולזה יתן השם יתברך שכרו שישיג הטוב הנפשיי והרשעים יבקשו תכלית רע בכל אשר יעשוהו ולזה ישיגו הרע לעולמם: (כד) יש מפזר. הנה יש מי שמפזר ונוסף עוד והוא בעל השלימות בעיון

## מצודת דוד

הרעה אשר ישולת עליהם בעבור זכות כשרון מעשה האבות: (כב) נזם זהב. כמו אלו ישימו נזם זהב באף חזיר הנה לא תשמור העדי הזה להתקשט בה אבל תלכלך אותה בלואה כן דרך אשה יפה אשר סרה

## מצודת ציון

(כב) נזם. עדי יושם על האף וכן חח ונזם (שמות ל"ה): טעם. ענינו העצה ותוכן הדבר כמו וטעם זקנים יקח (איוב י"ב): (כד) וחושך.

מינה טעם ועצת החכמה כי לא תשמור יפה להמותר לה כ"א להנאסר לה ונאמר למשל על מי שמלא חכמה ואינו משתמש בה לחכמת התורה כ"א לרמות את הבריות וכדומה: (כג) אך טוב. מכל התאוות בוחרים אך תאות מעשה הטוב ועוזבים את השאר: עברה. כל תקותם למלאות דבר מה לכעוס ולהתקצף על מי: (כד) **יש מפזר**. ר"ל ימלא דבר אם מפזרו בענין מה יתוסף עוד יותר ואם ימנע מליתן ממנו אף

sure in this world. Instead, all their hope will turn to wrath even in this world.

24. **There is one who scatters**—*his money for such things as charity, and he is given more.*—[*Rashi*] *Ralbag* explains this as referring to one who disseminates the knowledge of Torah. By doing so, he increases his own knowledge.

will not be cleansed, but the seed of the righteous escapes.
22. [As] a gold ring in a swine's snout, is a beautiful woman from whom sense has departed.
23. The desire of the righteous is only good; the hope of the wicked is wrath.
24. There is one who scatters and yet is given more,

*to his hand shall come to him his wage, and he will not be cleansed of the evil that he committed.*—[*Rashi*] [This may mean that he will receive the retribution for his evil, and he will not be cleansed of it; or it may mean that he will receive the reward for these good deeds and also receive full punishment for his evil deeds—the punishment will not be deducted from the reward.]

*Ralbag* explains: The wicked person will not be cleansed from bad occurrences that come suddenly from God's hand, for God does not guard him to keep them from him.

*Ibn Ezra* explains: From hand to hand. The hand of God is opposite the hand of the wicked; therefore, he will not be cleansed.

**but the seed of the righteous escapes**—The children of the righteous escape troubles because of their fathers.—[*Ibn Ezra*]

22. **[As] a gold ring in a swine's snout**—*that bemires it in the dungheap, so is a Torah scholar who turns away from the good way.*—[*Rashi*]

**from whom sense has departed**—*Who has departed from the Torah.*—[*Rashi*] [It appears that *Rashi* explains the verse as picturing a Torah scholar as a beautiful woman. If he forsakes the Torah, he is pictured as a beautiful woman from whom sense has departed. Since he has forsaken the way of the Torah, his improper behavior disgraces the Torah just as a swine bemires a gold ring it wears in its snout, by dragging it through the mud and the dirt.]

According to the simple meaning, Scripture compares a beautiful woman who has no sense, to a gold ring in a swine's snout. Just as the swine will bemire the ring, so will the woman bemire her beauty by using it to bring people to sin. This is symbolic of one who is well-versed in Torah and uses his knowledge to deceive people.—[*Mezudath David*]

23. **is only good**—Out of all the desires, they choose only the desire to do good, and forsake all other [desires].—[*Mezudath David*]

**the hope of the wicked is wrath**—*They are assured and hope for Gehinnom.*—[*Rashi*] Others explain: All their hope is to find someone against whom to vent their anger.—[*Ibn Nachmiash, Mezudath David, Ibn Ezra*]

*Gra* explains that the righteous long only for something intrinsically good; not for something that affords pleasure, but something that leads to a good end. But the wicked long only for the pleasant, to derive plea-

וְחֹשֵׂךְ מִיֹּשֶׁר אַךְ־לְמַחְסוֹר׃ כה נֶפֶשׁ־
בְּרָכָה תְדֻשָּׁן וּמַרְוֶה גַּם־הוּא יוֹרֶא׃
כו מֹנֵעַ בָּר יִקְּבֻהוּ לְאוֹם וּבְרָכָה לְרֹאשׁ
מַשְׁבִּיר׃ כז שֹׁחֵר טוֹב יְבַקֵּשׁ רָצוֹן וְדֹרֵשׁ
רָעָה תְבוֹאֶנּוּ׃ כח בּוֹטֵחַ בְּעָשְׁרוֹ הוּא

ת"א ומרוה. סנהדרין לב: מונע. סנהדרין לא זוהר דברים:

תרגום: טוב וחשיך מן תריצותא חוסרנא ליה: כה נפשא דברכתא תדהן ומן דמאלף אף הוא יליף: כו מן דכלא עבורא באולצנא נשבקוניה לבזל דבבוי וברכתא תהוי לאנא דמזבן: כז דמקדים טבתא בעי צבינא והבע בישתא אתיא עלוי: כח דמסבר בעותריה הוא

## רש"י

(כה) נפש ברכה. שהוא ותרן בממונו וכל לשון ברכה (פישו"ן בלע"ז. מבואר בשמות ע"ז ה'): ומרוה. שמשביע את העניי': גם הוא יורא. ישבע טוב: (כו) מונע בר. מללמד תורה: (כז) שוחר טוב. ההפך להדריך את הבריות בדרך טובה ומוכיח ומיסר אותם: יבקש רצון. הוא הפך שיהיה הקב"ה רוצה בם ומתפייס עמם. רצון. (אפיימינ"ט בלע"ז. מקולקל בדפים נ"ל כמו בראשית ל"ג. אפייזמנ"ט בלע"ז. בל"א בעזענפטען בערוהיגען וכן שמית

## מנחת שי

מלעיל מלרע דף ע"ב: (כה) תדשן. התי"ו דפויה וכבר הזכרתי ענין זה בפרשת וזאת על אתה הדבר: (כו) מונע בר. בסוף מסרה גדולה נמסר שטה הדא דכל הד והד מלעיל ולית דכותיה והאחד מהם מונע בר ועיין מה שכתבתי בישעיה ס"ג: יקבהו לאום. זוהר פרשה בלק דף קצ"ה לאם כתיב והכי דייק ליה הכר וה"ו זעירא וכן במס"ג סוף מערכת היה וה"ו נמסר סימן מן כ"ה זעירין הד מלא וא"ו באמצעות תיבותא והד בסיף וה"ו בריש תיבותא ותסר והד מהכתו זעיר לאום ברוב עם הדרת מלך (משלי י"ד). ולאם מלאם יאמץ. וכן בספרי דוקני לאם דכתיב עם הסר. לאום דמונע בר (משלי י"א) מלא. וכן במסרה דדפוסא פרשת תולדות יצחק גבי ולאם מלאם יאמץ נמסר כלם הסר בר מן אחד מלא וסימנא דמלתא הבחנא בהדיא במסרה כתיבת יד כל לישנא חסר בר מן יקבהו לאום ואמטו להכי צריך להגיה במסרה רבתא לאום מונע בר ושנינא

## אבן עזרא

יחסך בעבור שיבואהו מחסור ואך ממעט תוספת המפור: (כה) יורא. מל' והוריות להם ופי' נפש הנותנת מברכותיה השם ידשנה וירבה השם שהוא מרוה אותה גם הוא יורא וגוה להרוות איש אשר יחסר וזהו הענק תעניק לו והחזקת בו. פ"א ומרוה דבק עם נפש ברכה ופירוש איש מרוה גם הוא יורא ענין הדשן כי הוא מדושן בהרווחו איש מחסור. פ"א החכם שהוא מרוה אחרים האל יתן לו שררה: (כו) בר. הוא הנקי מן התבן על משקל חג פת בג: יקבוהו. מענין קבה לי ומשרשו כי משקל קבה הבה וכן ארה לי והתבוננה בהם נקבה יהבה נארה שמעה סלחה: משביר. מוכר שבר פירוש מי שמונע בעת רעב תבואתו עד שימכרה בדמים יקרים יקללוהו עמים וברכה תבא לראש מוכר שברו בעת הצורך: (כז) שוחר. שיקום בשחר לעשות טוב הוא יבקש לרצות חברו אשר חטא לו או שיבקש רצון שירצהו השם. ודורש לעשות רעה לרעהו היא תבואנו מאת השם כענין ישוב עמלו בראשו וגו': (כח) בוטח בעשרו. ולא בשם לא יועילנו כי הוא יפול ביד מבקשי נפשו והצדיקים שיבטחו

## רלב"ג

כי כל מה שיוסיף ללמד דעת לאנשים תהיה תוספת חכמתו ובינתו כאמרם ומתלמידי יותר מכלם. ואמנם מי שהוא מונע עצמו מללמד היושר לאנשים הנה זה הענין הוא לו למחסור מאלימותו כי להעלימו דברי היושר מהאנשים תמעט חקירתו ולזאת הסבה ג"כ הנה נפש ברכה תדושן ומרוה גם הוא יורה נפש איש ברכה שיבקש תמיד הברכה והתוספת בעיון תהיה דשנה ושמנה מדשן נעימות המושכלות ומי שהוא מרוה אחרים ממה שהשיג ומדשן החכמה הנה הוא ג"כ מורה ומלמד לעצמו כי בזה הפועל ישיג יותר החקירה בזה העיון אלא ירידתו לבאר החקירה הזאת לתלמידים הנה מי שימנע מהשביר בר העיון יקללוהו כל העם או האומה מפני שהיתו רוצה להועיל לאנשים במה שהועילהו הש"י בו ולראש האיש המשביר ומלמד דעת את העם תבא לו ברכה כי הם יברכוהו ותבא לו ג"כ ברכה בעיונו בעצמו שתוסיף בזה הפועל גם תבא לו ברכה מהש"י שיתן שכרו תחת זאת הטובה אשר עשה ואפשר שיתפרשו אלו השלשה פסוקים נורז על פועל הצדקה: (כז) שוחר טוב. מי שהוא טוב ודורש אותו הוא רצון הש"י שיגיע לו כי הש"י עשה את האדם באופן שיבקש אל הטובות ולזה יגיע לו בלא ספק התכלית שכוון אליו. ודורש ומבקש לעשות רע יבואנו והוא שכבר יבא לו הרע בהפך מה שכיון כי הוא כיון הרע לזולתי ויבא לעצמו ברשתו אשר טמן לזולתו ילכד: (כח) בוטח בעשרו. מי שיבטח בעשרו ולזה יחשב להתגדל ולהתגאה על האנשים הוא יפול כי

## מצודת ציון

ומניע: (כה) ברכה. כל לשון ברכה ענינו תוספת טובה: תדושן. מלשון דשן ושמן: ומרוה. ענין שביעה כמו כגן רוה (ישעיה נ"ח): (כו) בר. תבואה כמו לשבר בר (בראשי' מ"ב): יקבהו. יקללוהו כמו לכה קבה לי (במדבר כ"ב): לאום. אומה כמו ולאום מלאום יאמץ (בראשית כ"ה): משביר. ענין מכירת תבואה כמו לשבר בר (בראשית מ"ב): (כז) שחר. ענין דרישה כמו ושחרו אל (תהלים ע"ה):

## מצודת דוד

הלאו לא יהיה סיבה לקיום הדבר כי אם להחסירו והוא פזרן הממון לצדקה כי המפזר וגו': (כה) נפש ברכה. הנפש המוספת טובה לזולת גם היא תדשן: ומרוה. המשביע את העניים גם הוא ישבע טוב: (כו) מונע בר. המחדל למכור תבואתו בעת הצורך ומשמרה עד זמן היוקר יקללוהו בני אומתו. וברכה באה לראש המוכר שבר בעת הצורך כי הכל יברכוהו והוא נאמר למשל על השפעת החכמה לזולת: (כז) שחר טוב. הדורש אחר טובות בני אדם והפץ בהם יבקש בזה רצון מה' כי על ידי זה ירוצה לו: ודרש. הבא הדורש אחר רעת בני אדם ובה הוא חפץ אזי הרעה ההיא תבוא עליו: (כח) הוא יפול. ולא יועיל לו עשרו אבל הצדיקים הבוטחים בה'

**seeks acceptance**—*He desires that the Holy One, blessed be He, accept them and be reconciled with them. Appaisement in Old French, besanftigen in German.*—[*Rashi*]

**but he who seeks evil**—He who seeks harm for his fellow man, that same harm will befall him from God.—[*Ibn Ezra, Mezudath David*]

28. **He who relies on his wealth—**

and one who withholds from [giving] what is proper, only for a loss. 25. A generous person will become rich, and he who sates [others] shall himself become sated as well. 26. He who keeps back grain—the nation will curse him, but a blessing will be bestowed on the head of him who sells grain. 27. He who desires good seeks acceptance, but he who seeks evil, it will befall him. 28. He who relies on his wealth

**and one who withholds**—*himself from [giving] what is proper.*—[*Rashi*]

**only for a loss**—*it will be to him.*—[*Rashi*] *Ibn Nachmiash* renders: and one who holds himself back from generosity. He illustrates that this idea—that no one becomes poor from giving charity, but, on the contrary, is blessed—is echoed in the Talmud, the Midrash, and in the works of the medieval rabbis.

The Talmud states: "He who wishes to salt away his money should give it away" (*Kethuboth* 66b). In *Midrash Tanhuma, R'eh* (citation unknown), charity is compared to the hair of the head and the beard; when it is cut, it grows longer. The hair of the eyebrows, which is not cut, does not grow. Similarly, the wool of sheep, which is shorn, grows longer; the hair of the swine, which is not shorn, does not grow longer.

*Rabbi Joseph Gikatilia* compares giving charity to nursing a child. As long as the mother nurses her child, milk increases in her breasts. Once she weans him, the milk dries up.

25. **A generous person**—[lit. a soul of blessing,] *who is generous with his money, and every expression of blessing is fuison in Old French, excess.*—[*Rashi*]

**will become rich**—lit. will become fat.—[*Mezudath Zion, Ibn Nachmiash*] Since he looks for the good of others, he, too, will receive that good.—[*Mezudath David*]

**and he who sates**—*who sates the poor.*—[*Rashi*] *Ibn Nachmiash* quotes: sates the hungry.

**shall himself become sated as well**—*He shall be sated with good.*—[*Rashi*] *Targum* renders: and he who teaches will himself learn as well.

26. **He who keeps back grain**—[who refrains] *from teaching Torah.*—[*Rashi* from *Midrash*] [The Torah, which is spiritual food, is represented by grain.] The simple meaning is that if one hesitates to sell grain when it is needed, waiting for the price to rise, the nation will curse him.—[*Mezudath David*]

**but a blessing will be bestowed etc.**—A blessing will be bestowed by the people upon one who sells grain when it is needed. This is symbolic of one who disseminates wisdom to others.—[*Mezudath David*]

27. **He who desires good**—*Who wishes to lead the people in the good way and reproves and chastises them.*—[*Rashi*]

יִפֹּל וְכֶעָלֶה צַדִּיקִים יִפְרָחוּ׃ כט עֹכֵר
בֵּיתוֹ יִנְחַל־רוּחַ וְעֶבֶד אֱוִיל לַחֲכַם־לֵב׃
ל פְּרִי צַדִּיק עֵץ חַיִּים וְלֹקֵחַ נְפָשׁוֹת
חָכָם׃ לא הֵן צַדִּיק בָּאָרֶץ יְשֻׁלָּם אַף כִּי־
רָשָׁע וְחוֹטֵא׃ יב א אֹהֵב מוּסָר אֹהֵב
דָּעַת

ת״א פרי צדיק. ב״מ פה ב״ב ח׳:

**תרגום**

הוּא נָפֵל וְאֵיךְ טַרְפָּא צַדִּיקֵי סַפְרְחִין׃ כט עָכֵר בֵּיתֵיהּ יָרֵית פָּחֲתָא וְסַכְלָא יְהֱוֵי עַבְדָא לְחַכִּים לִבָּא׃ ל פֵּרוּי דְצַדִּיקָא אִילָנָא דְחַיֵּי וּמְקַבְּלָנוּתָא דְנַפְשֵׁי חָכְמְתָא׃ לא הֵן צַדִּיקָא בְּאַרְעָא מִתְחַסַן וְרַשִׁיעֵי וְחַטָּאֵי סָיְפִין מִן אַרְעָא׃ א מַן דְרָחֵים מַרְדוּתָא

## רש״י

כ״ה ב׳): (כט) עוכר ביתו ינחל רוח. אדם עצל שינחל רוח תמיד ואינו יגע בתורה ולא במלאכה סוף עוכר את בני ביתו שאין להם מה לאכול: (ל) פרי צדיק. גמול פירות מעשה הצדיקים עץ חיים הם לעולם: ולוקח נפשות חכם. מי שהוא חכם קונה לו נפשות שמלמדם דרך טוב והרי הם לו כאלו קנאם כענין שנאמר ואת הנפש אשר עשו בחרן (בראשית י״ב): (לא) הן צדיק בארץ ישולם. למה יבטח הרשע בשעה שמצלחת לו הלא הוא רואה שהצדיק משתלם שכר העבירה שבידו בעודו על הארץ בחיים: אף כי רשע וחוטא. וכל שכן שסופו של רשע

## אבן עזרא

בשם ולא בשרש. יפרחו ויעלו כעלה: (כט) עוכר ביתו. באולתו הוא נוחל רוח והבל ועבדו של האויל לחכם לב לנחלה כי יקנהו ממני והודיע כי האויל משחית קנינו והחכם קונהו בחכמתו או האויל הוא עבד לחכם: (ל) פרי צדיק. פרי מחשבות שכלו ללמדם מוסר מפיהו כפרי עץ החיים: ולוקח. מענין כי לקח טוב ופי׳ ומחכים המוסרים וכמו מה יקחך לבך יחכימך פ״א קונה כמו המביאים את המקחות ובלשון חז״ל קורין לקנין מקח כלומר קונה נפשות כעבדים ושפחות כענין ועבד אויל. פ״א ולוקח נפשות בחכמתו יציל אותו מרע: (לא) בארץ ישולם. בעודו חי ישלם לו השם מעשה הטוב. אף כמו כן הרשעים ישולם שכר פעולתם טרם מותם כענין אל פניו ישלם לו: יב (א) אוהב מוסר. מי שהוא אוהב הדעת הוא אוהב

## מנחת שי

אספרא דווהר: (ל) פרי צדיק. הס״א בגעיא: יב (א) אהב דעת. האל״ף

## רלב״ג

אין ראוי לבטוח כי אם בש״י וכמו העלה שלא תחתיו הספרח כן יפרחו הצדיקים לעשות פרים אשר יבטחו בו מהש״י: (כט) עוכר ביתו. מי שהוא משחית ביתו ר״ל כגון בנין הגוף ואבריו וכחותיו הנפשיות עד שלא ישתמש בהם להועלות המכוון בהם הנה ינחל רוח והבל כי אין בו תועלת ותחת מוגעו עצמו מלעבוד שלו כמכוון בו ישוב עבד לזולתו ר״ל שבכר יהיה האויל עבד לחכם לב או יצלה במלת עבד שם מקרה והרצון בו שיגיעת האויל אשר עבד בו יהיה לחכם לב כאמרו יכין וצדיק ילבש: (ל) פרי צדיק עץ חיים. כי הצדיק יגיע אל החיים הנצחיים זמי שהוא לוקח ומושך לעבודות הנפשיות החומריות כדי שיעוררו כלם אל השכל להשגת אלו החיים הנצחיים הוא החכם או יהיה הטעם כשול והרצון פרי צדיק הוא מן שיתן חיים וזה כי לא די לצדיק שיקנה החיים לעצמו אבל יקנה אותם לזולתו והחכם הוא לוקח נפשות האנשים ומושך אותם לעבודת הש״י שיקנו כלם החיים הנצחיים: (לא) הן צדיק בארץ. הנה הצדיק לא יספיק לו קנין החיים הנצחיים אבל יעמוד בשלום בהיותו בארץ אין פחד רעה לנגד עיניו וגם כאשר רשע והוא חוטא חטא מה עכ״ז יעמוד בשלום בארץ כמו שתראה מיהושפט שהתחבר עם אחאב שהיה רשע וחטא בזה הצילו הש״י מהרע כשקמו עליו חיל ארם להרגו בעבור כי נמצאו בו דברים טובים כמו שנזכר בספר דברי הימי׳ וכזה תמצא בדוד כשחטא בדבר אותה האשה אמר לו הנביא גם ה׳ העביר חטאתך לא תמות שכל פעולותיו זולתי זאת היו בתכלית השלימות כמו שזכרנו שם ולזה מצאנו שנענש שאול יותר ממה שנענש דוד וסיה חטא שאול יותר מעט אלא שלא עשה מהטובות כ״כ כמו שעשה דוד אך רוב פעולותיו בלתי נוהגות על היושר: (א) אוהב מוסר. מי שהוא אוהב מוסר במדות הוא אוהב דעת כי זה ממה שייעירהו לשלימות המושכלות ולזה הוא מבואר כי מי שהוא שונא התוכחת הנה הוא בער כי יפסד ממנו השלימות במדות ונפסד ממנו שלימות

## מצודת דוד

יפרחו כעלי האילן: (כט) עוכר ביתו. העצל אשר בעבור עצלותו הוא עוכר ומשחית בני ביתו כי לא מלאו ידו לתת להם די מחסורם הנה בזה יתרבה המריבה והכעס וכאלו ינחל לעצמו רוח הכעס וסוף הדבר יהיה אשר האויל הזה יהיה עבד לחכם לב להחיות נפש עצמו: (ל) פרי צדיק. מעשה הצדיק הוא כעץ המגדל חיים כי על ידי מעשיו באו החיים: ולוקח. הלוקח לעצמו נפשות להדריכם בדרך הישר והרי הוא כאלו קנאם כמו שנאמר ואת הנפש אשר עשו בחרן (בראשית י״ב) הלוקח הזה לחכם יחשב: (לא) הן וגו׳. כאומר למה יבטח הרשע על הצלחת שעתו. הלא יראה כי אף הצדיק ישולם על העבירות שבידו עודנו בארץ עד לא ימות וכל שכן הרשע המחזיק ברשעו וחוטא עד שבוודאי יקבל גמול מעשיו אם קודם המיתה אם לאחריה:

יב (א) אוהב. האוהב את המוסר הוא אוהב דעת כי בשמעו את המוסר יקנה דעת מה שלא שמע מאז אבל השונא תוכחת

## מצודת ציון

(כט) רוח. ענינו כעס כמו הניחו את רוחי (זכריה ו׳): (לא) אף כי. ענינו כמו כל שכן וכן אף כי אש אכלתהו (יחזקאל ט״ו):

*that they acquired in Haran."*—[*Rashi*] *Rashi* alludes to *Targum Onkelos,* which renders: and the souls that they subjected to the Torah in Haran—referring to Abraham's conversion of many people in Haran.

*Mezudath David* explains: He who acquires souls is a wise man; i.e. he is regarded as a wise man.

31. **Behold! The righteous man will be requited on earth**—*Why should the wicked man feel confident when he prospers? Does he not see*

will fall, but the righteous will flourish like a leaf. 29. He who
inherits the wind will trouble his household; the fool is a slave
to the wisehearted. 30. The fruit of a righteous man is the tree
of life, and the wise man acquires souls. 31. Behold! The right-
eous man will be requited on earth; surely a wicked man and a
sinner.

## 12

1. He who loves discipline loves

but not on God, that wealth will not avail him. On the contrary, he will fall into the hands of his pursuers. But the righteous, who rely on God and not on their wealth, will flourish like a leaf.—[*Ibn Ezra*]

Because the leaf grows before the fruit, the righteous are compared to the leaf; and they protect the people of their generation as the leaf protects the fruit of the tree.—[*Ibn Nachmiash*]

*Rabbenu Yonah* suggests that those who rely on their wealth will fall by reason of that very wealth, or they will lose that wealth through a sudden calamity. The righteous, however, in the midst of their trouble and poverty, will flourish like a leaf, which grows more quickly than the fruit.

29. **He who inherits the wind will trouble his household**—*A lazy man, who always inherits the wind and does not toil in Torah or in work, will ultimately trouble the members of his household, for they will have nothing to eat.*—[*Rashi*]

Other commentators explain the verse according to the sequence of the words, thus: He who troubles his household will inherit the wind, etc. He who troubles his household with his foolishness will ultimately inherit wind and futility, and he will become a slave to a wisehearted man, who will purchase him.—[*Ibn Ezra*] This appears to be the *Targum's* interpretation as well.*

30. **The fruit of a righteous man**—*The reward of the fruit of the righteous man's deeds is a tree of life for the world.*—[*Rashi*] This may also be rendered: *is a tree of life forever. Etz Chaim* ms. reads: *is a tree of life for him and for the world.* Salonica ed. reads: *is a tree of life for them forever.*

It is like a tree upon which life grows, for the world is granted life throught the merit of the deeds of the righteous.—[*Mezudath David*]

**and the wise man acquires souls**—*Whoever is wise acquires souls for himself: he teaches them the good way, and they are his as though he had acquired them, as the matter is stated* (Gen. 12:5): *"And the souls*

דעת ושונא תוכחת בער: ב טוב יפיק
רצון מיהוה ואיש מזמות ירשיע: ג לא
יכון אדם ברשע ושרש צדיקים בל
ימוט: ד אשת חיל עטרת בעלה
וכרקב בעצמותיו מבישה: ה מחשבות
צדיקים משפט תחבלות רשעים
מרמה: ו דברי רשעים ארב דם ופי

רחם ידיעתא וסני מכסנותא בורא הוא: ב טב מן דקביל רעותיה דאלהא וגברא רשיעא רעיעא תרעיתיה: ג לא נתקן בר נשא ברשעא ועקרהון דצדיקי לא נזוע: ד אתתא כשרתא כלילא לבעלה ואנתתא בישתא היך מלטיתא בקיסא היכנא מיברא גרמוי דגברה: ה מחשבתהון דצדיקי דינא מדברנותא דרשיעי רמיותא: ו מלי דרשיעי כמנין לדמא ופומהון דתריצי מפצי להון

## רש"י

להשתלם לו או בחייו או במותו: יב (ב) טוב יפיק. מוליא מן הקב"ה נחת רוח להביא טובה לעולם: ואיש מזמות ירשיע. בעל עלילות ירשיע מחייב את הבריות להביא רעה וכן הוא אומר (קהלת ט') וחוטא אחד יאבד טובה הרבה: (ג) לא יכון אדם ברשע. לא יתבסס: (ד) וכרקב. תולעת הנכנס תוך העצמות וטוחן אותם כן אשה מבישה ורעה שמעשיה בושים: (ו) דברי רשעים ארב דם. יועצים

## מנחת שי

בגלגל והה"א במרכא: (ב) ואיש מזמות ירשיע. במסרה כ"י כך מצאתי ירשיע ה' בקריאה וסימניהון ובכל אשר יפנה ירשיע (שמואל א' י"ד). טוב יפיק דהכא. אף אמנם ואיוב ל"ד). נקי. והוא ישקט ומי ירשע בתראה חסר ומה שאמר נקי נראה לי שהוא פסוק ודם נקי ירשיעו תהלים צ"ד והילופי' אחרים יש במסרות שלנו (בשמואל א' י"ד) (איוב ל"ד) והם לא מנו רק ד' ירשיע שאותו דתהלים כתוב ירשיעו בוא"ו והטעות מפתיהן בזה דמשלי מלא כי פליגי בזה והוא ישקט ומי ירשע והנך אהובא דספרי דוקני סמכינן: (ד) בעלה. הע"ן בשו"א לבדו: מבישה. הה"א רפה:

## אבן עזרא

המוסר שייסר רוחו: (ב) טוב. לא. שנים דבקים. יפיק פירוש יוציא כלומר איש טוב יוציא רצון השם כלו' הוא ירצה בו. ואיש מזימות מהשבות רעות ירשיע השם בהשפטו על כן אחריו: (ג) לא יכון אדם מרשע: בל ימוט. בעת צרה. והרשם משל לשארית זרעם אחר מותם. פ"א וכשרש שלא ימוט כך הצדיקים יעמדו ולא ימוטו: (ד) חיל. מן הילך פי' ממון כלו' האשה שתקבץ ממון היא עטרת בעלה שבעבורה יכבדוהו כאשר המלך נכבד בעטרת ראשו. בעצמותיו. שלא תועיל רפואה כן אשה מבישה נוהגת בושה לבעלה והיא מפסדת הממון: (ה) מחשבות. דברי. הפוך. שלשה דבקים. ופי' יחשבו הצדיקים לעשות משפט והרשעים יעצו לרמותם וכאשר לא ייכלו ידברו הרשעים

## רלב"ג

המושכלות ג"כ: (ב) טוב יפיק. האיש הטוב יוציא רצונו מהש"י כי השגחתו דבקה בו עם שרצונו רצון הש"י כמו שקדם ואולם איש מזמות והוא האיש הנמשך אחר מחשבותיו לחשוב בהם כאמרו כי זמה עצו הנה ירשיעהו הש"י ויחייב באותו בשיביא עליו מהרע במדה שמדד: (ג) לא יכון. לא יכונן בנין האדם שהוא ברשע ולא יעמוד כי במעט סבה ישחת ואמנם שרש הצדיקים לא ימוט אך יתקיים ויעמוד תמיד: (ד) אשת חיל. הנה האשה הזריזה במעשיה היא עטרת בעלה ואולם האשה המתעצלת במעשיה היא משחתת אותו והיא לו כמו הרקב בעצמותיו שיבלו אותם והנה רמז בזה אל האשה המשרתת השכל בשתכין לו מהמוחשות מה שיצטרך לו בחקירותיו ואם לא היה נשמעת לו אך תתבלבל מזה והיא מתאחרת ובושש הנה היא לו כרקב בעצמותיו כי הוא תמנע ממנו השלימות: (ה) מחשבות צדיקים. אין צ"ל כי מה שישתדלו בו הצדיקים הוא דבר ראוי אבל גם מחשבותיהם משפט והרשעים היא בהפך שגם תחבולותיהם אשר ילקחו מהשכל באופן מה הם מרמה: (ו) דברי רשעים. מה שידברו הרשעים הוא לרע אשר בתכלית כאילו תאמר לארב דם להכות דם נקי ואולם דברי

## מצודת ציון

יב (א) בער. שוטה ע"ש שנמשל כבהמות והוא מל' אנחנו ובעירנו

## מצודת דוד

הוא בער ושוטה כי ישאר באולתו: (ב) טוב. איש טוב מוליא רצון מה' להביא טובה על כל העולם: ואיש מזימות. הנמשך אחר מחשבות לבו הוא ירשיע את כל העולם כי הוא מכריעם לחובה: (ג) לא יכון. האדם לא יהיה נכון במעשה הרשע ר"ל לא יעמוד על כנו ובכיסו עם ההון שאסף ברשע אבל שורש לצדיקים לא יהיה נוחה ליפול ר"ל אף אם יפול לא ימוט עם השורש כי יחזור ויקום: (ד) עטרת בעלה. ר"ל בעלה מתפאר במעשיה: מבישה. האשה שנמלאה בה כל דבר בושה היא לבעלה כרקבון בעצמותיו: (ה) משפט. לעשות משפט אמת להציל העשוק מיד עושקו: מרמה. לעשות מרמה: (ו) ארב. לארוב על דם נקי בעדות שקר: יצילם. יצילו

*nesses,* [the upright] *will prove them to be collusive.*—[*Rashi*] The righteous will testify in court that these witnesses were with them at the time they claim to have witnessed the alleged crime. According to the halachah, the second pair of witnesses is believed and the first pair is subjected to the punishment they had planned to inflict on the defendant. Cf. Deuteronomy 19:16-21.

knowledge, but he who hates reproof is brutish. 2. A good man will obtain favor of the Lord, but a man of evil devices will condemn. 3. A man will not be established with wickedness; but the root of the righteous will not be shaken loose. 4. A virtuous woman is the crown of her husband, but an embarrassing one is like rot in his bones. 5. The thoughts of the righteous are justice; the devices of the wicked are deceit. 6. The words of the wicked are to lurk for blood, but the mouth of

*that the righteous man is requited the payment of the sins he has committed while he is still on earth, during his lifetime?*—[*Rashi*]

**surely a wicked man and a sinner**—*Surely the wicked will ultimately be requited, either during his lifetime or after his death.*— [*Rashi*]

1. **He who loves discipline loves knowledge, etc.**—for when he hears reproof, he will acquire knowledge that he did not have before. But he who hates reproof is a brutish man and a fool, for he will remain with his stupidity.—[*Mezudath David*]*

**brutish**—Heb. בָּעַר, from the Aramaic cognate בְּעִירָא, *a beast,* used occasionally in Hebrew.—[*Rabbenu Yonah; Meiri; Ibn Nachmiash; Redak, Shorashim; Mezudath Zion*]

2. **A good man will obtain**—Heb. יָפִיק. *He will draw satisfaction from the Holy One, blessed be He, to bring goodness to the world.*—[*Rashi*]

**but a man of evil devices will condemn**—*One who has evil devices will condemn. He will condemn the people to bring evil* [upon them], *and so he states* (Ecc. 9:18): *"but one sinner destroys much good."*—[*Rashi*]*

3. **A man will not be established with wickedness**—Heb. יִכּוֹן, *will not be firmly established.*—[*Rashi*] If you see a wicked man prospering, you should know that his tranquility will not last long, for a man will not be established with wickedness—his good should be inherited by his children, for wickedness has no future.—[*Rabbenu Yonah*]*

4. **is the crown of her husband**—Her husband is praised because of her good deeds as a crown brings glory to the one who wears it.—[*Rabbenu Yonah*]

**is like rot**—*A worm that penetrates into the bones and grinds them. So is an embarrassing, bad wife, whose deeds are shameful.*—[*Rashi*]*

5. **justice**—To perform justice, to save the oppressed from his oppressor.—[*Mezudath David*]

**are deceit**—To practice deceit.—[*Mezudath David*]

6. **The words of the wicked are to lurk for blood**—*They take counsel to murder directly or through false testimony.*—[*Rashi*]

**but the mouth of the upright**—*when they hear* [the wicked's] *counsel, will save the victims, for they will reveal* [the wicked's] *plot, or if they are wit-*

להון: ז נִתְהַפְּכוּן
רַשִׁיעֵי וְלָא נִשְׁתַּכְּחוּן
וּבֵיתְהוֹן דְּצַדִּיקֵי יְקוּם:
ח גַּבְרָא מִשְׁתַּבַּח
בְּפוּמָא דְּסוּכְלְתָנוּתֵיהּ
וַחֲסִיר רַעְיָנָא יְהֵוֵי
לְשְׁטוּתָא: ט טָב הוּא
דְּזִילָא וְעַבְדֵי אִית לֵיהּ
מִן הוּא דְּמִתְיַקַּר וַחֲסִיר
לַחְמָא: י יָדַע צַדִּיקָא
נַפְשָׁא דִּבְעִירֵיהּ
וְרַחֲמֵיהוֹן דְּרַשִׁיעֵי
בַּכְזָרִיוּתָא: יא דְּפָלַח

יְשָׁרִים יַצִּילֵם: ז הָפוֹךְ רְשָׁעִים וְאֵינָם
וּבֵית צַדִּיקִים יַעֲמֹד: ח לְפִי שִׂכְלוֹ יְהֻלַּל־
אִישׁ וְנַעֲוֵה־לֵב יִהְיֶה לָבוּז: ט טוֹב
נִקְלֶה וְעֶבֶד לוֹ מִמִּתְכַּבֵּד וַחֲסַר־לָחֶם:
י יוֹדֵעַ צַדִּיק נֶפֶשׁ בְּהֶמְתּוֹ וְרַחֲמֵי
רְשָׁעִים אַכְזָרִי: יא עֹבֵד אַדְמָתוֹ יִשְׂבַּע

ת"א נקלה. זוהר וישלח: יודע. כתובות סג נדרים כ': עובד. סנהדרין נח זוהר מקץ:

## רש"י

לצודה בידים או ע"י עדות שקר: **ופי ישרים**. כששומעים את עצתם יצילו לנרדפים שמגלים את עצתם או הם עדים הם מזימין אותם: (ז) **הפוך רשעים**. כמו להפוך כמהפכת רגע נהפכים: **ואינם**. כליה כגון סדום: **ובית צדיקים יעמוד**. יתקיים: (ח) **לפי שכלו יהולל איש**. אם חכם מעט או הרבה הכל לפי שכלו יטול שכרו: **ונעוה לב**. שהניע לבו לגמרי מן התורה הוא יהיה לבוז: **נעוה**. כמו נעויתי משמוע (ישעיה כ"א) וכן בן נעות המרדות (שמואל א' כ') ויש לומר נעוה מי שלבו נעוה מגזרת נע ונד וכאשר יאמר זעוה מגזרת זע: (ט) **טוב נקלה**. בעיניו ונעשה עבד לעצמו: **ממתכבד**. בעיניו ואומר גנאי הוא לי לעמול במלאכה שאני מבני אדם גדולים וסופו להיות חסר לחם: (י) **יודע צדיק נפש בהמתו**. מה בהמתו ובני ביתו צריכים: (יא) **עובד אדמתו ישבע**

## אבן עזרא

לארוב דם הצדיקים ולהרוג אותם. ופי ישרים שידברו היושר יצילם פיהם מיד האורבים להם: (ז) **הפוך**. השם יהפיך אותם ממקומם. ובית צדיקים. הושבי משפט יעמוד ולא יהפך: (ח) **לפי שכלו**. (ט) **טוב**. שנים דרכים. וכן פי' בעבור פיהו שירבה השכל ישבחוהו בני אדם ומעוות הלב יבוזו לו ונקלה ונמאס בעיניו ובשכלו קונה עבד לו טוב ממתכבד שהיה מרובה ממון והפסידו באולתו ואחר כן היה חסר לחם. ומתכבד לבון הרבה וכן כבד מאד או מתכבד כנגד נקלה כלומר שהוא נכבד בעיניו והוא חסר לחם טוב הנקלה: (י) **נפש בהמתו**. אף כי נפש חסר כלומר יודע צורך נפש בהמתו. ורחמי רשעים כרחמי אכזרי כלומר אינם מרחמים: (יא) **עובד**. כי האדם נברא לעבוד האדמה ולהיות מעמלו

## מנחת שי

(ח) לפי שכלו. הלמ"ד בגעיא: (י) ורחמי. הוא"ו בגעיא בספרי ספרד:

## רלב"ג

ישרים הם בהפך זה כי הם להציל הנקיים משפיכות דמים: (ז) הפוך רשעים ואינם. הש"י יהפוך רשעים ואינם במעט זמן ואולם הצדיקים הם בהפך זה כי ביתם יעמוד ויתקיים והוא זרעם ואין צ"ל בהם בעצמם יעמדו ויתקיימו כי גם זרעם יעמוד ויתקיים כאמרו ולא ראיתי צדיק נעזב וזרעו מבקש לחם: (ח) לפי שכלו. האיש המשכיל יהולל לפי שכלו כי החכמה משובחת לאנשים כלם וכלם נכספים אליה כמו שזכרנו במה שקדם והאנס מי שהוא מעוות השכל ר"ל שהוא טועה במושכלות יהיה לבוז כי לא יעמוד במשאו ובמתנו מפני שבוש דעותיו אבל יגלחוהו המתוכחים עמו וישיגוהו הבוז לגודל הסכלה: (ט) טוב נקלה. טוב מי שהוא נקלה ועבד לעצמו לעשות עבודותיו בבית ובשדה כדי שישיג טרפו ממי שהוא מתכבד ורוצה שיעבדוהו אחרים והוא חסר לחם כי הקלון אל הראשון סופו לכבוד והכבוד אל השני סופו לקלון: (י) יודע צדיק. הצדיק יודע נפש בהמתו ומשגיח כדי שיהיה לה מזונה ההכרחי לעמידת הגוף והרצון נפש בהמתו הנפש החומרית שהיא לאדם במה שהו' בהמה לא במה שהוא אדם והאנס מה שירחמוהו הרשעים על הגוף בלא למנוע תאותיהם הוא רחמי אכזרי כי הם יבהיתו באלו התכונות: (יא) עובד אדמתו. מי שהוא מתעסק ביבובו של עולם אף הוא נמשך אחר עשות מלאכתו יהיה בה כאלו תאמר

## מצודת דוד

את הנידונים כי ירבו לחקור עד יוכחשו זה מזה: (ז) **הפוך**. כאשר יהפכו הרשעים אז אינם בעולם ויאבד זכר למו אבל בית הצדיקים יתקיים לעד: (ח) **לפי שכלו**. כל איש ישובח לפי שיעור שכלו אם רב ואם מעט אבל מי שלבו נוטה מחכמה יהיה לבזיון: (ט) **טוב**. יותר טוב מי שנוהג קלות בעצמו והוא עבד לעצמו לעשות מלאכתו להתפרנס בה ממי שמחזיק את עצמו למכובד ובוש הוא לעבוד עבודתו ובעבור זה יחסר לחמו: (י) **יודע צדיק**. הצדיק נותן לב לדעת אף רצון בהמתו למלאות תאותה כי קנוי אצלו מדת הרחמנות אבל הרשעים אף הרחמנות שיש בהם היא אכזריות כי למראה העין ירחמו ולא כן בלבם: (יא) **עובד אדמתו**. בחרישה

## מצודת ציון

(במדב' כ'): (ז) **ואינם**. ואין להם: (ח) **ונעוה**. מל' נע כאשר יאמר מן זע

**but the mercy of the wicked is cruel**—Unlike the righteous, who have regard even for their beasts because they have acquired the trait of mercy, the wicked—even when displaying the trait of mercy—are in fact cruel at heart.—[*Mezudath David*]

11. **He who tills his soil will be sated with bread**—*To be understood according to its apparent meaning, but according to its allegorical meaning,* [this means] *he who constantly reviews his studies lest they be forgotten.*—[*Rashi*]

The Talmud (*Sanh.* 58b) explains:

the upright will save them. 7. The wicked will be overthrown
and they are no more, but the house of the righteous will stand.
8. According to his intelligence a man is praised, but he whose
heart has turned away will be despised. 9. Better is he who is
lightly esteemed but is a slave to himself than one who is
honored but lacks bread. 10. A righteous man has regard for
the desire of his beast, but the mercy of the wicked is cruel.
11. He who tills his soil will be sated

7. **The wicked will be overthrown**—Heb. הָפוֹךְ, like לַהֲפוֹךְ, *to overthrow. Like a sudden overthrow they are overthrown* [lit. like an overthrow in a second].—[*Rashi*]

**and they are no more**—*They are destroyed, e.g. Sodom.*—[*Rashi*]

**but the house of the righteous will stand**—*Will endure.*—[*Rashi*]

*Ibn Ezra* combines verses 5, 6, and 7 into one continuity. The righteous plan to perform justice, and the wicked plot to deceive them. When they are unable to do so, the wicked plot to lurk for the blood of the righteous and to murder them. But the mouth of the upright, who speak the truth, will save them from the hands of those who lurk for their blood.

8. **According to his intelligence a man is praised**—*Whether he possesses little or much intelligence, he will receive his reward according to his intelligence.*—[*Rashi*]

**but he whose heart has turned away**—*He who moved his heart completely away from the Torah will be despised.* Heb. נַעֲוֵה, as in (Isa. 21:3): *"I have become confused* (נַעֲוֵיתִי) *from hearing," and similarly* (I Sam. 20:30): *"the son of a straying* (נַעֲוַת) *woman deserving of punishment." And it is possible to say that* נַעֲוֵה *means one whose heart has strayed, from the expression* נָע וָנָד, *moving and wandering, and as one says* זַעֲוָה, *horror, from the root* זָע, *stirred.*—[*Rashi*] [*Rashi's* commentary presents some difficulty because the reference from Isaiah means "confused," not "moved" or "strayed." Cf. Commentary Digest ad loc.]

9. **Better is he who is lightly esteemed**—*in his own eyes and became a slave to himself.*—[*Rashi*]

**that one who is honored**—*in his own eyes and says, "It is disgraceful for me to toil at labor, for I am one of the great men,"—he will ultimately lack bread.*—[*Rashi*] Others explain this verse as a continuation of the preceding one: It is better that one be poor and of light esteem, and have worked diligently with his intelligence until able to purchase a slave, than to be one who was respected for his wealth, but because of his foolishness, lost his money and lacks even bread.—[*Ibn Ezra, Ibn Nachmiash*]

10. **A righteous man has regard for the desire of his beast**—*What his beasts and his household members need.*—[*Rashi*]

לחם ומרדף ריקים חסר־לב: יב חמד
רשע מצוד רעים ושרש צדיקים יתן:
יג בפשע שפתים מוקש רע ויצא
מצרה צדיק: יד מפרי פי־איש ישבע־
טוב וגמול ידי־אדם ישוב לו: טו דרך
אויל ישר בעיניו ושמע לעצה חכם:
טז אויל ביום יודע כעסו וכסה קלון

ערום

תרגום

בארעה יסבע לחמא
ודרדף בתר סריקותא
חסר רעינא הוא:
יב ראג רשיעא מצודתא
בישתא ועקרהון
דצדיקי נתקים:
יג בחובא דשפותא
מתקל בישא ופלים
צדיקא מן עקתא:
יד נברא מן פרי פומיה
ישבע טבתא וכל בר
נש היך עובד אידו
מתפריע: טו ארחיה
דסכלא תריצא באפוי
ודשמע לעיצתא חכימא הוא: טז שטיא כד יומיה מודע רוגזיה

ת"א ישבע. עקידה שער פח:

ערים

## רש"י

לחם. כמשמעו. ולפי משלו שחוזר על תלמודו תמיד שלא ישתכח: (יב) חמד רשע. להיות נזון ומתפרנס ממצוד רשעים שאדין את הבריות בגזלה והמס: ושורש צדיקים יתן. מה שהוא ראוי ליתן והוא הפרי: (יג) בפשע שפתים. בפשע שפתי דור המבול שאמרו מה שדי כי נעבדנו (איוב כ"א) בא להם מוקש רע ונח הצדיק יצא מהצרה: (יד) מפרי פי איש. משכר פיהם של עוסקי תורה אוכלים טוב בעולם הזה והקרן קיימת להם לעולם הבא: (טז) אויל ביום יודע כעסו. ביום שהוא כועס בו ביום מודיע כעסו שהוא מתגרה ומחרף חבירו ברבים

## מנחת שי

(יד) ישוב. ישיב קרי: (טו) ושמע לעצה. הלמ"ד בשוא: (טז) אויל ביום. ג' ביום דגשים ומטעין בהון וסימן נמסר בקהלת סימן י"ב

## אבן עזרא

על כן ישבע לחם. ומסבב לרדוף הריקים הוא חסר דעת: (יב) מצוד. שיצודו הצדיקים חומד הרשע לצוד כמו כן. יתן כלו' פרי או פארות ולא יוכל הרשע לצוד או יתן כל אחד מהצדיקים שרש למטה רמז לזרעו הנשאר אחריו: (יג) בפשע. בעבור פשע שפתיו ינקש איש רע כענין פי כסיל מחתה לו: ויצא מצרה צדיק. ימלט בצדקתו כענין רבות רעות צדיק ומכולם יצילנו ה': (יד) מפרי פי איש ישבע. מפריו שידבר הצדק ולא ידבר הפשע ישיב לו השם: (טו) דרך. האויל לחשוב דרכו ישרה ואינו מאמין למוכיח ומי שישמע לעצת אחרים חכם: (טז) אויל. ביום לכתו עם

## רלב"ג

שהם הוא עובד אדמתו ישבע לחם אף מי שאינו מתעסק בישובו של עולם אך הוא נמשך אחר סברת ריקים ופוחזים לא די שיחסר לו לחם אבל גם הוא עם זה חסר לב ודעת: (יב) חמד. הרשע מצוד הרעים אשר יתחזקו בו לעשות החמסים כדי שיתחזק לעשות מלאכת הרשע ואולם הצדיקים לא יצטרכו לדבר מחוץ יתחזקו בו כי שרש הצדיקים יתן מה שיתחזקו בו לעשות מלאכתם במדות ועיון וזה מבואר כמעט עיון כי השרש אשר מהמחשבות והמושכלות הראשונות והמחשבות יתנו האמת בחכמה ובבינה אשר החקירה בהם היא מלאכת הצדיקים: (יג) בפשע שפתים מוקש רע. האיש הרע הוא בפשע אדם בשפתיו שידבר דבריו שלא כהוגן ויכשילהו פיהו והצדיק הוא בהפך זה כי הוא יצא מצרה מפני נועם דבריו ותקונה כמו שהוא מבואר: (יד) מפרי פי איש ישבע טוב. מפרי דברי איש ישבע טוב כ"ש שעל המעשים ישוב לאדם גמול לפי מה שראוי וזה אמר לראיה כי על כל המעשה יש גמול וזה כי אם פרי פיו לא יקופח כמה שעשה אותו מהמעשים אם טוב ואם רע כל שכן על המעשה: (טו) דרך אויל ישר בעיניו. ולזה לא ישאל עצה ויתקלקלו מפני זה ענייניו. אף החכם אע"פ שהיה ראוי לו לסמוך על דעתו הנה הוא שומע לעצה: (טז) אויל ביום יודע כעסו. הנה האויל יפרסם קלונו כי ביום שישמעו כל האנשים דבריו יודע להם כעסו והתאוננו על מה שהוא

## מצודת ציון

זנוה: (יב) מצוד. ענינו מבצר חזק כמו יביאהו במצדות (יחזקאל

## מצודת דוד

וכיולא: ומרדף ריקים. הרודף אחר דברים שאין בהם תועלת הוא חסר לב כי טוב לעסוק אז בעבודת האדמה: (יב) חמד. הרשע חומד לשבת במבצר הרעים אשר יתחזקו שם לעשות חמס אבל הצדיקים אינם צריכים לעזר מבחוץ כי שרשם יתן פרים הראוי ר"ל מעצמם יתחזקו להיטיב לעשות: (יג) בפשע. בעבור פשע שפתים המדבר סרה יבוא עליו מוקש רע. אבל הצדיק בנועם אמריו יצא מצרה הבאה: (יד) מפרי. ר"ל אם מאמרי פי איש כד"ת ישבע בעבורם טוב כ"ש הוא שגמול מעשה ידיו ישיב לו המקום אם טוב ואם רע: (טו) ישר בעיניו. כי מחזיק עצמו לחכם: ושומע. כאומר אבל לא כן הוא כי השומע לעצת זולתו לחכם יחשב: (טז) ביום. כו

so, for he who listens to advice is considered a wise man.—[*Mezudath David*] *Ralbag* renders: but the wise man listens to advice. Although he can, in fact, rely on his own judgment, he listens to advice from others.

16. **A fool's anger is known within the day**—*On the day he is angry, on that very day he lets his anger be known, for he starts a quarrel and berates his fellow in public, and his anger has no restraint. But the clever man conceals the shame and does not hasten to quarrel. And the Midrash Aggadah states: On the day the first man was created, his sin was known, but the Holy One, blessed be He,*

with bread, but he who pursues empty things is devoid of sense.
12. The wicked man yearns for the prey of evil men, but the root of the righteous yields [fruit].
13. Because of the trangression of the lips there is an evil snare, but the righteous comes out of trouble.
14. From the fruit of a man's mouth he will be sated with good, and He will return the reward of a man's hands to him.
15. A fool's way is straight in his eyes, but he who listens to advice is a wise man.
16. A fool's anger is known within the day, but a clever man conceals his shame.

If a person makes himself a slave to his soil, he will be sated with bread. If not, he will not be sated with bread. *Rashi* (ad loc.) explains that one must constantly till the soil by plowing it, watering it, weeding it, and hoeing it, but he who pursues empty things is devoid of sense. *Mezudath David* explains this to mean that he who pursues useless things is devoid of sense, for it is good to engage in tilling the soil. *Ibn Nachmiash* parallels this passage with the Talmudic maxim: "בַּטָּלָה מְבִיאָה לִידֵי שִׁעֲמוּם, *Idleness brings to idiocy*" (*Kethuboth* 59b).

According to *Rashi's* second interpretation, this passage refers to one who studies heretical books.—[*Ibn Nachmiash* from an unknown midrashic source]

12. **The wicked man yearns**—*to gain sustenance and maintenance from the prey of the wicked, who prey on people with robbery and violence.*—[*Rashi*]

**but the root of the righteous yields**—*what it is fit to yield, and that is the fruit.*—[*Rashi*]

13. **Because of the transgression of the lips**—*Because of the transgression of the lips of the generation of the Flood, who said* (Job 21:15): *"What is the Almighty that we should serve Him?" an evil snare came upon them, and Noah, the righteous man, came out of the trouble.*—[*Rashi* from *Tanhuma, Noach* 10]

14. **From the fruit of a man's mouth**—*From the reward of the mouth of those who engage in the Torah, they eat the good of this world, and the principal remains intact for them for the world to come.*—[*Rashi* from an unknown midrashic source]

**and He will return the reward of a man's hands to him**—Surely the reward for what he does with his hands God will return to him.—[*Mezudath David*]

15. **A fool's way, etc.**—Since he considers himself wise, he does not believe those who reprove him, and he does not ask advice.—[*Ibn Ezra, Ralbag, Mezudath David*]

**but he who listens to advice is a wise man**—The fool's belief is not

עָרוּם: יז יָפִיחַ אֱמוּנָה יַגִּיד צֶדֶק וְעֵד
שְׁקָרִים מִרְמָה: יח יֵשׁ בּוֹטֶה כְּמַדְקְרוֹת
חָרֶב וּלְשׁוֹן חֲכָמִים מַרְפֵּא: יט שְׂפַת־
אֱמֶת תִּכּוֹן לָעַד וְעַד־אַרְגִּיעָה לְשׁוֹן
שָׁקֶר: כ מִרְמָה בְּלֶב־חֹרְשֵׁי־רָע

וְעַרִים מְכַסֵּי צַעֲרֵיהּ:
יז מַן דְּמַסְהֵיד הֵימָנוּתָא
נָהֵגֵי צַדִּיקוּתָא וְסָהֵד
דְּשִׁקְרָא רַמָּאָה הוּא:
יח אִית דְּאָמְרֵיהּ
סַפְסֵירָא רְגִשָׁא וְלִישָׁנָא
דְּחַכִּימֵי מָאסְיָא:
יט שִׂפְתָּא דְּקוּשְׁטָא
תִּתְקַן לְעָלַם וְסָהֲדָא
מְסַרְהֵב בְּלִישָׁנָא
דְּשִׁקְרָא: כ רַמְיוּתָא בְּלִבְּהוֹן דְּחָשְׁלִין בִּשְׁתָּא

ת״א סוטה. ערכין טו נדרים כה (ע״ג פ מדרש מה): בפת. ויהי אסא:

## רש״י

ואין מעלור לרוחו אבל הערוס כוס' קלון ואינו ממהר לריב. ומדרש אגדה ביום שנברא אדם הראשון נודע סורחנו והקב״ה שהוא ערוס לא רצה לשחת בריותיו כסה קלונו ודח' לגזרתו מיוס של אדם ליום שלו שהיא אלף שנה: (יז) **יפיח אמונה יגיד צדק**. מי שמדבר אמונה יגיד בדין עדות לדק לזכות הזכאי: (יח) **יש בוטה**. מדבר כמו לבטא בשפתים (ויקרא ה'): **כמדקרות חרב**. שמסכסך את הבריות וגורם להם להרוג: **ולשון חכמים**. המביא שלום בין אדם לחבירו: **מרפא**. למכשא ההוא: (יט) **שפת אמת תכון לעד**. תסכסם ותתקיים: **ועד ארגיעה**. למעט רגע הוא כלה והולך שהשקר אין לו רגלים: (כ) **מרמה בלב חורשי רע**. ומתוך שהם טרודים

## אבן עזרא

כי אדם אז יודע כעסו שיכעס עמהם: **וכוסה קלון**. שידבר עליו האויל ויסתירהו הוא חכם כענין אל תען כסיל. פ״א מי שלובש קלון אינו לבוש כי הוא ערוס אף על פי שהוא בשורק: (יז) **יפיח**. דובר האמונה הוא יגיד לדק במשפט. ועד דובר שקרים הוא איש מרמה: (יח) **יש בוטה**. והענין דבוק למעלה עם עד שקר כלו' יש בוטה ומפרש עדות שקר והעדות קשה כמדקרות חרב. ולשון חכמים הם חוקרי העדות ומכזיביהם הנדקר כלעד שקר. פ״א יש בוטה בשביל הגודר דבר קשה: (יט) **שפת**. הדוברת עדות אמת היא תכון לעד: **ארגיעה**. שקט והנוחה כלומר ולעד ארגיעה ואשקיט אותה: (כ) **חורשי רע**. שיחשבו לרמות והם משלחי מדנים והוא מחרש חרש רע בכל עת מדנים ישלח. וליועצי

## מנחת שי

ועיין מ״ש שם: (יט) שפת אמת. השי״ן בגעיא: תכון לעד. בספרי ספרד העי״ן פתוחה ובאשכנזים קמוצה:

## רלב״ג

קלונו כי אולתו תסלף דרכו ועל ה' יזעף לבו ואמנם הערום כשקרה לו רע בסבת סכלו עלתו הוא כוסה קלונו ומעלימו מהאנשים כדי שלא יהיה לבוז בעיניהם: (יז) יפיח אמונה. מי שיגיד לדק בדבריו והוא מורגל בכך הנה כשישאל העדות ידבר אמונה בלי ספק ולא יטול נכוחות ואמנם איש מרמה שהוא מורגל לכזב ככר יהיה עד שקרים כשישאל לעדות מה מפני אהבתו השקר והעול: (יח) יש בוטה. יש מי שידבר שמזיק בדבריו לאנשים כמו שידקרם בחרב מפני הוצאת לה״ר או שם רע ואולם ל' חכמים לא די שלא יזיק אבל הוא עם זה מרפא להסיר החלאים הגדולים ורוב לשונות מתומי המדות והדעות: (יט) שפת אמת. דבר אמת יהיה נכון ולודק תמיד לא יתכן חלופו בעת מן העתים ואמנם לשון שקר אם היה שבמקרה ילדק בעת מה לא יתקיים כ״א עד רגע שהוא זמן קלר מאד לא יתכן שלוייר קלר ממנו לפי נחת הלבון והמשל שנאמר כי הרופא יבנה מלד שקר' לראובן הרופא שהוא בונה אך אם נאמר הרופא ירפא הנה זה מאמר ילדק תמיד: (כ) מרמה. בלב חורשי רע תמלא המרמה כי יתחכמו איך יוכלו במרמה להשחית לזולתם והנה במרמם שיחשבו ליועלי שלום והם הלדיקים אשר עלתם והשתדלות' תמיד לשלום ולשיב תשוב שמחה להם כי לא יזוקו הלדיקים במרמם אשר חשבו הרעי' עליהם אך על קדקדם חמסם ירד כי הש״י לא יעזבם ביד הרשעים ולזה יקרה מזה שמחה ללדיקים ושמחה לעולם כי זה יהיה סבת לאבדן הרשעים. או יהיה הרלון בזה לב חורשי רע היא תמיד עם מרמה ברע וליועלי שלום תמלא תמיד שמחה בלבם ולזה יהיה בלב הרעים כרע תמיד ובלב הלדיקים תמלא השמחה תמיד וזו כמו ראיה על לד מלילת השיר כי הרע דבק לרעים והשמחה דבקה ללדיקים ואם

## מצודת דוד

ביום שכועס על מי ביום הזה יודע כעסו ויתפרסם בו בעולם כי מיד יתקוטט עמו ויבוזו אבל הערום אם כי יכעס כוסה הוא את הקלון ולא יביא את רעהו מיד במרמה: (יז) **יפיח אמונה**. המורגל לדבר דבריו באמונה כל שכן בעדותו יגיד לדק אבל המורגל לדבר שקרים עם כי המה בדברים של מה בכך עכ״ז קרוב הדבר אשר גם בדבר העדות מרמה בפיו והרבה יש לחקור בדבריו: (יח) **יש בוטה**. יש מי יבטה בשפתיו ויזיק בזה כאלו מדקיר בחרב והוא המדבר לשון הרע ומוליא שם רע: ולשון. אבל אמרי לשון חכמים המה עוד למרפא כי במתק אמרי נועם יסית את האדם לתשובה ובה ורפא לו: (יט) תכון לעד. מתקיימת עד עולם אבל לשון שקר לא תתקיים כ״א עד רגע ואת עת האמירה כי לאחר זה יתגלה השקר: (כ) **מרמה**

## מצודת ציון

י״ס): (יז) **יפיח**. ענין דבור כי באה בהפחת רוח הפה: (יח) **בוטה**. ענין דבור כמו לבטא בשפתים (ויקרא ה'): **כמדקרות**. ענין תחיבה בדבר וזה כמו כל הנמלא ידקר (ישעיה י״ג): (יט) **ארגיעה**. מלשון רגע: (כ) **חורשי**. ענין מחשבה:

*falsehood has no feet.*—[*Rashi* from *Alfa-betha d'Rabbi Akiva, Otzar Midrashim* p. 424] This is illustrated by the shape of the letters: "shin," "kof," and "resh," which form the word שֶׁקֶר, *falsehood,* in contrast with the shape of the letters: "aleph," "mem," and "tav," which form the word אֱמֶת, *truth.* Whereas the former have but one foot upon which to stand, the latter stand firmly on the line, illustrating that "truth stands, but falsehood does not stand."—[*Shabbath* 104a]

20. **There is deceit in the heart of those who plot evil**—*and since they*

17. He who speaks the truth will testify justly, but a deceitful
person will be a false witness. 18. There is one who speaks like
the jabs of a sword, but the tongue of the wise brings healing.
19. A true tongue will be established forever, but a lying
tongue, just for a moment. 20. There is deceit in the heart of
those who plot evil,

*Who is clever, did not wish to destroy his creatures. He concealed his shame and postponed His decree from Adam's day to His day, which is one thousand years.*—[*Rashi* from an unknown midrashic source.]

*Ibn Nachmiash* adds: as it is stated (Gen. 2:17): "For on the day you eat therefrom, you will surely die," and the Psalmist states (90:4): "For a thousand years are in your eyes like yesterday that has passed."

17. **He who speaks the truth will testify justly**—*He who speaks the truth will testify just testimony at a trial to justify the innocent.*—[*Rashi*] *Rashi* means that he who is accustomed to speaking the truth in his own private matters will surely tell the truth when he is called upon to testify.—[*Ralbag, Mezudath David*]

**but a deceitful person, etc.**—But if one is used to lying, he will testify falsely when called upon as a witness.—[*Ralbag*] *Ibn Ezra* renders: But a false witness is a deceitful person. If one testifies falsely, you may be sure that he is deceitful in his affairs with his fellows.

18. **There is one who speaks**—Heb. בּוֹטֶה, *speaks, as in* (Lev. 5:4): *"to pronounce* (לְבַטֵּא) *with the lips."*—[*Rashi*]

**like the jabs of a sword**—*For he stirs up the people and causes them to kill.*—[*Rashi*]

**but the tongue of the wise**—*which brings peace between one man and his fellow.*—[*Rashi*]

**brings healing**—*to that speech.*—[*Rashi*]

According to other commentators, this verse is connected to the preceding one. There is one who speaks as a false witness, whose testimony is as harsh as the jabs of a sword. But the tongue of the wise, who interrogate the witnesses and refute their false testimony, brings healing to the defendant who is condemned to die.—[*Ibn Ezra, Ibn Nachmiash*]

Others explain this verse as referring to the slanderous tongue. There is one who speaks evil of others, speech which is as harsh as the jabs of a sword, but the tongue of the wise speaks only good. Not only do they refrain from slandering others, but they encourage others to repent of their sins and to develop admirable character traits and true beliefs.—[*Ralbag, Mezudath David*]

19. **A true tongue will be established forever**—*It will be established and will endure.*—[*Rashi*]

**just for a moment**—*In a fleeting moment, it perishes and leaves, for*

וּלְיֹעֲצֵי שָׁלוֹם שִׂמְחָה: כא לֹא־יְאֻנֶּה
לַצַּדִּיק כָּל־אָוֶן וּרְשָׁעִים מָלְאוּ רָע:
כב תּוֹעֲבַת יְהוָה שִׂפְתֵי־שָׁקֶר וְעֹשֵׂי
אֱמוּנָה רְצוֹנוֹ: כג אָדָם עָרוּם כֹּסֶה דָּעַת
וְלֵב כְּסִילִים יִקְרָא אִוֶּלֶת: כד יַד־חָרוּצִים
תִּמְשׁוֹל וּרְמִיָּה תִּהְיֶה לָמַס: כה דְּאָגָה
בְלֶב־אִישׁ יַשְׁחֶנָּה וְדָבָר טוֹב

ת"א לא יאונה. ברכות ח' יבמות קכא חולין נט: דאגה. יומא עה סוטה מב סנהדרין קי:

**תרגום**

ולאלין דיעצין שלמא
חדותא תהוי: כא לא
שפיר לצדיקא כל
מרעם דעאתא ורשיעי
מלין בישתא:
כב מרחקתיה דאלהא
ספותי דשקרא ואלין
דעבדין הימנותא
מתרעי: כג בר נש
ערימא מכסה ידיעתא
ולבהון דסכלי סני
ידיעתא: כד אידא
דתקיפי תשלט ורמאי
יהון למיסא: כה מלתא
דחילתא בלביה דגברא

## רש"י

במחשבותם של תרמות אין להם שמחה. וליועצי שלום שמחה: (כא) לא יאונה לצדיק. לא יארע. לא תזדמן לו עבירה בלי דעת: (כג) אדם ערום כוסה דעת. אפילו בחכמתו הוא צנוע וכל שכן לדברי שטות הוא מכסה אבל לב כסיל. יקרא אולת. מכריז אולת בקול רם: (כד) יד חריצים. ישרים: תמשול. תעשיר: (כה) דאגה בלב איש ישחנה. ישיחנה מדעתו: ודבר טוב ישמחנה. יעסוק בתורה והיא תשמח את הדאגה שבלבו

## מנחת שי

(כג) כסה דעת. בספרי ספרד הדל"ת דגושה ובאשכנזים רפויה: (כד) למס. י"ס בקמץ המ"ס: (כה) ישחנה. בשי"ן ימנית לשון שפלות ומה שאמרו ביומא ע"ה חד אמר ישחנה מדעתו וחד אמר ישיחנה לאחרים דרך דרש נאמר כמו שכתבתי בלפניה א':

## אבן עזרא

שלום בין איש לרעהו תבוא שמחה רמז לשמחת הישועות: (כא) יאונה. מן אנה לידו ענינו עילה וסבה: ורשעים. ענינו אף על פי שהם מלאים מחשבות רע לא יוכלו לחשב שום און על הצדיק. פ"א ורשעים מלאו רע רמז לצרות שיהיו שבעים ומלאים מהם: (כב) שפתי שקר. הוא עד שקר: ועושי אמונה. הם הדיינים השם ירצה בם בשביל שלא יאמינו לעדי שקר. או עושי אמונה שלא אבו להעיד שקר: (כג) אדם ערום. והכם מסתיר חכמה בלבו שלא ישכחנה: ולב כסילים. יודיע ויכריז אולתו כמו ואמר לכל סכל הוא: (כד) יד. משרת בעבור שנים. חרוצים. מן אז תחרוץ שטעמו נוע כלו'

## רלב"ג

האמת לפי מה שהתבאר מדברינו במה שקדם: (כא) לא יאונה. לא יקרה לצדיקים שום דבר און כי הש"י ישמרם מהאון שיחשבו עליהם הרעים באופן שלא יזוקו בו וגם ישמרם מהאון במדות ובדעות על דרך ההשגחה ואמנם הרשעים מלאו רע מכל אלו הפנים כי אין הש"י משגיח בהם לשמרם מהם: (כב) תועבת ה' שפתי שקר. כי הם יביאו לרעות גדולות ונפלאות כמו שקדם באמרו אדם בליעל איש און וגו' עם הנה שנא ה' וגו' והעושים פעולת אמת הם נרצים לו. לא אמר שפתי אמת כי לא יספיק לאדם שיהיו דבריו אמת אם לא תהיינה פעולותיו כן: (כג) אדם ערום. האדם הערום כוסה הדעת שמלא בעיוניות עד שיתברר לו שהוא צודק כדי שלא ישיגהו מזה בושת וגנאי והכסילים הוא בהפך כי הוא יכריז תכף לאנשים ענין אולתו ולא ירגיש בבשת שישיגהו מזה: (כד) יד חרוצים. יד האנשים החרוצים תמשול כי בחריצותם יקנה הון יתחזקו בו למשול על האנשים ואולם הרמיה תהיה למס עובד בהפך הענין בחרוצים והנה הרצון בזה באמרו רמיה אנשי רמיה והנה האנשים ההם עצלים לא יעשו המלאכה כי יבטחו שיביאו לחמס מהרמיה או יהיה הרצון בזה בחרוצים ישרים אשר כל מעשיהם נחתכים ונגזרים לפי המשפט ומזה הצד הם הפך בעלי הרמיה: (כה) דאגה בלב איש. כשיקרה שיהיה דאגה בלב איש צריך להשתדל להכניע ולהשפיל הדאגה כי אין בדאגה תועלת כלל אך נזק והוא ממה שאינו ראוי למשכיל כי הדאגה על דבר החולף הוא שגעון גם הדאגה לענין העתיד היא בלתי ראויה כי ראוי שיבטח האדם על הש"י והנה יש דרך בזה להעביר הדאגה והוא

## מצודת ציון

(כא) יאונה. ענין הזדמנות כמו לא תאונה אליך רעה (תהלים צ"א): (כד) חרוצים. זריזים: למס. מלשון המסה והמגה: (כה) ישחנה. מלשון שחיה והשפלה כמו שחו רעים (לקמן י"ד):

## מצודת דוד

וגו'. בלב החושב רע תמלא מרמה והוא מצר ודואג שלא יתגלה אבל היועצים על השלום סוד ישמחו אם יתגלה: (כא) לא יאונה. אין שום עבירה מזדמן אל צדיק להיות נכשל בה אבל הרשעים נתמלאו מרע כי עבירה גוררת עבירה עד אין תכלית: (כב) שפתי שקר. שפתים המדברים שקר: רצונו. הם לרצון לו: (כג) כוסה דעת. אף דברי חכמה לא יגלה כי אם להצריכים לה: ולב כסילים. מי שלבו לב כסילים יקרא ויפרסם אף דברי אולת: (כד) יד חרוצים. מי שהוא זריז במעשיו להרויח במעשה ידיו סופו תרום קרנו וימשול א"כ ידו משלה לו אבל יד רמיה ר"ל המרויח ברמיה היה להמסה וירד מטה מטה: (כה) דאגה. כשבא דאגה בלב איש ימעט וישפיל

diligent who have become wealthy. —[*Ibn Nachmiash*]

25. **If there is concern in a man's heart, let him cast it down**—*Let him divert his attention from it.*—[*Rashi*]

**and a good word will make it cheerful**—*Let him engage in the Torah, which will cause the concern in his heart to rejoice and save him therefrom. And according to the one who says, "he should tell it to others," this is* [the meaning of] *the end of the*

but for the counselors of peace there is joy. 21. No wrong shall be caused for the righteous, but the wicked are full of evil. 22. False lips are an abomination of the Lord, but those who work faithfully are His delight. 23. A cunning man conceals knowledge, but the heart of the fools calls out foolishness. 24. The hand of the diligent will rule, but deceit will lead to payment of tribute. 25. If there is concern in a man's heart, let him cast it down, and a good word will make it cheerful.

*are occupied with their thoughts of deceit, they have no joy—but for the counselors of peace, there is joy.*—[*Rashi*]

*Mezudath David* explains that the one who plots evil has deceit in his heart, and he is constantly worried lest his plot is found out, but the counselors of peace have no fear that their plans will be found out; on the contrary, it makes them happy.

21. **No wrong shall be caused for the righteous**—*It will not happen. No sin will chance before him inadvertently.*—[*Rashi*] This parallels the Talmudic maxim: If a person bewares of a sin once and twice, from then on the Holy One, blessed be He, watches him, as it is stated (I Sam. 2:9): "The feet of His pious ones He will guard."—[*Ibn Nachmiash* from *Yoma* 38b] The classic example of this is the story of Rabbi Phinehas ben Jair's donkey that refused to eat untithed fodder (*Hullin* 7).*

22. **False lips are an abomination of the Lord**—Since Scripture stated above that the trait of lying brings one to testify falsely, it proceeds to explain that the trait itself is an abomination of the Lord; as the Sages state (*Sotah* 42a), the class of liars will not merit to receive the Shechinah.—[*Rabbenu Yonah*]*

23. **A cunning man conceals knowledge**—*Even in his wisdom, he is discreet—he surely conceals words of foolishness; but the heart of the fool announces foolishness aloud.*—[*Rashi*] *Rabbi Joseph Kimchi* explains: A cunning man conceals knowledge until the time comes to reveal it. A fool, however, calls out foolishness as soon as it enters his mind. Hence, the expression, "the heart of the fools calls out," for their heart is their mouth.—[*Ibn Nachmiash*]

24. **The hand of the diligent**—*The upright.*—[*Rashi*] Those whose deeds are performed according to the law and with honesty.—[*Ibn Nachmiash*] [Hence the contrast between the upright and the deceitful.]

**will rule**—*Will make wealthy.*—[*Rashi*]

**but deceit**—The hand of a man of deceit.—[*Ibn Nachmiash*]

**will lead to payment of tribute**—will lead to payment of tribute to the

ישמחנה: כו יתר מרעהו צדיק ודרך
רשעים תתעם: כז לא־יחרך רמיה
צידו והון־אדם יקר חרוץ: כח בארח־
צדקה חיים ודרך נתיבה אל־מות:
יג א בן חכם מוסר אב ולץ לא־שמע

מדחלא ומליא טביא מחדין ליה: כו טב מן חבריה צדיקא וארחהון דרשיעי מטעי להון: כז לא נסתקבל צידא לגברא נבילא ומזליה דבר אנש דהבא יקירא: כח בארחא דצדקא חיי ואורח דעותנא למותא: א בר חכימא מקבל מרדותא דאבא וברא ממקנא לא מקבל

ת״א יחרוך. עירובין נד ע״ג יט: ולץ. (סנהדרין פט): הה׳ רפה

### רש״י

ותאילנו ממנה ולדברי האומר ישיחנה לאחרים כך סיפו של מקרא ודבר טוב שינחמנו הבירו ישמח את הדאגה: (כו) יתר מרעהו צדיק. הצדיק מוותר מדותיו ועובר עליהם: יתר. (לריי״ש בלע״ז והוא לארשע בל״א מילד פרייאגעבינג): ודרך רשעים. שהוא למודה להרע היא תתעם: (כז) לא יחרוך. מחובר למקרא שלפניו כלומר דרך רשע תתעהו ולא יחרוך את צידה של רמיה שלו לא יחרוך לא יצליח בתרמיתו ולפי שדבר בלשון ציד הנופל בו לשון חריכה שהציד המצליח צד את העופות וחורכן באש: והון אדם יקור חרוץ. מקרא מסורס הוא והון אדם שהיא הרוץ יקר הוא. ממון אדם כשר יקר הוא: חרוץ. עושה אמת. כמו יד חרוצים תעשיר (לעיל י׳): (כח) באורחת צדקה חיים ודרך נתיבה. של צדקה: אל מות. לא ימות:
יג (א) בין חכם מוסר אב. מקרא קצר הוא בן חכם שואל ואוהב מוסר אב וי״א בשביל מוסר האב הוא

### אבן עזרא

מתנועעים אחר מהייתם ידם תהיה מושלת ויד רמיה בתרמה כני אדם היא תהיה למס לחרוצים המושלים ויתכן הרוצים בעלי הרוץ והוא הזהב: (כו) יתר. שם תאר ע״מ עגל כלומר יש יתרון לצדיק יותר מרעהו: ודרך רשעים. ודרכם הרעה היא תתעה אותם וכן תועים בצאתם מן הדרך הישרה: (כז) לא יחרוך. לא יצלה איש רמיה צידו ולא יבשלהו כי יהיה נגזל ממנו. והון אדם. מוסף אחר עמו וכן הפירוש והון אדם שהוא יקר ולא יהיה גזול הוא הון איש חרוץ המתנודד לסחורה בעבור מחייתו ואיננו מרמה: (כח) בארח. פירוש בעבור ארח צדקה ישיג חיים הצדיק והם חיי נפשו או יהיה ימים רבים: ודרך נתיבה. של צדקה: אל מות. שיהיה מות הנפש כמות הגוף או לא ימות כמות הרשע:
יג (א) מוסר אב. שיסרהו אביו כי יודע שיקבל המוסר בהיותו חכם. וכן לץ לא ישמע גערת אביו כי איננו

### מנחת שי

(כח) נתיבה. הה״א רפה והיתה ראויה במפיק. מכלול דף ל״ב ושרשים: אל מות. תרגומו למותא דומה שהוא קורא אל בסגול וכן ראיתי במגלת ספרים ישנים כתובי יד ובכל שאר ספרים שלפני בפתח וכן פירשו כל המפרשים:

### רלב״ג

שכאשר יתן אל לבו דבר טוב ישמח הדאגה ר״ל נושא הדאגה על דרך אמרו לפני תדון דאבה או יהיה הרצון באמרו כאשר ישים דבר דאגה בלב איש ישמח הלב ויקרה בשמחה ג״כ שתכניע את לבו מגד פזור החוש ובא להזהיר בזה המאמר שלא יתפעל האדם מאד לא מהכעס ולא מהשמחה: (כו) יתר מרעהו צדיק. הוא לוקח יתרון ומעלה מרעהו כי ילמד ממנו מעל׳ ושלימות והפך זה ברשעים כי הם קונים זה מזה הסרון והמשל שידע איש אחד כי פלו׳ הרשע נהג בזה הדרך והצליח ברשעתו וזה ממה שיביאו לטעות בדרך אשר הוא חפץ ללכת בה כי אולי המלאך ע דרך אחרת היתה מביאה אותו אל כוונתו אבל סבב הש״י זה לסכל עצתם ולהתעיתם בתוהו לא דרך: (כז) לא יחרוך רמיה. הנה איש רמיה לא יחרוך צידו ר״ל שלא יאכל ממנו וגם לא יכרוהו לו לאכול כי איש אחר יקחנו ממנו ואולם הון האדם יקר ונכבד והוא האיש הישר הוא הזהב שהוא הטוב שבקנינים: (כח) בארח צדקה. בארח הצדק ושר במדות ובדעות ישיגו החיים הנצחיים והיא דרך שאין נתיבה הולך אל מות כי החיים שישגו בה לא ישיגם מות: (א) בן חכם. הנה הסבה בבן שיהיה חכם הוא מוסר האב שהקנהו

### מצודת דוד

אותה מכמות שהיא ודבר טוב הוא אם יוכל לעצור כח לשמח עוד את הדאגה ולהשוב כי לטובה בא מה שבא: (כו) יתר. הצדיק יש לו יתרון ומעלה מרעהו שאינו צדיק אבל דרך רשעים המצלחת היא מתעה את הרשעים לאחוז בדרכם ולא יפנו אל היתרון ההוא:
(כז) לא יחרוך. דרך הצייד להריך ראשי כנפי העופות לבל יעופו ממנו אבל הרמאי לא יחרכם על כי המה נראים יפים כאשר כנפיהם שלמים ונוח לרמות את הלוקחים ובעבור זה יאבד הכל כי יעופו להם והוא למשל על הקופץ יד מלתת מה מהונו לצדקה כי יפסיד את כל ההון: והון. אבל ההון של אדם יקר המפרים מהונו לצל ההון ההוא הוא חרון ר״ל מובחר שבזהבים המתקיים לזמן מרובה ולא יפסד כשאר מיני מתכות ור״ל עברו מתקיימת: (כח) באורח. ההולך בדרך לצדקה ימלא חיים: ודרך. בדרך נתיב כלדקה לא ימלא את המות וכפל הדבר במלות שונות:
יג (א) בן הכם. אם נראה חכמה באדם בודאי שמע מוסר האב ולזה נתחכם ואם נראה שהוא לץ בודאי לא קבל גערת האב

### מצודת ציון

(כז) יחרך. ענין שריפה כמו ושער ראשיהון לא התחרך (דניאל ג׳): יקר. חשוב ונכבד: חרוץ. היא מין זהב טוב כמו בירקרק חרוץ (תהלים ס״ח): (כח) נתיבה. ענין שביל ומסילה:

28. **In the road of charity is life, and [on] the way of its path**—*of charity.*—[*Rashi*] The practice of charity will add years to one's life.—[*Ibn Nachmiash*]

**there is no death**—*He will not die.*—[*Rashi*] He will not die a spiritual death.—[*Ibn Nachmiash*]

1. **A wise son . . . his father's discipline**—*This is an elliptical verse: a wise son asks for and loves his father's discipline. Some say:*

26. The righteous is more generous than his neighbor, and the way of the wicked will lead them astray. 27. He will not roast his prey of deceit, but the wealth of an honest man is precious. 28. In the road of charity is life, and [on] the way of its path there is no death.

## 13

1. A wise son [seeks] his father's discipline, but a scorner does not listen to rebuke.

*verse: And a good word with which his friend consoles him will cause the concern to rejoice.*—[*Rashi*] *Rashi* alludes to a controversy in the Talmud (*Yoma* 75a), over the meaning of the verse—should he divert his attention from his concern, or should he tell it to others?

26. **The righteous is more generous than his neighbor**—Heb. יָתֵר. *The righteous renounces his measures and passes over them.*—[*Rashi*] יָתֵר—*large in French. That is freigebig in German, generous.*—[*Rashi*] *Ibn Ezra* renders: The righteous has superiority over his neighbor.

**the wicked**—*who is accustomed to harming will lead them astray.*—[*Rashi*] The Salonica edition reads: *which teaches them to harm will lead them astray.* [The contrast is that the righteous is generous and does not avenge himself upon his neighbor even if the neighbor has harmed him, but the wicked are misled by their way to harm people.]*

27. **He will not roast**—*This is connected to the above verse; that is to say that the way of the wicked will mislead him, and he will not roast the prey of his deceit. He will not roast; he will not succeed with his deceit. As he* [Solomon] *spoke with a figure of prey, an expression of roasting is appropriate, for the successful hunter hunts the birds and roasts them in fire.*—[*Rashi*]

*Rabbi Joseph Kimchi (Sefer Hukkah)* explains that in order to prevent their prey from flying away, the hunters would singe the birds at the root of their wings, rather than pluck their feathers, which would impair their appearance and hinder their sale. This deceitful hunter will not retain his prey until he arrives home with it to singe it, but it will fly away immediately. So will ill-gotten gains not last long, but quickly be lost.—[*Ibn Nachmiash*]

**but the wealth of an honest man is precious**—Heb. יְקָר חָרוּץ. *This is an inverted verse. But the wealth of a man who is honest is precious.*—[*Rashi*]

**honest**—Heb. חָרוּץ, *one who deals honestly, as in* (10:4): *"and the hand of those who make true decisions* (חָרוּצִים) *will make [them] rich."*—[*Rashi*]

גְּעָרָה׃ ב מִפְּרִי פִי־אִישׁ יֹאכַל טוֹב
וְנֶפֶשׁ בֹּגְדִים חָמָס׃ ג נֹצֵר פִּיו שֹׁמֵר
נַפְשׁוֹ פֹּשֵׂק שְׂפָתָיו מְחִתָּה־לוֹ׃
ד מִתְאַוָּה וָאַיִן נַפְשׁוֹ עָצֵל וְנֶפֶשׁ חָרֻצִים
תְּדֻשָּׁן׃ ה דְּבַר־שֶׁקֶר יִשְׂנָא צַדִּיק
וְרָשָׁע יַבְאִישׁ וְיַחְפִּיר׃ ו צְדָקָה תִּצֹּר
תם

ת״א מתאוה. עקידה שער כב נה: צדקה. (פאה טו קדושין כא סנהדרין כז שבועות לג):

**תרגום**

בְּעָתָא׃ ב גַּבְרָא מִן פִּירֵי פוּמֵי נִסְבַּע טָבְתָא וְנַפְשֵׁהוֹן דְּבָזוֹזֵי תִּתְחַטֵּף׃ ג דְּנָטַר פּוּמֵה מִזְדְּהַר בְּנַפְשֵׁיהּ וּפָתַח שִׂפְוָתֵיהּ סָנוּ שֶׁצְיָא אִית לֵיהּ׃ ד מִתְרַגְרְגָא נַפְשֵׁיהּ דְּעַטְלָא מִדַּעַם וְלָא מַיְתֵי לָהּ וְנַפְשֵׁיהוֹן דְּתַקִּיפֵי תִּדְהַן׃ ה מִלְּתָא דְּשִׁקְרָא סָנֵי צַדִּיקָא וְרַשִׁיעָא נִבְהַת וְנֶחְפַּר׃ ו צִדְקְתָא תִּנְטוֹר לְאִלֵּין דְּתַמִּימִין

**רש״י**

הכס: ולץ לא שמע גערה. שאינו מקבל הוכחות: (ב) מפרי פי איש יאכל טוב. משכר תורתו יאכל טוב בעוה״ז והקרן קיימת לעוה״ב: ונפש בוגדים חמס. ונפש בוגדים חמס כמו אם יש את נפשכם (בראשית כ״ג) אל תתנני בנפש צרי (תהלים כ״ז): (ג) נוצר פיו שומר נפשו פושק שפתיו. פותח שפתיו לדבר תמיד כל רוחו מן ותפשקו רגליך (יחזקאל ט״ז) ל׳ רחב: (ד) מתאוה ואין נפשו עצל. מתאוה נפשו לכל טוב ואין: ונפש חרוצים הדושן. ישרים האוכלים יגיע כפיהם זהו משמעו לפי פשוטו. ולפי מדרשו לעתיד ירשה בכבוד ת״ח ויתאוה ולא ישיג לו: (ה) דבר שקר ישנא צדיק. הצדיק שונא דבר שקר אבל הרשע מקבלו: יבאיש ויחפיר. את

**מנחת שי**

יג (ד) חרצים תדשן. התי״ו דגושה בכל הספרים ואינה דומה אל נפש ברכה תדשן דלעיל סימן י״א באינה סמוכה ליהו״א: (ה) דבר שקר. הדל״ת דגושה:

**אבן עזרא**

רוצה ליסרו בגלל ליצנותו וידע כי לא יקבלהו או לא יאבה לשמוע לאשר ייסרהו: (ב) מפרי. יאכל. עומד במקום שני׳ וכן הוא מפרי פיהו יאכל איש טוב שישולם לו שכר טוב. ונפש בוגדים יאכל חמס מיד הומס או החמס שיעשו: (ג) נוצר פיו. מדבר רעות או ישמור נפשו מצרה: פושק. פותח מן והפשקי רגליך פי׳ פותח שפתיו לדבר אשר לא נכון מחתה תבא לו: (ד) מתאוה. מאכל. ואין נפשו. של עצל ואין לו מאומה: ונפש חרוצים המתעודדים: הדושן. תשבע דשן: (ה) דבר שקר. דבר עדות שקר. יבאיש. ישנא הצדיק כדבר באוש וכמיהו להבאישני בלו׳ יבלי׳ הצדיק; (ו) תצור תם. איש תם דרך: ורשעה תסלף חטאת.

**רלב״ג**

גאותו בקטנותו כי המוסר הוא מיישיר אל השגת החכמה. והסבה שיהיה לץ ולא יפנה להשתדל בהשגת החכמה והשלמות הוא מפני שלא שמע גערה מאביו כמו העניין באדניה בן חגית שלא עצבו אביו מימיו לאמר מדוע ככה עשית: (ב) מפרי פי איש. ודבורו בחכמה יאכל טוב המדע׳ בעצמו כי בהוציאו הדברים בפיו תשלם לו יותר החקירה בהם וכ״ש שיאכל טוב מפרי שכלו אשר ממנו מקור הדיבור ומוצאו ואולם נפש בוגדים יהיה פרים חמס כי כל מחשבת נפשם והתבוננותם הוא בעשיית החמס ולא זכר פיהם כי הם מעלימים בוונתם כמו שקדם עם שזה ג״כ הוא מהפלגת החלוף הנפלא אשר בין הבוגדים והחכמים: (ג) נוצר. מי שהוא נוצר פיו ושומר אותו מלדבר הוא שומר נפשו מכמה רעות ולרות כי הדבור סבה פעמים רבות להגעת הרעות ולא ידע האדם איך יגלגל מהם בשלימות אם לא בשתיקה ומי שהוא פותח בשפתיו לדבר כמה שאפשר לו להשמע ממנו יגרום לעצמו פעמים רבות שבירה ומחתה: (ד) מתאוה. הנה נפש העצל מתאוה הקניינים או החכמות ולא המלא כי בעצלותו תמנעהו מקניינים ואמנם נפש הזריזים הוא מהגדולה בשכבות אל שיקנה האדם אלו השלימות והקניינים: (ה) דבר שקר. הנה הצדיק ישנא דבר שקר כי אהבת השקר הוא סבה להמנע השלימות כמו שקדם והרשע יאהב מאד דבר שקר עד שבשבר יבוש בו ויחפיר פעמים רבות ועל״ז לא יעזבהו: (ו) צדקה. הנה תכונת הצדקה אשר לאיש צדיק תשמיר תמימות הדרך אשר יכוון בענין ענין כי הוא מתיבר בדרך ההם מפני תכונת הצדקה אשר הוא חזק בה ואמנם תכונת הרשע אשר לו הוא בהפך כי היא מעוותת ומכלפת החטאת אשר היא דורך אליו באופן שיבלר ממנו מה שיוסף לעשותו כי זה לאוי שימשך לו מפני רשעתו עם שהשי״ת מפר

**מצודת ציון**

יג (ג) פושק. ענין פתיחה והרחבה כמו ותפשקי רגליך (יחזקאל ט״ז): מחתה. ענין שבר: (ד) חרוצים. זריזים: תדושן. ענין שומן: (ה) יבאיש. ר״ל ימאס כדבר הנבאש: ויחפיר. ענין

**מצודת דוד**

בהוכיחו: (ב) מפרי. מפירות דברי התורה ישבע טוב בעולם הזה והקרן שמור לעולם הבא. ונפש בוגדים תשבע גמול החמס: (ג) נוצר פיו. מלדבר דבר הנאסר: פושק. המרחיב בשפתיו לדבר כל הטולה על לבו היא לו למחתה: (ד) נפשו עצל. נפשו של עצל היא מתאוה לכל ואין לה כי לרוב עצלותו לא ישיג דבר אבל נפש הזריזים תדושן כי ישיגו הם את תאותם ברוב הזריזות: (ה) ישנא. הצדיק שונא לקבל דבר שקר ולשון הרע אבל הרשע מקבל הוא מיד וימאס את הנאמר עליו ויחפיר אותו: (ו) צדקה. הצדקה עלמה תנמד

**disgraces and embarrasses**—*the people therewith.*—[*Rashi*] The wicked accepts and believes slander immediately, despises the one about whom it was said, and embarrasses him.—[*Mezudath David*] He disgraces him behind his back and embarrasses him to his face. It may also be rendered: He disgraces and embarrasses the wicked. The righteous, who hates a false word, disgraces and embarrasses the wicked, who lies.—[*Malbim*]

6. **Charity guards him who is**

2. From the fruit of a man's mouth he will eat good, but the desire of the treacherous is violence. 3. He who watches his mouth guards his soul; for one who opens his lips wide there is ruin. 4. The soul of the lazy man desires but has nothing, but the soul of the diligent shall be sated. 5. The righteous man hates a false word, but the wicked disgraces and embarrasses. 6. Charity guards

*Because of the father's discipline, he is wise.*—[*Rashi*]

**but a scorner does not listen to rebuke**—*For he does not accept reproof.*—[*Rashi*] *Mezudath David* explains: If a person appears wise, he surely heard his father's discipline; if he appears to be a scorner, he surely did not hear his father's rebuke. *Ibn Ezra* renders literally: but a scorner does not *hear* rebuke. His father, knowing that he will not accept it, does not rebuke him. Hence, he never hears rebuke.

2. **From the fruit of man's mouth he will eat good**—*From the reward of his Torah, he will eat the good in this world and the principal will exist in the world to come.*—[*Rashi*] This explanation conforms with the Mishnah in *Peah* 1:1. *Ibn Ezra* renders: From the fruit of a man's mouth a good man will eat, meaning that he will receive a good reward.

**but the desire of the treacherous is violence**—Heb. וְנֶפֶשׁ. The desire of the treacherous is violence, as in (Gen. 23:8): "If it is your desire (נַפְשְׁכֶם)"; and (Ps. 27:12): *"Do not give me for the desire of* (בְּנֶפֶשׁ) *my adversaries."*—[*Rashi*] *Ibn Ezra* renders: but the soul of the treacherous will eat violence, in contrast with the righteous who will eat good. This means that the treacherous will suffer from the violence of robbers, or that they will suffer from the violence they have committed.

3. **one who opens his lips wide**—Heb. פֹּשֵׂק, *opens his lips to speak constantly all his desire, from* (Ezek. 16:25): *"And you spread wide* (וַתְּפַשְּׂקִי) *your legs," an expression of wideness.*—[*Rashi*]

4. **The soul of the lazy man desires but has nothing**—*His soul desires all good, but has nothing.*—[*Rashi*]

**but the soul of the diligent shall be sated**—*The upright who eat from the toil of their hands. This is its meaning according to its simple interpretation. According to its allegorical meaning, in the future he will see the glory of the Torah scholar and long for it, but he will not achieve it.*—[*Rashi*]

*Rabbenu Yonah* explains: If his soul desires and he does not achieve, this proves that he is lazy. This explanation conforms with the Talmudic maxim: " 'I toiled but did not find' you shall not believe" (*Meg.* 6b).

5. **The righteous man hates a false word**—*The righteous man hates a false word, but the wicked accepts it.*—[*Rashi*]

דִּתְמִימִין בְּאָרְחַתְהוֹן וְרַשִׁיעָא מְטַלְטַל בְּחָטוֹהִי: ז אִית דְּמִיעַתַּר נַפְשֵׁיהּ וְלֵית כָּל מִדְּעַם וּמִסְכֵּן נַפְשֵׁיהּ וּמָלֵיהּ סַגִּיאָה: ח אִית לֵיהּ פּוּרְקָנָא דְּנַפְשֵׁיהּ דְּגַבְרָא עוּתְרֵיהּ וּמִסְכְּנָא לָא מְקַבֵּל בְּעָתָא: ט נְהוֹרֵי דְּצַדִּיקֵי גְּרוּז

תָּם־דָּרֶךְ וְרִשְׁעָה תְּסַלֵּף חַטָּאת: ז יֵשׁ
מִתְעַשֵּׁר וְאֵין כֹּל מִתְרוֹשֵׁשׁ וְהוֹן רָב:
ח כֹּפֶר נֶפֶשׁ־אִישׁ עָשְׁרוֹ וְרָשׁ לֹא־שָׁמַע
גְּעָרָה: ט אוֹר־צַדִּיקִים יִשְׂמָח וְנֵר

ת״א מתעבר. מנחות פס: אור. חגיגה יב ערכין מ״ב פכ״ט:

**רש״י**

הבריות בכך: (ו) **ורשעה תסלף חטאה**. כמו חוטא ועל שהוא רשע גמור קוראהו הטאת. ומשמעותו את החוטא תסלף רשעתו תקלקל אותו ותשפילהו. כל סליף קלקול וכשלון הוא כמו (לקמן י״ט) אולת אדם תסלף דרכו ותבוא עליו רעה: (ז) **יש מתעשר ואין כל**. מראה עצמו עשיר ד״א יש אדם שהיא מתעשר בסופו ואין לו כלום בתחלתו ויש שהוא בא לידי עניות ממחון גדול ד״א מתעשר בגזל עניים וסוף אין לו כלום ויש מתרושש ע״י שפיזר ונתן לאביונים והון רב מוכן לו: (ח) **כופר נפש איש עשרו**. עשרו של אדם הוא כופר נפשו שעשה ממנו לדקה: **ורש לא שמע גערה**. ובלבד שלא ישמיע גערה לרש שנותן לו ואינו מכלימו. ד״א כופר נפש איש עשרו. תורתו. **ורש** בדברי תורה לא שמע גערה. אינו יודע לסור מן הרעה לפי שלא נזהר. ומדרש אגדה על מחצית השקל מדבר שהטיל הכתוב על כל ישראל והשוה בו דל ועשיר שאין הרש שומע גערה וכלימה מן העשיר לאמר לו חלקי גדול

**אבן עזרא**

אים חטאת ותעותהו: (ז) **יש**. **כופר**. שנים דבקים. מתעשר שיעלה בעושר ולא היה לו כל מאומה ומהרושש שישוב רש והיה לו ממון רב ואין לזה מעלה על זה כי העשיר אם יתפש בעבור ממונו יתן עושר כופר נפשו אבל רש לא ישמע גערת שוטר ונוגש: (ט) **אור**. **ישמח**. דרך משל כי כשזורח ידמה כאילו הוא שמח כמו ישיש כגבור והוא לדיקים כאור העולם הבא הוא אור תשועה כענין אור נגה עליהם והיתה אורה. פ״א יתכן להיות האור והנר רמז לנשמות האצולה מאור השם ודימה נפש הצדיק לאור השמש הזורח ונפש הרשע לנר שאין לו העמדה ויכלה ואמר ישמח כענין תגל נפשי: **ונר רשעים ידעך**. שתמות נפשם בלא עתם והוא נכון כענין נר

**מנחת שי**

(ו) תם דרך. במקף ישוב האולב לקמן תשוף:

**רלב״ג**

מחשבות הרשעים תמיד להציל האנשים מידם כמו שזכרנו בביאורינו לספר איוב: (ז) יש מתעשר. יש מן האנשים מי שהוא מראה עצמו עשיר ואין לו שום קנין ויש מהם שמראה עצמו עני ויש בביתו הון רב וכן הענין בחכמה כי יש שמראה עצמו חכם מזולת היותו כן ויש שמראה עצמו בלתי חכם ולו חכמה גדולה והנה יבאר זה החכם כי המתרושש והון רב ישובה יותר כי בזה הוא ממלט עצמו מכמה סבות בזות ומתאלגלו׳ על העשיר וזה שהרש לא שמע גערה משום אדם: (ח) כופר נפש. אך העשיר יש לו שונאים רבים מפני חמדם עשרו והוא ישים כופר נפשו ויתן להם ממונו ויפייסם ובהיות הענין כן הנה המתעשר ואין כל יביא על עצמו הרעות והגערות ואין לו ממון ישימהו כופר נפשו וכן יקרה סבת למתעבר ואין כל בדברי החכמה ואמנם למתרושש והון רב לא יגיע לו כי אם כבוד: (ט) אור לדיקים. אור לצדיקים ישמח תמיד במושגיו אשר נהעלו בהם ושבשכל נקנה ותכלית זאת השמחה תהיה אחר הפרד מהחומר ואמנם נר הרשעים

**מצודת דוד**

זבות ותלור את התם דרך. זה הנותן לדקה בתמימות לא לתיהר: ורשעה. הרשעה עצמה תוליך את בעל החטאת בדרך מעוקל להכשל בה: (ז) **יש**. רלה לומר לפעמים ימלא המתעסק להתעשר ואין לו כל מאומה והמתעסק להעני את עצמו ישיג בזה הון רב כי המרבה הון בגזל יעני והממעיט ההון בלדקה יעשיר: (ח) **כופר**. בהעושר יוכל איש לפדות את נפשו כאשר יתן ממנו לדל וזהו כאשר הרש לא שמע גערה ולא הכלימו בעת הנתינה: (ט) **אור**. נשמת הלדיק

**מצודת ציון**

בושה כמו והפרה הלבנה (ישעיה כ״ד): (ו) **הסלף**. ענינו מעוקל ומעוקם כמו וסלף בוגדים ישדם (לעיל י״א): (ז) **כתרושש**. מלשון רש ועני: (ח) כיפר. פדיון: גערה. לעקה נזיפה: (ט) **ידעך**. ענין נהור וקפילה וזהו כבוי הנר כי השלהבת קופלת מהפתילה וכן

*poor does not hear a rebuke from the rich, saying to him, "My share is greater than your share in the public sacrifices."*—[*Rashi* from an unknown midrashic source]

9. **The light of the righteous will rejoice**—This is figurative of the soul, which is taken from the light of God. Solomon likens the soul of the righteous to the light of the sun that shines, and the soul of the wicked to a candle, which has no permanence and burns out. Thus we explain: The soul of the righteous will rejoice.—[*Ibn Ezra*] The soul of the righteous will rejoice in Paradise.—[*Mezudath David*]

*Rabbenu Yonah* explains that the soul of the righteous is likened to the light of the sun, which is dependent only upon God. The soul of the wicked, however, is likened to the light of a candle, which is dependent on oil or wax. The soul of the righ-

him who is steadfast in his way, but wickedness brings ruin upon the sinner. 7. There is one who feigns riches but has nothing; one who feigns poverty but has great wealth. 8. The ransom of a man's soul is his wealth, as long as the poor man has not heard a rebuke. 9. The light of the righteous will rejoice, but the candle of

**steadfast in his way**—The charity itself will defend and guard one who is steadfast in his way, who gives charity sincerely, not to boast about it.—[*Mezudath David*]

**but wickedness brings ruin upon the sinner**—Heb. חַטָּאת, lit. sin. *Like* חוֹטֵא, *a sinner, but since he is completely wicked, he calls him* חַטָּאת, *sin. The meaning is that his wickedness will bring ruin upon the sinner and humble him. Every* expression of סָלוּף *means ruin and stumbling, like* (below 19:3) *"A person's foolishness ruins* (תְּסַלֵּף) *his way," and brings evil upon him.*—[*Rashi*]

*Meiri* renders: Righteousness will guard the innocent in his way, but wickedness will bring ruin on the sinner. The righteous behavior of the one who is innocent in his way will protect him from all harm, but the evil behavior of the sinner will bring ruin upon himself—the punishment and vengeance of God.

7. **There is one who feigns riches**—*He shows himself to be rich. Another explanation: There is a man who becomes rich in the end but has nothing in the beginning, and there is one who comes to poverty from great riches. Another explanation: There is one who becomes wealthy by robbing the poor, but in the end he has nothing: and there is one who becomes poor by scattering his money and giving it to the poor, but great wealth is in store for him.*—[*Rashi*]

*Mezudath David* renders: There is one who seeks to become wealthy but has nothing, and there is one who seeks to become poor, but attains great wealth. If one seeks to become poor by giving his money to charity, he will eventually become rich.

8. **The ransom of a man's soul is his wealth**—*A man's wealth is the ransom of his soul, for he performed charity with it.*—[*Rashi*] One can redeem his soul by giving his wealth to the poor.—[*Mezudath David*]

**as long as the poor man has not heard a rebuke**—*As long as he does not let the poor man hear a rebuke; i.e. he gives to him and does not embarrass him. Another explanation:*

**The ransom of a man's soul is his wealth**—*His Torah.*

**but a poor man**—*in the words of Torah,*

**did not hear a rebuke**—*He does not know to turn away from evil, since he is not cautious. The Midrash Aggadah interprets it as speaking of the half-shekel, which Scripture levied on all Israel and made the poor and the rich equal in that respect—so that the*

רְשָׁעִים יִדְעָךְ׃ י רַק־בְּזָדוֹן יִתֵּן מַצָּה
וְאֶת־נוֹעָצִים חָכְמָה׃ יא הוֹן מֵהֶבֶל
יִמְעָט וְקֹבֵץ עַל־יָד יַרְבֶּה׃ יב תּוֹחֶלֶת
מְמֻשָּׁכָה מַחֲלָה־לֵב וְעֵץ חַיִּים תַּאֲוָה
בָאָה׃ יג בָּז לְדָבָר יֵחָבֶל לוֹ וִירֵא מִצְוָה
הוּא יְשֻׁלָּם׃ יד תּוֹרַת חָכָם מְקוֹר חַיִּים

וּשְׁרָגָא דְרַשִׁיעֵי נִדְעַךְ׃
י לְחוּד בְּזָדְנוּתָא אָתְיָא
מַצּוּתָא וְאִלֵּין
דְמִתְמַלְכִין חַכִּימֵי אִנּוּן׃
יא מַמּוֹנָא מִן עַוְלָא דְמָרֵיהּ
יִזְעַר וּדְמַכְנֵשׁ וְיָהֵב
לְמִסְכְּנָא יַסְגֵּי מָמוֹנֵיהּ׃
יב מַן דְמַשְׁרֵי לְמַעְדְּרֵיהּ
טָב מִן דְתָלֵי בְּסִבְרָא
וְאִילָנָא דְחַיֵּי רְגִגְתָא
מַיְתָא׃ יג דְבָזֵי עַל מִלְּתָא
נִתְחַבֵּל מִנָּהּ וּדְדָחֵל
מִפּוּקְדָנָא מִשְׁתְּלַם טָבְתָא׃ יד נִימוּסָא
דְחַכִּימָא

**ת"א** הון. עירובין נד ע"ב יט; תוחלת. ברכות לב נה זוהר מקץ:

## רש"י

מחלקך בקרבנות לבור: (ט) **ידעך**. לשון קפילה שהשלהבת קופלת ונכרתת: (י) **רק בזדון יתן מצה**. מחלוקת: **ואת נועצים**. ועם העושים בעלה תלין הכמה: (יא) **הון מהבל**. עושה גרסתו חבילות חבילות: **ימעט**. שישתכח ממנו מעט מעט: (יב) **הוחלת ממושכה**. מבטיח עלמו על חבירו ואינו עושה: **מחלה לב**. מביאה חולה ללב. ואין מחלה זה שם דבר כמו (שמות כ"ג) והסירותי מחלה מקרבך אלא כמו (ויקרא י"א) מעלת גרה: **ועץ חיים תאוה באה**. מסורס הוא כלומר תאוה באה הרי הוא כעץ חיים. תוחלת שהוחיל הקב"ה לישראל ולפה שישיבו והם לא שבו סוף באה להם למחלת לב וכשתאותו באה שהם עושין רלונו עץ חיים היא להם: (יג) **בז לדבר יחבל לו**. הבוזה א' מדברי תורה סוף מתמשכן עליו: **ויירא מצוה היא ישולם**. יקבל שכר. ומדרש תהלים דורש בז לדבר יחבל לו על דוד שאמר לפני הקב"ה רבונו של עולם מה הנאה בשוטים שבראת אמר לו חייך סוף שתלטרך לשטות כשבא לפני אכיש להשתגע ויורד רירו אל זקנו וגו' (ש"א כ"א): (יד) **תורת חכם מקור חיים**. שהיא

## אבן עזרא

אלהים נשמת אדם: (י) **רק בזדון**. בעבור זדון שיזיד האיש על רעהו יתן המזיד מלה ומריבה כלו' הזדון גורר המלה. נועלים שיעלו שלא יעשו בזדון עמהם חכמה. ואת כמו ועם: (י) **מהבל ימעט**. בגזלה ובגנבה לא יגלה: **וקובץ על יד**. בעבור טורח יד הוא ירבה הונו וכן ויברך ה' אותך לרגלי בעבור טורח רגלי: (יב) **מחלה**. מפעלת פי' מי שתוחלתו נמשכה שהשם ימשכנה ולא יוכל להשיג התוחלת תהן חולי ללב המוחיל: **ועץ חיים**. וכעץ מרפא כן תאות המתאוה כשתבאהו ויתכן שהוא הקובץ על יד: (יג) **בז לדבר**. המוסר יחבל וישחית לעלתו: **וירא מצוה**. כי הירא מן השם הוא ירא ממלותו: **ישולם**. ישב בשלום: (יד) **תורה**. שהיא מורה לסור ממוקשי מות והפשעים המוקשים:

## רלב"ג

שהוא לקחת בו התחבולות והערמות לעשות ממנו הרשע הנה הנר ההוא נפסד ונדעך: (י) **רק בזדון**. האיש ההוא מתחבר באנשי זדון הנה יקנה מהם תכונה לחבר ריב עם האנשים ומי שימלא תמיד את האנשים הנועלים יקנה מהם חכמה. או ירלה בזה מי שתכונתו לחבר ריב לא ימלא רק באנשי זדון כי זאת התכונה ממה שתשיבהו אל הזדון ומי שהוא איש חכמה ימלא את נועלים כי דרך שתכננה לקחת עלה בדברי' מזולתם כדי שישלם להם העלה: (יא) **הון מהבל ימעט**. הנה ההון מתחבר מדבר שהוא הבל וימעט מאד כאילו תאמר שאולר התבואה יתחבר מעט כשיתחבר מהם דבר מופלג ולזאת הסבה מי שהוא קובץ אלו החלקים המעטיים על ידו חלק אחר חלק ירבה לו הון וזאת הערה טובה למי שישתדל בשלימות הקנין מפני שלא יבוז החלק מהקנין מפני קטנו אבל יקחהו ויאספהו אל הדומים לו כי בזה האופן ישיג ממנו הרבוי: (יב) **תוחלת**. הנה התוחלת והתקוה שימשך זמנה ויאריך ולא הגיע מה שקוו אליו הוא מחליאה הלב כי הוא תמיד עם זה התוחלת ואונס התאוה שתבא בקלות יתערב לבעל התאוה כאילו הוא עץ חיים: (יג) **בז לדבר**. מי שהוא בז לדבר רע שהוא נכון לבא עליו ולא ישתדל לקחת עלה עליו הנה ישחת ויחבל בעבורו ולזה אין ראוי לאדם שיקל בשום דבר ויתעלל מפני זה לקחת עלה עליו ואולם האיש הירא מלות השם לשמרם בלב ולעשות הוא לבדו יעמוד בשלום עם היותו בו לדברים הנכונים לבא עליו מאיי היותו בוטח בש"י: (יד) **תורת חכם**. היא לו מקור חיים להסירו ממוקשי מות כי בעבורם יהיה מושגת מפני שממנו תולאת חיים הנלחיים וזה ג"כ מקור חיים

## מצודת ציון

ידעך כרי (לקמן כ'): (י) **מצה**. ענין מריבה כמו כי לריב ומלה תלומו (ישעיה נ"ח): (יא) **על יד**. כיד וכן עמדתם על חרבכם (יחזקאל ל"ג) ומשפטי בחרבכם: (יב) **מחלה**. מל' חולי ומכאוב: (יג) **יחבל**. מלשון חבלה ומכה:

## מצודת דוד

תשמח בגן עדן אבל נשמת הרשע תהיה כבויה ולא תאיר: (י) **רק בזדון**. מי שמעשיו רק בזדון וברשע הוא יתן מריבה בין בנ"א. ועם האנשים העושי' את מעשיהם בעלה ובמתון עמה' תמלא החכמה כי לא תבוא מריבה על ידם: (יא) **הון מהבל**. הון הבא מהבל ר"ל לא מיגיע כפים כי אם מגזל וחמס ההון ההוא ימעט בכל עת ולא תתקיים אבל הקובץ הון על יד ר"ל עם מלאכת היד ההון ההוא יתרבה: (יב) **תוחלת**. המייחל לדבר מה והיא נמשכת ומתאחרת לבוא היא לו לכאב לב וכאשר באה התאוה היא לו לעץ המגדל חיים וירופא מכאב הלב: (יג) **בז לדבר**. המבזה מה ממלות ה' הוא חובל בעלמו אבל הירא מהמלות ומגדל מעלתה ישולם לו שכר גם בעבור זה: (יד) **מקור**. היא כמקור הנובע חיים כי היא מלמדו

*fulfilled—that they comply with His will—it is a tree of life to them.*—[*Rashi* from an unknown midrashic source]

13. **He who despises a thing will be pledged to it**—Heb. יֵחָבֶל. *He who despises one of the words of the Torah will ultimately be taken for it as a pledge.*—[*Rashi*] [He will owe his well-being to that word of Torah.]*

**but he who reveres a commandment will be rewarded**—lit. will be paid.

the wicked will ebb away. 10. Only with wickedness does one
cause quarrels, but there is wisdom with those who take coun-
sel. 11. Wealth gotten by vanity shall be diminished, but he
who gathers by hand will increase. 12. Hope deferred makes
the heart sick, but a desire fulfilled is a tree of life. 13. He who
despises a thing will be pledged to it, but he who reveres a com-
mandment will be rewarded. 14. The instruction of a wise man
is a spring of life,

teous rejoices even in this world when performing mitzvoth, and even when suffering. The soul of the wicked, however, rejoices only with physical pleasure. When the body of the wicked is no longer here, the soul no longer has any pleasure.

**will ebb away**—Heb. יִדְעָךְ, *an expression of springing, for the flame springs and is cut off.*—[*Rashi*] The soul of the wicked will be extinguished, and will no longer shine.—[*Mezudath David*]

10. **Only with wickedness**—He whose deeds are wicked will cause quarrels among people, but wisdom will be found with those who act with counsel and deliberation, because they do not quarrel.—[*Mezudath David*] *Ibn Ezra* explains: The plotter will cause quarrels through the wickedness that he plots against his friend.

**Only with wickedness does one cause quarrels**—Heb. מַצָּה, *controversy.*—[*Rashi*]

**but there is wisdom with those who take counsel**—*But wisdom lies with those who behave with counsel.*—[*Rashi*]

11. **Wealth gotten by vanity**—*One who makes his study in bundles.*—[*Rashi* from *Avodah Zarah* 19a, *Erubin* 54b] One who studies much material without reviewing it will forget it little by little.—[*Rashi* to *Avodah Zarah* ad loc.] This is derived by substituting a "cheth" for a "he," making חֲבֶל הֶבֶל, *bundles.* Both letters are gutturals, so this is sometimes done.—[*Ibn Nachmiash*]

**shall be diminished**—*For he will forget it little by little.*—[*Rashi* from same sources]*

12. **Hope deferred**—*He relies on his friend and does nothing.*—[*Rashi*]

**makes the heart sick**—Heb. מַחֲלָה, *brings sickness to the heart. This* מַחֲלָה *is not a noun like* (Ex. 23:25): *"And I will remove sickness* (מַחֲלָה) *from your midst," but like* (Lev. 11:6): *"bringing up* (מַעֲלַת) *the cud."*—[*Rashi*] This is the present tense of the feminine form of the causative, rather than a noun.

**but a desire fulfilled is a tree of life**—lit. but a tree of life is a desire fulfilled. *This is inverted; i.e. a desire fulfilled is like a tree of life. The hope that the Holy One, blessed be He, had hoped for Israel and looked forward for them to repent—brought them ultimately to heartsickness when they did not repent. And when His desire is*

לָסוּר מִמֹּקְשֵׁי מָוֶת׃ טו שֵׂכֶל־טוֹב יִתֶּן־
חֵן וְדֶרֶךְ בֹּגְדִים אֵיתָן׃ טז כָּל־עָרוּם
יַעֲשֶׂה בְדָעַת וּכְסִיל יִפְרֹשׂ אִוֶּלֶת׃
יז מַלְאָךְ רָשָׁע יִפֹּל בְּרָע וְצִיר אֱמוּנִים
מַרְפֵּא׃ יח רֵישׁ וְקָלוֹן פּוֹרֵעַ מוּסָר וְשֹׁמֵר
תּוֹכַחַת יְכֻבָּד׃ יט תַּאֲוָה נִהְיָה תֶּעֱרַב
לְנָפֶשׁ

ת"א ערום . מגלה יג : וכסיל . נדרים כא :

דְחַכִּימָא מַבּוּעַ דְחַיֵּי
לְמִסְטֵי מִן פַּחָא דְמוֹתָא׃
טו שַׂכְלָא טָבָא יָהֵב
חִסְדָא וְאָרְחָא תַּקִּיפָא
דְבָזוֹזֵי תֵּיבַד׃ טז כָּל
עֲרִימָא עֲבִידְתֵּיהּ
מַדַּעְתָּא וְסַכְלָא פָּרֵס
לֵיהּ לְשַׁטְיוּתָא׃
יז שְׁלִיחָא בִּישָׁא יִפֵּל
בְּבִישְׁתָא וְאִזְגַּדָּא
מְהֵימְנָא אַסְיָא הוּא׃
יח מַסְכְּנָא וּמַן לֵיהּ
צַעֲרָא מָרֵישׁ מַרְדּוּתָא
וּדְמִזְדַּהֵר בְּמַכְסְנוּתָא
מִתְיַקַּר׃ יט רִגְתָא דְיָאֲיָא תְּבַסֵּם נַפְשָׁא וּמְרַחַקְתָּא דְסַכְלֵי

## רש"י

מלמדתו לסור ממוקשי מות: (טו) ודרך בוגדים איתן. קשה לו ולאחרים: (טז) כל ערום יעשה בדעת. מעשהו כגון דוד יבקשו לאדוני המלך נערה בתולה וגו' (מלכים א' א'): וכסיל יפריש אולת. זהו אחשורוש (אסתר ב' ג') ויפקד המלך וגו' יודעים היו שלא יפה לכולם ומי שהיה לו בת הטמינה: (יז) מלאך רשע יפול ברע. כגון בלעם שאמר לו הקב"ה לך עם האנשים והרשיע להשיא לבלק עלה רעה לכך נכל בחרב: וציר אמונים מרפא. זה משה רבינו: (יח) ריש וקלון. דלות וקלון באין על פורע מוסר: (יט) הערב לנפש. כשבא תאותו לו לאדם היא ערבה לנפשו ולכך תועבת כסיל לסור מרע לפי שערב להם למלא תאותם. נהיה היה ד"א תאוה

## פריקא

## אבן עזרא

(טו) שכל. שישכיל לעשות טוב השכל יתן חנו בעיני השם ורואיו: ודרך בוגדים איתן. וחזק דרכם שהמשכיל לא יוכל להשיבם מדרך הבגידה בשכלו: (טז) כל ערום. שהערמה בלבו יעשה מעשהו בדעת. וכסיל יפרוש אולתו לפני אחרים. פי' אחר יעשה בעבור דעת כלומר יעשה ערמה ללמד דעת: (יז) מלאך רשע. אם הוא רשע הוא יפול ברע. ואמונים שם דבר כלו' ציר אמונות מרפא לשולחיו אותו: (יח) ריש וקלון. שיקלוהו אחרים שניהם יבואו לאיש שיפרע מוסר מל' מפרע. ושומר תוכחת שיוכיחוהו יכובד. שיכבדהו השם כענין כי מכבדי אכבד: (יט) תאוה נהיה. דבק בעליון וכן הוא מי שהתאוה לשמור התוכחת ונהית' כאשר התאוה תערב לנפשו והנעם לו: ותועבת כסילים. מי שהוא סור מעשות רע. סור

## רלב"ג

מהש"י: (טו) שכל טוב. השכל הטוב אשר למשכיל יתן חן לשאר האנשים לדרוך בדרכיו מצד ערבות הדרך ההיא ואולם דרך הבוגדים הוא איתן שיקשה ללכת בו כמו שן סלע ומצודה ולזה אמר איתן מושבך ושים בסלע קנך: (טז) כל ערום יעשה בדעת. לזה ישיג המבוקש ואולם הכסיל יפרש אולתו על כל דרך אשר ילך בה באופן שלא ילך בשום חלק מהדרך לפי הראוי ולזה ימנעו ממנו מבוקשיו: (יז) מלאך רשע. מי שהוא שליח האיש הרשע יפול ברע וישחת מפני זה הרשע אשר הוא בעליו ואולם מי שהוא שליח איש אמונים לא די שלא יפול ברע אבל הוא מרפא לזולתו לשמרו מהרע אשר ע"כ שלחהו שולחו: (יח) ריש וקלון וגו'. מי שהוא שומר תוכחת יכבדוהו האנשים בעבור נועם תכונותיו עם שזה יביאהו להתחכם בחכמה ישיג הכבוד כאמרו כבוד חכמים ינחלו: (יט) תאוה נהיה. תאות האיש הנהיה ונחלה שלא נמשך אליה תערב לנפש המשכל' כשהיא נגדה על הנפש המתאוה וזה בעינו הוא דבר נתעב אלא הכסילים ר"ל כי תועבת כסילים סור מרע:

## מצודת דוד

לסור מהמוקשים המביאים את המיתה והם העונות: (טו) שכל טוב. השכל הטוב שיש לאדם הוא יתן אותו לחן בעיני כל. ועכ"ז דרך הבוגדים הוא חזק מאוד ולא יועיל בעל השכל עם שכלו ורב חילו להסירם מדרך ההוה: (טז) כל ערום. מעשה הערום המה בדעת ובכוונה מיוחדת ואם כי לא ידעו כל אבל הכסיל פורש אולתו למען יכירו הכל כי אולת הוא: (יז) מלאך רשע. שליח רשע המשנה מדברי משלחו לרעה הוא בעצמו יפול בהרעה ההיא אבל ציר מאנשי אמונים ירפא עוד את דבר השליחות אם ירצה בדבר חולשה מצד מה ירפאנה במתק הלשון: (יח) ריש. עניות ובזיון מעותדים לבא על המבטל המוסר אבל השומר בלבו את דברי התוכחות יכובד מן הבריות: (יט) תאוה נהיה. כאשר נשברה

## מצודת ציון

(טו) איתן. ענין חוזק כמו איתן מושבך (במדבר כ"ד): (טז) יפרש. מל' פרישה ושטיחה: (יז) מלאך. ענין שליח כמו מלאך שלוח אליהם (יחזקאל כ"ג): וציר. גם הוא ענין שליח כמו וציר בגוים ישולח(עובדיה א'): (יח) פורע. ענין בטול: (יט) נהיה. ענין שבירה כמו נהייתי

*Poverty and disgrace come upon him who spurns discipline.—[Rashi]*

**but he who keeps reproof will be honored**—God will honor him since he honors God by accepting reproof.—[*Ibn Ezra*]

19. **pleases the soul**—*When a person's desire comes to him it pleases his soul. Therefore, it is an abomination to a fool to turn away from evil, because it pleases him to gratify his desire.—[Rashi]*

to turn away from the snares of death. 15. Good sense will grant favor, but the way of the treacherous is harsh. 16. Every cunning man acts with forethought, but a fool exposes [his] stupidity. 17. A wicked messenger falls into evil, but a faithful emissary brings healing. 18. Poverty and disgrace befall him who spurns discipline, but he who keeps reproof will be honored. 19. A desire fulfilled pleases

*He will receive a reward. Midrash Tehillim expounds: "He who despises a thing will be pledged to it" concerning David, who said before the Holy One, blessed be He, "Of what use are the madmen that You created?" He replied, "By your life, you will ultimately need madness." When he came before Achish to feign madness, "and he let his saliva run down upon his beard, etc."* (I Sam. 21:14).—[*Rashi* from *Midrash Tehillim* 34:1]

14. **The instruction of a wise man is a spring of life**—*for he teaches him to turn away from the snares of death.*—[*Rashi*]

15. **Good sense will grant favor**—The good sense a person possesses will put him into everyone's good graces.—[*Mezudath David*] Good sense, which enables a person to do the right thing, will put him into the good graces of God and all those who view him.—[*Ibn Ezra*]

**but the way of the treacherous is harsh**—*It is harsh for him and for others.*—[*Rashi*] Others render: is firm. The man of good sense will not succeed in changing the way of the treacherous since they are stubborn in their ways.—[*Ibn Ezra*]

16. **Every cunning man acts with forethought**—He performs *his deeds with forethought, like David: "Let them seek for my lord, the king, a young girl, a virgin, etc."* (I Kings 1:2).—[*Rashi* from *Meg.* 12b]

**but a fool exposes [his] stupidity**—*This is Ahasuerus* (Esther 2:3): *"Let the king appoint, etc." They knew that he would not marry them all. Therefore, whoever had a daughter concealed her.*—[*Rashi* from aforementioned source]

17. **A wicked messenger falls into evil**—*like Balaam, to whom the Holy One, blessed be He, said* (Num. 22:35): *"Go with the men," but he dealt wickedly to entice Balak to follow his evil counsel; therefore, he fell by the sword.*—[*Rashi* from an unknown midrashic source]

**but a faithful emissary brings healing**—*This is Moses, our teacher.*—[*Rashi* from an unknown midrashic source] *Ibn Nachmiash* continues: Concerning whom it was stated (Num. 12:7): "In My entire household, he is faithful," and through him the Torah, concerning which was written: (above 3:8) "It shall be healing for your navel," was given.

18. **Poverty and disgrace**—

לְנָפֶשׁ וְתוֹעֲבַת כְּסִילִים סוּר מֵרָע׃
כ הָלוֹךְ אֶת־חֲכָמִים וַחֲכָם וְרֹעֶה כְסִילִים
יֵרוֹעַ׃ כא חַטָּאִים תְּרַדֵּף רָעָה וְאֶת־
צַדִּיקִים יְשַׁלֶּם־טוֹב׃ כב טוֹב יַנְחִיל
בְּנֵי־בָנִים וְצָפוּן לַצַּדִּיק חֵיל חוֹטֵא׃
כג רָב־אֹכֶל נִיר רָאשִׁים וְיֵשׁ נִסְפֶּה בְּלֹא

פְּרִיקָא מִן יְדִיעֲתָא׃
כ דִּמְהַלֵּךְ עִם חַכִּימֵי
נִתְחַכַּם וּדְמִתְחַבַּר לְסַכְלֵי
נִבְאַשׁ לֵיהּ׃ כא לְחַטָּאֵי
תִּרְדַּף בִּישְׁתָא וְצַדִּיקֵי
יִשְׁתַּלְמוּן טָבְתָא׃
כב גַּבְרָא טָבָא מוֹרִית
לִבְנֵי בְנוֹהִי וּמִתְנַטַּר
לְצַדִּיקָא עוּתְרֵיהּ
דְּחַטָּאָה׃ כג רַבָּא אָכִיל
אַרְעָא לְמִסְכְּנָא וְאִית
גַּבְרָא מִתְנְגִד בְּלָא

ת"א חטאים תרדף. (פאה ט? קדושין סא סנהדרין כז שבועות לג מכות לה) : וצפון לצדיק. ב"ק קיט : ויש נספה. חגיגה ד' זוהר ויקר :

## רש"י

נהיה. הקב"ה מתאוה שיעשו ישראל רצונו ובהיות תאותו באה ערבה לו. ותועבת רשעים שיסורו מרעתם לגאולת תאותם: (כ) הולך את חכמים יחכם ורועה כסילים. המחבר לו כסילים להיות לו רעים: ירוע. ירוצץ: (כא) חטאים תרדף רעה. אדם רשע רשעתו רודפתו עד השמדו: (כב) טוב ינחיל. את זכותו ואת ממונו לבני בניו אבל הוטא אינו מנחיל לבניו כי צפון חילו וממונו לצדיק כמ"ש (אסתר ח') ותשם את מרדכי על בית המן: (כג) רב אוכל ניר ראשים. ראיתי במסורת הגדולה רב אוכל שלשים ושלשה רב קמצין וזהו הטף קמץ ומחובר עם אוכל במקף ואוכל ראיתי שם נקוד פתח (ר"ל סגול שהוא פתח קטן) וטעמו לעילא כמו את כל אוכל השנים הטובות (בראשית מ"א) ולפי נקודתו זה פתרונו הרבה תבואה באה לעולם על ידי ניר אנשים דלי' כלומר הרבה תורה יוצאה ע"י תלמידים שרבותיהם למדין מהם תוך פלפולם שמפלפלים בהלכה: ויש נספה. ויש הרבה מהם שהם כלים מן העולם בשביל לא משפט שאינן נוהגין כשורה ולענין התבואה יש תבואה ליקה בשביל בעליה שאינו מוציא

## מנחת שי

(כ) הלוך את חכמים. הולך קרי: וחכם. יחכם קרי: (כג) רב אכל. במקף ישוב העולם לקמץ הטיף וכ"כ רש"י ז"ל ובספרים מדוייקים אין מאריך ברי"ש:

## אבן עזרא

פעול: (כ) ורועה. מל' רעך: ירוע. ישבר: (כא) הרדף. פועל יוצא כלומר הרעה שיעשו החטאים היא מסבבת שירדפו אחריהם ואת צדיקים שיעשו הצדק השם ישלם להם שכר טוב: (כב) טוב. איש טוב יעזוב נחלה לבני בניו: וצפון. השם יצפין לצדיק ממון החוטא כענין רשע יכין וצדיק ילבש: (כג) ניר ראשים. יתכן להיותו שם פועל מן נירו לכם ניר כמו רב אוכל יהי לראשים בעת שיזרעו ויעבדו את האדמה כענין עובד אדמתו ישבע לחם. ויש איש נספה בעבור שאינו יודע משפט נירה וזריעה כמו ויסרו למשפט

## רלב"ג

(כ) הולך את חכמים. מי שהוא רודף את החכמים ורודף חברת' הנה הוא יחכם בלא ספק ממה שילמד מחכמתם של צדיקים ישלים השם שכר טוב והוא הסיבה הגדולה ר"ל החכמה ומי שהוא רועה את כסילים ורודף חברתם ישבר וישחת: (כא) חטאים תרדף. הנה הרעה תרדף החטאים ותבא אליהם אל המקום שהם בו והנה בצדיקים כי הש"י ישלם טוב את הצדיקים מצד השגחתו עליהם והטוב שהוא ירדפם ויבא אליהם במקום שהם בו: (כב) טוב ינחיל בני בנים. האיש הטוב ינחיל נכסיו לבני בנים לא לבניו לבד ואולם החוטא לא ינחיל נכסיו גם לבניו כי קניניו צפון ושמור להיות לאיש צדיק: (כג) רב אוכל. הנה רב אוכל ימצא בעבור חרישת העניים כי הם יתעמלו בחרישה ולזה יהיה האוכל לבעלי השדות אשר לא עמלו בו וכמו כן יש מן האנשים שיהיה נספה ברע בזולת משפט כי הוא לא

## מצודת ציון

וגאליתי (דניאל ח'): תערב. ענין מתיקות כמו וערבה לה' מנחת (מלאכי ג'): (כ) ירוע. ענין שבירה ורצוץ כמו תרועם בשבט ברזל (תהלים ב'): (כב) וצפון. ענין הסתרה: חיל. עושר: (כג) ניר. ענין חרישה כמו נירו לכם ניר (ירמיה ד'): ראשים. מלשון רש ועני: נספה. ענין מיתה כמו הגי נאסף אל

## מצודת דוד

תאות האדם בעניני הגוף אז תערב לנפש המשכלת כי אז תשכיל אבל הרשעים דבר תעוב היא להם כאשר המה סרים מן הרע מהסרון התאוה כי יותר יחפצו שיהיו לעבירה ויעשוה: (כ) יחכם. כי ילמד מהם: ורעה. המחבר עצמו לכסילים להיות לו לרעים ישובר וירוצץ עמהם כי ילמוד מהם וגמולו ישיב לו: (כא) הרדף רעה. הרעה שעושים החטאים היא תרדוף אותם עד השמדם כי הקטגור עליהם: ואת צדיקים. הזכות שעם הצדיקים הוא ישלם להם שכר טוב כי יליץ טובה עליהם: (כב) טוב. איש טוב: ינחיל. נחלתו אף לבני בניו אבל עושר ההוטא הוא צפון לצדיק ואפילו לבניו לא ינחיל: (כג) רב אוכל. הרבה מאכל בא לעולם על ידי חרישת העניים החורשים בשדה תבואה והנה העשירים אשר לא עמלו בו יאכלוה וכ"כ יש מי אשר נאסף מן העולם בלא משפט מום

"*pattah*" (i.e. a "segol" which is a small "pattah"), *and it is accented on the first syllable, as in* (Gen. 41:35): "*all the food* (אֹכֶל) *of the good years.*" *According to its vowelization, this is its interpretation: Much grain comes to the world through the plowing of the poor people; i.e. much Torah emanates from pupils whose teachers learn from them through their debate concerning the halachah.*—[*Rashi*] [The word רָב with a "kamatz" is an adjective, meaning *much* or *great*. With a short "kamatz" or with a "holam," it means *greatness* or *abundance*. The word אֹכֵל, with a "tzeirah," is a verb meaning *eats;* with a "segol," it is a noun meaning

the soul, but the abomination of the fools is to turn away from evil. 20. He who goes with the wise will become wise, but he who befriends the fools will be broken. 21. Evil will pursue the sinners but the righteous He will pay a good [reward]. 22. A good man will leave an inheritance for his sons' sons, but the wealth of a sinner is laid away for the righteous. 23. An abundance of food is the result of the plowing of the poor, and some perish because of lack of propriety.

**fulfilled**—Heb. נִהְיָה, lit. *is. Another explanation:*

**a desire fulfilled**—*The Holy One, blessed be He, desires that Israel do His will, and when His desire is fulfilled, it pleases Him. And it is the abomination of the wicked that they turn away from their evil to gratify their desire.*—[*Rashi,* apparently from an unknown midrashic source] *Ibn Ezra* explains that the fulfilled desire is to keep reproof, as is mentioned in the preceding verse. But an abomination of the fools is one who turns away from evil.

Others render: A *broken* desire pleases the soul.—[*Mezudath David, Shaarei Teshuvah* 1:31, *Ibn Nachmiash*] Following that explanation, the verse concludes: but the fools, because of their habit of doing evil, find it abominable to turn away from evil. Another explanation: A *present* desire pleases the soul. The pleasure from a desire lasts only a fleeting moment. After it has passed, it affords no more pleasure.—[*Rabbenu Yonah, Ibn Nachmiash*]

20. **He who goes with the wise will become wise, but he who befriends the fools**—*Who joins fools to be his friends.*—[*Rashi*]

**will be broken**—Heb. יֵרוֹעַ—[*Rashi*] *Rashi* notes the analogy between the two roots: רעע and רצץ. The "tzadi" and the "ayin" are sometimes interchangeable, especially between Hebrew and Aramaic, and sometimes in Hebrew itself. The *Targum* renders: will be the victim of evil, deriving this from the root רוע, *to be evil.*

21. **Evil will pursue the sinners**—As for *a wicked man, his wickedness pursues him to his destruction.*—[*Rashi*]

22. **A good man will leave an inheritance**—*of his merit and his property to his sons' sons, but a sinner does not leave over an inheritance to his sons, for his wealth and his property are laid away for the righteous, as it is written* (Esther 8:2): *"And Esther set Mordecai over the house of Haman."*—[*Rashi*]

23. **An abundance of food is the result of the plowing of the poor**—*I saw in the great Masorah* [on the words רָב־אֹכֶל]: *The word* רָב *appears thirty-three times with a "kamatz," but this one has a short "kamatz," and it is joined to the word* אֹכֶל, *food, with a "makkaf"* (hyphen), *and I saw there that* אֹכֶל *is vowelized with a*

משפט: כד חושך שבטו שונא בנו
ואהבו שחרו מוסר: כה צדיק אכל
לשבע נפשו ובטן רשעים תחסר:
יד א חכמות נשים בנתה ביתה ואולת
בידיה תהרסנו: ב הולך בישרו ירא
יהוה ונלוז דרכיו בוזהו: ג בפי־אויל
חטר

דינא: כד דחשך שבטיה
סני בריה ודרחם ליה
מקדם ליה מרדותא:
כה צדיקא אכל ושבעא
נפשיה וכריסא דרשיעי
תחסר: א חכימתא
דנשיא בניא ביתה
ושטיתא בידהא עקרא
לה: ב דמהלך
בתריצותא דחל מן
קדם אלהא ודעשיק
באורחתיה שאט ליה:
ג בפומיה דשטיא זקתא

ת"א חכמות נשים. סנהדרין קי:

## רש"י

מעברותיה ומתנות עניים כמשפט. ורבותינו פירשו במס' חגיג' ויש נספה על בלוהו של מלאך המות שמהלך שם בשם וממית את שלא הגיע זמנו אבל אם כן הוא אין ענין סוף הפסוק לראשו: (כד) חושך שבטו. סופו ששונא את בנו שיראהו בסופו יוצא לתרבות רעה: שחרו מוסר. תמיד לבקרים מיסרהו: (כה) לשובע נפשו. דומה שיהא שבע (סא"א) (ונכתב תחתיו. תחסר. אינו דומה שיהא שבע): יד (א) חכמות נשים בנתה ביתה. חכמות נקוד פתח שאינו שם דבר אלא החכמות שבנשים בונות את בתיהם שמתקיימות על ידיהן כמו אשתו של און בן פלת כמו שמפורש בפרק חלק: ואולת. ואשה שוטה: בידיה תהרסנו. תהרס ביתה זו אשתו של קרח: (ב) הולך בישרו ירא ה'. מי שהוא ירא ה'. ומי שהוא נלוז דרכים כלומר עקום בדרכיו: בוזהו. להקב"ה: (ג) בפי אויל חוטר גאוה. מקל של גאוה כגון פרעה שאמר (שמות ה') מי ה' אשר אשמע בקולו: תשמורם. כמו תשמרם

## מנחת שי

יד (א) חכמות נשים. החי"ת בפתח לרש"י ורד"ק ועמ"ש בשופטים ה' על חכמות שרותיה: (ג) בפי אויל. הבי"ת בגעיא:

## אבן עזרא

שהוא מדבר על ענין הזריעה: (כד) שחרו. ייסרהו בכל שחר: (כה) צדיק אוכל. עד שתהי' שבעה. תחסר מאכל שלא תהיה שבעה: יד (א) חכמות. החכמה היא תבנה ביתה. ואשת אולת בידיה תהרוס ביתה: (ב) הולך בישרו. בדרך

## רלב"ג

עשה הדבר אשר בעבורו הוא נספה וזה יקרה הרבה או יהיה הרצון בזה כשימלא רב אוכל הנה הוא ניר העניים וחרישתם כי מפני ברכוי ימלא להם השבע בלקיטתם בשבלים ומה שידמה לזה ולזה יגיע להם טוב במשפט אך בחסד ובזה ימלא איש נפשו ללא משפט כמו שקדם: (כד) חושך שבטו. מי שהוא מונע שבטו מהכות בנו ליסרו הוא שונאו כי מפני זה יהיה בלא מוסר ומי שהוא אוהבו שחרו מוסר בקטנותו להכנו במוסר על פי דרכו: (כה) צדיק אוכל. הנה האיש הצדיק יאכל לשובע נפשו כי מפני דבקות השם יתברך עליו ימלא לו מזונו עם שהוא גם כן זריז בהמצאת המזון הראוי בסבות הראויות ואמנם בטן רשעים תחסר כי הם סומכים על חמסים שיגיעו מהם לחמס ולזה תחסר בטנם: (א) חכמות נשים. הנה כל אחת מהנשים החכמות בנתה ביתה בחכמתה כי היא מעמדת את הבית ושומרת הקנינים אשר בו והאשה האולת תהרוס ביתה בידה מיד העדר ההשגחה מהבית וזה הערה ג"כ לאשה חכמה המשרתת השכל בחכמה במוסרה לבנות בית' בעיוניות כי היא עוזרת מאד לבניין הבית ואולם האשה האולת לא תתעורר אליו בזה אבל הורסת בידה הבית שהיה ראוי שיבנהו השכל: (ב) הולך בישרו. מי שהוא הולך ביושר הוא ירא את ה' כי הש"י ישכיל לזה בתורתו ובנפלאותיו ומי שהוא נוטה מדרכי היושר הוא מבזה הש"י: (ג) בפי אויל. הנה בפי אויל מטה גאוה להשחיתו והפסק בדרכי החכמי' כי הם באופן מהשפלות

## מצודת דוד

כי לא שבה דבר אשר יומת בעבורו ונתפס הוא בעון אחר: (כד) חושך. המונע מבנו שבט מוסר הנה לשנאה תחשב כי סופו יצא לתרבות רעה וימות בעונו: ואהבו. האוהב את בנו מייסרו בעת השחר ר"ל בילדותו עת יוכל לנטותו לכל אשר יחפוץ: (כה) לשובע. אינו חפץ במעדנים ורק בדבר המשביע את הנפש אבל הרשעים יתענגו באכילת מעדנים מתוקים וערבים ותמיד בטנו חסרה כי רוצה לבשימא שכיחא ויוכל עוד למלאותה: יד (א) חכמות נשים. כל אחת מן החכמות שבנשים בנתה ביתה ר"ל מעמדת את ביתה על בסיסה: תהרסנו. תהרסת ביתה בידיה: (ב) הולך בישרו. ההולך בדרך ישר הוא ירא את ה' והמטה דרכיו מן היושר יבזה את ההולך ביושר כי מחשיבו לכסיל:

## מצודת ציון

ממי (בראשית מ"ס): (כד) חושך. מונע: שחרו. ענינו ימי הילדות שהוא בתחילת הימים והושאל מלשון שחר הבוקר וכן הילדות והשחרות הבל (קהלת י"א): יד (ב) ונלוז. ענין הטיה והסרה כמו ונלוזים במעגלותם (לעיל

Rabbis tell us that On the son of Peleth is mentioned at the beginning of the chapter dealing with Korah's uprising (Num. 16), but not later, because he was saved from Korah's intrigue by his wife. She convinced On that he had nothing to gain by following Korah, and, in order to free him from his oath to follow Korah's band if they should call him, she gave him wine to drink until he fell asleep. Then she sat in front of their tent with her hair uncovered and untied. When Korah's band came for him and witnessed this blatant example of immodesty, they went away. Thus, she saved her husband from the punishment that was meted out against Korah and his band. But

24. He who holds back his rod hates his son, but he who loves
him disciplines him early. 25. A righteous man eats to sate his
appetite, but the stomach of the wicked shall feel want.

## 14

1. The wisest of women—each one built her house, but a
foolish one tears it down with her hands. 2. He who fears the
Lord goes in his uprightness, but he whose ways are perverse
despises Him. 3. In a fool's mouth

*food.* Therefore, according to the Masorah, we render: An abundance of food, or much food. The *Targum* renders: The great one eats the land of the poor. His reading probably differed from the Masorah in both points.]

**and some perish**—*And many of them perish from the world because* [they have] *no propriety, for they do not behave properly; and concerning the grain, some grain suffers because of its owner, who does not separate its tithes and its gifts for the poor as is proper. Our Sages explained in tractate Hagigah* (4b) *"And some perish without justice," concerning the messenger of the angel of death, who changes one name for another and causes the death of one whose time has not come. But, if it* [this explanation] *is so, the end of the verse has nothing to do with its beginning.*—[*Rashi*]

24. **He who holds back his rod**—*His end will be that he will hate his son because he will see him getting into mischief.*—[*Rashi* from *Ex. Rabbah* 1:1, *Tan. Shemoth* 1 and other sources]

**disciplines him early**—*He always chastises him in the morning.*—[*Rashi, Ibn Ezra*] He chastises him in his youth.—[*Mezudath David*]

25. **to sate his appetite**—*It always seems to him that he is satisfied.*—[*Rashi*]

(**shall feel want**—*It does not seem to them that they are satisfied.*)—[*Rashi*]) [This parenthetic material does not appear in the Salonica edition.]*

1. **The wisest of women**—Heb. חַכְמוֹת, *vowelized with a "patach," is not a noun, but* [it means that] *the wisest of women build their houses, for they are preserved by them, like the wife of On the son of Peleth, as is explained in the chapter entitled "Chelek."*—[*Rashi*] [The construct state is not that of חָכְמוֹת, *wisdoms,* but of חֲכָמוֹת, *wise ones.*]

**but a foolish one**—Heb. וְאִוֶּלֶת. *But a foolish woman.*—[*Rashi*] [Although the word אִוֶּלֶת usually means "foolishness," here it means "a foolish woman."]

**tears it down with her hands**—*She tears down her house. This is Korah's wife.*—[*Rashi* from *Sanh.* 110a] The

חֹטֶר גַּאֲוָה וְשִׂפְתֵי חֲכָמִים תִּשְׁמוּרֵם:
ד בְּאֵין אֲלָפִים אֵבוּס בָּר וְרָב־תְּבוּאוֹת
בְּכֹחַ שׁוֹר: ה עֵד אֱמוּנִים לֹא יְכַזֵּב
וְיָפִיחַ כְּזָבִים עֵד שָׁקֶר: ו בִּקֶּשׁ־לֵץ
חָכְמָה וָאָיִן וְדַעַת לְנָבוֹן נָקָל: ז לֵךְ
מִנֶּגֶד לְאִישׁ כְּסִיל וּבַל־יָדַעְתָּ שִׂפְתֵי־

ת"א ורב תבואות. סנהדרין ח"ג:

**תרגום**

דצערא ושפותהון דחכימן נטרן אנון: ד אתר דלית תורא דכין אורותא וסוגעא דעללתא בחיליה דתורא: ה סהדא מהימנא לא מכדב ודממלל כדבותא סהדא רגלא הוא: ו בעי ממיקנא חכמתא ולית וידיעתא למן דמתבין זלילא: ז אזל בארחא אחריתא מן קדם סכלא דלית בשפותיה ידיעתא

**רש"י**

תשמור את החכמים: (ד) באין אלפים אבוס בר. באין שוורים האבוס ריקם שאפילו תבן אין מצוי בבית: בר. נקי וריקם כלומר במקום שאין תלמידי חכמים אין הוראה נמצאת כהלכה: (ה) ויפיח כזבים. יתמיד מדבר כזב עד שקר: (ו) בקש לץ חכמה. כשהוא צריך אל החכמה אינו מוצאה בלבו: (ז) לך מנגד לאיש כסיל.

**מנחת שי**

תשמורם. היה ראוי עם הכנוי חטף קמץ ובא השורק במקומו מכלול דף כ"ג: (ד) ורב תבואות. במקף ישוב החולם לקמץ חטוף גם במסורת דברי הימים סימן כ"ח נמנה בכלל הקמוצים וטעה מי שכתבו בחולם או בפתח: (ז) ובל ידעת שפתי דעת. כתוב בפירוש עמנואל ובפי' קב ונקי שיש ספרים שכתוב בהם בשפתי שקר ולא ראיתיו עד הנה בשום ספר ותרגומו בשפותיה ידיעתא וכן פירשוהו

**אבן עזרא**

ישרו. בוזהו לירא השם: (ג) חוטר. מטה והוא רמז ללשון שנמשלה למטה כלומר בתוך פי האויל יש מטה יהוא הלשון שיכה בה בדבר נאוה. ושפתי חכמים שלא תדברנה בגאוה. תשמורם. תשמור אותם השפה כי על כל אחד ידבר: (ד) באין אלפים. בזה הפסוק הזהיר להתעסק בעבודת האדמה. אלפים שוורים וכן ככבש אלוף כלומר בעבור שאין אלפים נשאר האבוס בר ונקי שאין שם כלום. פ"א באין שוורים יש אבוס אחד מן בר מענין לשבור בר. והיה התבואה הנקיה מן התבן. ורב תבואות ואבוסים רבים מלאים בר בכח שור והוא נכון: (ה) עד אמונים. שם דבר כלומר עד שידבר אמונית: לא יכזב. בעת הצורך: ויפיח. דובר וכן הוא עד שקר יפיח כזבים: (ו) בקש לץ חכמה. ללמד חכמה: ואין. בעבור התעסקו בדבר ליצנות לא יוכל לדעתה: ודעת לנבון. לאיש נבון נקל ללמד יזכור כמו ודעת לנפשך ינעם: (ז) לך מנגד. בהיות המלה קשורה עם מ"ם הוא ענין ריחוק ובהיות עם למ"ד הודיע קירוב לדבר והמ"ם משמש במקום שנים כמ"ם מאל אביך כלומר לך מנגד

**רלב"ג**

ופיום להגשים שישמרום מכל רע: (ד) באין אלפים. הנה יקרה שממלאות הדברים ומהספקדו ימשך דבר אחר בעינו וזה כשלא ימלאו שורים ימלאו אוצרות התבואה שאוכלים השורים מלאים בר והנה מפני המלאם ימלאו רב תבואות כי רב תבואות בכח שור ואפשר שירלה בזה והוא יותר נכון כאשר לא היו שורים של פטם שמפטמים אותם באבוס בר הנה אז יהיו רב תבואות בכח שור והעיר בזה כי הנפש המתמדת כאשר לא ישתמשו בה בעבודת השכל היא תאכל פרי תבואתו ותשחיתהו בהשתמשו בהכנתו להתחכם בהשגת תאות שאומר ואם ישמשו בה לעבודת השכל יגיעו בכחה רב תבואות בעניני העיוניים: (ה) עד אמונים לא יכזב. מי שלא יכזב והוא מי שבוגא השקר הוא כהכרח עד אמונים כשישאל על עדות מה ומי שידבר כזבים הוא עד שקר: (ו) בקש לץ חכמה ואין. הנה הלץ בקש חכמה ולא יוכל ללמוד ואולם הנבון נקל היותר עמוק שיהיה בעניני הכינה והוא ידיעת קדושים ר"ל ידיעת מלאכי השרת: (ז) לך מנגד לאיש

**מצודת ציון**

(ג) חוטר. מטה כמו ויצא חוטר מגזע ישי (ישעיה י"א): (ד) אלפים. שורים כמו שגר אלפיך (דברים ז'): אבוס. אוצר התבואה כמו פתחו מאבוסיה (ירמיה נ'): בר. ברור ונקי: (ה) ויפיח. ענין דבור: (ז) מנגד. ממרחק כמו מנגד תראה את הארץ (דברים ל"ב): ובל. הוי"ו היא במקום או כמו אביו ואמו

**מצודת דוד**

(ג) חוטר גאוה. גאוה זקיפה כמקל: תשמורם. מלדבר גאות: (ד) באין אלפים. בהעדר הבקר יהיה אוצר התבואה ברור ונקי ר"ל במקום שאין ת"ח אין הוראה מצויה: ורב. הרבה תבואות באה ע"י כח השור כי יחרוש בשדה ר"ל המקבל עליו עול תורה כשור לעול ימלא ע"י תורה הרבה: (ה) עד אמונים. העד אשר יתמיד לדבר אמונות בודאי לא יכזב בדבר העדות אבל הרגיל לדבר כזבים ושם שמח בדבריו של מה בכך מ"מ הואיל ורגיל בכך יעיד גם כן שקר ויש לחקור הרבה בדבריו: (ו) ואין. לא ימצא בלבו חכמה כי השמן לבו. אבל לנבון נקל למצוא דעת כי הורגל בה: (ז) לך מנגד. לך ממרחק לכסיל: ובל ידעת. או בל תדע שפתי דעת

ing one will find it easy to grasp knowledge.—[*Ibn Nachmiash*]

7. **Go far away from a foolish man**—*Do not always associate with him.*—[*Rashi*]

**or you will not know lips of knowledge**—*You will eventually not know wisdom.*—[*Rashi*] You will become like him.—[*Mezudath David*]

is a staff of haughtiness but the lips of the wise guard them.
4. Without oxen the manger is empty, but an abundance comes
by the strength of an ox. 5. A faithful witness does not lie, but
he who speaks lies is a false witness. 6. The scorner sought wis-
dom, but it is not there; but knowledge for the understanding
one is easy. 7. Go far away from a foolish man or you will not
know lips of knowledge.

Korah's wife encouraged him to rebel against Moses, thus bringing about his downfall.

2. **He who fears the Lord goes in his uprightness**—Heb. יְרֵא ה׳, *he who fears the Lord, and he who is crooked in his ways . . .*

**despises Him**—*The Holy One, blessed be He.*—[*Rashi*]

3. **In a fool's mouth is a staff of haughtiness**—*A stick of haughtiness, like Pharaoh, who said* (Ex. 5:2): "*Who is the Lord that I should hearken to His voice?*"—[*Rashi*] The fool's mouth is like a staff with which he strikes others out of haughtiness.—[*Ibn Ezra*] Others explain that the mouth of the fool causes him to be beaten.—[*Ralbag*] According to *Ibn Nachmiash* the heart is the root of haughtiness, and the mouth is the branch growing out of it.

**but the lips of the wise guard them**—Heb. תִּשְׁמוּרֵם, *like* תִּשְׁמְרֵם. *They guard the wise.*—[*Rashi*] They guard them from speaking haughtily.—[*Ibn Ezra*]

4. **Without oxen the manger is empty**—*Without oxen, the manger is empty, for not even straw is found in the house.*—[*Rashi*]

**empty**—Heb. בָּר, *clean and empty.* This means that *without Torah scholars, there is no proper instruction.*—[*Rashi*]

5. **A faithful witness**—A witness who always speaks the truth will surely not lie when testifying.—[*Mezudath David*]

**but he who speaks lies**—*and always speaks lies, is a false witness.*—[*Rashi*] He who is accustomed to speaking lies concerning things of no importance will eventually lie even when testifying, and his statements bear investigation.—[*Mezudath David*]

6. **The scorner sought wisdom**—*When he needs wisdom, he does not find it in his heart.*—[*Rashi*]

**but it is not there**—Since he always occupies himself with scorning, he cannot absorb wisdom.—[*Ibn Ezra*]

**but knowledge, etc.**—For the understanding one, it is easy to find knowledge since he is accustomed to it.—[*Mezudath David*] The level of knowledge is higher than that of understanding, but the understand-

דָּעַת: ח חָכְמַת עָרוּם הָבִין דַּרְכּוֹ וְאִוֶּלֶת
כְּסִילִים מִרְמָה: ט אֱוִלִים יָלִיץ אָשָׁם
וּבֵין יְשָׁרִים רָצוֹן: י לֵב יוֹדֵעַ מָרַּת נַפְשׁוֹ
וּבְשִׂמְחָתוֹ לֹא־יִתְעָרַב זָר: יא בֵּית
רְשָׁעִים יִשָּׁמֵד וְאֹהֶל יְשָׁרִים יַפְרִיחַ:

ת״א לב יודע. יומא פג: ר׳ דגושה יש

יְדִיעֲתָא: ח חָכְמְתָא
דַעֲרִימָא בְיוּנָא דְאָרְחֵיהּ
וּבְשַׁטְיוּתָא דְסַכְלֵי
רַמְיוּתָא: ט כְּסִילֵי
מַתְלִין בְּחֶטְאָה וּבֵינַת
תְּרִיצֵי רְעוּתָא: י לִבָּא
יָדֵיעַ מְרִירוּתָא דְנַפְשֵׁיהּ
וּבְחֶדְוָתֵיהּ לָא מִתְעָרֵב
נוּכְרָאָה: יא בֵּיתָא
דְרַשִׁיעֵי יִשְׁתֵּיצֵי
וּמַשְׁכְּנָא דִתְרִיצֵי

## רש״י

לא תתחבר תמיד אללו: **ובל ידעת**. סופך שלא ידעת חכמה: (ח) **חכמת ערום**. מי שהוא חכם: **הבין דרכו**. לפלס אורחותיו: **ואולת כסילים**. היא המרמה שבלבם סופם שמביאתם לידי טפשות: (ט) **אוילים יליץ אשם**. שהם חוטאים שצריכין לתת ממון למי שחטאו לו ויליץ בעדם אשמם שהם מביאים בממונם לו כמו הפלשתים שנאמר (שמואל א׳ ו׳) חמשת טחורי זהב וגו׳ ונתתם לאלהי ישראל כבוד אולי יקל את ידו מעליכם: **אשם**. (אמנד״א בלע״ז אמענדיא בלע״ז אמטנ״ד בל״א געלדשטראפע): **ובין ישרים רצון**. (אפיימינ״ט בלע״ז עיין לעיל י״א כ״ז) הקב״ה מרוצה להם: (י) **לב יודע מרת נפשו**. טרחו ויגיעו שעמל בתורה לפיכך בשמחתו לא יתערב זר כשיקבל שכרו לעתיד. ד״א לב יודע מרת נפשי ישראל שהם מרי נפש בגלות והם נהרגים על קדושת השם בשמחתם

## אבן עזרא

והתרחק לאיש כסיל ומבלי דעת שהוא איש שפתי דעת כמו התרחק ממנו כאמר מאיש שלא ידעתו חכם: (ח) **חכמת. הבין**. שם הפועל כלומר חכמתו היא תבינהו הדרך הראוי לו. ואולת כסילים היא גוררת המרמה ולעולם יחשבו לרמות אחרים במפלתם: (ט) **אוילים יליץ אשם**. כל אחד מהם והוא מלשון דבור מלשון המליץ בינותם כלומר יליץ לעשות אשם: **ובין ישרים רצון**. שירצה איש את חברו ופי׳ כענין וחטאתם כסדום הגידו. פ״א כשיעשה אשם יתלוצץ ואומר שאינו מועיל בשביל כך אין מביאים אותו שאין בור ירא חטא וכן בכל ההקים אבל האשם אבל הישרים רצון לפני המקום שמתכפרין בו עונותיהם או כמי מתלוצצים בעון ולפיכך אין חוששין לגזול ולחמוס ולהחטיא אבל בין הישרים לא תמצא אלא רצון המקום ובני אדם שהיא הדרך הישרה ולפי׳ אמר רצון סתם: (י) **מרת**. ידבר על הנפש המתאוה: **יתערב**. מענין ערב רב כלומר הלב יהיה ראוי שיהיה יודע למרר נפשו ולענותו בצום ולמנעה מתענוגי העולם הזה ובשמחתו שישמח לא יתערב דבר זר והוא היגון שלא יתערב בשמחתו והוא שמחת העולם הבא שאין עמה תוגה או שמחת הישועה כענין שמחתי בישועתך: (יא) **ואהל ישרים**. שאינם רוגים

## מנחת שי

אבן עזרא ורש״י ורלב״ג ויחייא: (ט) **ובין ישרים**. בעל המסורת הביא בסוף יונה ובמשלי כ״ג מסרה אחת מן ו׳ בן בלישנא ד׳ מגהין חסרים ובכלל המלאים מונה ובין ישרים רצון ונתקשה מאד על מסרה זו לפי שבכל הספרים כתוב ובין ישרים בלי״ד ומסרה זו לא ראיתיה בשום ספר כ״י וכן מלאתי **שבן בן ובן** ד׳ בלישנא בקריאה וסי׳ וסיה אם בן הכות הרשע. (דברים כה) בן יקה. (לקמן ל׳) אתה השת על הקיקיון ב׳ בו. וכל בן נון דכוותיה. ועי׳ עוד מ״ש בכי׳ כ״ג: (י) מרת נפשו. הרי״ש דגושה על פי המסורת

## רלב״ג

כסיל. להתחבר עמו והנה לא תדע שפתי דעת כי חברתו תמנע אותך מזה: (ח) **חכמת ערום**. חכמת האיש הערום היא הבין דרכו שילך בה בשיתהלכם בדרכי׳ ובסדרי׳ שיובילהו אל חפציו ואולם אולת הכסילים הוא הבין מרמה כי לא יתחכמו למלוא הדרכים הישרים אשר יגיעו בהם אל חפציהם ולזה השתדלו למלוא דבר און ומרמה יחשב אללם שיגיעו בו אל מבוקשם וזה לא יכינו דרכם ולא יגיעו אליו: (ט) **אוילים יליץ**. כאשם הוא סבה בידכרו האוילים כי כאשר יראו שלא הגיעו אל מבוקשם שיהיה אשמם סבה לזה אז יתרעמו זה לזה ויתמהו במה שהיתה החטאת הזאת ויגידו או מה שהמליאו מהסבות אשר הוא אשם להם כשיתקנו כמום הסבות ההם ואולם בין ישרים יסופר השגת הרצון כי הם יכוונו בדברים בסבותיהם ולזה ישיגו רצונם מלוקף כזה שהם נעזרים בו מהש״י: (י) **לב יודע מרת נפשו**. לב האדם והוא השכל יודע מרירות נפשו הבהמית ילעדה מאד היות הנפש אחרת אך לא **יתערב עמו** זר מאחר כחות הנפש בשמחתו במה שהש״נ מהשגית פיוניו: (יא) **בית הרשעים**. אע״פ שבנינו חזק מאד ישמד ויחרב כי אין הש״י משגיח בו לשמרו מהפגעים והוא בעצמו יביא אל עצמו

## מצודת דוד

כלומר או הרחק ממנו או כופך להיות כמוהו: (ח) **חכמת ערום**. יסוד חכמת הערום היא להבין דרכו לבל יעשה כפי ההזדמן ויסוד אולת הכסילים היא עשית המרמה שחשבו כי לא יעשו גם המה כפי ההזדמן: (ט) **יליץ אשם**. האשם שמביא היא תליץ עליו להתכפר על מעלו אבל בין ישרים יש ויש רצון ה׳ מבלי קרבן: (י) **לב יודע**. לבו של האדם הוא יודע ומרגיש במרירות נפשו בעמל התורה ואין זולתו מרגיש בלערו של זה ולכך בשמחתו בעת קבול השכר לא יתערב זר לחלוק בו כי לבדו יקבל שכרו מבלם: (יא) **בית**. ר״ל עם שהוא בנין חזק וכדרך הבית: **ואוהל**. עם שהוא עראי כדרך האהל מ״מ

## מצודת ציון

קלל (ויקרא כ׳): (ט) **יליץ**. מלשון מליצה: **אשם**. קרבן אשם: (י) **יתערב**. מלשון תערובות:

11. **The house of the wicked**—*The house of Esau will be destroyed.*—[*Rashi* in ms. and in Salonica ed.] Although it is firmly built, it will be destroyed because the Lord does not guard it from misfortunes. In fact, the wicked brings misfortunes upon himself through his evil deeds.—[*Ralbag*]

**but the tent of the righteous**—

8. The wisdom of a cunning man is to understand his way, but the folly of the fools is deceit. 9. Amends for guilt plead for the fools, but there is good will among the upright. 10. One's heart knows the bitterness of his soul, and in his joy no stranger shall mingle. 11. The house of the wicked shall be destroyed, but the tent of the righteous shall flourish.

8. **The wisdom of a cunning man**—Heb. עָרוּם, *he who is wise.*—[*Rashi*]

**is to understand his way**—*To weigh his paths.*—[*Rashi*] To plan his acts, not to act upon impulse.—[*Mezudath David*] Or, his wisdom will enable him to understand the way he is to take.—[*Ibn Ezra*]

**but the folly of the fools**—*That is the deceit in their hearts. It will ultimately bring them to foolishness.*—[*Rashi*] Neither do the fools act upon impulse. The aim of their foolish acts is to execute the deceit in their heart.—[*Mezudath David*] Or, the folly of the fools brings about deceit, and they always plot to deceive others.—[*Ibn Ezra*]

9. **Amends for guilt plead for the fools**—*For they sin and have to give money to the one against whom they sinned. And their amends, which they bring him with their money, will plead for them, like the Philistines, as it is stated* (I Sam. 6:4f.): *"five hemorrhoids of gold, etc. and you shall give honor to the God of Israel. Perhaps He will lighten His hand from upon you."*—[*Rashi*] אָשָׁם (*amende in French, geldstrafe in German*) a fine.—[*Rashi*] [This German translation appears in several editions. However, in Old French, the word *amende* means reparation, rather than fine, and that appears to be the intention here, as well as in Samuel.]

**but there is good will among the upright**—*apaisement in French* (cf. above 11:27), appeasement. *The Holy One, blessed be He, is pleased with them.*—[*Rashi*] *Mezudath David* explains this in terms of a guilt-offering: The fools must bring a guilt-offering to plead for them, but the upright have God's good will without a sacrifice.

10. **One's heart knows the bitterness of his soul**—*His toil and labor that he toiled with the Torah. Therefore, in his joy a stranger shall not mingle. Another explanation:*

**One's heart knows the bitterness of his soul**—*Israel, who are of embittered spirit in exile, for they are killed for the sanctification of the Name—in their joy no stranger shall mingle in the future.*—[*Rashi*]

*Ibn Ezra* explains that the heart should be able to mortify one's body by fasting and abstaining from the pleasures of this world. Then, no sadness will mingle with the extreme joy of the future world. He also suggests that "their joy" is the joy of salvation.

יב יֵשׁ דֶּרֶךְ יָשָׁר לִפְנֵי־אִישׁ וְאַחֲרִיתָהּ
דַּרְכֵי־מָוֶת: יג גַּם־בִּשְׂחֹק יִכְאַב־לֵב
וְאַחֲרִיתָהּ שִׂמְחָה תוּגָה: יד מִדְּרָכָיו
יִשְׂבַּע סוּג לֵב וּמֵעָלָיו אִישׁ טוֹב: טו פֶּתִי
יַאֲמִין לְכָל־דָּבָר וְעָרוּם יָבִין לַאֲשֻׁרוֹ:
טז חָכָם יָרֵא וְסָר מֵרָע וּכְסִיל מִתְעַבֵּר

ת״א דרך ישר. קדושין מ׳ עקרים פ׳ אחרון: מדרכיו. עקידה שער עט: פתי. כריתות ט׳ עקרים פ׳ אחרון:

**תרגום**

מַפְרִיחַ: יב אִית אוֹרְחָא דְסָבְרִין בְּנֵי נָשָׁא דְתְרִיצָא הִיא וְסוֹפָהּ אוֹרְחָא דְמוֹתָא: יג אַף בְּגוּחְכָא נְכָאֵב לִבָּא וְסוֹפָא דְחֶדְוָתָא חֲמוּצָא: יד מִן אוֹרְחָתֵיהּ נִסְבַּע מַן דְמַדְרִיחַ לִבֵּיהּ וְגַבְרָא טָבָא נִסְבַּע מִן דַחֲלְתֵיהּ: טו שַׁבְרָא מְהֵימַן לְכָל מִלֵּי וַעֲרִימָא מִתְבַּיֵּן לְטָבְתֵיהּ: טז חַכִּימָא דָחֵל וּמִסְטֵא מִן בִּישְׁתָּא וְסַכְלָא מִתְחַלֵּט בְּסַכְלוּתָא

**רש״י**

לא יתערב זר לעתיד: (יב) **יש דרך ישר לפני איש.** עובר עבירה ואומר אין בה עבירה. יש דרך ישר לפני איש. דרך עלל ישרה היתה בעיני עשו שהיה איש שדה ואחריתה וגו׳: (יג) **גם בשחוק.** שהקב״ה משחק עם עובדי כוכבים בעולם הזה יכאב להם לעתיד וכן הוא אומר ואתם תצעקו מכאב לב (ישעיה ס״ה): (יד) **מדרכיו ישבע סוג לב.** עשו: **ומעליו איש טוב.** יעקב: (טו) **פתי יאמין.** לדבריהם וניסת אחריהם. ד״א בשחוק יכאב לב. שחוק לכסיל עשות זמה (לעיל י׳ כ״ג) וסופו יכאב לב סוג לב רשע כמו (לקמן כ״ו) כסף סיגים סיג הוא שם הפסולת סיג הוא הכסף המעורב בפסולת. ומעליו איש טוב. וממעל לו לרשע יהי הצדיק. פתי יאמין. לאנשי רכיל. וערום יבין לאשרו. לפסיעותיו כלומר יצפה מלריב וימתין עד יודע לו על נכון: (טז) **חכם**

**מנחת שי**

ולכן המ״ס בקמץ הטוף מכלול דף ע״ב ודף ר״כ: (יג) גם בשחק. חסר וא״ו וכבר נתבאר ענין זה על תפלותו בירמיה סימן מ״ה:

**אבן עזרא**

בבנייני בתים כמו הרשעים ומואסים המדת העולם ויושבים באהלים יעמידם השם כעץ פורה: (יב) **יש.** (יג) **גם.** שניהם דבקים. פירוש יש דרך ישר מושם לפני איש והוא דרך המצות ואחר שיעשה הדרך לפניו ויסור ממנה ימצא **דרכי מות.** ומלת גם לרבות על עזיבת דרך ישר וכן הפי׳ גם בעבור שחוק העולם ותענוגיו יכאב לב ההתעסק בהם כי השם יכאיבהו ואחרית שמחת ההנאות תבואתהו תוגה: (יד) **מדרכיו ישבע.** עומד במקום שנים: סוג. פעול ע״מ **מול** ועניינו סור והדעת יקרא לב וכן הפי׳ מדרכיו שהם דרכי ההבל מהם ישבע איש וסוג מדעת כי השם ישביעהו שכר מעשיו ויאכילהו פרי דרכיו: **ומעליו.** מן עלה זית ודימה מעשיו הטובים במצות הקלות בעלים והחמורות בפרי וכן הוא וישבע אפי׳ מן עלה איש טוב והשבע הוא שכר מעשה הטוב. פ״א מעליו מקום מעלמו: (טו) **יאמין לכל דבר.** לסור מדרך הישרה. וערום יבין בעבור אשורו הראוי לו והטעם דרכו שלא יסור ממנו. על כן אחריו הכם ירא: (טז) **חכם.**

**רלב״ג**

סגפים גדולים מפני רוע פעולותיו ואולם אהל הישרים אע״פ שהוא חלוש כבנין מאד יתקיים ויעמוד ויעשה פרי: (יב) **יש דרך.** שיחשב שיהיה ישר מפני העלם ממנו האמת בה וככר יראה בסוף כי אחריתה היא להגיע אל דרכים מובילים אל מות ואע״פ שאין בדרך ההיא בעצמה חטא ואשם: (יג) גם בשחוק. המשל כי בפעולות השחוק והבטלה שלא יחשב שיהיה בעניים רשע הנה יכאב לב כי הם סבה אל שיבלר מהשכל בנימיתו והנה אחריתה של אותה השמחה היא תוגה לזאת הסבה: (יד) מדרכיו ישבע רעות מי שלבו נסוג מהדרך הישרה ומעליו ישבע איש טוב כדי שלא יספה בכל העאתיו: (טו) פתי יאמין לכל דבר. הנה האיש הפתי יאמין לכל דבר ולזה יתפתה לכל הדברים מזולת התבוננות אם הוא ראוי לעשות כן אם לא ומזולת התבוננות בדברים הראוים להגיע אל התכלית ההוא ואולם החכם יבין לאשורו אם הוא ראוי אם לא ובאיזה דרך יגיע אליו: (טז) הכם ירא וסר מרע. הנה החכם הוא ירא מהדברים ומפחד וכם בה זה

**מצודת ציון**

(יג) תוגה. מל׳ יגון ועצבון: (יד) סיג. ענינו ההחזרה לאחור כמו והוסג אחור משפט (ישעיה נט): (טו) לאשורו. ענין דרך ופסיעות כמו באשורו אחזה רגלי (איוב כ״ג): (טז) מתעבר. מל׳ עברה וכעס:

**מצודת דוד**

יפריח ויעלה מעלה מעלה: (יב) ישר לפני איש. נראה בעיניו כי ישר הוא: ואחריתה. אבל סוף הדבר הוא מדרכי מות: (יג) גם בשחוק. אפילו בעבור רבוי השחוק עם כי לא עבר בזה על מצות ה׳ מכל מקום יכאב לבו: בעת יקבל הגמול על ספקה לבו נכשלה: ואחריתה. רוצה לומר א״כ סופה תהיה אשר השמחה תהפך לתוגה: (יד) סוג לב. הלב הנסוג מה׳ ישבע מדרכיו כי גמולו כמפעלו: ומעליו. בעת יקבל הגמול יהיה איש טוב נפרד מעליו לבל יהיה נלקה עמו: (טו) לכל דבר. לדברי לסה״ר הנאמר לו: לאשרו. לדרכו האמיתי ר״ל לאמיתת הענין: (טז) חכם ירא. החכם יפחד מדבר המפסיד

will provoke retribution upon himself.]

**but a fool passes vigorously**—*He strengthens himself to pass vigorously.*—[*Rashi*]

**and slips**—Heb. וּבוֹטֵחַ, *and slips and falls to the ground, as in* (Jer. 12:5): "*and in the peaceful you slip* (בּוֹטֵחַ)," *and Jonathan* renders: אַתְּ מִתְבַּטַּח וְנָפִיל, meaning "you *slip* and fall." *Others explain this as confidence. In his palace, he is confident, saying, "The evil will not befall me."*—[*Rashi*] *Ibn Ezra* explains: The wise man fears God and turns away from evil, but the fool is angry

12. There is a way that seems right to a man, but its end is ways
of death. 13. Even with laughter, the heart aches, and its end is
that joy turns to sorrow. 14. The one with an impure heart
shall have his fill from his ways, and above him is a good man.
15. A fool believes everything, but a cunning man understands
his steps. 16. A wise man fears and turns away from evil, but a
fool passes vigorously and slips.

although very flimsily built, will be preserved and will flourish.—[*Ralbag*] *Ibn Ezra* explains this as referring to those who refuse to dwell in houses as the wicked do, and renounce the pleasures of this world to dwell in tents. God will preserve them like a flourishing tree.

*Ibn Nachmiash* explains that the wicked consider this world their permanent dwelling, but the upright consider it a temporary one—hence the different expressions.

12. **There is a way that seems right to a man**—*He commits a transgression and says, "There is no transgression in it." Another explanation:*

**There is a way that seems right to a man**—*The way of laziness seemed right to Esau, who was a man of the field, "but its end etc."*—[*Rashi*]*

13. **Even with laughter**—*that the Holy One, blessed be He, laughs with the heathens in this world. Their heart will ache in the future, and so Scripture says* (Isa. 65:14): *"And you shall cry out from sorrow of heart."*—[*Rashi*] Cf. Commentary Digest ad loc.

*Mezudath David* explains: Even because of much laughter—although he did not transgress any of God's commandments—the heart will ache when God metes out retribution, because he turned his heart to idleness.

14. **The one with an impure heart shall have his fill from his ways**—*Esau.*—[*Rashi*]

**and above him is a good man**—*Jacob.*—[*Rashi*]*

15. **A fool believes**—*their words and is enticed after them. Another explanation:*

**with laughter the heart aches**—*It is sport for a fool to carry out a sinful plot* (above 10:23), *and ultimately, his heart will ache. The one with an impure heart is a wicked man, as in* (below 26:23) *"Impure* (סִיגִים) *silver."* סִיג *is the name of the dross.* סוּג *is the silver mixed with the dross.*

**and above him is a good man**—*And above the wicked man will be the righteous man.*

**A fool believes**—*talebearers,*

**but a cunning man understands his steps**—Heb. לַאֲשֻׁרוֹ, *his steps. He waits to quarrel until he knows the matter correctly.*—[*Rashi*]*

16. **A wise man fears**—*retribution.*—[*Rashi*]

**and turns away from evil**—*From the evil.*—[*Rashi*] [Perhaps *Rashi* means that he turns away from the evil he fears, not to do anything that

בסכלותא ומסביר בה:
יז מן דבריא רוחיה
מתחשיב שטיא וסניא
לגברא דאריכא
תרעיתיה: יח ירתון
שברי שטיותא
וכלילהון דערימאי
ידיעתא: יט נפלו בישי
קדם טבי ורשיעי
נתדון בתרעיא דצדיקי:
כ אף לחבריה סני
מסכנא ורחמי דעתירא
סגיעין: כא חטיא שאט לחבריה ומן דיהב למסכנא טובוהי:

וּבוֹטֵחַ: יז קְצַר־אַפַּיִם יַעֲשֶׂה אִוֶּלֶת
וְאִישׁ מְזִמּוֹת יִשָּׂנֵא: יח נָחֲלוּ פְתָאיִם
אִוֶּלֶת וַעֲרוּמִים יַכְתִּרוּ דָעַת: יט שַׁחוּ
רָעִים לִפְנֵי טוֹבִים וּרְשָׁעִים עַל־שַׁעֲרֵי
צַדִּיק: כ גַּם־לְרֵעֵהוּ יִשָּׂנֵא רָשׁ וְאֹהֲבֵי
עָשִׁיר רַבִּים: כא בָּז־לְרֵעֵהוּ חוֹטֵא וּמְחוֹנֵן

### רש״י

**ירא**. מן הפורענות: **וסר מרע**. מן הרעה; וכסיל מתעבר. מתחזק לעבור בחזקה: **ובוטח**. ומהליך ונופל בארץ כמו (ירמיה י״ב ה׳) ובארץ שלום אתה בוטח ות״י את מתכטח ונפיל מחליק. וי״מ בטחון ממש בהיכלו בוטח לומר לא תבואני רעה: **(יז) קצר אפים**. הממהר לנקום כעסו: **ואיש מזמות**. מחשבות עלות רעה: **(יח) יכתירו דעת**. יעשוהו כתר לראשם. וסוף: **(יט) שחו רעים לפני טובים**. לעתיד: **(כ) גם לרעהו ישנא רש**.

### אבן עזרא

(יז) קצר. שנים דבקים. כלומר ירא מהשם וסר מרע וכסיל יתעבר ויכעוס עם אחרים ובוטח שיחיה. ומי שהוא קצר אפים שיתעבר בכל עת מעשה אולת: **ואיש מזימות**. מחשבות רעות הוא ישנא שישנאהו השם: **(יח) נחלו**. (יט) **שחו**. שנים דבקים. כלו׳ האולת היא נחלתם: **יכתירו**. יקנו כתר הדעת ויעלו לגדולת החכמים על כן **שחו רעים** שהם הפתאים לפני הערומים שהם טובים ורשעים ולדיקים כסל הדבר: (כ) **גם. בז. הלא**. ג׳ דבקים מלת גם לרבות והוא דבק למעלה עם איש מזמות וכן הוא כאשר ישנא איש מחשבות רעות גם כן לרעהו ישנא הרש בגלל רישו: **ואוהבי עשיר רבים**. בעבור עשרו רבים הם ומי שיבוז לרעהו הראוי

### מנחת שי

(טז) ובוטח. במקצת ספרים חסר וא״ו אחר הבי״ת ועפ״ה הוא מלא כי לא נמנה במשלי כ״ח במנין החסרים: (יז) קצר אפים. הקו״ף בגעיא: (יח) נחלו פתאים. האל״ף נחה והיו״ד נעה: יכתרו דעת. טעה המדפיס אותו מלא יו״ד כי הוא חסר בספרים מדוייקים וכן במסורת ב׳ וחסר וסימן כי יכתרו לדיקים. יכתרו דעת: (יט) שחו. במקצת ספרים השי״ן קמוצה והמלה מלעיל אבל בס״ם השי״ן פתוחה והמלה מלרע וכן במסו׳ שחו ב׳ וסי׳ **שחו** גבעות עולם דחבקוק. **שחו** רעים וכן כתוב בברשית שרש

### רלב״ג

ישמר עצמו מרע ואולם הכסיל הוא כועס ומקצר עם מי שראוי לפחד ממנו והוא בוטח שלא יקרהו נזק בזה מפני זאת התכונה יגיעו לו רעות גדולות: (יז) קצר אפים. מי שהוא קצר אפים ר״ל שלא יביט בענינים כי אם בקצרה ובמהירות מזולת שיתישב בהם הנה הוא יעשה אולת כי מגדר האולת הוא שלא תבא בדברים בסבותיהם וכן מי שהוא איש מזמות שחושב מחשבות רבות וזמן ארוך אם ראוי לעשות הדברים אם לא הנה ישנא כי לא ישיגו ממנו האנשים מבוקשם רק בקושי עצום מאד וזה כי ימלא שום מחשבה תקבל למה שיבאו ממנו לא יתן שאלתם וזה ג״כ סבה להתגלגל הרבה מעניניו כי מי שיחשוב בכל הדברים אם ראוי שיעשה אותם אם לא בזה האופן לא יעשה דבר גם מהדברים הצריכים לו מאד ולזה צריך שיזהר האדם באלו הענינים ולא יעמיק בהם ולזה ראוי לאדם שלא ימהר בזאת החקירה יותר מהראוי ולא יאריך בה יותר מהראוי: (יח) נחלו פתאים. הנה הפתאים נחלו אולת כי הם בלתי מעיינים בדרכים איך יגיעו אליו אבל במהירות ישותו לזה ואמנם החכמים ימתינו שימלאו הדעת ר״ל שיעיינו בהתישבות גדול ונפלא כדי שיתבדר להם מה שראוי לעשות ואיך יתישרו להגיע אליו: (יט) שחו רעים. הנה לך עדות על מעלת הלדיקים והטובים על הרשעים והרעים שאתה תראה שבסוף הרעים לפני הטובים והרשעים ימלאו על שערי הלדיקים: (כ) גם לרעהו ישנא רש. הנה האיש העני בממון או בדעות יהיה שנוא גם לרעהו ואמנם אוהבי עשיר בממון או בדעת הם רבים כי במתן הממון יקנה לו האדם אוהבים או במתן החכמה ג״כ: (כא) בז לרעהו חוטא. הנה מי שהוא מבזה האנשים עד שיגיע מרוב תכונתו שיבזה גם לרעהו הוא חוטא. ומאושר מאד מי שהוא חונן ומשגיח על

### מצודת דוד

ונשמר ממנו ולזה הוא סר מן הרעה ולא תבוא עליו אבל הכסיל מתמלא עברה להתקלף על כל ובוטח בעלמו שלא יאונה לו רעה ולא כן הוא וקלר בדבר המוכן מעלמו: (יז) **קצר אפים**. מי שאינו מאריך אפו וממהר לכעוס היא לו לאולת: **ואיש בזימות**. הנמשך אחר מחשבות לבו לבל ישלם דבר הטובה היא אם רעה יהיה שנוא לכל לשמים ולבריות: (יח) **נחלו**. ר״ל אוחזים באולתם כמו האדם בנחלתו: **יכתירו**. אוחזים בדעת ועושים אותה כתר לראשם ויתפארו בה: (יט) **שחו**. בסוף הדבר יהיו הרעים כפופים ונכנעים לפני הטובים והרשעים יסבבו על שערי בית לדיק לשאול לחם: (כ) **גם לרעהו**. אל פני כמותו עם כי הדרך להיות האוהבים בשוים בדבר מהדברים: **רבים**. בין עניים בין עשירים: (כא) **בז לרעהו**. המבזה לרעהו הוא חוטא: **ומחונן**. המרחם לעניים הגיגה והבבה

### מצודת ציון

(יט) **שחו**. ענין כפיפה והשפלה כמו וישח אדם (ישעיה ב׳):

poor. This idea is found in the Talmud (*Baba Bathra* 9b): He who gives a penny to a poor man is blessed with six blessings, but who appeases him with words is blessed with eleven blessings.—[*Ibn Nachmiash*]

17. A quick-tempered man acts foolishly, and a man of sinful plots is hated. 18. Fools inherit folly, but the cunning make knowledge a crown. 19. The evil bend down before the good, and the wicked on the gates of a righteous man. 20. The poor man is hated even by his friend, but the friends of the rich are many. 21. He who despises his friend is a sinner, but he who favors

at others and is confident that he will live.

17. **A quick-tempered man**—*who hastens to avenge his anger.*—[*Rashi*]

**acts foolishly**—This is considered foolishness.—[*Ibn Ezra*] This phrase is reminiscent of Ecclesiastes 7:9: "For anger rests in the bosom of fools."—[*Ibn Nachmiash*]

**and a man of sinful plots**—*Thoughts of counsels of evil.*—[*Rashi*]

**is hated**—by God.—[*Ibn Ezra*] *Mezudath David* explains: He who follows the thoughts of his heart, without weighing them to determine whether they are good or bad, is hated by both God and man.

18. **Fools inherit folly**—They adhere to their folly as one adheres to his inheritance.—[*Mezudath David*]

**make knowledge a crown**—Heb. יַכְתִּרוּ, *they make it a crown for their head, and ultimately . . .*

19. **The evil bend down before the good**—*in the future.*—[*Rashi*]

**and the wicked on the gates of a righteous man**—They will go around to their doors to beg for a piece of bread. Another explanation is that the wicked will not be able to speak in the meeting place of the wise, but will subordinate themselves to the wise.—[*Ibn Nachmiash*]

20. **The poor man is hated even by his friend**—*Even by his friends who accompany him to his wedding and by his close friends.*—[*Rashi*]

**even**—Heb. גַּם, *an expression meaning even.*—[*Rashi*] [*Rashi* states this because גַּם usually means also.]

**The poor man is hated**—*The ignoramus, who does not know how to behave properly.*—[*Rashi*] *Ibn Nachmiash* explains the verse according to its simple meaning, that all the poor man's friends turn against him—not only strangers, but even his friends. That is because their love depends on receiving gifts and favors from him, for what sin did the poor man commit that made all his friends hate him?

21. **He who despises his friend**—who is worthy of honor, is a sinner.—[*Ibn Ezra*]

**but he who favors the humble**—This is the opposite of despising his friend. The meaning is that the humble find favor in his eyes. The masoretic text reads *the poor,* but the traditional reading is *the humble.* These terms are usually synonymous because the humble are usually

עֲנָיִּים אַשְׁרָיו׃ כב הֲלוֹא יִתְעוּ חֹרְשֵׁי
רָע וְחֶסֶד וֶאֱמֶת חֹרְשֵׁי טוֹב׃ כג בְּכָל־
עֶצֶב יִהְיֶה מוֹתָר וּדְבַר שְׂפָתַיִם אַךְ
לְמַחְסוֹר׃ כד עֲטֶרֶת חֲכָמִים עָשְׁרָם
אִוֶּלֶת כְּסִילִים אִוֶּלֶת׃ כה מַצִּיל נְפָשׁוֹת
עֵד אֱמֶת וְיָפִחַ כְּזָבִים מִרְמָה׃
כו בְּיִרְאַת יְהוָה מִבְטַח־עֹז וּלְבָנָיו יִהְיֶה

כב הֲלָא תָעֲיָן דְחָשְׁלִין בִּישְׁתָא וְחִסְדָא וְקֻשְׁטָא חָשְׁלִין טָבֵי׃ כג בְּכָל מַן דְאַצְפָא לָךְ יֶהֱוֵי לָךְ יוּתְרָנָא וְסִפְוָתָא יַתִּירְתָא לְחוּסְרָנָא׃ כד כְּלִילָא דְחַכִּימֵי עוּתְרְהוֹן וְשִׁבְהוֹרְהוֹן דְסַכְלֵי שְׁטְיוּתְהוֹן׃ כה מְפַצֵּא נַפְשָׁא סָהֲדָא דְקוּשְׁטָא וּדְמַלֵּל כְּדִבוּתָא רַמָּיָא הוּא׃ כו דְחַלְתֵּיהּ דֶאֱלָהָא סִבְרָא דְעוּשְׁנָא וְלִבְנוֹי נהוי

ת"א בכל עצב. ברכות ל' (ברכות ז' תענית כז בכורים יד) : עניים קרי מחסה

### רש"י

אפילו לשושביניו ואוהביו: גם. לשון אפילו: ישנא רש. עם הארץ שאינו יודע לנהוג כשורה: (כג) בכל עצב. בכל יגיע מלאכה יהיה ריוח אבל דברי הבל אך למחסור: (כד) עטרת חכמים עשרם. שהם עשירים בתורה: אולת כסילים אולת. קלקלתן של כסילים היא האולת שנתעללו מן החכמה: (כו) ביראת ה' מבטח עוז. נאמר באברהם כי עתה ידעתי כי ירא אלהים אתה (בראשית כ"ו). והבטיחו כי ברך אברכך וגו': ולבניו יהיה. הוא:

### מנחת שי

שחת: (כא) ומחונן ענייס. ענוים קרי: (כב) הלוא יתעו. הס"א בגעיא בס"ם: (כג) בכל עצב. במקצת ספרים הע'ן בליר"י ורד"ק

### אבן עזרא

לכבדו חוטא הוא: אשריו. יהי מאושר מפי המאושרים: (כב) הלא יתעו. באמת הם תועים חורשי רע לפי הזרעותם כי כשיחרוש הרע הוא תועה מדרך הישרה. והסד ואמת יבואון לחורשי טוב: (כג) בכל עצב. עומד במקום שנים כלומר בעבור כל עצבון ועמל שיטרח לצורך מחייתו יש יתרון ותועלת ובעבור דבור שפתים שהם דברי תוהו יש מחסור והטע' שיחסר כל ואף ממעט מותר המתעצב: (כד) עשרם. עם חכמתם הוא תפארת ועטרת ראשם כי העושר יועיל לחכמה. והולת כסילים ואע"פ שיש להם עושר לא יועילם להסירה מהם כי אולתם בעברם אולת היא או אולת שאין כמוה: (כה) מציל. עד אמת. הוא יציל הנפשות הלקוחות למות. ועד שמנהגו בדבר כזב הוא איש מרמה: (כו) ביראת.

### רלב"ג

העניים והשפלים: (כב) הלא יתעו. הנה האנשים שהם חורשי רע יתעו בדרכם כי ימצאו להם מונעים רבים מההגעה למבוקשם ואולם חורשי טוב ימצאו בדרכים חסד ואמת והנה האמת הוא שיתישר להם הדרך בדרך שחשבו אותו והחסד הוא שיתישר להם מהטוב יותר ממה שחשבו מפני העזר האלהי אשר ילוה אליהם: (כג) בכל עצב. הנה בכל יגיע ועמל יהיה לאדם יתרון ותועלת עד שכל מה שיעמול בו יותר יגיע לו מהתועלת יותר ואולם דבר שפתים הנה היגיעה והרבוי בו אינו ליתרון אבל למחסור: (כד) עטרת חכמים עשרם. הנה עטרת החכמים עשרם אשר חכמתם מליאותו כי בו יוכלו תכונותיהם הטובות בנדיבות ובצדק ובעושר ג"כ יהיו פנויים לעיין בחכמה ואולם אולת הכסילים ר"ל היציאה מהדעת החלושה אשר בהם הנה אולתם סבה לו כי הוא סבת הרוע והבלבול בכונותיהם ופעולותיהם והפסד ההוא סבה שילאו מדעתם מרוב הצער והדאגה: (כה) מציל נפשות. הנה מי שיעיד אמת כמה שישאל עליו מציל נפשות מהחמס ואולם איש מרמ' ידבר כזבים בעדותו כאשר ישאל עליו והנה זה סבה להשחית נפשות בחמס: (כו) ביראת ה'. יש לבטוח בעוזו ית'

### מצודת ציון

(כב) יתעו. הונח על ההולך ללכת בדרך זה והולך באחר והושאל לכל התועה בדעתו: חורשי. ענין מחשבה: (כג) עצב. גם שמאל

### מצודת דוד

אשרי לו: (כב) הלוא יתעו. החושבים רע הלא תועים הם בדעתם כי חשבו על הזולת ובאמת עליהם תשוב אבל החושבים טוב הוא חסד ואמת כי בעבור מחשבתם הטובה ימשך עליהם חסד ויאומת מחשבתם על מי אשר חשבו הטוב עליו: (כג) בכל עצב. בכל דבר עצבון ועמל יגיעת המלאכה יהיה לאדם יתרון וריוח מה אבל דבר שפתים העמל בו הוא אך למחסור כי ברוב דברים לא יחדל פשע: (כד) עשרם. אם מלאו עושר מעטרת אותם כי יוכל לכל תפארתם ונדיבות לבם בתתם לאביונים די המחסור ובפנים יפות: אולת וגו'. רלה לומר כמעשה אולתם יוכר האולת הטמונה בלבם כי בעבור היות כל מעשיהם אולת נראה מזה כי יש עוד הרבה אולת תקועה בלבם ויגולה בעת ההזדמן: (כה) מציל וגו'. עד אמת הוא מציל נפשות כי אם יעיד להרוג הרוצח אז יציל מידו נפשות בני אדם ואם יעיד לפטרו אז יציל נפש הנדון: ויפיח. המדבר כזבים מציל בכזביו את איש מרמה כי מסייע לו בעדותו: (כו) ביראת ה'. הליכות האדם ביראת ה' היא לו מבטח

**a shelter**—*For they will take shelter and hide in the shadow of his merit.*—[*Rashi*] *Ralbag* and *Ibn Ezra* render: He will be a shelter. Even for the sons of the God-fearing, God will be a shield and a shelter because of their father's merit, to save them from the calamities intended for them.

the humble—fortunate is he. 22. Will they who plan evil not go astray? But kindness and truth come to those who plan good. 23. In every toil there will be gain, but a word of the lips is only for loss. 24. The crown of the wise is their wealth; the folly of the foolish is folly. 25. A true witness saves lives, but he who speaks lies is [a man of] deceit. 26. In the fear of the Lord is a strong promise, and he will be a shelter for his sons.

22. **Will they who plan evil not go astray?**—Do not those who plan evil err by thinking that they will do harm to others? The truth is that the harm will befall them.—[*Mezudath David*]

**But kindness and truth, etc.**—Those who plan good will find that kindness will come upon them, and their plans for others will be realized.—[*Mezudath David*] *Ibn Ezra* explains that those who plan evil stray from the straight way.

23. **In every toil**—*In every toil of work, there is a gain, but in words of vanity, there is only loss.*—[*Rashi*] If one tires himself by talking, he will only suffer a loss—for with too much talk, there will always be sin.—[*Mezudath David*]

*Gra* explains that every good deed a person performs immediately will bring him reward. If he does not do it immediately, but promises to do it later, not only will he fail to receive reward, but he will eventually fail to do the promised deed.

24. **The crown of the wise is their wealth**—*that they are rich in Torah.*—[*Rashi*] *Ibn Ezra* explains the verse literally, that their wealth together with their wisdom is glory for them and a crown upon their head. *Mezudath David* explains that wealth is glory for the wise, as they are shown to be generous and charitable when they give charity to the poor.

**the folly of the foolish is folly**—*The ruin of the fools is the folly that they neglected to learn wisdom.*—[*Rashi*] Even if they are rich, as long as they are foolish their wealth will not help them.—[*Ibn Ezra*]

25. **A true witness saves lives**—He will save the lives of those condemned to die, but a witness who is accustomed to lying is a deceitful man.—[*Ibn Ezra*] *Mezudath David* explains that a true witness saves lives even if he testifies to condemn a murderer, because he saves others from the criminal's clutches. If he testifies to acquit the defendant, he saves that life. But he who always lies will save a deceitful man with his false testimony.

26. **In the fear of the Lord is a strong promise**—*It is stated concerning Abraham* (Gen. 22:12): *"Now I know that you are a God-fearing man," and He promised him: "For I will bless you, etc."*—[*Rashi*]

**and he will be . . . for his sons**—*He.*—[*Rashi*] Not "*it* will be."

מחסה: כז יראת יהוה מקור חיים לסור
ממקשי מות: כח ברב־עם הדרת־
מלך ובאפס לאם מחתת רזון: כט ארך
אפים רב־תבונה וקצר־רוח מרים
אולת: ל חיי בשרים לב מרפא ורקב
עצמות קנאה: לא עשק דל חרף

נהוי תוכלן: כז דחלתא דאלהא מבוע דחיי לדמסטי מן פחא דמותא: כח בסוגעא דעמא הדריה דמלכא והיך דבציר עמא מתתבר פרנסיה: כט מן דנגירא רוחיה סגיעא ביוניה ומן דכריא רוחיה מסגי שטיותא: ל דמפליג חמתא דלביה אסיא הוא דבסריה והיך מלטיתא בקיסא הכן קנאתא בגרמיה: לא דעשק למסכנא חסודא עביד לבריה ודמרחם עליבא יקריה: בבישותיה

ת״א ברב עם. ברכות נג. פסחים כ״ד יומא כו ע׳ סוכה נג ר״ה ד׳ זבחים יג מנחות סב זוהר תרומה: ורקב. שבת קנב:

**רש״י**

**מחסה**. שיחסו ויתחבאו בצל זכותו: (כח) **ברוב עם**. שהגבור זכאים הדרת הקב״ה היא: **ובאפס לאום**. כשאינם דבקים בו: מחתת רזון. חסרון רזנותו הוא כביכול נותן מכבודו לאחרים: (כט) **מרים אולת**. מפרישה להלקו: (ל) **חיי בשרים לב מרפא**. לב כשר שהוא רופא את הרע ועובר על מדותיו הוא חיי בריותיו

**אבן עזרא**

(כז) **יראת**. שנים דבקים והבי״ת משמשת בעבור שנים בראש הפסוק וכן הפי׳ בעבור יראת ה׳ יהיה השם מבטח עוז לירא להמלט בו בעת צרתו ולבניו בזכותו יהיה השם מחסה עוז ויראת ה׳ מקור חיים כאילו היראה מקור החיים לירא בעבור שיסור ממוקשי מות והן הפשעים: (כח) **ברב עם הדרת מלך**. בי״ת ברב ובאפס ענין בעבו׳ פי׳ בעבור עם רב שיש למלך יהדרוהו בני אדם ובעבור אין לאום לרזון תבואהו מחתה ויתכן שלא היה ירא שמים על כן אין לו לאום: (כט) **ארך**. מי שהאריך אפו רב תבונה הוא ומי שלא יוכל לסבול כעסו רוחו קצרה על כן יקרא קצר רוח: **מרים אולת**. כי מאריך אפו ישפיל האולת וזה ירימה בהתכעסו: (ל) **חיי בשרים לב מרפא**. מענין עד חיותם והלב שלא יזעף ולא יקנא כאחר הוא כמרפא לגופות ומלת לב מושך אחר עמו כלומר חיי הגופות לרפאתם בהיות להם לב מרפא והוא הלב הטוב והשמח שירפא הגוף בשמחתו. ורקב בעצמות מקנא לעשות רע: (לא) **חרף עושהו**.

**מנחת שי**

כתב שהוא בשם נקודות: (כח) ובאפס לאם. עיין מ״ש לעיל סימן

**רלב״ג**

שיליל האיש ההוא ירא ה׳ גם לבני האיש יהיה הש״י למגן ולמחסה עליהם בזכות אביהם ולהצילם מהרעות הנכונות לבוא עליהם: (כז) יראת ה׳. היא מקור חיים כי ממנה **תולאות** החכמה אשר בה ישגו החיים הנצחיים והיא ג״כ סבה לסור ממוקשי מות בענינים העיוניים ובעניני׳ הגופיי׳: (כח) ברב עם. הדר המלך הוא כשיהיה לו רבוי עם כי בם יתחזק כנגד הקמים עליו ואולם בהעדר העם ממנו יש לו מחתה שיהיה לו רזון וכחש בקום עליו אדם להלחם בו: (כט) ארך אפים. מי שהוא ארוך העיון והחקר בו מחקר ארוך הוא רב תבונ׳ כי בזה ישיג האמת ממה שיחקר בו ואולם מי שהוא קצר רוח מהשלמ׳ החקירה אבל ישפוט תכף הנה ה׳ ירים לו מחלקי הסותר מה שהוא אולת ר״ל מה שהוא הפך האמת: (ל) חיי בשרים. הנה הלב שהוא מרפא ונותן רפיון ומרגוע לכעסו הוא חיי בשרי׳ כי בזה תועלת לו לשמרו מהפעלות הכעס ובו ג״כ תועלת לשמרו מהרע שימשך ממנו לו ולזולתו וכו״ה כי הוא חיי בשרי׳ ואמנם לב קנאה ושנאה הוא מבלה גם העצמות לרוב שיגיע הרע ממנו: (לא) עושק דל. מי שהוא עושק דל הוא כאילו חרף הש״י כי חשב שאין שם מי שישמרהו מידו להגבתו ועל זה נשען כשעשקהו ולא נתן אל לבו כי הש״י יוכל להצילו מידו ולזה יהיה מי שחונן אביון מכבד הש״י כי הוא אינו מקוה

**מצודת דוד**

עוז וגם לבניו יהיה מחסה לחסות בצל זכותו: (כז) **מקור**. יראת ה׳ הוא מקור הנובע חיים כי היראה תזהירו **לסור ממוקשי מות** הם עונות ופשעים: (כח) **ברוב עם הדרת מלך**. הדרת מלך נראה בעבור רוב העם אשר אתו: **ובאפס**. וכשאין עמו עם רב אזי נראה הדרתו במה שהרוזנים יחתו ויפחדו מפניו והוא למשל לומר הדרת המקום היא כשרבים עושים את המצוה ואם מועטים המה אם יעשו המצוה ביתר שאת ובכוונה רצויה הם המהדרים את המקום: (כט) **ארך אפים**. מי שאינו ממהר לכעוס הוא רב תבונה אבל קצר רוח הממהר לכעוס הוא מרים את האולת על התבונה כי על ידי הכעס החכמה מסתלקת ובוחר הוא א״כ באולת יותר מן החכמה: (ל) **חיי בשרים**. מי שיש לו לב רפוי ואינו מקשה לבו לנטור קנאה הוא לו לחיי בשרים כי לא ידאג איך ובמה ינקום נקם אבל המקשה לבו ונוטר קנאה הוא סבה להביא רקבון בעצמותיו בהתמדת הדאגה: (לא) **חרף עושהו**. כי בעבור אולתו עשקו וחושב הוא שאין ביד

**מצודת ציון**

נקרא עלב כי עלב בעמלו: מותר. יתרון והרוחה: (כח) **ובאפס**. ענינו כמו באין וכן אפס בלעדי (ישעי׳ מ״ה): **לאום**. אומה: מחתת. שבר ופחד: רזון. ענינו כמו שר וכן האזינו רוזנים (שופטים ה׳): (ל) חיי. ענין רפואה כמו וימרחו על השחין ויחי (ישעיה ל״ח): **מרפא**. מלשון רפיון עם שהיא באל״ף כמו על כן הוא מרפא (ירמיה ל״ח): קנאה. ענינו כעס וכן קנאוני בלא אל (דברים ל״ב): (לא) חרף. ענין גדוף:

**but anger is the rot of the bones**—*A man who is often angry is the rot of everyone's bones.*—[*Rashi*] *Mezudath David* explains that the worry and concern of the angry person causes his own bones to rot.

The Rabbis (*Shabbath* 142b) interpret this verse to mean that the bones of an envious person will rot, but those of a person who is not envious will remain intact until immediately before resurrection of

27. The fear of the Lord is a spring of life, to turn away from
the snares of death. 28. The King's glory is in a multitude of
people, but the ruin of His Princedom is in lack of people.
29. He who is slow to anger is of great understanding, but he
who is quick-tempered selects folly. 30. A healing heart is the
life of the flesh, but anger is the rot of the bones. 31. He who
oppresses a poor man blasphemes

27. **The fear of the Lord**—The fear of the Lord is like a spring from which life flows, because it keeps a person from sins and transgression, which are snares of death.—[*Ibn Ezra, Mezudath David*]

28. **in a multitude of people**—*that the people are righteous is the glory of the Holy One, blessed be He.*—[*Rashi*]

**but . . . in lack of people**—*When they do not cleave to Him.*—[*Rashi*]

**the ruin of His Princedom**—*It is the absence of His Princedom. So to speak, He gives of His honor to others.*—[*Rashi*] The Salonica and Warsaw editions read: *So to speak, He gives of His honor to pagan deities and gives the nations rule over His children.* Apparently, our reading is the result of censorship.

*Rashi* follows the Rabbinic interpretation of this verse as referring to the Deity. *Midrash Mishle* states: Said Rabbi Chama bar Chanina: Come and see the praise and the greatness of the Holy One, blessed be He, for although he has thousands upon thousands and ten thousands upon ten thousands of ministering angels who serve Him and praise Him, He does not desire the praise of all of them, but the praise of Israel, as it is said: "The King's Glory is in a multitude of people." "People" refers only to Israel, as Scripture states (Isa. 43:21): "This people I formed for Myself" in order that they recite My praise in the world. . . . The Talmud, too, states in many places that the performance of a precept with a multitude of people is preferable to performing it in solitude; also the participation of many in the performance of a precept is preferable to one person performing the entire precept, such as the sacrificial service. It is also preferable for many people to discharge their obligation of reciting a blessing by listening to one recitation rather than by reciting the blessing by themselves. It is even meritorious to gather to witness the performance of precept, as in the case of the sacrificial service on Yom Kippur. All this is based on our verse. Cf. *Ber.* 53a; *Yoma* 26a, 70a.*

29. **selects folly**—*Heb.* מֵרִים, *he separates it for his share.*—[*Rashi*]*

30. **A healing heart is the life of the flesh**—*A heart of flesh, which heals the evil and passes over his retaliations, is the life of the creatures of the Holy One, blessed be He, who are flesh and blood.*—[*Rashi*]

עֹשֵׂהוּ וּמְכַבְּדוֹ חֹנֵן אֶבְיוֹן: לב בְּרָעָתוֹ
יִדָּחֶה רָשָׁע וְחֹסֶה בְמוֹתוֹ צַדִּיק:
לג בְּלֵב נָבוֹן תָּנוּחַ חָכְמָה וּבְקֶרֶב
כְּסִילִים תִּוָּדֵעַ: לד צְדָקָה תְּרוֹמֵם גּוֹי
וְחֶסֶד לְאֻמִּים חַטָּאת: לה רְצוֹן־מֶלֶךְ
לְעֶבֶד מַשְׂכִּיל וְעֶבְרָתוֹ תִּהְיֶה מֵבִישׁ:
טו א מַעֲנֶה־רַּךְ יָשִׁיב חֵמָה וּדְבַר־עֶצֶב

**תרגום**

לב בְּבִישׁוּתֵיהּ מִסְתַּחֵף
רַשִׁיעָא וּדְתָכֵל דְּמָאֵת
צַדִּיקָא הוּא: לג בְּלִבָּא
דְּמִתְבַּיַּן תִּשְׁרֵי חָכְמְתָא
וּבְגַוַּיְיהוֹן דְּסָכְלֵי
שַׁטְיוּתָא תִּתְיְדַע:
לד צִדְקְתָא תְּרוֹרֵם
אוּמָא וְחִסּוּדָא דְּעַמֵּי
חַטָּאֵי: לה רְעוּתֵיהּ
דְּמַלְכָּא בְּעַבְדָּא
סוּכְלְתָנָא וּבְסוּרְחָנֵהּ
יַבְהֵתוּן: א מִלְּתָא
רַכִּיכְתָא מְהַפְּכָא חֶמְתָא
וּמִלְּתָא דְעֵיזָא מַסְקָא
רוגזא

ת"א ברעתו. עקרים מ"ד פ"ט: בלב. ב"ם פח עקידה שער כג: צדקה. ב"ב י': הר' דגושה

## רש"י

של הקב"ה שהן בשר ודם: ירקב עצמות קנאה. אדם בעל חמה רקבון עצמות הוא לכל; (לב) וחוסה במותו צדיק. כשימות הוא בטוח שיבא לגן עדן: (לג) בלב נבון תנוח חכמה. תשכון ותשקוט בנחת לשון מניחה ומרגוע: ובקרב כסילים תודע. מעט חכמה שבלבו מכריזה איסתרא בלגינא קיש קיש קריא: (לד) צדקה תרומם גוי. ישראל: וחסד לאומים חטאת. הם עכו"ם שגוזלים מזה ונותנים לזה: (לה) ועברתו תהיה

## מנחת שי

י"א אלא יקב או לאוס: (לב) ברעתו ידחה רשע. הכ"ת בגעיא בס"ס: וחסה במותו. הכ"ת רפה: (לד) תרומם גוי. ס"א תְּרוֹמֶם גוי וס"א תְּרוֹמֵם: (לה) רצון־מלך בגעיא ובמקף: טו (א) מענה רך. בא הרי"ש בדגש במלה זעירא בבא עליו מלה

## אבן עזרא

שגזר עליו הדלות שבעבור העושק שלא יוכל השם להצילו מידו: ומכבדו. מכבד השם בעבור שאמר העניק תעניק לו. על כן: (לב) ברעתו. שיחשוב לעשות לדלים ידחה ויפול רשע. ויש מחסה ובטחון לצדיק על השם בעת מות הרשע. פ"א וצדיק בעת שימות עוד חוסה במותו כמו חזקיהו: (לג) תנוח. תמצא מנוחה בלבו כשילמדה כי הלב משכן לחכמים: תודע. יודיעה להם אולי ילמדוה. פ"א תמצא מנוחה שלא יודיענה לכסילים. תודע שהכסילים יודיעוהו כאשר ידעוה ולא תנוח בקרבם כאשר תנוח בלב נבון כענין כל רוחו יוציא כסיל ויתכן מענין ויודע בהם אנשי סוכות שהודיע פשעיהם בקוצים: (לד) צדקה. היא תרומם גוי ותנשאהו כאשר יעשנה: וחסד. שיעשו לאומים נחשב כקרבן חטאת. פ"א צדקה תרומם גוי ישראל. וחסד לאומים חטאת הוא כי הוא לע"ג והעד נבוכדנצר וחטאך בצדקה פרוק והוא הנכון: (לה) רצון. טו (א) מענה. שנים דבקים. מלת לעבד מושך עצמו ואחר עמו וכן הוא רצונו של מלך הוא לעבד משכיל

## רלב"ג

בזאת המתנה גמול כי אם מהש"י: (לב) ברעתו ידחה רשע. הנה הרשע ידחה ברעתו כשתבא לו מהאמין בש"י כי ירשב והתקלף באלהיו וסנה למעלה ואולם הצדיק לא ידחה מאמונתו אפי' בבכת המות אבל במותו יחסה בש"י: (לג) בלב נבון תנוח חכמה. הנה בלב נבון תנוח החכמה ולא יפול להם ספק בה אחר הגעתה כי הם יודעים אותה בסבותיה ואמנם בקרב הכסילים תצטרך להתודע להם כי הם לחסרונם אינם מכירים כשהגיע האמת בדבר שכבר הגיע: (לד) צדקה תרומם גוי. הצדקה שעושים ישראל לעשות דבריהם בצדק וביושר תרומם אותם ותתנם למעלה על כל גויי הארצות ואולם החסד שעושים שאר האומות על מה שהוא ראוי לאהבת הש"י כאילו תאמר מה שיענו נפשם בענויים נפלאים ומה שידמה לזה מהדברים הקשים שיעמיסו עליהם הוא חטאת לא תוספת בעבודת הש"י ואף אם היתה כוונתם לשמים: (לה) רצון מלך. רצון המלך הוא לעבד משכיל והפך ועברת המלך היא בעבד מאוחר התנועה ובושב ללכת כאשר ישולח: (א) מענה רך. במענה רך ישיב האדם הכעס והחמה אשר יכעס עליו זולתו ואם יענה דבר עצב וכעס יגביר אף הכועס

## מצודת ציון

(לה) ועברתו. מל' עברה וכעס: טו (א) מענה. מלשון עניה

## מצודת דוד

המקום שעשהו להצילו מיד עושקו אבל החונן את האביון הוא מכבד את המקום שעשהו: (לב) ברעתו. בעת בוא רעה על הרשע הוא נדחה מה' ולא יוסיף לבטוח עוד בו אבל מי שיחסה בה' אף בהיותו קרוב למיתה יחשב לצדיק. או בעבור הרעה שעשה מדחה היא לעשות עוד רעה אחרת כי עבירה גוררת עבירה אבל הצדיק כאשר הלך הרע יסיתו לעבור עבירה יחסה עצמו למען הסתתו בהזכיר לו יום המיתה וכאשר אמרו רבותינו ז"ל: (לג) תנוח. תמצא מנוחה ולא יודיענה למי שאינו ראוי לה: ובקרב. מעט החכמה אשר היא בקרב הכסילים תודע לכל כי מכריזה ברבים איסתרא בלגינא קיש קיש קריא: (לד) תרומם גוי. אנו ישראל כי המה יתרוממו בעבור הצדקה: (לה) רצון מלך. בהכל יתרצה המלך לעבד משכיל כי אף אם יכעוס עליו יתרצה לו בעבור רוב שכלו אבל על עבד המבאיש כו כל דבר בושה לפי רוב הסכלות עברתו עליו בתמידה נלה: טו (א) מענה רך. הכועס על מי והוא משיב לו מענה רך בזה

with the servant who behaves shamefully because of his lack of intelligence, he will bear a grudge against him for all times.—[*Mezudath David*]

1. **A gentle reply**—If one is angry at his friend, and his friend replies gently, he will turn away his wrath, but if he answers with a distressing word, he will stir up his anger even

his Maker, but he who favors a poor man honors Him. 32. A
wicked man is thrust down with his evil, but a righteous man is
confident in his death. 33. Wisdom rests in the heart of an
understanding man, but in the midst of the fools it is known.
34. Charity will elevate a nation, but the kindness of the king-
doms is sin. 35. The king's good will is to an intelligent servant,
but his wrath will be upon a shameful one.

## 15

1. A gentle reply turns away wrath, but a distressing word

the dead, when they will return to dust.

31. **blasphemes his Maker**—Who decreed poverty upon him, for the oppressor thinks that God cannot rescue the poor man from his clutches.*

32. **with his evil**—that he plots against the poor the wicked man will be thrust down and fall.—[*Ibn Ezra*]

**but a righteous man is confident in his death**—*When he dies, he is confident that he will come to Paradise.*—[*Rashi*] *Ibn Ezra* explains that the righteous man feels confident when the wicked man dies.

33. **Wisdom rests in the heart of an understanding man**—Heb. תָּנוּחַ, *it dwells and rests tranquilly; an expression of rest and tranquility.*—[*Rashi*]

**but in the midst of the fools it is known**—*The little wisdom that is in his heart calls out.* This parallels the Talmudic maxim (*Baba Mezia* 85b): *"A coin in a bottle makes a sound of kish-kish."*—[*Rashi*]

34. **Charity will elevate a nation**—*Israel.*—[*Rashi* from *Baba Bathra* 10b]

**but the kindness of the kingdoms is sin**—*They are the heathens, who rob one to give another.*—[*Rashi*] *Ibn Ezra* explains that this kindness is a sin because it is done for the pagan deities.

The Rabbis, in a similar manner, explain that the nations bestow kindness with ulterior motives—to boast about it, to taunt Israel, or to insure the permanence of their kingdoms.—[*Baba Bathra* 10b] They also explain the verse to mean that kindness bestowed by the kingdoms is the equivalent of the sin-offering offered up by Israel to expiate their sins. *Ibn Ezra* also suggests this interpretation.

35. **The king's good will is to an intelligent servant**—The king is easily appeased by an intelligent servant, for even if he is wroth with his servant at times, he will be easily appeased because of the servant's intelligence. But if the king is wroth

יעלה־אף: ב לשון חכמים תיטיב דעת
ופי כסילים יביע אולת: ג בכל־מקום
עיני יהוה צופות רעים וטובים:
ד מרפא לשון עץ חיים וסלף בה שבר
ברוח: ה אויל ינאץ מוסר אביו ושמר
תוכחת יערם: ו בית צדיק חסן רב
ובתבואת

ת"א מרפא לשון. ערכין טו: וסלף בה. שם עב:

רוגזא: ב לישנא דחכימי
משפר ידיעתא ופומהון
דסכלי נביע שטיותא:
ג בכל אתר עינו דיי
חמין בבישי ובטבי:
ד אסיותא דלישנא
אילנא דחיי הוא ודאכל
מן פירוהי נשבע:
ה שטיא מסלי מרדותא
דאבוי ודמזדהר
במכסנותא ערימא
הוא: ו בביתא דצדיקי
סגי חילא ועללתהון

## רש"י

לעבד מביש: טו (ד) וסלף בה ישבר ברוח. כשיסלף בלשון סופה להביא עליו שבר הבא ברוח קדים המוכנת להפרע מן הרשעים כמו שנאמר ברוח קדים עזה (שמות י"ד) ברוח קדים אפיצם (ירמיה כ"ח) ברוח קדים תשבר אניות תרשיש (תהלים מ"ח): (ו) בית צדיק חוסן רב. בית המקדש שבנה דוד הצדיק חוסן רב ומגדל עוז לישראל:

## אבן עזרא

כי הוא יענה אמרים רכים להשיב חמתו ועברתו ותהיה לעבד מביש שיענהו קשות וזהו ודבר עצב ופירוש דבר עצב המביש שיעצב המלך הוא יעלה אף ואמ' יעלה כי מדת הכעס בעת הזעף תעלה ותראה באפי האד' על כן נקרא הזעף אף: (ב) תיטיב. מענין בהטיבו תתקן הדעת היטב: יביע. מנהל נובע כלו' לא תפסק האולת מפיהם: (ג) בבל. מרפא. שנים דבקים: עיני ה'. כענין ממכון שבתו השגיח שהביט הרעים והטובים ועיניו הם שכלו והכמתו: (ד) מרפא. רמז למוסר שירפא נגע הסכלות כעץ חיים שהאוכל מפריו יחיה שנים רבות כן לומד מפיו מוסר יחיה: וסלף. שיסלף לשונו לדבר אולת תבא שבר ברוחו כענין רוח נכאה כי אין לשברה רפואה: (ה) יערים. יעשה בערמה בשישמור התוכחות: (ו) בית צדיק. פי' כבית הוסן הוא אוצר תבואה

## מנחת שי

מלעיל מכלול דף ע"ב: (ג) בכל מקום. הבי"ת בגעיא: (ה) תוכחת יערים. המסורת שבדפוס אומרת יערים ג' וחסר וסימן ערם יערם הוא דזיפים (שמואל א' כ"ג). ושמר תוכחת יערם. לן תכה ופתי יערם סימן י"ט. אבל בכמה ספרים מדוייקים מהדפוס וכ"י תוכחת יעריס מלא יו"ד והמסורת שלהם אומרת יערם ב' וחסרים וסימן ערם יערם הוא. לן תכה ופתי

## רלב"ג

עליו ויהיה סבה שיעשה לו רעה: (ב) לשון חכמים. ודבורם תיטיב דעת השומעים דבריהם כי בזה יתוקנו דעותיהם ויחכמו ואולם מאמר הכסילים הוא סבה להשים האולת נובעת מנקור לב שומעי דבריו: (ג) בכל מקום. הנה עיני ה' הם בכל מקום כי כל הדברים שופטים מידיעתו והשגתו כמו שנתבאר במקומותיו ולזה הוא מבואר שהם צופו' הרעים והטובים מצד ההשגחה הכוללת ומצד הפרטים תדבק השגחתו בטובים אלא שבכר סודר ממנו מה שיגיע' בו לאיש כמעשהו אם טוב ואם רע: (ד) מרפא לשון. מי שנותן רפיון לשונו ורפות דברי' יגרום לעצמו החיים כי כל מי שיקום עליו להזיק לו יתפייס לו בדבריו ואולם מי שמשים בלשונו סלף ועוות יגרום לעצמו שלף קשה ופתאומי כמו שבר הענן ברוח הזקה כי בזה יוסיף כעס מי שקם עליו: (ה) אויל ינאץ מוסר. מי שינאץ מוסר אביו הוא אויל כי לא יתכן קנין החכמה אם לא יקדם לו המוסר ואולם מי שהוא שומר תוכחת המוסר הישרה לקנין החכמה: (ו) בית צדיק. הוא חזק מאד משני לצדדים מצד עצמותו ומצד דבקות השגחת הש"י בצדיק ההוא ועכ"ז הנה כשיבא הרשע ר"ל בבית ההוא הנה היא נעכר'

## מצודת דוד

משיב חמתו מעליו אבל אם ישיב דבר המעציב תעלה את האף להתגבר יותר: (ב) תיטיב דעת. תתקן את הדעת כי אף אמרי דעת ידבר בתקון נמרץ ובמלות קלרות אבל פי כסילי' אף דברי אולת ירבו באמרים כמעיין הנובע: (ג) בכל מקום. אף אם יסתרו במסתרים מכל מקום צופות עיני ה' לראות מעשה רעים והטובים ולא נכחד ממנו: (ד) מרפא לשון. מי שלבונו רפויה ולא ידבר קשות ורק ידבר רכות היא לו כעץ המגדל חיים אבל מי שמעקם בלשונו לדבר קשות בא שבר ברלונו כי לא יקובל דבריו ולא ימולא רלונו: (ה) ינאץ. ימאס את המוסר וממאן לקבלו: וישמר. השומר בלבו את התוכחה יתחכם בסופו: (ו) חוסן רב. מחוזק הוא מאד ולא תחרב: ובתבואת. בעת בוא בו הרשע נשחת הבית ההוא:

## מצודת ציון

ותשובה: (ב) תיטיב. ענין תקון כמו ותיטב את ראשה (מ"ב ט'): יביע. ענין דבור כמו יביע אומר (תהלים י"ט) והוא מושאל ממעיין הנובע מים רבים: (ג) צופות. ענין הבטה וראיה: (ד) מרפא. מל' רפיון: וסלף. עקום ועוות: ברוח. ענינו רלון וכן הנני נותן בו רוח (ישעיה ל"ז): (ה) ינאץ. ימאס: יערים. מלשון ערמה והשכל: (ו) חוסן. ענין חוזק כמו וחסון הוא כאלונים (עמוס ב'):

**his father**—Whoever despises his father's discipline is a fool, because he cannot achieve wisdom without first learning discipline.—[*Ralbag*]

6. **The house of a righteous man possesses great strength**—*The Temple that David the Righteous built is a great strength and a mighty tower for Israel.*—[*Rashi* from an unknown midrashic source]

stirs up anger. 2. The tongue of the wise enhances knowledge, but the mouth of the fools pours out folly. 3. The eyes of the Lord are everywhere, viewing the evil and the good. 4. A healing tongue is a tree of life, but if there is perverseness in it, it causes destruction by wind. 5. A fool despises the discipline of his father, but he who keeps reproof will become cunning. 6. The house of a righteous man possesses great strength,

more.—[*Mezudath David*] *Ibn Ezra* connects this verse to the preceding one, which deals with servants. The king has good will toward the intelligent servant because he replies gently. The king's wrath will be upon a shameful one because he answers with distressing words.

2. **enhances knowledge**—He expresses it very aptly and briefly.—[*Mezudath David*] *Ralbag* renders: improves knowledge. The tongue of the wise improves the knowledge of his listeners.

**pours out folly**—like a flowing stream. Even with words of folly, they ramble on endlessly like a flowing stream.—[*Mezudath David*] *Ralbag* explains that the fools make folly flow like a stream from the heart of their listeners.

3. **The eyes of the Lord are everywhere**—Even if people hide in secret places, God's eyes view the deeds of the evil and of the good—nothing is concealed from Him.—[*Mezudath David*] The intention is that God's knowledge encompasses everyone's acts, both in general and upon each individual in particular, and He decrees to requite each one according to his deeds.—[*Ralbag, Ibn Nachmiash*]

4. **A healing tongue**—This alludes to the tongue that disciplines, thereby healing the illness of folly. Just as those who eat the fruit from a tree of life will live long, so does one who learns discipline from the mouth of the wise live long.—[*Ibn Ezra*]

**but if there is perverseness in it, it causes destruction by wind**—*When one is perverse with his tongue, it will ultimately bring upon him destruction that comes from the east wind, which is prepared to mete out retribution upon the wicked, as it is stated* (Ex. 14:21): *"with a strong east wind";* (Jer. 18:17): *"Like an east wind I will scatter them";* and (Ps. 48:8): *"With an east wind, You break the ships of Tarshish."*—[*Rashi*]

*Mezudath David* renders: He who has a gentle tongue is like a tree of life, but if there is perverseness in it, he will be frustrated. He who speaks gently will find his tongue like a tree from which life grows, but he who speaks perversely and harshly will find that people will not accept his words, and he will be frustrated.

5. **A fool despises the discipline of**

ובתבואת רשע נעכרת: ז שפתי
חכמים יזרו דעת ולב כסילים לא־כן:
ח זבח רשעים תועבת יהוה ותפלת
ישרים רצונו: ט תועבת יהוה דרך
רשע ומרדף צדקה יאהב: י מוסר רע
לעזב ארח שונא תוכחת ימות:
יא שאול ואבדון נגד יהוה אף כי־לבות

דרשיעי תתעכר: ז שפותה דחכימי מודעין מנדעא ולבהון דסכלי לא כן: ח דבחהון דרשיעי מרחקתיה דאלהא ובצלותהון דתריצי מתרעי: ט מרחק אלהא אורחיה דרשיעא ודרדף צדקתא נתרחם: י מרדותא דבישא מטעיא אורחיה ומן דסני מכסנותא ימות: יא שיול ואובדנא קדם אלהא אף לבי בר

ת"א זבח רשעים. (סנהדרין כט):

### רש"י

ובתבואת רשע נעכרת. וכהבאת ע"א שהביא מנשה בו נעכרת: (ז) שפתי חכמים יזרו דעת. יכתירו דעת כמו זר זהב: לא כן. אינו זהב אמת: (ח) זבח רשעים תועבת ה'. בלק ובלעם: ותפלת ישרים. זה משה: (י) מוסר רע לעוזב אורח. יסורין קשים מוכנים לעובר אורח של הקב"ה: (יא) שאול

### נשא

### מנחת שי

יערם: (ט) צדקה יאהב. ברוב הספרים האל"ף בחט"ף סגול: (י) שונא תוכחת ימות. הנו"ן במירכא והתי"ו רפויה: (יא) בני

### אבן עזרא

ותרגום ממגורות הסניא כמו לא יחסן פי' בבית צדיק אוצר רב מלא תבואות. ובתבואת רשע נעכרת. יש תבואה נעכרת כענין זרעו חטים וקוצים וגו': (ז) יזרו דעת. שילמדוהו לפתאים: ולב כסילים. לא כן ילמד כאשר החכמי' יזרו או לא כן ידע לזרות דעת והוא הנכון: (ח) זבח. השם יתעב זבחיהם כי מגזל יביאוהו: רצונו. שירצה השם בתפלתו: (ט) תועבה. כי הולך להרע. ומרדף פועל יוצא ללבו או לאחר והטעם שיוהו לרדוף הצדק השם יאהבהו כנגד תועבת ה': (י) מוסר (יא) שאול. שניהם דבקים. אבדון בעבור שהוא אובד ממראה ומדעת בני אדם: מוסר רע. כלומר המוסר בדבר רע הוא לעוזב אורח המצות שלא יחפוץ בו. ושונא תוכחת פתאום ימות והשם שהשאול והאבדין גלויים נגדו הוא בוחן המחשבות ולבות בני אדם העוזב אורח מוסר ושונא התוכחת והוא יתן שכרם שימיתם בלא עתם

### רלב"ג

והוסר החוסן והזכות ממנה: (ז) שפתי חכמים יזרו. ויפזרו הדעת בין האנשים שהוא דבר מסכים לאמת וכ"ש שלבם יצייר האמת ואולם לב כסילים יצייר מה שאינו כן ר"ל מה שאינו צודק: (ח) זבח רשעים. הנה זבח הרשעים הוא תועבת ה' כי אין הכוונה בזבחים כי אם להנקות מהחטאים ולעבוד הש"י ואלו מביאים זבחים מגזלת שיסורו מהרשע שהם בו ואולם תפלת ישרים הוא רצונו יותר מזבח הרשעים כי יש בתפלה תועלת בשלמותה והתועלת בזבח היא בשנות על דרך הטהרה כמו שבארנו בספר ויקרא: (ט) תועבת ה'. הנה דרך רשע הוא תועבת ה' כי הוא דורך בה אל הרשע במדות ובדעות ואולם מי שהוא מרדף הצדק והיושר במדות ובדעות יאהבהו הש"י: (י) מוסר רע לעוזב אורח. מי שעוזב דרך ה' צריך ליסרו במוסר רע וקשה כדי שיוסר ומי ששונא תוכחת ימות ברעתו כי לא ישוב ממנה ואפשר שרצה בזה כי מי שהוא עוזב הדרך הראוי במדות או בדעות ככר היה לו מוסר רע וחסר ואמנם מי שהוא שונא תוכחת ימות כמו שקדם: (יא) שאול ואבדון נגד ה'. איך יחשוב חושב שלא ישגיח הש"י בלבות בני אדם לחסרונם הלא שאול ואבדון הם יותר חסרים מהם מאד ועכ"ז הם נגד ה' בבריאת העולם כי השאול הוא המרכז אשר סביבו הרקיע השמיני לשחקים ולזה יחוייב שיהיה לו ציון במרכז ההוא וקראו שאול כי הקבר הוא בעמקים השפל והמרכז הוא המקום השפל כמוחלט וקראו אבדון כי הוא רחוק מאד מהשנוי ללבוש צורה אחרת ולפי שהצורה האחרית היא השפלה שבצורות הנמצאות הטבעיות קרא המקום ההוא אבדון והוא מבואר כי לבבות בני אדם מתיחסות

### מצודת ציון

ובתבואת. מל' ביאה: נעכרת. מל' עכירה ובלבול כמו עכרתם אותי (בראשית ל"ד): (ז) יזרו. ענין פזור כמו יזורה על נוהו גפרית (איוב י"ח): (יא) אף כי. ענינו כמו כל שכן וכן אף כי אם אכלתהו

### מצודת דוד

(ז) יזרו דעת. המה מפזרים את הדעת ללמד לכל: לא כן. ר"ל לא כן יחפצו ללמוד כאשר החכמים חפצים ללמד: (ח) תועבת ה'. כשעדיין לא שבו מרשעם ולא התפללו על המחילה: ותפלת ישרים. השואלים מחילה בעת הבאת הזבח התפלה ההיא היא לרצון לה': (ט) דרך רשע. ההולך לעשות רשע וגם שלא עשאה: ומרדף. הרודף לעשות צדקה אף אם נאנס ולא עשאה מכל מקום יאהב לה': (י) מוסר רע. יסורים רעים מוכנים לעוזב את אורח הנכונה והראויה: (יא) שאול. הקבר והגיהנם המה נגד ה' ויודע כל אשר

has no way of repenting. Therefore, he will die. This is one of twenty-four sins that hinder a person from repenting, as enumerated in *Rambam, Hil. Teshuvah,* ch. 4.—[*Ibn Nachmiash*]

11. **The grave and Destruction are opposite the Lord**—*It is revealed to Him all that are therein.*—[*Rashi*] It is revealed to God all who are in the grave and in Gehinnom.—[*Mezudath David*]

**surely people's hearts**—*This is an inference from a major to a minor.*—[*Rashi*] If such a hidden thing as Gehinnom is revealed to God, sure-

but it becomes ruined with the bringing of the wicked man.
7. The lips of the wise crown knowledge, but the heart of the
fools is not so. 8. The sacrifice of the wicked is an abomination
of the Lord, but the prayer of the upright is His will. 9. The
way of a wicked man is an abomination of the Lord, but He
loves him who pursues righteousness. 10. Harsh discipline will
come to him who forsakes the way; he who hates reproof shall
die. 11. The grave and Destruction are opposite the Lord—
surely people's hearts.

**but it becomes ruined with the bringing of the wicked man**—*But with the bringing of the idols that Manasseh brought into it, it was ruined.*—[*Rashi* from the same source, apparently from *Midrash Mishle,* but not found in our editions]

7. **The lips of the wise crown knowledge**—Heb. יִזְרוּ, *they crown knowledge, as in* (Ex. 25:11): *"a gold crown* (זֵר)."—[*Rashi*] *Ibn Ezra* and *Mezudath David,* following *Targum,* render: spread knowledge, meaning that they will teach it to the fools.

**is not so**—*It is not true gold.*—[*Rashi*] This reading does not appear to make sense. Neither does the version found in the *Malbim* and Waxman editions: *It is not (true) gold.* The only version that seems plausible appears in the Salonica and Warsaw editions: *It is not true.* The intention is that the heart of the fools is not sincere.

8. **The sacrifice of the wicked is an abomination of the Lord**—*Balak and Balaam.*—[*Rashi* from *Midrash Tehillim* 102:1]

**but the prayer of the upright**—*This is Moses.*—[*Rashi* from the same source] *Ibn Ezra* explains that God does not desire the sacrifice of the wicked because it is the product of ill-gotten gains. *Mezudath David* explains that He does not wish to accept their sacrifice because they have not repented of their sins. But He desires the prayer of the upright that they utter upon offering up sacrifices.

9. **The way of a wicked man**—who goes to commit a wicked deed, even if he could not execute his plans.—[*Mezudath David*]

**who pursues righteousness**—Or charity. One who runs to perform a righteous deed, even if he was deterred from doing so by an unpreventable accident.—[*Mezudath David*] *Ibn Ezra* explains that he commands others to pursue righteousness.

10. **Harsh discipline will come to him who forsakes the way**—*Harsh suffering is ready for him who transgresses the way of the Holy One, blessed be He.*—[*Rashi*]

**he who hates reproof shall die**—He

נָשָׁא : יב לָא רָחֵם
מְמִיקְנָא לְמַן דְּמַכְסֵן
לֵיהּ וּלְוַת חַכִּימֵי לָא
אָזֵל : יג לִבָּא חֶדְיָא
מַשְׁפִּיר אַפֵּי וּבְכֵיבָא
דְּלִבָּא רוּחָא מְמָכְתָא :
יד לִבָּא דְּמִתְבַּיַּן בָּעֵי
יְדִיעֲתָא וּפוּמְהוֹן דְּסַכְלֵי
שַׁטְיוּתָא : טו כָּל יוֹמֵי
דְּמִסְכְּנָא בִּישִׁין וּמַן
דְּטַב לִבֵּיהּ מַשְׁקְיָא
תְּדִירָא : טז טָב קְלִיל
בִּדְחַלְתֵּיהּ דֶּאֱלָהָא מִן
סִימָתָא רַבְרְבָתָא
וְעָאֲתָא בָהֵן : יז טָבָא

בְּנֵי־אָדָם : יב לֹא־יֶאֱהַב לֵץ הוֹכֵחַ לוֹ
אֶל־חֲכָמִים לֹא יֵלֵךְ : יג לֵב שָׂמֵחַ יֵיטִב
פָּנִים וּבְעַצְּבַת־לֵב רוּחַ נְכֵאָה : יד לֵב
נָבוֹן יְבַקֶּשׁ־דָּעַת וּפְנֵי כְסִילִים יִרְעֶה
אִוֶּלֶת : טו כָּל־יְמֵי עָנִי רָעִים וְטוֹב לֵב
מִשְׁתֶּה תָמִיד : טז טוֹב־מְעַט בְּיִרְאַת
יְהוָה מֵאוֹצָר רָב וּמְהוּמָה בוֹ : יז טוֹב

ת"א כל ימי עני. ב"ב קמה קמו סנהדרין קא : ופי קרי ארוחת

## רש"י

ואבדון נגד ה'. גלוי לפניו כל אשר בתוכה : אף כי. קל וחומר הוא : (יג) לב שמח ייטיב פנים. אם תשמח לבו של הקב"ה בלכתך בדרכיו. ייטיב לך פניו לעשות כל רצונך. ואם תעציבהו יראה לך רוח נכאה כמה דאת אמר (בראשי' ה') ויתעצב אל לבו ויאמר ה' אמחה את האדם וגו': רוח נכאה. (טלענ"ט בלע"ז מפורש קהלת א' ו') רוח של זעף : (טו) כל ימי עני רעים. ואפי' שבתות ויו"ט לאמר שמואל שינוי וסת תחלת חולי מעים : וטוב לב. מי שלבו טוב בעשרו : משתה תמיד. כל שנותיו דומות לו ימי משתה ללמדך שיהא אדם שמח בחלקו. ורבותינו דרשו מה שדרשו בחלק : (טז) טוב מעט ביראת ה' מאוצר רב ומהומה בו. קול בני אדם צועקים שנעשה האוצר מגזל וחמס כמו (עמוס ג') וראו מהומות רבות בתוכה ועשוקים בקרבה : (יז) טוב ארוחת ירק. לתת

## מנחת שי

אדם. בכי"ת בגעיא : (יב) לא יאהב לץ. האל"ף בחטף סגול ברוב הספרים : (יג) ייטב. חסר האמגס בספ"ז ייט"ב גהה מלא: ובעצבת לב. דגש הלד"י להפארת מכלול שקל פָּעֵל : (יד) ופני כסילים. ופי קרי :

## אבן עזרא

וירדו אליהם : (יב) הוכח לו. פי' להוכיח : אל הכמים. אל בית הכמים : לא ילך. שיחשוב שיוכיחו על כן יסיר מהם: (יג) לב. לב. כל. ג' דגשים: ייטיב. מן טובת מראה יפה הפנים : רוח נכאה. ונשברת היא על כן לא תלמוד הדעת אבל לב נבון שישמח ואין לו עוצב בעולם הוא יבקש ללמוד דעת : (טו) כל ימי עני. אחר והוא המתעצב: משתה. חסר כ"ף פי' עני דעת וממון ימיו רעים הפך לב שמח ולב טוב ושמח במשתה תמיד כלו' כלב אוכל ושותה ושמח בכל יום : (טז) מאוצר רב. מקובץ שגזל מהומה באוצר וטעמו שבר מן ויהם ה' פי' שהרשע יהום בני אדם מהומה גדולה עשרם : (יז) טוב ארוחת. עומד במקום שנים בעבור היושבה עלי אורח כמו שלוחים מן ישלח ומנחה מן נחה.

## רלב"ג

באופן מה לש"י כמו שבארנו בפסוק הן אל כביר ולא ימאס כביר כח לב : (יב) לא יאהב לץ הוכח לו. הנה הלץ לא יאהב התוכחת ולזאת הסבה ג"כ לא יאהב החכמה ולזה לא ילך אל הכמים ללמוד חכמתם: (יג) לב שמח. הנה הלב השמח ייטיב העיון ובכעס הלב ועצבונו תהיה הנפש נכאה ודואגת ולזה היתה השמחה משובחת באופן מהכעס ולזה תמצא כי אלישע אמר שיקחו לו מנגן לשמח לבו ואז היתה עליו יד ה' ונתבאר ג"כ שכל ימי כעס יעקב על בנו יוסף לא שרתה עליו רוח הקדש : (יד) לב נבון. יבקש תמיד דעת קדושים ופי כסילים יהיה רועה תמיד אולת בלב הכסילים כי מהלב יבא הדבור אל הפה : (טו) כל ימי עני רעים. כל מי שהוא עני בדעות כל ימיו הם רעים אך מי שהוא טוב שכל שמח בכל ימיו כאילו יעשה משתה בכל יום עם שתמיד הוא שותה מנחל עדני נעימות הדעות : (טז) טוב מעט ביראת ה'. טוב מעט מהממון שיקובץ ביראת ה' ובישר מאוצר רב שיקובץ במהומה ולעקה מפני דמעת העשוקים כי סוף הקנין המעט אל ההצלחה והקיום וסוף זה האוצר הרב אל ההשחתה והפסד : (יז) טוב ארוחת ירק. טוב לאדם וערב ארוחת ירק עם אהבה בתהיה

## מצודת דוד

כהם ומכל שכן שיודע הוא כל מחשבות לבות בני אדם : (יב) לא יאהב. בעבור שלא יאהב התוכחה לזה לא ילך אל חכמים מפחדו פן יוכיחנו : (יג) לב ישמח. שמחת הלב תיטיב מאור הפנים וזהרו ובעבור עצבת לב נשברה הרוח וישפל בעיני עצמו : (יד) יבקש דעת. יחזר אחר הדעת ללמדה : ירעה. יעשה את האולת לריע ותחבר להיות רגיל עמה : (טו) כל ימי עני רעים. עם כי מלוי לו די מחסורו כי הוא יתקנא בעשירי העם ורעה עינו בשלהם אבל מי שיש לו לב טוב לבל ירע עינו בזולתו ישמח בחלקו וימיו נדמים לו תמיד כימי משתה ושמחה : (טז) טוב מעט. יותר טוב מעט הון הבא ביראת ה' ובישר מן אוצר רב ובו מהומה קול בני אדם צועקים

## מצודת ציון

(יחזקאל ס"ו) : (יג) נכאה. נשברה כמו ונכאה לבב (תהלים ק"ט) :

**the Lord, than a great treasury and turmoil with it**—*The voice of people shouting that the treasury was made from robbery and violence, as in* (Amos 3:9): *"And see great confusions within it and people being oppressed in its midst."*—[*Rashi*]

12. A scorner does not like being reproved; he does not go to the wise. 13. A merry heart makes a cheerful face, but by sadness of heart comes a breaking spirit. 14. The heart of an understanding person seeks knowledge, but the mouth of fools befriends folly. 15. All the days of a poor man are wretched, but he who has a cheerful heart always has a feast. 16. Better a little with the fear of the Lord, than a great treasury and turmoil with it.

ly [are] people's hearts.—[*Mezudath David*]

12. **A scorner does not like being reproved, etc.**—Since a scorner does not like being reproved, he stays away from the wise for fear that they will reprove him.—[*Mezudath David*] *Ralbag* explains that, since he does not like to be reproved, he does not like wisdom. Therefore, he does not go to the wise. *Malbim* explains that the scorner mocks at the moral law because it is not rationally demonstrable. And even though he cannot mock rational moral arguments and reproof, he hates them, and therefore avoids going to the wise.

13. **A merry heart makes a cheerful face**—*If you cheer up the heart of the Holy One, blessed be He, by following His ways, He will show you a cheerful face to do your will, but if you sadden Him, He will show you a breaking spirit, as it is stated* (Gen. 6:6f): "*And He became saddened to His heart. And the Lord said, 'I will erase man, etc.'* "—[*Rashi*]

**a breaking spirit**—(*Talant in Old French, explained in Ecc.* 1:6) *a spirit of fury.*—[*Rashi*] According to *Rashi,* the term רוּחַ, *spirit,* has the meaning of will or desire, as in Isaiah 4:4. *Mezudath David* explains: When a person's heart is merry, joy is visible on his face, but when he is sad, his spirit is broken, and his self-esteem falls.

15. **All the days of a poor man are wretched**—*Even Sabbaths and festivals, as Samuel said: A change of diet is the beginning of intestinal disorders.*—[*Rashi* from *Kethuboth* 110b]

**but he who has a cheerful heart**—*One whose heart is cheerful with his wealth.*—[*Rashi*]

**always has a feast**—*All his years seem to him like days of feasting—to teach you that a person should be happy with his lot* (*Avoth* 4:1). *And our Sages expounded* [on this] *in the chapter entitled Chelek* (*Sanh.* 100b, 101a).—[*Rashi*] One of the interpretations given in *Chelek* is:

**All the days of a poor man are wretched**—This refers to one who has a bad wife.

**But he who has a cheerful heart always has a feast**—This refers to one who has a good wife.

16. **Better a little with the fear of**

אֲרֻחַת יָרָק וְאַהֲבָה־שָׁם מִשּׁוֹר אָבוּס
וְשִׂנְאָה־בוֹ׃ יח אִישׁ חֵמָה יְגָרֶה מָדוֹן
וְאֶרֶךְ אַפַּיִם יַשְׁקִיט רִיב׃ יט דֶּרֶךְ עָצֵל
כִּמְשֻׂכַת חָדֶק וְאֹרַח יְשָׁרִים סְלֻלָה׃
כ בֵּן חָכָם יְשַׂמַּח־אָב וּכְסִיל אָדָם בּוֹזֶה

**תרגום**

שְׁרוּתָא דְּיַרְקָא
וְרַחֲמוּתָא תַּמָּן מִן תּוֹרֵי
מְפַטְּמֵי בְּסַנְיָאתָא׃
יח גַּבְרָא חֶמְתָנָא מְגָרֵא
תִּגְרָא וּנְגִיד רוּחָא מַדְעֵךְ
חַרְהָתָא׃ יט אוֹרְחֵיהוֹן
דַּעֲטְלֵי קַרְצוּבֵי וְכוּבֵי
וְאוֹרְחָא דְּתְרִיצֵי שְׁפְיָא׃
כ בְּרָא חַכִּימָא יַחְדֵי
לַאֲבוּי וּבְרָא סַכְלָא

**רש"י**

לפני : **ואהבה שם**. להראות לו פנים יפות : **משור אבוס**. להאכילו בשר שמן ויראנו פנים זועפות. משור אבוס. שאובסין לו המאכל בפיו על כרחו כדי לפטמו וכן ברבורים אבוסים (מ"א ד') ויש למשלו כנגד קומץ מעט של עני שחביב משור חטאת של רשע : (יח) **איש חמה יגרה מדון**. אדם שאין מעצר לרוחו להאריך חמתו יגרה מדון : **וארך אפים**. שאינו ממהר להנקם ולריב : **ישקיט ריב**. שהוא כלה ונקט מאליו : (יט) **דרך עצל כמשוכת חדק**. דומה בעיניו כאלו הדרכים גדורים לפניו כגדר הדקים: **במשוכת**. גדר כמו הסר משוכתו (ישעיה ה') : **חדק**. קוצים : **ואורח ישרים סלולה**. כבושה ומתוקנה. ומדרש אגדה דרכו של עשו כקוץ זה הנסבך בגיזת למר אם תעלהו מכאן הוא מתערב בכאן כך אין אדם יכול לצאת מידי עלילותיו בלא ממון : (כ) **בין חכם ישמח אב**

**אבן עזרא**

שם בארוחה השלוחה כלו' שיאהב זה לזה טוב מארוחת שור וישנאו זה לזה : (יח) **יגרה**. מענין מתגרת ידך : (יט) **עצל**. בכל מקום רשע פי' דרך עצל כאילו סכוכה משוכת חדק קוצים שאיני יודע לצאת ממנו : **סלולה**. כענין סולו סולו המסלה פי' הרימו ההרמה ורומו על האוגים הרמים כדי שלא יטעו ההולכים עליה וכן סוללה כאילו

**רלב"ג**

אהבה שם ביניהם יותר מבור שמן עם חברה שתהיה שנאה ביניהם כי השנאה תגרה **מדון** ביניהם ותהיה סבה לרעות גדולות : (יח) איש חמה יגרה מדון. האיש הכעסן יגרה מדון במקום שיש שלום והאמנם מי שהוא מאוחר הכעס ישקיט הריב והמדון ויהיה סבת השלום : (יט) דרך עצל. הנה דרך העצל היא אצלו כמו גדר קוצים שההליכה עליו בקושי ויוזק המתהלך בו בכל המקומות שתדרך כף רגלו והאמנם ארח האנשים הישרים בפעולותיהם שאינם עצלים היא סלולה ודרוכה ילכו בה בקלות והאשר שילכו בזה והוא הנכון דרך העצל בחקירות העיוניות מחקור בהם מחקר ראוי היא קשה לו כמו הדריכה במשוכת הקוצים וזה כי תמיד ימצא מי שזה ענינו בדרך חקירתו ספקות ומבוכים לא יתכן לו הינצלה מהם כי לא הקדים כל אותם המחשבות לעיין בהם ולברור הצודקת מהבלתי צודקת והאמנם דרך הישרים שדורכים בחקירותיהם ביושר ולזה יקדימו תחלה כל המחשבות הנופלות בדרוש ההוא ויבררו הצודקת מהבלתי צודקת היא סלולה ודרוכה לא יתנגפו רגליהם בה ולא יכשלו בהליכתם : (כ) בן חכם. הבן שהוא חכם ישמח האב במספר בענין שלימות חכמתו יותר מהאם

**מצודת ציון**

(יז) **ארוחת**. ענין האכילה התמידית בכל יום כמו וארחתו ארחת תמיד (מ"ב כ"ה): **אבוס**. שם המקום שמפטמים בו את הבהמות כמו וחמור אבוס בעליו (ישעיה א'): (יח) **יגרה**. מל' תגר ותחרור כמו ואל תתגר בם מלחמה (דברים ב'): **מדון**. מלשון דין ומריבה: (יט) **כמשכת**. ענין גדר כמו הסר משוכתו (ישעיה ה'): **חדק**. מין קוצים כמו טובם כחדק (מיכה ז'): **סלולה**. ר"ל שממשמש בו הרבה להסיר

**מצודת דוד**

על הפוסק אשר בו : (יז) **ארוחת**. סעודה של ירק במקום שאוהבין אותו טובה יותר מן סעודת שור הפטום על האבום ובמקום ששונאין אותו : (יח) **איש חמה**. מי שדרכו לכעוס יגרה מריבה עם בני אדם אבל המאריך אף ואינו ממהר לכעוס ישקיט בזה את המריבה : (יט) **דרך עצל**. במקום אשר ידרוך העצל ידמה לו כאלו גדר של קוצים לפניו ומעכבו ללכת בו כי לגודל העצלות ימצא מניעות לכל מעשיו אבל אורח ישרים הוא להם דרך סלולה וכבושה כי ימצא לדדים לבטל כל המניעות : (כ) **ישמח אב**. בראותו במושב החכמים : **בוזה אמו**. כי דרך נשים לגעגע על בניהן ולמנוע מהם שבט מוסר

*No one can satisfy their false accusations, and his money is consumed.*

This midrash refers to the taxes levied upon Israel by Esau during the exile of Edom—in which we still are today. Suprisingly, *Rashi* omits the midrashic interpretation of the end of the verse:

**But the path of the upright is even**—The path of the Holy One, blessed be He, concerning Whom it is written (Hos. 14:10): "For the ways of the Lord are straight." This refers to the half-shekels demanded annually of every Israelite for the purchase of the communal sacrifices. Although the expense may be burdensome to the poor, everyone gains atonement through these sacrifices. Cf. *Pesikta Rabbathi,* ed. Meir Ish Shalom p. 34a; Warsaw ed. p. 82.

20. **A wise son makes his father happy, but a foolish person despises his mother**—*He causes people to despise his mother.*—[*Rashi*] The

17. Better a repast of herbs where therc is love, than a fattened ox where there is hatred. 18. A Man of wrath stirs up quarrels, but he who is slow to anger abates strife. 19. The way of a lazy man is like a hedge of thorns, but ther path of the upright is even. 20. A wise son makes his father happy, but a foolish person despises his mother.

17. **Better a repast of herbs**—*To give a poor man.*—[*Rashi*]

**where there is love**—*To show him a friendly countenance.*—[*Rashi*]

**than a fattened ox**—*To feed him fat meat and to show him an angry countenance.*—[*Rashi*]

**than a fattened ox**—Heb. אָבוּס. *An ox into whose mouth they stuff the food against his will, in order to fatten him. Likewise* (I Kings 5:3): *"fatted* (אֲבוּסִים) *fowl." And it can be explained allegorically as referring to the handful—the little bit offered up by the poor*—[being better] *than an ox for a sin-offering offered up by a wicked man.*—[*Rashi*] *Midrash Mishle* relates how Solomon arrived at this conclusion from his own experience when he was deposed from his throne by Ashmedai, king of the demons. Solomon met two men who recognized him, one rich and one poor. The first day, the rich man invited him to his house and slaughtered an ox on his behalf, but during the meal, he constantly reminded Solomon of the days of his kingdom, thereby grieving him intensely. On the second day, the poor man invited Solomon to his house and fed him a simple, frugal meal of vegetables. Throughout the meal the man consoled him and assured him that God would restore him to his throne. Solomon rose from this meal satisfied, and when he was indeed restored to his throne, he wrote this verse.

18. **A man of wrath stirs up quarrels**—*A man who has no control over his anger, to be slow to anger, stirs up quarrels.*—[*Rashi*]

**but he who is slow to anger**—*Who does not hasten to take revenge and to quarrel.*—[*Rashi*]

**abates strife**—*It ends and abates by itself.*—[*Rashi*]

19. **The way of a lazy man is like a hedge of thorns**—*In his eyes, it appears as though the roads are fenced before him with a fence of thorns.*—[*Rashi*]

**like a hedge of**—Heb. כִּמְשֻׂכַת. *A fence, as in* (Isa. 5:5): *"I will remove its hedge* (מְשׂוּכָּתוֹ)*."*—[*Rashi*]

**thorns**—Heb. חָדֶק, *thorns.*—[*Rashi*]

**but the path of the upright is even**—Heb. סְלֻלָה, *trodden and cleared. The Midrash Aggadah* (*Pesikta d'Rav Kahana* 11a) states: *The way of Esau is like a thorn entangled in a fleece of wool. If you extract it from here, it catches on here. Likewise, no one can extricate himself from his false accusations without money.*—[*Rashi*] Salonica ed. reads:

אִמּוֹ: כא אִוֶּלֶת שִׂמְחָה לַחֲסַר־לֵב וְאִישׁ־
תְּבוּנָה יְיַשֶּׁר־לָכֶת: כב הָפֵר מַחֲשָׁבוֹת
בְּאֵין סוֹד וּבְרֹב יוֹעֲצִים תָּקוּם:
כג שִׂמְחָה לָאִישׁ בְּמַעֲנֵה־פִיו וְדָבָר
בְּעִתּוֹ מַה־טּוֹב: כד אֹרַח חַיִּים לְמַעְלָה
לְמַשְׂכִּיל לְמַעַן סוּר מִשְּׁאוֹל מָטָּה:

מְשִׁיט אֲמֵיהּ:
כא שַׁטְיוּתָא חֶדְוְתָא הִיא
לַחֲסִיר לִבָּא וְגַבְרָא
דְמִתְבַּיֵּן תְּרִיצוּת מְהַלֵּךְ:
כב בְּטוּלָא דְמַחְשַׁבְתָּא
הֵיךְ דְלֵית רָזָא וּבְסוּגְעָא
דְאָלֵין דְמִתְמַלְּכִין
עֵצְתָא תְקוּם:
כג חֶדְוְתָא לְגַבְרָא
בְּמִלְּתָא דְפוּמֵיהּ וּמִלְּתָא
בְּעִדָּנָא כְּגוֹ טָבָא:
כד אָרְחָא דְחַיֵּי מַעֲלְיָא
לְסוּכְלְתָנָא דְנִסְטָא מִן שְׁיוֹל תַּחְתִּיתָא:

ת"א שמחה. עירובין נד: ודבר בעתו. סנהדרין קא: ארח חיים. חגיגה ב' קא:

### רש"י

וכסיל אדם בוזה אמו. גורם לאמו שמבזים אותה: (כא) אולת שמחה. הוא לחסר לב: (כב) הפר מחשבות באין סוד. כלא עצה לא תקום מחשבה: (כג) שמחה לאיש במענה פיו. כשמשמעו ע"י מענה רך ודבור נחת הבריות אוהבים אותו. ורבותינו דרשוהו על בעלי גירסא אם מוצאים בפיהם מענה אז מתקיים בהם וישמחו: ודבר בעתו מה טוב. שואלים בהלכות הפסח ובהלכות החג בזמנו: (כד) אורח חיים למעלה

### אבן עזרא

יש לה ניגוים סלולים ללכת דרך ישר: (כא) יישר. יבקש דרך ישר ללכת בה: (כב) הפר. שנים דבקים. סוד. ענין עצה פי' שאחרים יפרו מחשבות החושבים בעבור כי אין עצה ובעבור יועצים תקום מחשבת הנועצים ותבא שמחה לאיש היועץ בבא מענה פיו. ודבר העצה שיבא בעתו מה טוב לנועצים: (כד) אורח חיים. שהוא למעלה למשכיל כלו' המשכיל יתעסק לעשות רצון יוצרו אולי ילך בארח החיים שהיא למעלה והם חיי הנפש המתאוה לשוב אל

### רלב"ג

והאדם הגדול שהוא כסיל היא בוזה אמו כי אליה ייחוס יותר רוע מוסרו מפני שקדו תמיד אצלה בקטנותו או ירצה שהוא בוזה גם אמו והוא הנכון: (כא) אולת שמחה. מי שהוא חסר השכל ישמח באולת והוא ההשתדלות בדבר בזולת השגות הראויות ואמנם איש תבונה יישיר ההליכה אל המבוקש כי הוא ילך בה בשבותיו הראויות: (כב) הפר מחשבות. הנה בשבת שלא היה סוד ועצה בדבר יופרו המחשבות כו ר"ל שלא ילאו לפועל ובהמלא רוב יועצים בדבר להגיע אל המבוקש תשוב המחשבה שחשבו בעשיית הדבר ההוא: (כג) שמחה לאיש במענה פיו. הנה ישמח האיש בדבור פיו כשיהיה לו לדבר אל המלך או אל הגדול ואמנם היה ראוי תחלה שישתדל שיהיה דבורו בעתו הראוי בשיקדים לו מה שראוי לקדום כי דבר בעתו מה טוב: (כד) ארח חיים. הנה דרך חיים הוא למעלה אל איש המשכיל כי כל מה שיהיה הדבר המושכל יותר נכבד תהיה ההשגה בו יותר נכבדת ויותר ערבה ולזה יעלה תמיד בהשגותיו ובחקירותיו אל הדברים היותר עליונים היותר נכבדים והנה קרא לעליונים שהם יותר נכבדים למעלה כי השמים יותר נכבדים מהיסודות והעליון ביסודות הוא יותר

### מצודת דוד

והבריות מבזין אותה לומר אהובה שזה גדלה: (כא) אולת. כאשר יעשה חסר לב אולת יחשב בעיניו לשמחה: ואיש תבונה. איש תבונה ישמח כאשר ילך בדרך הישר: (כב) הפר. מחשבות האדם יופר ויבוטל כאלו יען עלמו עם יועלים להמתיק סוד אבל על ידי הרבה יועלים תקום המחשבה: (כג) שמחה. כל איש ישמח באמרי פיו כי ימתק לו עלת נפשו אבל דבר בעתו מה מאוד הוא טוב ור"ל אף אם לא יהיה עלת נפשו בהשכל ואף אם הלית בהעלה היא כדבר כיולא בו מכל מקום אין כל הפתים שוות ואולי היועלים יגלו אזנו לאמר לא עת עתה לעשות כזאת: (כד) אורח. שמורה אורח החיים לנפש המשכיל ללכת למעלה או תשוב אל האלהים למען תסור

### מצודת ציון

אבני המכשול ודוגמתו סנסלה ותרוממך (לעיל ד'): (כב) סוד. ענין עלה שדרכו להיות כסוד לבל יודע. או שהעלה היא למחשבה כיסוד לבנין: (כג) במענה. ענין אמירה כמו ומה' מענה לשון

answer and gentle speech, people love him. Our Sages expounded it as referring to those who memorize the Torah; if they utter an answer with their mouth, they will remember it and rejoice with it.—[*Rashi* from *Erubin* 54a] This translation follows the Salonica edition. According to extant editions, the reading is: *if they find an answer in their mouth*. This reading does not coincide with the explanation given by the *Gemara* in *Erubin*. However, cf. *Rashi* ad loc.

**and how good is a word in time!**—*They ask concerning the laws of Passover and the laws of Sukkoth in their season.*—[*Rashi* from *Erubin* ad loc. See *Rashi*] Cf. also *Sanh.* 101a. *Rashi* explains that if a scholar has an answer to a time-related question, such as one concerning an approaching festival, it is a joy for him.

24. **The path of life is above the intelligent person**—*As in* (Isa. 6:2): *"Seraphim stood above for Him."*

21. Folly is joy to one devoid of sense, but a man of understanding walks straight. 22. Plans are foiled for lack of counsel, but they are established through many advisers. 23. A man has joy with the response of his mouth; and how good is a word in time! 24. The path of life is above the intelligent person, in order that he turn away from the grave below.

wise son makes his father happy when he sees him sitting among the wise.—[*Mezudath David*] *Ralbag* explains that the father is happy when his son is wise because he understands the level of his wisdom more than the mother does.

**a foolish person**—Heb. וּכְסִיל אָדָם. *Ralbag* explains that even when a person grows up, if he is foolish his folly is attributed to his mother because he was always with her in his childhood.

**despises his mother**—because she was lenient with him and did not castigate him with the rod of discipline.—[*Mezudath David*]

21. **Folly is joy**—*It is joy for the one devoid of sense.*—[*Rashi*] [*Rashi* explains this lest we interpret the verse to mean that joy is folly to the one devoid of sense.] When one devoid of sense does a foolish thing, it affords him joy.—[*Mezudath David*]

**but a man of understanding, etc.**—A man of understanding rejoices when he walks on the straight road.—[*Mezudath David*]

*Ralbag* explains that one deviod of sense rejoices when he endeavors to accomplish a feat by following ways that are unfit to accomplish his goal. But a man of understanding walks straight; he follows the appropriate means by which to attain his goal.

*Gra* explains that if a wise man sometimes commits a foolish act, he suffers remorse because of it. A person devoid of sense, however, is happy when he commits a foolish act. In contrast, a man of understanding rejoices when he finds the straight road to follow.

*Rabbi Joseph Kimchi,* in *Sefer Hukkah,* explains that when a person devoid of sense goes along the road and meets fools like himself, he mingles with them and enjoys their folly. But a man of understanding proceeds straight to his destination and does not loiter on the way.

22. **Plans are foiled for lack of counsel**—*Without counsel, the plan will not be established.*—[*Rashi*] A plan may be foiled because its initiator did not take counsel with many counselors. But with many advisers, it will succeed.

The use of the word סוֹד rather than עֵצָה denotes that the counsel must be in secret. Should one publicize his plans, he causes them to be frustrated.—[*Gra, Ibn Nachmiash*]

23. **A man has joy with the response of his mouth**—*According to its apparent meaning: Through a soft*

כה בֵּית גֵּאִים יִסַּח ׀ יְהוָה וְיַצֵּב גְּבוּל
אַלְמָנָה: כו תּוֹעֲבַת יְהוָה מַחְשְׁבוֹת רָע
וּטְהֹרִים אִמְרֵי־נֹעַם: כז עֹכֵר בֵּיתוֹ בּוֹצֵעַ
בָּצַע וְשׂוֹנֵא מַתָּנֹת יִחְיֶה: כח לֵב צַדִּיק
יֶהְגֶּה לַעֲנוֹת וּפִי רְשָׁעִים יַבִּיעַ רָעוֹת:
כט רָחוֹק יְהוָה מֵרְשָׁעִים וּתְפִלַּת
צַדִּיקִים יִשְׁמָע: ל מְאוֹר־עֵינַיִם יְשַׂמַּח־

ת"א בית גאים. ברכות נח (ברכות יג): ושונא מתנות. מגלה כח סוטה מז קדושין נט בתרא יג חולין מד:

**תרגום**

כה בֵּיתָא דְגֵיוְתָנָא נַסַּח אֱלָהָא וְיַעֲתַּד תְּחוּמָא דְאַרְמַלְתָּא: כו מְרַחַקְתֵּיהּ דֶאֱלָהָא מַחְשַׁבְתָּא דְבִישְׁתָּא וְדַכְיָן מִלֵּי בְסִימָתָא: כז מוֹבִיד בֵּיתֵיהּ מְכַנֵּשׁ מָמוֹן דְשַׁקַר דְסָנֵי מוֹהֲבָתָא דְמַגַּן יְחִי: כח לִבָּא דְצַדִּיקָא רָנֵן בְּהֵימָנוּתָא וּפוּמְהוֹן דְרַשִּׁיעֵי מַבִּיעַ בִּשְׁתָּא: כט רָחִיק הוּא אֱלָהָא מֵרַשִּׁיעֵי וּצְלוֹתְהוֹן דְצַדִּיקֵי יִשְׁמַע: ל נְהוֹרָא דְעַיְנֵי

**רש"י**

למשכיל. כמו שרפים עומדים ממעל לו (ישעי' ו') כלומר לפני החכם קשוטה ומוכנת אורח חיים: (כז) עוכר ביתו. שהוא בולע בצע: ושונא מתנות יחיה. מאחר שהוא שונא מתנות כ"ש ששונא את הגזל: (כח) לב צדיק יהגה לענות. יחשוב ויבין מה יענה קודם שישב דבר: (ל) מאור עינים. בתורה: ישמח לב. שמאלין ממנו

**מחדי**

**מנחת שי**

(כה) יסח | ס'. יש פסיק בין יסח לשם שלא יראה כמתחרף מ"ו: (כח) יהגה לענות. הגימ"ל דגושה: (ל) מאור עינים. המ"ם

**אבן עזרא**

האלהים למען שתסור מן השאול שהוא למטה: (כה) בית גאים. שיש להם גאוה יסח השם ביתם ויהרסנה: אלמנה. עניינו אלהים שהוא דיין אלמנות מן אלמנה יצב גבולה: (כו) רע. כלו' איש רע: וטהורים. נחשבים ככסף טהור שאין בו סיגים: אמרי נועם. שינעמו לשם: (כז) עוכר. לב. רחוק. ג' דגשים. הבולע שהוא הגוזל מסבב שיעכיר ביתו מתנות השוחד: (כה) לב צדיק. יחשוב לענות על דין הצדק: יביע. כנחל נובע פי' ידבר הרעות כדי להעות דין על כן רחוק השם מהם וישמע תפלת הצדיקים. פ"א לענות מן לענה וראש והוא רחוק בעבור שאין הלמ"ד בשו"א. (ל) מאור. אזן. פורע. יראת. ד' דגשים. וכן הפי' המאור שתחזנה העינים הוא ישמח לב וכשתשמע האזן תוכחת

**רלב"ג**

נכבד מהשפל ממנו ולזה היה ארח חיים למעלה אל האיש המשכיל כאלו היה זה להתרחק מהמקום היותר שפל שהוא שאול: (כה) בית גאים. בית האנשים הגאים והתקיפים יחריב הש"י ויעמוד גבול האלמנה ואם הוא חלוש והאלמנה ג"כ היא חלושה: (כו) תועבת ה'. מחשבות רע הם תועבת ה' כי הם קתחלה לחוטאים בדעות ובמדות ואמנם אמרי נועם הם טהורים ונבחרים אל הש"י או ירצה בזה כי תועבת ה' היא מחשבות האיש הרע כי הם ברע תמיד ואולם מחשבות האנשים הטהורים הם אמרים שינעמו לש"י ויתערבו: (כז) עוכר ביתו וגו'. מי שהוא לוקח שוחד לדון דין הוא עוכר ביתו ומשחית בהפך מה שהוא חושב ואמנם מי שהוא שונא גם המתנות ולא ירצה ללקחם מהאנשים יחיה ויתקיים לפי שהוא בוטח בש"י ואינו נשען על מתנות האנשים: (כח) לב הצדיקים יהגה ויתעסק תמיד לענין ולתועלת ואמנם פי רשעים ודבורם יביע הרעות והשחתות טבעיות כי דבורם ייעיר אל כל רע ומחשבות הצדיק תעיר אל הטוב: (כט) רחוק ה' מרשעים. הש"י רחוק מעזור לרשעים ומשמוע לקולם ואמנם הוא ישמע תפלות הצדיקים לעשות בקשתם וזה לאות כי תפלתם היא הנשמעת: (ל) מאור עינים ישמח לב. מאור עיני השכל ישמח הלב כי שמחתו בהשגות העיוניות ושמועה טובה יתענג האדם

**מצודת ציון**

(לקמן ט"ז): (כה) יסח. ענין עקירה כמו ונסחתם מעל האדמה (דברים כ"ה): (כז) בוצע בצע. הגוזל הון כמו ובולע ברך (תהלים י') וכמו מה בצע (בראשית ל"ז): (כח) יהגה. יחשוב כמו והגיון לבי

**מצודת דוד**

הנפש מלרדת אז אל שאול מטה והוא הגיהנם אבל תשוב אל מקורה אשר הולכה ממנו: (כה) ויצב. במקומו יעמיד גבול אלמנה עם כי תשש כוחה והלפה עוזרתה: (כו) מחשבות רע. המדבר רכות ומחשבותיו לרעה: וטהורים. ראויים אמרי נועם להיות טהורים מבלי תערובת מחשבה רעה: (כז) עוכר וגו'. הבולע בלע להרבות לו ישחית ביתו כי בא זה ואיבד את זה אבל השונא אף מתנות כי ישען בה' אז המקום יתן לו עוד חיים מה שאין ביד אדם לתת: (כח) יהגה. טרם יענה יחשוב בלבו מה יענה וע"כ דבריו מעטים אבל פי רשעים ירבה לדבר רעות כהמעיין הנובע כי ידבר כל העולה על רוחו ואינו חושש: (כט) רחוק וגו'. מלשמוע את תפלתם: (ל) מאור עינים. הארת עינים בדבר המסופק ישמח לב כי אין בעולם שמחה כהתרת הספיקות: שמועה טובה. בדבר חדושי

wicked man not strive to humble himself, but he constantly spews venom. Another explanation is that the heart of the righteous thinks to answer the wicked, whose mouth constantly pours out evils.

29. **The Lord is far from the wicked**—from accepting their prayers.—[*Mezudath David*] Since the mouth of the wicked pours out evils, and the heart of the righteous man thinks to answer, God is far from the wicked but listens to the prayers of the righteous. The Midrash explains: God is far from the wicked—from those who do not

25. The Lord will uproot the house of the haughty, but He will establish the boundary of the widow. 26. The thoughts of an evil person are an abomination of the Lord, but pleasant words are pure. 27. He who is greedy of gain troubles his own house, but he who hates gifts will live. 28. The heart of a righteous man thinks to answer, but the mouth of the wicked pours out evils. 29. The Lord is far from the wicked, but He listens to the prayer of the righteous. 30. The light of the eyes makes the heart happy;

*Before the wise man, the path of life is arrayed and prepared.*—[*Rashi*] Others render: The path of life leads upward for the intelligent person. *Ibn Ezra* explains that the intelligent person always strives to do God's will so that he will achieve eternal life and return to Him—not into Gehinnom.

25. **The Lord will uproot the house of the haughty**—God will uproot and demolish the house of those who show haughtiness.—[*Ibn Ezra*]

**but He will establish the boundary of the widow**—although she is weak and helpless.—[*Mezudath David*]

26. **The thoughts of an evil person**—This translation follows *Ibn Ezra.* According to *Targum,* we render: The thoughts of evil. This means one who speaks gently, but his thoughts are to do evil.—[*Mezudath David*]

**but pleasant words are pure**—Words that are pleasant to God are like pure silver, without dross.—[*Ibn Ezra*] *Mezudath David* renders: should be pure, without any thoughts of evil.

27. **troubles his own house**—*he who is greedy of gain.*—[*Rashi* in all editions except Salonica] Through his greed, he will rob others, and others will come and destroy his house. Thus, he troubles his own house through his greed.—[*Mezudath David*]

**but he who hates gifts will live**—*Since he hates gifts, he surely hates robbery.*—[*Rashi*] Because he trusts in God, He will grant him life, something that no one else can grant him.—[*Mezudath David*]

28. **The heart of a righteous man thinks to answer**—*He will think and understand what to answer before replying.*—[*Rashi*] Consequently, his words are few, but . . .

**the mouth of the wicked pours out evils**—He speaks evil without a limit—like a spring that pours forth water—because he does not think before he speaks, but says whatever comes to his mind.—[*Mezudath David*]

*Ibn Nachmiash* quotes several other interpretations of this verse: The heart of a righteous man thinks to humble himself, but the mouth of the wicked, etc. Not only does the

לב שמועה טובה תדשן־עצם: לא אזן
שמעת תוכחת חיים בקרב חכמים
תלין: לב פורע מוסר מואס נפשו ושמע
תוכחת קונה לב: לג יראת יהוה מוסר
חכמה ולפני כבוד ענוה: טז א לאדם
מערכי־לב ומיהוה מענה לשון: ב כל־
דרכי־איש זך בעיניו ותכן רוחות

מחדי לבא שומעתא
טבא מדהנא גרמא:
לא אודנא דשמעא
מכסנותא דחיי בינת
דחכימי תבות:
לב מריש מרדותא מסלי
נפשיה ודשמיע
מכסנותא דחיי קני
חוכמתא: לג דחלתיה
דיי מרדותא דחוכמתא
ומן דמתיקר יהוי ענון:
א מן בר נש תרעיתא
דלבא ומן יי ממללא
דלישנא: ב כולהון
ארחתיה דגברא דכין אנון בעינוי ואלהא

ת"א שמועה טובה. גיטין נו: אזן שומעת. עקרים מ"ג פ"ב:

### רש"י

דבר ויודע מה להשיב ולפי פשוטו כמשמעו דבר שהוא תאוה למראות עינים משמח הלב ומאהלא תוגת הלב כגון גן ירק ונהרות המושכים: (לג) ולפני כבוד ענוה. הענוה גורמת שהכבוד בא:

**טז (א) לאדם מערכי לב.** הוא סודר עצתו ודבריו בלבו: ומה' מענה לשון. כשבא להשיב הקב"ה מכשילו בדבריו או אם זכה מזמן לו מענה טוב: **(ב) ותוכן רוחות ה'.** ומונה הלבבות מי הטוב ומי הרע:

### אבן עזרא

שבה יש גם חיים וילין בקרב הכמי' אז תדשנהו התוכח' יותר משמועה טובה: (לב) **פורע.** כי לומד המוסר יכתירהו וילפיהו והמתרחק ממנו כאילו יגלהו ויפרעהו מן כי פרוע כלו' פורע מוסר החכמים הפך להמית נפשו. ושומע תוכחת מפיהם הוא קונה לב והטעם דעת ויראת השם:

### מנחת שי

בגעיא: (לב) קונה לב. המסורת כל קונה בשתי נקודות אבל מלאתי קונה לב בדגש הלמ"ד א"כ הוא בג' נקודות מפני הדגש. מכלול דף קנ"ב: **טז** (ב) כל דרכי איש. בס"ס יש מאריך במלת כל ומכל מקום קריאתו בקמץ חטוף כמו שכתבתי בסוף ס' ראה:

**טז (א) לאדם. כל. גול. כל. ד' דבקים. מערכי**

### רלב"ג

בה עד שכבר תשמין העלם ותמלאהו מוח ובכלל הנה תמלא שהשמחה תשמין האדם: (לא) אזן שומעת. הנה האוזן השומעת תוכחות חיים. ר"ל שתקבל מוסר בהשגת החכמה שהיא החיים הנה היא תלין בקרב חכמים ר"ל שכבר יישירהו זה אל שיתחכם ויעמוד בין החכמים או ילכה בזה שכבר תלין בקרב חכמים ללמוד חכמתם: (לב) פורע מוסר מואס נפשו. הנה מי שפורע מוסר במדות היא מואס נפשו כי לא יתכן שיהיה לנפש שלימות בזולת זה ואמנם מי שהוא שומע תוכחות הוא קונה שכל כי המוסר הוא התחלה להשגת החכמה: (לג) יראת ה' מוסר חכמה. יראת ה' היא תישיר אל לקיחת המוסר בחכמה והענוה והשפלות תישיר להשגת הכבוד: (א) לאדם מערכי לב ומה'. כמה שיסדר מהדברים בלבו אך ילטרך עם זה עזר אלהי להוציא הדברים בפיו כי כמה דברים ימלא שיבלבלו הדברים בפיו אע"פ שנערכו בלב באופן שלם: (ב) כל דרכי איש זך בעיניו. הנה כל אחד מדרכי איש הוא זך בעיניו והמשל כי הכח המתעורר השכלי יהיה הדרך הטוב זך בעיניו והנה המתעורר הדמיוני יהיה הדרך הרע זך בעיניו מצד היותו ערב או מועיל לפי מחשבתו ומי שיעזר להכן

### מצודת דוד

התורה: (לא) אוזן שומעת. אוזן אשר תשמע התוכחה המביאה חיים סופה תהיה כרוך אחר החכמה ותלין בקרב חכמים לשמוע דבר חכמה: (לב) פורע. המבטל אז המוסר הוא מואס נפשו כי מה ראה שאינו חושש בתקנתה: קונה לב. יקנה בזה לב חדש ומשכיל: (לג) מוסר חכמה. היראה תהבב למוסר להאזין חכמה וא"כ היראה היא סבה להכמ' וקודמת לה וכן לפני כבוד ע"כ היה הענוה כי הענוה היא סבה להביא את הכבוד אם כן היא לפניו: **טז** (א) לאדם. ביד האדם לערוך הדברים בלבו בסדר נאות אבל מה' בא העזר לסדר אמריו בלשון לבל יכשל בהם: (ב) זך בעיניו. כי אינו רואה חובה לעצמו: ותוכן. ה' הוא בתוך רוחו

### מצודת ציון

(תהלים י"ט): לענות. מלשון עניה והשובה: (ל) תדשן. ענין שומן: (לא) תלין. ענין התמדה כמו לדק ילין בה (ישעיה א'): (לב) פורע. ענין השבתה וביטול כמו ותפרעו כל עצתי (לעיל א'): **טז** (א) מערכי. ענין סדור: מענה. ענין אמירה: (ב) זך. ברור ונקי כמו שמן זית זך (שמות כ"ז): ותוכן. מלשון

of the world to come.—[*Ibn Nachmiash*]

32. **despises his life**—By rejecting discipline, he demonstrates that he wishes to kill himself.—[*Ibn Ezra*]

**acquires sense**—lit. heart, meaning the knowledge and fear of the Lord.—[*Ibn Ezra*]

33. **and before honor there is humility**—*Humility causes honor to come.*—[*Rashi*]

1. **The preparations of the heart are man's**—*He arranges his counsel and his words in his heart.*—[*Rashi*]

**but the answer of the tongue is from the Lord**—*When he comes to answer, the Holy One, blessed be He, causes him to stumble with his words—or if*

good news fattens the bone. 31. The ear that listens to reproof
of life shall lodge among the wise. 32. He who rejects discipline
despises his life, but he who hearkens to reproof acquires sense.
33. The fear of the Lord is the discipline of wisdom, and before
honor there is humility.

## 16

1. The preparations of the heart are man's, but the answer of
the tongue is from the Lord. 2. All ways of man are pure in his
eyes, but the Lord counts the spirits.

repent at all—but He listens to the prayers of the righteous when they pray with a congregation.—[*Ibn Nachmiash*]

30. **The light of the eyes**—*in Torah.*—[*Rashi*]

**makes the heart happy**—*when they ask him something, and he knows what to answer. According to its simple meaning, it is to be interpreted according to its apparent meaning: A thing that is a delight to the sight of the eyes makes the heart happy and cleanses the sadness of the heart, such as a vegetable garden and flowing rivers.*—[*Rashi*] [The former interpretation appears to be a midrash, as *Rashi* follows it with the simple meaning. However, it is not found in any known midrash. The closest to this text is in *Midrash Mishle,* which reads: "These are the students of Torah, who enlighten a person's eyes, as it is said (Ps. 19:9): 'The precept of the Lord is pure, enlightening the eyes.' Also, good news makes a person's heart happy, as it is said: 'Good news fattens the bone.' "]

*Mezudath David* explains the phrase in terms of the popular maxim, "There is no joy like the solution of doubts." The second half of the verse, then, refers to novel interpretations of the Torah.

31. **reproof of life**—Reproof that brings to life.—[*Mezudath David*]

**shall lodge among the wise**—to hear their words of wisdom.—[*Mezudath David*] The one who wishes to hear reproof will always stay near the wise, in contrast to the scorner, who does not like to be reproved (see verse 12).

The importance of reproof is illustrated by the Talmud (*Baba Kamma* 83b), where the Rabbis teach us that if one destroyed his fellow's eye or hand, the court evaluates the victim in the same way as a slave being sold in the market. How much he was worth with all his limbs, and how much he is worth now with one limb missing. But should he make the victim deaf, he must pay equivalent to the person's complete value, because he can no longer hear reproof that will bring him to the life

יְהוָה: ג גֹּל אֶל־יְהוָה מַעֲשֶׂיךָ וְיִכֹּנוּ
מַחְשְׁבֹתֶיךָ: ד כֹּל פָּעַל יְהוָה לַמַּעֲנֵהוּ
וְגַם־רָשָׁע לְיוֹם רָעָה: ה תּוֹעֲבַת יְהוָה
כָּל־גְּבַהּ־לֵב יָד לְיָד לֹא יִנָּקֶה: ו בְּחֶסֶד
וֶאֱמֶת יְכֻפַּר עָוֺן וּבְיִרְאַת יְהוָה סוּר
מֵרָע: ז בִּרְצוֹת יְהוָה דַּרְכֵי־אִישׁ גַּם־

ת"א כל פעל. שבת נב קיו יומא לח עירובין ... נכמ' (יומא מח): תועבת ה'. סוטה ד' כ': בחסד ואמת. ברכות ה': ברצות ה'. ב"ק י' זוהר תולדות (תרומה מו):

**תרגום**

מִתְקַן אֻרְחָתֵיהּ: ג גְּלֵי
לֶאֱלָהָא עוֹבָדָךְ וּמִתְקְנָן
מַחְשְׁבָתָךְ: ד כּוּלְהוֹן
עוֹבָדִין דֶּאֱלָהָא לְאִלֵּין
דְּמִשְׁתַּמְעִין לֵיהּ
וְרַשִׁיעָא לְיוֹמָא בִּישָׁא:
ה מְרַחַקְתֵּיהּ דֶּאֱלָהָא כָּל
דְּרָם בְּלִבֵּיהּ מִן בִּישְׁתָּא
לָא נִדְכֵּי: ו בְּטֵיבוּתָא
וְקוּשְׁטָא מִתְכַּפַּר
סוּרְחָנָא וּדְחַלְתֵּיהּ
דֶּאֱלָהָא מַסְטֵי מִן
בִּישְׁתָא: ז כַּד אִתְרְעֵי
אֱלָהָא בְּאֻרְחָתֵיהּ

דגברא

## רש"י

**(ג) גול אל ה' מעשיך**. גלגל והשלך עליו צרכיך ויכונו מחשבותיך. ד"א גול אל ה' מעשיך. התפלל לפניו על כל צרכיך: ויכונו. יתכוססו ויתקיימו: **(ד) כל פעל ה' למענהו**. הכל עשה בשביל קילוסו כמו ענו לה' בתודה (תהלים קמ"ז) ד"א להעיד עליו כלומר פעלו מעיד עליו על גבורותיו. שניהם באגדת תהלים: **וגם רשע**. עשה להגיהו ליום רעה. וכל זה לקילוסו: **(ה) יד ליד לא ינקה**. מיד ליד בא לו גמול גובה לבו: **(ו) וביראת ה' סור מרע**. ע"י יראת ה' סור מרע: **(ז) ברצות ה' דרכי איש גם אויביו ישלים אתו**. יצרו לו שיהיו שלימים עמו:

## אבן עזרא

לב. שיערוך בלבו המחשבות ומאת השם דבור הלשון שהוא יוציאנו כי טרם הדבור ידענו כענין אין מלה בלשוני והשם שיודע ומערכי לב רואה מענה איש וזהו כל דרכי איש שהוא זך ונקי בעיניו רואה השם דרכיו כי הוא תוכן הרוחות לעשות רצונו: **(ג) גול**. עם המוזהר ידבר כלומר הודיעהו דרכיו כי הכל יפעל השם למען הזך ויתן שאלתו ויעשה חפצו כאשר ישאל וכאשר תגול אליו ימלא משאלותיך וגם לרבות על משאלות הזך כלומר אפי' גם הרשע יבוא ליום רעה שלא יזיק לזך: **(ה) יד ליד**. יד השם בעבור יד הרשע כלומר יד השם תשיגהו בעבור ידו שהעשוק על כן לא יהי נקי כי יקבל שכרו: **(ו) סור**. היראה גוררת שיסור מרע: **(ז) ישלים**. יביאם בברית שלום עמו ומלת גם לרבות על

## רלב"ג

הרוחות אל שישאר הרוח והרצון בדרך הטוב הוא הש"י הוא לתכלית ולתועלת כי על לד ההשגחה ישמר האיש הטוב מהתגאל בפעולות הרעות: (ג) גול אל ה' מעשיך. סבב כל מעשיך לעבודת הש"י ואז יכונו מחשבותיך כי הש"י יעזרך להשלימה: (ד) כל פעל ה' למענהו. הנה כל אשר פעל הש"י הוא לתכלית ולתועלת וגם מה שתראה שיוזק הרשע ליום רעה הוא לתועלת כי בזה תועלת ללקיחת המוסר: (ה) תועבת ה'. הנה הגאוה היא מדה מגונה מאד ומתועבת לש"י כי היא סבה לרעות גדולות בענינים המדיניים והיא ג"כ מהגדולות שבסבות למנוע השלמות הנפשיי ולזה יהיה ברע זה האיש המתנהג בזאת המדה הפחותה ולא ינקה מהרעות הפתאומיות שלא יוזק בהם: (ו) בחסד ואמת. הנה מי שיתנהג ביושר ובאמת בגמילות חסדים יכופר לו העונש שהיה ראוי לבא עליו: (ז) ברצות ה' דרכי איש. כאשר ירצה הש"י דרכי האיש מפני תום דרכיו הנה הש"י יסיר ממנו הרעות הנכונות לבא עליו ולזה ישלים אתו כל אויביו וכ"ש שישמרהו משיעוררו לו מדינים אנשים לא היו שונאיו מקדם והפסוק שרמז בזה עוד אל העזר האלהי שילוה לו בדעות ואמר כי ברצות הש"י דרכי ישמרהו מהטעות בעיון עם שגם אויבי האמת בעיון ההוא ישלים עם הדרוש והם הספקות הנופלות בו מצד המחשבות המקבילות

## מצודת ציון

תוך: (ג) גול. גלגל וסבב: (ז) ישלים. מל' שלום:

## מצודת דוד

של כל אדם ויודע הוא אם דרכיו זכאים אם לא: (ג) גול. סבב מעשיך אל ה' להיות מכוון לעבודתו ואז יכונו ויתכוססו מחשבותיך: (ד) כל. הכל ברא ה' למען קילוסו וגם טובת הרשע וכח הזרוע שנתן בו הוא להיות מוכן לפורענות מדות ביום בוא הרעה להיות שבט אפו ואם כן גם זה הוא למענהו: (ה) יד ליד. מידו של מקום יבוא הגמול ליד המתגאה ולא ינקה ממנה כי לא תשוב ריקם: (ו) בחסד. בעבור החסד והאמת אשר יעשה האדם יכופר העון וכלבד כשהוא סור מרע בעבור יראת ה' לא מיראת הבריות: (ז) ברצות. כאשר ירצה ה' דרכי האיש בהיותם ישרים אז גם אויביו ישלים עמו ומכל שכן שלא יתעוררו עליו אויבים חדשים:

breeze will cause him pain; his prayer is not heard, and he will ultimately be destroyed.—[*Ibn Nachmiash* from *Sotah* 4b]

**hand to hand he will not go unpunished**—*From hand to hand the punishment for his haughtiness will come to him.*—[*Rashi*]

6. **With loving-kindness and truth**—With repentance and good deeds, one's iniquities will be expiated.—[*Ibn Nachmiash* from *Yevamoth* 105a]

**and through fear of the Lord turn away from evil**—*Through the fear of the Lord turn away from evil.*—[*Rashi*] The Salonica edition reads: *And through the fear of the Lord, a person turns away from evil.*

Through the loving-kindness and

3. Commit your affairs to the Lord, and your plans will be
established. 4. The Lord made everything for His praise—even
the wicked man for the day of evil. 5. Everyone of haughty
heart is an abomination of the Lord; hand to hand he will not
go unpunished. 6. With loving-kindness and truth will iniquity
be expiated, and through fear of the Lord turn away from evil.
7. When the Lord accepts a person's ways, He will cause

*he merits, He prepares a good reply for him.*—[*Rashi*]

2. **are pure in his eyes**—All man's ways, whatever he does, appear to him to be good and just.—[*Isaiah da Trani*] A person does not find fault with his own deeds.—[*Mezudath David*] Everyone thinks that the traits and the habits to which he has grown accustomed are right.—[*Ibn Nachmiash*]

**but the Lord counts the spirits**—*and counts the hearts; who is the good one, and who is the bad one.*—[*Rashi*] God counts his thoughts to requite him according to his deeds—not as they appear to man, for man views all his deeds subjectively.—[*Isaiah da Trani*]

3. **Commit your affairs to the Lord**—Heb. גֹּל. *Roll and cast your necessities upon Him, and your plans will be established. Another explanation:*

**Commit your affairs to the Lord**—*pray to Him for all your necessities.*—[*Rashi*]

The distinction between the two interpretations is obscure. Perhaps the former emphasizes trust in God, whereas the latter emphasizes prayer. More likely, the Salonica edition is more accurate. It reads: *Pray to Him and publicize before Him all your necessities.* The first interpretation explains גֹּל from the root גלל, *to roll.* The second interpretation explains it as from the root גלה, *to reveal.*]

**will be established**—*Will be founded and will endure.*—[*Rashi*]

4. **The Lord made everything for His praise**—Heb. לְמַעֲנֵהוּ. *He made everything for His praise, as in* (Ps. 147:7): *"Praise* (עֱנוּ) *the Lord with thanksgiving." Another explanation: To testify concerning Him. That is to say that His work testifies concerning Him, about His mighty acts. Both are in the Aggadah of Psalms* (*Midrash Tehillim* 19:1).—[*Rashi*]

**even the wicked man**—*He made, to leave him for the day of evil. All this is for His praise.*—[*Rashi*]

5. **Everyone of haughty heart is an abomination of the Lord**—The Rabbis dwell at length on the disgrace of this trait. They go so far as to say that whoever is haughty is regarded as though he had committed many acts of incest, and as though he had built "a high place." In the end, he will be humbled, and his dust will not be resurrected. Even the lightest

אוֹיְבָיו יַשְׁלִם אִתּוֹ: ח טוֹב מְעַט בִּצְדָקָה
מֵרֹב תְּבוּאוֹת בְּלֹא מִשְׁפָּט: ט לֵב אָדָם
יְחַשֵּׁב דַּרְכּוֹ וַיהוָה יָכִין צַעֲדוֹ: י קֶסֶם ׀
עַל־שִׂפְתֵי־מֶלֶךְ בְּמִשְׁפָּט לֹא יִמְעַל־
פִּיו: יא פֶּלֶס ׀ וּמֹאזְנֵי מִשְׁפָּט לַיהוָה
מַעֲשֵׂהוּ כָּל־אַבְנֵי־כִיס: יב תּוֹעֲבַת

דִּגְבְרָא אַף לְבַעֲלֵי דְבָבוֹי נַשְׁלֵים לֵיהּ: ח טָב קַלִּיל בְּצִדְקְתָא מִן סַגִּיָּא דַעֲלַלְתָּא דְּלָא בְדִינָא: ט לִבֵּיהּ דְּבַר נָשָׁא מְחַשֵּׁב אָרְחָתֵיהּ וֶאֱלָהָא מְתַקֵּן הִלְכָתֵיהּ: י קִסְמָא עַל שִׂפְוָתֵיהּ דְמַלְכָּא וּבְדִינָא לָא נִדְגּוֹל פּוּמֵיהּ: יא רַגְיָא וּמַסְאתָא דִתְרִיצוּתָא מִן קֳדָם אֱלָהָא וְעוֹבָדוֹי כּוּלְהוֹן מַתְקְלֵי דְקוּשְׁטָא: יב מְרַחַקְתֵּיהּ

ת"א קסם. חגיגה יד: פלס עקידה שער לו (פלג יו הוריות מח):

## רש"י

(ט) לב אדם יחשב דרכו. ללכת דרך ישר: וה' יכין צעדו. כמו ששנינו הבא לטהר מסייעין לו: (י) קסם על שפתי מלך. על שפתי הכם היושב בדין: (יא) פלס ומאזני משפט לה' וגו'. לשלם לאדם כפעלו. משפט. (יושטיצ"ה בלע"ז. בל"א גערעכטיגקייט. וכן בישעיה ז') פרעון עונות האדם בפלס ומאזנים: מעשהו כל אבני כיס. כאשר יש באבני כיס משקלות גדולות וקטנות הכל לפי פעלו של אדם: (יב) תועבה מלכים עשות רשע.

## אבן עזרא

הרגון: (ח) טוב מעט. ממון מקובץ בצדקה מהמון רבה מקובץ ברשע: בלא משפט. ולא יעשה צדקה כמשפט: (ט) לב אדם. צדיק שיחשוב דרכו הראוי לו והשם יכין צעדו שלא יכשל ויעזרהו כענין בא ליטהר מסייעין אותו: (י) קסם. חסר כ"ף הדמיון קוסם קסמים כלומר גוזר גזרים וקסם שם כלל על גזרת משפט הכוכבים וכן גזרין שיגזרהו להיות כן כלומר כקסם שהוא דבר גזור כן יאות להיות על שפתי מלך שיגזור במשפט האמת ולא ימעול באמרי פיו: (יא) פלס. ומשקל. לענין אחד הם וכיס מגין. למ"ד לה' כמו בעבור כי הוא צוה לעשות במשקל ובמאזנים כמשפט ומעשהו של הפלס. כל אבני כיס כי השקל עשרים גרה והטעם שלא יהיה שם גדולה וקטנה. ע"א לה' לו הם והטעם כי הוא הפץ בהם: (יב) תועבת. רצון. חמת. באור.

## רלב"ג

הנמלאות לו והנה ההשלמה היא הסרת הספק ההוא כשיתבאר שהמחשבה ההיא תתאמת בנושא אחד זולת זה ואמנם המחשבה שתהיה צודקת בעצמה לא יצטרך בה להשלמה אבל בתוספ לגמרי: (ח) טוב מעט מהממון שיקובץ בצדק וביושר ממי שיקבץ רב תבואות בלא משפט ר"ל בגזל ובחמס ובדרכים בלתי ישרים וכן העיר בזה בענינים העיוניים ואמר כי טוב שישיג האדם מעט מהדברים העיוניים וישלים בהם החקירה בצדק וביושר מאשר ישיג מהם הרבה בזולת חקירה ישרה כי זה ממה שיביאהו להשיב בהשיג האמת מזולת שיהיה כן וגם אם השיג האמת הנה לא השיגהו בדרכיו ולא יכנס זה בגדר הידיעה: (ט) לב אדם. הנה לב האדם יתבונן איך ראוי שיתדרך בדרכו במה שירצה לעשותו אמנם בהוצאה לפועל יצטרך עזר האלהי שיכין צעדו וישירהו אל מה שראוי לו כי לא לאדם דרכו: (י) קסם על שפתי מלך. הנה על שפתי מלך דבר ידמה לקסם להגיד האמת בדברים כי כל דבר לא יכחד מן המלך לסבות רבות יתקבצו בזה הא' כי עיניו במלכותו משוטטים מהש"י באמרו פלגי מים לב מלך ביד ה' והשנית כי בסבת רצון האנשים למצוא חן בעיניו ימלא בכל דבר מי שיגלה אזנו להגיד האמת ולזאת הסבה בעינה לא ימעל פי המלך במשפט כי יגיד האמת ויהיו משפטיו לפי המשפט המיגבל מהש"י: (יא) פלס. הנה המשקל בדברים העיוניים ומאזני צדק ומשפט לשקול בהם היושר והעול הוא לה' כי יצטרך עזר אלהי לשקול זה בצדק וביושר לרוב הטעיות שאפשר שיפלו בו ולזה ג"כ יהיה מעשה הש"י כל המשקלים שבכיס אשר ישקלו בהם דבר מהדברים העיוניים כי להם סדרים יתיישרו בהם להכיר הדברים המטעים מהם ואלו הסדרים מתחלפים בהתחלף מיני העיון והנה העיר עוד ג"כ אל דבר המשקלים והמאזנים כי ידיעת היותם בצדק הוא לה' ולזה ראוי שיהיה האדם מזה והנה הביאור הראשון הוא היותר נכון וידמה לפי הביאור הראשון שיהיה שב אומרו קסם על שפתי מלך אל המלך המושל באדם והוא השכל והנה קראו מלך כי בזה האופן יתיישב לו העיון כשימלוך על שאר כחות הגוף יתנפש וישרתוהו כלם וידוע כי ההטאה לא יקרה בהבנתו המיוחסת לו ולזה לא יקרה טעות בציור כי הוא מהשכל לבד אך יקרה טעות באמת מפני היות ההשגה מורכבת מהשכל והחוש כמו שנתבאר בספר הנפש ולזאת הסבה לא ימעל פיו במשפט במה שישפטהו ממה שהוא מיוחס לו ולזה הביאור ימשך יפה מה שבארנו ראשונה במאמר פלס ומאזני משפט וגו' זה הביאור הוא הנראה לודק בזה המקום: (יב) תועבת מלכים. הנה למלכים והם השכלים האנושיים הוא מתועב מאד ובזה עשיית הרשע בדעית

## מצודת דוד

(ח) טוב. יותר טוב הון מעט הבא בצדק וביושר מהרבה תבואות הנאספים בלא משפט כ"א בגזל ובעושק: (ט) יחשב דרכו. באיזה דרך ילך: יכין. מכין פסיעותיו ללכת במקום שירצה: (י) קסם. אמרי המלך ברורים כאלו היה קסם על שפתיו כי אין דבר נכחד מאת המלך לפי שכל האנשים יחזרו למצוא חן בעיניו ולזה ימלא בכל דבר מי מגלה אוזן המלך לזה לא ימעול פיו במשפטו לעות הדין מחמת ספק ושגגה: (יא) פלס. הנה יש ביד ה' פלס ומאזנים לשקול בהם משפט תשלומין ומעשהו בדבר התשלומין הוא כמו כל אבני כיס הם אבני המשקל הנתונים באמתחת ויש שם רבי המשקל וקטני המשקל וכן ישקול המקום תשלומין לכל אדם כפי הגמול: (יב) תועבת.

## מצודת ציון

(י) קסם. ענין ניחוש כמו קוסם קסמים (דברים י"ח): ימעל. ענין בגידה ואשמה: (יא) פלס. ענין יושר כמו פלס מעגל רגליך (לעיל ד') והושאל על מטה המאזנים כי הוא מיישר את המשקל: כיס.

*rechtigkeit, and so in Isaiah* 7,) *the retribution for a person's sins with a balance and scales.*—[*Rashi*] [Although the French definition is enclosed in parentheses in Nach Lublin, it appears in all older editions. The German, however, appears to have been inserted at a

even his enemies to make peace with him. 8. Better a little with righteousness than great revenues with injustice. 9. A man's heart plans his way, but the Lord prepares his step. 10. There is magic on a king's lips; his mouth commits no treachery in judgment. 11. The balance and scales of justice are the Lord's; all the weights in the bag are His work.

truth that a person performs, his sins will be forgiven, provided that he turns away from evil out of fear of the Lord, not out of fear of people.—[*Mezudath David*]

7. **When the Lord accepts a person's ways, He will cause even his enemies to make peace with him**—*He will appease* [them] *for him that they should make peace with him.*—[*Rashi*]

8. **Better a little, etc.**—It is better to have a little money accumulated with righteousness than great wealth accumulated through wickedness.—[*Ibn Ezra, Mezudath David*]*

9. **A man's heart plans his way**—*to walk on the straight way.*—[*Rashi*]

**but the Lord prepares his step**—*as we learned: He who comes to purify himself is granted assistance.*—[*Rashi* from *Shabbath* 104a] If a righteous man plans his way, God will prepare his steps so that he should not stumble, and He will grant him assistance, as the Rabbis say: "He who comes, etc."—[*Ibn Ezra*]

*Rabbenu Yonah* explains this verse in connection with the preceding one. King Solomon urges people to stay away from sin, especially from robbery and injustice, which tempt a person. He tells how no one can take a step without God's enabling him to do so. A person should therefore remember that he will be guilty of ungratefulness if he uses his God-given strength to sin.

10. **There is magic on a king's lips**—*On the lips of a wise man sitting in judgment.*—[*Rashi*] *Ibn Nachmiash* explains that through divination, a person is able to determine the future and to fathom secrets and mysteries. So does the king, through the gift of divination, recognize the character of the litigants who come before him—which one is telling the truth and which one is lying. Therefore, the king's mouth commits no treachery in judgment, and also, litigants will make only true claims out of fear of the king's knowledge of hidden things. How beautiful were the words emanating from the mouth of the king who judged the two harlots (I Kings 3:16-28)! Indeed, *Midrash Mishle* states that this verse alludes to King Solomon himself, who calls upon heaven and earth to testify that with all the wisdom granted him by God, he did not utter any falsehood in judgment.

11. **The balance and scales of justice are the Lord's etc.**—*to requite* a person according to his deed. מִשְׁפָּט is (*justice in French, in German Ge-*

מְלָכִים עֲשׂוֹת רֶשַׁע כִּי בִצְדָקָה יִכּוֹן
כִּסֵּא: יג רְצוֹן מְלָכִים שִׂפְתֵי־צֶדֶק וְדֹבֵר
יְשָׁרִים יֶאֱהָב: יד חֲמַת־מֶלֶךְ מַלְאֲכֵי־
מָוֶת וְאִישׁ חָכָם יְכַפְּרֶנָּה: טו בְּאוֹר פְּנֵי־
מֶלֶךְ חַיִּים וּרְצוֹנוֹ כְּעָב מַלְקוֹשׁ: טז קְנֹה־
חָכְמָה מַה־טּוֹב מֵחָרוּץ וּקְנוֹת בִּינָה

דְּמַלְכִין דְּעָבְדִין רִשְׁעָא
מְטוּל דִּבְצִדְקוּתָא תַּקִּין
כּוּרְסְיָא: יג רְעוּתֵיהּ
דְּמַלְכָּא שִׂפְוָתָא
דִּצְדִקְתָא וּמִלְּתָא
דְּתָרְצֵי רָחֵם: יד חֲמָתֵיהּ
דְּמַלְכָּא מַלְאֲכֵי דְמוֹתָא
אִנּוּן וְגַבְרָא חַכִּימָא
נְדַעֲכִנֵּיהּ: טו בִּנְהוֹרָא
דְּפַרְצוּפֵיהּ דְּמַלְכָּא חַיֵּי
וּצְבִיוֹנֵיהּ הֵיךְ עֲנָנָא
בִּבְרִירוּתָא: טז דְּקָנֵי
חָכְמְתָא טָבָא לֵיהּ מִן
דַּהֲבָא סְנִינָא וּדְקָנֵי בִיוּנָא טָב מִן סַנְיָא גַבְיָא:

ת"א רלון מלכים. עקידה שער ת': חמת מלך. בתרא קיז עקידה שער כג זוהר קרח: באור פני מלך. עקידה שער כג עקרים ש' פ' כ"ט (קנה חכמה שם):

## רש"י

דבר תעוב הוא לדיינים ואין הגון להם לעשות רשע: (יד) חמת מלך. הוא כמלאכי מות כשלוחי מיתה: ואיש חכם יכפרנה. יפייסנה: (טו) באור פני מלך חיים. מי שהקב"ה מסביר לו פנים חיים הוא לו לכך צריך אדם ליישר דרכו לפניו: ורצונו כעב מלקוש. מי שהוא מרוצה לו רצונו טוב לו כעב המביא את המטר:

## שבילא

## מנחת שי

(יג) ישרים יאהב. האל"ף בחטף סגול ברוב הספרים: (טז) קנה קנה.ה' דקי':

## אבן עזרא

(יג) יאהב כל אחד מן המלכים: (טו) מלקוש. הוא המטר וכן פירושו המלכים ראויים לתעב עושה רשע כי בעבור הצדק שיעשו יכון כסאם ורצו דובר הצדק כלו' דובר אמונים ישרים יאהב המלך כי חמתו כחמת מלאכי מות שימיתו פתאום הרשעים. יכפרנה. יבטלנה וישוב חמתו מאליו. ובאור שיאיר עיניו על החכם יש חיים ורצונו שירצהו כעב מלקוש שיצמיח הלקש. וקניין החכמה מה טוב

## רלב"ג

או במדות וזה כי עשיית הרשע במדות יהיה סבה שלא יכון כסא המלך אבל יסורו הכחות הנפשיות מלשרתו וימנע מפני זה ממנו השלימות אשר הוא כחיי עליו ועשיית הרשע בדעות שתהיה סבתו לקיחת המחשבות והצורות הדמיוניות לא על נכון הוא סבה שלא יגיע מהם השירות הראוי כי בצדק ובישור יכון הכסא והאדנות שיש לו עליהם אך בזולת זה אין לו תועלת: (יג) רצון מלכים שפתי צדק. הנה רצון מלכים הוא שפתי צדק במה שיעידו בעדות בספורי הקודמים כמו שיצטרך זה בחכמות אשר לא תשלם העמידה על מה שיצטרך לעמוד עליו מן החוש בהם כי אם בזמן ארוך נפלא יעבר החיים האנושיים כמו הענין בחכמת הכוכבים ובהרבה מהדברים הטבעיים ומי שהוא דובר ישרים יאהב כי היושר בדברים ישירהו למצוא האמת במה שיחקר בו: (יד) חמת מלך. הכעס שיכעס המלך הזה על מה שהפליג לחקור בו לפי העדות ושפט מפני זה בדבר מה נמצא אחר זה בהוש בלתי צודק מפני הכזב שהיה בעדות הנה הוא כמו מלאכי מות להסיר האדם מדרך חיים אל דרך המות כי ידמה לו שהטורח בחכמה הוא לבטלה ואמנם איש חכם יסיר זאת החמה בשיפליג תחלה בדבר העדות להתבונן אם קלתו מסכים לקלתו ואם ימצאוהו בלתי מסכים הנה יעמוד על מה שהיה מהם צודק מהדרכים רבים מהם שיתבונן באי זה מאלו הדרכים נכפל העדות יותר כי אשר נכפל בו העדות יותר ידמה היותו מסכים לאמת ומהם שיתבונן מצד המעידים ר"ל שכאשר יעיד בו איש יותר שלם ויותר חכם הוא יותר שיהיה צדק ומהם שיתבונן בו מצד הטעות שאפשר שיקרה בהרגש בו מהטעות יותר הוא יותר ראוי שיונח בלתי צודק והנה ג"כ אפשר שיסיר החכם זה הכעס והחמה בצד אחד והוא שאחר שהשיג בחוש הפך מה שיתחייב מהעדות ישוב להסיר מהעדות מה שמוייב ממנו זה הביטול ויתקן עם השאר ועם מה שהשיג בחוש כי בזה האופן יתיישר למצוא האמת והנה יסיר החכם זה הכעס בצד אחר יותר שלם והוא כי מדרכו שלא יעיר בדבר אם לא היה צודק ונקי מהטעות ואם היה אפשר שיהיה בהרגש טעות יגיד זה הענין בעדותו: (טו) באור פני מלך חיים. הנה באור פני המלך הזה בהשגת המושכלות ישגו החיים הנצחיים והרצון שיהיה ממנו לשאר הכחות המשרתות אותו הוא במדרגת העב שיהיה ממנו המלקוש אשר יביא פרי הצמחים ותכליתם וזה כי בזה האופן יתיישר לאדם השגת ההצלחה שהוא הפרי המכוון בו: (טז) קנה חכמה. הנה קנין החכמה טוב מאד מקנין הזהב וקנין הבינה נבחר מקנין

## מצודת ציון

אמתחת ושק: (יד) יכפרנה. ענין העברה וקנוח ועס"ז יקראו המזרקים כפורי זהב (עזרא א') כי הכהן מקנח ידיו מן הדם בשפת המזרק: (טו) מלקוש. כן נקרא המטר המאוחר כמו יורה ומלקוש

## מצודת דוד

דבר תעוב הוא למלכים לעשות רשע כי בעבור מעשה הצדק יכין כסאו ולזה יתעב הרשע להעמיד הכסא על כנו: (יג) שפתי צדק. אמרי צדק: יאהב. אל המלכים: (יד) מלאכי מות. החמה היא כאלו ישולח באדם מלאכי מות: יכפרנה. יעבור החמה במתק אמרי פיום: (טו) באור. כשהמלך מאיר פניו למי ומראה פנים להובות ושוחקות הוא לו לחיים כי הרבה טובה ביד המלך: ורצונו. רצון המלך היא כעב המביא מלקוש הוא המטר המאוחר היורד על הקשין ועל המלילות: (טז) מה טוב. מה מאוד הוא טוב יותר

*like the cloud that brings the rain.*—[*Rashi* from *Midrash Tanhuma, Behaalothecha*, quoted by *Ibn Nachmiash*, not found in our editions]

*Rabbenu Yonah* explains that, if a king shows favor to one of his servants, the benefit he derives therefrom is not in the future, but at that very moment. This is comparable to the rain cloud, which will surely empty its contents upon the earth. Surely, one must seek the favor of the Holy One, blessed be He.

16. **How much better is it to acquire wisdom, etc.**—In connection with the preceding verse, Scripture

12. It is an abomination to kings to commit wickedness, for with righteousness the throne is established. 13. Righteous lips are the delight of kings, and he loves the one who speaks honestly. 14. The king's wrath is [like] messengers of death, but a wise man will pacify it. 15. In the light of the King's countenance is life, and His delight is like a cloud of the late rain. 16. How much better is it to acquire wisdom than gold! And to acquire understanding

later time. It appears only in the Waxman edition. The reference from Isaiah appears nowhere, and the word does not appear in that chapter at all. It does appear in chapter 51, verse 3, where it is spelled *jostize,* and it means *to chastise.*]

**all the weights in the bag**—*Just as among the weights in the bag, there are large weights and small ones, so is everything according to a person's deeds.*—[*Rashi*]

12. **It is an abomination to kings to commit wickedness**—*It is an abominable thing for judges, and it is not proper for them to commit wickedness.*—[*Rashi*]

**for with righteousness the throne is established**—Through the performance of righteous deeds, the throne will be established. Therefore, kings despise wickedness, in order to perpetuate their kingdoms.—[*Mezudath David*]

13. **Righteous lips**—righteous words.—[*Mezudath David*] Kings despise only those who commit wickedness, but they do not despise one who refrains from wickedness both in deed and in speech. They love only one who speaks uprightly, who chooses honesty and desires that honesty and truth prevail in the land. Therefore, kings do not remain silent in order to flatter the wicked or cause people to believe that they oppose what is true.—[*Rabbenu Yonah*]

14. **The king's wrath**—*is like messengers of death, like messengers of death.*—[*Rashi*] [*Rashi* wishes to clarify the Hebrew expression, מַלְאֲכֵי מָוֶת, lest we think that it means *angels of death.*]

**will pacify it**—*Will placate it.*—[*Rashi*] We learn from this verse to fear the wrath of God, for if one fears the wrath of a mortal king, how much more should he fear the Holy One, blessed be He! And, if a mortal king appreciates wisdom, how much more does the Lord of wisdom appreciate it!—[*Rabbenu Yonah*]

15. **In the light of the King's countenance is life**—*The one to whom the Holy One, blessed be He, shows a bright countenance—it is life to him. Therefore, a person must straighten his way before Him.*—[*Rashi*]

**and His delight is like a cloud of the late rain**—*Whoever is accepted by Him—His delight is beneficial to him*

נבחר מכסף: יז מסלת ישרים סור מרע
שמר נפשו נצר דרכו: * יח לפני־שבר
גאון ולפני כשלון גבה רוח: יט טוב
שפל־רוח את־עניים מחלק שלל את־
גאים: כ משכיל על־דבר ימצא־טוב
ובוטח ביהוה אשריו: כא לחכם־לב

יז שבילא דתריצי מסטי
מן בישתא ודמזהר
נפשיה נטר ארחיה:
יח קדם תברא גותנותא
וקדם תקלא רמת
רוחא: יט טב הוא שפל
רוח ועונא מן הוא
דמפליג עדיתא מן
גיותני: כ דמסתכל
במלתא ישכח טבתא
ודמסבר באלהא
טוביהי: כא חכים לבא

חצי הספר בפסוקים ענוים קרי יקרא

**רש"י**

(יט) **טוב שפל רוח**. טוב להתחבר את ענוים ולהיות אתם שפל רוח מהיות מחלק שלל את גאים: (כ) **משכיל על דבר ימצא טוב**. הנותן לב להתבונן על דבריו לפלס את דרכיו ימצא טוב: **ובוטח בה' אשריו**. כשהוא מפלס דרכיו ורואה בה מצוה שיש בה סכנה או חסרון כיס ובוטח בהקב"ה ועושה הטוב: **אשריו**. הן אשוריו שלו: (כא) **לחכם לב יקרא נבון**. שלמד חכמה מרבו יקרא נבון. סופו שיהיה נבון בדברים מפולפל בחכמתו

**אבן עזרא**

לחכם כי יבטל חמת המלך. חרוץ מלשון גזור כמו אתה חרצת או שם זהב כמו כתם: (יז) **מסלת**. שיורו לסור מרע היא מסלתם ומי שיחפוץ לשמור נפשו שלא תמית נוצר דרכו הראוי לו והוא דרך המצות: (יח) **לפני**. **טיב**. שנים דבקים: **גובה רוח**. על כן טוב לשפל רוח להיות עם ענוים. מחלק מקח בחלק שלל עם גאים כי אז ישבר כהם להיותו עושק: (כ) **משכיל**. דבק למעלה כלומר משכיל על דבר השפלות להשפל הוא ימצא טוב שייטיב לו השם: **ובוטח**. בשם לא יהפוך לחלק שלל עם גאים: **אשריו**. שיהא מאושר ברבות טובתו: (כא) **לחכם לב**. שהחכמה בלבו יקרא נבון שיבין מה שלא למד: **ומתק שפתים**. טעם ואם ילמד מתיקון שפתים אז יוסיף לקח והמתק רמז לחכמה

**מנחת שי**

חכמה. הקו"ף בגעיא: (יז) שמר נפשו. בספרים מדוייקים חסר וא"ו וכן ראוי כי לא נמנה במסורת בכלל המלאים וסי' נמסר בהאי ספרא סימן י' במ"ג: נצר דרכו: (יח) לפני שבר גאון וגו' חצי הספר בפסוקים: (יט) עניים. ענוים קרי:

**רלב"ג**

בכסף ורמז בזה כי אין לאלו הקנינים יחס וערך לקנין החכמה והבינה והנה המשיל החכמה בקנין יותר יקר מהבינה כי השגת החכמה יותר שלימה מהשגת הבינה כמו שהתבאר מדברינו ואע"פ שכבר יקרה הבינה שתחקור בנושא יותר נכבד ועוד כי הבינה תהיה ג"כ בדברי המוסר והוא הפילוסופיא המדיניים ואולי אל זאת הבינה כיון בזה הפסוק: (יז) מסלת ישרים סור מרע. דרך ישרים היא סור מרע כי הם יתבוננו בדרכם וינהגו בו באופן שימלטו מהרע בדברים המדיניים או בדברי העיוניים ומי שירצה לשמור נפשו מהרע ראוי שישמור דרכו בזה האופן הנזכר: (יח) לפני שבר גאון. הנה הגאוה והגאון וגובה הרוח הוא סבה אל השבר ואל הכשלון וזה מבואר מאד מענין המדה הזאת: (יט) טוב שפל רוח. הנה יותר טוב לאדם הוא שיהיה שפל רוח ויתחבר עם הענוים והשפלים משיהיה מתחבר עם גאים ויחלק שלל עמהם במה שנלחמו במלחמה אשר היתה גאותם סבה לה וזה כי אם יקרה מזאת התכונה טוב בקצת העתים הנה יקרה ממנה רע בעתים רבים והנה חלקם השלל הוא ג"כ לנקמה מהם כי זה שירגלם בזאת התכונה הפחותה ויהיה זה סבה שיחולו עליהם רעות גדולות: (כ) משכיל על דבר ימצא טוב. הנה מי שהוא מעיין ומסתכל איך ראוי שיתנהג בדבר דבר ולא יעשה מעשיו בזריזות ובבהלה הוא ימצא טוב בדברים כי זה ממה שיתיישר בו להגיע אל התכלית הנרצה ומי ששם מבטחו עם זה בה' לא במה שהכין מהסבות אשריו כי הש"י ימציא לו חפציו ואף אם שגג בהכנת הסבות: (כא) לחכם לב יקרא נבון. הנה לחכם לב יקרא נבון ר"ל כי השגתו החכמה תישירהו להשגת הבינה גם בדברים המדיניים להתבונן בלקיחת התחבולות להעמידו בשלום עם כל אחד מהאנשים ואע"פ שכבר התבונן בזה בלבו באופן ראוי הנה במתיקות דבריו יוסיף קנין טוב על מה שחשב בלבו כי ערבות הדברים ומתיקותם

**מצודת דוד**

מחרוץ והוא מין זהב טוב: וקנות בינה. קנין הבינה: (יז) מסלת. דרך הישרים הוא לסור מרע כי יתבוננו בדרכם שלא יבואו לידי גדנוד עון והרוצה לשמור נפשו ישמור דרכו לבלי לכת כפי ההזדמן: (יח) **לפני שבר**. טרם יבוא השבר על הרשע בא לו מתחלה גאון וממשל רב כי בזה יפול הלעג: **גובה רוח**. על רוב הטובה הבאה לו טרם הכשלון וכפל הדבר במלות שונות: (יט) טוב. יותר טוב להיות שפל רוח להתחבר עם הענוים ואף אם מעט יהיה עמהם מלהיות מחלק שלל רב מאשר יהיה עם הגאים כי פן ילמד ממעשיהם: (כ) משכיל. המתבונן וצופה לסוף הדבר ימצא טוב כי יצליח ואם אחר כל ההתבוננות יבטח בה' אשרי לו: (כא) לחכם לב. למי שלמד חכמה מרבו סופו יקרא נבון כי יתחכם להבין דבר

**מצודת ציון**

(דברים י"ח): (יח) גאון. ענינו ממשלה כמו גאון יעקב (עמוס ז'): כשלון. ענין חלשות ונפילת הכח: (יט) שלל. הון רב:

20. **He who considers a matter—** *One who sets his heart to consider his matters, to weigh his ways, will find good.—*[*Rashi*]

**and he who trusts in the Lord is fortunate—** *When he weighs his ways and sees that a commandment involves danger or monetary loss, but he trusts in the Holy One, blessed be He, and* [still] *does that good deed.—*[*Rashi*]

**is fortunate—** *They are his fortunes.—*[*Rashi*]

21. **The wise-hearted shall be**

is preferable to silver. 17. The highway of the upright is to turn away from evil; he who guards his soul watches his way.
18. Before destruction comes pride, and before stumbling [comes] a haughty spirit. 19. It is better to be of humble spirit with the lowly than to divide the spoils with the haughty.
20. He who considers a matter will find good, and he who trusts in the Lord is fortunate. 21. The wise-hearted

states that the king's favor and love can be gained only through wisdom, as in verse 14.—[*Rabbenu Yonah*]

17. **to turn away from evil**—They teach others to turn away from evil.—[*Ibn Ezra*] *Rabbenu Yonah* explains that the upright—those who have a natural tendency to desire honesty and to appreciate desirable character traits—will, by their nature, be able to control their anger, as implied by 15:19. Now Scripture tells us that the upright must first strive to turn away from evil, to improve their character traits, and to beware of sin—not only of sin itself, but of any traits that may lead to it. Then they must perform many good deeds and teach others to straighten their ways, to learn, to teach, and to draw near to God with fear and love.

**he who guards his soul, etc.**—Although the upright have a natural tendency to uprightness, anyone can attain fear of God and His love by watching his way and by avoiding evil.—[*Rabbenu Yonah*]

18. **Before destruction comes pride, etc.**—He who guards his soul and watches his way—the way of acquiring desirable character traits—must take care to avoid the ignoble trait of haughtiness, which will only bring him to destruction and failure.—[*Rabbenu Yonah*]

*Ibn Nachmiash* explains that whoever is struck by disaster or failure surely had been guilty of haughtiness prior thereto. *Mezudath David* explains that before a wicked man suffers a downfall, he is first exalted and enjoys great dominion over others. In that way, his suffering is much greater. Haman's rise and fall is an example of this phenomenon, as is illustrated in *Meg.* 15b. *Rashi,* to *Avoth* 1:13, explains this verse in conjunction with the Rabbinic maxim that "ruling buries its possessors." Hence, if a person is exalted to a high position, he will soon meet his end.

19. **It is better to be of humble spirit**—*It is better to join the lowly and to be of humble spirit with them than to divide spoils with the haughty.*—[*Rashi*] It is better to be of humble spirit and join the lowly—although he earns little—than to divide spoils with the haughty and earn much money, lest he learn from their deeds.—[*Mezudath David*]

יִקָּרֵא נָבוֹן וּמֶתֶק שְׂפָתַיִם יֹסִיף לֶקַח:
כב מְקוֹר חַיִּים שֵׂכֶל בְּעָלָיו וּמוּסַר אֱוִלִים
אִוֶּלֶת: כג לֵב חָכָם יַשְׂכִּיל פִּיהוּ וְעַל־
שְׂפָתָיו יֹסִיף לֶקַח: כד צוּף־דְּבַשׁ אִמְרֵי־
נֹעַם מָתוֹק לַנֶּפֶשׁ וּמַרְפֵּא לָעָצֶם:
כה יֵשׁ דֶּרֶךְ יָשָׁר לִפְנֵי־אִישׁ וְאַחֲרִיתָהּ
דַּרְכֵי־מָוֶת: כו נֶפֶשׁ עָמֵל עָמְלָה לּוֹ כִּי־

ת״א נפש עמל . סנהדרין לט:

### תרגום

יִתְקְרֵי סוּכְלְתָנָא וּדְחַלְיַן
סִפְוָתֵיה מוֹסִיף אוּלְפָנָא:
כב מַבּוּעַ דְחַיֵי סוּכְלָא
דְמָרֵיה וּמַרְדוּתֵיה
דְשַׁטְיֵי שַׁטְיוּתָא:
כג לִבָּא דְחַכִּימָא
מְסְתַּכֵּל פּוּמֵיה
וּבְשִׂפְוָתוֹהִי מוֹסִיף
אוּלְפָנָא: כד כַּבְּרִיתָא
דְדוּבְשָׁא מַאְמְרָא
דְבוּסְמָא חַלְיוּתָא
דְנַפְשָׁא וְאַסוּתָא לְגַרְמֵי:
כה אִית אָרְחָא דְמִתְחַזְיָא
בְעַיְנֵי בְנֵי נָשָׁא דְתְרִיצָא
הִיא וְסוֹפָהּ אָרְחָתָא דְמוֹתָא אִנוּן: כו נְפַשׁ דְלָעֲיָא לְעוּתָהּ תְסוֹבֵר דְמַן פּוּמָא אָתֵי לָהּ

### רש״י

ויקראו אותו נבון: ומתק שפתים יוסיף לקח. כשאדם מטעים דבריו לתלמיד וממתיק דבריו בטעמים יוסיף לקח: (כב) מקור חיים שכל בעליו. וכן פתרון המקרא שכל הבעלים מקור חיים הוא לו: ומוסר אוילים אולת. ויסורי אוילים ע״י אולת באים להם וכן משמעו האולת יסורין היא לאוילים: (כג) לב חכם ישכיל פיהו. לבו

### כיפא

מלמד את פיו לדבר נאות: (כד) צוף דבש. מתוק דבש (ברישק״א בלע״ז. הוא לשון איטלקיא ברעסק״א בל״א האגינזים. וכן כתב הרד״ק עיין גם תהלים י״ט י״א): אמרי נועם. דברי תורה: (כה) יש דרך. שהוא ישר לפני איש: (כו) עמלה לו. לצרכו הוא עמל: כי אכף עליו פיהו. כשפיהו כופהו ותובע לו מאכל הוא עמלו עומד׳

### אבן עזרא

המתוקה כענין ומתוק מדבש: (כב) מקור. פירוש השכל הוא המקור שיקירו משם חיים לבעליו: ומוסר אוילים. מוסר אולת: (כג) לב. צוף. שנים דבקים. הכם ירצה השכל על פיהו: ועל שפתיו יוסיף. הלב להראות הלקה: (כד) צוף דבש. הסר כ״ף כלומר כצוף דבש כן אמרי נועם מתוקים: (כה) יש דרך ישר. מי שם לפני איש להתעסק

### רלב״ג

ימשוך הנפשות ויקחם: (כב) מקור חיים. הנה ההסתכלות וההתבוננות הוא לבעליו של מקור חיים והמנהיג אותו וזה כי ממנו מבוע שמיעדת החיים הגופיים והחיים הנצחיים אם החיים הגופיים מפני ההסתכלות בדברים המדיניים אשר בו יוכלל הסרת הרע ממנו מהאנשים ושיגיע לו הטוב והעזר מהם ואם החיים הנצחיים כי זאת התכונה כלי להפליג החקירה בדברים העיוניים לפי מה שראוי אשר היא סבה למלוא האמת בהם ואולם האוילים לא יקנו מוסר כי אם מהאולת והמשל שכאשר קרה לאויל רע מה מפני שלא השגיח בסבות המביאות אותו להשגת מבוקשו אז יקחו מוסר מפני האולת ההיא להשגיח בפועל ההוא. כשיקרה לו שנית בסבה אשר לא השגיח בה קודם זה שהיתה סבה אל שנבצר ממנו אשר יזם לעשות הנה התועלת שיקח בזה הוא מעט מאד וזה כי אולתו תסבב שלא יקח בזה מהתועלת רק בכמות הדבר ההוא ובסבה ההיא לבדה וכבר יהיו שם סבות אחרות יפקד המסובב בהפקדם והוא לא ישגיח בהם אם לא כשיפקחו עיניו במה שילאה בנסיון וזה רחוק מאד שיגיע בשלימות בזה האופן גם בפועל אחד מיוחד ואולם עם המשכיל מקור חיים ומבוע בכל הדברים וזהו ההבדל הנפלא שיש בזה בין המשכיל והאויל: (כג) לב חכם ישכיל פיהו. הנה מה שהוא מצייר בלב החכם יודיעהו פיו לאנשים כי דבריו יסכימו אל מה שהוא מצייר בנפשו אם בדברים המדיניים לפי שלא יכבד בלב ולב ואם בדברים העיוניים כי הוא מצד חכמתו יודע לדבר באופן יסכים מה שיאמר למה שהוא מצייר בנפשו והנה הוא ידבר באופן שעל שפתיו יוסיף קנין טוב על מה שהיה בלבו וזה כי בלב לא יתכן שיהיה למאמר כי אם כוונה אחת והוא יאמר אותו בדרך יכלול על כוונות מתחלפות כלם מועילות וכבר יהיה זה ג״כ ומצד אחר והוא בדברים המדיניים רב התועלת והוא שיוסיף על שפתיו ממתק הדברים וערבותם מה שיוסיף לקחת הנפשות ולמשכם אל כל מה שילאהו ובדברים העיוניים ג״כ מצד מה שיעריב המאמר מן הדברים המיפים את המאמר ומקשטים אותו: (כד) צוף דבש. הנה אמרי נועם שילאו מפי החכם הם כמו צוף דבש שהוא מתוק לנפש המרגשת בשיזון האדם ממנו והוא עוד מרפא לאיברים הכתושים בשיושם עליהם וזולת זה מחלייהם וכן אמרי נועם החכמים יערבו לנפש המשכלת ובהם עוד הישרה לתקון הגוף ולבבר ולהוציא ממנו חליי המדות הפחותות: (כה) יש דרך. הנה ימצא דרך שהוא ישר לפני האיש ולא ירגיש ברע הנמשך ממנו כי אחריתה היא דרכי מות והנה האיש החכם ייעיר להתרחק מהדרך הזאת: (כו) נפש עמל. הנה נפש האיש העמל עמלה לו ולתועלתו

### מצודת ציון

(כד) צוף דבש. חלות דבש וכן ונופת צופים (תהלים י״ט): לעצם.

### מצודת דוד

מתוק דבר: ומתק. הממתיק אמריו לזולת למען יערב לו להיות מקובל על הלב הנה יועיל גם לעצמו כי בזה יוסיף ללמוד להבין תוכיות הדבר: (כב) שכל. השכל הוא לבעליו כמעיין הנובע חיים כי בעבורו בא לו חיים: ומוסר. היסורים הבאים על האוילים הם בעבור אולתם: (כג) ישכיל פיהו. ילמד את פיו להמתיק אמרים וכאשר יהיו שגורים על שפתיו יוסיף עוד ללמוד להבין תוכיות הדבר א״כ באה ההשכלה מן הלב אל הפה וחוזרת לבוא מן הפה אל הלב עד אין תכלית: (כד) צוף דבש. הממתיק אמרים בנעימות רב המה ערבים לשומעיהם כחלות הדבש והמה מועילים לנפש ולגוף כי בזה ימשוך לבות בני אדם אחר דעתו הן בדבר המוסר הן בדבר הנלבך: (כה) לפני איש. לפי ראות עיניו: ואחריתה. אחרית הדרך ההוא הוא סונך אל דרכי מות: (כו) עמלה לו. טורח

exert great influence over his listeners, helping them in ethical matters as well as physical necessity. These two types of assistance are represented by the soul and the bones.

25. **There is a way**—*that is straight in a man's view.*—[*Rashi*]

shall be called understanding; and the sweetness of speech increases learning. 22. Intelligence is a fountain of life to one who has it, but the chastisement of the fools is folly. 23. The heart of a wise man give his mouth intelligence and adds learning to his lips. 24. Pleasant words are as a honeycomb, sweet to the soul and healing to the bones. 25. There is a way [that is] straight in a man's view, but its end is ways of death. 26. The soul of a laborer labors for him, when

**called understanding**—*He who learned wisdom from his teacher shall be called understanding. Ultimately, he will be understanding in matters and keen in his wisdom, and they will call him understanding.*—[*Rashi*] [The wise student, who grasps what he is taught, will develop a keen insight into matters and be able to draw conclusions from what he has learned.]

**and the sweetness of speech increases learning**—*When a person explains his words to a pupil and makes his words sweet with reasons, he increases learning.*—[*Rashi*]

22. **Intelligence is a fountain of life to one who has it**—lit. a fountain of life is the intelligence of its possessor. And this is the interpretation of the verse: *The intelligence of the one who has it is a fountain of life to him.*—[*Rashi*]

**but the chastisement of the fools is folly**—*But the chastisement of the fools comes to them because of folly. And this is the apparent meaning: Folly is chastisement to the fools.*—[*Rashi*]*

23. **The heart of a wise man gives his mouth intelligence**—*His heart teaches his mouth to speak lucidly.*—[*Rashi*] It will teach his mouth to explain things, and when they are fluent on his lips, he will learn to understand the profundity of the matter. Consequently, he creates a cycle from the heart to the mouth and then from the mouth to the heart.—[*Mezudath David*]

*Ibn Nachmiash* suggests: His mouth shows the intelligence of the heart of the wise man; the beautiful recitations he delivers show his inner intelligence and add learning to his lips.

24. **a honeycomb**—Heb. צוּף דְּבַשׁ, *sweet as honey (bresche in O.F.).*—[*Rashi*] (In *Nach Lublin* and other editions we find: *Brescca in a strange language,* with the following comment: "This is Italian, *brescca,* in German *Honigzeim* or *Honigsuess,* honeycomb or virgin honey. So did *Redak* write. See also Psalms 19:11."

**Pleasant words**—*Words of Torah.*—[*Rashi*] *Mezudath David* explains: If one presents statements in a very sweet and pleasant way, they are sweet as honeycombs to those who hear them and they help the soul and the body—for he will

אכף עליו פיהו: כז איש בליעל כרה
רעה ועל־שפתיו כאש צרבת: כח איש
תהפכות ישלח מדון ונרגן מפריד
אלוף: כט איש חמס יפתה רעהו
והוליכו בדרך לא־טוב: ל עצה עיניו
לחשב תהפכות קרץ שפתיו כלה

רעה — שפתי קרי נון זעירא

כיפא: כז גברא טלומא
חפר בישתא ובשפותיה
נורא יהבא זליקי:
כח גברא מהפכנא יגרי
תגרי וחרתנא מעריק
רחמיה: כט גברא
חטופא משרגג חבריה
מוביל ליה בארחא דלא
שפירא: ל רמז בעינו
וחשב הפכתא גזים
בשפותיהון ונטר בישתא:

ה"א איש תהפכות. זוכר ויקרא:

## רש"י

לו שאוכל מה שעמל ככר: (כז) כורה רעה. בלבו חורש הרע: ועל שפתיו כאש צרבת. הרעה כאש שורפת על שפתיו עד שמוציאה בפיו וגומרה. כאש צרבת. שורפת כמו (יחזקאל כ"א). ונצרבו בה כל פנים: (כח) ונרגן מפריד אלוף. וע"י רינונו ותרעומתו מפריד ממנו אלופו של עולם: (ל) עוצה עיניו. לשון קריצה וכן איעצה עליך

## מנחת שי

(כז) ועל שפתיו כאש. שפתו קרי בוא"ו וכתיב ביו"ד ואי"ו ודין הוא חד מן ז' מלין דכתיבין י' במציעות תיבותא ולא קריין וסי' נמסר במ"ג אות י': (כח) ונרגן. חד מן ג' אריכין זעירין:

## אבן עזרא

באמרי נועם: ואחריתה. שיעזבה ימצא דרכי מות ואמר דרכי כי סבות המות רבות. פ"א שילך דרכי' שיביאוהו למות: (כו) אכף. סבב וגרם כלומר נפש עמל העמל לעד כל ימיו כי פיהו אכף גרם וסבב עליו לעמל בעבור שלא למד אמרי נועם והפך זה החכמ' תחיה את בעליה: (כז) ועל שפתיו. על כל אחד משפתיו הרעה כאש צרבת. פ"א המלשין: (כח) ונרגן. דברי סרה ברכילות: (כט) איש. העושה חמס מפתה רעהו שיעשה חמס כמוהו: בדרך לא טוב. בלשון זכר: (ל) עוצה. לפי דעתי שיועצם את עיניהם עוצם עיניו הם מגרם עוצה עיניו והראוי עוצה אותם את עיניהם והמ"ם סימן הפיעלים וכמו כן ותפתח ותראהו את הילד להללו את ביתו הנכון להלל אותו וכן הפירוש עוצה עיניו אוטם עיניו בעבור שלא ילך לבו אחרי עיניו

## רלב"ג

כאשר כפף פיהו והכניעו על העמל ההוא ר"ל כאשר כבש תאות פיהו למזונות ולמשקים הערבים בדרך שלא יבטלהו רדיפת התאו"ת הזאת מבקשת החכמה והשתעמלות בהגעתה הנה העמל ההוא יהיה לו לבדו מה שאינו כן בעמל אסיפת הקנינים כי יכין האדם ואחר יאכל ומי בעמל בו לא יהנה ממנו ולא יהיה לו יתרון כי אם ראות עיניו או ילכה בזה נפש האיש העמל תמיד להבנת טרפו עמלה בבנתו בעלמו כי פיו הכניעו וכפפו לזה העמל וכאלו יישיר בזה שאם היה האיש ההוא מונע ממנו יתרון המזון ולא יקח ממנו כי אם המעט לבד וישלם בהוצאתו לפי מה שאפשר או יהיה קובץ על יד מעט מעט עד שישיג מחייתו בזולת עמל: (כז) איש בליעל. הנה האיש הבליעל חורש הרעה בלבו ומה שיצא ממנו אל שפתיו יוכר בו רושם הרע שהוא בלבו ויהיה משחית כמו האש השורפת וכאילו אמר שיותר רע יצא מפיו ממה שהוא בלבו כי ישתדל להעמיק בדבריו בדרך שימשך מהם רע נפלא: (כח) איש תהפוכות ישלח מדון. האיש הנבון הנה מנהגו נבלה ריב ומדון בין האנשים ולא יספיק לו זה עד שיעורר דברי תלונה להפריד השר והגדול מעמו ר"ל בסבב שימרדו בו: (כט) איש חמס. הנה האיש שהוא איש חמס יפתה בפיו רעהו להמשך למנהגו ובדבורו בהגרים לו להלך אותו בדרך לא טוב: (ל) עוצה עיניו. מי שהוא עוצה עיניו וסותם אותם או אחד מהם כדי שתבלם לו יותר מחשבת התהפכות והכזבים ואח"כ הוציא מה שבמחשבתו אל הפועל בהתק בשפתיו ופתח אותם לדבר הדברים בפיו הנה דבורו השלים הרע כי כמה במחשב לא היה מגיע נזק לאנשים אם לא יוציאהו בפיו:

## מצודת ציון

ר"ל לגוף כי העצמות הם מעמידי הגוף: (כו) אכף. מל' כפי' ונגישה וכן ואכפי עליך לא יכבד (איוב לג): (כז) כורה. חופר בור כמו בור כרה (תהלים ז'): צרבת. ענין כריכה כמו ונצרבו בה כל פנים (יחזקאל כ"א): (כח) ונרגן. ענין תלונה כמו ותרגנו באהליכם (דברים א'): אלוף. שר כמו ואל תבטחו באלוף (מיכה ז'): (ל) עוצה. ענין סתימה כמו ויעצם את עיניכם (ישעיה כ"ט): קורץ. ענין נדנוד לרמז כמו קורץ בעיניו (לעיל ו'): כלה. ענין

## מצודת דוד

המלאכה יעמוד לצרכו כאשר פיו יכוף אותו לתבוע המאכל אז יהיה לו למלאות שאלתו: (כז) כורה רעה. דרכו לחפש ולחפש תחבולות לעשות רעה לבני אדם וגם ירבה לדבר דברי חדודים ומכעיסים כאלו על שפתיו אש שורפת: (כח) איש תהפוכות. המהפך אמרים ממה שנאמרו הוא מגרה מריבה בין הבריות: ונרגן. המתלונן אחר מעשה בני אדם מפריד מן האנשים את השר אשר עליהם כי מורדים בו וגם הוא נהפך להם לאויב: (כט) יפתה רעהו. להיות גם הוא בדרכי חמס ומוליכו בדרך לא טוב למלאות חפץ נפשו: (ל) עוצה. הסותם עיניו לחשוב להפוך אמרים (כי דרך המעמיק לחשוב מה יסתים אז עיניו לבל יבלבלו אותו דברים הנראים):

*himself.*—[*Rashi* from the same Midrashic source]*

29. **A man of violence entices his neighbor**—to commit violence just as he does.—[*Ibn Ezra*] King Solomon warns against associating with people of violence, reassuring them they will suffer no harm from this violence. Still, he warns that the men of violence will entice their neighbors to emulate their behavior.—[*Rabbenu Yonah*]

30. **He winks his eyes**—Heb. עֹצֶה, *an expression of winking, and so* (Ps. 32:8): *"I will wink* (אִיעֲצָה) *to you my eye."*—[*Rashi*] *Ibn Ezra* and *Ibn*

his mouth forces him. 27. An ungodly man digs up evil, and on his lips is a kind of searing fire. 28. A perverse man incites quarrel, and a grumbler alienates the Lord. 29. A man of violence entices his neighbor and leads him on a way that is not good. 30. He winks his eyes to think perverse thoughts; he purses his lips, bringing evil to pass.

[*Rashi* wishes to rectify the absence of the words "that is" in the original Hebrew.]*

26. **labors for him**—*It labors for his needs.*—[*Rashi*]

**when his mouth forces him**—*When his mouth forces him and demands food, then his labor stands up for him, for he eats what he has already worked for.*—[*Rashi*] *Rabbenu Yonah* explains this verse as connected with the preceding one, concerning the way that appears straight in a man's view, but which actually ends with ways of death. Sometimes the soul works for the body, which is the opposite of the behavior of the wise man, who toils for his soul—for "pleasant words which are . . . sweet to the soul." A person whose soul works for his body does so because the necessity of his mouth becomes burdensome to him—his mouth demands delicacies and the pleasures of gourmet dining. He thinks that this way is "straight" since he is committing no sins. The truth is that "its end is ways of death," because he spends all his life with futility and with physical labor, not spending any time enhancing his soul, and he forgets his Maker.

27. **digs up evil**—*In his heart, he plots evil.*—[*Rashi*] He usually digs and searches for devices by which to harm people.—[*Mezudath David*]

**and on his lips is a kind of searing fire**—*The evil burns on his lips until he expresses it with his mouth and executes it.*—[*Rashi*]

**a kind of searing fire**—Heb. צָרֶבֶת, *burning, as in* (Ezek. 21:3): *"And all faces shall be scorched* (וְנִצְרְבוּ) *by it."*—[*Rashi*] *Rabbenu Yonah* explains the digging as representing the ungodly man's thinking deeply into his plans of evil, much as the wise man thinks deeply into his thoughts of wisdom before expressing them orally. The ungodly man then adds to his plan when he relates it to his friend in the heat of his desire. This is represented as a searing fire on his lips.

28. **A perverse man**—One who misrepresents the facts.—[*Mezudath David*] The Sages interpret this as a reference to the serpent, who distorted God's word and brought about a quarrel between God and man.—[*Ibn Nachmiash* from *Gen. Rabbah* 20:2]

**and a grumbler alienates the Lord**—*And through his grumbling, he alienates the Lord of the world from*

רָעָה׃ לא עֲטֶרֶת תִּפְאֶרֶת שֵׂיבָה בְּדֶרֶךְ
צְדָקָה תִּמָּצֵא׃ לב טוֹב אֶרֶךְ אַפַּיִם
מִגִּבּוֹר וּמֹשֵׁל בְּרוּחוֹ מִלֹּכֵד עִיר׃
לג בַּחֵיק יוּטַל אֶת־הַגּוֹרָל וּמֵיְהוָה כָּל־
מִשְׁפָּטוֹ׃ יז א טוֹב פַּת חֲרֵבָה וְשַׁלְוָה־

ת״א עטרת תפארת. אבות יג: טוב ארך. בס ע׳ עקידה שער סה: טוב פת. עקידה שער מא:

**תרגום**

לא כְּלִילָא דְשַׁבְהִירָא
סֵיבוּתָא בְּאָרְחָא
דְצִדְקָתָא מִשְׁתַּכְּחָא׃
לב טָב נְגִיד אַפֵּי רוּחָא
מִן גַּבְרָא וּדְמַכְבֵּישׁ
נַפְשֵׁיהּ טָב מִן הוּא
דְאָחֵד מְדִינְתָּא׃
לג בְּעוּבָא דְעַצְתָּא
נָפְלָא פִּצְתָּא מִן אֱלָהָא
נָפֵק דִינֵיהּ׃ א טָבָא הִיא
לַחְמָא שְׁרַבְתָּא וְשַׁלְוָתָא

בה

## רש״י

עיני (תהלים ל״ב): כלה רעה. כמו כי כלתה אליו הרעה (אסתר ז׳) וגורם לבא רעה לעולם: (לא) בדרך צדקה תמצא. ע״י הצדקה מאריכין ימיהם: (לב) ומושל ברוחו. כובש את יצרו: (לג) בחיק יוטל את הגורל. ביני לבין עצמו אדם מטיל גורל: ומה׳ כל משפטו. לבחור לכל אחד ואחד חלקו: יז (א) טוב פת חרבה ושלוה בה. טוב היה להקב״ה להחריב ביתו ועירו והיה בשלוה מעבירותיהן של

## אבן עזרא

בעבור שיחשוב התהפוכות כרצונו. כלה. משלים הרעה כאשר חשב: (לא) עטרת. השיבה היא כעטרת תפארת לראש: (לב) טוב. בחיק. טוב. ג׳ דבקים. טוב עומד במקום שנים וארך אפים הוא טוב מגבור כי הוא יכבוש כעסו והגבור אע״פ שכובש אחרים אינו יכול לכבוש כעסו. מושל ברוחו לבדו טוב ממושל לוכד עיר שצריך לעזר אחרי׳ וכאשר יוטל הגורל בחיק ומה׳ משפטו איך יפול כן מאת השם מי שיוכל למשול ברוחו: יז (א) טוב. הרבה למושלים ברוחם כפת חרבה שיש שלוה בה. מבית מלא זבחי ריב ומריבה שיתכעסו תמיד:

## רלב״ג

(לא) עטרת תפארת שיבה. הנה השיבה היא עטרה של תפארת כי האנשים כלם יכבדו איש שיבה ויגיעו האנשים לזה בדרך צדק ויושר במדות או בדעות כי בזולת זה יתכן שימות האדם בלא עתו או יהיה הרצון בזה כי השיבה אשר בדרך צדקה תמצא הוא עטרת תפארת כי מצד היושר בדעות ובמדות ומצד הישישות אשר יחובר עמהם נגדל מדרגת האיש ומעלתו בחכמה ובפילוסופיא המדינית כי בישישי׳ חכמה וארך ימים תבונה מצד רוב מה שעמד עליו מהחוש ומצד אורך הזמן אשר שקדו בבקשת החכמה ומצד השקט רתיחת הטבעי בעת השיב׳: (לב) טוב ארך. הנה מי שימשול בכעסו שיוכל להאריך אפו הוא יותר טוב מגבור המנצח זולתו במלחמה ומי שימשול ברצונו ותאותו להניעם אל אשר יחפוץ הוא יותר משובח ממי שלכד עיר כי איך ימשול בזולתו מי שלא יוכל למשול ברצונו. יש דברים יחשב שיהיה חדושם קרי והזדמן והם באמת הנגלה וסדור מהש״י: (לג) בחיק. וזה כי הגורל יוטל בחיק ויחשב שיהיה משפטו בדרך הקרי והנה תמצא כי מה׳ כל משפטו וזה מפורסם מענין הגורל בספורי דברי הנבואה וכבר תעמוד על זה מהחוש כי למצליחים יבא על הרוב להם בגורל היותר טוב והפך לאנשים הקשי יום והנה אמר לפי מה שאחשוב כי הגבורה במלחמה ולכידת העיר הוא מה׳ ולזה אין להתפאר בהם ואולם התכונות המדותיות אשר לאדם עם נפשו הם מפאת בחירתו ולזה יהיה ההתפאר בהם יותר ועוד כי הטוב שיגיע מאורך האף הוא יותר שלום ויותר מעט סכנה מהטוב שיגיע מהגבורה וכן הענין במושל ברוחו עם לוכד עיר עם שבזה יגיע לאדם הטוב והמלט מזולת שירע לזולתו: (א) טוב פת חרבה. והנה שבח עוד השלום וגנה הקטטה ואמר כי טוב לאדם שיאכל פת יבשה בלא פרפרת עם השלוה

## מצודת ציון

גמר והשלמה: (לב) ברוחו. ענין כעס: (לג) יוטל. ענין השלכה: יז (א) פת. חתיכת לחם מלשון פתות אותה פתים (ויקרא ב׳): חרבה. יבשה:

## מצודת דוד

קורץ. המנדנד בשפתיו לרמז לה״ר: כלה רעה. הנה זה גמר הרעה אשר חשב עליה כי רמזה ועשה מעשה: (לא) עטרת וגו׳. ההולך בדרך צדקה תמצא בו עטרת תפארת שיבה כי ירבה ימים בגדולה ותפארת: (לב) מגבור. כי הגבור לא יתגבר כ״א במעשה הגבורה והמאריך אף יתגבר על כל בשר ואל תעשה: ומושל ברוחו. מי שבידו לכבוש כעסו הוא טוב מגבור הלוכד עיר מגלל וכפל סדבר כמ״ש: (לג) בחיק. דרך מטילי הגורל להניח פתקין בחיק או זולתו במקום נסתר ומשם יקחום להניחם על המנות לדעת מה למי ואמר בזה אל תהרהרו על הגורל לומר שבא בקרי והזדמן כי בעוד הטילו פתקי הגורל על החיק עד לא הוציאום כבר נגזר משפט סדבר מה׳ וזכה כ״א בחלקו אשר חלק לו אלוה ממעל: יז (א) טוב. יותר טוב לאכול פת חרבה בשלוה משיהיה לו מלא

other hidden place, from where they would be taken and placed on the various portions. Do not think that this is a mere coincidence, but, in fact when the lots were placed in the lap, the verdict had already been issued, and each one received what God had intended for him.—[*Mezudath David*] *Ibn Ezra* connects this verse with the preceding one, for, just as the lot is destined by God, so is the one able to rule over his spirit destined by God.

1. **Better a piece of dry bread and tranquility with it**—*It would have been better for the Holy One, blessed be He, to destroy His Temple and His city, for He would enjoy tranquility from the sins of Israel.*—[*Rashi*]

31. A hoary head is a crown of glory; it will be found in the way of righteousness. 32. One who is slow to anger is better than a mighty man, and one who rules over his spirit [is better] than one who conquers a city. 33. The lot is cast in the lap, but all his judgment is from the Lord.

17

1. Better a piece of dry bread and tranquility with it,

*Nachmiash* explain that he closes his eyes to think deeply into his perverse thoughts, so that he is not distracted by what he sees.

**he purses his lips**—to hint to his friends of the slander he wishes to convey.—[*Mezudath David*]

**bringing evil to pass**—Heb. כִּלָּה, *as in* (Esther 7:7) *"that the evil was determined* (כָלְתָה) *against him by the king." He causes evil to come to the world.*—[*Rashi*] *Mezudath David* explains that this refers to the execution of the evil plan.

31. **A hoary head is a crown of glory**—Solomon comes to speak of the praise of righteousness, but first he speaks of the praise of the aged. He states that the hoary head is one of the most honored crowns, for a person's knowledge is completed in his older years; also, he gains wisdom from his experiences and he understands what is in store for him. After he attains this crown, he will be inspired to engage in righteousness (or charity), for longevity will be found in the way of righteousness.—[*Rabbenu Yonah*]

**it will be found in the way of righteousness**—*Through righteousness, they live long.*—[*Rashi*] The Rabbis tell of Rabbi Meir's journey to Mamla. He saw all the people there with black hair [there were no old people]. He said to them, "Perhaps you are of the house of Eli, concerning whom it is written (I Sam. 2:33): 'and all those raised in your house will die as young men' "? They replied, "Pray for us." Rabbi Meir said to them, "Go and busy yourself with charity, and you will grow old, as it is said: 'A hoary head is a crown of glory; it will be found in the way of charity.' "—[*Ibn Nachmiash* from *Gen. Rabbah* 59:1]

32. **One who is slow to anger is better than a mighty man**—Because he can overcome his anger, he is superior to the mighty man, who can conquer others but not his own anger.—[*Ibn Ezra*]

**and one who rules over his spirit**—*He conquers his evil inclination.*—[*Rashi* from *Avoth* 4:1]*

33. **The lot is cast in the lap**—*By himself, a person cast lots.*—[*Rashi*]

**but all his judgment**—*to choose for each one his share.*—[*Rashi*] It is customary for those who cast lots to place them in one's lap or in some

בָּהּ מִבַּיִת מָלֵא זִבְחֵי־רִיב: ב עֶבֶד
מַשְׂכִּיל יִמְשֹׁל בְּבֵן מֵבִישׁ וּבְתוֹךְ אַחִים
יַחֲלֹק נַחֲלָה: ג מַצְרֵף לַכֶּסֶף וְכוּר לַזָּהָב
וּבֹחֵן לִבּוֹת יְהוָה: ד מֵרַע מַקְשִׁיב עַל־
שְׂפַת־אָוֶן שֶׁקֶר מֵזִין עַל־לְשׁוֹן הַוֺּת:
ה לֹעֵג לָרָשׁ חֵרֵף עֹשֵׂהוּ שָׂמֵחַ לְאֵיד לֹא
יִנָּקֶה

ת"א לועג לרש. ברכות יח יש סוטה מג (ברכות ד'):

בַּהּ מִן בֵּיתָא דְמַלֵּי
דִבְחֵי דְדִינָא: ב עַבְדָּא
סוּכְלְתָנָא יִשְׁתַּלַּט בְּבַרָא
מְבַהֲתָנָא וּבֵינַת אַחֵי
נִפְלַג יְרוּתְתָא: ג צַרְפָא
נְקֵי לְסָאמָא וְכוּרָא
לְדַהֲבָא וֶאֱלָהָא בָּדֵיק
לִבַּיָא: ד גַבְרָא בִּישָׁא
צָיֵת לְסִפְוָתָא דְעָאתָא
שִׁקְרָא וְרַגְלוּתָא עַל
לִישָּׁנָא דְעָאתָא:
ה דְמַצְדֵי לְמִסְכְּנָא מַרְגֵז
לְבָרְיֵהּ וּדְחָדֵי לְתַבְרָא

## רש"י

ישראל: מבית מלא זבחי ריב. שהיו מקריבין זבחי ריב בביתו: (ב) עבד משכיל וגו'. על שהשכיל נבוכדנצר לפסוע ג' פסיעות לכבודו של הקב"ה עלה לגדולה ומשל בישראל שהביישו מעשיהם וחלק נחלתם לעיניהם. ד"א גר לדיק טוב מאזרח רשע ולעתיד לבא יחלק שלל ונחלה בתוך בני ישראל שנאמר (יחזקאל מ"ז) והיה בשבט אשר גר הגר וגו': (ג) מצרף לכסף. כלי שצורפין בו כסף ועושין אותו מאפר מקלה על גבי חרס קרוי מצרף: וכור לזהב. כלי שצורפים בו את הזהב כלי שזוקקין בו את הזהב כמו קדירה שבורה קרויה כור: מצרף לכסף וכור לזהב. המצרף עשוי לצרוף כסף למלאכתו וכן הכור לזקק הזהב אבל הלבבות הקב"ה זוקקן ובוחנן ויודע מחשבותם: (ד) מרע. רשע: מקשיב על שפת און שקר. מקבל לה"ר ועד שקר: מזין. מאזין מי שהוא משקר מאזין על לשון הוות:

## אבן עזרא

(ב) בבן מביש. כסיל: יחלוק. יקח הלק: (ג) מצרף. מרע. לועג. סר. ד' דבקי'. מצרף מין כור. מזין. הראוי מאזין כלומר יש מצרף לכסף וכור לזהב וכן יבין הלבבות השם ויידע מי שהוא מרע ומחשב רכילות שהוא על שפת איש: (ה) שמח. מי ששמח לאיד הרש לא ינקה לא יהיה נקי כל אחד מהם כי השם בוחן הלבבות ויתן שכר

## מנחת שי

יז (ב) ימשל. בכל ספרים ישנים חסר וא"ו: בבן מביש. מתחלפת

## רלב"ג

משיאכל הזבחים ובשר לשובע עם הריב והקטטה: (ב) עבד משכיל. הנה יקרה בעבד האדם כשהיה זריז ומשכיל שיהיה מושל בבן אדוניו כשהיה עצל וסכל כי אדוניו ימשילהו עליו להנהיגו בהנהגה הראויה וכבר יקרה שיחלק זה העבד נחלה בתוך הבנים שהם בני אדוניו כי אדוניו לאהבתו אותו יתן לו כמותו חלק מה בנכסיו: (ג) מצרף לכסף. הנה הכסף יש לו מצרף יוכל האדם לבררו מסיגיו ובו יוכל לבחון כמה יש בו מן הסיגים כשיקח ממנו משקל מה ויעמוד על השיעור שיחסר ממנו וכזה יש ג"כ כור לזהב לברר אותו מסיגיו ואולם הלבבות אין שם מי שיבחנם זולתו השם יתברך: (ד) מרע מקשיב. הנה האיש המרע הוא מקשיב על דבר און כי בו חפץ וזה ג"כ הוא מתהפך והוא כי האיש השקרן מאזין ומקשיב אל דברי הרשע והעוות והרעות מהשקר ימשכו הרעות ומהרעות ימשך השקר: (ה) לועג לרש חרף עושהו. הנה מי שהוא מלעיג על העני מפני עניו כבר חרף הש"י שיסודר ממנו זה הענין באופן מה כמו שמגנה המלאכה הוא מחרף בזה הפועל

## מצודת דוד

הבית באשר זבות בריב וקטטה: (ב) בבן מביש. בבן האדון אשר הוא מלא מדברי בושה: יחלוק נחלת. העבד הזה יקח חלק נחלה בתוך האחים כאלו היה א' מהם: (ג) מצרף. הכסף והזהב וכאשר מי ירצה לדעת כמה יש בהם מן הסיגים יקח ממנו במשקל ידוע וישימו בכור והסיג ישרף ונשאר הכסף והזהב נקי וכזה יבחן הכל אבל לבות בני אדם יבחנם ה' הטובה היא אם רעה: (ד) מרע. איש רע מקשיב לשמוע דבר און ושקר וכן בהפוך כי איש שקרן מאזין לשמוע לשון הוות לשבור בני אדם ולהרע להם ור"ל אהובים המה זה לזה ולא יתפרדו: (ה) חרף עושהו. כי בלעגו כאלו יאמר שלחסרון דעתו העני ולא ה' פעל כל זאת: שמח לאיד. השמח על תקלת חבירו לא ינקה מן התקלה ההיא כי תבא

## מצודת ציון

(ג) מצרף. וכור. שמות הכלים אשר יתיכו בהם הזהב והכסף: (ד) מזין. כמו אזין ר"ל מקשיב באזנו: הוות. ענין שבר ורעה כמו מדבר הות (תהלים נ"ה): (ה) לאיד. ענין תקלה ומקרה רע כמו הלא איד לעול (איוב ל"א):

**lends an ear**—Heb. מֵזִין, like מַאֲזִין. *He who lies lends an ear to destructive speech.*—[*Rashi*] [It appears that *Rashi* explains the word שֶׁקֶר as belonging both to the beginning and to the end of the verse. In the beginning of the verse, he explains it as "lies," and at the end, as "a liar."] *Ibn Nachmiash* quotes commentators who explain שֶׁקֶר as שַׁקְרָן, *a liar,* and others who explain it as an abbreviated form of אִישׁ שֶׁקֶר, *a man of lies.*

5. **blasphemes his Maker**—By mocking him, he implies that his poverty is due to his lack of intelligence, not to God's decree.—[*Mezudath David*] *Ralbag* explains that denigrating the poor man is akin to denigrating God's deeds, just as one who criticizes a job shames the worker who performed that job.

than a house full of sacrifices of strife. 2. An intelligent slave will rule over a disgraceful son, and among the brothers he will divide the inheritance. 3. A refining pot is for silver, and a furnace is for gold, but the Lord tests the hearts. 4. An evildoer hearkens to a language of violence; a liar lends an ear to destructive language. 5. He who mocks a poor man blasphemes his Maker; he who rejoices at a misfortune will not go unpunished.

**than a house full of sacrifices of strife**—*For they were sacrificing sacrifices of strife in his Temple.*—[*Rashi* from an unknown midrashic source] [This midrash interprets פַּת חֲרֵבָה as *destroyed bread,* alluding to the abolition of the sacrifices.]*

2. **An intelligent slave, etc.**—*Because Nebuchadnezzar was wise enough to take three steps in honor of the Holy One, blessed be He, he achieved greatness and ruled over Israel, who performed disgraceful deeds, and he divided their inheritance before their eyes.* [*Rashi* alludes to the Talmudic account of the Babylonian king Merodach-baladan's note of greeting to Hezekiah upon his recovery from his illness. When his secretary, who had been absent when the letter was written, learned that the salutation to God was written after the salutation to Hezekiah and to the city of Jerusalem, he ran to retrieve it and emend it. After taking three steps, he was stopped by the angel Gabriel. For taking these three steps, Nebuchadnezzar was rewarded with dominion over Israel. Cf. *Sanh.* 96a; Jeremiah 12:5, *Rashi* and Commentary Digest; below 30:31, *Rashi.*]

*Another explanation: A righteous proselyte is better than a wicked person who was home born, and in the future, he will share the spoils and the inheritance among the children of Israel, as it is said* (Ezek. 47:23): *"And it shall be, in whatever tribe the stranger will live, etc."*—[*Rashi*] Both explanations appear to be midrashic, but the sources are unknown.

3. **A refining pot is for silver**—*A vessel in which they refine silver and which is made from burnt ash on earthenware is called* מַצְרֵף, *a refining pot.*—[*Rashi*]

**and a furnace is for gold**—*A vessel in which gold is refined, a vessel in which gold is purified, like a broken pot, is called* כּוּר, *a furnace.*—[*Rashi*]

**A refining pot is for silver, and a furnace is for gold**—*The refining pot is made to refine silver for its work, and so is the furnace to purify the gold, but* [peoples'] *hearts—the Holy One, blessed be He, purifies them and tests them and knows their thoughts.*—[*Rashi*]

4. **An evildoer**—*A wicked man.*—[*Rashi*]

**hearkens to a language of violence and lies**—*He accepts slander and false testimony.*—[*Rashi*]

יִנָּקֶה׃ ו עֲטֶרֶת זְקֵנִים בְּנֵי בָנִים
וְתִפְאֶרֶת בָּנִים אֲבוֹתָם׃ ז לֹא־נָאוָה
לְנָבָל שְׂפַת־יֶתֶר אַף כִּי־לְנָדִיב שְׂפַת־
שָׁקֶר׃ ח אֶבֶן־חֵן הַשֹּׁחַד בְּעֵינֵי בְעָלָיו
אֶל־כָּל־אֲשֶׁר יִפְנֶה יַשְׂכִּיל׃ ט מְכַסֶּה־
פֶּשַׁע מְבַקֵּשׁ אַהֲבָה וְשֹׁנֶה בְדָבָר

ת"א עטרת זקנים. תנות יג מנחות פח זוהר בעיני (סנהדרין נ׳) : אל כל. סנהדרין לג :

**תרגום**

דְחַבְרֵיהּ לָא מִזְדַּכֵּי׃
ו כְּלִילָא דְסָבֵי בְּנֵי בְנַיָּא
וְשִׁבְהוֹרְהוֹן דִּבְנַיָּא
אֲבָהָתְהוֹן׃ ז לָא יָאֵי
לְטַפְשָׁא שִׂפְתָא יַתִּירְתָּא
אַף לָא לְשַׁלִּיטָא שִׂפְתָא
דְשִׁקְרָא׃ ח כֵּיפָא
דְשׁוֹחְדָא חֲסִידָא הִיא
בְּאַפֵּי מַאן דְּשָׁקֵל לָהּ
לְכָל אֲתַר דְּמִתְפְּנֵי
שַׂכּוּלָא׃ ט דִמְכַסֵּי חוֹבָא
בָּעֵי רְחִמוּתָא וּדְשָׁנֵי
מִלְּתָא מְפָרֵק רַחְמָא׃

### רש"י

(ו) **עטרת זקנים**. כשרואים בני בניהם הולכים בדרך טובה: **ותפארת בנים אבותם**. כשאבותיהם צדיקים היא תפארת הבנים: (ז) **שפת יתר**. דברי גאוה: **אף כי לנדיב**. וכ"ש שלא נאה שפת שקר לנדיב: (ח) **אבן חן**. כשאדם בא לפני הקב"ה ומפייסו בדברים ושב לו. אבן חן ומרגליות הוא בעיניו: **אל כל אשר יפנה ישכיל**. בכל מה שיבקש ממנו מצליחו: (ט) **מכסה פשע מבקש אהבה**. אם יחטא איש לאיש וזה מכסה עליו ואיננו מזכיר לו חטאתו ואינו מראה לו פנים זועפות גורם לו שיאהב אותו: **ושונה בדבר**. שנוטר איבה ומזכירו כך וכך עשית לי. מיד: **מפריד אלוף**. אז מפריד ממנו אלופו של עולם שהוא הקב"ה שהזהירו לא תקום ולא תטור

### מנחת שי

בכן בסגול ועיין מסורת פ׳ וילא: (ז) שפתי יתר. בדפוסים אחרונים היו"ד בקמץ אבל בדפוסים ישנים ובספרים מדוייקים כי בסגול: (ט) מכסה פשע. המ"ם בגעיא:

### אבן עזרא

למרע וללועג ולשמח לאיד: (ו) **בני בנים**. שבעבורם מכובדים הזקני׳ בעבור חכמתם: **ותפארת בני׳ אבותם**. החכמים: (ז) **לא נאוה לנבל**. לא נחמדת ונאוה לו שפת יתר כלומר לא יתאוה לעלות שפת חכמים שתביאהו לידי יתרון אבל לנדיב לא נחמדת לו כלומר הנדיב לא יתאוה שפתי איש שקר כאשר התאוה הכסיל: (ח) **אבן חן**. חסר כ"ף וכן ידה ליתד תשלחנה אע"פ שאין זה מקומו אפרשנו לפי שהוא נעלם בעבור מלת תשלחנה שהוא בלשון רבות וכן עניינו כידה ליתד תשלחנה הנשים הנזכרות בפסוק תבורך מנשי׳ אם תעביגה כאשר עשתה על כן תהי׳ מבורכת יותר מהן וכן זה כאבן היקרה שיש לה חן בעיני כל רואיה כן יש חן לשוחד בעיני בעליו והוא הנותן כי בעבור שהוא אסיר לקחתו לא יקרא הלוקח בעליו וכן אל תמנע טוב מבעליו כי הוא הלוקח: (ט) **מכסה**. מי שמבקש לאהוב רעהו יכסה פשעו שפשע בו ולא יודיעהו: **ושונה בדבר**. לפשוע פעם אחרת מפריד אלוף שיאהבנו יותר ממנו:

### רלב"ג

אותה ומי שהוא שמח לאיד שיבוא על איש אחר לא ינקה שיפול בכמו הרע ההוא: (ו) עטרת זקנים. כי האהבה הדמיונית תמשך אליהם אך אין הענין כן באבות כי אין האהבה עולה כל כך לאבי האב אבל תפארת בנים היו אבותם: (ז) לא נאוה. הנה לא יאות לנבל לדבר דברי מעלה ויתרון כי הדברים ההם יאבדו בזה האופן וכ"ש שאין ראוי לנדיב דבר שקר והנל׳: (ח) אבן חן השוחד. הנה השוחד הוא אבן חן בעיני האנשים אשר יתן להם השוחד כאילו היו מרגליות שיתנו חן לנושאם אל כל אשר יפנה מהדברים יצליח: (ט) מכסה פשע. מי שהוא מכסה פשע שפשע בו ולא ירצה לזכרו הוא מבקש אהבה כי בזה האופן ישיגה ומי שהוא שונה בדבר מפריד אלוף כי זכר הפשעים

### מצודת ציון

(ז) **נאוה**. מלשון נאה וכן נאוה תהלה (תהלים קמ"ז): **לנבל**. אדם פחות ונבזה: (ח) **אבן חן**. יש אבני יקר המרבים חן למי שנושאם ואמרו שכן סגולת המרגליות: (ט) **ושונה**. מלשון שנית: **אלוף**. שר ומושל:

### מצודת דוד

גם עליו: (ו) **בני בנים**. אף בני הבנים ישימו עטרה לראשו להתפאר בהם אם הגונים הם אבל הבנים אין דרכם כ"א להתפאר באבותם כי יותר מחוייבים בכבוד אביהם מכבוד אבי אביהם ולזה עיקר התפארת לאביהם: (ז) **לא נאוה**. לא נאה בעיני הנבל דברי מעלה ויתרון ולא יחפוץ בהם וכ"ש שלא נאה שפת שקר בעיני מי שנדבה לבו בחכמה כי יותר ימאס החכם בשקר משימאס הנבל בדברי מעלה: (ח) **אבן חן וגו׳**. השוחד הוא בעיני בעליו המקבלים כאבן המסוגל להרבות חן הנושאו כי כמו כן ישא הנותן חן בעיני המקבל: **אל כל אשר יפנה ישכיל**. למצוא טעם וראיה להצדיק את הנותן: (ט) **מכסה**. אם יחטא איש לאיש והוא מכסה על פשעיו ולא יזכירם הנה בזה מבקש אהבה. ר"ל היא סבה להיות נאהב על הבריות: **ושונה בדבר**. המספר הפשע ושונה בה לספרה שנית לבל ישכחנה מפריד מעצמו אלופו של עולם כי יעבור

will give him success wherever he turns. *Ibn Nachmiash* and *Mezudath David* explain that the bribe appears to the recipient as a precious stone—or better, as a charm stone for the giver—so that wherever the recipient turns, he strives to find a reason to justify the giver of the bribe.

9. **He who conceals transgression seeks love**—*If one man sins against another, and the latter conceals it for him, does not remind him of his sin, and does not show him an angry face,*

6. Children's children are the crown of the aged, and the glory of the children is their fathers. 7. Proud words do not befit a vile person, surely not lying speech a generous one. 8. A bribe is a precious stone in the eyes of the one who has it; wherever he turns, he prospers. 9. He who conceals transgression seeks love, but he who harps on a matter

**he who rejoices at a misfortune**—He who rejoices at his friend's misfortune will not go unpunished by the same misfortune.—[*Ralbag*]

6. **the crown of the aged**—*when they see their children's children going on the good way.*—[*Rashi*] The grandfathers are honored because of their grandchildren.—[*Ralbag*]

**and the glory of the children is their fathers**—*When their fathers are righteous, it is glory for the children.*—[*Rashi*] If they are wise.—[*Ibn Ezra*]

Scripture admonishes fathers to marry off their children at an early age, so that they will have the crown of the grandchildren; also that a person should honor his parents since they are his glory.—[*Ibn Nachmiash*] The aged make their grandchildren a crown for their head to boast of them, but the children boast only of their fathers, since they are required to honor them more than their grandfathers.—[*Ralbag, Mezudath David*]

7. **Proud words**—Heb. שְׂפַת יֶתֶר, *words of pride.*—[*Rashi*]

**surely not lying speech a generous one**—*And surely, lying speech does not befit a generous one.*—[*Rashi*] [*Rashi* explains the Biblical expression as being synonymous with the Talmudic expression כָּל־ שֶׁכֵּן.]

*Targum* renders: Proud words do not befit a fool, surely not lying speech a ruler. Most commentators, however, define נָבָל as a vile person, one who is ungrateful, and who repays good with evil. A נָדִיב is the opposite, one who is generous and repays good with good. Scripture therefore states that a vile person does not find elevating words befitting him, and neither does a generous person find lying speech befitting him.—[*Mezudath David*] *Meiri* and *Ibn Nachmiash* explain similarly.

8. **a precious stone**—*When a person comes before the Holy One, blessed be He, and placates Him with words and returns to Him, in His eyes it is as a precious stone and as pearls.*—[*Rashi*] Other editions read: *When a person comes before the Holy One, blessed be He, and bribes Him with words and returns to Him.*

**a precious stone**—*It is as a pearl in his eyes.* [This reading appears more accurate.]

**wherever he turns, he prospers**—*In whatever he asks of Him, He makes him prosper.*—[*Rashi*] *Ibn Ezra* explains that, just as a precious stone gives a person charm in the eyes of all who gaze upon it, so does the one who bribes a judge feel that the bribe

מַפְרִיד אַלּוּף: י תַּחַת גְּעָרָה בְמֵבִין
מֵהַכּוֹת כְּסִיל מֵאָה: יא אַךְ מְרִי יְבַקֶּשׁ־
רָע וּמַלְאָךְ אַכְזָרִי יְשֻׁלַּח־בּוֹ: יב פָּגוֹשׁ
דֹּב שַׁכּוּל בְּאִישׁ וְאַל־כְּסִיל בְּאִוַּלְתּוֹ:
יג מֵשִׁיב רָעָה תַּחַת טוֹבָה לֹא־תָמִישׁ
רָעָה מִבֵּיתוֹ: יד פּוֹטֵר מַיִם רֵאשִׁית
מָדוֹן וְלִפְנֵי הִתְגַּלַּע הָרִיב נְטוֹשׁ:

ת"א תחת. ברכות ז'. יא מפוס. כתובות נג: פוטר מים. קדושין מ' סנהדרין ו' ז' (סנהדרין יח):

י עָלָא בַּעֲתָא בְּמַן
דְּמִתְבַּיַּן טָב מִן דִּלְמַמְחֵי
לְסַכְלָא מְאָה חוּטְרִין:
יא בְּרַם גַּבְרָא מְרִידָא
בָּעֵי בִּישְׁתָּא וּמַלְאֲכָא
נוּכְרָיָא יִשְׁתַּדַּר עֲלֵיהּ:
יב פְּגִיעַ דּוֹב וְרִתִיתָא
בְּגַבְרָא חַכִּימָא לָא
מִתְזִיעַ וְסִכְלָא
בְּשַׁטְיוּתֵיהּ נָפֵל:
יג דְּפָרִיעַ בִּישְׁתָּא חֲלַף
טָבְתָא לָא תִפְסוֹק
בִּישְׁתָּא מִן בֵּיתֵיהּ:
יד אֲשֵׁד דְּמָא הֵיךְ מַיָּא
מְנַגְּרֵי תִגְרֵי וְקֳדָם אִצְטַדְיָא אַמְטֵי דִינָא:

### רש"י

(ויקרא י"ט): (י) **תחת גערה במבין**. תחת זו טעמו למעלה בתי"ו מה שאין כן בכל המקרא לכך אני אומר שהוא שם דבר כמו תחת וכן פירושו הכנעת גערה ניכרת במבין יותר ממאה מכות שמכין את הכסיל: (יא) **אך מרי יבקש רע**. כלומר מי שכל דבריו מרי וסרבנות הוא יבקש רע תמיד: (יב) **פגוש דוב שכול באיש**. טוב לאדם שיפגע בו דוב משכל ואל יפגע בו א' מן הכסילים מעובדי כוכבים ומזלות המסיתים אותו לעבודת אלילים: (יד) **פוטר מים ראשית מדון**. המתחיל במריבה הוא כפותח חור בגדרי אבני אמת המים והמים יוצאין בו והחור הולך ומרחיב כן המדון הולך וגדל תמיד: **ולפני התגלע**. קודם שתתגלע חרפתך נטוש את הריב:

### מנחת שי

(י) תחת גערה. לית מלעיל מסרה גדולה בסיפא בשפה חדא דכל חד וחד מלעיל לית דכוותיה: (יג) תמיש. תמוש קרי: (יד) פוטר מים.

### אבן עזרא

(י) **תחת**. י"א מן תנחת עלי ידך תרגום וירד כמו נזיד מן ויזד לפעת מן נטע והוא רחוק: (יא) **אך**. ממעט הגערה מן המרי כי לא תועיל בו והוא חסר כמו איש מרי שמרה כי השם יבקש לעשות לו רע: **אכזרי**. שלא ירחמנו ישולח בו להמיתו: (יב) **פגוש**. ואל יפגוש בו כסיל בעת אולתו כי הוא קשה מהדוב: (יד) **פוטר**. לשון פתיחה

### רלב"ג

יבא לרפות גדולות עד שאלו המדות הפחותות יפרידו השר והגדול ממנו: (י) תחת גערה במבין. הנה הגערה תחת במבין ליסר אותו ויקבל בה מוסר יותר ממה שיקבל הכסיל מהמוסר אם יכוהו מאה הכאות: (יא) אך מרי. הנה לא די שלא יקבל מוסר בהכאות אבל תמלא עם זה בקלתו שיבקש רע והוא איש מרי כי הוא מרגיש שיוכל מלך מריו או יחולו עליו רעות ועכ"ז יחזיק בו ולזה איננו זר אם ישיג מה שיבקש. הנה ישיגהו היותר רע שאפשר ר"ל שכבר ישולח להכותו מכת אכזרי ולא יחמול עליו אשר על כן מרה בש"י או יהיה הרצון בזה הנה לא די שלא יקבל מוסר אבל הוא תמיד יבקש מרי ולא"ם שישלח בו מלאך אכזרי להכותו מכות נפלאות הנה עם כל זה יוסיף על חטאתו פשע: (יב) פגוש דוב שכול. הנה פגישת הכסיל באולתו היא פגישת הסכנה מפגישת דוב שכול באיש כי אולת הכסיל תשחיתהו בקלות: (יג) משיב רעה. הנה מי שהוא משיב רעה תחת טובה אשר גמלוהו ראוי שלא תסיר רעה מביתו וזה לשתי סבות האחד מפני שהאנשים לא ישתדלו להיטיב לו לפי שהם רואים שהוא משיב רעה תחת טובה ולזה כאשר תהיה הרעה בביתו לא תסור משם כי לא ישתדל איש בהסרתה והסבה השנית היא כי זה הענין ראוי שיבא עליו מהש"י על זאת התכונה הפחותה כי היא תמנע האדם מעל הטוב' והשלימיות וזה כי האדם נכנע לש"י מפני רבוי הטובות אשר הוא גומל אותו תמיד ומי שלא יכיר לאנשים הטובה שהם עושים לו לא יכיר לש"י בטובות שהוא חונן אותו ויהיה זה סבה אל הכפירה בשם יתברך: (יד) פוטר מים. הנה ראשית המדון הוא במדרגת פותח מקום יצאו ממנו

### מצודת דוד

על לא תסור: (י) **תחת**. גערת המוכיח היא מטלת אימה בלב המבין יותר ממה שיחרד הכסיל אם יוכה מאה מכות: (יא) **אך מרי**. מי שכל דבריו אך למרות בה' הוא מבקש רעה לעצמו בעולם הזה: **ומלאך אכזרי ישולח בו**. לדונו אחרי מותו: (יב) **פגוש**. מוטב יפגוש באיש דוב שכול מבניו אשר דרכו להרוג אשר יפגש בעבור מרירת הלב. ועכ"ז יותר טוב שיפגוש הוא בו משיפגש בו איש כסיל בעת ידבר אולתו להסית לעבירה: (יג) **תחת טובה**. במקום הטובה שעשה לו: **לא תמוש וגו'**. כי לא ימלט מי שמתחיל להצילו מהרעה הואיל ואינו משלם כמו הגמול: (יד) **פוטר מים וגו'**. תחלת המריבה היא כפותח חור בגדר אמת המים והמים יוצאין דרך בו והחור הולך ומתרחב כי כן דרך המדון שהולך וגדל: **ולפני**. עי':

### מצודת ציון

(י) **תחת**. ענין פחד ושבר כמו אל תערוץ ואל תחת (יהושע א'): (יא) **ישולח**. ענין גרוי ובסוי כמו ושן בהמות אשלח בם (דברים ל"ב): (יב) **פגוש**. ענין פגיעה: **שכול**. מי שבניו מתים קרוי שכול כמו לא תהיה משכלה (שמות כ"ג): (יג) **תמוש**. ענין הסרה כמו לא ימוש (שם י"ג): (יד) **פוטר**. ענין פתיחה כמו פטר רחם (שמות י"ג): **התגלע**. כמו התגלה בה"א וכן בכל תושיה יתגלע (לקמן י"ח):

to be extremely fierce, encounter a man, rather than a fool with his folly—for he will entice him to sin.

13. **He who repays evil for good**—Instead of the good done to him.—[*Mezudath David*]*

14. **The beginning of strife is like letting out water**—*Whoever commences a quarrel is like one who opens a hole in the stone walls of a water canal, and the water goes out through it, and the hole becomes*

alienates the Lord. 10. The humility caused by the rebuke of an
understanding person [is more effective] than a hundred blows
to a fool. 11. He who is only rebellious seeks evil, and a cruel
angel shall be sent against him. 12. May a bereaving bear
encounter a person rather than a fool with his folly. 13. He
who repays evil for good—evil will not depart from his house.
14. The beginning of strife is like letting out water, and before
you are exposed, abandon the quarrel.

*he causes him to love him.*—[*Rashi*]

**but he who harps on a matter**—*Who bears a grudge and reminds him, "You did such and such a thing to me." Immediately . . .*

**alienates the Lord**—*Then he alienates the Lord of the world.*—[*Rashi*] *Ibn Nachmiash* explains that if one sins against his friend, the latter should conceal it. In that way, he seeks love, and they will not be alienated. Should he harp on the sin, however, he will alienate his friend.

Others explain that although one who seeks love conceals a transgression, the one who committed the transgression must be careful not to repeat it, for he who repeats a matter alienates his friend.

10. **The humility caused by the rebuke of an understanding person**—Heb. תֵּחַת. *The accent in the word* תֵּחַת *is above on the "tav," unlike the rest of the Scriptures. Therefore, I say that it is a noun, like* תחת *and its explanation is as follows: The humility caused by a rebuke is recognizable in an understanding person more than one hundred blows that they strike the fool.*—[*Rashi*] *Mezudath David* renders: A rebuke casts fear in the heart of an understanding person more than the fool quakes from one hundred blows. *Ibn Ezra* renders: A rebuke sinks deeper into an understanding man than do a hundred blows upon a fool.

11. **He who is only rebellious seeks evil**—*One whose every word is rebelliousness and stubbornness constantly seeks evil.*—[*Rashi*] He whose every word is intended only to rebel against God, in effect seeks evil for himself in this world.—[*Mezudath David*]

**and a cruel angel shall be sent against him**—to judge him after his death.—[*Mezudath David*] *Ibn Ezra* explains: But in effect, a rebellious person seeks evil, to the extent that no rebuke is effective upon him, and a cruel angel is sent against him to put him to death.

12. **May a bereaving bear encounter a person**—*It is better for a person that a bereaving bear encounter him rather than one of the foolish heathens, who entice him to idolatry.*—[*Rashi*] *Mezudath David* renders: May a bereft bear encounter a person etc. That is, may a bear, bereft of its cubs and known

טו מצדיק רשע ומרשיע צדיק תועבת
יהוה גם שניהם: טז למה זה מחיר ביד
כסיל לקנות חכמה ולב אין: יז בכל
עת אהב הרע ואח לצרה יולד:
יח אדם חסר לב תקע כף ערב ערבה
לפני רעהו: יט אהב פשע אהב מצה
מגביה

ת"א למה זה. יומא עב: בכל עת. זוהר בשלח: ואח לצרה. סנהדרין קב:

טו דמזכי לרשיעא ומחיב לצדיקא מרחקתיה דאלהא אף תרויהון: טז למא דין אזלא ליה תגרותא לסכלא דלית ליה לבא וחכמתא: יז בכל עדן גברא רחים הוא ואחא לעקתא מתיליד: יח בר נש חסיר רעינא משלם ידיה וערב ערבותא על חבריה: יט דרחים חובא רחם מצותא ומרים

## רש"י

(טז) למה זה מחיר ביד כסיל לקנות חכמה. ללמוד תורה: ולב אין. ואין בלבו לקיימה ואינו לומד תורה אלא לקנות שם: (יז) בכל עת אוהב הרע. לעולם הוי אוהב רעים לקנות אוהבים: ואח לצרה יולד. לעת הצרה יולד לך הרע כאח לעזור לך ולהשתתף בצרתך: (יח) אדם חסר לב תוקע כף. ערבות ממון ד"א תוקע כף לרשעים כדי ללכת בדרכיהם והרי כבר עורב ערובה לפני רעהו. כבר ערב להקב"ה לשמור מצותיו: (יט) אוהב פשע. לפשוע בחבירו: אוהב מצה. להתקוטט ולריב: מגביה פתחו. מדבר בגאוה כמו (מיכה ז׳) שמור פתחי

## מנחת שי

בב׳ טעמים מכלול דף ל"ה: (טז) למה זה. הזי"ן דגושה:

## אבן עזרא

כלומר כפותח מקור מים ההולכים ויתערבו עם אחרים עד שיתגברו על הארץ כן הוא ראשית מדון מדומה למים. וקודם התגלה התערב זה בזה במדון ראוי הריב לנטוש אותו. פי׳ כפוטר מים כן ראשית מדון תתחיל במעט וילא הרבה. התגלע. התגלות: (טז) מחיר. לקנות בו חכמה ואין לו לב שיחפוץ ללמוד: (יז) בכל עת. יאהב איש רעהו ואח אוהב לעת צרה הנולדת ולא יאהב בכל עת: יולד. ראוי להיות תולד כמו ובא עליך רעה: (יח) אדם. אוהב. שניהם דבקים. כלומר אדם שתוקע כף להיות ערב לפני

## רלב"ג

המים כי הם תמיד ירחיבו הפתח ההוא מלד שטף עובר בו ובהיות הענין כן הנה ראוי לעזוב הדבר אשר הוא סבת המדון קודם שיתערב הריב והמחלוקת כי אחר זה יתחזק תמיד הריב ולא יהיה שליט האדם להשקיטו: (טו) מלדיק רשע. הנה מי שהוא מלדיק מי שהוא רשע בדין או מחייב מי שהוא לדיק בדין הנה כל אחד מאלו הוא מתועב ושנוא אלל הש"י וזה כי הוא ראוי להרחיק הרשעים ולגנות מעשיהם כי בזה תועלת להרחיק האנשים מעשות כמעשיהם ובזה ראוי לקרב הלדיקים ולשבח מעשיהם ולזאת הסבה בעינה: (טז) למה זה. ישתדל הכסיל בקנין החכמה והנה הוא חסר המקבל אותה כי אין לו לב לקבלם: (יז) בכל עת. יתחבר האוהב לאוהבו בימי הטובה ובימי הרעה זה מדרך האוהב במה שהוא אוהב ר"ל שלא יעזוב אוהבו לעתות בצרה. ואולם האוהב שיתחדש ויולד לו בעת צרתו הוא אח לא אוהב או ירצה בזה כי האוהב יתחבר לאוהבו בכל עת כדי שישמח בטובתו ויעזרהו לעת רעתו אמנם האח לא יחוש להתחבר עם אחיו בעת טובתו אך בצרתו יתעורר לעזרו כי הטבע יכריחהו על זה מפני היותו עצמו ובשרו: (יח) אדם חסר לב. והנה ספר עתה מהעזר לא יחשב בו טוב לעזור ובסוף הענין ישוב לו לנזק גדול ולזה לא יהיה זה העזר כי אם מאדם חסר לב והנה שיכנס האדם ערב בפרעון חוב רעהו ויתקע כפו לפרעו כי זה יהיה סבה אל שישוב האהוב שונא ויגיעהו נזק מזה שישוב פרעון החוב עליו: (יט) אהב פשע. מי שהוא אוהב למציאת פשע בדברים שיאמרו לו או יעשו וידקדק בהם בזה האופן הנה הוא אוהב מריבה ומחלוקת כי זה יוליד המחלוקת ומי שהוא מגביה פתחו להשקיף בדברים בלד שישים עצמו בעליונות מקום כי זה יהיה סבה אל שימלא פשע בדברים לחשבו עצמו גדול המעלה ושראוי לו מהכבוד הרבה הנה הוא מבקש שבר כי זה סבה להביא עליו רעות גדולות והנה לקח זה הלשון על לד שלימות המשל כי מגובהו

## מצודת ציון

נטוש. עזוב: (טז) מחיר. ענינו דמי הדבר וערכו כמו ובלא מחיר יין וחלב (ישעיה נ"ה): (יח) עורב ערובה. מלשון ערבות ממון: (יט) מצה. ענין מריבה כמו הן לריב ומצה תצומו (שם נ"ח):

## מצודת דוד

לא נתגלה המדון לבני אדם נטוש את הריב כי אחר שתתגלה ימלא מתרחבים ולא במהרה תשקט: (טו) מצדיק וגו׳. ואף רק בדברים כי מהראוי לגנות מעשה הרשע ולשבח מעשה הלדיק: (טז) למה זה. ר"ל הכסיל המוליך מחיר כסף למורים לקנות חכמה למה לו זה המחיר ומה הועיל בה ואם לקנות חכמה לעצמו הלא אין לו לב משיג דברים מושכלים: (יז) אוהב הרע. ר"ל אהבת הרעים היא בכל עת בין ביום טובה בין בעת צרה אבל אהבת האח איננה תמידה כ"כ רק בבוא צרה על אחיו אז ישוב להשתדל בו כי עצמו ובשרו הוא וא"כ הרי הוא כאלו האח נולד לתועלת צרה: (יח) תוקע כף. דרך חסר לב לתקוע כף בערבות ממון לפני רעהו ר"ל בשביל רעהו: (יט) אוהב. מי שאוהב לפשוע בחבירו הלא יאהב מצה כי יעשה מריבה עמו: מגביה. המרים קול פתחי פיו כדרך גסי הרוח הוא

19. **He who delights in transgression**—*to sin against his friend.*—[*Rashi*]

**delights in quarrels**—*To quarrel and strive.*—[*Rashi*]

when coerced by the court, in view of the fact that he derived no benefit from the creditor. Later, the guarantor quarrels with the debtor to repay him.

15. He who vindicates the wicked and condemns the righ-
teous—both are an abomination to the Lord. 16. Why is there
a price in the fool's hand to buy wisdom, when the heart is not
here? 17. At all times, love a friend, for he is born a brother for
adversity. 18. A person without sense clasps hands; he becomes
surety before his neighbor. 19. He who delights in transgres-
sion delights in quarrels;

*progressively wider; so does the quarrel constantly escalate.*—[*Rashi*]

**and before you are exposed**—*Before your shame is exposed, abandon the quarrel.*—[*Rashi*] *Mezudath David* renders: Before the quarrel is exposed, i.e. before it is known to people, abandon it.

15. **He who vindicates the wicked**—even if merely with words, is an abomination to the Lord, for it is proper to denigrate the deeds of the wicked and to praise the deeds of the righteous.—[*Mezudath David*]*

16. **Why is there a price in the fool's hand to buy wisdom**—*To learn the Torah.*—[*Rashi*]

**when the heart is not here**—*In his heart, he has no intention of fulfilling it, and he learns only to gain a reputation.*—[*Rashi*] Why does the fool bring tuition money to the teachers? Of what will it avail him? He does not possess the intelligence to grasp intellectual matters.—[*Mezudath David*] *Ibn Ezra* explains that he does not have the desire to learn.

17. **At all times, love a friend**—*You should always love friends,* i.e. *to acquire people who love you.*—[*Rashi*]

**for he is born a brother for adversity**—*At the time of adversity, the friend will be born to you as a brother, to help you and to participate in your adversity.*—[*Rashi*]

Other exegetes explain the verse as a contrast between a friend and a brother. *Ibn Ezra* renders: At all times, one loves his friend, but a brother [loves] at the time that adversity is born. *Mezudath David* renders: At all times, a friend loves, but a brother is born for a time of adversity. Although a brother does not always demonstrate his love, in a time of adversity he goes to all lengths to extricate his brother from his straits. It is as though the brother is born for a time of adversity.

18. **A person without sense clasps hands**—[This refers to] *surety of money. Another explanation: He clasps with the wicked to go in their ways, while he is already a guarantor for his Friend. He already accepted surety for the Holy One, blessed be He, to keep His commandments.*—[*Rashi*] *Rabbenu Yonah* explains that the guarantor is called חֲסַר לֵב, *without sense,* because he brings himself to quarrel and strife to litigate with the creditor; it is not customary for the guarantor to pay willingly except

מַגְבִּיהַּ פִּתְחוֹ מְבַקֶּשׁ־שָׁבֶר׃ כ עִקֶּשׁ־
לֵב לֹא יִמְצָא־טוֹב וְנֶהְפָּךְ בִּלְשׁוֹנוֹ יִפּוֹל
בְּרָעָה׃ כא יֹלֵד כְּסִיל לְתוּגָה לוֹ וְלֹא
יִשְׂמַח אֲבִי נָבָל׃ כב לֵב שָׂמֵחַ יֵיטִב
גֵּהָה וְרוּחַ נְכֵאָה תְּיַבֶּשׁ־גָּרֶם׃ כג שֹׁחַד
מֵחֵק רָשָׁע יִקָּח לְהַטּוֹת אָרְחוֹת
מִשְׁפָּט׃ כד אֶת־פְּנֵי מֵבִין חָכְמָה וְעֵינֵי

כסיל

ת"א מגביה פתחו. עקידה שער לז: ורוח נכאה. גיטין נו:

תַּרְעֵיהּ בָּעֵי תַּבְרָא׃
כ מִן דְּעַקִּים לִבֵּיהּ לָא
מַשְׁכַּח טָבְתָא
וּדְמִתְהַפֵּךְ בְּלִשָּׁנֵיהּ נָפֵל
בְּבִישְׁתָּא׃ כא דְּמוֹלִיד
סַכְלָא חִמּוּצָא דִילֵיהּ
וְלָא חָדֵי אֲבוּי דְּטַפְשָׁא׃
כב לִבָּא חָדְיָא מַשְׁפִּיר
גוּפָא וְרוּחָא רְכִיכְתָּא
מְיַבְּשָׁא גַּרְמָא׃
כג שׁוּחֲדָא מִן עוּבָא יְסַב
רַשִׁיעָא לְמִצְלֵי אָרְחָא
דְּדִינָא׃ כד אַפּוֹי
דְּסוּכְלְתָנָא חָדְיָן
בְּחָכְמְתָא וְעַיְנוּי דְּסַכְלָא

## רש"י

פיך; (כב) לב שמח ייטיב גהה. כשאדם שמח בחלקו פניו מאירים: (כג) שחד מחק רשע יקח. הקב"ה מקבל דברי הכנעה ופיוס מחיק הרשעים כלומר בסתר ביני לבינם: להטות ארחות משפט. להפוך דינו מרעה לטובה: (כד) את פני מבין חכמה. החכמה לפני מבין היא: ועיני כסיל בקצה הארץ. לומר אין החכמה

## אבן עזרא

רעהו המלוה הוא יקרא חסר לב והוא אוהב לעשות בעבור פשע ומלה שילה עמו רעהו: (יט) פתחו. רמז למפתח השפתים כלומר כאשר הוא מרים קול פתח דבריו לערוב ערוכה הוא מבקש שיבואהו שבר פתחו מן שמור פתחי פיך: (כ) יפול ברעה. שחשב לעשות: (כא) נבל. מדבר נבלות: (כב) לב. גהה. חסר כ"ף מרפא כלומר הלב שהוא שמח בחלקו ייטיב לגוף כגהה בעבור שתולדתו לשמוח כמו לא יגהה מכם. אבל רוח נכאה וכועסת על הבלי העולם תיבש עצם שהוא עיקר הגוף ולא תועיל בוגהה: (כג) מחק. נסתר שהם ישרות יקח השוחד: (כד) את. בעם. פנים דבקים. את פני החכמה שהוא ילמדה מכל אדם. בקצה ארץ המה משוטטות לבקש חכמה כי יחשוב אנשי

## מנחת שי

(יט) מגביה פתחו. הה"א דגושה מדין מפיק כמ"ש בפודדיה: (כ) עקש לב. הקו"ף בסגול ויש ספרים בצירי: (כב) ייטיב גהה. בספרים כ"י ודפוסים ישנים מלא יו"ד ומה שנמסר כאן במסורת הדפוס ב' חסר וסי' כי ייטיב אל אבי (שמואל א' כ'). לב שמח ייטב גהה. נ"ל להגיה לב שמח ייטב פנים דלעיל סי' ט"ו שכן הוא חסר בכל הספרים והוא כמו מסורת ב' חסר: (כג) שחד מחק רשע יקח. הטעם מפסיק במלת מחק וכן פירשו רובי המפרשים אבל לפירוש רש"י ולאחייה מלת

## רלב"ג

הפתח יקרה שיפול מטה וישבר: (כא) יולד כסיל. הנה האיש המוליד כסיל יולד אותו לרעה לו כי יגדל יגונו בו מאד חסרון דעתו ורוע עניניו ולא ישמח האיש הנבל העושה נבלות או הדבר: (כב) לב שמח. הנה משמחת הלב יתחדש טוב מראה הגוף להתפשט הדם והחום הטבע בחלקי הגוף והרוח נכאה שהיא הפך שמחת לב הוא תיבש האיברים מפני התקבץ הדם והחום הטבעי בפנימי הגוף והנה יבאר בזה שהשמחה משובחת והאלטער מגונה: (כג) שחד. הנה הרשע יקח שחד מחיק ר"ל שיקח אותו בלאט בדרך שלא יודע ויקחהו להטות ארחות משפט: (כד) את פני מבין חכמה. הנה המבין ימלא את פניו חכמה כי כל מה שירגיש אותו מהדברים הנמלאים ימלא הכמה

## מצודת דוד

מבקש שבר כי מעותדת לבא עליו בעבור הגאות: (כ) עקש לב. שמהפך עקשות: ונהפך בלשונו. המהפך עצמו בלשונו לדבר תמימות ובקרבו ישים ארבו הוא עצמו יפול ברעה אשר חשב לזולת: (כא) להוגה לו. ילד דבר להיות לו לתוגה: (כב) ייטיב גהה. השמחה תיטיב לגוף כדבר רפואה ושברון רוח תייבש מוח העצמות: (כג) שוחד וגו'. הרשע יקח שוחד מחיק הנותן בסתר רב למען הטות ארחות משפט לזכותו בדין: (כד) את פני. החכמה מצויה לפני המבין כי ילמד מכל אדם אבל הכסיל ישוטטו עיניו בקצה הארץ כי יחשב אין מי במקומו ללמוד ממנו כ"א מהחכמים

## מצודת ציון

פתחו. על פתח הפה יאמר וכן נאמר שמור פתחי פיך (מיכה ז'): (כא) להוגה. מלשון יגון: (כב) גהה. כמו כגהה ותחסר כ"ף השמוש ועניגו רפואה כמו ולא יגהה מכם מזור (הושע ה'): נכאה. שבורה כמו ונכאה לבב (תהלים ק"ט): גרם. עצם כמו תשבר גרם

*Menachem,* who believes that the root is גה, the same root as that of נֹגַהּ, *brilliance.* The school of *Kimchi,* however, differentiates between the two, making the root of נֹגַהּ, 'נגה', and the root of גֵּהָה, 'גהה.' They define the latter as "healing."*

23. **He will take a bribe from a wicked man's bosom**—*The Holy One, blessed be He, accepts words of humility and appeasement from the bosom of the wicked; i.e. in secret, between Him and them.*—[*Rashi*]

**to pervert the roads of justice**—*To overturn his verdict from evil to good.*—[*Rashi*]

24. **Wisdom is directly in front of an understanding man**—*The wisdom*

he who speaks haughtily seeks disaster. 20. He who is of a per-
verse heart will find no good, and he who has a hypocritical
tongue will fall into evil. 21. He who begets a fool, does so to
his sorrow; neither will the father of a vile man rejoice. 22. A
happy heart enhances one's brilliance, and a broken spirit dries
the bones. 23. He will take a bribe from a wicked man's
bosom, to pervert the roads of justice. 24. Wisdom is directly in
front of an understanding man, but the eyes of a

**he who speaks haughtily**—lit. he who raises his opening, *speaks with haughtiness, as in* (Micah 7:5) *"guard the openings of your mouth."*—[*Rashi*] He who raises his voice by opening his mouth, as haughty people do, seeks disaster—for that is exactly what is destined to come upon him because of his haughtiness.—[*Mezudath David*] *Ibn Nachmiash* compares this verse with 16:18: "Pride comes before disaster."

20. **He who is of a perverse heart**—Who constantly thinks perversely.—[*Mezudath David*] Since his mind is perverted, he will not recognize the truth. He will therefore find no good.—[*Rabbenu Yonah*]

**and he who has a hypocritical tongue**—Heb. נֶהְפָּךְ, *turned over.* He speaks innocently to his friend, but in his heart, he plots to injure him.—[*Mezudath David*]

**will fall into evil**—He will fall into the evil he has plotted for his friend.—[*Mezudath David*] *Rabbenu Yonah* explains that this refers to a person who recognizes the truth, but supports lies because he loves wickedness. He therefore justifies wickedness and condemns righteousness. Because he intentionally supports falsehood, he is worse than "he who is of a perverse heart." Consequently, the former will merely find no good, whereas the latter will fall into evil.

21. **He who begets a fool, etc.**—He who begets a fool begets a child who will be harmful to him. Owing to his lack of intelligence and his unbecoming behavior, his father's sorrow will increase.—[*Ralbag*] Since his foolishness is inborn, and there is no hope that he will become intelligent, his father will always grieve.—[*Malbim*]

**neither will the father of a vile man rejoice**—The vile man (נָבָל), the opposite of the generous man (נָדִיב), usually develops this trait by habit. Often his father inculcates this vileness in him, but in the end the father will not rejoice, because he will discover that his joy is, in fact, sorrow.—[*Malbim*]

22. **A happy heart enhances one's brilliance**—Heb. גֵּהָה. *When a person is satisfied with his lot, his countenance shines.*—[*Rashi*] *Rashi* follows

כְּסִיל בִּקְצֵה־אָרֶץ: כה כַּעַס לְאָבִיו בֵּן
כְּסִיל וּמֶמֶר לְיוֹלַדְתּוֹ: כו גַּם עֲנוֹשׁ
לַצַּדִּיק לֹא־טוֹב לְהַכּוֹת נְדִיבִים עֲלֵי־
יֹשֶׁר: כז חוֹשֵׂךְ אֲמָרָיו יוֹדֵעַ דָּעַת וְקַר־
רוּחַ אִישׁ תְּבוּנָה: כח גַּם אֱוִיל מַחֲרִישׁ

בְּעוּמְקָא דְאַרְעָא:
כה בְּרָא סַכְלָא מַכְבִּיד
אֲבוּי וּמְמַרְמִיר לְאִמֵּיהּ:
כו לְמִתַּךְ לְצַדִּיקָא לָא
שַׁפִּיר אַף לָא לְמִמְחֵי
צַדִּיקַיָּא דְּאָמְרִין
תְּרִיצוּתָא: כז דְּחָשַׂךְ
מִלּוֹי יָדֵיעַ יְדִיעֲתָא
וְדִמְכִיכָא רוּחֵיהּ גַּבְרָא
דְּמִתְבַּיַּן: כח וְאַף שַׁטְיָא

**ת״א** כעס לאביו. (תענית כז): גם ענוש. ברכות ז׳ שבת קמט סנהדרין קה מ״ג ד׳: חושך אמריו. עקידה שער סב: גם אויל. פסחים לט עקידה ש׳ נב (פסחים לז):

כצ״ל יקר קרי

### רש״י

מלויה לפני כי רחוקה היא ממני איך אוכל לשנות סדר נזיקים שהיא שלשים פרקים מסכת כלים שלשים פרקים מסכת שבת כ״ד פרקים אבל לחכם הוא דבר קל היום שונה שני פרקים ומחר שנים ואומר כך עשו אותן שהיו לפני מעולם: **(כה) כעס לאביו בן כסיל**. כגון ירבעם כעס הוא להקב״ה: **וממר ליולדתו**. לכנסת ישראל שהחטיא אותם: **(כו) גם ענוש לצדיק לא טוב**. לא אמר הקב״ה למחות שם ישראל מעל הארץ כי לא טוב בעיניו לענוש כולם: **להכות נדיבים עלי יושר**. להכות הטובים שבהם שהיו נדיבים עלי יושר שנאמר (מ״א י״ט) והשארתי בישראל שבעת אלפים כל הברכים אשר לא כרעו לבעל: **נדיבים עלי יושר**. דוגמת האמור במקום אחר (ישעיה ל״ב) ונדיב נדיבות יעץ והוא על נדיבות יקום נמצא נדיב על נדיבות: **(כז) חושך אמריו**. מי שהוא יודע דעת אינו מרבה בדברים: **יקר רוח**. מונע דברים איש תבונה:

### מנחת שי

מתק קבורה עם רשע והנה הם מטעים בעלי הטעמים: (כו) עלי ישר. ישמו ישרים על זאת בראותם בספריהם על ישר ואני כותב עלי ישר וכדי שלא יאמרו עלי עד מתי אתה מכנים ראשך בין המחלוקת ומי הוא זה ערב את לבו לשלוח יד בספרי הקדש. אודיע לכל כי לא מלבי אני בודה הילוף זה אף מי שהעיר את רוחי היה ראש המפרשים רש״י ז״ל כי בפירוש נכתב שלש טעמים עלי. וגם בפירוש החכם דון יוסף יחייא כתוב כן אחר כך חפשתי בספרים ומצאתי דפוסים ישנים מנאפולי ומשיגלין כתוב עלי וכן הוא במאיר נתיב שרש ישר. נדב. נכה. ואף בספרים כתובי יד קדמונים ראיתי מהם שנכתבו כן בתחלה ועדיין לא נתקררה דעתי בכל אלה עד שמצאתי׳ מדרשי רבותינו ז״ל בויקרא רבה פרשה כ׳ ותנחומא פ׳ אחרי מות הובא גם בילקוט משלי רמז תתקנ״ו ובכלם כתוב עלי. ה׳ יורנו זה הדרך ישכון אור ויניחנו באהרן מיבור אמן: (כז) וקר רוח. יקר קרי:

### אבן עזרא

מקומו כסילים כמוהו על כן מכעים אביו ברצותו ללכת למרחוק: **(כו) גם ענוש לצדיק לא טוב**. דבק בפסוק פנים ואחור וגם לרבות על השוחד שיקח רשע ואחרי כן יענש הצדיק וכן הוא לענוש הצדיק בדינו לא טוב הענוש כי שם הפועל הוא מתאר בשם דבר ולא טוב להכות הנדיבים על ישרם: (כז) **חושך**. **גם**. שנים דבקים. הודיע כי מדת השתיקה טובה כלומר חושך אמריו ושותק הוא דעתן

### רלב״ג

נפלאה כשיחקור למה שהוא על מה שהוא עליו ואולם הכסיל כשיבקש החכמה הנה עיניו בקצה הארץ לחשבו כי שם לבד תמצאנו ולזאת הסבה יתעלל בבקשתה: (כה) כעס לאביו. הנה הבן שהוא כסיל מכעים אביו תמיד והוא ממר ליולדתו כי לא יקבל מוסרם ולא די לו בזה אבל יהיה בוזה הרע כל כך למי שהוא לא טוב גם ענוש עד שכבר יענוש הצדיק על צדקו ויכה הנדיבים על יושרם כי כל עושה טוב הוא רע בעיניו: (כז) חושך אמריו. הנה האיש היודע דעת מונע אמריו שאינו מדבר דבריו בלתי לצריך ומי שהוא איש תבונה נותן לעצמו יקרת רוח ולא יהיה מסב ומתחבר מאד עם בני המעלה ולא יהיה מרבה דברים אך דבריו יהיה יקר לא שיעשה זה דרך גאוה כי זה יהיה מגונה: (כח) גם אויל מחריש. והנה ימשך טוב ממניעת הדבור שכבר יעלה מהאדם אולתו וכן יחשב נכון מי שהוא סותם שפתיו

### מצודת ציון

(לקמן כ״ה): (כה) וכעס. מל׳ מרירות: (כו) חושך. מונע: (כח) אוטם. ענין סתימה וכמו אוטם אזנו (ישעיה ל״ג):

### מצודת דוד

היושבים ממרחק: (כה) כעס. בן כסיל הוא מכעים לאביו וממר לאמו אשר ילדתו: (כו) גם ענוש וגו׳. ר״ל מי שהוא לא טוב ימאס כ״כ בצדק עד אשר גם יענש לצדיק על צדקו ויתמיד להכות נדיבים על מעשה היושר כי בעיניו לרע תחשב: (כז) חושך אמריו. המונע דברים בטלים הוא יודע דעת: יקר. מי שרוח פיו הוא יקר וחשוב וימעט בהם הוא איש תבונה וכפל הדבר במ״ש: (כח) גם אויל מחריש. מי שיוכל להשתיק גם את האויל שלא יוסיף לדבר אולתו המחריש הזה לחכם יחשב כי דבר גדול עשה: אוטם. הסותם שפתי האויל ר״ל המחדיל אותו ממאמריו יקרא נבון וכפל הדבר במ״ש:

**ness**—Heb. נְדִיבִים עֲלֵי־ יֹשֶׁר, *an analogy of what is stated elsewhere* (Isa. 32:8): *"But the generous person plans generous deeds, and he, because of generous deeds, shall stand." We find "a generous man because of generous deeds."*—[*Rashi*]*

27. **keeps back his words**—*He who has knowledge does not talk excessively.*—[*Rashi*]

**he whose breath is dear**—(*Whose words are dear;*—Salonica ed.) *He who keeps back his words is a man of understanding.*—[*Rashi*]

28. **He who silences even a fool**—One who can silence even a fool lest he continue to talk foolishly and to voice his foolish ideas, is deemed a wise man, for he has accomplished a great feat.—[*Mezudath David*]

fool are at the end of the earth. 25. A foolish son causes anger
to his father, and bitterness to her who bore him. 26. To punish
also the righteous man is not good—to strike the generous who
possess uprightness. 27. He who has knowledge keeps back his
words; he whose breath is dear is a man of understanding.
28. He who silences even a fool

*is directly in front of an understanding man.*—[*Rashi*] [*Rashi* explains אֶת־פְּנֵי as equivalent to the usual לִפְנֵי, *before.*]

**but the eyes of a fool are at the end of the earth**—*saying, "Wisdom is inaccessible to me* [lit. The wisdom is not found before me] *because it is far from me. How will I be able to learn the Order Nezikin, which consists of thirty chapters; Tractate Kelin, consisting of thirty chapters; Tractate Shabbath, consisting of twenty-four chapters?" But, for the wise man, it is an easy matter: "Today I learn two chapters and tomorrow two chapters." And he says, "This is what those who preceded me from time immemorial did."*—[*Rashi*, cf. *Lev. Rabbah* 19:2; Prov. 24:7, *Rashi* ad loc.]

[*Rashi's* mention of *Seder Nezikin* consisting of thirty chapters is puzzling because it actually contains many more chapters. In *Lev. Rabbah* we find, "*Nezikin*, thirty chapters," refering to the ancient tractate *Nezikin* which consisted of *Baba Kamma*, *Baba Mezia*, and *Baba Bathra*, each containing ten chapters, as explained by *Redal* to *Lev. Rabbah* and *Tos. Yom Tov* in his introduction to *Baba Kamma.* The order *Nezikin*, however, contains several more tractates, totaling seventy-two chapters. Perhaps it is a printer's error.]

*Ralbag* explains that the fool imagines that wisdom is far away, and he is too lazy to go there to learn it.

25. **A foolish son causes anger to his father**—[A foolish son] *like Jeroboam causes anger to the Holy One, blessed be He.*—[*Rashi* from an unknown midrashic source]

**and bitterness to her who bore him**—*To the people of Israel, whom he caused to sin.*—[*Rashi*, probably from the same source as above] *Ibn Nachmiash* prefers: rebelliousness to her who bore him. *Midrash Aggadath Bereishith* (ch. 40) construes this as referring to Esau, who caused distress to Isaac and Rebecca.

26. **To punish also the righteous man is not good**—*The Holy One, blessed be He, did not decide to obliterate the name of Israel from upon the earth, as it was not good in his sight to punish all of them.*—[*Rashi*]

**to strike the generous who possess uprightness**—*To strike the good people among them, who were generous and possessing uprightness, as it is said* (I Kings 19:18): *"And I will leave over in Israel seven thousand—all the knees that did not kneel to the Baal."*—[*Rashi*]

**the generous who possess upright-**

חָכָם יֵחָשֵׁב אֹטֵם שְׂפָתָיו נָבוֹן׃
יח א לְתַאֲוָה יְבַקֵּשׁ נִפְרָד בְּכָל־תּוּשִׁיָּה
יִתְגַּלָּע׃ ב לֹא־יַחְפֹּץ כְּסִיל בִּתְבוּנָה כִּי
אִם־בְּהִתְגַּלּוֹת לִבּוֹ׃ ג בְּבוֹא רָשָׁע בָּא
גַם־בּוּז וְעִם־קָלוֹן חֶרְפָּה׃ ד מַיִם עֲמֻקִּים
דִּבְרֵי פִי־אִישׁ נַחַל נֹבֵעַ מְקוֹר חָכְמָה׃

דשתק חכימא הוא
מתחשב ודכלי שפותיה
מתבין׃ א רגתא בעי
פחיה ובכל מלכנא
מצטדי׃ ב לא צבי
סכלא בסוכלתנא אלא
בשטיותא פחי לביה׃
ג כד אתי רשיעא
בשטיותא ייתי ובצערא
ובחסודא׃ ד מיא
עמיקי פומיה דגברא
נחלא דנביע מבוע

ת"א לתאוה. חיר כג הוריות י': לא יחפוץ. עקידה שער סב: בבא רשע. סנהדרין קיג: נ"א חיים

## רש"י

יח (א) לתאוה יבקש נפרד. מי שהוא נפרד מהקב"ה שלא לשמור מצותיו לתאות לבו ויצרו הרע הוא רודף. וסוף: בכל תושיה יתגלע. בין חכמים תגלה חרפתו, ורבותינו דרשוהו בלוט שנפרד מאברהם על תאות לבו שנאמר (בראשית י"ג) ויבחר לו לוט את כל ככר הירדן כל המקרא הזה על שום נאוף נאמר וסופו נתגלה קלונו בבתי כנסיות ובתי מדרשות לא יבא עמוני ומואבי (דברים כ"ג): (ב) כי אם בהתגלות לבו. כי אם בגלוי לבו הוא חפץ לגלות מה שבלבו: (ג) ועם קלון. תבוא חרפה. מי שבוחר בקלון וניאוף חרפה באה לו: (ד) מקור חכמה.

## אבן עזרא

ורוח הוא הדעת. כלומר שדעתו יקרה והפך זה כל רוחו יוציא כסיל. וגם לרבות על חושך אמריו גם אויל מחריש חכם יחשב: יח (א) לתאוה. לא. שנים דבקים. למ"ד לתאוה כמו בעבור. נפרד הנע והנד והנפרד ממקומו לבקש חכמה בעבור תאוה שיתאוה ללמוד ובכל אנשי תושיה יתערב וילך עמם: (ב) והכסיל לא יחפוץ ללמוד תבונה אלא יחפוץ כמה שהתגלה לבו והוא הסכלות כי הלב הוא נסתר ויתודע ויתגלה בסכלות או בחכמה: (ג) בבוא. רמז ליום הולדו. בא גם בוז עמו שיבוז לאחרים ועם קלון שיקלה אותם באה חרפה שיחרפ' והטעם הקלון גורר החרפה כענין ועבירה גוררת עבירה: (ד) כים עמוקים. שהם קרים וזכים כן דברי פי איש חכם וכנחל נבע תמיד

## מנחת שי

יח (א) לתאוה. בגעיא הלמ"ד בספרי ספרד: (ג) בבוא רשע. הגעיא בבי"ת: ועם קלון. בגעיא ואו בספרי ספרד:

## רלב"ג

ולא ידבר: (א) לתאוה יבקש. מי שיבקש לגבול החקירה בדבר הנפרד וספשום אשר אליו תפלה תאותו הנה הוא יתערב בהשגת כל נימוס מושכל אשר בדבר דבר כי זה דרך החקירה השלימה ר"ל להעלות הדבר אל יסודותיו והסבות הפשוטות אשר מהם היה או ירצה בזה מי שיבקשה בעבור תאותו הגופיות הנה אם יחקור במושכלות יתבלבל בכל מושכל ומושכל ואפי' כאשר היה מהם קל ההבנה ויתערב לו הענין בזולתו מפני מיעוט חקירתו בדברים המושכלים ורב שקדו על התאוות הגופיות: (ב) לא יחפוץ. הנה הכסיל איננו חפץ בתבונה רק בשת שיתגלה לבו וחסרון דעתו כי אז לבד יחשוב שיהיה רב תבונה אך אחר זה לא יזדרז ללמידת החכמה: (ג) בבוא רשע. הנה בבא רשע בא עמו גם בוז כי מדרכו לבזות האנשים ועם הקלון והבוז שיש עמו מפני פעולותיו המגונות יחרף זולתו בדברים ההם בעינה כי במומו פוסל האנשים בקלונו בעצמו: (ד) מים עמוקים. הנה דברי פי איש חכם הם מים עמוקים שיקשה להגיע אל תכליתם וכן יקשה לעמוד על סוד דברי פי איש חכם כי הם כמו נחל שהוא נובע ותמשך הנביעה ממנו תמיד כן ימלאו מקור החכמה נובעת באיש הדברים וכל אשר ימלאו בהם הנה עדיין יש בהם כח למלו' בהם יותר או יהיה רומז בזה אל הלב שהוא מבוע הדברים כן כל מה שיבינו מהם ישאר בו כח להבינ

## מצודת דוד

יח (א) לתאוה וגו'. ת"ח הנפרד לפרוש מן התורה כי יבקש ללכת אחר תאות הלב הנה בכל מקום שעוסקים בתורה תגלה חרפתו על כי מאז היה עמהם ופירש מהם: (ב) בתבונה. להוסיף בינה על מה שבידו: בהתגלות. להשמיע לרבים מעט חכמה שבידו להתפאר בה: (ג) בא גם בוז. כי דרכו לבזות בני אדם: ועם קלון. עם אדם שיש בו קלון רב יבוא עמו חרפה כי דרכו לחרף בקלונו ולפסול במומו: (ד) כמים עמוקים וגו'. ר"ל דברי איש מיתר הדברים שאינם מחכמת התורה המה כמים עמוקים אשר סגולה לשתות מהם יצטרך לדלותם בכלי כי המים לא יבואו מעצמם אל פי השותה וכן יתר הדברים שאינם מחכמת התורה ע"כ מעצמו יצטרך להבינם כי המה לא יסייעו לו. אבל חכמת התורה היא כנחל הנובע אשר מתגלם ימשך אל פי השותה אם יתקרב לה וכן חכמת

## מצודת ציון

יח (א) תושיה. כן נקראת התורה והוא מל' יש כי ישנה לעולם ולא תבול לאין ליתר הדברים: יתגלע. כמו יתגלה בה"א: (ג) בוז. בזיון:

his own shortcoming.—[*Mezudath David*]

4. **the wellspring of wisdom**—*is like a flowing stream and like deep water.*—[*Rashi*]

**The words of a man's mouth**—Heb. אִישׁ. *Every instance of* אִישׁ *in Scripture is an expression of a mighty man, one who is great in might.*—[*Rashi*]

*Mezudath David* interprets this verse as referring to two types of wisdom: secular wisdom and the wisdom of the Torah. Secular wisdom is compared to deep water, which must be drawn with a vessel.

is considered a wise man; one who shuts his lips, a man of understanding.

## 18

1. He who is separated seeks lust; in all sound wisdom, he is exposed. 2. A fool does not delight in understanding, but in revealing his heart. 3. When a wicked man comes, there also comes contempt, and with disdain, provocation. 4. The words of a man's mouth are like deep water; the wellspring of wisdom is a flowing stream.

**one who shuts his lips**—One who shuts the fool's lips is deemed a man of understanding.—[*Mezudath David*] Others connect this verse with the preceding one, rendering: Even a fool who keeps silent is deemed a wise man; he who shuts his lips, a man of understanding.—[*Ibn Ezra, Ralbag*]

1. **He who is separated seeks lust**—*He who is separated from the Holy One, blessed be He, not keeping His precepts, pursues the lust of his heart and his evil inclination, and finally . . .*—[*Rashi*]

**in all sound wisdom, he is exposed**—*Among the wise, his disgrace will be revealed. Our Sages expounded this as referring to Lot, who separated from Abraham because of the lust of his heart, as it is stated* (Gen. 13:11): *"And Lot chose for himself the entire plain of the Jordan, etc." This whole verse is stated concerning adultery. His end was that his shame was exposed in the synagogues and in the study halls,* [when people read] (Deut. 23:4): *"Neither an Ammonite nor a Moabite may enter* [the congregation of the Lord]."—[*Rashi* from *Nazir* 23a]

2. **in understanding**—To add understanding to what he already possesses.—[*Mezudath David*]

**but in revealing his heart**—*But in the revelation of his heart. He wishes to reveal what is in his heart.*—[*Rashi*] He wishes to reveal to the public the little wisdom he possesses and to boast about it.—[*Mezudath David*]*

3. **When a wicked man comes**—When he is born.—[*Ibn Ezra*]

**there also comes contempt**—Not only is he not ashamed of his wickedness, but he shows contempt for others.—[*Ibn Ezra, Ibn Nachmiash, Mezudath David*]

**and with disdain**—*disgrace comes. He who chooses disdain and adultery—it is a disgrace for him.*—[*Rashi*] Others explain this segment as an ellipsis: and with a man of disdain, provocation—a disgraceful man brings provocation with him; he constantly provokes others with

ה שְׂאֵת פְּנֵי־רָשָׁע לֹא־טוֹב לְהַטּוֹת
צַדִּיק בַּמִּשְׁפָּט: ו שִׂפְתֵי כְסִיל יָבֹאוּ
בְרִיב וּפִיו לְמַהֲלֻמוֹת יִקְרָא: ז פִּי־כְסִיל
מְחִתָּה־לוֹ וּשְׂפָתָיו מוֹקֵשׁ נַפְשׁוֹ:
ח דִּבְרֵי נִרְגָּן כְּמִתְלַהֲמִים וְהֵם יָרְדוּ
חַדְרֵי־בָטֶן: ט גַּם מִתְרַפֶּה בִמְלַאכְתּוֹ

ה"א שאת פני רשע, יומא פז מגלה כח: שפתי כסיל, עקידה שער ל' ושער סב: דברי נרגן, עקידה שער כה: גם מתרפה, עקידה שם וזוהר שלח:

תרגום

דְחָכְמְתָא: ה לְמִסַּב
אַפֵּי לְרַשִׁיעָא לָא שַׁפִּיר
אַף לָא לְמִצְלֵי דִינָא
לְצַדִּיקָא: ו סִפְוָתֵיהּ
דְסַכְלָא מַיְתָן לֵיהּ
לְדִינָא וּפוּמֵיהּ מַסְמֵי
לֵיהּ לְחַרְתָּא: ז פּוּמֵיהּ
דְסַכְלָא שַׁצְיָא הוּא לֵיהּ
וְשִׂפְוָתֵיהּ פַּחָא אִנּוּן
לְנַפְשֵׁיהּ: ח מִלּוֹי
דְשַׁגּוּשָׁא מַרְכְּנָן לֵיהּ
וּמַחְתָן לֵיהּ לְעוֹמֶק
דְשִׁיוֹל: ט וְאַף דְמִתְרַפֵּה בַּעֲבִדְתֵּיהּ חַבְרָא הוּא
לְגַבְרָא

## רש"י

כנהל נובע וכמים עמוקים: דברי פי איש. כל איש שבמקרא לשון גבור גדול בגבורה הוא: (ה) שאת פני רשע לא טוב. כאשר פי' רבותינו לא טוב להם לרשעים שנושאים להם פנים בעולם הזה ונפרעין מהם לעולם הבא: טוב להטות צדיק במשפט. טוב להם לצדיקים שמכריעין להם כף מחזנים לחייבם בעולם הזה ונפרעין מהם בחייהן וזוכין לעולם הבא ולפי פשוטו כמשמעו: (ו) שפתי כסיל יבואו בריב. כל דבריו באים בלשון תגר: ופיו למהלומות יקרא. קורא ליסורין להביאם עליו: (ח) דברי נרגן כמתלהמים. מהלומות: (ט) גם

## מנחת שי

(ו) יבאו בריב. הבי"ת רפה: למהלמות. הלמ"ד בגעיא:

## אבן עזרא

כן מקור חכמתו שלא הפסק: (ה) שאת. שפתי. פי. ג' דבקים. וכן הפירוש לא טוב לשאת פנים רשע בדינו וכן לצדיק בדינו שהוא זכאי ושפתי כסיל הוא הרשע הנזכר שספתיו מסבבין שיבואו בריב ופיו יביאהו בריב בעבור מהלומות כלומר בעבור שיקר' להלום רעהו ולהכותו והנה פיהו יתן מחתה לעצמו ושפתיו יסבבו מוקש לנפשו ולא טוב לשאת פניו: (ח) דברי. גם. ב' דבקים. כמתלהמים. כדברים מסותרים ומתכסין מן דברי הרכיל שידברם בסתר. ובטן כמו ללב. וגם לרבות כלומר מדבר הרגינות גם היה מתרפה במלאכתו שלא יעשנה בהיותו רכיל. אח הוא לאדון המשחית מה שיש ברשתו ואמר אח בעבור שהוא

## רלב"ג

מהם יותר: (ה) שאת פני רשע. הנה לא טוב לשאת פני רשע במשפט להטות משפט הצדיק כי יקרה אם יכבד האיש השופט לרשע במשפט ההוא יסתמו טענות הצדיק החולק עמו לחשבו כי דעת השופט קרובה אל שכנגדו: (ו) שפתי כסיל יבאו בריב ובמחלוקת כי אינו מדבר כי אם דברי קנטורין ופיו יקרא למהלומות והכאות חזקות שוברות את האדם: (ז) פי כסיל. דברי הכסיל הם מביאים אתת ושבר והם מוקש נפשו כי גורם רע לעצמו מלדדים רבים כי בהם יתחבר ריב עם האנשים ויהיה זה סבה לרעות גדולות ומהם כי מלד סכלותו יחשוב הרבה פעמים לומר מה שהוא טוב לו בהשפטו את רעהו ויהיה הענין בהפך ומהם כי הוא יגלה הדבר שיהיה ראוי שיסתיר ויהיה זה סבה לבלבול ריב בעניניו ומבוקשיו: (ח) דברי נרגן. דברי האיש הנרגן על לא דבר מעורר תלונות הן כדמיון האנשים שמראים עצמם מוכים ונשברים כדי שיחמלו עליהם שאר האנשים והנה אלו הדברים קשים מאד אל שכנגדו עד שהם יורדים אל חדרי בטנו ויתפעל לבו מהם התפעלות רב כי יקשה מאוד לאדם שיאמרו לו שאמר או עשה דברים מגונים והוא יודע שאין הדבר אמת: (ט) גם מתרפה. גם מי שהוא מתעצל במלאכתו באיזו מלאכה שיתעסק בה הנה הוא חבר לבעל הנפש שיליב משחית ללכוד האנשים וזה יהיה מלדדים כי בעזב את המלאכה יסמוך על שיעשה מלאכתו באמונה ולא ירגיש במה שיתחדש לו מעללות הפועל ההוא כמו שלא ירגיש בנפש מי שילכד בו עד הלכדו והשני כי אם עזב המלאכה לעצמו הנה עללותו בו יסבב שלא ימלא לו טרפו ויצטרך להיות בעל משחית בעבור בקשת המזון והשלישי כי אם תהיה זאת המלאכה אשר לאדם במה שהוא אדם והוא הבנת המושכלות הנה עללותו בה תסבב שילכד השכל בפחי הגוף ובשיקותיו. זהו ביאור מה שילאה לנו עתה בזאת הפרשה שהגבלנו ביאוריה. והנה התועלת המגיעות ממנה רבים ברבוי הענינ' הנכללים בה וזה מבואר מאד במאמר מאמר ממנה ואולם על דרך כלל הנה הקיף זה החלק על הרחקת הכסילות והרשע והעצלה והאולת והשקרות והמרמה והשנאה והקפדנות וריבוי

## מצודת ציון

(ו) למהלומות. ענין הכאה המשברת כמו והלמה סיסרא (שופטים ה'): (ח) נרגן. מתלונן כמו ונרגן מפריד אלוף (לעיל ט"ז): כמתלהמים. ענין הכאה המשברת והוא הפוך מן הלום:

## מצודת דוד

התורה תשכיל את העוסקים בה: (ה) שאת. הנושא פני הרשע לזכותו במשפט הנה כפולה חטאתו כי נשא פני הרשע והטה משפט הצדיק אשר שניהם לא טובים. ומלות לא טוב תוזר למעלה ולמטה: (ו) יבואו בריב. לא ידבר בנחת ויבואו כ"א במריבה והרמת קול ופיו יקרא לעצמו הכאות גדולות המשברות כי בעבור המריבה כאלה יוכה מאנשים: (ז) מחתה לו. מביא על עצמו מחתה ושבר: מוקש נפשו. מביאים מוקש לנפשו: (ח) דברי נרגן. דברי מתלונן המה קשים כמכות המשברות ועוד הם יורדים חדרי בטן אבל המכות המה ממעל על הגוף ואחז דבקן מלילה כאומר הנה המכות אשר הם ממעל נוח לרפאותם משא"כ מכות בחדרי בטן וכן קשה לרפאות דברי המתלונן: (ט) גם מתרפה וגו'. אפילו המתעצל במלאכת התורה ורפויה היא בידו הוא אח וחבר למי שמשחית את דברי

Unlike surface blows, which can easily be cured, smashing blows are difficult to cure. So are the words of the grumbler.—[*Mezudath David*]

9. **Even one who is slack in his work**—*If he is a Torah scholar who separated himself from the Torah.*—[*Rashi*] Even one who is slack in the work of learning Torah.—[*Mezudath David*]

5. It is not good to be partial to the wicked, to subvert the righteous in judgment. 6. The lips of a fool will enter a quarrel, and his mouth calls out for blows. 7. A fool's mouth is his ruin, and his lips are a snare for himself. 8. The words of a grumbler are like blows, and they descend into the inmost parts. 9. Even one who is slack in his work

Otherwise, it will not come up into the mouth of the one who wishes to drink. Neither will secular knowledge penetrate into the mind of the student unless he makes an effort to learn it. The wisdom of the Torah, however, is different. It is like a flowing stream, that is drawn into the mouth of the one who wishes to drink as long as he draws near to it. So will the wisdom of the Torah bring wisdom to all who engage in it.

5. **It is not good to be partial to the wicked**—*As our Sages explained: It is not good for the wicked, that they are favored in this world and are requited in the next world.*—[*Rashi* from *Yoma* 87a]

**to subvert the righteous in judgment**—*It is good for the righteous that the scale is weighed down for them to make them guilty in this world, where they are requited during their lifetime, and they merit the world to come. Its simple meaning, however, is according to its apparent meaning.*—[*Rashi*] [*Rashi's* intention in his second interpretation is probably that the verse is to be explained as] *Mezudath David* interprets it: If one is partial to a wicked man to declare him innocent in judgment, his sin is double, because he favored a wicked man and subverted the judgment of a righteous man, both of which are not good. Hence, the verse is to be rendered: It is not good to be partial to the wicked; it is not good to subvert the righteous in judgment.

6. **The lips of a fool will enter a quarrel**—*All his matters come about with an expression of quarreling.*—[*Rashi*] He does not speak quietly but with quarreling and by raising his voice.—[*Mezudath David*]

**and his mouth calls out for blows**—*He calls pains to come upon himself.*—[*Rashi*] [*Rashi* apparently explains the verse as referring to the fool's complaints to God, for which he is punished with pains and torments.] *Mezudath David* explains simply that the fool, because of his constant quarrels and strife, antagonizes people and invites blows upon himself.

7. **his ruin**—With his mouth, he brings ruin upon himself.—[*Mezudath David*]

**a snare for himself**—With his lips, he brings a snare for himself.—[*Mezudath David*]*

8. **The words of a grumbler are like blows**—Heb. כְּמִתְלַהֲמִים.—[*Rashi*] The words of a grumbler are as harsh as smashing blows; moreover, they penetrate into the inmost parts.

אָח הוּא לְבַעַל מַשְׁחִית: י מִגְדַּל־עֹז שֵׁם
יְהוָה בּוֹ־יָרוּץ צַדִּיק וְנִשְׂגָּב: יא הוֹן עָשִׁיר
קִרְיַת עֻזּוֹ וּכְחוֹמָה נִשְׂגָּבָה בְּמַשְׂכִּיתוֹ:
יב לִפְנֵי־שֶׁבֶר יִגְבַּהּ לֶב־אִישׁ וְלִפְנֵי
כָבוֹד עֲנָוָה: יג מֵשִׁיב דָּבָר בְּטֶרֶם
יִשְׁמָע אִוֶּלֶת הִיא־לוֹ וּכְלִמָּה: יד רוּחַ
אִישׁ יְכַלְכֵּל מַחֲלֵהוּ וְרוּחַ נְכֵאָה מִי

לגברא מחבלנא :
י מגדלא דעושנא
שמיה דאלהא וביה
נרהט צדיקא ונתרים
ביה : יא ממוליה דעתירא
קריתא דעושניה
וכשורא ירום משריה :
יב קדם תברא יתרורם
ליביה דגברא וקדם
יקרא ענותנותא :
יג מחזיר פתגמא עד לא
שמיע שטיותא ליה
ובהתתא : יד רוחיה
דגברא תסובר כרהניה
ורוחא מכבתא מן

ת"א מגדל עוז. עקידה שם ומבוא שערים : לפני שבר. עקידה ש' עו : משיב דבר. בתרא לא עקידה ש' עו : יכלכל מחלהו. עקידה שם עקרים מ"ג פכ"ב :

## רש"י

מתרפה במלאכתו. פורש מן התורה והוא תלמיד חכם: לבעל משחית. לשטן: (י) מגדל עוז שם ה' בו ירוץ צדיק ונשגב. והוא מתחזק: (יא) וכחומה נשגבה. עשרו לו בחדרי משכיתו מפני שהבית נרצף ברצפת אבנים הסוככים על הארץ קרוי אבן משכית: (יד) רוח איש. רוח גבר שהוא איש גבור ואינו נותן

## אבן עזרא

דומה לו בהשחתת מלאכתו וכמו ועשה אח כי מעשה הרע הוא אח לעבירות: (י) מגדל עוז שם ה'. הון. לפני. נ' דגושים. בו כשמו ירוץ שלא יכשל או ירצץ אויבו אע"פ שהוא בשורק כמו ארוץ גדוד ונשגב בעת יסובבוהו ולא יוכל לו: (יא) ובחומה. הכ"ף משמש לפניו וכן הפירוש כמגדל עוז כן שם ה' לצדיק בעת צרה והון עשיר מדומה בעיניו כקרית עוזו ויחשוב שיהיה נשגב בו כצדיק בשם וכחומה נשגבה יחשוב הונו שהוא בבית משכיתו תרגים וישקף ואסתכי: (יג) משיב דבר. לשואלים טרם שיבין כמו גוי אשר לא תשמע לשונו האולת היא תהיה לעצמו. פי' האולת היא תחשב לו וכלימה שיכלימהו המדבר עמו או אחרים: (יד) רוח. לב. ב' דגושים. פירוש רוח איש יסבול חליו ומדות הגוף וזו היא הרוח המשכלת החכמה

## מנחת שי

(יב) ולפני כבוד. הכ"ף רפויה:

## רלב"ג

הדברים שלא לצורך ותועלת והשלטער והיות בו לדבר ובלתי שומע עלה: (י) מגדל עוז שם ה'. הנה שם ה' הוא מגדל עוז כי בו עוז לאדם ותוקף עד שלא יגלחהו שום דבר רע ובו יחסה מכל מזיק מחוץ כי הש"י אשר דבק בו יצילהו מפני דבקות השגחתו בו ודבקות האדם בו הוא מלך השגתו לפי מה שאפשר מנימוס הנמלאות המושכלות אל הש"י אשר שפע ממנו מליאותו בבריאתו העולם ובו הוא עומד תמיד כי הוא שמו על הלך שביארנו בספר מלחמות ה' והנה הצדיק ירוץ בדברים אשר יבקש מלך המשען אשר לו בשם ית' וימלא נעזר בש"י עד שכבר ימלא מתחזק מאד במה שבקש אותו יותר ממה שהיה מתחזק בו אם טרח הרבה לבקש הסבות הנאותות להגיע הדבר ההוא מזולת הבטחון בש"י והנה היה זה המאמר נאות עוד מלך המשל כי מדרך המרולה שתחלים האדם והוא היה אומר שלדיק עם היותו רץ בו נשגב ומתחזק וזהו האמת כמו שביארנו: (יא) הון עשיר. הנה ההון הוא לעשיר כמו קרית עוז כי יבטח שיהיה לו לעוז לפי מחשבתו ולפי ראותו הנה ההון הוא לו כחומה נשגבה כי בהונו ינלה הבאים להזיק לו והנה ההבדל בין זה העוז והעוז הקודם הוא מבואר כי העוז הקודם הוא עוז במוחלט וזה העוז איננו עוז כי אם בדברים מה וגם בהם הוא סבת הרע כמו שזכר במה שקדם שהרש לא שמע גערה ולזה לא יהיה ההון עוז כי אם למחשבת בעל ההון לא לפי הענין בעלמו: (יב) לפני שבר. הנה גובה הלב והגאוה הוא סבה אל השבר והשפלות. והענוה הוא סבה אל הכבוד וזה מבואר במעט עיון מענין אלו התכונות: (יג) משיב דבר. מי שהוא משיב דבר בטרם ישמע ויבין הדבר אשר הוא משיב עליו הנה זה הענין היא לו אולת וכלימה כי כבר ישיגהו בושת מפני שלא ישיב כראוי ולזה ראוי שיבין האדם בדברים קודם שישיב עליהם: (יד) רוח איש. הנה רוח האיש לא די שיסבול הגוף הבריא ויסעדהו ויסודרו ממנו פעולותיו אבל גם בהיותו

## מצודת דוד

התורה בדעות כוזבות כי כופו יהיה כמוהו כאשר ישכח דברי התורה: (י) מגדל. משען שם ה' הוא כמגדל חזק ועוד יותר כי המתחזק במגדל הנה יושב בו כלוא ולא יפנה ללכת אנה ואנה אבל במשען שם ה' ירוץ הצדיק בכל מקום שירצה ומתחזק שם: (יא) הון. העושר הוא לו לקרית עוז כי לפעמים יתחזק בו לפדות נפשו ממות: במשכיתו. האוצר אשר הוא בחדרי משכיתו הוא לו כחומה חזקה וכפל הדבר במ"ש: (יב) יגבה לב. כי המקום מגדלו בעבור יגבה לבו למען תכפל לערו בבוא השבר: ולפני כבוד ענוה. כי הכבוד הוא גמול הענוה א"כ הענוה תקדם לה: (יג) בטרם ישמע. עד לא יבין דברי השואל: היא לו. לכמשיב יחשב לאולת ולכלימה כי לא ישיב כהוגן וכראוי: (יד) רוח איש. רוח השכלי אשר באיש יסבול ויחזיק חולי הגוף כי היא מנהגת את הגוף בבריאותו ואף

## מצודת ציון

(יא) קרית. מלשון קריה ועיר: במשכיתו. ענינו הרלוף ברלפת אבנים והוא מלשון סכך וכסוי כמו ואבן משכית (ויקרא כ"ו): (יד) יכלכל. ענין סבלה והחזקה כמו השמים. וגו' לא יכלכלוך

14. **A man's spirit**—*The spirit of a* גֶּבֶר, *who is a mighty man, does not take worry to heart, but accepts with joy and love whatever befalls him.*—[*Rashi*]

**will sustain his illness**—*He does not lose his strength.*—[*Rashi*]

*Mezudath David* explains that the spirit of intelligence within a person bears and contains the illness of the

is akin to the destroyer. 10. The name of the Lord is a tower of
strength; the righteous runs into it and is strengthened. 11. A
rich man's wealth is his strong city, and like a strong wall in his
chamber. 12. Before ruin, a man's heart becomes haughty, but
before honor there is humility. 13. He who answers a word
before he understands—it is foolishness for him and an embar-
rassment. 14. A man's spirit will sustain his illness, but a
broken spirit—who

**to the destroyer**—*To Satan.*—[*Rashi*] He is akin to one who seeks to destroy the words of the Torah through false philosophies. He will ultimately be like him because he will forget the Torah.—[*Mezudath David*]

*Malbim* explains the verse as referring to two people who were commissioned by the king to construct a building. One built what he was required to build and then demolished it, while the other sat idle and built nothing. Both are equal in guilt.

10. **The name of the Lord is a tower of strength; the righteous runs into it and is strengthened**—Heb. וְנִשְׂגָּב.—[*Rashi*] *Targum* renders: and will be safe.

*Mezudath David* explains that, whereas one confined in a tower cannot leave that tower, one who trusts in God's name is safe, yet free to run wherever he wishes. *Ibn Nachmiash* explains that, just as a soldier in a tower puts all his trust in that tower, so does the righteous man put all his trust in God. He further suggests that the figure is a wooden tower built atop a chariot, in which the charioteers take refuge and shoot arrows under cover of the tower.

11. **A rich man's wealth**—is his strong city because sometimes he takes refuge through it by ransoming himself from death.—[*Mezudath David*]

**and like a strong wall**—*his wealth is to him in his chambers. Since the house is paved with a floor of stones that cover the earth, it is called* אֶבֶן מַשְׂכִּית, *a covering stone.*—[*Rashi*]

12. **Before ruin, a man's heart becomes haughty**—God exalts him so that his heart becomes haughty and he suffers a greater downfall.—[*Mezudath David*]

**but before honor, there is humility**—The honor is the reward for the humility. Therefore, humility precedes it.

13. **before he understands**—the question he is asked.—[*Mezudath David*]

**it is foolishness for him and an embarrassment**—It is deemed foolishness for the one who replies, since he does not give a plausible answer. Consequently, people will embarrass him.—[*Mezudath David*]*

יִשָּׂאֶנָּה׃ טו לֵב נָבוֹן יִקְנֶה־דָּעַת וְאֹזֶן
חֲכָמִים תְּבַקֶּשׁ־דָּעַת׃ טז מַתָּן אָדָם
יַרְחִיב לוֹ וְלִפְנֵי גְדוֹלִים יַנְחֶנּוּ׃ יז צַדִּיק
הָרִאשׁוֹן בְּרִיבוֹ יָבֹא רֵעֵהוּ וַחֲקָרוֹ׃
יח מִדְיָנִים יַשְׁבִּית הַגּוֹרָל וּבֵין עֲצוּמִים
יַפְרִיד׃ יט אָח נִפְשָׁע מִקִּרְיַת־עֹז

ת״א מתן אדם. (הוריות מח) : צדיק הראשון. זוהר ויצב : אח נפשע. מיר כג הוריות י׳ פקידה בעד פח :

ובא קרי

נַטְעַיְנֵיהּ : טו לִבָּא דְמִתְבַּיַּן נִקְנָא יְדִיעְתָא וְאֻדְנָא דְחַכִּימֵי תִּבְעֵי מַנְדְּעָא : טז מוֹהַבְתֵיהּ דְבַר נָשָׁא מַרְוְחָא לֵיהּ וְקֳדָם רַבְרְבֵי מְקִימָא לֵיהּ : יז זַכֵּי הֲוָה קַדְמָאָה בְּדִינֵיהּ וַאֲתָא חַבְרֵיהּ וְנִצִּיחַ לֵיהּ : יח תִּגְרֵי מְבַטְּלָא פִּצְתָא וּבֵינָת תַּקִּיפֵי פָּרְשָׁא : יט אַחָא דְמִתְעַוֵּי מִן אֲחוּי הֵיךְ קִרְיְתָא

## רש״י

דאגה בלבו ומקבל כל הבא עליו בשמחה ובהיבה : יכלכל מחלהו. אין כוחו סר מעליו : (טז) מתן אדם ירחיב. כפשוטו. ומדרשו בנותני צדקה מדבר שמרחיב לו חלקו לעתיד לבא וגם בחייו ולפני גדולים ינחנו. ואומרים עליו שהוא הטוב : (יח) ובין עצומים יפריד. אלו בעלי דינין כמו (ישעיה מ״א) הגישו עצמותיכם ובמשנה שנים שנתעצמו בדין על שם שמריבותם עצומות קרוים עצומים או לשון חוזק או לשון אוטם כמו עוצם עיניו (שם ל״ג) : (יט) אח נפשע מקרית עוז. יש אח נפשע מאחיו ומאבד במרדו קרית עוז כגון לוט באברהם עשו ביעקב :

## מנחת שי

(יז) יבא רעהו. ובא קרי :

## אבן עזרא

סיבלת הדאגות. ורוח נכאה היא המתעצבת והכועסת על הבלי העולם כאשר לא תשיגם משקל נכאה מלאה. מי ישאנה בהיותה נכאה כי היא נושא׳ הגוף אע״פ שהיא נשואה בתוכו וזאת הרוח הנכא׳ לא תלמוד חכמה אבל לב נבון הסובל מחלתו יקנה הדעת בתבונתו. ואזן הכמים סובלי הקורות תבקש לשמוע הדעת : (טז) מתן. צדיק. ב׳ דגשים. ומתן רמז לשחד שיתן יוליאהו למרחב מצרתו : ולפני גדולים ינחנו הם לוקחי השחד שלא יכשל לפניהם בדין : (יז) צדיק. שילדיקוהו הגדולים : הראשון. הוא הנותן המתן : ובא. אף על פי שיבא רעהו ויחקרהו בדין לא יוכל להרשיעו : (יח) מדינים. אח. שנים דגשים. נפשע בעבור הפשע היוצא ממנו יקרא כן ומלת בריח כולל הדלתות והזכירו בעבור שאין להם חוזק ועוז כי אם עם

## רלב״ג

הולה יכלכל אותו ואולם כשיהיה החולי ברוח בעצמה שתהיה נכאה ונשברת מי ישאנה הנה אין שם מי שישאנה כי החומר הוא מונהג ממנה לא מנהיג ולזה יחלק הגוף בהפעלותיה : (טו) לב נבון יקנה דעת. שלב האיש הנבון יקנה דעת קדושים מעצמו כי מרוב פלפולו יוציא דבר מתוך דבר והחכמים יבקשו לשמוע הדעת וללמוד אותו מהיודעים לשיעורים כי דעתם קלרה להבין זה מעצמם : (טז) מתן אדם. הנה ההדם שילטרך לו בעסקיו ננכת לפני גדולים הנה אם יתן להם מתן ירחיב לו הדרך וינחנו זה המתן לפני גדולים לעשות חפליו : (יז) לדיק הראשון. ולזה ראוי לשופט בזה האופן בעת הלורך ובזה עוד תועלת לו בהכנסו לפניהם קודם הכנס בעל ריבו כי מדרך האנשי׳ להאמין בספור המגנד להם ראשונה ולזה יהיה אלל השופט האיש הראשון שיבא לפניו לדיק בדברי ריבו כי יאמין לדבריו וכאשר יבא רעהו להגיד לו הפך הדברים ההם לא יאמינהו כי אם אחר החקירה השלימה והנה לזאת הסבה מנעה התורה שלא ישמע הדיין דברי בעל דין קודם שיבא בעל דין חבירו כי זה יהיה סבה אל שתהיה דעתו יותר קרובה אל מי שישמע דבריו בראשונה וכאילו העיר אל זה ג״כ החכם בזה הפסוק : (יח) מדינים ישבי׳ הגורל. הנה הגורל יבטל מדיני׳ ומחלוקת נוהאנשים בדברים שיש לחלוק זה עם זה והוא יפריד בין תקיפים וחזקים ויבמדם מהזיק זה לזה : (יט) אח נפשע. האח שפשע בו אחיו הנה עם היותו נפשע הוא טוב לאחיו יותר מקרית עוז להצילו ולעוזרו

## מצודת ציון

(מלכים א׳ ח׳) : מחלהו. מל׳ חולי : נכאה. שבורה : (טז) מתן. מתנה ודורון : (יח) ישבית. יבטל כמו שבת נוגש (ישעיה י״ד) :

## מצודת דוד

כי בחליו אבל כשהרוח עצמה נכאה ושבורה בעצב ויגון מי ישאנה כי אין הגוף נושא אותה להחזיקה כ״א היא את הגוף : (טו) לב נבון. מי שיש לו לב נבון הנה מעצמו יקנה הדעת בבינת הלב אבל החכמים שאין בידם אלא מה ששמעו הנה אזנם תבקש ותחזור אחר הדעת לשמוע מזולת כי אין להם בינה להבין מעצמם : (טז) מתן אדם. ההולך בעסקיו ללכת לפני גדולים המתן שנותן ירחיב לו הדרך והוא מנהג אותו לפני הגדולים : (יז) צדיק. הבא להבין בריב ידמה לצדיק בריבו כי יוכל להספים דבריו ולהכניסם בלב הואיל ולא אמר מי בחלוף וכאשר יבא רעהו ויאמר החלוף ידמהו לשקרן וירבה לחקור בדבריו : (יח) מדינים. הגורל יבטל המריבה בדבר חלוקת דבר מה כי ע״י הגורל יבורר חלק כל אחד ואחד : ובין עצומים. בין המתחזקים במריבה יפריד הגורל ולא ירבו עוד מעתה : (יט) אח נפשע. אח הנפשע מאחיו מ״מ בטוח עליו לה

*their pleas are strong, they are called* **עֲצוּמִים**, *either an expression of strength or an expression of closing, as in* (ibid. 33:15) *"and closes* (עֹצֵם) *his eyes."*—[*Rashi*] [This probably means that they are locked in combat.]

19. **A rebellious brother . . . of a strong city**—*There is a brother who rebels against his brother and loses a strong city, e.g. Lot against Abraham and Esau against Jacob.*—[*Rashi* from *Tanhuma, Korach* 1; *Nazir* 23] The reference to Esau's rebellion against Jacob does not appear in any known midrash.

will bear it? 15. An understanding heart will acquire knowl-
edge, and the ear of the wise will seek knowledge. 16. A man's
gift will make room for him, and it will lead him before the
great. 17. He who pleads his case first seems just, but his neigh-
bor comes and searches him out. 18. The lot causes quarrels to
cease, and it separates contentious people. 19. A rebellious
brother [is deprived] of a strong city,

body because it guides the body when it is well and also when it is ill. If the spirit is broken, however,—if it is grieved and depressed—who will bear it? The body will not bear it because the spirit bears the body, not vice-versa.

15. **An understanding heart, etc.**—One who possesses בִּינָה, the ability to derive one fact from another, will surely acquire knowledge.

**the ear of the wise**—Wise people who do not have the ability of בִּינָה learn by listening to others. Although they will not yet acquire knowledge, which is based on understanding, they will seek it.—[*Gra*] *Mezudath David* explains that people of understanding will acquire knowledge by themselves since they possess the ability to draw conclusions from already-known facts. But the wise, who do not possess that ability, will nevertheless seek knowledge from others.

16. **A man's gift will make room**—[This is to be understood] *according to its simple meaning, but, according to its midrashic interpretation, it deals with those who give* (sic) *charity, which widens his share in the future world, as well as during his lifetime, and it will lead him before the great, who say that he is esteemed.*—[*Rashi* from *Lev. Rabbah* 5:4] *Mezudath David* explains that one who must go before dignitaries to seek their favor in his affairs must first give a gift, which will lead him before them; i.e. which will admit him to their presence.

17. **He who pleads his case first, etc.**—The litigant who pleads his case first appears to be just because he presents his case while no one contradicts him, but later, the other litigant searches him out and makes him appear false.—[*Mezudath David*]

*Ibn Ezra* interprets this verse in connection with the preceding verse, as follows: The first litigant—the one who gave a bribe to the dignitaries—appears just in his plea, albeit the other litigant searches him out.

18. **The lot causes quarrels to cease**—The lot ceases quarrels concerning the division of any property, because the lot will clarify the share to which each partner is entitled.—[*Mezudath David*]

**and it separates contentious people**—Heb. עֲצוּמִים, *these are the litigants, as in* (Isa. 41:21): *" 'present your strong points* (עֲצֻמוֹתֵיכֶם).*' " As*

ומדונים כבריח ארמון: כ מפרי פי־
איש תשבע בטנו תבואת שפתיו
ישבע: כא מות וחיים ביד־לשון
ואהביה יאכל פריה: כב מצא אשה
מצא טוב ויפק רצון מיהוה: כג תחנונים
ידבר־רש ועשיר יענה עזות: כד איש

ת״א מפרי. חולין נט: מות וחיים. ערכין יו: מלא אשה. ברכות ח׳ יבמות סג: תחנונים. סנהדרין מד: איש רעים, ברכות סג סנהדרין ק׳:

עשנתא ואחרא היך
סוכרא דחוסנא: כ מן
פרי פומיה דגברא
תסבע כריסיה ומן
עללתא דשפותיה
נסבע: כא מותא וחיי
בידא דלישנא ודרחם
ליה ניכול מן פרוי:
כב דמשכח אתתא
טבתא משכח ומקבל
רעותיה מן אלהא:
כג תחנוני נמלל מסכנא
ועתירא נמלל עשינתא:
כד אית חברי דמתחברין

## רש״י

**ומדינים כבריח ארמון**. ומריבה שביניהם מפרידתם לעולם כבריח זה שנועלים בו שערי ארמון שלא יכנסו בו: (כא) **ואוהביה יאכל פריה**. אוהב את לשונו ומרגילה לתורה אוכל פירה בעה״ז: (כב) **מצא אשה מצא טוב**. מלא תורה וכמשמעו אשה טובה: **ויפק רצון**. ויוציא זה פשוטו. ד״א אדם שמלא אשה ומלא טוב: **ויפק רצון**. אותו האיש מוציא רצון מהקב״ה. רבי יוסף קר״א: (כג) **תחנונים ידבר רש**. דרך זה בכך ודרך זה בכך ללמדך דרך ארץ שאף על פי שעשיר יענה עזות הרש ידבר תחנונים וכן הענין הרב לתלמיד: (כד) **איש רעים**

## אבן עזרא

הבריח והארמון הוא מבצר כלומר ובין עלומים וחזקים יפריד הגורל שלא ילחמו ואפי׳ יהיה אח יותר נפשע מקרית עיז הפושעים במלכם כענין תפשע לבנה ומדיני האח יהיו כעוז בריח ארמון הגורל יפריד ביניהם ואמר אח כי רוב התגרות הם על נחלת האחים: (כ) **מפרי**. מות. ב׳ דבקים: **ביד**. מקום: **יאכל פריה**. כנגד תבואת שפתיו כלומר אם ידבר רע יבואהו מות ועל דבר טוב ישיג חיים: (כב) **מצא**. שהוא יבקש להיותה עזר כנגדו וימצא׳ הוא ימלא טוב השם ימציאהו טובתו בעבור הדבקו במה שגזר עליו השם: (כג) **תחנונים ידבר רש**. בבקשו מאומה

## מנחת שי

(יט) ומדונים. ומדינים קרי: (כד) איש רעים. עיין מה שכתבתי בשמואל ב׳ סימן י״ד:

## רלב״ג

בעתות הצורך כי לא יזכור לו אז מה שפשע בו כי הוא עצמו ובשרו וכן איש המדינים ר״ל אשר עורר מדיני׳ כנגד אחיו הנה הוא לאחיו כמו בריח הארמון המבריח מכותל לכותל אשר הוא קושר הכתלים ומעמיד הבנין כן הוא סבת קיום אחיו ועמידתו אותו ובומר מכל משחית יקום עליו בחזקת היד: (כ) מפרי פי. הנה מפרי דברי איש ישבע בטנו אם לטוב אם לרע הנה הוא ישבע פרי שפתיו והמשל כי הדובר רכות ישיב חמה כמענה פיו ויאכל פרי דבריו שיסיר הרע ממנו והדובר קשות יעורר החמס ויביא עליו מהרה הרעה: (כא) מות וחיים. הנה ביד לשון מות וחיים כמו שזכרנו ומי שיאהב הדבור אין ספק שיאכל פריו לטוב או לרע כמו שקדם: (כב) מלא אשה. מי שמלא אשה ר״ל שיהיו כחות הנפש במדרגת הנפש שהיא משרתת בעלה ואוהבת אותו וישרתו השכל בכל מאמצי כחם הנה האיש ההוא מלא טוב כי בזה יושג לו השלימות האנושי ובזה האופן ישיג חפצו ורצונו מהש״י כי תדבק השגחתו בו: (כג) תחנונים ידבר רש. הנה העוני סבה אל שתהיה לשון הרש מבקשת החיים כי הוא ידבר תחנונים ובזה האופן לא די שלא יעורר מדיני׳ אבל ישקיט הריב והחמה מעליו ואמנם העשיר יבטח בעשרו להשבו שהוא קרית עוזו וידבר מפני זה עזות וזה יהיה סבה לשבירתו כי לא יוכל לכלל להתנהג עם כלם כראוי להתנהג עם הרע ויהיה סבה לסור האהבה מהם: (כד) איש רעים להתרועע. וכבר ימלא אוהב יותר דבק לאדם בעת הצורך מהאח ולזה ראוי לאדם לקנות לו אוהבים רבים ולא ירבה ברעי׳ כי כבר ימלא באוהבים מי שיאהב תכלית האהבה אע״פ שאינו רע והרבות ברעים יהיה

## מצודת דוד

יהזיק כמעוז אחיו הפושע יותר מקרית עוז והמריבה שביניהם לא תתמיד והרי היא כבריח המבריח לנעול שערי ארמון המלך אשר לא יתמיד להיות נועל כי אנשים רבים רגילים לבוא בשער המלך: (כ) מפרי. מאמרי פיו תשבע בטנו ר״ל הגמול כהמפעל הטובה היא אם רעה: תבואת. האמרים הבאים משפתיו ישבע וכפל הדבר במ״ש: (כא) ביד לשון. בכח הלשון מסור המות והחיים אם ידבר בד״ת יחיה ואם בלה״ר ימות: ואוהביה. האוהב להרבות בה אמרים יאכל פריה אם טוב ואם רע: (כב) מצא טוב. כי היא עוזרתו בעמלו: ויפק רצון מה׳. כי מלילתו מן החטא: (כג) תחנונים. עם כי העני ידבר דבריו בתחנונים ובהכנעה על״ז ישיב לו לפעמים העשיר דברי עזות: (כד) איש רעים. האיש יאהב את

## מצודת ציון

(יט) כבריח. הוא כעין מקל שמשימים לרוחב הדלת לסגרו: ארמון. היכל מלך: (כב) ויפק. יוציא כמו יפיק תבונה (לעיל ג׳): (כג) עזות.

*Torah; and according to its apparent meaning, a good wife.*—[*Rashi*]

**and has obtained favor**—*And has obtained. This is its simple meaning. Another explanation: A man who found a wife and found good, has obtained favor. That man obtains favor from the Holy One, blessed be He.* [This is in the name of] *Rabbi Joseph Kara.*—[*Rashi*] Here Scripture urges a person to examine a woman's qualities before marrying her.—[*Meiri*]

23. **A poor man speaks with sup-**

and the quarrels are like the bolt of a castle. 20. With the fruit
of his mouth does a man's stomach become sated; with the
produce of his lips he is sated. 21. Death and life are in the
hand of the tongue, and those who love it will eat its produce.
22. He who has found a wife has found good, and has obtained
favor from the Lord. 23. A poor man speaks with supplica-
tions, but a rich man replies with impudence.

**and the quarrels are like the bolt of a castle**—*The quarrel between them separates them forever, like a bolt with which they lock the gates of a castle, so that no one should enter it.*—[*Rashi*] According to the aforementioned *Gemara,* the implication is that Lot's children, the people of Ammon and Moab, would be punished by not being permitted to "enter the congregation of the Lord," meaning that male Moabites and Ammonites are prohibited from marrying Israelite women (Deut. 23:4).

*Ralbag* and *Mezudath David* render: An offended brother is better than a strong city, and the quarrel is like the bolt of a castle. A brother, even one who has been offended, is better than a strong city; in time of need, he will come to his brother's aid even though that brother has offended him. The quarrels between them will not persist, but it will be like the bolt of a castle, which is opened to allow people to enter.—[*Mezudath David*]

*Ralbag* explains the second half of the verse as follows: and a man of quarrels is like a bolt of a palace. If one brother stirs up quarrels against another, he is nevertheless like a bolt of a palace that holds the walls together and supports the structure. So does one brother help the other despite their quarrel.

20. **With the fruit of his mouth, etc.**—With a person's speech, he is rewarded—if he speaks pleasant words, he is rewarded for them; if he speaks slanderous words, he is punished.—[*Mezudath David*] *Ralbag* explains that if a person speaks softly and gently, he calms one's anger, but if he speaks harshly, he antagonizes even his friend.

21. **in the hand of the tongue**—In the power of the tongue. If he talks words of Torah, he will live, but if he talks words of slander, he will perish.—[*Mezudath David*]

**and those who love it will eat its produce**—*He who loves his tongue and accustoms it to* [speaking words of] *Torah, partakes of its reward in this world.*—[*Rashi*] *Ibn Nachmiash* explains that, if one loves his tongue and guards it from slanderous speech, he will eat its fruit. The Psalmist, too, emphasizes guarding the tongue (39:2): "I will guard my mouth from sinning with my tongue."

22. **He who has found a wife has found good**—*He who has found the*

רעים להתרועע ויש אהב דבק מאח:
יט א טוב רש הולך בתמו מעקש
שפתיו והוא כסיל: ב גם בלא־דעת
נפש לא־טוב ואץ ברגלים חוטא:
ג אולת אדם תסלף דרכו ועל־יהוה
יזעף

ת"א גם בלא דעת. עירובין ק׳ זוהר תזריע: ואץ ברגלים. שם: אולת. תענית כ׳:

### תרגום

ואית רחמא דבק מן
אח: א טב מסכינא
דמהלך בתמימותא מן
הוא דמעקמן ארחתיה
והוא סכל: ב מן דלא
ידיע נפשיה לא שפיר
ליה ודקליל ברגלוי
לבישתא חטיא הוא:
ג שטיותא דבר נשא
מטלטלא ארחתיה ועל
אלהא מתרעם לביה:

### רש"י

להתרועע. אדם שקונה לו רעים עוד יבא יום שילטרך להם ויקרובוהו וא"ת מה בכך יש אוהב דבק מאח שיקרבהו יותר מקרוביו ואחיו: יט (ב) **גם בלא דעת נפש לא טוב.** אין טוב לאדם שהוא בלא תורה: **ואץ ברגלים חוטא.** החוטא רופס ודש העונות בעקביו ואומר קל הוא זה אעביר עליו. ורבותינו פירשו גם בלא דעת בכופה את אשתו לתשמיש המטה בעל כרחה: **ואץ ברגלים חוטא.** זה הבועל ושונה ד"א זה המהלך ע"ג עשבים בשבת: (ג) **אולת אדם תסלף דרכו.** בעונו בא לו הרע כי באולתו תסלף דרכו ועבר עבירות ונפרעין ממנו ובבוא לו הצרה זועף לבו על הקב"ה ומהרהר אחר מדת הדין כגון

### אבן עזרא

מהעשיר. ועזות פירושו אמרית עזות: (כד) **רעים.** כמו זדים גאים והעד עליו להתרועע או יהיה מגזרי הלמ"ד ע"מ גאים ורע ע"מ גא מאד כלומר איש יאהב רעים כדי שיתרועעו עמו ויתחברו אליו כי יש אוהב שדבק מאח: יט (א) **טוב. גם. אולת.** ג' דבקים כלומר הולך בדרך תומו. מעקש מלד שפתיו המעוקשים יקרא כך: (ב) **גם.** לרבות על גנותו שהוא כסיל כלומר בעבור שאין לו דעת הנפש השכלית לשוב מדרכי העקשות לא טוב הוא: **ואץ.** שירוץ לגזול הוא חוטא: (ג) **דרכו.** הוא עסקו ומלאכתו כמו מעשות דרכיך: **יזעף.** יתעלב ויכעס

### רלב"ג

סבה אל שיששית הרעות והחברה לקלת מפני קלת: (א) טוב רש הולך בתומו. טוב האיש העני שהוא הולך בתום וביושר ממי שהם כסלו בעשרו ולזה הוא מעקש דרכיו כי הוא בוטח בעשרו שיכסה על מומיו וכאילו באר בזה דאחר אשר בו העושר סבת הרעות לקלת העשירים או ירצה בזה שטוב העני הולך בתומו בעיון מן העשיר שהוא עקש דרכיו במושכלות או הוא כסיל ורמז בזה אל ב' מיני הסכלות שהאחד מהם הוא קנין הדעות הנפסדות והשני הוא העדר והנה באר בזה כי טוב העוני עם החכמה מהעושר עם הסכלות כמו שנתבאר בספר קהלת: (ב) גם בלא דעת. גם בסבת העדר הדעות יהיה רצון האדם ותאותו אל מה שהוא לא טוב ומי שהוא מהיר ללכת אל התאוות ההם הוא חוטא: (ג) אולת אדם. הנה אולת אדם תהיה סבה לעוות דרכו בחפציו מפני שלא בא בהם בסבות הנאותות ואח"ז כשלא יכונו מחשבותיו יכעס לבו על הש"י שענש אותו לפי מחשבתו אל שיבלר ממנו מה שיזם לעשותו ולא יבין כי מלד אולתו היתה זאת לו:

### מצודת ציון

הזקות וקשות: (כד) להתרועע. מלשון ריע וחבר: יט (ב) ואץ. ענין מהירות כמו ולא אץ לבא (יהושע י'): (ג) תסלף. תעקם כמו וסלף בה (לעיל ט"ו): יזעף. יכעס כמו זעף

### מצודת דוד

הרעים למען יתרועעו עמו ויתחברו אליו. כי לפעמים ימצא אוהב הדבק לאוהבו באהבת נפש יותר מן האח ולזה יחפוץ בחברתם בעבור הטובה הבאה לפעמים: יט (א) **הולך בתומו.** שאינו מרמה בכפיו לאסוף הון והרי הוא בעניו: **מעקש.** מי שהוא מעקש בשפתיו לרמות בני אדם והוא הלא לכסיל יחשב כי לא יצליח בה: (ב) **גם בלא דעת.** אפי' העובר עבירה בלא דעת וכונה מ"מ בודאי לא טובה נפשו כי לא יאונה לצדיק כל און: **ואץ.** הממהר ברגלים ללכת אל המקום אשר נשאו לבו הנה לחוטא יחשב כי מהראוי להתבונן תחלה פן יבוא מזה דבר פשע: (ג) **אולת.** האולת שאדם עושה היא מעקמת

*ring to one who compels his wife to copulate with him against her will.*—[*Rashi* from *Erubin* 100b]

**and he who hastens with his feet sins**—*This refers to one who performs the sex act and repeats it. Another explanation: One who walks on grass on the Sabbath.*—[*Rashi* ibid.]

*Mezudath David* renders:

**It is also not good for the soul without knowledge**—Even if one commits a transgression without knowledge or intention, this indicates that his soul is not good, for no sin is prepared for the righteous.

**and he who hastens with his feet sins**—He who hastens to go wherever his heart desires is adjudged a sinner because it is proper to think first, lest a sin result from going to that place.

3. **A man's folly perverts his way**—*Harm comes upon him because of his sin, because his folly perverts*

24. A man acquires friends with whom to associate, and there is a friend who sticks closer than a brother.

## 19

1. Better a poor man who walks innocently than one with per-
verse lips, who is a fool. 2. It is also not good that a soul be
without knowledge, and he who hastens with his feet sins. 3. A
man's folly perverts his way, but his heart is wroth with the
Lord.

**plications**—*This one is accustomed to* [speak] *in this manner, and that one is accustomed to* [speak] *in that manner. He teaches you a rule of conduct; that although the rich man answers with impudence, the poor man should speak with supplications, and so is the matter of a teacher to a pupil.*—[*Rashi*]

24. **A man acquires friends with whom to associate**—*A man who acquires friends for himself* [will find] *that the day will arrive when he will need them, and they will befriend him. Now, if you ask, "What of it?" there is a friend who sticks closer than a brother, for he will befriend him more than his kin and his brothers.*—[*Rashi*]

*Malbim* renders: One who acquires many friends imagines that he has friends, but one who has one lover, that one sticks closer than a brother. The meaning is that one who has many friends has not even one, for love can only be with one person. The more friends a person has, the thinner the friendship is spread. One close friend, however, sticks closer than a brother. The *Targum* renders אִישׁ like יֵשׁ: *There are friends who associate, but there is a lover who sticks closer than a brother.*

1. **Better a poor man who walks innocently**—and does not deceive people in order to acquire riches, even though he remains poor.—[*Mezudath David*]

**than one with perverse lips**—One who perverts his lips to deceive people. He will be considered a fool because he will not succeed with his plots.—[*Mezudath David*] *Ralbag* defines עָשִׁיר as one who relies on his wealth. He renders: Better a poor man who walks innocently than one who perverts his lips, relying on his wealth, i.e. he relies on his wealth to cover up his faults.*

2. **It is also not good that a soul be without knowledge**—*It is not good for a person to be without Torah.*—[*Rashi*]

**and he who hastens with his feet sins**—*The sinner treads and tramples the sins with his heels and says, "This is of minor import; I will transgress it." And our Sages explained: It is also . . . without knowledge, as refer-*

ד מַמּוֹנָא מוֹסִיף חַבְרֵי
סַגִּיעֵי וּמִסְכְּנָא פָּרֵישׁ
חַבְרֵיהּ מִנֵּיהּ: ה סָהֲדָא
דְשִׁקְרָא לָא נִזְדְּכֵי
וְדַמְוֵעֵי כַּדְבוּתָא לָא
נִתְמַלַּט: ו סַגִּיעֵי
דִמְשַׁמְשִׁין קֳדָם רַבָּא
וְדַלְבִּישִׁין יָהֵיב
מוֹהַבְתָּא: ז כּוּלְהוֹן
רָחֲמוֹי דְמִסְכְּנָא סָנֵין

יִזְעַף לִבּוֹ: ד הוֹן יֹסִיף רֵעִים רַבִּים וְדָל
מֵרֵעֵהוּ יִפָּרֵד: ה עֵד שְׁקָרִים לֹא יִנָּקֶה
וְיָפִיחַ כְּזָבִים לֹא יִמָּלֵט: ו רַבִּים יְחַלּוּ
פְנֵי־נָדִיב וְכָל־הָרֵעַ לְאִישׁ מַתָּן: ז כָּל
אֲחֵי־רָשׁ ׀ שְׂנֵאֻהוּ אַף כִּי מְרֵעֵהוּ רָחֲקוּ

ממנו קמץ רחב

## רש"י

אחי יוסף שאמרו מה זאת עשה אלהים לנו (בראשית מ"ב): (ד) הון יוסיף רעים רבים. אוהבים רבים ויש לפותרו במי שלמד תורה: (ו) רבים יחלו פני נדיב וכל הרע. הכל נעשים רעים לאיש מתן. יש לפותרו בנותני צדקה ויש לפותרו במרביצי תורה: (ז) כל אחי רש. קרוביו: אף כי מרעהו רחקו. וכל שכן מרעיו ושושביניו ואוהביו: מרדף אמרים לא המה. אומר פלוני ופלוני קרובי ופלוני ופלוני מרעי והכל דברי הבל ויש לפותרו במי שהוא רש

## אבן עזרא

ולא ישוע לאל בעת צרתו: (ד) הון. עד. רבים. כל. ד' דבקים וה' הודיע שבח מחונן דלי' וגנות מפזר הונו ברעי': יוסיף רעים. על רעיו וכשהיא דל יפרד מרעהו כי ירחיקהו רעהו עד שיפרד ממנו ויתכן שיהיה עד שקר על כן נתדלדל: (ה) ינקה. לא יהיה נקי מן השקר: ויפיח. ענין דבור: (ו) רבים. מן רבי המלך כלומר ונדיב בעבור שיתנדב לבו לתת לעניי' תגדל מעלתו עד שהגדולים יחלו פניו שיעזרם או שיאהבם כענין במנחה פניך יחלו. וכל הרעים יתחברו לאיש מתן לאיש נותן להם מתנות ומלת רחקו לבין רבים מחוברת מן היחידים כי מרעהו אחד הוא וטעמו כל אחד ואחד עד שרחקו כלם ומרדף פועל יוצא אל פועל האמיתי הדבר בו פעול כי הרש הוא המרדף והאמרים הם הרודפים והאחים או הרעים מורדפים כמו והויביו ירדף חשך ורדפה את מאהביה והענין דבק למעלה עם ודל מרעהו יפרד כל אחי הרש והדל ישנאוהו כל שכן רעיו שרחקו ממנו אחר התחברותם אליו בעבור מתנותיו והרש מלוה לרדוף אחריהם שלוהי אמריו אולי יתקרבו אליו

## מנחת שי

יט (ז) כל אחי רש. כל זה אין בו מקף כי אימו חטוף כחבריו אלא נקרא בקמץ רחב וכן כל עלמותי תאמרנה שבמזמור ל"ה והשאר שהם נקודים קמץ הם חטופים שולם זולתי אלו השנים כמ"ש בתילים: שנאהו. השי"ן בגעיא: מרעהו. במקצת ספרים המ"ם בלירי ובספרי ספרד בשוא וכ"כ רד"ק בספר מכלול דף רמ"ו שהמ"ם

## רלב"ג

(ד) הון יוסיף. הנה הון העשיר יוסיף לו רעים רבים כי הוא מהנה אותם תמיד בהונו ואולם הדל לא יקנה לו רעים אבל דלותו יסיה סבה אל שיפרד מרעהו כי אין לו במה שיהנהו בו להמשיך הרעות ביניהם: (ה) עד שקרים. מי שיעיד שקרים וכזבים ויסבב בזה להצדיק רשע ולהרשיע צדיק לא ינקה מהעונש כי הש"י יעגישהו עונש נפלא על זה וכן מי שידבר כזבים לא ימלט כי זה סבה לרעות גדולות כמו שקדם: (ו) רבים יחלו פני נדיב. הנה הנדיבות הוא חלק טוב כי רבים ונכבדים יחלו פני נדיב להשיג נדבת לבו וכל האנשים הם רעים והברים לאיש נותן מתנות ומזה הלד יהיה נבחר העושר על הדלות: (ז) כל אחי רש. וזה כי גם אחי העני שנאוהו בראותם שלא יקבלו בו תועלת ואם הם עלמו ובשרו ואין לריך לומר שהאנשים שהיו מרעיו קודם זה עתה רחקו ממנו הנה דלותו הוא סבה שירדפו אחיו ומרעיו

## מצודת דוד

דרכו כי ע"י אולתו נכשל ולבו לא כן ידמה כי יזעף על ה' להרהר אחר מדותיו: (ד) הון. העושר יוסיף לבעליו ריעים רבים כי אהוב לכל בין לעניים בין לעשירים אבל הדל נפרד הוא אפי' מרעהו הדל כמוהו: (ה) לא ינקה. עם כי לא הוזם בב"ד ולא קבל ענשו לא ינקה מדין של מעלה: לא ימלט. כי בעבור שרגיל לדבר כזב סופו להעיד שקר ולא ימלט מן העונש כאשר יוזם: (ו) רבים. גדולי העם מחלים פני הנדיב להשיג נדבות לבו וכל הריעים יתחברו לאיש הנותן מתן: (ז) אף כי. אם אחיו שהם עצמו ובשרו שנאוהו כ"ש שכ"א מרעיו רחק ממנו עד כי רחקו כולם: מרדף. אף כי ירדף אמרים להשתעשע עמהם בדברים בעלמא לא ישמעו לו והמה לו לעצמו הואיל ואין שומע להם:

## מצודת ציון

ה' אשא (מיכה ז'): (ה) ויפיח. ענין אמירה: (ו) רבים. גדולים וחשובים כמו רבי המלך (ירמיה מ"א): יחלו. יבקשו כמו ויחל משה

*be interpreted as referring, etc.*—[*Rashi* as in Waxman, Warsaw, Vilna, and *Malbim* editions] This reading appears to be superior to that of *Nach Lublin. Mezudath David* renders: and all friends gather to a man who gives gifts.

*Ibn Nachmiash* renders: *Many* beg the favor of a generous man, and all are friends of a man who gives gifts. A generous man gives gifts only after they are requested. Therefore, many—not all—beg his favor. However, all are friends of a man who gives gifts even when they are not requested.

7. **All the kinsmen of a poor man**—lit. the brothers, *the kinsmen.*—[*Rashi*]

**surely his friends distance themselves**—*Surely his friends, his companions, and his lovers.*—[*Rashi*] If

4. Wealth adds many friends, but a poor man is separated from his friend. 5. A false witness will not go unpunished, and one who speaks lies will not escape. 6. The great will beg the favor of a generous man, and everyone is a friend to a man who gives gifts. 7. All the kinsmen of a poor man hate him; surely his friends distance themselves

*his way and he commits sins for which he is punished; and when the trouble befalls him, his heart is wroth with the Holy One, blessed be He, and he questions the Divine standard of justice, e.g. Joseph's brothers, who said* (Gen. 42:28): *"What is this that God has done to us?"*—[*Rashi* from *Ta'anith* 9a] Although they had confessed their sin, as it is stated, "And each one said to his brother, 'In truth, we are guilty for our brother, for we saw the trouble of his soul when he begged us and we did not heed. Therefore, this trouble has befallen us,'" nevertheless, from their expression, "What is this, etc.," they indicated that they felt God's judgment was unfair.—[*Maharsha* ad loc.]

4. **Wealth adds many friends**—Heb. רֵעִים רַבִּים, *many lovers. And it can be interpreted as concerning one who learned Torah.*—[*Rashi*] Salonica ed. reads: *who learns much Torah.* If a person is rich, he is beloved by all, both the rich and the poor.—[*Mezudath David*]

**but a poor man is separated from his friend**—Even the friends he had originally leave him. According to the verse's simple meaning, Scripture depicts the prevalent—although improper—practice. Whether we interpret the verse as a reference to one rich in Torah or poor in Torah, it reflects the proper procedure—that one erudite in Torah gains many friends, while the ignorant one does not. Some explain that the poor man is separated from his friend, meaning even from one as poor as he.—[*Ibn Nachmiash*]

5. **will not go unpunished**—Although his plot is not discovered by the court, he will not go unpunished by the Heavenly Tribunal.—[*Mezudath David*]*

6. **The great**—Heb. רַבִּים, as in (Jer. 41:1): "and officers (רַבֵּי) of the king." Since the generous man gives freely to the poor, he becomes so great that even great men entreat him to assist them or to love them.—[*Ibn Ezra*]

**The great will beg the favor of a generous man, and everyone is a friend**—*All become friends to a man who gives gifts. This may be interpreted as referring to those who give charity, and it may also be interpreted as referring to those who disseminate the Torah.*—[*Rashi*] Other editions punctuate *Rashi's* comments in this manner:

**The great . . . and everyone is a friend**—*All become friends.*

**to a man who gives gifts**—*This may*

ממנו מרדף אמרים לא־המה: ח קנה־
לב אהב נפשו שמר תבונה למצא־
טוב: ט עד שקרים לא ינקה ויפיח
כזבים יאבד: י לא־נאוה לכסיל תענוג
אף כי־לעבד ׀ משל בשרים: יא שכל

ה"א לא נאוה. חולין קלג: לו קרי

ליה ואף חברוי רחקין
מניה איכא דטרד
במלוי לא שריר: ח קני
לבא טבא רחם נפשיה
נטר ביונה משכח
טבתא: ט סהדא
דשקרא לא נזדכא
ודמועי כדבותא נאבד:
י לא יאי לסכלא פנוקא
אף לא לעבדא
דנשתלט ברברבנין: יא שכליה דבר נשא

### רש"י

בתורה ובמעשים טובים: **מרדף אמרים לא המה.** מחזר להורות הלכה ולאו בידו. והמדרש פותרו ביוסף שהיה מוליך על אחיו דבה ואומר לאביו שהן חשודין על אבר מן החי לכך שנאוהו ונקרא רש לפי שהיה מוליך דבת שקר עליהם ומחזר אחר אמרים לא המה לו קרינן ומרדף אמרים להנאותו ולענין יוסף לו המה כי עליו חזרו דבתו הוא היה אומר שהיו אוכלים אבר מן החי והכתוב מעיד עליהם אפי' בשעת הקלקלה היו שוחטין שעיר עזים שנאמר וישחטו שעיר עזים (שם ל"ז) הוא אומר שהיו מזלזלין בבני השפחות לכך לעבד נמכר יוסף הוא אומר שהיו נותנים עיניהם בבנות הארץ אמר הקב"ה הייך שאני מגרה בך את הדוב לכך ותשא אשת אדוניו וגו' (שם ל"ט). בב"ר: (י) **לא נאוה לכסיל התענוג אף כי לעבד.** ק"ו הוא שאין נאה שעבד ימשול בנדיבים: (יא) **שכל האדם האריך אפו.** כמו להאריך.

### נגידות

### אבן עזרא

רעיו ולא המה שומעים: (ח) **קונה. עד.** כ' דבקים. **הדעת** יקרא לב אוהב נפשו להחיותה עד עת כלח. ושומר תבונה אחר שקנה אותה בעבור למצא הטוב שמרה שהש"י ימציאהו טובתו בעולם הזה ובבא אבל עד שקר שלא קנה הדעת לא יהי נקי מן השכר: (י) **לא נאוה.** ונחמד להיות לכסיל תענוג וזה כנגד שימר תבונה שימצא טוב ויתכן שהכסיל הוא עד שקר. תענוג טעמו להתענג בעולם. אף כי לעבד משול בשרים ונכבדים לא נאה: (יא) **עבור על פשע.** שיעבור עליו כדי שיתרחק ממנו וזה דרך משל כי הרוצה להתנקם עומד על הפשע ונושא עין כאלו עבר עליו

### רלב"ג

אמרים לא המה ר"ל שיפלילוהו שאמר או עשה כנגדם מה שאינו כן: (ח) קונה לב. מי שהוא קונה שכל הוא אוהב נפשו כי בזה הגיע אל שלמות הנפש והוא שומר בלבו התבונה למצא הטוב האמתי והתכליתי והוא דעת קדושי': (ט) עד שקרים. מי שיעיד שקרים בענייני החכמה אשר בלמדו התחלותיה אל סעדות לא ינקה כי הוא סבה להכשיל האנשים השומעים עדותו בדברים העיוניים ומי שידבר שקרים בעניינים העיוניים ובפרט בשרשים ובהתחלות הנה היא יאבד כי זה סבה להרחיקו משלימותו תכלית ההרחקה: (י) לא נאוה. הנה לא יתכן שיגיע לכסיל תענוג כי בסבת סכלותו ראוי שיגיע לו צער בכל הדברים וכ"ש שלא יאות לעבד שיהיה מושל בשרים וכאילו אמר זה להעיר שאין ראוי שישים האדם מושל הכח הנפשיי שהוא ראוי שיהיה עבד ומשרת לשאר הכחות הנפשיי' המגיעו' האדם אל השלימות כי זה הוא ממה שיבלבל פעולות האנושיות וישיב פעולותיו בהמיות ולא אנושיו': (יא) שכל אדם יסבב שיהיה מאריך אפו ולא יכעס בקלות על הדברים

### מצודת ציון

(שמות ל"ב): (י) נאוה. נאה ויפה:

### מצודת דוד

(ח) קונה לב. לפי שהדעת היא בלב אמר קונה לב ור"ל קונה הדעת הוא אוהב נפשו והשומר תבונה בלבו לבל ישכחה היא סיבה למצוא טוב: (ט) לא ינקה. אף אם לא ענוש לא ינקה מדין של מעלה: יאבד. סופו לאבדון כי יבא לידי עדות שקר: (י) לא נאוה וגו'. כי בהיותו מתענג בטוב יחזיק בכסילות: אף כי. כ"ש שלא נאה שעבד ימשול בשרים כי עוד יכריח כולם אחר רוע מכונתו אשר קנה בעבדותו: (יא) שכל. השכל שבאדם היא מארכת אפו כי היא תייסרו בלא לצאת לריב מהר: ותפארתו.

he forget it, causes good to be found.—[*Mezudath David*] God will cause him to find good both in this world and in the next.—[*Ibn Ezra*] *Gra* explains that one must guard his understanding with the intention of finding good, i.e. with the intention of performing the precepts and doing good deeds.

9. **A false witness will not go unpunished**—Even if the court does not discover his plot, he will be punished by the Heavenly Tribunal.—[*Mezudath David*]

**will perish**—He will ultimately perish because he will come to testify falsely.—[*Mezudath David*] Because of the severity of the sin of testifying falsely, this verse is repeated; verse 5 is very similar.—[*Ibn Nachmiash*]

10. **Pleasure does not befit a fool**—for, when he is enjoying himself, he will cling to his folly.—[*Mezudath David*]

**Pleasure does not befit a fool, much less a slave**—*It is derived by an a fortiori conclusion that it does not befit a*

from him; he pursues statements that are fit for him. 8. He who acquires sense loves his soul; he who guards understanding will eventually find good. 9. A false witness will not go unpunished, and one who speaks lies will perish. 10. Pleasure does not befit a fool, much less a slave to rule over princes.

his kinsmen, who are his flesh and blood, hate him, surely his friends distance themselves from him, until all distance themselves from him.—[*Mezudath David*]

**he pursues statements that are fit for him**—*He says, "So-and-so and so-and-so are my relatives. So-and-so and so-and-so are my friends." And all are words of futility.*—[*Rashi* interprets the verse according to the *keri* and the *kethiv*. The word "lo" is written לא, meaning "no" and read לו, meaning "to him." Therefore, we interpret the passage to mean that he pursues statements that are fit for him although these statements are "not"; they have no truth, but are futile. (*Ibn Nachmiash*)] *This can be interpreted as concerning one who is poor in Torah and in good deeds.*—[*Rashi*]

**he pursues statements which are futile**—[Cf. below the difference between *Rashi's* heading and our translation.] *He seeks to promulgate the halachah, but it is not in his possession. The midrash interprets it as concerning Joseph, who spread slander about his brothers. He would say to his father that they were suspected of* [eating] *limbs from a living animal. Therefore, they hated him, and he was called a poor man because he would spread false rumors about them and look for statements that were not true* (לֹא הֵמָּה). *We read* לו, *"to him," for he would pursue statements for his own benefit, and in Joseph's matter, they were his, because his slander returned upon him. He would say that they ate limbs from a living animal, but Scripture testifies about them that even in the time of sin, they would slaughter a kid, as it is said:* (Gen. 37:31) *"and they slaughtered a kid." He would say that they degraded the sons of the maidservants. Therefore, Joseph was sold as a slave. He would say that they gazed upon the women of the land. Said the Holy One, blessed be He, "By your life, I will incite a bear upon you." Therefore,* (ibid. 39:7) *"his master's wife lifted, etc."* [This appears] *in Genesis Rabbah* [see 84:7].—[*Rashi*] [This midrash is quoted by *Ibn Nachmiash* as well. However, in extant editions of *Genesis Rabbah*, there is no reference to our verse.]

*Mezudath David* explains that even if he seeks words to converse with his friends, they will not converse with him, and the words remain his.

8. **He who acquires sense loves his soul**—He wishes to keep himself alive until he is called to the grave.—[*Ibn Ezra*] A person's intellect represents the life of his soul.—[*Ibn Nachmiash*] By acquiring sense, he attains spiritual success.—[*Ralbag*]

**he who guards understanding**—lest

אדם האריך אפו ותפארתו עבר על־
פשע: יב נהם ככפיר זעף מלך וכטל
על־עשב רצונו: יג הות לאביו בן כסיל
ודלף טרד מדיני אשה: יד בית והון
נחלת אבות ומיהוה אשה משכלת:
טו עצלה תפיל תרדמה ונפש רמיה
תרעב

ת"א בית והון. ב"ק יח זוהר ויחי:

נגידות אורחיה ושבהוריה דנעבר על חובא: יב נהם היך אריא זעפיה דמלכא והיך טלא על עסבא רעותיה: יג בר סכלא קשיה הוא לאבוי היך קרסי והיך דלפא דדליף תגרי דאתתא: יד ביתא ומזלא וירותתא הוא דאבהן ומן אלהא מתמסרא אתתא לגברא: טו עטלותא יהבא שנתא ונפשא

## רש"י

אם עשה כן שכל הוא לו: ותפארתו. הוא שיעבור על מדותיו: (יב) נהם ככפיר זעף מלך. הקדוש ב"ה: (יג) ודלף טורד. דלף גשמים היורד בבית ומטריח ויורד (וטורד) ליושבי הבית כך מדיני אשה רעה: (טו) עצלה תפיל תרדמה. העצלות מביאה לידי שינה זו היא המליצה אבל המשל על המתעצל בתלמודו סוף ששואלין דבר חכמה ממנו והוא נרדם: ונפש רמיה הרעב. סוף שיהא עני וכן הרמאי בתלמודו לעשות תורתו חבילות סוף שהוא שוכח:

## אבן עזרא

ועזבו. האריך פועל עבר יוצא לפעול האמתי וטעמו השכל הוא יאריך אפו של אדם: ותפארתו. שיפארוהו אחרים בעברו על פשע: (יב) זעף מלך. על המכעיסים אותו. וכטל על עשב שירטיבהו כן רצונו של מלך למי שירצה בו: (יג) הוות. הקורות תהיינה נקראות הוות כלומר הבן הכסיל יסבב הוות לאביו: ודלף. כלומר דלף טורד עניינו מגרש בני אדם כן מדיני אשה כמו טרדין. פי' א' דלף טורד שלא ישקוט ואחר שדבר בכסיל ואשה רעה אמר כי בית והון ינחלו האבות לבניהם ואינם יכולים להנחיל להם האשה המשכלת החכמה כי מאת השם היא: (טו) עצלה. שם דבר ע"מ מיתה כבשה כלומר העצלה היא תפיל תרדמה על העצל וכן הנפש ההושבת לרמות אחרים היא תרעב ורמיה

## רלב"ג

המכעיסים כשישגוב אות' ותפארת האדם הוא שיהיה עובר על פשע ולא יחזיק במחלוקת כי בזה ישים האהבה בינו ובין זולתו: (יב) נהם כפיר. הנה כעס המלך יהיה רב הסכנה כי לו כח לעשות מה שיסור מהכעס מהרע לאשר יכעס עליו ולזה ידמה כעס המלך לנהם כפיר שישאג לטרף ורצון המלך ידמה לטל על עשב שיגדל אותו ויזונהו ולזאת הסבה ראוי שיזהר המלך מהכעס יותר מזולתו כי כעסו יותר קשה והוא יותר מזיק: (יג) הוות לאביו בן כסיל. הבן הכסיל הוא לאביו הוות ושברים מרוב כעסו ויגונו על רוע עניינו וישטער האדם כשתהיה אשתו מעוררת לו מדנים כמו שישטער בדלף הטורד שידלוף בבית בהתמדה כי זה סבה שתלך לו העמידה בבית וכן באשת מדנים כשוה כמו שיאמר אחר זה: (יד) בית והון. הנה אפשר שירש האדם מאבותיו בית שיישב לבו בו והון ועוש' ואמנם שתהיה לו אשה משכלת הנה זה ממה שלא יתכן להיו' כ"א מה' כי אין זה תלוי בבחירה מכל וכל אבל צריך שילוה לו עזר אלהי: (טו) עצלה תפיל תרדמה. מדרך העצלה שתפיל תרדמה וזה מבואר מנן החוש כי שלוה תרדוס הכחות ותשימם לואים ובכמו זה תמלא שהנפש הבוטחת שתשיג די טרפה ברמיה ותתעצל מפני זה מההשתמשות במלאכות לבקשת הטרף תרעב כי לא ימלא לה בזה האופן מזונה או ירלה בזה כמו שהעצלה תפיל תרדמה ותמנע מהנפש המרגשת פעולת' תחת חשבו לתת תענוג ומרגוע לכחותי' כן נפש איש רמיה תרעב ותמנע מהנפש פעולת' בהשגת' המושכלות תחת חשבו כי בזה האופן ישיג בקלות די טרפה ויהיה יותר פנוי להשלים נפשו והיה זה בן כי מדרך

## מצודת דוד

התפארת הנאמר בו הוא שיאמרו עליו שהוא עובר ומוחל למי שפשע נגדו: (יב) נהם וגו'. כעס המלך יחריד כנהמת כפיר אריות ורצון המלך היא טובה כטל היורד על העשב כי ביד המלך להשפיל או לרומם: (יג) הוות. בן כסיל יסבב הוות לאביו: ודלף. כמו ספות המטר שדולף לתוך הבית ללכת ממנו כן מריבת האשה אשר יטריד את בני הבית יטריד את בעלה להתרחק ממנה: (יד) נחלת. ינחל האדם מאבותיו: ומה' וגו'. כי אין הדבר תלוי ביד אבותיו: (טו) עצלה. העצלות תפיל על בעליה שינה עמוקה כדרך היושב בטל: ונפש רמיה. המתאוה להיות נזון מן המרמה ולא ממעשה ידיו סופה תרעב כי לא בכל עת יוכל לרמות:

## מצודת ציון

(יב) נהם. כן נקרא שאגת הארי וכן ארי נוהם (לקמן כ"ח): זעף. כעס: (יג) הוות. שברון לב: ודלף. ענין טפטוף כמו דלפה עיני (איוב ט"ז) · טורד. ענין גירושין כמו לך טרדין (דניאל ד'):

marriage of Rebecca to Isaac, by stating (Gen. 24:50), "The matter has emanated from the Lord." In the Prophets, we find Samson's marriage to a Philistine woman described by Scripture (Jud. 14:4) with the expression, "But his father and mother did not know that it was from the Lord."—[*Ibn Nachmiash* from *Genesis Rabbah* 68]

15. **Laziness causes one to fall into a deep sleep**—*Laziness causes one to fall asleep. This is the figure, but the allegory is that it concerns one who neglects his studies; it will ultimately come about that people will ask him*

11. It is good sense for a man to be slow to anger, and it is his glory to pass over a transgression. 12. The King's fury is like a lion's roar, but His good will is like dew upon the grass. 13. A foolish son is the calamity of his father, and the quarrels of a wife are [like] a constant dripping. 14. A house and wealth are the heritage of the fathers, but an intelligent wife is from the Lord. 15. Laziness causes one to fall into a deep sleep, and a deceitful soul shall suffer hunger.

*slave to rule over princes.*—[*Rashi*] The reason is that he will compel the princes to behave according to the corrupt character traits he acquired while in slavery.—[*Mezudath David*]*

11. **It is good sense for a man to be slow to anger**—Heb. הֶאֱרִיךְ, like לְהַאֲרִיךְ, *to be slow. If he did so, it is good sense for him.*—[*Rashi*] *Mezudath David* explains that it is a person's good sense that causes him to be slow to anger, for it trains him to refrain from entering a quarrel in haste.

**and it is his glory**—*that he pass over his retaliations.*—[*Rashi*] It is his glory that people say of him that he passes over any sin committed against him.—[*Mezudath David*] Through this, he brings love between himself and others.—[*Ralbag*]

12. **The King's fury is like a lion's roar**—[The fury of] *the Holy One, blessed be He.*—[*Rashi*] *Mezudath David* explains that the king's fury frightens people like a lion's roar, and the king's good will is as good as the dew that descends upon the grass, for the king has the power to humble or to exalt.*

13. **A foolish son is the calamity of his father**—He can cause calamity to his father.—[*Ibn Ezra*] The fact that the father is constantly sad that it is his lot to have a foolish son, causes calamity to the father.—[*Ralbag*]

**a constant dripping**—lit. a driving drip. [As] *the dripping of the rain that falls in the house disturbs and drives out the inhabitants of the house, so are the quarrels of a bad wife.*—[*Rashi*]

Accordingly, a contentious wife is worse than a foolish son, because the quarrels of the wife drive the husband out of the house, while the foolish son does not. This may also be explained that the drops fall, each one closely following the other, as though driving it away.—[*Ibn Ezra, Ibn Nachmiash*]

14. **A house and wealth, etc.**—It is possible for a person to inherit a house and wealth from his forefathers and to rejoice with them, but an intelligent wife is only from God.—[*Ralbag*]

The idea that one's wife is destined by heaven appears in the Torah, the Prophets, and the Hagiographa. In the Torah, we find that Laban and Bethuel agreed to the

תרעב: טז שמר מצוה שמר נפשו בוזה
דרכיו יומת: יז מלוה יהוה חונן דל
וגמלו ישלם־לו: יח יסר בנך כי־יש
תקוה ואל־המיתו אל־תשא נפשך:
יט גרל־חמה נשא ענש כי אם־תציל
ועוד תוסף: כ שמע עצה וקבל מוסר

ת"א בוזה. נדה ז': מלוה ה'. ברכות יח ברכות י' עקידה ס' פט:

רמיתא תכפן: טז דנטר פוקדנא נטר נפשיה ודמשיט אורחתיה ימות: יז מן דבעי דנזיף לאלדא מתרחם על מסכנא ופורענותא טבתא משלם ליה: יח רדי ברך מטול דאית סכויא ולמיתותיה לא תרים נפשך: יט גברא חמתנא מקבל תכא וכמה דמתעלי על טועניה מוסיף: כ שמע עצתא וקבל מרדותא

ימות קרי גדל קרי

## רש"י

(טז) שומר מצוה שומר נפשו בוזה דרכיו ימות. שאינו נותן לבו לשקלן: (יז) מלוה ה' חונן דל וגמולו ישלם לו. כשיחלה ויטה למות צדקתו מצילה לפני מדת הדין לומר העני היתה נפשו מפרכסת לצאת ברעב וזה פרנסה והחזירה לגופה אף אני אחזיר לו נפשו: (יח) יסר בנך כי יש תקוה ואל המיתו אל תשא נפשך. אל תכהו מכת מות: (יט) גדל חמה נושא עונש וגו'. אם תעביר על חמתך ותציל את שונאיך אם ראית רעה בא לו

## מנחת שי

בבוא: לא המה. לו קרי: (טז) בוזה. בהרבה ספרים הזי"ן בסגול אמנם במסורת נמנה עם ז' זוגין חד כתיב ה' וחד כתיב יו"ד וקמצין: יומת. ימות קרי: (יז) מלוה ה'. בסגול הוא"ו במקצת ספרים ורד"ק הביאו עם הדומים בצירי במכלול דף קכ"ז: (יט) גרל חמה. גדל קרי והוא חד מן ד' מילין דכתיבין רי"ש וקרינן דל"ת וסימן במסורת ירמיה כוף סימן ל"א: גרל. הגימ"ל בגעיא וכ"כ

## אבן עזרא

ע"מ לדיה: (טז) שומר מצוה. שלא יעזבה שומר נפשו מן המיתה. ובוזה דרכיו והראויים לו. ימות בידי שמים טרם עתו כתיב יומת שב"ד ימיתוהו אם מודע שבזה דרך המצות בגלוי: (יז) מלוה. מי שיחון הדלים השם' ילוהו כי העושר בידי אדם הוא פקדון והלואה ולמולו שיחון אותו השם כשחנן הדלים: (יח) כי יש תקוה. שתקוה שיאריך ימים כשיסרך אותו. ואל המיתו שימית אחרים. אל תשא נפשך לפרנס אותה מגזלתו כענין ואליו הוא נושא את נפשו להתפרנס ממנה. פ"א ואל המיתו שאחרים ימיתוהו אז אל תשא נפשך כשיסרך אותו. פ"א ואל המיתו לאחרים אם לא תיסרנו תמיתנו ויצא ממנו גדל חמה. פ"א אל תשא נפשך ממנו שתחשוך ממנו מוסר. אבל הבן שהוא גדל חמה מצד חמתו הגדולה עזבהו ויהיה מקבל ענשו כמו נשא עונו ואל תתעסק בהצלתו כי אם תצילהו פעם אחת צריך אתה עוד שתוסיף להצילו פעמים רבות: (כ) שמע עצה. לשני

## רלב"ג

כדמיה בתמנע האדם מהשגתה השלימות: (טז) שומר מצוה. הנה מי שהוא שומר מצות הש"י בתורתו התמימה הוא שומר נפשו כי היא מייסרת האיש לתיקון הגוף ולתיקון הנפש ואולם מי שהוא בוזה השם יתעלה ימות מפני פתיות מדותיו וחסרון שכלו אשר הם סבה אל שימית האדם בלא עתו עם שיגיע לו הש"י מהעונש על עברו על מצותיו כמו שנתבאר בפדו' מדברי הנביאים: (יז) מלוה ה'. הנה מי שהוא חונן דל כאילו מלוה לש"י מה שיתן לעני כי על הש"י להשביע לכל חי רצון ולזה ישלם לו הש"י גמולו ויברכהו בגלל הדבר הזה ולכן נתן הש"י לעשיר הברכה בכל משלח ידו למען ישמחו העניים בטובו כמו שנזכר בתורה: (יח) יסר בנך. בקטנותו כי בזה יש תקוה להגיעו אל השלימות ואע"פ שיצעק ויהמה בהכותך אותו לא תשא נפשך אל המייתו וצעקתו להתפעל ולחמול עליו מפני זה ולהמנע מליסרו כי טוב לו שיקבל המוסר עם המי' והצעק' משיעמוד שמח עם העדר קבול המוסר: (יט) גדל חמה. מי שהוא גדול חמה לא ימלט בלא ישא עונש על זאת המדה הפחותה כי בזה יעורר מדינים עם האנשים ואם יקרה שבעת מה תצילהו החמה מהקם עליו כי יירא ממנו בראותו חוזק חמתו הנה עוד תוסיף זאת התכונה להתנהג ככה עם אחרים עם שיהיה בהם מי שיקום עליו ויפילהו ברע כי הוא יבקש רע בזאת התכונה הפחותה: (כ') שמע עצה וקבל מוסר. שמע עצה בדבר דבר כדי שתתיישר להתנהג במנהגים המשובחים וצריך במה שתצלח

## מצודת דוד

(טז) בוזה דרכיו. המבזה את הדרכים הראויים אליו ימות בלא עתו: (יז) מלוה וגו'. החונן את הדל בתת לו צדקה הוא כמלוה את ה' והנה יפרע לו דמי ההלואה ויוסף עוד לשלם לו גמול על טובת ההלואה: (יח) כי יש תקוה. ר"ל אל תסיר ידך מליסרו אף אם תראה שאין בו תועלת כי יש תקוה אולי ברבות המוסר יועיל: ואל המיתו וגו'. אבל לא תשא נפשך להמיתו על רוע מעשיו: (יט) גדל חמה. מי שהוא גדל חימה ישא עונש על חמתו כי בודאי יעשה רע על מי אשר יכעס כי אם תציל אותו מידו הנה עוד

*David* renders: A hot-tempered man incurs punishment, for if you save, it will yet increase. A hot-tempered man will bear punishment for his sin, for he will surely harm someone in his anger. For if you save that person from his wrath, his wrath will increase. This is the way of hot-tempered people. If you oppose him, he will nevertheless execute his intended harm and he is destined to be punished for it.

20. **Hearken to advice and accept discipline**—Hearken to my advice and accept God's discipline cheerfully.—[*Ibn Nachmiash*]

16. He who keeps a commandment keeps his soul; he who
despises his ways will die. 17. He who is gracious to a poor
man lends to the Lord, and He will repay him his reward.
18. Chastise your son for there is hope, but do not set your
heart on his destruction. 19. A hot-tempered man incurs
punishment, but if you save you will yet increase. 20. Hearken
to advice and accept discipline,

*words of wisdom, and he will be sound asleep.*—[*Rashi*]

**and a deceitful soul shall suffer hunger**—*He will ultimately become poor. Similarly, one who is deceitful in his studies, making his Torah into "bundles," will ultimately forget.*—[*Rashi*] The reference is to *Erubin* 54b, where the Talmud states that if one studies bundle-wise, i.e. many subjects at once, going to the second one before mastering the first—his knowledge of Torah will decrease. Cf. above 13:11.

16. **He who keeps a commandment**—not to forsake it, keeps his soul from death.—[*Ibn Ezra*] *Ralbag* explains that whoever keeps the commandments of God as embodied in His perfect Torah, preserves his soul, for the Torah straightens a person, both in body and in soul.

**He who keeps a commandment keeps his soul; he who despises his ways will die**—*He does not take heed to weigh them.*—[*Rashi*] He despises the ways that are fit for him to follow. Such a person will suffer an untimely death.—[*Ibn Ezra, Mezudath David*] *Ralbag* interprets this clause to mean that he despises God's ways. He thereby corrupts his character and his intellect, bringing about his destruction.*

17. **He who is gracious to a poor man lends to the Lord, and He will repay him his reward**—*When he becomes ill and is close to death, his charity defends him before the Divine standard of justice, saying, "The poor man's soul was struggling to leave him because of hunger, and this one sustained it. I, too, will return his soul to him."*—[*Rashi* from *Tanhuma, Mishpatim* 15; *Tanhuma Buber, Mishpatim* 6]

18. **for there is hope**—Do not refrain from chastising your son even if the chastisement appears to be of no avail, for there is hope that through much chastisement, he will improve his ways.—[*Mezudath David*]

**Chastise your son for there is hope, but do not set your heart on his destruction**—*Do not deal him a lethal blow.*—[*Rashi*] Others interpret: Do not pay attention to his noisy wailing.—[*Ralbag, Malbim*]

19. **A hot-tempered man incurs punishment, etc.**—*But if you pass over your anger and save your enemy if you see harm coming to him, you will yet increase your days and have much goodness.*—[*Rashi*] *Mezudath*

לְמַ֗עַן תֶּחְכַּ֥ם בְּאַחֲרִיתֶֽךָ׃ כא רַבּ֣וֹת
מַחֲשָׁב֣וֹת בְּלֶב־אִ֑ישׁ וַעֲצַ֥ת יְ֝הֹוָ֗ה הִ֣יא
תָקֽוּם׃ כב תַּאֲוַ֣ת אָדָ֣ם חַסְדּ֑וֹ וְטוֹב־רָ֝שׁ
מֵאִ֥ישׁ כָּזָֽב׃ כג יִרְאַ֣ת יְהֹוָ֣ה לְחַיִּ֑ים וְשָׂבֵ֥עַ
יָ֝לִ֗ין בַּל־יִפָּ֥קֶד רָֽע׃ כד טָ֘מַ֤ן עָצֵ֣ל יָ֭דוֹ
בַּצַּלָּ֑חַת גַּם־אֶל־פִּ֝֗יהוּ לֹ֣א יְשִׁיבֶֽנָּה׃

ת"א רבות. סנהדרין מו: יראת ה'. עקרים מ"ג פל"ד: ושבע ילין. ברכות יד נה:

מְטוּל דְתִתְחַכַּם בְּסוֹפָךְ:
כא סַגִיעָן מַחְשְׁבָתָא
בְּלִבֵּיהּ דְגַבְרָא וְעֵצְתָא
דַאלָהָא הִיא תְקוּם:
כב רַגְתֵּיהּ דְבַר נָשָׁא
חַסְדֵיהּ יָטַב מִסְכְּנָא
מִן גַבְרָא כַדָבָא:
כג דְחַלְתֵּיהּ דַאלָהָא
לְחַיֵי וּמַן דְשָׂבֵיעַ מְבִיהּ
נְבוּת וְלָא נִפְקוֹד
בִּישְׁתָא: כד עַטְלָא
דְמַטְשֵׁי יְדֵיהּ בְּשַׁחְתֵּיהּ
אַף לָא לְפוּמֵיהּ מְקָרֵב

## רש"י

עוד תוסיף ימים וטובה: (כב) **תאות אדם חסדו**. עיקר שהבריות מתאוים לאדם בעבור חסדו: **וטוב רש מאיש כזב**. ואם איש כזב הוא ומבטיח ואינו עושה טוב איש רש ממנו: (כג) **ושבע ילין**. הירא את השם שלא יפקד בשום רעה: (כד) **טמן עצל ידו בצלחת**. ביורה חמה שכשיעבירוה מן האור ופינוה רקנית מחמם ידו בתוכה ודומה לו (בדה"י ב' ל"ה). בשלו בסירות ובדודים ובצלחות. ומשום רבינו יצחק הלוי שמעתי בצלחת. מלשון תרגם

## אבן עזרא

הדרכים שהודעתיך למען תדע חכמה בשמעך מוסר ואל תלך אחרי מחשבתם כי רבות מחשבות בלב איש ואינן קיימות זולת עצת ה': (כב) **תאות אדם**. תהיה לעשות חסדו כלומר יתאוה תמיד לעשות חסד למי שראוי לו או תאות מן נאוה קדש. **וטוב רש** מאיש כזב שאמר לעשות חסד והוא מכזב הרש טוב ממנו כמו איש מתהלל במתת שקר: (כג) **יראת ה' לחיים**. בעבור החיים ירא אותו: **ושבע ילין בל יפקד רע**. הירא בל יפקד ולא יזכר היגון שככר קרהו כלומר לא תזכרנה צרותיו בהיותו שבע מטוב האל: (כד) **בצלחת**. כמו צלוחית חדשה והענין כאילו ידו

## מנחת שי

הבלגמשי בשקל פָּעוֹל: (כג) ושבע ילין. כ"כ ספ"ה וְשָׂבֵעַ וכן כ' במקרא וחברו וימת אברהם:

## רלב"ג

להשיגו בדרכי' הראוי' וקבל מוסר מהגדולים ממך ומהתורה כי זה יהיה סבה שתחכם באחריתך או ירצה בזה שמע עצתי וקבל מוסר כי זה יישירך לקנות חכמה באחריתך כי לקיחת המוסר צריך שיקדם בקנין החכמה כמו שקדם. ראוי שתדע כי לא יועיל לאדם טוב ההתבוננות בדברים שלא יפול ברע אם חטא לש"י בלד מן הצדדים באופן שיהיה ראוי לעונש או שלא יגיע מה שגזר הש"י מהטוב לשכנגדו וזה כי רבות מחשבות בלב איש והש"י יסבב לפעמים שיפול האדם במחשבה מאלה המחשבות אשר תובילהו אל מה שגזר הש"י עליו לטוב או לרע מצד ההשגחה או מצד העונש ולזה ראוי לאדם שישתדל להתקרב אל הש"י כפי מה שאפשר כי לא תועיל לו בזולת זה שום תחבולה להמלט ממה שגזר הש"י עליו אבל ימלא שכל מה שחשב להתרחק מהדבר ההוא ימציא הסבות המקרבות אותו אליו וזה מפורסם מאד מהבנה מספורי הנבואה: (כב) תאות אדם חסדו. הנה תאות האדם היא בטבע מה שהוא חרפה לו כי יצר לב האדם רע מנעוריו ויהיו תאוותיו מפני זה אל תאות החומר אשר בו נשתתף לבהמות ולזה יהיה יותר טוב הרש שלא ישיג דבר מהתאוות מאיש כזב שישבע תמיד באלו ההנאות שהם הבל וכזב או ירצה בזה תאות האדם היא שישיג חסד הש"י בדברים ויותר טוב להשיג זה מי שהוא רש בדעות והוא מי שיש לו הסכלות שהוא העדר מאיש כזב שיש לו הדעות הכוזבות וזה כי הרש לא יצטרך כי אם ללמוד החכמה ואיש הכזב צריך שירפא תחלה ממום דעותיו הכוזבות המרחיקות אותו בתכלית מה שאפשר מהש"י וכזה מהקושי העצום ר"ל להעתיקו מן הדעות האלו ואח"ז יצטרך ללמוד החכמה לפי השרשים האמתיים: (כג) יראת ה'. הנה יראת ה' תישר האדם אל החיים הנצחיים והנה בעל יראת ה' ילין שבע כי לא ירעב ולא יכסוף התאוות הגופיות כי לא יזכר אצלו דבר רע שיהרהר בו כי יראת הש"י תמנעהו מלכסוף הדברים המגונים האלו: (כד) טמן עצל. הנה העצל כאילו טמן ידו בצלחת בצלוחית קטנ' שיקשה להוציאה משם וכן ימלא הענין בו כי לעצלותו תמלאהו ידיו כאילו הם אסורות ולא יעשה שום מלאכה ואע"פ שיחסר לו מזון ויצטרך לו מפני זה להרויח במלאכה מה שישיג בו די טרפו הנה עצ"ל לא ישיבנ"

## מצודת דוד

תוסיף חכמתו כי כן דרך גדלי החכמה ואם תמיד מנגד יעשה מעשהו ומעותד הוא אל הפורענ': (כ) למען תחכם באחריתך. אם לא חכמת בראשית ימיך: (כא) רבות. לפעמים יחשוב האדם מחשבות רבות שונות זו מזו ואין אחד מתקיים אך הדבר אשר יען ה' הוא תקום ואם לא היתה מן המחשבות שחשב הוא: (כב) תאות. מה שהבריות יתאוו אל כן אדם הוא בעבור החסד שהבטיח להם אבל העשיר המבטיח חסד וכוזב הנה הרש טוב ממנו כי על כי לא מלאה ידו אין דרכו להבטיח ואין מביא אנשים לידי כליון עינים: (כג) לחיים. היא סיבה לחיים ויתמיד בשביעה ולא יזכר אל הרע ר"ל לא יבא עליו רע: (כד) טמן עצל. הנה העצל יתעצל במלאכה וכל היום עוסק באכילה וידיו טמונים בצלחת

## מצודת ציון

(כג) ילין. ענין התמדה כמו צדק ילין בה (ישעיה א'): **יפקד**. ענין זכרון והשגחה: (כד) **בצלחת**. שם כלי בשול כמו ובדודים

*and in kettles (בַּצְּלָחוֹת).'' In the name of Rabbi Isaac HaLevi I heard that* בַּצַּלַּחַת *is derived from the expression of the Aramaic translation of* וַיְבַקַּע*, ''and he split,'' which is* וְצַלַּח*. At the time of the cold and the frost, since the cold and the frost crack and split the hands. [Hence, we render: A lazy man hid his hand in winter.] But I heard that is a rend of a cloak called fenditura [in Italian, in German Riss, Spalt, Schlitz], i.e. he hides it in his bosom.—[Rashi]* The bracketed words do not appear in the Salonica

in order that you may be wise in your later years. 21. There are many thoughts in a man's heart, but God's plan—that shall stand. 22. The attraction to a man is his kindness, and a poor man is better than a liar. 23. Fear of the Lord is for life, and he will rest satisfied, not to be visited by evil. 24. A lazy man hid his hand in a kettle; he will not return it even to his mouth.

**in order that you may be wise in your later years**—even if you have not become wise in your early years.—[*Mezudath David*] *Rabbenu Yonah* explains that, after exhorting the father to discipline his son, King Solomon exhorts the son to accept his father's discipline and to be wise in his youth in order to succeed in his future, not to delay repentance until he is old.

21. **There are many thoughts in a man's heart, but, etc.**—Therefore, one must not postpone his repentance for his old age, as he does not know what is in store for him.—[According to *Rabbenu Yonah* on verse 20]

*Mezudath David* explains that a person may have many diverse thoughts that may never be executed, but whatever God plans will come about. *Malbim* explains that, although a person has the freedom to choose the course he wishes to take, the execution of the deed is in God's hand, overriding his apparent freedom.

22. **The attraction to a man is his kindness**—*The main reason that people are attracted to a person is because of his kindness.*—[*Rashi*] *Ibn Ezra* renders: A man's desire is kindness. A person should always desire to do kindness to whoever needs it. *Rabbenu Yonah:* A man's beauty is his kindness. *Malbim:* The mark of a man is his kindness.

**and a poor man is better than a liar**—*And if he is a liar, who promises but does not perform, a poor man is better than he.*—[*Rashi*] The poor man does not promise gifts; hence he does not disappoint anyone.—[*Mezudath David*] The poor man may indeed have a generous spirit, but he does not have the wherewithal to practice his generosity. Not only has the liar no desire to be generous, but neither is he trustworthy.—[*Malbim*]

23. **Fear of the Lord is for life**—Because of your life, fear Him.—[*Ibn Ezra*]

**and he will rest satisfied**—*He who fears the Lord will rest, satisfied that he will not be visited by any evil.*—[*Rashi*] To the God-fearing, all coveted things are as naught. He desires only the fear of God and His worship. That is his pleasure and his delight.—[*Rabbenu Yonah, Ibn Ezra*]

24. **A lazy man hid his hand in a kettle**—*Heb.* בַּצַּלַּחַת, *in a hot kettle, in which, when removed from the fire and emptied, one may warm his hand. Similar to it in Chronicles* (II 35:13): *"they cooked in pots, in cauldrons,*

כה לֵץ תַּכֶּה וּפֶתִי יַעְרִם וְהוֹכִיחַ לְנָבוֹן
יָבִין דָּעַת׃ כו מְשַׁדֶּד־אָב יַבְרִיחַ אֵם בֵּן
מֵבִישׁ וּמַחְפִּיר׃ כז חֲדַל־בְּנִי לִשְׁמֹעַ
מוּסָר לִשְׁגוֹת מֵאִמְרֵי־דָעַת׃ כח עֵד
בְּלִיַּעַל יָלִיץ מִשְׁפָּט וּפִי רְשָׁעִים יְבַלַּע־

ליה: כה למִמְקְנָא תִּמְחֵי וְשַׁבְרָא מִתְעָרֵם וְאַכֵּים לְסוּכְלְתָן דְּנִתְבַּיַּן יְדִיעְתָא: כו דְּבָזֵז לַאֲבוּי וּמַעֲרִיק לְאִמֵּיהּ בְּרָא הוּא מְבַהְתָנָא וּמַחְפְּרָנָא: כז פְּרַשׁ בְּרִי וּשְׁמַע מַרְדּוּתָא וְלָא תִשְׁגֵּי מִן מַאמְרֵי דְפוּמִי: כח סַהֲדָא רַגְלָאָה מְמִיק בְּדִינֵיהּ וּפוּמְהוֹן דְּרַשִׁיעֵי מַפִּיק עאתא

## רש״י

ויבקע ונלח. בשעת הגנה והגליד על שם שהקור והגליד מבקעין ונולחין הידים. ואני שמעתי בגלחת קרע ההליק שקורין (פאגדאיר״ה בלע״ז. מל׳ איטאלי״א בל׳ אשכנז רוטן שפאלט שליעז און דעם העמדע) כלומר עומגה בהיקו (סא״א): (כה) לץ תכה ופתי יערים. על ידי מכות פרעה ומלחמת עמלק אחכים יתרו ונתגייר: (כו) משדד אב יבריח אם. מבריח אם: בן מביש ומחפיר. דרכיו ע״י שראפה שרה את בן הגר המצרית מצחק לע״א ולגלוי עריות גרש זה שנשתלחה אמו (בראשית כ״א) וירע הדבר בעיני אברהם: (כז) חדל בני לשמוע וגו׳. מקרא קצר הוא וזהו פירושו חדל בני לשגות מאמרי דעת בשביל לשמוע מוסר: חדל וגו׳ לשגות. כמו מלשגות וכן וחדל לעשות הפסח (במדבר ט׳) וכן כי חדל לספור (בראשית מ״א): (כח) עד בליעל יליץ משפט. יעיד לאדם מלילת משפטי

## עבן עזרא

סמוכה בגלחת: לא ישיבנה. כי לא ימצא מאומה שיאכל על כן צריך אדם לבקש מחיתו ולא להתעצל: (כה) לץ. יערים. ילמד ערמה: (כו) משדד. פועל וכן יבריח פירוש בן מביש מצוה לשדד אביו. והוא מסבב שתברח אמו: מביש. נותן בושה לאביו: (כז) חדל בני. לשגות מאמרי דעת׳. ושמע מוסר. פ״א זה הפסוק דבק ראשו עם סופו. וכן הוא חדל בני מאמרי דעת אם האבה לשמוע מוסר ואחרי כן לשגות: (כח) יליץ. ידבר שעדותו הוא משפט ולדק מן המליץ או ידבר ליצנות על המשפט: יבלע. כמו כבלע

## מנחת שי

(כה) והוכיח. י״ם והוכה הכ״ף בצירי ובמדוייקים בחיר״ק והיא גם כן מלא יו״ד כי לא נמנה במסורת הגדול עם האחסרים ומ״ש גם במערכת אות היו״ד ו׳ חסרים בלישנא ב׳ חסרים וא״ו ושאלה חסרים יו״ד. נ״ל להגיה ג׳ חסרים וא״ו ושאלה חסרים יו״ד וכן נמסר בפרשת וירא ג׳ חסרים יו״ד בלישנא: (כו) משדד. המ״ם בגעיא: (כז) חדל בני. הטעם שנמצא במקצת ספרים באי״ת הוא געיא כי כן נמצאת בכמה מקומות באמצע החטף פתח והחטף סג״ל ויש מהן רבות בס״ם ולא ידעתי מה (הם) משמשות:

## רלב״ג

בידו לעשות בה מלאכה יחיה בה וזה אמרו גם אל פיהו לא ישיבנה: (כה) לץ תכה. הנה אם תכה לץ להקנותי מוסר הנה האיש הפותה כרואה זה יתחכם בזה ויקח בעצמו ערמה להמלט מהדבר אשר הוכה עליו האיש הלץ ויקח מוסר בהכאת זולתו אך לנבון אם תוכיח לו בדברים לבד יבין דעת כי לבו פונה אל השלימות: (כו) משדד אב. הנה הבן שהוא מביש ומחפיר הוריו לרוע מנהגיו וידיעתו אל התאוות הוא סבה שישודדו שודדים אביו כדי שיחלק מהשלל עמם או אולי לזוה מהם ויבאו להפרע מהאב ולזאת הסבה בעיניה יבריח האם ולזה ראוי לאב ולאם שייסרוהו בקטנותו שלא יבואם ממנו זה ההפסד ואחר שהזהיר הבן לשמוע מוסר שב להזהיר שלא יכלה ימיו בזאת הפילוסופיא במדינית כי די לו בה שתיישירהו אל לקיחת המוסר אשר הוא הלצה לקנין החכמה: (כז) חדל בני. ואמר המנע בני לשמוע חכמת המוסר תמיד באופן שתשגה בה יותר מאמרי דעת כי אין ראוי לאד׳ שיאבד זמנו בחקירותיה כמו שביארנו בפרשת בראשית אבל ראוי שתשגה תמיד באהבת אמרי דעת אחר שתגיע מהמוסר דבר ראוי ומספיק להיות הלצה לקנין החכמה: (כח) עד בליעל. הנה העד הבליעל שיעיד שקר באחיו יוליא בפיו מחשבתו הרעה לתכלית שיהיה המשפט מפי השופט כמו שחשב וזה צריך לו לפי שהוא עושה הרעה ע״י זולתו ואמנם פי רשעים יבלע ויכסה האון אשר במחשבתם כדי שלא יודע רצונם לאיש ויהיה זה סבה אל שיוכלו להשיג מחשבתם ולא יהיו נשמרים

## מצודת ציון

ובגלאות (דברי הימים ב׳ כ״ה): (כה) יערים. מלשון ערמה: (כו) משדד. מל׳ שדידה וגזלה: ומחפיר. ענין בושה: (כז) לשגות. מל׳ שגגה ומשגה: (כח) יליץ. מלשון מליצה:

## מצודת דוד

לקנות התבשיל המתבשל בו. והנה סופו שגם אל פיהו לא ישיב ידיו כי לא ימצא מה לאכול ולהשיב אל פיו: (כה) לץ תכה. כאשר תכה את המתלוצן על החכמה עם כי לא תועיל לו הנה הפתי המחוסר הבנה יתחכם בעבור זה אבל לנבון אף דברי תוכחת יועילו לו ויבין דעת יותר ממה שבידו: (כו) משדד אב וגו׳. הבן שהוא מביש ומחפיר פני אביו גורם שאביו מגרש לאמו על אשר הדריכתו בדרך הזה ובע״כ יבזבז נכסיו לתת לה כתובתה והרי הבן ההוא גוזל את אביו דמי הכתובה ומבריח את אמו ממנו: (כז) חדל בני וגו׳. לפעמים ימצא מסית לשגות מאמרי דעת בראיות כוזבות ויפתח אמריו במוסר השכל למען יאמינו בו עד כי ישוב להדיח מאמרי דעת ואמר חדל בני לשמוע המוסר של המסית לשגות מאמרי דעת ולא תאמר את הטוב נקבל ואת הרע לא נקבל כי תהיה נלכד בפתויו: (כח) יליץ משפט. המשפט יתקן אמרו במיטב המליצה למען יקובלו על הלב ויאמינו לו: יבלע און.

**cease to stray**—Heb. לִשְׁגוֹת, *like* מִלִּשְׁגוֹת, *from straying. Likewise,* (Num. 9:13): *"and refrains* (וְחָדַל) *from performing* (לַעֲשׂוֹת) *the Passover service."* Also, (Gen. 41:49): *"they stopped counting* (לִסְפֹּר)."—[*Rashi*] *Mezudath David* explicates the verse in its proper sequence: Sometimes an enticer introduces his false arguments with words of discipline. King Solomon warns against listening to words of discipline that will lead to straying from words of knowledge.

28. A **godless witness testifies**

25. Beat a scorner, and a simple man will gain cunning;
reprove a man of understanding, and he will understand knowl-
edge. 26. A son who causes shame and disgrace robs his father,
puts his mother to flight. 27. My son, cease to stray from
words of knowledge to hear discipline. 28. A godless witness
testifies judgment, but violence will devour the mouth of the
wicked.

edition. In fact, we find the word *fendedure,* a crack, in *Rashi* to *Kethuboth* 75a, although there it is used as a crack of a scar. Hence it is French, found in modern French in the form of *fendre,* to split, cleave, or crack. Consequently, there is no need for *Rashi* to explain with an Italian word when a French word has the same meaning.]

**he will not return it even to his mouth**—It is as though his hand is hidden in a jar, for he will find nothing to eat. Therefore, a person must not be lazy, but must apply himself to work for a livelihood.—[*Ibn Ezra*] Note that *Ibn Ezra* defines צַלַּחַת as צְלוֹחִית, an earthenware jar.*

25. **Beat a scorner, and a simple man will gain cunning**—*Through the plagues visited upon Pharaoh and the war with Amalek, Jethro gained cunning and converted.*—[*Rashi* from *Midrash Tanhuma Yithro* 3] When you beat one who scorns wisdom, it will not avail him, but the simple man, who lacks understanding, will gain wisdom by witnessing the scorner's punishment. For the man of understanding, however, even words of reproof avail, and he understands more than he did previously.—[*Mezudath David*]

26. **A son who causes shame and disgrace robs his father, puts his mother to flight**—Heb. יַבְרִיחַ, *puts his mother to flight.*—[*Rashi*] [Although the word יַבְרִיחַ appears in the future tense, the present is meant.]

**A son who causes shame and disgrace**—*Whose ways* are disgraceful. *Since Sarah saw the son of the Egyptian maidservant making sport with idolatry and adultery, he caused his mother to be sent away, "and the matter displeased Abraham"* (Gen. 21:11).—[*Rashi* from an unknown midrashic source]

*Mezudath David* explains that the son who embarrasses his father causes him to drive his mother out of the house. He blames her for raising their son to have such ignoble character traits and divorces her. Since he must pay her *kethubah,* the son is, in effect, responsible both for his mother's divorce and his father's expense.

27. **My son, cease to stray, etc.**—*This is an elliptical verse, and this is its explanation: My son, cease to stray from words of knowledge in order to hear discipline.*—[*Rashi*]

אָוֶן׃ כט נָכוֹנוּ לַלֵּצִים שְׁפָטִים וּמַהֲלֻמוֹת
לְגֵו כְּסִילִים׃ כ א לֵץ הַיַּיִן הֹמֶה שֵׁכָר
וְכָל־שֹׁגֶה בּוֹ לֹא יֶחְכָּם׃ ב נַהַם כַּכְּפִיר
אֵימַת מֶלֶךְ מִתְעַבְּרוֹ חוֹטֵא נַפְשׁוֹ׃
ג כָּבוֹד לָאִישׁ שֶׁבֶת מֵרִיב וְכָל־אֱוִיל
יִתְגַּלָּע

עָאתָא׃ כט מִתַּקְנִין לְמִמְקְנֵי דִּינֵי וּמַחְתָא לְגֻשְׁמֵיהוֹן דְּסַכְלֵי׃
א מְמַקְנָא הוּא חַמְרָא וְרַוְיָתָא שִׁכְרָא וְכָל דְּשָׁגֵי בֵּיהּ לָא נִתְחַכֵּם׃
ב נָהֵם הֵיךְ אַרְיָא אֵימְתָא דְמַלְכָּא וּמַן דְּמַחְמֵית לֵיהּ חָטֵי עַל נַפְשֵׁיהּ׃ ג יְקָרָא הוּא לְגַבְרָא דְיָתֵב דְּלָא דִינָא וְכָל דְּשָׁטֵי מִצְטְדֵי׃

ת״א לץ היין. גיטין סח:

## רש״י

יסורין ומיתה: ופי רשעים יבלע און. האון יבלעהו: (כט) נכונו ללצים. הקב״ה זימן לו שפטים של פרעת לזה הלץ המספר בלשון הרע: כ (ב) נהם ככפיר אימת מלך מתעברו. מכעיסו: (ג) כבוד לאיש שבת מריב. לנוח ממריבה: וכל אויל. שאינו שבת מריב תגלה קלונו:

## אבן עזרא

את הקדש: (כט) נכונו ללצים שפטים. מאת השם כלומר השם ישפטם בעבור שילין המשפט וכנגד מהלומות שהכסילים הלומים ע״י אדם כענין ושבט לגו כסילים: כ (א) לץ היין. הסר איש היין לץ הוא הומה פירוש צועק שיתנו לו שכר: לא יחכם. לא ילמד חכמה בהתעסקו ביין: (ב) נהם ככפיר. מתעברו. מתעבר עמו: נפשו. הוא החוטא בעבור שאינו חולק כבוד למלכות: (ג) כבוד. שהמלך יכבד לאיש המתעבר אם ישב וישקוט ממריבה על כן בקמ״ץ הלמ״ד כי הוא ידוע והוא המתעבר

## מנחת שי

כ (א) שגה בו. הגימ״ל בסגול וכן ברוב הספרים כ״י. בו דגושה:

## רלב״ג

כאנשי׳ מהם או ירצה בזה כשד בליעל המעיד שקר בספורי המישרים להשגת הענינים העיונים וכרשעים בעלי הדעו׳ הכוזבו׳ בסבות העיוניו׳ והתוריות ויהיה הלון בו עד בליעל ילין משפט כמה שיגיד ואם לא ירגיש כי ממנו יעמיד אחכמה על דבר המשפט ויהיה זה העד שכם להשעותו ובכלל הנה בקשת המשפט סבה אל שידבר אלו הדברים כי יקרה שיטעה בעדות לסבות מה כמו שבארנו בחמישי מספר מלחמות ה׳ והנה לפעמים תמלא שיגיד האדם דברים בעדות לחזק הדעת שנראה לו צודק בחקירותיו כמו שתמצא זה לגליינוס במה שחלק על הפלוסוף במה שהניח שהלב לבדו הוא החי ולזה הוא המבואר שהמשפט שנראה לו צודק הוא סבה אל שיגיד זה העדו׳. אך האון והשקר אשר לרשעים בהתהלות הוא סבה אל שיהיו דבריהם נשחתים ומבולבלי׳ במה שאחר ההתחלו׳: (כט) נכונו ללצים שפטים. כי מפני הלעגם על האנשים ימלאו בהם שישפטו אות׳ שפטים גדולים ולגוף הכסילים נכונו שברים כי לבלותם ימשו עניני׳ מגונים כנגד האנשים ואפשר שיעיר על זה בלצים כשד הבליעל שילין ספורים כוזבים יביאו לטעות החכמים כדבר משפטי העיון ולזה אמר כי נכונו להם שפטים כי הם עושי׳ רעה גדולה אם לא ירגיש בזה ולזה צריך לאדם שיזהר בדבר הספורים האלו שלא יגיד רק האמת ויתבונן שיהיה ענין ספורו נקי מהדברים המשעים והמשל כי לפעמים כשיהיה מעונן יראה הכוכב רחוק מכוכב אחר יותר מהמרחק האמתי אשר ביניהם ומי שיקח העדות מהעת ההוא יטעה החוקרים בזאת המלאכה הסומכים על מבטיו והנה קרא הכסילים בעלי הרעות הנפסדות כי יש עמם הסכלות שהוא קנין וכמו שסכלותם בהתחלות ישכר וישחית מהם כמה שאחריהם כן ראוי שישכר גופם לפי שרוב נטותם אחר הדברים הגופיים היה סבה אל שיטעו בעיון מפני שלא השלימו החקירה בו לרוב התעסקם בעניני הגוף: (ב) נהם ככפיר אימת מלך. הנה אימת המלך המושל באדם והוא השכל האנושי שהוא ראוי שימשול בשאר כחות הנפש וכן סודר מהש״י ביום הבראם ראוי שתהיה כ״כ חזקה כאילו ינהם לטרוף ככפיר כי באמת מי שיסור מעבודתו ידרך אל ההפסד וההשחתה ומי שהוא מתחבר עמו ואינו רוצה לשמוע הוא חוטא נפשו ומפסידה ויהיה סופו נאין והנה המתעבר עמו הוא בעל התאוה כי הכח המתעורר ההוא יריב עם הכח המתעורר השכלי ויובילהו זה אל הכליון וההפסד: (ג) כבוד לאיש שישבות מריב וזה יהיה בירא׳ את השם כי אין לו תאוה לרע ולזה תהיינה כל מחשבותיו טובות אך כל אויל יתבלבל ויתערב בריב ויהיה זה סבה להפילו ברע ויהיה זה כן באויל כי הוא יחשוב שיהיה הסדר בריב הוא הטוב למיעוט חקירתו בדברים:

## מצודת דוד

דברי האון יאמר בבליעה לבל ירגישו שעלם הכוונ׳ על דבר האון והוא כי יחשבו בלפי תומו ידבר: (כט) שפטים. משפט יסורים: ומהלומות. מכות המשברות נכונו לגוף הכסילים: כ (א) לץ היין. שותה היין הוא לץ ושותה השכר יהמה וילעג בשכרותו וכל השוגה בו ר״ל כל מי ששגה בו בדעתו לחשוב הואיל והיין מספקת הרבה א״כ בשתייתו הנה באמת לא יתחכם כי אף אם מעט יפה רובו קשה: (ב) נהם. כהמת הכפיר כן מאוים פחד המלך על מי אשר יקום עליו והמכעיסו מחסר נפשו כי יסתכן בעלמו: (ג) כבוד. הבטלה מן המריבה הוא כבוד לאיש: וכל אויל יתגלע. בעת המריבה כי כאשר ירבה אמרים יגולה

## מצודת ציון

כ (א) הומה. ענין צעקה: שוגה. מלשון שגגה: (ב) נהם. כן נקרא שאגת האריה: אימת. מלשון אימה ופחד: מתעברו. מלשון עברה יכעס: חוטא. ענין חסרון כמו קולע באבן אל השערה ולא יחטיא (שופטים כ׳): (ג) יתגלע. כמו יתגלה בה״א:

**roar; he who provokes him**—*Who angers him.*—[*Rashi*] As fearful as the roar of a lion, so is the fear of a king upon the one with whom he is angry, and whoever angers him forfeits his life for he jeopardizes it.—[*Mezudath David*]

*Malbim* sees this verse as supplement to 19:12: The king's fury is like a lion's roar. When the king is angry, one cannot approach him any more than one can approach a lion roaring from his den, which will surely attack. In this verse, Scripture warns against breaching the laws of etiquette in the presence of a king

29. Punishments are prepared for the scorners and blows for the body of fools.

## 20

1. The [imbiber of] wine is a scorner; he roars, "Strong drink!" And whoever strays with it will not become wise. 2. Fear of a king is like a lion's roar; he who provokes him forfeits his life. 3. It is honor for a man to refrain from quarreling, and every fool will be exposed.

**judgment**—*He testifies against a man* [with] *the rhetoric of the judgments of tortures and death.*—[*Rashi*] He speaks in such a way to prove that his testimony is just. This may also mean that he mocks judgment.—[*Ibn Ezra*]

**but violence will devour the mouth of the wicked**—*The violence will swallow him up.*—[*Rashi*] Salonica edition adds: *and destroy him.* Others render: and the mouth of the wicked conceals violence. He pretends to speak innocently, concealing the violence he wishes to perpetrate.—[*Mezudath David*]

29. **are prepared for the scorners**—*The Holy One, blessed be He, prepared punishments of zaraath for this scorner who slanders.*—[*Rashi*] *Ibn Ezra* also explains the verse in this manner, connecting it to the preceding verse.

**and blows**—Blows that are dealt out by man are also prepared for the body of the fools.—[*Ibn Ezra*]

*Malbim* explains these two verses as follows: If a godless witness testified falsely during a trial, and then is seen mocking the judgment—saying that through his testimony, an innocent man was put to death, as in the case of Naboth the Jezreelite—and the mouth of the wicked judges conceals the violence, you should know that they will all be held accountable for their deeds. For the mocking witnesses, punishments; and for the wicked fools, the judges, blows are prepared from heaven so that they receive their just deserts.

1. **The [imbiber of] wine is a scorner**—This verse appears to be an ellipsis. *Ibn Ezra* explains it as we have translated the text: The man who imbibes wine is a scorner; he cries out that they give him strong drink. *Mezudath David* explains: He who drinks wine is a scorner; he who drinks strong drink roars and cries out in his drunkenness.

**And whoever strays with it, etc.**—Whoever strays by thinking that as wine makes a person wise, he will drink excessively—he will not become wise, for a small quantity is beneficial, but an excess is harmful.

2. **Fear of a king is like a lion's**

יִתְגַּלָּע: ד מֵחֹרֶף עָצֵל לֹא־יַחֲרֹשׁ יִשְׁאַל
בַּקָּצִיר וָאָיִן: ה מַיִם עֲמֻקִּים עֵצָה בְלֶב־
אִישׁ וְאִישׁ תְּבוּנָה יִדְלֶנָּה: ו רָב־אָדָם
יִקְרָא אִישׁ חַסְדּוֹ וְאִישׁ אֱמוּנִים מִי
יִמְצָא: ז מִתְהַלֵּךְ בְּתֻמּוֹ צַדִּיק אַשְׁרֵי
בָנָיו אַחֲרָיו: ח מֶלֶךְ יוֹשֵׁב עַל־כִּסֵּא־

ת״א מים עמוקים. פסחים נג עקידה שער יז, כל ז׳ פסוקים: רב אדם. (שבת ל׳ קדושין פ׳): ושאל קרי

**תרגום**

ד מִתְחַסַּד עַטְלָא לָא שָׁתֵיק וְשָׁאֵל בְּחַצְדָא וְלֵית: ה מַיָּא עֲמִיקֵי עֵיצְתָא בְּלִבָּא דְגַבְרָא וְגַבְרָא דְמִתְבַּיַּן נַדְלִינַהּ: ו סוּגְעָא דִבְנֵי נָשָׁא מִתְקַרְיָן גַּבְרֵי מְרַחֲמָנֵי וְגַבְרָא מְהֵימְנָא מַנּוּ מַשְׁכַּח: ז דִמְהַלֵּךְ בִּתְמִימוּתֵיהּ צַדִּיקָא הוּא וְטוּבֵיהוֹן לִבְנוֹהִי בַּתְרוֹהִי: ח מַלְכָּא דְיָתֵב עַל

**רש״י**

(ד) **מחורף עצל לא יחרוש.** מפני הצנה יושב העצל ואינו עושה מלאכה ואינו עוסק בתורה: (ה) **מים עמוקים עצה בלב איש.** הלכה בלב חכם סתומה: **ואיש תבונה ידלנה.** ותלמיד נבון בא ודלה אותה ממעיו: (ו) **רב אדם יקרא איש חסדו.** הרבה יש בני אדם הבוטחים על אוהביהם המבטיחים אותם חסד וקוראים להם בעת דוחקם: **ואיש אמונים מי ימצא.** המבטיח ועושה. איש חסדו. המבטיח לו לעשות חסד: (ח) **מלך יושב על כסא דין.**

**מנחת שי**

(ד) ישאל. ושאל קרי: (ה) עמקים. הטי״ן בחטף פתח: (ו) רב אדם. במקף ישוב החולם לקמץ חטוף:

**אבן עזרא**

עמו. יתגלה יתערב במריבה: (ד) מחורף. המ״ם תחת בי״ת כלומר בעת החורף. ושאל. שישאל מן הקוצרים ולא יתנו לו מאומה בעבור עצלותו: (ה) **מים עמוקים.** חסר כ״ף כלומר כמים עמוקים שהם קרים וזכים ורגל לא תרפסם כן החכמה והעצה שהיא בלב איש זכה וברורה. ואיש אחר ידע התבונות ידלה העצה מלבו כלומר ילמדה ממנו: (ו) **רב אדם.** כלומר הרוב בבני אדם כל אחד יקרא חסדו כלומר יתפאר שיעשה חסד ולא יקראהו מי ימצא פ״א שיאמר אמת על נפשו: (ז) **מתהלך בתומו.** הוא יקרא צדיק: **אשרי בניו אחריו.** כי בגלל צדקו יהיו מכובדים עד שיאשרום אחרים הנה ירש אדם מטובת אביו: (ח) ומלך שישב על כסאו לעשות דין היא יזרה כל מי שהוא רע בעיניו כי אז

**רלב״ג**

(ד) מחורף עצל לא יחרוש. אמר להעיר על העצל מלבקש השלימות כי בסופו יהיה משולל מהשגתם כי העצל איננו חורש אדמתו ועובד אותה כראוי בחורף וזה הוא סבה אל שלא יעשה פרי אשר זרע בה וכן העצל לא ישתדל בתחלת ענין לתקן גופו בלקיחת המוסר ולזה לא יוכל להשיג החכמה ולא השתדל בה ג״כ וזה יהיה סבה אל שלא יתן פריו השכל שהם בו הש״י: (ה) מים עמוקים עצה בלב איש. הנה העצה אשר בלב איש בכח לא ישיגוה בקלות אבל אחר החקירה הרבה כי הוא במדרגת המים העמוקים מאד אשר יקשה להגיע אל מה שהוא בתחתיהם ואולם איש תבונה ידלה העצה מלבו בטוב חקירתו והפלגתו בה: (ו) רב אדם. הנה הרבה מבני אדם תמצא שיכריז כל אחד מהם חסדו כשיספר אני עשיתי חסד קדוקך לפלוני ויחשבו מפני זה בהם שהם אנשי חסד כי גם איש אמונים אשר יעשה הראוי בדברים לבד בזולת חסד יקשה המצאו והיה זה כן כי לא יתכן שיקרא האדם איש חסד בעבור חסד אחד שעשה אם לא ינהג כך בכל הדברים וכן לא יתכן שיקרא האדם איש אמונים אם לא בשיתמיד בזאת התכונה לעשו׳ האמת והישר תמיד ואפשר שירצה בזה רב אדם יקרא בעת הצורך האיש שהוא גמל חסדו שישיב לו גמולו והנה יקשה למצוא כאלו שקבלו החסד איש אמונים שיתעורר להשיב גמול לאשר גמל אותו חסד אך יתנכר אליו כאלו לא קבל טובה ממנו ולזה אין ראוי לאדם שישים בשר זרועו אך יבטח בש״י ואפשר שתהיה הוי״ו במלת חסדו נוספת ויהיה הרצון בזה כי כבר יקרא הקורא רב אדם איש חסד ר״ל שיקרא לאחד מהם איש חסד אבל תדע שאין הענין כן כי יקשה למצוא איש חסד כי גם איש אמונים יקשה למצוא: (ז) מתהלך בתומו. הצדיק שהוא מהלך בתמימות וביושר במדותיו ובדעותיו והוא איש אמונים על דרך האמת לא די שיהיה נשמר מהרעות כי גם בניו יהיו מושגחים מהש״י בסבתו עם שמתכונתו ג״כ שייישיר בניו לעבודת הש״י ותדבק בהם ג״כ ההשגחה מלאדם: (ח) מלך. הנה המלך והוא השכל כשיושב על כסא דין לשפוט בדברים העיוניים לפי מה שראוי ויקח

**מצודת ציון**

(ה) ידלנה. ענין שאיבה כמו דלה דלה לנו (שמות ב׳): (ח) מזרה. ענין פריסה ונטיה כמו כי חנם מזורה הרשת (לעיל א׳):

**מצודת דוד**

אולתו לכל: (ד) מחורף. מסיבת צנת החורף לא יחרוש העצל את שדהו ובעת הקציר שואל תבואה ואיננה כי לא צמחה שדהו הואיל ולא חרשה: (ה) מים עמוקים. דרך החכם להסתיר עצתו בעומק הלב ויקשה לזולתו להשיגה והרי היא כמים עמוקים שא״א לשאוב המים התחתונים. אבל איש תבונה ידלנה כי מתחלה ישאוב העליונים ויוכל לשאוב אח״ז את התחתונים. ור״ל לומר מתחלה יחקור הדברים המסתעפים עד אשר יבין את העצה העמוקה בלב: (ו) רב אדם. רוב בני אדם יכריז כל איש החסד שעושה עם הבריות ויתפאר בזה אבל מי ימצא בהם איש אמונים כי רבים ישקרו: (ז) אשרי בניו. אשרי לבניו אחרי מותו כי יחשו בגלל זכותו: (ח) מלך. כאשר יושב ה׳ על כסא דין אז מפוזר ובטוח

Heb. אִישׁ חַסְדּוֹ, lit. a man of his kindness, *who promises him to do kindness.*—[Rashi]

**but who can find a trustworthy man?**—*who promises and keeps his promise.*—[Rashi]

7. **He who walks innocently is righteous**—He is called a righteous man.—[*Ibn Ezra*]

**fortunate are his sons after him**—Heb. אַשְׁרֵי, lit. praised. For because of his righteousness, they will be respected and praised. The result is that a man inherits the good of his

4. Because of the winter, a lazy man does not plow; he will seek in harvest, and there will be nothing. 5. Counsel in man's heart is like deep water, but a man of understanding will draw it out. 6. Many people call upon the man who promises them kindness, but who can find a trustworthy man? 7. He who walks innocently is righteous; fortunate are his sons after him. 8. A king sits upon a throne of

even when he is not angry, for one must stand in awe of his majesty; whoever does not is liable to death.

3. **It is honor for a man to refrain from quarreling**—*To rest from quarrel.*—[*Rashi*] *Rashi* explains the Hebrew, שֶׁבֶת, as meaning to rest. Cf. *Ibn Ezra* to Exodus 21:19.

**and every fool**—*who does not refrain from quarreling—his disgrace will be exposed.*—[*Rashi*] When he talks too much, his foolishness becomes manifest.—[*Mezudath David*]

4. **Because of the winter, a lazy man does not plow**—*Because of the cold, a lazy man sits and does no work, neither does he engage in Torah.*—[*Rashi*] *Ibn Ezra* renders: During the winter.

**he will seek in harvest, and there will be nothing**—He will seek grain, but there will be none. Since he did not plow, his field will not produce.—[*Mezudath David*]

*Ibn Ezra* explains that he will request of the harvesters that they give him grain, but they will refuse because his want is due only to his own laziness. The Sages explain this verse as referring to one who neglects to study the Torah in his youth and seeks to study it in his old age, finding himself unable to do so.—[*Ibn Nachmiash* from *Deut. Rabbah* 8:6]

5. **Counsel in man's heart is like deep water**—*A halachah in a wise man's heart is sealed.*—[*Rashi*]

**but a man of understanding will draw it out**—*An understanding pupil comes and draws it out of his innards.*—[*Rashi*] *Ibn Nachmiash* words it: and draws it out with the pail of understanding.

It is customary for the wise man to conceal his counsel in the depth of his heart, making it difficult for others to grasp. Counsel is therefore likened to deep water, which is nearly impossible to draw from the bottom. But an understanding person can draw it, for he will first draw the upper waters and then the lower waters. In other words, first he delves into the halachoth resulting from the fundamental reasoning until he determines the fundamental reasoning itself.

6. **Many people call upon the man who promises them kindness**—*There are many people who rely on their friends who promise them kindness, and they call them at the time of their straits.*—[*Rashi*]

**who promises them kindness**—

דִּין מְזָרֶה בְעֵינָיו כָּל־רָע׃ ט מִי־יֹאמַר
זִכִּיתִי לִבִּי טָהַרְתִּי מֵחַטָּאתִי׃ י אֶבֶן
וָאֶבֶן אֵיפָה וְאֵיפָה תּוֹעֲבַת יְהוָה גַּם־
שְׁנֵיהֶם׃ יא גַּם בְּמַעֲלָלָיו יִתְנַכֶּר־נָעַר
אִם־זַךְ וְאִם־יָשָׁר פָּעֳלוֹ׃ יב אֹזֶן שֹׁמַעַת
וְעַיִן רֹאָה יְהוָה עָשָׂה גַם־שְׁנֵיהֶם׃
יג אַל־תֶּאֱהַב שֵׁנָה פֶּן־תִּוָּרֵשׁ פְּקַח
עיניך

עַל כּוּרְסְיָא דְּדִינָא מְפַזַּר
מִן קֳדָמוֹהִי כּוּלְהוֹן
בִּישְׁתָא׃ ט מַן דְּיֵימַר
זְכֵי הוּא לִבִּי וְאַדְכִּיֵית
מֵחוֹבְתִי׃ י מַתְקְלָא
וּמַתְקְלָא כַּיְלָא וְכַיְלָא
מְרַחֲקִין אִנּוּן קֳדָם אֱלָהָא
אַף תַּרְוֵיהוֹן׃ יא אוֹף
בְּעוֹבָדוֹהִי מִתְיְדַע
טַלְיָא אִין דְּכֵי וְאִין
תְּרִיצָן עוֹבָדוֹהִי׃
יב אֶדְנָא דְּשָׁמְעָא וְעַיְנָא
דְּחָזְיָא אֱלָהָא אַבְרֵי
תַּרְוֵיהוֹן׃ יג לָא תְרַחֵם
שִׁנְתָא דִּלְמָא תִתְמַסְכֵּן

ת"א אוזן שומעת. עקידה שם עקרים מ"ג פ"ב:

## רש"י

יש לפרשו כנגד הקב"ה ויש לפרשו כנגד שופטי אמת: (יב) אוזן שומעת ועין רואה וגו'. כלו' מעשי ידיו הם והוא חפץ באוזן שומעת מוסר ועין הרואה את הנולד: (יג) אל תאהב שנה פן תורש. כי תעשה רש:

## אבן עזרא

יעמוד על כסאו: (ט) מי. זה שיאמר זכיתי לבי מעון נעורי טהרתי מחטא ילדותי והטעם אין אדם שילך תמיד בתומו ולא יחטא: (יא) גם. יתנכר. הפך הכרה וכן ויתנכר אליהם והענין שהתנכר מן הנערות בעבור מעלליו. אם זך מחטא ואם ישר פעלו כי הנער הכסיל נודע ונכר באולתו וזה מתנכר במעשיו הטובים כאילו מתכסה בהם ולא יכירו רואיו מעשיו אם נער עשם כאשר הם זכים וישרים: (יב) אזן. אל. רע. ג' דבקים כלומר מאזן לשמוע מוסר

## מנחת שי

(יג) אל תאהב. האל"ף בחטף סגול ברוב הספרים: שבע לחם. השי"ן בגעיא:

## רלב"ג

מאמר הכתות השרות הראוי להגיעו אל האמת בדרושיו הנה הוא מזרה ומפזר בעיונו כל רע במדות ובדעות כי יזהר מהדברים המטעים ובהעבירו כהותיו יסיר התאוות הרעות והמגונות והנה זה כלי ממה שילערך לאיש אמונים כשיהיה איש אמונים ע"ד האמת. ועתה יבאר שכבר יקשה המלאו כמו שזכר תהלה ואמר מי הוא שיוכל להתפאר שהוא איש אמונים ע"ד האמת מי יאמר זכיתי לבי ואמר מי הוא שיוכל להתפאר שיאמר זכיתי לבי בדעות ונמלטתי מהספק בהם היה זה ממה שיקשה מאד לרוב הדברים המטעים ומונעים מהשלמ' החקירה בהבנה מהדרושים ומי יאמר טהרתי מחטאתי בעניינים הגופיים והמדיניים ולא התנהגתי בהם כ"א ביושר ובאמת: (י) אבן ואבן. הנה המשקל הקטן מהראוי או הגדול מהראוי והמדה הקטנה מהראוי או הגדולה מהראוי הנה שני אלו הדברים מתועבים לש"י במדות ובדעות וזה כי הנבחר והראוי במדות הוא השווי והיושר מזולת שיהי' לאחד מהקצוות כמו שנתבאר בפילוסופיא המדינית והנבחר בדעות שלא לקצר מהאמת הראוי בדבר דבר ושלא להפליג עליו יותר מהראוי כאילו תאמר שמה שיסבול אותו מופת מוחלט לא יקצר בו ויסמך על מופת ראיה או על הקדמות מפורסמות ומה שלא יסבול מופת מוחלט לא יבקשהו וכן לא יחקור במה שאין דרך אל השגתו ולא יקצר לחקור במה שיוכל להשגתו ובהיות הענין כן מי הוא זה ואי זה שיוכל להתפאר כאיש אמונים: (יא) גם במעלליו. הנה אע"ס שימלאו בחוש פעולות האדם טובות וישרות הנה אפשר לו שיתנכר בהם ותהיינה פעולותיו בנגלה טובות ולבו ברע והנה קרא האיש הזה נער לא מלך ר"ל שהשכל בו הוא משרת לא מלך: (יב) אזן שומעת ועין רואה. הש"י עשה גם שניהם כלים להשגת האמת בדעות ובמדות וזה שאלו החושים הם יותר נכבדים בחושים לקחת מהם ההקדמו' הראשונות עם ההשגות במוחשים והם עם זה כלים אל שיקבץ האדם אליו החכמה שהשיגוה שאר האנשים כי באזן ישמע דבריהם וילמד אותם ובעין יראה דבריהם בספריהם ולזה היו אלו החושים מהגדולים שבכלים אל שישלם לאדם להיות איש אמונים במדות ובדעות והם עם זה כלים לחטא וזה מבואר מעניינם: (יג) אל תאהב שנה. אל תתעלל ותאהב שינה

## מצודת דוד

בעיניו כל רעות האדם אף אם עשאום בסתר: (ט) מי יאמר. ר"ל הואיל והכל גלוי לפניו מי יוכל להכחיש ולומ' הנה לבי זכה ובהירה מבלי סיג עון ואני כבר טהרתי עצמי מחטאתי כי עשיתי תשובה עליה: (י) אבן ואבן. העושה שני אבני משקל גדולה וקטנה מראה את הגדולה ושוקל בקטנה הנה תועבת ה' גם שניהם כי גם הגדולה עשויה רק לרמות ולא לשקול בה: (יא) גם במעלליו וגו'. ר"ל גם הנער בשנים אף בעת יעשה מעלליו מדעת עצמו לא מלות אנשים מלומדה מ"מ יוכל הוא להתנכר ולהביא ספק בלבות בני אדם אם פעלו זך וישר. כי כקטן כגדול עלולים הם לרמות ולהתנכל במעשיו לבל יכירו בו האמת: (יב) אוזן שומעת. ר"ל גוף האוזן וחוש השמע אשר היא שומעת וכן גוף העין וחוש הראייה אשר היא רואה הלא ה' ברא גם שניהם הגופים והחושים וכל פעל ה' למענהו ולעבודתו: (יג) פן תורש. כי בעת השינה תבטל מן המלאכה: פקח. פתח עיניך למעט בסגירת העינים

## מצודת ציון

(ט) זכיתי. מלשון זך ונקי: (י) איפה. שם מדה בת ג' סאים: (יא) במעלליו. במעשיו כמו אשר עולל לי (איכה א'): יתנכר. מלשון נכר וזר: (יג) תורש. מלשון רש ועני: פקח. פתח כמו

His praise and for His service . . .—[*Mezudath David*] you must beware of hearing or seeing unseemly things.—[*Ibn Nachmiash*]

13. **Do not love sleep**—God created the ear to hear and the eye to see; do not interrupt their functions by sleeping in excess, for they were not created for that purpose.—[*Ibn Nachmiash*]

**lest you become poor**—Heb. תִּוָּרֵשׁ, *you become poor* (רָשׁ).—[*Rashi*] For, when you sleep, you cease your work.—[*Mezudath David*]

judgment; all evil is spread out before him.
9. Who will say, "I have cleansed my heart; I have become purified of my sin"?
10. Diverse weights and diverse measures—even both are an abomination of the Lord.
11. Even a child can disguise himself with his deeds, if his deed is pure or upright.
12. The hearing ear and the seeing eye, the Lord has made even both of them.
13. Do not love sleep lest you become poor, open

father.—[*Ibn Ezra*] They will take shelter in his merit.—[*Mezudath David*] *Ralbag* explains: The righteous man, who walks in innocence and integrity, not only gains Divine Providence for himself, but he gains Divine Providence for his sons after him.

8. **A king sits upon a throne of judgment**—*This may be explained as referring to the Holy One, blessed be He, or it may be explained as referring to the true judges.*—[*Rashi*] When the king sits on the throne of judgment, then all man's evil is spread out before him—even what was perpetrated in secret.—[*Mezudath David*]

*Ibn Ezra* explains that a king who sits on his throne to perform judgment should scatter all evil people; then he will remain on his throne. *Ibn Nachmiash* suggests: When the king sits down on his throne to perform judgment, all wicked and godless people are afraid to stand in his presence, lest he punish them. Now, if this is true of a mortal king, how much more is it true that in the presence of the Almighty, one must fear the consequences of his sins!

9. **Who will say, "I have cleansed my heart . . ."**—God sees everything; therefore who can lie to Him and say, "Behold, my heart is cleansed of any trace of iniquity, and I have purified myself from my sin by repenting?"—[*Mezudath David*]

10. **Diverse weights**—If one has two weights, one large and one small, and he displays the large one but weighs with the small one, both of these weights are an abomination to the Lord, for even the large one is meant only to mislead people.—[*Mezudath David*]

11. **Even a child can disguise himself with his deeds, etc.**—A child can hide his youthfulness by his deeds, if they are pure or upright. If he commits foolish acts, they are known to be those of a foolish child, but if he commits only pure and upright acts, it is unknown that they are the deeds of a child.—[*Ibn Ezra, Ibn Nachmiash*] Others render: Even a child is known by his deeds.—[*Redak, Shorashim; Ibn Kaspi; Exod. Rabbah* 1:13]

12. **The hearing ear and the seeing eye, etc.**—*They are His handiwork, and He desires an ear that hears reproof and an eye that sees what will develop.*—[*Rashi*] The ear and the sense of hearing, the eye and the sense of seeing are God's handiwork, and He created everything for

עֵינֶיךָ שְׂבַע־לָחֶם׃ יד רַע רַע יֹאמַר
הַקּוֹנֶה וְאֹזֵל לוֹ אָז יִתְהַלָּל׃ טו יֵשׁ זָהָב
וְרָב־פְּנִינִים וּכְלִי יְקָר שִׂפְתֵי־דָעַת׃
טז לְקַח־בִּגְדוֹ כִּי־עָרַב זָר וּבְעַד נָכְרִים
חַבְלֵהוּ׃ יז עָרֵב לָאִישׁ לֶחֶם שָׁקֶר וְאַחַר
יִמָּלֵא־פִיהוּ חָצָץ׃ יח מַחֲשָׁבוֹת בְּעֵצָה

פְּתַח עֵינָךְ וּשְׂבַע
לַחְמָא׃ יד חַבְרָא
לְחַבְרֵיהּ נֵאמַר דְקָנִית
וְהֵידֵין נִשְׁתַּבַּח וְנֵימַר׃
טו דְאִית דַהֲבָא וְסוּגְעָא
דְכֵיפֵי טַבְתָא וּמָנֵי
דִיקָרָא שִׂפְוָתָא
דִידִיעְתָא׃ טז נְסִיב
לְבוּשֵׁיהּ מְטוּל דְעָרִיב
לְחִלְיוֹנֵי וְלָא אַפֵּי
נוּכְרָיְתָא מַשְׁכְּנֵיהּ׃
יז עָרִיב לְגַבְרָא בְלַחְמָא
רַגְלָא וּבָתַר הַיְדֵין נִתְמְלֵא פּוּמֵיהּ חֲצָצָא׃ יח מַחְשַׁבְתָּא בְעֵצְתָא תִּתַּקֵן וּבְמַדְבְּרָנוּתָא
מתעביד

ת"א רע רע. בתרא פד: לקח. מציעא קטו בתרא קפ"ג:

### רש"י

(יד) רע רע יאמר הקונה. הקונה תורה ע"י הדחק ויסורי רעבון אומר אוי לי על רעה זאת והצרה הזאת וכשהולך לו מלא חכמה: אז יתהלל. על הצער שנצטער: ואוזל לו. והולך לו: (יז) ערב לאיש לחם שקר. ניאוף אשת איש: ואחר ימלא פיהו חצץ. אבנים דקות. וכן ויגרס בחצץ (איכה ג'): (יח) מחשבות בעצה תכון ובתחבולות

### מנחת שי

(יד) רע רע. בספרי הספרד שניהם פתוחים וכן משמע מלשון המסורת פרק [..]: ואזל לו. בספרים שלנו בטעם אחד בלבד כו"ן ובמכלול דף ל"ה כתב שהוא בב' טעמים ואזל ועיין מ"ש בהושע ד' אזל לכד רוח: (טו) ורב פנינים. ג"ר במקף ישוב החולם לקמץ חטוף: (טז) לקח בגדו. הלמ"ד בגעיא: נכרים חבלהו.

### אבן עזרא

והעין לראות התוכחת עשה השם על כן אל תאהב שנה שלא נברא העין לישן כי אם שעה ידועה ואחרי כן לראות ולבחור בדרכי המוסר: (יג) פקח עיניך. מן השינה כי אז תשבע לחם וראה הקונה שאמר על הממכר רע רע ויבזהו כדי שיוכל לקנות בזול וכאשר הולך בעצמו עם הממכר אז יתהלל ויתפאר בעצמו ויאמר שהוא יודע לקנות דבר נחמד ובאמת כן הוא שיש זהב ופנינים רבים למי שיש לו שפתי דעת שידע בעסקי סחורה: (טז) לקח. חבלהו. לשון לווי: (יז) ערב. לחם שקר. שהעיד שקרים בעבורו: (יח) מחשבות.

### רלב"ג

כמנהג העצלים כי זה יהיה סבה שתאבד הונך ותורש ואם תפקח עיניך בזריזות תשבע לחם ומזון ערב בדעות ואולם בעצלה לא די שלא תשיג שלימות אבל גם ההתחלות אשר אצלך מהמום תאבד ותשחית ולא יהיה לך מהם תועלת: (יד) רע רע יאמר הקונה. הנה אין הענין בקנין החכמה כמו בשאר הקניינים וזה כי שאר הקניינים מפני שיהיה מחירם כסף יקרה בקנין הקנין ההוא לרע בהיותו לו ובשלא יהיה לו יחשבהו לטוב והנה הפך זה ימצא בקנין החכמ' כי לא יחשבהו אדם לטוב כ"א אחר שהשיגהו: (טו) יש זהב. ולזה אמר כי יש בשאר הקניינים קניינים חמודים כמו זהב ורב פנינים אך אין בהם כלי יקר כמו שפתי דעת כי שאר הקניינים יחשבו נגלה יתרון ערכם ואין הענין כן בשפתי דעת כי הם עוזים על כל הענינים והם המישרים תכלית הישרה למלאת דברי חפץ כי בזה האופן יקובלו אלהם הדעות ונאמנו ואפשר שיהיה הרצון בזה כי המשיג קצת המושכלות שהם הלאה לו אז יהלל על כל הקניינים המושכל אשר היה מגנה אותם קודם זה וידמה שההלול הזה הוא מה שיאמר יש זהב ורב פנינים אך כלי יקר הוא שפתי דעת כי הם ידיעו לקנין דבר נחמד מזהב ומפז רב: (טז) לקח בגדו. הנה מי שערב זר והוא הנמשך אל הכח המתעורר לתאוות הגופיות הפשיטהו מכל קנינו להפרע ממנו והנה השכל הוא הערב בעד האיש הזר ובעד נכריה והוא הנפש המתאוה כמו שקדם בראש זה הספר קח משכונו להפרע כי השכל היא המקבל העונש במה שלא השיגהו תענוג מאלו הפעולות המגונות כמו שקדם: (יז) ערב לאיש לחם שקר. כתחלת עיונו כאילו תאמר שאם יטעה ויחשוב שאין שם גמול ועונש אך אחר זה יהפך לו המזון הערב ההוא לחצץ שאין בו תועלת להזין וישבר עם זה שניו אשר יאכל כאמלעיתם: (יח) מחשבות בעצה תכון.

### מצודת ציון

עיניו פקח (איוב כ"ז): (יד) ואוזל. ענין הליכה כמו אזלו מים מני ים (שם י"ד): (טו) פנינים. הם מרגליות: (טז) חבלהו. ענין משכון כמו אם חבול תחבול (שמות כ"ב): (יז) ערב. ענין מתיקות

### מצודת דוד

בשינה ואז תשבע לחם ונא' למשל על עסק התורה: (יד) רע רע. דרך הקונה חפץ לבזותו בפני המוכר ויכפול אמריו לומר שהוא רע למען ימכרנו בזול וכאשר יקנהו והולך לו אז יתהלל לפאר את עצמו לומר שיודע לקנות הפצים בזול. ונא' למשל על הקונה חכמת התורה מתוך צער ודוחק אשר יתרעם אז על קושי הדוחק אולם אחר כך יתהלל בעצמו על הצער שסבל כי בסוף לצערא אגרא: (טו) יש זהב. הנה יש בעולם די זהב והרבה פנינים אם כן הואיל ויש הרבה מהם אין בהם חשיבות כ"כ. אבל שפתי דעת הם כלי יקר. ר"ל כלים העשוים מאבני יקר שהחשיבות רב בהם מצד עצמם ומלאכת תבניתם והמה דברים שאינם מצויים: (טז) לקח בגדו. לקח למשכון את בגד הערב ולא תחוש בזה כי מאלו נעשה ערב בעבור זר והכניס עצמו בזה: ובעד נכריה. כפל הדבר לו' בין ערב עבור איש בין בעבור אשה עניה סוערה: (יז) ערב. מתוק לפי האיש מאכל גזול אבל אחרית הדבר אשר יהפוך בפיו לחצץ המשברת את השינים ואינם מכניסים ר"ל עוד ידוה משמן בכבו: (יח) מחשבות הנעשות בעצת יועצים תכון

for a man or for a poor woman, hold him in pledge.—[*Mezudath David*] The Hebrew for "hold him in pledge" is חַבְלֵהוּ, an unusual word. *Ibn Nachmiash* suggests: his pledge. *Rabbenu Yonah* renders: his rope. Take even the rope from his tent if he stood surety for an alien woman.

17. **Bread of falsehood is sweet to a man**—*Adultery with a married woman.*—[*Rashi*]

**but afterwards his mouth will be filled with gravel**—Heb. חָצָץ, *fine pebbles. Similarly,* (Lam. 3:16): "*And He has made my teeth grind on gravel* (בֶּחָצָץ)."—[*Rashi*] "Bread of

your eyes and be sated with bread. 14. "It is bad, it is bad," says the buyer, but when he goes away, then he boasts. 15. There is gold and many pearls, but lips of knowledge are like a precious vessel. 16. Take his garment because he stood surety for a stranger, and hold him in pledge for an alien woman. 17. Bread of falsehood is sweet to a man, but afterwards his mouth will be filled with gravel. 18. Plans with counsel

**open your eyes, etc.**—Open your eyes and sleep less; then you will be sated with bread.—[*Mezudath David*] *Meiri* explains the verse in its simple sense, as a warning to a person not to become lazy lest he become impoverished of his money. In its hidden sense, *Meiri* explains it as a warning to beware of laziness and neglect in the study of wisdom, and rather to keep one's intellect awake and study wisdom, which is compared to bread.

14. **"It is bad, it is bad," says the buyer**—*If one acquires Torah through poverty and the pains of hunger, he says, "Woe is to me for this evil and for this trouble," but when he goes away full of wisdom . . .*—[*Rashi*]

**then he boasts**—*about the pain he suffered.*—[*Rashi*]

**but when he goes away**—Heb. וְאֹזֵל, *but when he goes away.*—[*Rashi*] *Mezudath David* explains that it is customary for the buyer of an article to degrade it to the seller so that he sell it to him cheaply. He even repeats his statement for emphasis. Then he goes away, boasting of his ability to get bargains. This is a figure representing the Torah, as *Rashi* explains.

15. **There is gold and many pearls**—There is much gold and many pearls in the world. Because they are plentiful, they are not so precious, but lips of knowledge are truly a precious vessel as they are scarce.—[*Mezudath David*]

*Ibn Ezra* combines the three verses as follows: Open your eyes from your sleep and then you will be sated with bread. You will observe how the buyer degrades the merchandise for sale and then boasts when he has bought it for a reasonable price, saying that he knows how to buy precious things. Indeed, there is gold and many pearls for one who has lips of knowledge, who is expert in buying merchandise.

16. **Take his garment**—Take the garment of the guarantor as a pledge, for he entered this transaction of his own accord and stood surety for a stranger. Therefore, you will bear no guilt for taking it.—[*Mezudath David*] Although one may not enter the debtor's house to take a pledge, he may enter the guarantor's house for this purpose.—[*Baba Mezia* 115a]

**and hold him in pledge for an alien woman**—Whether he stood surety

תִּכּוֹן וּבְתַחְבֻּלוֹת עֲשֵׂה מִלְחָמָה׃
יט גּוֹלֶה־סּוֹד הוֹלֵךְ רָכִיל וּלְפֹתֶה שְׂפָתָיו
לֹא תִתְעָרָב׃ כ מְקַלֵּל אָבִיו וְאִמּוֹ יִדְעַךְ
נֵרוֹ בֶּאֱשׁוּן חֹשֶׁךְ׃ כא נַחֲלָה מְבֹחֶלֶת
בָּרִאשֹׁנָה וְאַחֲרִיתָהּ לֹא תְבֹרָךְ׃

מִתְעֲבֵיד קְרָבָא׃ יט דְּגָלֵי
רָזָא אָכֵל קוּרְצָא וּלְמַן
דְּמַשְׁרְגַג בְּשִׂפְוָתֵיהּ לָא
תִתְחַלַּט׃ כ דְּלָיֵיט לַאֲבוּי
וּלְאִמֵּיהּ נִדְעַךְ שְׁרָגֵיהּ
אֵיךְ אֶתוּנָא דַּחֲשׁוּכָא׃
כא יְרוּתְתָא דְּמִסְרְהֲבָא
בְּקַדְמֵתָא וּבְסוֹפָא
לָא תִתְבְּרֵךְ׃

באשון קרי מבהלת קרי אל

### רש"י

**עשה מלחמה**. אם באת להלחם כנגד השטן בא בתחבולו' תשובה ותפלה ותענית: (יט) **גולה סוד הולך רכיל ולפותה שפתיו**. המדבר חלקות לפתותך ולהסיתך: (כ) **מקלל וגו' ידעך נרו באישון חשך**. בהנשף ובהשחיר החושך כלומר בבא הרע: (כא) **נחלה מבהלת בראשונה**. שנבהל למהר וליטול תחלה כגון בני גד ובני ראובן שמהרו ליטול חלקם בעבר הירדן ודברו בבהלה שנא' (במדבר ל"ב) גדרות צאן נבנה למקנינו פה וערים לטפינו עשו את העיקר טפל שהקדימו מקנם לטפם: **ואחריתה לא תבורך**. שגלו כמה שנים קודם שאר השבטים כמו שמפרש בסדר עולם. ובמדרש רבי תנחומא בשנת שתים לאחז ויער ה' את רוח מלך אשור וגו' ושאר השבטים גלו בשנת שש

### אבן עזרא

**הכון**. כל אחת בעצה שיועץ עם חבירו או יכון מה שחשב לעשות: (יט) **ולפותה**. שיפתוהו אחרים. לא תתערב שיגלה סודך והוא הרכיל: (כ) **נרו**. רמז לנשמתו ידעך כנגד מות יומת: **באישון חשך**. כפול כלומר שימות בחשיכה או החשך משל לצרות: (כא) **מבוהלת בראשונה**. מגזלה ואחריתה שהיא גזולה לא תבורך והטעם לא ירדו עליה גשמי ברכה וכתוב מבוחלת בחי"ת להודיע כי נחלה גזלה הוא

### מנחת שי

נכריה קרי: (כ) באישון. באשון קרי ומה שכתב רד"ק בשרשים שרש איש שנפל במלה זו טי"ן הסופר ר"ל בקרי כי הכתיב ביו"ד כמו באישון לילה ואפלה סימן ז' ובדפוס נאפולי כתיב באשון חסר יו"ד ובחילופי הסי"ן והוא טעות: (כא) מבחלת. מבהלת קרי והיא חד מן ד' מלין כתיבין חי"ת וקרי ה"א וסימן נמסר בתנ"ך כאן ובשיר השירים א'. ועיין מה שכתב בעל הטורים פרשת מטות פ' ומקנה

### רלב"ג

הנה המחשבו' המקבילות לאדם אשר בספורם הוא נכון בעניני' הנה העצה שלימה שתחשב לו בזה תכין לו המחשבה הצודקת וזה יהיה כשיקבץ כל אלו המחשבות ויברור הצודק מהבלתי צודק בחקירה שלימה וביישוב רב ואם יקרה שם שתי מחשבות מקבילות הלהם בההבילית על המחשבה המרחיק' האדם משלמותו ובזה תמלט מהמבוכה באלו הענינים הגדולים אשר יביאו המחשבות המקבילות הנופלות בהם להתבלבל בענינם או ירצה בזה על דבר המחשבות המביאות לאדם לחטא עשה מלחמה בעצה אשר תכין ובתחבולו' בדרך שתכניע אותם המחשבות הרעות: (יט) גולה סוד. לא תתערב עם מי שהוא גולה סוד והולך רכיל כי זה סבה לרעות גדולות בדברים המדיניים ולא עם מי שאומר דברי פתות והסתה בשפתיו להדיחך מעל הדרך הטובה ואפשר שירצה בזה מי שהוא גולה סוד בענין המבוכה שיש במחשבות מקבילות אשר בהתחלות שיצטרך להמלט מהם בעצה שתדון ובתחבולות הוא במדרגת מי שהוא הולך רכיל שמשחית העולם ברכילותו כן זה יביא מבוכה בלב האנשים שדעתם קצרה לבא ממנה ויביא מפני זה עליהם הפסד רב בדעותיהם ולזה השמר לך מהתערב עם מי שמרחיב שפתיו לדבר באלו הדברים כי באלו החקירות יש מהסכנה עד שאין ראוי שיחקור האדם לחקור בהם עם זולתו ולא עם עצמו כי אם בעת שנתחזקו בלבו הדעות האמתיות התוריות והעיוניות כי אז ימלט מזאת הסכנה: (כ) מקלל אביו ואמו. מי שהוא מקלל אביו ואמו יכבה נרו וישאר בשחרות החושך והיה זה כן לפי שזה מונע ממנו קבולו המוסר מהם וזה סבה למנוע ממנו כל שלמות עם שזה ממה שירגילהו לבלתי הכר הטוב למי שגמלהו טוב והיה סבת היותו וגדולו באופן מה ויעתק מה מזה אל שיכפור בש"י אשר בראהו והשפיע לו ממנו כל הטובות עם שזה ממה שיפסד סדר המדינה כי לא יתחזק האדם להטיב לזולתו אם לא מפני תקותו שיכיר לו הטובה אשר גמלהו: (כא) נחלה מבהלת. הנה הצלחת הנחלה היא נבהלת בראשונה כי הוא באה לאדם תיכף ובזולת עמל ולזה תמצא כי אחריתה לא תבורך כי מפני שלא עמל בה היורש לא תיקר בעינו ולא ישתדל מאד לשמרה ובזה האופן ישחית נחלתו בקלות וזה דבר מפורסם מאד מענין הירושה והנחלה והנה העיר בזה כי הקניינים מהחכמה אשר יעמול האדם יותר בהשגתם הם יותר יקרים מהמושכלות אשר יגיעו בקלות והצלחה המגעת

### מצודת דוד

ותתקיים ואם תלחם במי עשה מלחמה בהתחכמות רב כי בודאי גם שכנגדך הרבה מחשבות בעצה ולזה מהצורך להתחכם ביותר: (יט) גולה סוד וגו'. לא תתערב להתחבר עם מי שטבעו לגלות הסוד ולא יוכל לעמוד על עצמו להסתיר דבר מה ולא עם מי שהולך רכיל בכוונה מיוחדת ולא עם מי שדברי שפתיו המה פתיות אבל בעבור הסכלות יגלה הסוד לתומו: (כ) ידעך נרו. יכובה נשמתו בשחרות החושך ר"ל בבוא יום הגמול עת תאיר נשמת הצדיק ולפי שדימה את הנשמה לנר דימה את הגמול לעת צורך הארת הנר: (כא) נחלה מבוהלת. נחלה הבאה לאדם בראשיתה בבהלה ובהפזון ופתאום עם כי תשמח בעליה הנה אחריתה לא תבורך כי

### מצודת ציון

כמו וערבה לה' מנחת (מלאכי ג'): חצץ. אבנים דקים כמו ויגרס בחצץ שני (איכה ג'): (יט) ולפותה. מלשון פתי ושוטה: תתערב. מלשון תערובות: (כ) ידעך. ענין כיבוי וקפיצה כמו דועכו כאש קוצים (תהלים קי"ח) והוא כנוי הנר כי השלהבת נדחה ונקפץ מן הפתילה: באישון. ענין שחרות וחושך וכן באישון לילה (לעיל ז'):

*the main thing of secondary import, for they placed their flocks before their children.*—[*Rashi*]

**but its end will not be blessed**—*For they were exiled many years before the rest of the tribes, as is explained in Seder Olam* (ch. 22), *and in the Midrash of Rabbi Tanhuma* (see *Mattoth* 7): *"In the second year of Ahaz, the Lord aroused the desire of the king of Assyria, etc.* (I Chron. 5:26)," *but the rest of the tribes were exiled in the sixth year of Hezekiah, which is the ninth year of Hoshea the*

will be established, and with strategies wage war. 19. You shall not mingle with one who divulges secrets, one who gossips, or with one who entices with his lips. 20. If one curses his father and mother, his lamp will flicker in the blackest darkness. 21. An inheritance may be acquired hastily in the beginning, but its end will not be blessed.

falsehood" may also be interpreted as food obtained through theft.—[*Mezudath David*]

18. **Plans with counsel will be established, and with strategies wage war**—*If you come to wage war against Satan, come with strategies of repentance, prayer, and fasting.*—[*Rashi*] Plans laid through the counsel of advisers will succeed. Therefore, if you wage war with someone, it must be done with strategy, because the enemy undoubtedly has many advisers to assist him with his plans.—[*Mezudath David*]

*Meiri* explains that even the wisest person needs counsel in laying his plans because he views everything subjectively. Others are more objective and can therefore better advise him.

**and with strategies wage war**—One requires cunning and shrewdness in war as well as in other dealings. One must study the matter thoroughly.—[*Meiri*]

19. **with one who divulges secrets, one who gossips, or with one who entices with his lips**—*who speaks smoothly to seduce you and entice you.*—[*Rashi*] *Mezudath David* renders: with one who speaks foolishly. *Ibn Nachmiash:* who opens his lips wide. If you wish to establish your plans, do not mingle with one who divulges secrets or who gossips—even with one who does not do so intentionally, but talks innocently and is unable to control his mouth.

20. **If one curses . . . his lamp will flicker in the blackest darkness**—*When the darkness becomes blacker and blacker—when evil befalls him.*—[*Rashi*] *Ibn Ezra* sees the lamp as representing the soul. The flickering lamp alludes to the death penalty imposed upon one who curses his father or mother, as in Exodus 21:17. He also suggests that the darkness represents troubles.

*Rabbenu Yonah* explains that if one curses his father or his mother, the merit of the commandments he fulfilled, such as honoring his father and his mother, will no longer protect him in time of trouble. His merit will be like a flickering lamp, which will afford him no light.

21. **An inheritance may be acquired hastily in the beginning**—*Which one hastened to take hurriedly, e.g. the sons of Gad and the sons of Reuben, who hastened to take their share on the other side of the Jordan, and they spoke hastily, as it is said* (Num. 32:16): *"We want to build sheepfolds for our cattle here and cities for our children." They made*

כב אַל־תֹּאמַר אֲשַׁלְּמָה־רָע קַוֵּה לַיהוָה
וְיֹשַׁע לָךְ: כג תּוֹעֲבַת יְהוָה אֶבֶן וָאָבֶן
וּמֹאזְנֵי מִרְמָה לֹא־טוֹב: כד מֵיְהוָה
מִצְעֲדֵי־גָבֶר וְאָדָם מַה־יָּבִין דַּרְכּוֹ:
כה מוֹקֵשׁ אָדָם יָלַע קֹדֶשׁ וְאַחַר נְדָרִים
לְבַקֵּר: כו מְזָרֶה רְשָׁעִים מֶלֶךְ חָכָם

כב לָא תֵימַר אֲשַׁלֵּם בִּישְׁתָּא סְבָא לֶאֱלָהָךְ וְיִפְרְקִנָּךְ: כג מְרַחֲקִין אִנּוּן קֳדָם אֱלָהָא מַתְקְלָא וּמַתְקְלָא וּמְשַׁחְתָא דְרַמְיוּתָא לָא שַׁפִּיר קֳדָמוֹי: כד מִן קֳדָם יְיָ הִלְכָתֵיהּ דְּגַבְרָא וּבַר נָשָׁא לָא מִתְבַּיַּן אָרְחָתֵיהּ: כה פַּחָא הוּא לְגַבְרָא דְּנָדַר לְקוּדְשָׁא וּבָתַר הָכִי חָדְיָא לֵיהּ נַפְשֵׁיהּ: כו מְבַדַּר לְרַשִׁיעֵי מַלְכָּא חַכִּימָא ומהפך

ת"א אל תאמר. זוהר מקץ: מה יבין. חולין ו': מוקש. הר' דגושה סנהדרין נח (נדרים לו): ואחר נדרים. נדרים כה:

### רש"י

להזקיהו היא התשיעית להושע בן אלה: (כה) מוקש אדם ילע קדש. כשאדם נכשל ונוקש בעבירות מקלקל את קדושתו כמו ושתו ולעו (עובדיה א'): ואחר נדרים לבקר. צריך אדם לחזור אחר קרבנות לנדור ולהביא ולבקש על נפשו: (כו) מזרה רשעים. פרעה וחילו: מלך חכם. הקב"ה: וישב עליהם אופן. גלגל מידתם השיב עליהם

### מנחת שי

רב היה לבני ראובן ומדבר רבה סוף פרשת מסות: (כה) ילע קדש. כתב בעל מכלל יופי שמלת ילע מלרע ולמד כן מהמכלול דף קמ"ב שהביא זה עם דומים אחרים שהם מלרע בפתח עם אות גרונית. וכן ראיתיו מלרע בדפוס שונצין. ובדפוסים אחרים בשני טעמים אמנם בספרים כ"י מדוייקים הוא מלעיל כמנהג המלות

### אבן עזרא

נחאסת ונגעלת לשם מן בהלה בה: (כב) אל. ה"א אשלמה מחובר במקף ברי"ש רע וכן הפירוש לא תאמר לשלם רע למרעים לך. קוה לשם שיש לו כח לשלם לו גמול ויושע לך מידם: (כד) מה'. מוקש. שניס דבקים. מצעדי. שיצעד ללכת. והאדם איננו מבין את לכתו עד כי השם יוליכהו ויושיבהו אשר אחתו מצעדי גבר. והוא יתן מוקש בלכתו לאשר ילע ויאכל קדש ואחר שינקש ידור נדרים להביא לבקר אויל יגלל מן המוקש. וילע מן בלעיך יעלעו דם כמו יבלע: (כו) מזרה. להעיק אותם וכבר השיב עליהם אופן

### רלב"ג

מהם הוא יותר עלומה ואשר ירצה להשיג ההשגו' בזולת עמל וחקירה ושקידה הנה אחריתה לא תבורך כי זה יהיה סבה אל שיפתבשו בהשגותיה' ולא יקנו מהם הצלחה כי אם הספכה: (כב) אל תאמר אשלמה רע לאשר גמלני רע כי אין זה מדרך אים אמונים כי לא יחפוץ בעשיית הרע אך תקוה אל ה' והוא יושיעך מכף אויביך ולא תשאל ממנו שיעשה להם רע אך שיושיעך כי זה הוא הדרוש שיאות לך בזולת הגעת רע לאחר: (כג) תועבת ה'. הנה תועבת ה' אבן ואבן ר"ל אם יהיו במדותיך משקלים מתחלפים לנהג עם קצת האנשים בתכונה אחת ועם קצתם בתכונה אחרת אך ראוי שתנהג עם כולם בתכונה אחת ושיה בקצת שטוב והיושר והשלימות ולזה אין ראוי שתהיה תשוקתך להרע לקצתם ולהטיב לקצתם אך תהיה מגמת פניך להטיב לכלם ובזה תלך בדרכי הש"י ולזאת הסבה ג"כ לא טוב בעיני הש"י לשקול במאזני מרמה שישימו המשקלים שישקלו בהם מתחלפים: (כד) מה' מצעדי גבר. הנה מצעדי גבר בדרכו שילך בהם הם מה' כי לריך שילוה לו עזר אלהי בכל פסיעה ופסיעה. והאדם מה יבין דרכו מעצמו אם לא ילוה לו העזר האלהי הנה לא לאדם דרכו וזה מבואר בדברים המדיניים כי פעמים רבות יתחדשו מונעים בדרכו או עוזרים לא קוה להם ויותר מבואר זה בדברים העיוניים כי אע"פ שקצת ההתחלות ילקחו מהמוחשים הנה לא ישלם לקיחתם וההגעה לדרוש דרוש והדרכים והסדרים המישרים לו אם במה שישפע להם מהש"י כמו שביארנו בביאורינו לספר הנפש ושיר השירים ובמאמר הראשון מספר מ"י: (כה) מוקש. האדם וחטאו מבלע ומשחית הקדש השופע לו מאת הש"י כי הוא שופע לכל מוכן לקבלו והוא הסבה לבקר ולעיין ולהפש אחר נדרים מה היתה הסבה המונעת שלא הגיעו אל התכלית המכוון בהם וזה כי לולא מוקשו בסבב להחטיא כוונותיו יכונו מחשבותיו ונדריו ישלם: (כו) מזרה רשעים. הנה המלך החכם ויראו ממנו הרשעים ויתפזרו אנה ואנה ואופן המרכבה אשר סבבוהו ללכת להשחית זולתם השיבו עליהם עד שברכבתם אשר עמנו ילכדם ובשוחתם יפולו

### מצודת ציון

(כד) מצעדי. מדרך הרגל כמו ויהי כי צעדו (שמואל ב' ו'): (כה) ילע. ענין השחתה ובלבול כמו על כן דברי לעו (איוב ו'): לבקר. ענין דרישה וחפוש כמו לא יבקר (ויקרא כ"ג): (כו) מזרה.

### מצודת דוד

שלטה בה עינא בישא ואין בה סימן ברכה: (כב) אשלמה רע. למי שעשה נגדי לבל יוסיף עוד מלעשות כי: קוה. אך קוה אל ה' והוא יושיע לך מיד הבאים לעשות בך: (כג) אבן ואבן. אבן משקל גדולה וקטנה מראה את גדולה ושוקל בקטנה: ומאזני. מאזנים העשוים לרמות בהם לשקול בפחות לא טוב בעיני ה' וכפל הדבר במ"ש: (כד) מה'. מדרכי כף רגלי האדם היא מה' אבל האדם עצמו מה יבין דרכו ר"ל לא ידע כלל כמו ונחנו מה (שמות ט"ז): (כה) מוקש אדם. מכשול מוקש עבירה משחית קדושת האדם ותקנתו לבקר אחר נדרים ונדבות לה' לבקש על נפשו: (כו) מזרה. מלך חכם דרכו לפזר את הרשעים לבל יהיו בחבורה אחת להמתיק עצת רשע

25. **When a man is trapped, he impairs his sanctity**—Heb. יָלַע. *When a man stumbles and is trapped in sins, he impairs his sanctity, as in* (Obadiah verse 16) *"and they shall drink and be stunned* (וְלָעוּ)."—[*Rashi*] [Although that is *Rashi's* definition of the verse in Obadiah, it does not seem to coincide with his definition of our verse. It is more likely that *Rashi* here follows *Redak* and *Ibn Ezra,* who render: *will swallow* and refer to our verse. He may also follow *Mezudath Zion,* who

22. Do not say, "I will rcpay evil." Hope to the Lord, and He
will save you. 23. Diverse weights are an abomination of the
Lord, and deceptive scales are not good. 24. A man's steps are
from the Lord, for man understands nothing of his way.
25. When a man is trapped he impairs his sanctity, and he must
seek vows. 26. The Wise King scatters the wicked,

*son of Elah.*—[*Rashi*] [Note that neither in *Seder Olam* nor in *Midrash Tanhuma* do we find the exact midrash quoted by *Rashi.* In our editions of *Seder Olam,* quoted by *Rashi* to Isaiah 8:23, Naftali and Zebulun were exiled in the fourth year of Ahaz, and Reuben, Gad, and the half-tribe of Manasseh were exiled in the twelfth year. (See also *Rashi* to II Kings 17:1.) Accordingly, the two tribes that hastened to claim their inheritance were not the first to be exiled, but the second. They did, however, precede the other six tribes. See *Ibn Nachmiash.*]

22. **Do not say, "I will repay evil,"**—Do not say that you will repay evil to those who harmed you. Hope to the Lord, Who has the power to punish them, and He will save you from their clutches.—[*Ibn Ezra*]

23. **Diverse weights**—Two different weights, a larger one to display and a smaller one to weigh the merchandise sold.—[*Mezudath David*]

**are not good**—They are displeasing to God.—[*Mezudath David*] *Malbim* explains these two verses as follows: If someone commits a sin against you by selling you spurious merchandise, do not say, "I will pay him with counterfeit coins to counteract what he did to me." Instead, hope to the Lord, and He will save you and reimburse you for your loss. Solomon now gives an example: If someone sold you merchandise and weighed it out with diverse weights in order to cheat you, and you wish to sell him merchandise with deceptive scales to recover your loss, you should know that, indeed, selling with diverse weights is an abomination of the Lord, but selling to him with deceptive scales is likewise not good.

24. **A man's steps are from the Lord**—Although a person has free will to choose his course, the physical ability to carry it out comes from God, Who sometimes prevents man from carrying out his plans.—[*Malbim*]

**for man understands nothing of his way**—Although man may think that his way is good, conforming to the proper way, that does not help him, for only God has the power to allow him to complete his deed. Many times, man finds obstacles in his path, which frustrate him and appear to be to his detriment; but in fact a man's steps are from God, and man understands nothing of his way, for his perception is limited.—[*Malbim*]

וַיָּשֶׁב עֲלֵיהֶם אוֹפָן׃ כז נֵר יְהֹוָה נִשְׁמַת
אָדָם חֹפֵשׂ כָּל־חַדְרֵי־בָטֶן׃ כח חֶסֶד
וֶאֱמֶת יִצְּרוּ־מֶלֶךְ וְסָעַד בַּחֶסֶד כִּסְאוֹ׃
כט תִּפְאֶרֶת בַּחוּרִים כֹּחָם וַהֲדַר זְקֵנִים
שֵׂיבָה׃ ל חַבֻּרוֹת פֶּצַע תַּמְרִיק בְּרָע

ומהפך עליהון גלגלא׃
כז שרגא דאלהא
נשמתא דבני נשא
ובציא כולהון גויא
דבריסא׃ כח חסדא
וקושטא ינטרו למלכא
ומתקן כורסיה בחסדא׃
כט שבהורא דעולימיא
תוקפיהון ושבחא דסבי
סיבתא׃ ל שוחני
ופודעתא פגעו בבישא

ת"א נר ה'. פסחים ז' ח' עקידה ש' סח עקרים מ"ד פל"ב זוהר מצפטים (פסחים כו)׃ תפארת בחורים. אבות יג (סנהדרין ל')׃ חבורות. שבת קלג׃ תמרוק קרי

## רש"י

ויגהגהו בכבדות (שמות י"ד) כנגד והכבד את לבו (שם ה')׃ (כז) נר ה' נשמת אדם. הנשמה שבקרבו מעידה עליו בדין׃ (כט) תפארת בחורים כוחם. כמו שתפארת בחורים כוחם כן הדרת זקנים שיבה׃ (ל) חבורות פצע

## אבן עזרא

עגלה לדוש אותם כאמר ידכאם ואחרי כן יפירם מפניו׃ (כז) נר ה' נשמת אדם. דרך משל כי הנשמה אצולה מאורו ובית מגוחתה מראש ומשם תאיר לרוח ולנפש בשכלה ויאורו באורה על כן יקרא נרו כאילו הוא מחפש בו חדרי בטן והוא רמז ללב שהוא חדר המחשבות. פ"א נר ה' ירמוז לאור שכלו כלומר נר אלהים חופש נשמת אדם וחופש כל חדרי בטן. והטעם כאשר יחפש לב המלך וידע מה שיחשוב לב רשעים אז ישלח חסדו ואמתו לנצור המלך מצרה ויסעוד השם כסאו בעבור החסד שיעשה המלך׃ (כט) תפארת. חבורות. שנים דבקים. החבורות שחובר בם האדם. פצע שיצא מהם הדם. תמרוק מענין תמרוקיה מרקו הרמחים מורק ושוטף והוא ע"מ תגמול כלומר כאשר תפארת בחורים הוא כחם ושיבת הזקנים בחכמה היא הדרם שיהדרום אחרי' כן חבורות פצע הדר להיות תמרוק באיש רע שיסיר רעותיו וכן מכות שתגענה עד חדרי בטנם הם תמרוקי הרשע׃

## מנחת שי

הסמיכות למעלה זעירא או מלעיל׃ (ל) תמריק ברע. תמרוק קרי׃

## רלב"ג

ואפשר שיהיה סלון במלך חכם מי שהוא מושל באדם והוא השכל ובחכמתו יזרם ויפזר הרשעי' והם בעלי הדעות הנפסדות ויסבב שיהיו חוזרים אחור מהדעות ההם ולא ישלימו דרכם אשר הם פונים אליו ובזה ימלטם מהרע הפולם הזה וזה יהיה ממנו אם לעצמו אם סתחיל להשתבה באלו הדעות אם לזולתו בשיישירם לעמוד על מקום הטעות בהם׃ (כז) נר ה'. ולבאר מי הוא זה המלך אמר כי נשמת האדם היא השכל הוא נר ה' והוא חופש כל העמוקות אשר בנמצאות לעמוד על סודם לפי מה שאפשר בעזר הש"י במה שישפיע עליו מאורו וזיוו בו יעמוד על אמתת הדברים העיוניים׃ (כח) חסד ואמת יצרו מלך. כי בחסד אשר יעשה לעמו ימשך לבבם אליו והוא כמו מסעד לכסאו כי בזה ירוממוהו עליהם וישאוהו ויכנעו לעבודתו ובאמת יהיה נשלם תקון העם והמלכות והנה העיר בזה על המלך שמושל באדם והעיר בזה כי אין המכוון למי שיבקש השלימות להשחית גופו ולעכור שארו כמו שיחשבו הכסילים אבל לריך שיעשה חסד להשגיח בבריאות גופו ואיבריו ובזה יהיה נשמר ויבא לו מהם העזר הראוי כי בהלותם יחלה הוא ג"כ עם שלא יוכל להם אז לשרתו השרות הראוי במה שילטרך לו מהם בדרושים אשר יחקור בהם ובזה האופן ג"כ יהיה מתחזק כסאו ורוממותו עליהם כי יעבדוהו מאהבה ואם יעמים עליהם עולו ולא יוכל שאתו יהיה זה סבה אל הבעיטה בו׃ (כט) תפארת בחורים. הנה כמו שתפארת הבחורים כחם כי אז הם ר"ל בימי הבחרות בתכלית מעולם הגבורה כן הדור החכמים הוא המלא השיבה להם כי אז יתיישבו בלבם הדעו' האמתיות לסבות שזכרנו במה שקדם׃ (ל) חבורות פלע. הנה קלת הרעות לא ירפאו כי אם בדבר רע וזה שחבורות הפלע יהיה נקיונם ומירוקם ברע כאילו תאמר שיושם בהם מה שיאכל הבשר כדי שיתגלה ויהיה שם מקום תלא המוגלה ובמכות מגלות חדרי בטן הפלע ההוא כדי לנקות כל עקושיו וכן ראוי בשוה להתנהג ברפואות חליי המדות והדעות כי בעל המדה הפחותה ירפא ממנה בשירגילוהו להתנהג בהפך התכונה ההיא והפך כל חלקיה כדי שיתנקה ממנה נקוי שלם ואע"פ שהפך התכונה ההוא הוא ג"כ מגונה יתנהג בה עד יסור הליו ובזה ילטרך לבעל הדעות הנפסדות שיעיין בכל המקומות שהשירוהו אל זה הטעות ויסור מהם ואע"פ שיקרה מזה שילטרך לחקור במה שאין דרך אדם לחקור בו

## מצודת דוד

ומשיב להם גמול מדה במדה כאופן המתגלגל ושב למקומו כן ישיב הגמול אל המעשה למען יוסרו׃ (כז) נר ה'. כמו שדרך האדם לחפש בחושך ע"י הנר כן חופש ה' כל מחשבות חדרי בטן על ידי נשמת האדם כי היא יודעת הכל ומעידה עליו בדין׃ (כח) חסד ואמת. אשר יעשה המלך הם שומרים אותו כי בזה מרוצים אוהביו ושומרים נפשו׃ וסעד. בחסד שעשה סמך כסא מלכותו לעמוד על עמדו׃ (כט) תפארת. כמו שכח הבחורים הוא להם לתפארת כן שיבת הזקנים היא להם להדר׃ (ל) חבורות פצע. החבורות ופצעים הם המזככים באיש רע להעביר ממנו עבירת העון כי באלה יקבלו הגמול ותלך העון׃ ומכות. גם מכות בחדרי הבטן יזכו העון׃

## מצודת ציון

ענין פזור כמו מזרה ישראל יקבצנו (ירמיה ל"א)׃ אופן. גלגל׃ (ל) תמרוק. ענין זכוך ובהירות כמו מרקו הרמחים (ירמיה מ"ו)׃

supported and preserved by his acts of kindness.—[*Rabbenu Yonah,* referring to *Peah* 1:1]

29. **The glory of young men is their strength**—*Just as the glory of young men is their strength, so is the beauty of elders their hoary head.*—[*Rashi*] Everything that God made is beautiful in its time. Just as it is beautiful for young men to possess strength with which they boast, so is a hoary head beautiful for old men although

and turns the wheel over them. 27. Man's soul is the Lord's lamp, which searches out all the innermost parts. 28. Kindness and truth preserve the king, and he supports his throne with kindness. 29. The glory of young men is their strength, and the beauty of elders is a hoary head. 30. Contusions and wounds come for outpouring in evil,

defines both words as expressions of destruction.]

**and he must seek vows**—*Man must seek sacrifices to vow and to bring and to beg for his life.*—[*Rashi*]

26. **scatters the wicked**—*Pharaoh and his host.*—[*Rashi*]

**The Wise King**—*The Holy One, blessed be He.*—[*Rashi*]

**and turns the wheel over them**—*The wheel of their traits He turned over them. "And drove it heavily* (Ex. 14:25)," *corresponding to* (ibid. 8:11) *"and he made his heart heavy."*—[*Rashi* and *Ibn Nachmiash* from an unknown midrashic source]

*Ibn Ezra* explains that the wise king first chastises the wicked and then scatters them, banishing them from his presence. The wheel is figurative of torture, as though he would run a wagon wheel over them to thresh them. *Mezudath David* explains that the wise king scatters the wicked lest they form one band and plot mischief. He punishes them according to their deeds, measure for measure. This explanation is similar to *Rashi's.*

27. **Man's soul is the Lord's lamp**—*The soul in his midst testifies concerning him in judgment.*—[*Rashi*] Just as a person searches in the dark with a lamp, so does God search a person's innermost thoughts through his soul, which knows all and testifies concerning him in judgment.—[*Mezudath David*] *Rabbenu Yonah* explains that man is honored by God with the possession of a holy soul, which emanates from on high, and therefore he is subject to His closest scrutiny, to the extent that He searches man's innermost thoughts. Hence, in effect, the soul of man is God's lamp, the enabler of God's scrutiny over him.

28. **Kindness and truth**—that the king performs, preserve him, for they gain him many faithful supporters who guard his life.—[*Mezudath David*]

**and he supports his throne with kindness**—The kindness he performs supports his throne, lest it fall.—[*Mezudath David*] When the king is kind to his subjects and leads them in the way of truth, guarding them from injustice and judging them fairly, kindness and truth will sprout from all his enemies, and will protect him as a wall.

Our Sages teaches us that for performing acts of kindness, one eats the fruits in this world and the principal remains in the world to come. Similarly, the king's throne will be

וּמַכּוֹת חַדְרֵי־בָטֶן׃ כא א פַּלְגֵי־מַיִם
לֶב־מֶלֶךְ בְּיַד־יְהֹוָה עַל־כָּל־אֲשֶׁר יַחְפֹּץ
יַטֶּנּוּ׃ ב כָּל־דֶּרֶךְ אִישׁ יָשָׁר בְּעֵינָיו וְתֹכֵן
לִבּוֹת יְהֹוָה׃ ג עֲשֹׂה צְדָקָה וּמִשְׁפָּט
נִבְחָר לַיהֹוָה מִזָּבַח׃ ד רוּם עֵינַיִם וּרְחַב־
לֵב נִר רְשָׁעִים חַטָּאת׃ ה מַחְשְׁבוֹת
חרוץ

ת"א פלגי מים, ברכות נה: עשה צדקה. (ברכות ד' ר"ה נו):

**תרגום**

וּמַחְוָתָא בְּגַוֵּהּ דְכַרְיְסָא׃
א הֵיךְ טִיפֵי דְמַיָּא לְבֵיהּ
דְמַלְכָּא בְּאִידֵי דֶאֱלָהָא
וּלְאַתַר דְצָבֵי נָרְכֵן לֵיהּ׃
ב כֻּלְהוֹן אָרְחָתֵיהּ
דְגַבְרָא תְּרִיצָן אִינוּן
בְּאַפּוֹי וֵאלָהָא מְתַקֵּן
לְבֵיהּ׃ ג מַן דְעָבֵד
צִדְקְתָא וְדִינָא מִתְרְעֵי
בֵּיהּ אֱלָהָא מִן דִבְחָא׃
ד רָמוּת עַיְנֵי וּבְעֵי לִבָּא
וּשְׁרָגָא דְרַשִׁיעֵי
לְחֶטְאָה׃ ה מַחְשַׁבְתָּא

**רש"י**

התמרוק ברע. דרשו רבותינו הממרק עצמו לדבר עבירה סוף בא לידי פצעים וחבורות: ומכות חדרי בטן. זה הדרוקן: **כא (ב) כל דרך איש ישר בעיניו ותוכן.** ומוגה: (ד) **רום עינים.** גסות הרוח: **ורחב לב.** הפך למלאות תאות לבו הוא ניר של רשעים. הרישותם ומחשבותם הוא חטאתם: (ה) **מחשבות חרוץ.** אדם ישר המתהלך

**מנחת שי**

**כא** (ב) כל דרך איש. הכ"ף מתוגה בספרי ספרד ואף על פי כן קריאת המלה בקמץ חטוף מהטעם שכתבתי לעיל סימן י"ט ובסוף פרשת ראה: (ד) נר רשעים חטאת. תרגומו ושרגא דרשיעי לחטאה דומה שהיה קורא נֵר בציר"י כמו שנמצא במקצת ספרים אבל במדוייקים הוא בחירק וכן משמע מדברי הרד"ק שכתב נר חסר יו"ד וטעמו שיניר ויחרוש הרשע לעשות חטאת וגם רד"ק הביאו בשרש נר עם אותם שהם בחיר"ק. ואם

**אבן עזרא**

**כא** (א) **פלגי.** חסר כ"ף. על כל אשר יחפוץ השם יטה לב המלך: (ב) **כל.** עשה. שנים דבקים. פי' כל דרך איש ישר בעיניו רואה השם והוא תוכן לבות לעשות רצונו על כן ידענו ועיניו רמז לשכלו ומעשה צדק והמשפט הוא נבחר לשם מזבח: (ד) **רום.** ע"מ שוג כלומר רום שירים עיניו בגאוה הפך ושח עינים: **ורחב לב.** שירחיבהו

לסכול הגרות ויראה מהשם: **נר.** חסר יו"ד וטעמו שיניר ויחרוש הרשע לעשות חטאת ענין שלפת': (ה) **מחשבות**

**רלב"ג**

הנה לא ימנע מזה מי שבא לרפאתו כדי להסיר הליו ממנו: (א) **פלגי מים.** הנה לב המלך ורצונו הוא ביד ה' כמו פלגי מים שיוכלו להטותם אל אשר יהיה שמה החפץ כן יטה הש"י לב המלך אל כל אשר יחפוץ והנה העיר בזה כי פעולת המלך ומחשבותיו הם מוגבלות מהש"י והוא כמו שליח הש"י במה שיעשהו מדבר המלכות וזה כלו הוא מיוחד החכמה האלהית כי אילו היה פועל המלך באלו הדברים מסור לבחירתו בשלימות כדרך העם' לבחירתו פעולותיו בעצמו היה זה הענין סבה נפלאה אל העם אשר תחת המלך ההוא ולזה לא עזב הש"י כל זאת ההנהגה למלך כי גבוה מעל גבוה שומר ולזאת הסבה אמר אליהוא ממלוך אדם חנף ממוקשי עם כאילו אמר ממוקשיהם סבה שימלוך אדם חנף ולזאת הסבה ייחס הש"י המשפט אשר יגיע מהשופטים באמרו כי לא אצדיק רשע כמו שביארנו שם והנה המכוון בתשובה מזה המאמר הוא להעיר על המלך שהוא מושל באדם שפקדם זכרו והודיע בזה כי אין בו בעצמו חטא כי תשוקתי תהיה תמיד אל הטוב מצד עצמו ולזה אמר כי רצון מלך הוא ביד ה' כמו פלגי מים להטותו אל כל אשר יחפוץ והולם החטאים יקרו לאדם מצד שאר הכחות: (ב) **כל דרך איש ישר בעיניו.** כי כל אחד מהדרכים ימלא בו טוב מה אם מועיל אם ערב אם כבוד אם גלוה או זולת זה מהעניינים שיחשוב בהם היותם טובות אך מי שמיישר הלבבות ומתקנם להגיע אל הטוב האמתי הוא הש"י כי בהגעות זה הטוב ובדרוכה אליו ילמדך עזר אלהי לרבוי המונעים אשר לאדם מהדריכה אליו ומפני שלא אפשר שיגיע אלא באמצעות השפע השופע מהש"י: (ג) **עשה** צדקה. עשיית היושר והמשפט בדברים המדיניים והעיוניים נבחר לה' מהקרבת הזבח כי אלו הדברים מקנים השלימות בעצמותם והולם הזבח אם בו הערות להקנות השלימות כמו שבארנו בביאורינו לדברי התורה הנה זה ממנו על הדרך הרמז והסימן לא בעצמותו והעיר עם זה ג"כ בזה הפסוק על מה שהעיר שמואל באמרו הנה שומע מזבח טוב להקשיב מחלב אילים ועל מ"ש שלמה וקרוב לשמוע מתת הכסילים זבח והרצון בו כי יותר נבחר לש"י מי שיתנהג בצדק ובמשפט כשישמור דרכי התורה ממי שיחטא והקריב זבח על חטאו: (ד) רום עינים. הנה מי שירום עיניו לעיין במה שאין מחוק האנושי להשיגו אע"פ שהוא רחב לב ולרחב לבו הוא מוכן לעמוד על חקירות עמוקות הנה זה הענין שממנו הוא ניר הרשעים ברעות וחרישתם שלא יעיינו תחלה אי זה יובילם אל הדרוש ואם אפשר להם לעמוד על אמתתו אם לא והוא חטאת חסרון לא יתרון ותוספת במעלת שכל באמרו אל תתחכם יותר למה תשומם: (ה) **מחשבות חרוץ.** הנה מחשבות

**מצודת ציון**

**כא** (א) **פלגי מים.** אמת המים: (ב) **ותכן.** מלשון תוך: (ד) **נר.** ענין חרישה כמו נירו לכם ניר (הושע י') והוא מושאל על

**מצודת דוד**

**כא** (א) **פלגי מים.** כמו פלגי מים המה ביד האדם להטותם אל מקום הנרצה על ידי חפירות ותעלות כן לב המלך ביד ה' להטותו אל כל אשר יחפוץ: (ב) **ישר בעיניו.** כי אינו רואה חובה

לעצמו: ותוכן. ה' שהוא בתוך לבו יודע הוא אם ישר דרכו או לא: (ג) **עשה.** עשיית צדקה ומשפט נבחר בעיני ה' מהבאת זבח: (ד) **רום עינים.** דרך גסי הרוח להרים עיניהם כלפי מעלה לא כענוים המשפילים עיניהם למטה לארץ: **ורחב לב.** ענין בקשת

in Micah 6:8: "He has told you, O man, what is good, and what the Lord demands of you, but to do justice, to love loving-kindness, and to walk discreetly with your God."—[*Rabbenu Yonah*]

4. **Haughty eyes**—*A haughty spirit.*—[*Rashi*] Haughty people usually walk with their eyes raised, unlike the humble, who walk with their eyes lowered.—[*Mezudath David*]

**and unlimited lust**—*The desire to satisfy the lusts of his heart; that is the tillage of the wicked. Their "plow-*

and plagues in the innermost parts.

## 21

1. A king's heart is like rivulets of water in the Lord's hand;
wherever He wishes, He turns it. 2. Man's every way is straight
in his own eyes, but the Lord counts the hearts. 3. Performing
charity and justice is preferred by God to a sacrifice.
4. Haughty eyes and unlimited lust—the tillage of the wicked is
sin. 5. The plans of

it represents the deterioration of their bodies.—[*Rabbenu Yonah*]

30. **Contusions and wounds come for outpouring in evil**—*Our Sages expounded: Whoever "pours himself" out into sinful things, will ultimately come to wounds and contusions.*—[*Rashi* from *Shabbath* 33a] *Rashi* (ad loc.) explains that he empties his heart for these matters; he pours himself out of all other matters to engage only in sin [i.e. he commits himself totally to evil].

**and plagues in the innermost parts**—*This is dropsy.*—[*Rashi* from same source] *Mezudath David* renders: Contusions and wounds purge an evil person, and so do plagues in the innermost parts.

1. **A king's heart is like rivulets**—Just as a person can direct rivulets of water by digging ditches and canals through which to divert them from their course, so is a king's heart in God's hand; He directs it wherever He wishes.—[*Mezudath David*]

Scripture distinguishes between the heart of a private citizen and the heart of a king. Whereas a private citizen has free choice to do what he wishes, a king—who can wreak destruction upon the populace—is under God's control. This is compared to the rivulets that flow down the mountains and merge into mighty streams, which must be directed to places in need of water. Otherwise, they will flow into the uninhabited deserts and wildernesses, or flood the inhabited country.—[*Malbim*]

2. **Man's every way is straight in his own eyes, but the Lord counts**—Heb. וְתֹכֵן.—[*Rashi*] Every way a person adopts seems right to him because he views it subjectively, but God is within everyone's heart and knows whether it is really right.—[*Mezudath David*]*

3. **Performing charity and justice**—This verse is related to the preceding one. If one strives to do these acts—charity and justice—God will accept him and inspire him to rectify his faulty character traits. Through charity, he will learn to love doing good for people, and through performing justice, he will learn to love truth. Through these character traits, he will be accepted by God, as

דִּנְהוֹן לְיוּתְרָנָא וְרַגְלָא
דְּמִסְרְהֲבָא לְחוּסְרָנָא :
ו מַעְבְּדָנוּתָא דְּסִימְתָא
בְּלִישָּׁנָא דְשִׁקְרָא
וְיִתְחַבְּלוּן וְנִתְרוּן אִלֵּין
דְּבָעֵין לְמוֹתָא : ז רְכוּנָא
דְּרַשִּׁיעֵי יַצְלְנוּן וְלָא
צָבַן דְּנֶעְבְּדוּן דִּינָא :
ח דְּהַפֵּךְ אָרְחֵיהּ דְּגַבְרָא
הוּא נוּכְרָאָה וְדַכְיָא

חָרוּץ אַךְ־לְמוֹתָר וְכָל־אָץ אַךְ־
לְמַחְסוֹר: ו פֹּעַל אֹצָרוֹת בִּלְשׁוֹן שָׁקֶר
הֶבֶל נִדָּף מְבַקְשֵׁי־מָוֶת: ז שֹׁד־רְשָׁעִים
יְגוֹרֵם כִּי מֵאֲנוּ לַעֲשׂוֹת מִשְׁפָּט:
ח הֲפַכְפַּךְ דֶּרֶךְ אִישׁ וָזָר וְזַךְ יָשָׁר פָּעֳלוֹ:

### רש"י

טוב בחמה וכמשפט הרוך : אך למותר. להצלחה ולריוח באות: הון: בלשון שקר הבל נדף וגו'. מוקשי (ס"א מבקשי) וכל אץ. דוחק את השעה: (ו) פועל אוצרות. להרבות מות הם לו: (ז) יגורם. יגור אותם : (ח) הפכפך

### אבן עזרא

אדם. חרוץ אך למותר. שיש לו יתרון בהתעסקו בסחורה ואך למעט מעשה הרשעים הנזכרים. וכל אץ כענין אץ ברגליו שירוץ לרעה בעבור שיגזלהו מהסור הוא אך וממהר ואך למעט מותר החרוץ : (ו) פועל. שוד. הפכפך. ג' דגשים. וכן הוא פיעל שיפעלהו הון אוצרות בעבור לשון שקר. בהעיד שקר : הבל נדף. ילך פועל ההמון או הפועל יקרא הבל כי מהבל ושקר יקבצוהו על כן יהי נדף והם מבקשי מות המעמידים שקר וכן שוד שישודדו אחרים וישימו הבוז באוצרותם : (ז) יגורם. מן מגוררות במגרה כלו' ישברם : (ח) הפכפך. שם תאר לדרך והוא הפך הישר כלו' הפכפך

### מנחת שי

להבין אדם לפקפק בזה אמיר לו כלך אצל מסורת ירמיה סימן ד' דבדליה אמרה ניר ה' ז' מלה והד הסר והתם השיב לכולהו ומסיים בה הכי נר רשעים חטאת בהלאה הסר. ובהגהת שרשים א"ה והוא כמו נר בליר"י. וכן ישבע רש. בחיר"ק. רב ועושר בליר"י. וכן נר רשעים בחיר"ק כמו נר בליר"י וכן תרגומו ערגא דרשיעי עד כאן : (ו) מבקשי מות. לשון רש"י פעל אלרות להרבות הון בלשון שקר הבל נדף וגו' מבקשי מות עד כאן. דומה בשיה כתיב בספרו

### רלב"ג

החרוץ והזריז אשר כלם מיגבלות ונגזרות מתחלת הענין כשיתחיל בפעולותיו הם כלם ליתרון ולתוספת טוב כי יתנהג בעניניו לפי מה שראוי ולזה יגיעו התכליות אשר הוא פונה אליהם וכל מי בהוא ממהר לעשות פעולותיו בזולת חקירה והתיישבות אם ראוי שיעשה אם לא ואיך ראוי שיעשה הנה לא יגיע לו מהם כי אם חסרון לא יתרון ותוספת טוב ואילו ביאר בזה שהאיש רחב לב שהדים עיניו לעיין במה שאיני ראוי יהיה כבת טעותו בזה היותו ממהר בזאת החקירה בזולת שיעמוד התלה אם הפסד ההגעה אליה ואיך : (ו) פיעל אולרות. רבות בדברים העיוניים בהתחלה כוזבת הנה ההתחלה אשר עליה נבנו הוא הבל ודבר נדף בלא יתכן שתעמוד כלל והאולרות הם מבקשי מות והפסד כי לא ישגו בהם אמתות חיים והם בעלמם הבל ודבר שאינו ולזה יקרם מהם אבדן הנפש והכליון : (ז) שוד. הרשעים בדעות שישודדו מהם המחשביה והקדמות המישירות אל האמת עד שיהיו להם סבה שיהיו להם דעות כוזבות בהתחלות הנה זה הטעות יאספם במהברו וימנעם ממציאת האמת במה שאחר ההתחלות והיה זה סבה אל שיטעו בכל הדברים והנה קרה להם זה ההפסד בדעותיהם מפני שלא רצו לעשות במשפט בחקירתם בהתחלות שיתישבו בהם בדרך שימצאו האמת : (ח) הפכפך דרך איש וזר. הנה מפני זה היה הפכפך דרך כל איש מהם וזר כשיעיינו במה שאחר ההתחלות כי ילטרך להם לבלבל עיונם ולהניח דברים זרים הפכיים לאמת בדרך שיאמתו ברשיהם והתחלותיהם. ואולם האיש הזך והנקי מהטעות בשרשים והתחלות לא ילטרך לעיין דברים במה שאחר ההתחלות כי אם ביושר ובצדק:

### מצודת דוד

הטעמים הרבה והתאוה להם : נר רשעים. הדברים האלה הלא המה מחשבות הרשעים ויחשבו להעלות : (ה) למותר. אין בהם דבר בעל אך להביא יתרון מה : וכל אץ. הממהר במעשיו אין בהם דבר ריוח אך להביא עיד חסרון מה : (ו) פעל. המאסף אולרות על ידי לשון שקר המה הבל נדף כי לא יתקיימו בידו ויבקשו עוד את המות כי המה סיבה למות על ידם : (ז) שד. הגזל עלמו יביא עליהם פחד : כי מאנו לעשות משפט. להשיב הגזל לבעליו : (ח) הפכפך. המתהפך במעשיו פעם כך ופעם בהפוך הנה פעם דרך איש לו ופעם הוא זר מן הדרך. אבל האיש הזך פעלו ישר בכל

### מצודת ציון

המחשבה כמו שהושאל לה לשון הרישה כמו שנאמר אל תחרוש על רעך רעה (לעיל ג'): (ה) חרוץ. זריז וישר : אץ. ענין מהירות כמו ולא אץ לבוא (יהושע י'): (ו) נדף. ענין דחיפה ומוכה כמו תדפנו רוח (תהלים א'): (ז) יגורם. מלשון מגור ופחד וכן מגורת

*Rashi*. In fact, *Minchath Shai* speculates that *Rashi's* reading of the text was מוֹקְשֵׁי מָוֶת, *snares of death*. This reading is, indeed, found in the Septuagint, but not in any traditional midrashim or commentaries.] *Meiri* explains: Those who gather treasures with a lying tongue seek death and destruction for themselves.

7. **The plunder of the wicked frightens them**—Heb. יְגוֹרֵם, [like] יָגוּר אוֹתָם.—[*Rashi*] The plunder itself will bring fright upon them.—[*Mezudath David*] Will break them, for they have refused to perform justice.—[*Ibn Ezra*] To return the plunder.—[*Mezudath David*] In addition to the crime of plunder, they will be punished for disregarding the summons to appear before the court.—[*Rabbenu Yonah*]

8. **A man's way is changeable and he is strange**—*A man who is strange,*

a diligent man lead only to advantage, whereas every hasty one hurries only to want. 6. Gathering treasures with a lying tongue is like a driven vapor; they seek death. 7. The plunder of the wicked frightens them, for they have refused to perform justice. 8. A man's way is changeable and he is strange, but as for a pure one—his deed is right.

*ing" and their thoughts is their sin.*—[*Rashi*] *Mezudath Zion* explains that the word נִר, lit. plowing, is used in a borrowed sense to mean thoughts. Unsatisfied lusts are the thoughts of the wicked, who plan to sin.—[*Mezudath David*]

*Rabbenu Yonah* renders: "Haughty eyes and a proud heart are the tillage of the wicked and sin." Haughtiness is the tillage of the wicked, for from it spring forth many sins. The sins are, in effect, the produce of haughtiness. Through their haughtiness, they pursue the poor and subjugate the righteous, casting fear into the hearts of the populace. They also forget the Lord. In addition to being the plowing of the wicked, the cause of sins, haughtiness in itself is a sin. In *Sha'arei Teshuvah* 1:27, *Rabbenu Yonah* suggests another interpretation: . . . is the tillage of the wicked, the tillage of sin.

*Ibn Nachmiash* quotes others who render: the governing of the wicked is [due to] sin. The fact that the wicked have power in the world is due to the sins of the generation.

5. **The plans of a diligent man**—Heb. חָרוּץ, *an honest man who walks in truth and according to the established judgment.*—[*Rashi*] Others define חָרוּץ as diligent.—[*Mezudath Zion, Rabbenu Yonah*]

**lead only to advantage**—*They come to prosperity and profit.*—[*Rashi*] The plans of an honest person, who decides his matters with propriety, will succeed.—[*Ibn Nachmiash*]

**whereas every hasty one**—*One who forces the time.*—[*Rashi*] [He strives to achieve things for which the time is not yet ripe.]

*Rabbenu Yonah* distinguishes between the diligent and the hasty. Although the diligent man is eager to undertake his task, he takes time to plan it carefully before commencing. Although some time is lost through planning, in the long run he will always succeed. The hasty one, however, who rushes into his task without planning, will always fail through some mishap. He quotes *Mivchar Hapeninim:* "The fruit of all haste is regret."

6. **Gathering treasures**—*to increase wealth.*—[*Rashi*]

**with a lying tongue is like a driven vapor, etc.**—*They are snares of death (seekers of death) for him.*—[*Rashi*] [The words in parentheses appear to be the correct version since they coincide with the text. However, our reading appears in most editions of

ט טוֹב לָשֶׁבֶת עַל־פִּנַּת־גָּג מֵאֵשֶׁת
מִדְוָנִים וּבֵית חָבֶר: י נֶפֶשׁ רָשָׁע אִוְּתָה־
רָע לֹא־יֻחַן בְּעֵינָיו רֵעֵהוּ: יא בַּעְנָשׁ־לֵץ
יֶחְכַּם־פֶּתִי וּבְהַשְׂכִּיל לְחָכָם יִקַּח־דָּעַת:
יב מַשְׂכִּיל צַדִּיק לְבֵית רָשָׁע מְסַלֵּף

**תרגום**

תְּרִיצִן עוֹבָדוֹהִי: ט טָב
לְמֵיתַב עַל קַרְנָא דְאִגָּרָא
מִן אִתְּתָא תִּגְרָנִיתָא
וּבֵיתָא טְרָקָא: י נַפְשֵׁיהּ
דְרַשִׁיעָא רָיְגָא בִּישְׁתָא
וְלָא מִתְרַחֵם בְּעַיְנוֹי
חַבְרֵיהּ: יא בְּתוּכְּחֵהּ
דְמִמַקְנָא נֶחְכַּם שַׁבְרָא
וּבְסוּכְלְתָנוּתֵהּ דְחַכִּימָא
יְסַב יְדִיעְתָא: יב מִסְתַּכַּל
צַדִּיקָא בְּבֵיתֵיהּ דְרַשִׁיעָא וּמְטַלְטֵל

ת"א טוב לשבת. ר"ה לא: נפש רשע. עקידה ש' יג: מדינים קרי

## רש"י

דרך איש וזר. איש והוא זר סר מן המלוה דרכו הפכפך: (ט) ובית חבר. שנכנס לבית חבירו לדבר עם אשתו. ומדרש אגדה ניבא שסוף השכינה להסתלק מעל ישראל שהם כאשת מדינים: ובית חבר. בית שמחברים בו רעים להקב"ה כגון דמות שהעמיד מנשה בהיכל ה': (יא) בענש לץ יחכם פתי. ע"י יסורי הלצים הפתאים מתחכמים ושבים בתשובה: (יב) משכיל צדיק. צדיקו של עולם הוא הקב"ה נותן לב להכרית בית רשע כגון זכר עמלק:

## מנחת שי

מוקפי במקום מקפי: (ט) מדונים ובית. מדינים קרי: (יא) בענש לץ. יש ספרים בפתח הבי"ת:

## אבן עזרא

הוא דרך איש ודרך זר: (ט) טוב לשבת על פנת גג. כי בנפול הבית תשאר הפנה כי הוא חוזק הבנין וטוב שבת עליה לבד לסבול הרוח מסבול אשת מדינים. חבר שם דבר כי שם התאר מלרע כלומר ובית הברה כלומר שיהיה לו בית להתחבר עמה: (י) נפש רשע אותה. לעשות רע ולא ימלא חן בעיניו רעהו: (יא) בענש. שיענשהו ב"ד והוא פועל יוצא כמו וענשו אותו או בענוש בתתו עונש אז ילמד חכמה הפתי. ובהשכיל פועל יוצא לאחר. יקח דעת בלבו: (יב) משכיל. מלמד שכל לבית רשע כמו איש וביתו והבית רמז לבנים. פ"א משכיל עומד וטעם לומד

## רלב"ג

(ט) טוב לשבת. טוב לאדם שישב יחידי על פנת גג בזולת מחסה ומסוער מזרם וממטר מש שיושב עם אשת מדינים והוא עם זה בבית אשר בו קבוץ מהאנשים כי יקשה מאד לסבול מדיני אשה והעיל עם זה בזה המאמר שטוב לאדם שיהיה לשכלו עזר מהאשה אשר נבראת עמו לשרתו ויהיה מתבודד מביעזרהו בהשגתו איש מהאנשים ולא יגין עליו זולתו מהמונעים ותהיה האשה אשר נבראת לשרתו תמיד מריבה עמו כי לא יוכל אחד מהם לתקן את אשר עותה ולא יועילו לו העוזרים אם לא יהיה בשלום עמה בדרך שתכנע לעבודתו וזה מבואר מאוד: (י) נפש רשע. הנה התבאר לך כי נפש הרשע אין תאותה כי אם לדבר רע כי לא יוחן בעיניו רעהו ולו היתה דרך הרשע טובה בעיניו היה ראוי שיאהב כל מי שיתחבר אליה כמו שיאהבו אנשי המעלה קצתם את קצתם: (יא) בענש לץ יחכם פתי. הנה כשיגיע העונש ללץ על דברי ליצנותו אז יחכם פתי הנפתה לכל הדברים ויבין כי זאת הדרך הוא לא טובה וכאשר יראה שיצליחו דרכיו לחכם אז יתחיל לקנות דעת: (יב) משכיל לדיק לבית רשע. הצדיק המצליח לבית הרשע וזה יהיה כשיעמוד בביתו כי אז יברך הש"י ביתו בגלל הצדיק או כשיהיה הטוב הזה דבק לרשעים מאבותיהם שהיה בהם איש צדיק אשר בעבורו ימשך לרשע הזה טוב הנה זה הענין סבה לסלף הרשעים ולהוליכם בדרך רע כי הם חשבו כי זה הטוב הגיע לרשע בסבת הרשע ובזה ג"כ יטעה הפתי כי הוא נפתה לכל מה שיראה לו בתחלת המחשבה

## מצודת ציון

רשע (לעיל י'): (ט) פנת. זוית: חבר. חבורת אנשים וכן חבר כהנים (הושע ו'): (י) יחן. מלשון חן: (יב) משכיל. ענין הצלחה כי המצליח במעשיו נראה להבריות שעושה בהשכל: מסלף. מעקם

## מצודת דוד

עת מבלי השתנות: (ט) על פנת גג. מבלי מחסה מזרם וממטר ויחידי מבלי חבורת אנשים: מאשת. מלשבת עם אשת מדינים אף בבית חבורת אנשים: (י) אותה רע. אין מעשה הרשע על כי יטעה לחשוב שמעשיו טובים. אבל יודע הוא ברעתם ונפשו חשקה לה ולזה לא יוחן בעיניו רעהו רשע כמותו כי אם חשבה לטובה א"כ מהראוי לאהוב לרעהו כמשפט אנשי הצדק: (יא) בענש. בעת בוא עונש על הלץ אם לא יועיל לעצמו מועיל הוא לפתי המשולל הבינה כי יתחכם על כי יפחד לנפשו: ובהשכיל. אבל לחכם אף בלמדו דברי השכל הוא עצמו יקבל תועלת ויקח דעת מוסף על מה שבידו: (יב) משכיל צדיק. כאשר הצדיק עומד בבית רשע הצדיק הזה

man desires only evil and is never concerned with his neighbor unless he expects to benefit from him.—[*Rabbenu Yonah*]

11. **When a scorner is punished, a fool gains wisdom**—*Through the chastisements of scorners, fools gain wisdom and return* [to God] *in repentance.*—[*Rashi*] If the punishment does not avail the scorners, it does avail the fools, who gain wisdom because they fear for themselves.—[*Mezudath David*]

**but when a wise man is instructed**—But a wise man who learns words of instruction gains knowledge.—[*Mezudath David*]

12. **The Righteous One considers**—*The Righteous One of the world sets His heart to destroy the house of the wicked, e.g. the remembrance of Amalek.*—[*Rashi*] *Mezu-*

9. It is better to sit on the corner of a roof than with a quarrel-
some wife and the house of a friend. 10. The soul of a wicked
man desires evil; his neighbor finds no favor in his eyes.
11. When a scorner is punished, a fool gains wisdom, but when
a wise man is instructed, he gains knowledge. 12. The Right-
eous One considers the house of the wicked, overthrowing

*turning away from the commandment—his way is changeable.*—[*Rashi*]

**but as for a pure one, etc.**—But a pure man—his deeds are always proper.—[*Mezudath David*]

9. **and the house of a friend**—*That he enters his friend's house to converse with his wife. And the Midrash Aggadah states: He prophesied that the Shechinah would ultimately leave Israel, who is like a quarrelsome wife.*—[*Rashi* from *Rosh Hashanah* 31a] This verse depicts the Shechinah's withdrawing from the Altar to the roof of the Temple. Concerning this move, Solomon says that it is better for the Shechinah to stay on the roof of the Temple than to be with Israel, who is like a quarrelsome wife.—[*Rashi* ad loc.]

**and the house of a friend**—*A house in which they associate friends with the Holy One, blessed be He; for example, the image that Manasseh erected in the Temple of the Lord.*—[*Rashi*] *They associated the image with the Shechinah.*—[*Rashi* ad loc.]

The simple explanation is that it is better to sit on the corner of a roof without shelter than to live with a quarrelsome wife in a house even if there is a group of people in that house.—[*Mezudath David*]

*Ibn Ezra* explains in a similar manner. When a house caves in, all that remains is the corner, as that is the strongest part of the building. It is better to sit on that corner and endure the wind rather than endure a quarrelsome wife. He points out that the intonation of חָבֶר indicates that the meaning is "a house of association," i.e. a house where he will join his wife. If the meaning were "a house of a friend," the vowelization would be חָבֵר, and the accent would be on the second syllable.

10. **The soul of a wicked man desires evil**—The deeds of a wicked man are not due to error, that he believes his deeds to be proper. In fact, he knows that his deeds are evil, but that is his desire.—[*Mezudath David*]

**his neighbor finds no favor in his eyes**—He is aware of the evil of his deeds, and so he does not favor his friend who commits similar deeds. Were he to believe erroneously that his deeds are good, he would favor his neighbor who performs the same deeds.—[*Mezudath David, Ralbag*] Although many people are changeable and do not help their neighbors, nor are they overly concerned with their neighbors' troubles, the wicked

רשעים לרע: יג אטם אזנו מזעקת־דל
גם־הוא יקרא ולא יענה: יד מתן בסתר
יכפה־אף ושחד בחק חמה עזה:
טו שמחה לצדיק עשות משפט ומחתה
לפעלי און: טז אדם תועה מדרך השכל
בקהל רפאים ינוח: יז איש מחסור

רַשִׁיעַיָא בְּבִישְׁתָּא:
יג דְמַסְכַּר אֶדְנֵיהּ דְלָא
נִשְׁמַע לִצְוָחְתֵיהּ
דְמִסְכְּנָא אַף (הוּא) נִקְרָא
לֶאֱלָהָא וְלָא נִתְעֲנֵי:
יד מוֹהֲבָא בְטִישָׁא
מְדַעֲכָא רוּגְזָא וְשׁוּחְדָא
בְּעוּבָא חֶמְתָא עֲשִׁינְתָא:
טו חֶדְוְתָא דְצַדִּיקָא
לְמֶעְבַּד דִּינָא וְשַׁצְיָא
לְאִילֵין דְעָבְדִין עָאתָא:
טז בַּר נָשָׁא דְתָעֵי מִן
אוּרְחָא דְסַכּוּלְתָא עִם בְּנֵי אַרְעָא נִתְתְּנָח: יז גַבְרָא דִי חָסַר לֵיהּ וְרָחֵם חֶדְוְתָא וְרָחֵם חַמְרָא

ת"א אוטם אזנו. חגיגה יד: מתן בסתר. סוטה ס' בתרא ט' (פאה כא): שמחה לצדיק. עקרים מ"ג פל"ג:

### רש"י

(יד) מתן בסתר. צדקה: ושוחד בחק. אף זו צדקה: יכפה אף. יכפה המה עזה: (טו) שמחה לצדיק עשות משפט. שמחה להקב"ה לעשות דין בצדיקים כדי לזכותם לחיי העוה"ב ושמחה לצדיקים שהקב"ה מביא יסורין עליה' כדי שיזכו לעולם הבא. כך נדרש במדרש תהלים: ומחתה. היא לפועלי און. לפי שאין נותנים לב לשוב ואין היסורין מועילין להם ומצטערין ולא להועיל: (טז) אדם תועה מדרך השכל. פורש מן התורה: בקהל רפאים. בעדת גיהנם: (יז) איש מחסור. מי שאוהב שמחת משתה תמיד:

### אבן עזרא

שכל בעבור בית רשע שעושין הרשע ומסלף דרך קללה שהם' יסלפם ויאבדם וזה הנכון: (יג) אוטם. סוגר מזעקת דל שיזעק אליו מפני עשקו. גם הוא יקרא לשם או לבני אדם בעת צרתו: (יד) יכפה. פי' ישפיל כמו יכפף כמו שוגג ומשגה המתוקק מחוקה והוא פועל יוצא והוא עומד במקום שנים כלומר שחד המובא בחיק כלומר בסתר יכפה חמה עזה ובזה הפ' הזכיר שאם לא תועילהו צעקתו יתן מתן ושחד כי הם ישפילו האף והחמה כי מדתם לעלות בפני האדם והשוחד יכפם וישכילם: (טו) שמחה. שתבואהו שמחת ישועה בעשותו משפט. ומחתה תבא לפועלי און: (טז) תועה. כי החכמה היא דרך ישרה והעוזב אותה הוא תועה במעשה הרע. מדרך השכל והוא שם התאר או שם פועל: רפאים. מתים: ינוח. שלא יתעה עוד או שם תהיה מנוחתו ולא יהיה לו חלק עם הצדיקים והוא הנכון: (יז) איש. אוהב שמחה. שמחת מאכל ומשתה הוא איש מחסור והטעם יחסר כל וזהו אוהב יין ושמן לאכלו לא יעשיר

### רלב"ג

שהוא טוב: (יג) אוטם אזנו. הנה מי שהוא סותם אזנו שאינו רוצה לשמוע לצעקת דל להצילו מאשר הביא אלוה בידו הנה ישיב הש"י גמולו בראשו: גדלוה ויקרא ולא יענה ר"ל שלא יחמלו האנשים עליו וזה מדה כנגד מדה ואפשר שירצה בזה כי גם הוא יקרא לש"י ויצעק אליו בעת צרתו ולא ישמע תפלתו כי הש"י יתנהג עמו בדרך אשר הוא מתנהג בזולתו: (יד) מתן בסתר. הנה המתן שיתן האדם בסתר למי שיכעס עליו מכניע האף והחמה אשר לו עליו והשחד שיתן בחיק ר"ל בסתר יכפה חמה עזה ויכניעה: (טו) שמחה לצדיק. כשיעשה משפט ודין באמת הנה זה הענין שמחה לצדיק שאז יבטח לבו שלא ילכד ברשת המלכות כי הוא נשמר מעשות רע וזה הענין הוא מחתה ושברון לפועלי און כי אז יפחדו מאד שיענשו על רוע מעלליהם: (טז) אדם תועה. האיש התועה מדרך השכל והוא התועה בדעותיו יבא בגורלו לנוח עם קהל האנשים שימותו יחד מיתה פתאומית וימות עמהם או ירצה בזה שהוא בקבוץ האנשים הדורכים אל המות והכליון כי הם ישמחו בדעותיו לפי שהם יפתחו להם השערים למלאת תאוותיהם: (יז) איש מחסור. מי שהוא אוהב השמחות הגופיות להתענג בתאוותיו

### מצודת דוד

מלגלגת ביתו של הרשע כי נתהפך בגללו והוא סיבה לסלף את הרשעים לעשות רע כי יחשוב בעבורו נתהפך ביתו ומעשיו טובים בעיני ה': (יג) אוטם. הסותם אזנו משמוע לצעקת דל אשר יצעק מפני נוגשיו גמולו שגם הוא יקרא בעת צרתו לעזרה ואין מי ישיב לו:

### מצודת ציון

כמו ויסלף דברי בוגד (לקמן כ"ב): (יג) אוטם. סותם: (יד) יכפה. ענין כסוי ובדרבותינו ז"ל כפה עליהם הר כגיגית (שבת פ"ח): (טו) ומחתה. ענין שבר: (טז) רפאים. הם המתים שנרפו

(יד) מתן. הנותן מתן בסתר למי שחרה אפו בו הנה המתן הזה יכסה את האף ולא יהיה נראה עוד: ושוחד בחק. הנותן שוחד בחק ר"ל בהסתר אז יכפה בזה חמה עזה וחזקה וכפל הדבר במ"ש: (טו) שמחה. הצדיק ישמח בעת יעשה משפט ועשיית המחתה הוא שמחה לפועלי און: (טז) מדרך השכל. מדרך התורה: בקהל. ר"ל אחר המיתה כשיהיה בקהל המתים אז ינוח ולא יתעה עוד אבל כל ימי חייו הוא מוסיף והולך לתעות בכל יום יותר: (יז) איש מחסור וגו'. האוהב שמחת מאכל ומשתה יהיה איש מחסור ר"ל חסר מכל

is a joy for a righteous man to do justice, and to perpetrate ruin is a joy for those who commit violence.

16. **A man who strays from the way of understanding**—*From the Torah.*—[*Rashi* from *Baba Bathra* 79a]

**in the congregation of the shades**—*in the congregation of Gehinnom.*—[*Rashi* from the aforementioned source] After his death, he will rest and will no longer continue to stray.—[*Mezudath David*]

the wicked to their ruin. 13. He who stops up his ear from the cry of a poor man—he, too, will cry out and not be answered. 14. A gift in secret will appease wrath, and a bribe in the pocket [will even appease] strong wrath. 15. It is a joy for a righteous man to do judgment, and a ruin for those who commit violence. 16. A man who strays from the way of understanding will rest in the congregation of the shades. 17. He who loves joy

*dath David* renders: A righteous man brings prosperity to the house of a wicked man. When a righteous man stays in the house of a wicked man, his presence brings a blessing, thus causing the wicked man to prosper. *Ibn Ezra:* A righteous man gives instruction to the household of the wicked.

**overthrowing the wicked to their ruin**—[This translation follows *Rashi's* interpretation of the beginning of the verse.] *Mezudath David* renders: deluding the wicked to evil. The wicked man does not realize that his household was blessed because of the righteous man. He believes that his way is acceptable to God, and that he himself is responsible for his blessing. Therefore, he continues to do evil.

13. **He who stops up his ear**—and refuses to hear the cry of the poor man who is being oppressed—his punishment will be that someday he will call out for help when he is in trouble, and no one will respond to his cries.—[*Mezudath David*]

14. **A gift in secret**—*Charity.*—[*Rashi*]

**and a bribe in the pocket**—*This too refers to charity. It will appease even strong wrath.*—[*Rashi*]

Although one who does not seek or investigate the needs of the poor to give them charity is not punished as the one who ignores their cries, if one does seek the poor and give them charity in secret, he will be saved from God's anger. Even after evil has been decreed against him and he gives charity to redeem himself, it will appease God's strong wrath.—[*Rabbenu Yonah*]

15. **It is a joy for a righteous man to do judgment**—*It is a joy for the the Holy One, blessed be He, to inflict judgment upon the righteous in order to bestow upon them the life of the world to come, for the Holy One, blessed be He, brings pains upon them in order that they merit the world to come. In this manner, it is expounded in Midrash Psalms* (3:1).—[*Rashi*]

**and a ruin**—*It is* [a ruin].—[*Rashi*]

**for those who commit violence**—*Because they do not put their hearts to repent and the pains do not avail them, but they suffer to no avail.*—[*Rashi*] *Mezudath David* renders: It

אֹהֵב שִׂמְחָה אֹהֵב יַיִן וָשֶׁמֶן לֹא יַעֲשִׁיר׃
יח כֹּפֶר לַצַּדִּיק רָשָׁע וְתַחַת יְשָׁרִים
בּוֹגֵד׃ יט טוֹב שֶׁבֶת בְּאֶרֶץ מִדְבָּר
מֵאֵשֶׁת מִדְוָנִים וָכָעַס׃ כ אוֹצָר ׀ נֶחְמָד
וָשֶׁמֶן בִּנְוֵה חָכָם וּכְסִיל אָדָם יְבַלְּעֶנּוּ׃
כא רֹדֵף צְדָקָה וָחָסֶד יִמְצָא חַיִּים צְדָקָה
וְכָבוֹד׃ כב עִיר גִּבֹּרִים עָלָה חָכָם וַיֹּרֶד

**תרגום**

וּבִסְמָא לָא נֶעְתַּר׃ יח שַׁלְחוּפֵיהּ דְּצַדִּיקָא רַשִׁיעָא וְשַׁלְחוּפֵי דְתָרִיצֵי בָּזוֹזֵי׃ יט טָב לְמֵתַב בַּאֲרַע מַדְבְּרָא מִן אִתְּתָא תַּגְרָנִיתָא וּמְרַגְזָנִיתָא׃ כ סִימָתָא מְרַגְנְתָא וּמִשְׁחָא בְּדָרֵיהּ דְּחַכִּימָא וְסַכְלָא דִּבְנֵי נָשָׁא נְבַלְעִנּוּן׃ כא דְּרָדֵף צִדְקְתָא וְחִסְדָּא יַשְׁכַּח חַיֵּי וְצִדְקְתָא יְקָרָא׃ כב לִמְדִינְתָּא דְּגִבָּרֵי סְלֵיק חַכִּימָא וְאָחֵית עוּשְׁנָא

**ת״א** כופר לצדיק,(ברכות יג) : אהב יין.זוהר שמיני: טוב שבת. ר״ה לא : רודף צדקה.ברכות ה׳ יבמות קט קדושין מ׳ ב״ב ט׳(פרה טו) :

## רש״י

(יח) כופר לצדיק רשע ותחת ישרים בוגד. לצדיק נחלץ ורשע בא תחתיו כגון מרדכי והמן : (יט) טוב שבת בארץ מדבר. גם זה על סלוק השכינה נאמר: (כ) וכסיל אדם. וכסילות של אדם : (כב) עיר גבורים

## מנחת שי

(יט) מדונים וכעס. מדינים קרי : (כב) עיר גברים. חד מן ז׳ חסרים על פי המסורה ובויקרא רבה פרשה ל״א גברים כתיב חסר

## אבן עזרא

כלומר לא יקבץ עושר : (יח) כפר. כלומר שינצל הצדיק מן הצרות היורדות ויפול הרשע תחתיו: (יט)טוב שבת בארץ מדבר. לסבול החורב והקרח מאשת מדינים כלו׳ מאשה שתכעיס בעלה: (כ)אוצר. גם כלל על מה שיאכל׳ האדם מן המאכלי׳ הטובים והזכיר השמן לבדו כי הוא משובח מכלם אשר בו יכבדו אלהים ואנשים בעבור דשנו הטוב שמוהו ראש לעלים והעד שהחכם יאצרהו ולא יאכלהו. וכסיל כנגד חכם כי מיד שיקנהו יבלעהו ואם כסיל סמוך לאדם הוא גם הענין וכמוהו זובח אדם או האדם הוא הכסיל ושניהם נכונים : (כא) רודף. שימהר לעשות צדקה כאילו רודף אותה ימצא חיים שיאריכון ימיו ימצא צרכו מאשר ישנו וכבוד שיכבדוהו בני אדם או יתן לו כבוד השם כלומר ממון מן כבד מאוד : (כב) עיר גבורים עלה

## רלב״ג

הוא איש מחסור כי באילו התאוות יאבד הונו ומי שהוא אוהב יין ויהיה הומה להתענג בהם לא יעשיר לזאת הסבה בעינה וזה מה שיקרה לבעלי זאת התכונה מהרע גם בדברים הגופיים עד שזה הוא סבה אל שלא יקנה האדם שום שלימות נפשיי וכבר נרמז זה ג״כ באמרו איש מחסור ובאמרו לא יעשיר כי החסרון היותר חזק הוא הסרון השכל והעושר היותר חזק הוא שלמות במושכלות : (יח) כופר לצדיק. כאשר היה ראוי מצד ההשגחה הכוללת שיגיע רע מה לצדיק הש״י ישית הרשע כפרו וישית הבוגד כופר לישרים והיה זה כן כי מההשגחה הדבקה להם ימשך שינצלו ולפי שהתועלת ברע הוא אבדן הרשעים בו כמו שנזכר בס׳ איוב והתבאר עוד בס׳ איוב הנה יביא הש״י הרשע והבוגד אל הרע ההוא : (יט) טוב.שהאדם שישב בארץ מדבר משישב בבית עם אשת מדינים וכעס שתכעס תמיד עם בעלה ותריב עמו והנה ביאר בזה כי הכעס ג״כ מגונה כמו שהשמחה בתענוגי הגוף מגונה : (כ) אוצר נחמד. הנה בנוה החכם ימצא אוצר נחמד ושמן מפני דבקות ההשגחה בו עם שהוא ישמור קנינו ולא יפזר מהם כי אם ההכרחי ואולם הכסיל אם היה לו כמו זה האוצר הנה ימצא אדם ויבלענו ולא יאכל הכסיל ממנו : (כא) רודף צדקה. מי שהוא רודף הצדקה והיושר במדות ובדעות ורודף לעשיית חסד לזולתו ולהטיב להם הנה הוא ימצא החיים הגופיים והנפשיים וימצא הצדק והיושר בדעות וימשך לו מהם הכבוד כאמרו כבוד חכמים ינחלו וזה כי מפני יושר דעותיו ירשיע כל לבון תקום אתו למשפט : (כב) עיר גבורים. הנה החכם עלה בעיר גבורים ונלחם בחכמתו כי טובה חכמה מגבורה כמו שנזכר בספר קהלת והוריד עוז

## מצודת ציון

ונחלשו : (כ) בנוה. במדור : יבלענו. מלשון בליעה : (כב) וירד.

## מצודת דוד

טובה : אוהב יין וגו׳. כפל הדבר במלות שונות : (יח) כופר. אם נגזר מיתה על הצדיק ובעלה הגזירה אין מדת הדין מתפייס עד כי יותן רשע לפדיון נפשו : ותחת וגו׳. כפל הדבר במלות שונות : (יט) בארץ מדבר. במקום שאין אנשים : מאשת. מלשבת במקום מיושב עם אשת מדינים והתמדת כעס : (כ) אוצר וגו׳. דרך החכם לאצור באוצרו דברים נחמדים ושמן טוב להתקיים לעת הצורך אבל הכסיל שבבני אדם בעודו בכפו עד לא הניחו מידו יבלענו ולא יחוש אם לא ימצא לעת הצורך : (כא) רודף. הרודף לעשות צדקה והסד עם הבריות ימצא גם הוא מה׳ חיים וצדקה וכבוד : (כב) עיר גבורים. בא לשבח החכמה מהגבורה ואמר הנה החכם

house and to store oil for the time it will be needed. But a foolish man will swallow it up while it is still in his hand, before he puts it down.—[*Mezudath David*]

**but man's foolishness**—Heb. וּכְסִיל אָדָם.—[*Rashi*] [In order to avoid the seemingly transposed sequence of the words, i.e. כְּסִיל אָדָם instead אָדָם כְּסִיל, *Rashi* interprets this expression to mean the foolishness of a man. *Ibn Nachmiash,* however, cites examples of this transposed sequence.]

21. **He who pursues charity and kindness**—One who runs to give

shall be a poor man; he who loves wine and oil shall not become rich. 18. A wicked man shall be ransom for a righteous man, and a treacherous one instead of the upright. 19. It is better to dwell in a desert land than [with] a quarrelsome and vexatious wife. 20. Precious treasure and oil are in the dwelling of the wise man, but man's foolishness will swallow it up. 21. He who pursues charity and kindness will find life, charity, and honor. 22. A wise man ascended to a city of mighty men and brought down

17. **shall be a poor man**—*He who loves the joy of always banqueting.*—[*Rashi*] He who loves the joy of this world to engage in much eating and drinking will ultimately come to poverty.—[*Ibn Nachmiash*] *Gra* renders: A poor man loves joy. A man who is poor in Torah, who has no trace of Torah, loves to enjoy himself constantly and rejoice with the joy of the fools, for the Torah makes the fool wise, but this man does not study the Torah.

**he who loves wine and oil**—will not accumulate wealth.—[*Ibn Ezra*] He who constantly wishes to enjoy himself with the lusts of this world, to drink wine and to anoint himself with oil, will never gain the wealth of Torah knowledge.—[*Gra*]

18. **A wicked man shall be ransom for a righteous man, and a treacherous one instead of the upright**—*A righteous man is rescued, and a wicked man comes in his stead* (above 11:8), *such as Mordecai and Haman.*—[*Rashi*] If death has been decreed upon a righteous man and the decree has been nullified, the Divine standard of justice is not satisfied until a wicked man becomes his ransom.—[*Mezudath David*]

**and a treacherous man instead of the upright**—Wicked is the opposite of righteous; therefore a wicked man is taken as ransom for the righteous. Treacherous is the opposite of upright; therefore a treacherous man is taken as ransom for the upright.—[*Gra*]

19. **It is better to dwell in a desert land**—*This too was stated regarding the withdrawal of the Shechinah.*—[*Rashi* from *Rosh Hashanah* 321a] *Rashi* refers to its withdrawal from the mountain east of Jerusalem to the desert, one of the ten travels of the Shechinah when it left the Temple before the destruction.

The simple meaning of the verse is that it is better to live in an uninhabited land than to live in an inhabited land with a quarrelsome and vexatious wife.—[*Mezudath David*]

20. **Precious treasure, etc.**—It is customary for a wise man to store his precious possessions in a store-

עֹז מִבְטֶחָֽה׃ כג שֹׁמֵר פִּיו וּלְשׁוֹנוֹ שֹׁמֵר
מִצָּרוֹת נַפְשׁוֹ׃ כד זֵד יָהִיר לֵץ שְׁמוֹ
עוֹשֶׂה בְּעֶבְרַת זָדוֹן׃ כה תַּאֲוַת עָצֵל
תְּמִיתֶנּוּ כִּי־מֵאֲנוּ יָדָיו לַעֲשׂוֹת׃ כו כָּל־
הַיּוֹם הִתְאַוָּה תַאֲוָה וְצַדִּיק יִתֵּן וְלֹא
יַחְשֹׂךְ׃ כז זֶבַח רְשָׁעִים תּוֹעֵבָה אַף כִּי

דִסְבְרָא׃ כג דְנָטַר
פּוּמֵיהּ וְלִישָּׁנֵיהּ נָטַר מִן
עָקְתָא נַפְשֵׁיהּ׃
כד מְמִיקְנָא מְרִיחָא
זֵידָנָא שְׁמֵיהּ עָבֵד
חֲרִינָא בְּזֵידְנוּתֵיהּ׃
כה רְגִגְתָא דְעַטְלָא
מְמִיתָא לֵיהּ דְלָא צָבְיָן
אִידַין דְעָבְדִין עֲבִידְתָא׃
כו כָּל יוֹמָא רָאֵג רְגִגְתָא
וְצַדִּיקָא יָהֵב וְלָא
מַחְשֵׁךְ׃ כז דִבְחָא
דְרַשִׁיעֵי מְרָחֵק הוּא מְטוּל דִבַעֲבֵרְתָא מַיְתֵי

ת״א שומר פיו. ב״מ פג: זד יהיר. ב״ב י׳ ע״ב יח: תאות עצל. עקידה שער נה: זבח רשעים. ברכות כב סנהדרין קיב שבועות יב זבחים ז׳:

## רש״י

**עלה חכם.** זה משה רבינו שעלה לבין המלאכים גבורי כח: **(ויורד וגו׳. תורה):** **(כד) יהיר.** גם רוה סופו להיות לץ שאינו חש לשמוע מוסר: **(כו) וצדיק יתן.** כל צרכי ביתו שהקב״ה מזמן לו: **(כז) אף כי בזמה יביאנו.** וכ״ש כשהוא מביאו להרשיע ובעלה רעה כגון קרבנות בלעם ובלק שלא היו מביאים אלא לקלל את ישראל:

## אבן עזרא

**חכם.** להורות כי טובה חכמה מגבורה. עוז רמז להומות כענין עד רדת הומותי׳. מבטחה שהיו בוטחי׳ בה האנשי׳: **(כג) שומר פיו ולשונו.** שניהם שותפין בדבור והענין שישמור מדבר גנות אז ישמור נפשו מכל דבר רע. פ״א שומר פיו מאוכל ולשונו מדבר הרע: **(כד) יהיר.** כמו גבר יהיר כלומר זד מתגאה לץ שמו ואמרו רז״ל כיון שנתיהר עליהם בעברה שיתעבר לעשות זדון והעברה רמז לחמה שעברה וגברה על מדת הרצון כענין עברו ראשי בהתגבר העונות: **(כה) תאות. כל.** ב׳ דבקים. תמיתנו כאשר לא ישיג מה שיתאוה. **כי מאנו.** כאילו הוא חפץ לעשות וידיו אומרים לא נעשה: **(כו) וצדיק יתן.** לעצל. ולא יחשוך מתנותיו: **(כז) זבח.** עולות ושאר הקרבנות והעד וזבחת עליו את עולותיך וגו׳ כלומר זבחים שיקריבו תמיד הרשעים יתעב השם וגם כי בעבור שיעשו הזמה יביאום יותר יתעבם:

## מנחת שי

וא״ו שלש גבורים ואין בהם נקבה פי׳ לבין גבר זכר שכל המלאכים זכרים: מבטחה. ה״א הכנוי נחה וסיתה ראויה להדגש מכלול דף

## רלב״ג

עיר והמבלר שהיו בוטחים בו והנה העיר בזה על מעלת החכמה והטוב המגיע ממנה גם בעניני הגבורה וזה אמנם יהיה לחכם מצד **חכמתו** ומצד דבקות ההשגחה האלהית בו: (כג) שומר פיו. מי שהוא שומר פיו ולשונו מלדבר שומר נפשו מצרות רבות כי רעות רבות יתחדשו **מפני** חטא הדבור כמו שקדם: (כד) זד יהיר. הנה הרשע הגאה שעושה הרע בגאוה לץ שמו כי הוא כאילו יעשה הזדון מצד גאותו על דרך הלעג להיות האנשים נחשבים לפניו כאין ותהמת הזדון עושה לעג וליצנות וכבר ימצאו אנשים רעים בזה התואר שזכר שישחיתו **זולתם** על דרך הלעג להיותם נחשבים להם לאין כמו שספר מאיש אחד שחתך רגל איש בלילה כשהיה ישן והוא לא היה שונא לו אך עשה זה על דרך הלעג והנה בא זה על מוס **הליצנות** והרע שיגיע ממנו: (כה) תאות עצל. הנה העצל יתאוה תמיד אל קנין השלימיות והעצלה **תמנעהו** מההשתדלות בהשגתם הנה ימות וישאר עם התאוה היא כי מאנו ידיו לעשות דבר להשיג מה שאליו התאוה: (כו) **כל היום** התאוה העצל התאוה ולא תעשה בו התאוה רושם אחר ואולם הצדיק יתן הראוי מהפועל וההשתדלות בדבר דבר ולא ימנע ידיו מה שראוי בהשגת המלאכות והחכמות: (כז) זבח רשעים. אם הרשעים יביאו זבח לש״י על דרך העבודה הנה הוא נתעב אצל הש״י כי **הם לא** יכוונו בו מה **שכוון בו מהש״י** וגם כאשר **יביאנו במחשבה** והשתכלות הוא נתעב כי הם מביאים אותו על החטא והם בלתי מנקים **עצמם** מהחטא בהביאם הזבח וידמה ענינם **למי שיטבול מפני** הטומאה בעת שיהיה שרץ בידו ואפשר שירצה בזה כי כ״ש שיהיה נתעב **הזבח**

## מצודת דוד

**עלה** לעיר גבורים ונלחם והוריד חוזק בטחונם אשר התחזקו במבצר עיר: (כג) **שומר פיו.** מלהרבות בדברים: **שומר וגו׳. כי אם** ירבה אמרים לא יחדל מדבר פשע ותוצא נפשו: **(כד) זד יהיר.** איש זדון המתיהר בדבור הנה שמו העצמי הוא לץ כי בעבור הגאוה ילעג ויתלוצץ בבני אדם אבל העושה רע בעבור הגאוה הנה שמו איש זדון: (כה) **תאות.** התאוה שהעצל מתאוה לנוח על משכבו היא תמית אותו כי מאנו ידיו לעשות מלאכה להתפרנס בה ומה א״כ יאכל והרי הוא מת ברעב: (כו) **כל היום.** העצל הזה יתאוה **בכל** עת למלאות נפשו הריקה והצדיק יתן לו מהונו ויחזור ויתן ולא ימנע הנתינה ממנו עם כי פשע בנפשו: (כז) **זבח רשעים. אשר** עודם ברשעתם בעת יזבחו הקרבן כי לא שבו לה׳ הנה הקרבן הוא תועבה: **אף כי.** וכל שכן שתועבה היא כאשר יביאנו במחשבה

## מצודת ציון

מלשון ירידה והשפלה: (כד) יהיר. גם הלוה כמו גבר יהיר (חבקוק ב׳): בעברת. מלשון עברה וכעס: (כה) מאנו. לא רצו: (כו) יחשך. ענין מניעה: (כז) בזמה. במחשבה רעה כמו זמה

frustration brings about his death.

26. **All day he covets greedily**—All day he desires to satisfy his appetite.—[*Mezudath David*]

**but the righteous gives**—*all the necessities of his house, for the Holy One, blessed be He, prepares them for him.*—[*Rashi*]*

27. **The sacrifice of the wicked**—that they bring when they are still wicked and have not repented of their sins. Such a sacrifice is an abomination to God.—[*Mezudath David*]

**how much more if he brings it with plans of wickedness!**—*How much*

the stronghold in which it trusts. 23. He who watches his mouth and his tongue guards his soul from troubles. 24. A malevolent, haughty man—scorner is his name; he acts with malevolent anger. 25. The desire of a lazy man will bring about his death, for his hands refuse to labor. 26. All day he covets greedily, but the righteous man gives and does not spare. 27. The sacrifice of the wicked is an abomination, how much

more

charity and to be kind to people will find that God will bestow life, charity, and honor upon him.—[*Mezudath David*] He will merit longevity. He will find that he has all his necessities and that people will honor him. It is also possible that כָּבוֹד in this sense means wealth.—[*Ibn Ezra*]

22. **A wise man ascended to a city of mighty men**—*This refers to Moses, our teacher, who went up among the angels, who are mighty in strength.*—[*Rashi*]

(**and brought down, etc.**—*The Torah.*)—[*Rashi* from *Lev. Rabbah* 31:5]

23. **He who watches his mouth and his tongue**—Both are partners in speech. He watches them lest they speak derogatorily about anyone. Alternatively, one must watch his mouth from eating forbidden foods, and his tongue from speaking derogatorily of people.—[*Ibn Ezra*] *Mezudath David* explains that he watches his mouth and his tongue from talking too much.

**guards his soul from troubles**—If he does not limit his speech, he will surely come to commit sins.—[*Mezudath David*]

24. **haughty**—Heb. יָהִיר, *one who is haughty; he will ultimately become a scorner, for he does not care to hear reproof.*—[*Rashi*] Being haughty, he will scorn people and scoff at them.—[*Mezudath David*]

*Malbim* explains that the זֵד is one who intentionally differs with the laws of wisdom and denies the fundamental tenets of the faith. As long as he is not haughty, he will not scoff at them, but if he is defeated in his arguments, he will accept the refutations of his opponents. Once he becomes haughty, however, he will scorn the fundamental tenets of the faith and will act with defiance, beyond all bounds.

25. **The desire of a lazy man**—to rest all day.—[*Mezudath David*]

**will bring about his death, for his hands refuse to labor**—and he will die of hunger.—[*Mezudath David*] *Ibn Ezra* explains that his desire will kill him when he is unable to attain it, for his hands refuse to labor. It is as though he wishes to work, but his hands tell him not to work. *Gra* explains the verse in regard to the study of the Torah. The lazy man desires to study, but he is too lazy to execute his desires. Therefore, his

בְּזִמָּה יְבִיאֶנּוּ׃ כח עֵד־כְּזָבִים יֹאבֵד וְאִישׁ
שׁוֹמֵעַ לָנֶצַח יְדַבֵּר׃ כט הֵעֵז אִישׁ רָשָׁע
בְּפָנָיו וְיָשָׁר הוּא ׀ יָכִין דַּרְכּוֹ׃ ל אֵין
חָכְמָה וְאֵין תְּבוּנָה וְאֵין עֵצָה לְנֶגֶד
יְהוָה׃ לא סוּס מוּכָן לְיוֹם מִלְחָמָה וְלַיהוָה
הַתְּשׁוּעָה׃ כב א נִבְחָר שֵׁם מֵעֹשֶׁר

לֵיהּ׃ כח סָהֲדָא דְכַדְבוּתָא יֵאבַד וְגַבְרָא שָׁמוּעָא שְׁרִירָא יִת מְמַלֵּל׃ כט מַחְצִיף אַפּוֹי גַבְרָא רַשִׁיעָא וּתְרִיצָא הוּא מְתַקֵּן אוֹרְחֵיהּ׃ ל לֵית דְּחָכְמְתָא וְלֵית בְּיוּנָא וְלֵית עֵצְתָא הֵיךְ דֶאֱלָהָא׃ לא סוּסְיָא מְתַקַּן לְיוֹמָא דִקְרָבָא וְלֶאֱלָהָא הוּא פּוּרְקָנָא׃ א שְׁמָא טָבָא אִתְבְּחַר מִן עוּתְרָא סַגִּיעָא ומכספא

ת״א העז איש. תענית ז׳: אין חכמה. ברכות יט עירובין סג מ״ק יז סנהדרין פב: יבין קרי דרכו קרי

**רש״י**

(כח) ואיש שומע. שקבל מה שכתוב בתורה לא תענה ברעך וגו׳ (שמות כ׳): לנצח. תמיד: (כט) העז איש רשע בפניו. הרשע מראה את עזותו בשעת כעסו: בפניו. מלשון אף: (ל) אין חכמה וגו׳. אין כל חכם ונבון חשוב לנגד ה׳. כל מקום שיש חלול השם אין חולקין כבוד לרב: כב (א) נבחר שם. שם טוב מעושר

**מנחת שי**

כ״ב וכן מלאתי במסורת כ״י מבטחה לית ורפי ה״א: (כט) יכין. יבין קרי והוא חד מן ג׳ מלין דכתיבין כ״ף וקריין בי״ת: דרכיו. דרכו קרי:

**אבן עזרא**

(כח) עד. כאילו הוא עד שקר. ואיש שומע שאבד העד כל ימי נצחו ידבר לאחרים כי בעבור שקרו אבד זכרו; (כט) העז. נתן העזוז בפניו ולא יתבייש ואדם ישר יוכל להכין דרכו הראוי ולא להיות עז פנים: (ל) אין. סוס. שנים דבקים. כלומר אין איש שתועילהו חכמתו ותבונתו ועצתו כנגד ה׳ כלומר ינצל מידו באחת מהם אף על פי שיכינו סוס לנוס בעבור יום מלחמה אין יכולת להמלט ולהושיע נפשם כי לשם התשועה והוא יתננה למי שירצה:

כב (א) נבחר. עשיר. שנים דבקים. טוב עומד במקום שנים. וכן הוא שם טוב וחן טוב נבחר מעושר

**רלב״ג**

כאשר יביאנו בעליו עם מחשבת החטא והוא הזמה שעשה: (כח) עד כזבים יאבד. ר״ל כאשר יביאוהו לספר הכזב פעמים רבות יאבד העדות ויפסק ואיש שומע הכזב מפיו יגידהו וישנהו בספורו אין קן בהם בלי שנוי כי הוא יגיד אמת במה שיגיד ששמע מפי זה העד שכבר שמעו מפיו והיה זה כן לפי שעד הכזבים יש בלבו מחשבה מקבלת: (כט) העז איש רשע. הנה לא בפיו לבד יחלוק הרשע על מה שבמחשבתו אבל גם בפניו העז לחלוק עליו כמה שאמץ פניו והזקם שלא ישיגם השנוי והתפעלות הראוי שישיג באומר פני מי שידבר דבר כזב ואמנם האיש הישר יבין בלבו דרכו אשר ידרוך בה בפיו ובתאר פניו: (ל) אין חכמה. הנה לא תועיל חכמה ותבונה ועצה במה שיחשוב אדם לעשותו לנגד ה׳ כי אף אם יתחכם ויתבונן ויקח בו העצה היותר נכונה לא יוכל לשנות גזרת הש״י כלומר להגעתה כמו שיראה מענין מכירת יוסף ומספורים אחרים באו בדברי הנבואה ואפשר שיהיה הרצון בזה כי לא תצטרך חכמה ותבונה ועצה בהשתדלות בהגעת חפציו לאשר הוא נגד ה׳ ואמנם ר״ל למי שהוא דבק בו כי הוא יישיר דרכיו ואורחותיו באופן שיכונו מחשבותיו ולשני הפירושים ימשך יפה מה שנזכר אחר זה: (לא) סוס מוכן. הנה הסוס מוכן ליום מלחמה להיות כלי לרוץ על האויב ולנצחו אך שקר הסוס לתשוע׳ כי התשועה משם היא לבד ולזה תמצא פעמים רבות שיגלה החיל המעט והחלוש את הרב והתקיף וזה ממה שיורה שלא יועיל כל כלי המלחמה לבטל גזרת הש״י ולא יצטרכו לאשר הש״י בעזרו: (א) נבחר שם מעושר. ידוע כי השם הטוב יהיה לאדם בסב׳ יושר תכונותיו ופעולותיו והוא נבחר וטוב לאדם מעוש׳ רב והחן הטוב שיש לו מהאנשים הוא נבחר מכסף וזהב כי בסבת יושר תכונותיו ופעולותיו והיותו אהוב

**מצודת ציון**

היא (ויקרא י״ח): (כט) בפניו. בכעסו וכן ופניה לא היו לה (שמואל א׳ א׳) כי הכעס נראה בפני האדם:

**מצודת דוד**

רעה לרמות את הבריות להחשיבו לצדיק וזוכה לאלהים: (כח) יאבד. אף אם לא יוזם בבית דין ולא קבל העונש מכל מקום יאבד בידי שמים: ואיש שומע. ר״ל ועם כי יאבד העד ההוא בעבור עונש כזביו הנה דבריו לא נאבדו להשתכח מן הלב כי כל איש השומע דבריו יספרם עד עולם בחושבו כי אמת הוא: (כט) העז. הרשע מראה עזותו בעת כעסו ולא יתבונן במעשיו אבל הישר יבין דרכו בכל עת אף בזמן הכעס: (ל) אין חכמה. לא יועיל שום חכמה ועצה לבטל גזרת המקום: (לא) סוס. עם כי מוכן הסוס ליום המלחמה לנוס בו בעת ירדפוהו מכל מקום ביד ה׳ היא התשועה ואם לא יהיה נושע מעמו שקר הסוס לתשועה: כב (א) נבחר. שם טוב נבחר מעושר רב וחן טוב נבחר מכסף

decree.—[*Ibn Ezra, Rabbenu Yonah, Ibn Nachmiash, Mezudath David*]

31. **A steed is prepared, etc.**—As a continuation of the preceding verse, King Solomon states that although a steed is prepared for a day of battle, that steed will not avail him if defeat is decreed, for the victory is the Lord's.—[Above-mentioned sources] Just as wisdom is of no avail against God's decree, neither is military might.—[*Ibn Nachmiash*]

*Ibn Ezra* explains that although horses will be prepared to escape on the day of battle, no one can save himself and flee unless it has been so

if he brings it with plans of wickedness! 28. A false witness will
perish, but an obedient man may speak forever. 29. A wicked
man shows his brazenness in his anger, but an upright man—he
will understand his way. 30. There is neither wisdom nor
understanding nor counsel against the Lord. 31. A steed is
prepared for a day of battle, but the victory is the Lord's.

## 22

1. A name is chosen above great wealth;

*more if he brings it to be wicked and with evil counsel, such as the sacrifices of Balaam and Balak, who brought them only to curse Israel.*—[*Rashi*] *Ibn Nachmiash* suggests: How much more if as atonement for crime! A sacrifice brought voluntarily by a wicked man is an abomination to the Lord. How much more so is a sacrifice brought to atone for sin if the perpetrator has not repented! He also suggests: How much more if he brings it as the proceeds of crime! In other words, if he brings a sacrifice that he has acquired by theft or other illegal means.

*Mezudath David* follows *Rashi,* explaining that the wicked man brings a sacrifice with the intention of deluding the people into believing him to be pious—and thus enable him to delude them further.

28. **A false witness will perish**—Even if his deceit is not discovered, he will perish by the hands of Heaven.—[*Mezudath David*]

**but an obedient man**—*who obeys what is written in the Torah: "You shall not bear false witness against your neighbor."*—[*Rashi*]

**forever**—*Always.*—[*Rashi*] *Mezudath David* renders: but a man who hears will speak forever. Although the false witness will perish, one who heard his testimony will constantly repeat it, believing it to be true.

29. **A wicked man shows his brazenness in his anger**—*A wicked man shows his brazenness at the time of his anger.*—[*Rashi*]

**in his anger**—Heb. בְּפָנָיו, *an expression of anger.*—[*Rashi*] *Mezudath David* explains that a wicked man demonstrates his brazenness when he is angry and does not plan his deeds; but an upright man understands his way even when he is angry.*

30. **There is neither wisdom, etc.**—*No wise or understanding man is of any importance against the Lord. Wherever there is a desecration of the Name, we do not pay regard to a teacher.*—[*Rashi* from *Berachoth* 19b] Other commentators explain that no wisdom, understanding, nor counsel avails to nullify God's

רַב מִכֶּסֶף וּמִזָּהָב חֵן טוֹב: ב עָשִׁיר
וָרָשׁ נִפְגָּשׁוּ עֹשֵׂה כֻלָּם יְהֹוָה: ג עָרוּם
רָאָה רָעָה וְיִסָּתֵר וּפְתָיִים עָבְרוּ
וְנֶעֱנָשׁוּ: ד עֵקֶב עֲנָוָה יִרְאַת יְהֹוָה עֹשֶׁר
וְכָבוֹד וְחַיִּים: ה צִנִּים פַּחִים בְּדֶרֶךְ

וּמִכַּסְפָּא וּמִן דַּהֲבָא
שַׁפִּיר חִסְדָּא: ב עַתִּירָא
וּמִסְכְּנָא פְּגַעַן חַד בְּחַד
וְתַרְוֵיהוֹן. אֱלָהָא בְּרָא
אִינוּן: ג עֲרִימָא חָזֵי
בִּישְׁתָּא וּמִטְּשֵׁי וְשַׁבְרֵי
עָבְרִין וְחַסְרִין אִינוּן:
ד עֶקְבָּא דְּעִנְוְתָנוּתָא
דַּחֲלְתָּא דַּיְיָ עוּתְרָא
וִיקָרָא וְחַיֵּי: ה נִשְׁבָּא
בְּאָרְחָא עֲקִימָתָא וּמִן

ת"א ערום ראה, זוהר נח: ופתיים, כריתות טו: עקב ענוה, (שבת ג' שקלים מב): צנים פחים, כתובות ל' מליעת קז בתרא קמד ע"ג ג':

## רש"י

רב: מכסף ומזהב. נבחר חן טוב: (ב) עושה כלם ה'. כשעני אומר לעשיר פרנסני והוא עונה קשות עושה כולם ה' הקדוש ברוך הוא עושה אותם הדשים לזה עני ולזה עשיר: (ג) ערום ראה רעה. עונש של עבירה ונסתר ולא עבר העבירה: (ד) עקב ענוה. בשביל הענוה יראת ה' באה ד"א ענוה עיקר והיראה טפילה ועקב לה מדרס לרגליה: (ה) צנים פחים. כמו (במדבר ל"ג) לצנינים בצדיכם. ובאו עליך הוצן (יחזקאל כ"ג) לשון גדודים ולסטים. צנים פחים. הם טמונים בדרכי המעקש דרכיו כלו' יסורים מוכנים לו:

## אבן עזרא

רב: כי עשיר ורש נפגשו ור"ל שהסבות יורדות מן השמים על הארץ ובני אדם המקבלים נפגשו בהם. כלומר שפגש בזה העושר ובזה הרשות. וזה עושה כלם ה' שהוא יתן העושר והרשות והוא עושה העשיר והדל. אבל שם טוב איננו פגע כי האדם קונהו לעצמו במעשיו הטובים וחן שיתן חנו בעיני כל רואיו על מעשה הטוב על כן נבחרו מעושר רב: (ג) ערום. שלמד ערמה הוא רואה רעה הבאה ונסתר ונהבא עד שיעבור זעם ורשעים עברו ברעה. ונענשו קבלו עונש: (ד) עקב. שניס דבקים. עקב סוף ענוה מסבבת יראת השם כענין מלוה גוררת מלוה ומסבבת לעניו עושר וכבוד ממון או שיכבדוהו אחרים. וחיים. שיאריכו ימיו: (ה) צנים. שרשו לנן מן ולצנינים ועניינו שלמני

## מנחת שי

כב (ג) ויסתר. ונסתר קרי. ועיין בספר הזוהר פרשת נח דף ס"ט: ופתיים. בשני יודי"ן ותבנו פתח דכדיך יאיל:

## רלב"ג

לאנשים יהיה לו מחסה מהרעות יותר ממה שיוכל לחסות בכספו וזהבו כמו שיאמר משל הדיוט יותר טוב אהוב בשוק מזהב בארגז: (ב) עשיר ורש נפגשו. ולבאר כי העושר אינו נמסר מאד אמר כי כבר יקרה בעשיר ורש שיפגשו זה את זה כאילו תאמר שהעשיר ירד מעט מעשרו והרש יעלה ויקנה העושר מעט מעט עד שיגיע מזה שיהיו שוים בקנינים לפי שהש"י עושה זה עני וזה עשיר או ירצה בזה שהעשיר והרש נפגשו בלא יוכל לחיות זה בלא זה והמשל באמת היו כל האנשים עשירים לא ימצא איש עושה מלאכה מהמלאכות המעשיות ויפסד הישוב ואם היו כלם עניים לא יוכלו להתפרנס זה מזה ולזה הוא מבואר כי הש"י עושה קצת האנשים עשירים וקצתם עניים כדי שיתקיים המציאות ויהיה אמרו עשיר ורש נפגשו כאמרו חסד ואמת נפגשו צדק ושלום נשקו: (ג) ערום. הנה האיש הערום והחכם לאה הרעה קודם בואה ונסתר להמלט ממנה ואולם הפתאים לא נתנו לבם לזה ועברו במקום הרעה עם השיגם ההפסד והעונש: (ד) עקב ענוה. בשכר תכונת הענוה יגיע האדם אל שיקנה יראת ה' כי מפני היותו שפל בעיניו יתבונן מפני זה בנמצאים הנכבדים העליונים תמנו וכאשר יראה מולם הש"י הנה יקנה מזה שיירא מהש"י בתכלית מה שאפשר ומזה יגיע אל שיקנה עושר בקנינים המדומים ובדעות ויקנה ג"כ כבוד וחיים בענינים המדיניים וזה מבואר במעט עיון מה שקדם מהדברים: (ה) צנים פחים. הנה בדרך האיש העקש והוא ההולך בדרך מעוות שאינו מתגיח כראוי איזה הדרך ראוי שילך ימצא צנים להנזק בקרירות האויר וימצא בו פחים להלכד בהם רגליו ימי שהיה שומר נפשו והוא המתבונן בדרכיו והולך בהם דרך ישר ירחק מאלו הדברים המזיקים כי הוא לא ימסור עצמו לסכנות ויעיין

## מצודת דוד

וזהב: (ב) עשיר. מוסב למעלה לומר לזה נבחר שם וחן מעושר כי העושר לא ישובח והעוני לא יגונה כי מה' יצא הדבר בגזרה היורדת מן השמים ופגשה בהם בזה העושר ובזה העוני כפי הגזרה כי ה' עושה כל אלה ולא בעבור רוב החכמ' העשיר העשיר אבל השם והחן באו בבחירת האדם עצמו: (ג) ראה רעה. הערום רואה הרעה המעותדת לבוא ונסתר ממנה ר"ל שומר עצמו מן הרעה טרם בואה אבל הפתאים עברו דרך הרעה ולא נשמרו והשיג אותם העונש וההפסד: (ד) עקב. סוף הענוה היא יראת ה' רלה לומר הענוה תסבב היראה כי כשיכיר בשפלות עצמו יגדיל רוממות המקום ותבוא בלבו יראת הרוממות וימלא עושר וכבוד וחיים: (ה) צנים פחים. קוצים ופחים יקושים נמצאים בדרך עקש ר"ל המעקש דרכיו

## מצודת ציון

כב (ב) נפגשו. ענין פגיעה כמו רב ואיש תככים נפגשו (לקמן כ"ט): (ג) ונענשו. גם הפסד הממון קרוי בלשון עונש כמו וענשו אותו מאה כסף (דברים כ"ב): (ד) עקב. ענינו סוף והאחרית על שם שהעקב הוא סוף הרגל: (ה) צנים. קוצים כמו

tion, following which he will merit riches, honor, and life.—[*Mezudath David*]

5. **Troops [and] snares**—Heb. צִנִּים, *as in* (Num. 33:55) *"troops* (לִצְנִינִים) *in your sides"*; (Ezek. 23:24) *"And they will come upon you, a band* (הֹצֶן)*," an expression of bands and brigands.*—[*Rashi* following Onkelos, Num. 33:55]

**Troops and snares**—*are hidden on the ways of the one who perverts his ways; i.e. torments are prepared for him.*—[*Rashi*] Other commentators define צִנִּים as thorns. (In Numbers, *Rashi* also interprets it in that man-good favor over silver and gold. 2. A rich man and a poor man were visited upon; the Lord is the Maker of them all. 3. A cunning man saw harm and hid, but fools transgressed and were punished. 4. In the wake of humility comes fear of the Lord, riches, honor, and life. 5. Troops [and] snares are in the way of

decreed by God. He renders: the salvation is the Lord's.

1. **A name is chosen**—*A good name above great wealth.*—[*Rashi*] All commentators explain the verse in this manner, also *Targum.*

**good favor over silver and gold**—*Good favor is chosen.*—[*Rashi*] The difference between great wealth and silver and gold is that great wealth consists of many possessions—such as houses, fields, and cattle— which are apparent to all. Silver and gold, on the other hand, are hidden away in vaults and are not visible to the public eye. Accordingly, the good name, which is spread far and wide and is known to all, is compared to great wealth. Good favor, which is known only to those who are favorably impressed from their contact with a person, is compared to silver and gold.—[*Gra*]

2. **A rich man and a poor man were visited upon**—One is rich and one is poor because so was decreed upon them from Heaven; therefore, the poor man is not to be denigrated. A good name and good favor, however, are attained by one who strives for them.—[*Ibn Ezra, Mezudath David*]

*Gra* and *Malbim* render: A rich man and a poor man met. *Gra* explains that the rich and poor are equal in having a good name or good favor. These are not dependent on one's financial status. *Malbim* explains that the rich man and the poor man meet as the former's status goes downward and the latter's goes upward.

**the Lord is the Maker of them all**—*When the poor man says to the rich man, "Sustain me," and he answers him harshly, the Holy One, blessed be He, makes them new: this one poor and this one rich.*—[*Rashi* from *Temurah* 16a]

3. **A cunning man saw harm**—*The punishment for a sin, and hid, not committing the sin.*—[*Rashi*]

**transgressed and were punished**—This follows *Rashi,* who, in turn, follows *Kereithoth* 9a. Others render: passed and were injured. *Mezudath David* explains: The cunning man sees impending harm and hides from it; i.e. he is wary of the harm before it comes. The fools, however, pass on the way of the potential harm and are injured by it.

4. **In the wake of humility**—*Because of humility, fear of the Lord comes. Another explanation: Humility is the main attribute, and fear is secondary to it and a "heel" to it, a mat for its feet.*—[*Rashi* from *Song Rabbah* 1:1 (9)] Because of humility, one can attain awe of God's exalta-

עקש שומר נפשו ירחק מהם: ו חנך
לנער על־פי דרכו גם כי־יזקין לא־יסור
ממנה: ז עשיר ברשים ימשול ועבד
לוה לאיש מלוה: ח זורע עולה יקצור־
און ושבט עברתו יכלה: ט טוב־עין
הוא יברך כי־נתן מלחמו לדל: י גרש

דנטר נפשיה ירחק
מנהון: ו אדרכא לטליא
לקבל אורחיה דלא כד
נסוב נסטי מניה:
ז עתירא במסכני
נשתלט ועבדא יוזיף
לגברא מוזפנא: ח דזריע
עולא נחצד עאתא
ושבטא דחרוניה נגמור:
ט מן דטבא הוא עיניה
הוא נתברך מטול
דיהיב מן לחמיה
למסכינא: י תרך

ת"א ועבד לוה. בתרא י' נא סנהדרין ל"א: טוב עין. נדרים לח סוטה לח זוהר ויקהל ונבא: גרש לץ. יבמות סג:

### רש"י

שומר נפשו ירחק מהם. שמיישר מעשיו ינצל מהם: (ו) חנוך לנער. לפי מה שתלמד לנער ותחנכהו בדברים אם לטוב אם לרע גם כי יזקין לא יסור ממנו: (ז) עשיר ברשים ימשול. עם הארץ צריך לתלמיד חכם לעולם: (ח) זורע עולה יקצר און. לפי זריעתו קצירתו לפי פעולתו תהיה קבלת משכורתו: ושבט עברתו יכלה. קנה השבולת שלו כלה והולך לו. וי"א (סא"א) שבט חמתו שרודה בני אדם כלה והולך לו לפי שמפסיד את יכולתו: (י) גרש

### מנחת שי

ונעלכו. הוא"ו בגעיא בספרי ספרד: (ח) יקצור און. כתיב בוא"ו וקרי בקמץ חטוף מפני המקף והוא חד מן מלין דיתירין וא"ו וחטפין קמצין על פי המסורת וחשיב ליה נמי בהדי ג' יקצור מלה וא"ו ותרתי אחריני בחולם: (י) גרש לץ. בב' טעמים וכן במכלול דף

### אבן עזרא

בדרך עקש שיהיה נלכד בהם והענין ששומר נפשו ואינו עושה רע רחוק מהלכים: (ו) חנוך. למד כמו חניכיו כלו' מלומדי כלי מלחמה שלו. גם לרבות הזקנה על הנערות: (ז) עשיר. זורע. טוב. ג' דבקים. ברשים שאין להם מאומה ימשול בהם בכח ולוה ממנו יכריחנו שיהיה עבדו. זורע שיעשה עולה העשיר למשול ברשים יקצר און יקבל שכרו כראוי לו: (ח) ושבט. כי העברה מדומה לשבט כענין הוי אשור שבט אפי והטעם שיתעבר ברשים יכלה השבט ולא יעבור בהם עוד כי השם יכלהו. ואיש טוב עין שיתן לדלים מלחמו הוא יבורך מלא ברכת ה': (י) גרש. הסירהו

### רלב"ג

באיזה דבר לאוי שיתעלל בהשגתו ובאי זה אופן שיהיה נמלט מהרעות והפגעים: (ו) חנוך לנער. אשר יחנוך לנער על פי הדרך אשר מנהגו וטבעו ללכת בה לחשבו והשגתו שבכל יקבל המוסר כאשר יגדל הנה ימשך בלא יוכל להסירו אחר זה מהדרך הרעה ההוא וגם לא יסיר ממנה מעלמו וגם בעת זקנתו: (ז) עשיר ברשים ימשול. האיב העשיר ימשול ברשים ולזה ישובח העושר מזה הלד וכי ילוה מעונו לאיש הנה האיש הלוה הוא לו כעוף וככנע כאילו הוא עבדו מלד החסד שגמל אותו והנה בזה האופן ימשול העשיר ברשים במה שיגמל להם מהחסד: (ח) זורע עולה. אך מי שיחשוב למשול באנשים בהפך זאת התכונה והוא בעול והחמס שיעשה להם הנה לא תמשך ממלכתו עליהם כי כבר יגיע לו רע מהרע שיעשה ר"ל כי במה שיזרע מהעול ילא לו קציר נאות למה שעשה אותו מהרע וזה הקציר זכפרי שישיג מזה הוא עמל ואון לא דבר שיש בו תועלת ויקרה לו מהרע מה שיכלה בו שבט עברתו ר"ל שלא תשאר לו שררה יוכל להכות בה האנשים בשבט עברה כמו שהיה עושה קודם זה: (ט) טוב עין. אך מי שהוא טוב עין וימשול באנשים בהטבתו להם הוא יבורך מאת הש"י ויתחזק כחו להטיב להם ולמשול בהם מפני שנתן מלחמו לדל כי בגלל הדבר הזה יברכהו הש"י: (י) גרש לץ. מדרך הלץ לבזות האנשים ולהלעיג בהם ולעורר להם מדינים ולזה אם תגרש לץ מהבית ילא המדון ממנו כי הוא היה המעורר מדינים שם וישבות

### מצודת ציון

ולגניים בלדיכם (במדבר ל"ג): (ו) חנוך. הוא ענין התחלה לדבר שעתיד לעמוד בו כמו ולא הנכו (דברים כ'): (ח) ושבט עברתו. שהשאל לשון שבט על העברה והזעם וכן אשור שבט אפי (ישעי' י'):

### מצודת דוד

יתייסר בקולים וילכד בפח אבל השומר נפשו וסר מדרך העקש הנה ירחק מלנים ופחים ולא עליו יהיו: (ו) חנוך. התחל והרגל את הנער בשנים להוליכו לעבודת ה' לפי דרך חכמתו אם מעט ואם הרבה וכשיהיה מורגל בעבודת ה' אז גם כי יזקין לא יסור ממנה כי יתן לב להשכיל בשרון המעשה ההיא: (ז) עשיר. העשיר בדעת ימשול בעניי הדעת וכן עבד לוה לאיש מלוה רוצה לומר כמו שהלוה הוא מוכנע להמלוה על כי לוה לו די מחסורו כן ימשול החכם בעניי הדעת על כי יספיק להם משאלותם בדבר החכמה: (ח) זורע. כמו הזורע דבר מה הנה יקצור המין שזרע כן הגמול לפי המעשה: ושבט עברתו. שבט חמתו שהיה מכה ורודה בה הנה יכלה ר"ל יפסיד היכולת והממשלה: (ט) טוב עין. הנותן לעני בעין יפה יבורך מה' כי הלא נתן מלחמו לדל ואם עוד יבורך בנכסיו ישפיע עוד יותר ולא ירע לבבו בתתו לו: (י) גרש לץ. גרש ממך את הלץ וילא המריבה כי דרך הלץ לחרחר הריב: וישבות

he rules—profiting through usury, relying on the fact that the poor fear him—he will ultimately reap violence and lose his money, thus being paid in kind for his sins. He will also lose his control over the poor, as they feared him only because of his wealth.—[*Rabbenu Yonah*]

9. **He who has a generous eye**—In contrast to the one who seeks to rule over the poor and exploit them, he who has a generous eye and gives of his bread to the poor will be blessed and will be replete with God's blessing.—[*Ibn Ezra*]

*Mezudath David* explains that one

the perverse; he who preserves his soul will distance himself
from them. 6. Train a child according to his way; even when he
grows old, he will not turn away from it. 7. A rich man will rule
over the poor, and a borrower is a slave to a lender. 8. He who
sows injustice will reap violence, and the rod of his wrath will
fail. 9. He who has a generous eye will be blessed, for he gave
of his bread to the poor.

ner.) They render: Thorns and snares are in the way of the perverse, etc. He who perverts his ways will find many obstacles in his path.—[*Ibn Ezra, Mezudath David*]

**he who preserves his soul will distance himself from them**—*He who is upright in his deeds will be saved from them.*—[*Rashi*]

6. **Train a child**—*According to what you teach a child and train him in matters, either for good or bad, even when he grows old, he will not turn away from it.*—[*Rashi*] Accustom a child to perform God's service according to his intelligence; then, even when he grows old, he will not turn away from it for he will put his mind to understand the advantage of these deeds.—[*Mezudath David*]

*Meiri* also explains the verse in this manner, that King Solomon exhorts the father to train his child according to his age—what a child of that age can grasp; then, he will not turn away from that training even in his old age. *Meiri* also suggests: Will you train a child according to his way? Even when he grows old, he will not turn away from it. Will you really train a child according to his way and his whims without disciplining him? If you do so, he will never leave his childish ways even when he grows old.

7. **A rich man will rule over the poor**—*An ignoramus always needs a Torah scholar.*—[*Rashi*] One who is rich in knowledge will always rule over those who are poor in knowledge.—[*Mezudath David*]

**and a borrower is a slave to a lender**—Just as a borrower is subservient to a lender because he lends him what he needs, so is one who is poor in knowledge subservient to a scholar, because he needs him for words of wisdom.—[*Mezudath David*]

8. **He who sows injustice will reap violence**—*According to his sowing will be his reaping; according to his deed will be the reception of his reward.*—[*Rashi*]

**and the rod of his wrath will fail**—*The rod of his ear of grain will fail more and more* [interpreting עֶבְרָתוֹ as עֲבוּר, *grain*]. *Some say: The rod of his wrath with which he rules over people will become progressively lessened because he impairs his ability.*—[*Rashi*] [The second interpretation does not appear in all editions, but it seems to be the correct one.]

The intention is that if a wealthy man mistreats the poor over whom

לץ ויצא מדון וישבת דין וקלון: יא אהב
טהור־לב חן שפתיו רעהו מלך: יב עיני
יהוה נצרו דעת ויסלף דברי בגד:
יג אמר עצל ארי בחוץ בתוך רחבות
ארצח: יד שוחה עמקה פי זרות זעום
יהוה יפול־שם: טו אולת קשורה בלב־
נער

ת״א אהב טהור. עקידה שער ל׳: שוחה עמוקה: שבת לג: טהר קרי יפל קרי

למקנא ואפיק
לתגרנא ויבטל דינא
וצערא: יא רחם אלהא
דכי לבא ובחסדא
דשפותיה יתחבר
למלכא: יב עינוי
דאלהא נטרן ידיעתא
ומטלטל מליהון דבזוזי:
יג אמר עטלא
בחביננותיה אריא אית
לברא וביגת שוקי
מתקטלנא: יד גומצא
עמקתא פומא
דנוכריתא ומן דמרגז קדם אלהא נפל תמן: טו שטיותא קטירא בלביה דטליא שבטא

## רש״י

**לץ**. יצר הרע: **(יא) אוהב טהר לב חן שפתיו**. מי שספתיו חן: **רעהו מלך**. הקדוש ברוך הוא אוהבו ומחבבו: **(יג) אמר עצל ארי בחוץ**. איך אצא ללמוד תורה: **(יד) שוחה עמוקה פי זרות**. פי ע״א מעובדי

## אבן עזרא

מפניך כי אז יצא המדון מקרבך. וישבות דין שלא יביאך למשפט וישבות קלון שלא יקלך: **(יא) אוהב**. עומד במקום שנים טהר לב שהוא טהור מרעות שהם כנגד הסיגי׳ ואוהב חן שפתיו כלומר איש חן בעבור שיש לו שפתי דעת גם יתכן להיות חן שם התאר ומי שיאהב שניהם תגדל מעלתו עד שיהיה המלך רעהו כהושי הארכי אוהב הטהורים שהיה רעה דוד: **(יב) עיני**. דברה תורה כלשון בני אדם. עיניו הפצו ורצונו או שכלו נצרו אנשי דעת מכל רע. ויסלף יעות השם דברי בוגד החושב רע על אנשי דעת ויבטלם: **(יג) עצל**. רשע. ארי בחוץ עלה כדי שלא יצא לבקש מחייתו. ארצח שאחרי ירצחהו: **(יד) שוחה**. אולת. שנים דבקים. שוהה ע״מ גולה והטעם כשוחה שהיא עמוקה כן פי נשים זרות לזעומים מי שהשם זעם אותו והשם במיתתו

## מנחת שי

ל״ס: (יא) טהור לב. יתיר וא״ו וקריאתו בקמץ חטוף כדלעיל אף על פי שלא נמנה במסורת עם האחרים: (יד) יפול שם. גם זה נמנה עם מלין דחטפין קמצין ויתירין וא״ו: (טו) קשורה בלב

## רלב״ג

מהבית ריב וקלון המריב שם והמביים האנשים: (יא) אוהב טהר לב. אך מי שהוא טהור לב ואוהב בלי לב ולב הנה החן והאהבה שמראה בדבריו לאהובו רעיונו מולך ומושל בו או ירצה בזה כי לא יאמר בפיו רק מה שבלבו לעשות והנה הביאור הראשון הוא יותר נקשר אל מה שלפניו מן הדברים: (יב) עיני ה׳. הנה עיני ה׳ והשגחתו שומרת דעת החכמים לקיים מחשבותיהם ועלתם הוא מסלף דברי הבוגדים להפילם ממועלותיהם: (יג) אמר עצל. הנה העצל לא יצא מפתח ביתו לעשות מלאכתו מרוב העצלה ויאמר כי הארי בחוץ לטרפו אם יצא מביתו והלסטים ברחובות להרגו אם ילך שם: (יד) שוחה עמוקה. הנה השפה הדו בר זרות ותהפוכות ודברים הם הפך האמת וביחוד בהתחלות והפרשים הם בדמיון השוחה העמוקה שהנופל בה אין לו תחבולה לצאת ממנה. זעום ה׳ הוא מי שיפול בזאת השוחה כי תמיד יתרחק מן הדרך הנכונה והשלימות כל מה שיחזיק בזאת התכונה הפחותה: (טו) אולת קשורה בלב נער. בלב הנער קשורה אולת בהתחלה ענינו כי מפני היותו נבהל ונחפז לעשות מה שיחפוץ לא ידרוך בעניניו בסבות הנאותות ולא יתיישב להתבונן מה שראוי לעשות ומה שראוי שיתרחק ממנו אך שבט מוסר ירחיק מהנער האולת הזאת ולזה ראוי לאדם

## מצודת דוד

אז יבוטל דין וקלון. כי כשיהיה ריב יגשו למשפט ויריבו לבזות זה את זה וכשאין מחלוקת ישבות הכל: (יא) אהב. מי שאוהב איש טהור לב מבלי סיג און ויאהב את מי שיש חן באמרי שפתיו על כי בדעת ידבר הנה המלך הוא רעהו כי כן דרך המלך לאהוב אנשים כאלה: (יב) עיני ה׳. המקום ישגיח בשמירת אנשי הדעת ויעות לקלקל דברי עצת הבוגד אשר ידבר ללכוד אנשי הדעת ולא יוכל להם: (יג) אמר עצל. בעבור העצלות לא יצא מפתח ביתו לעשות מלאכתו ויבדה מלבו לאמר הלא הארי בחוץ ויטרוף נפשי ובתוך הרחובות אהיה נרצח מן הלסטים המצוים שם: (יד) שוחה. כחפירה עמוקה אשר הנופל בה קשה לו לעלות כן הוא הנלכד בפתוי פי זרות הוא המינות אשר יקשה מאד לפרוש ממנה: זעום ה׳. מי שה׳ זעם עליו וחפץ במיתתו הוא נכשל בה כי לא יחיר עיניו בתחלת הפתוי להבין סכלות הדבר וכזביו: (טו) אולת

## מצודת ציון

(י) וישבת. ענין הבטול כמו שבת נוגש (שם י״ד): (יב) ויסלף. ויעקם: (יד) שוחה. בור כמו בשחת עשו (תהלים ט׳): זרות.

*out to learn Torah?*—[*Rashi*] Because he is too lazy to go out to do his work, he fabricates stories of dangers lurking in the street. He says that there is a lion outside and that he is in danger of being murdered by brigands lurking in the middle of the streets.—[*Mezudath David*]

14. **The mouth of strange women is [like] a deep pit**—*An idolatress.*—[*Rashi*]

**the one abhorred by the Lord**—Heb. זְעוּם. *He whom the Holy One, blessed be He, hates, falls and stumbles upon her.*—[*Rashi*] זְעוּם ה׳, *rebuked from before Him.*—[*Rashi*]

10. Banish a scorner, and quarrel will depart, and litigation
and disgrace will cease. 11. He who loves one pure of heart
with charm on his lips—the King is his friend. 12. The eyes of
the Lord preserve knowledge and He will frustrate the words of
a treacherous man. 13. The lazy man says, "There is a lion out-
side; I will be murdered in the middle of the streets." 14. The
mouth of strange women is [like] a deep pit; the one abhorred
by the Lord will fall therein. 15. Foolishness is bound in a
child's heart;

who gives generously to the poor will be blessed because he gives of his bread to the poor, and will continue to give if he prospers and has more to give them. *Rabbenu Yonah* and *Ibn Nachmiash* explain that the generous man will be blessed because he gives to the poor what he himself should be eating.

10. **Banish a scorner**—*The evil inclination.*—[*Rashi*]

**and quarrel will depart**—If you banish the scorner, quarrel will depart, for scorners often stir up quarrels.—[*Mezudath David*] *Ibn Nachmiash* quotes exegetes who interpret the verse elliptically: and a quarrelsome man will depart.

**and litigation and disgrace will cease**—For, when there is a quarrel, the quarrelers submit their differences to the court, and they quarrel and insult one another. All this is avoided when there is no quarrel at all.—[*Mezudath David*]

11. **He who loves one pure of heart with charm on his lips**—*One whose lips have grace.*—[*Rashi*] One who loves a person whose heart is pure and who has charm on his lips, who speaks with wisdom and knowledge.—[*Mezudath David*]

*Rabbenu Yonah* renders: A pure-hearted lover—one who loves his friend without the expectation of receiving a favor from him. He loves him either because of the favors he received from him in the past or because of his admirable attributes—that he is God-fearing and pious.

**the King is his friend**—*The Holy One, blessed be He, loves him and endears him.*—[*Rashi* from *Gen. Rabbah* 41:8] *Ibn Ezra* and *Mezudath David* explain that such a person is the king's companion because kings also love such people.

12. **The eyes of the Lord preserve knowledge**—God takes special notice of people of knowledge, and guards them.—[*Mezudath David*]

**and He will frustrate the words of a treacherous man**—He will frustrate the plots of the treacherous to trap the men of knowledge.—[*Mezudath David*]

13. **The lazy man says, "There is a lion outside . . ."**—*How will I go*

נַעַר שֵׁבֶט מוּסָר יַרְחִיקֶנָּה מִמֶּנּוּ:
טז עֹשֵׁק דָּל לְהַרְבּוֹת לוֹ נֹתֵן לְעָשִׁיר
אַךְ לְמַחְסוֹר: יז הַט אָזְנְךָ וּשְׁמַע דִּבְרֵי
חֲכָמִים וְלִבְּךָ תָּשִׁית לְדַעְתִּי: יח כִּי־
נָעִים כִּי־תִשְׁמְרֵם בְּבִטְנֶךָ יִכֹּנוּ יַחְדָּו
עַל־שְׂפָתֶיךָ: יט לִהְיוֹת בַּיהוָה מִבְטַחֶךָ
הוֹדַעְתִּיךָ

ת"א הט אזנך. חגיגה טו: כי נעים. עירובין נד סנהדרין לט:

**תרגום**

דְמַרְדוּתָא נְרַחֲקִיהּ מְנֵיהּ: טז דְעָשֵׁיק לְמִסְכְּנָא מַסְגֵי לֵיהּ בִּישְׁתָא וְדְיָהֵב לְעַתִּירָא חוּסְרָנָא הוּא לֵיהּ: יז בְּרִי צְלֵי אֶדְנָךְ וּשְׁמַע מִלֵּי דְחַכִּימֵי וְלִבָּךְ שִׁים לְיִדִיעָתִי: יח מְטוּל דְבַסִּימִין נְטַר אִינוּן בְּכַרְסָךְ וְנִתְקְנוּן אֵיךְ חֲדָא עַל סִפְוָתָךְ: יט דְנֶהֱוֵי בַּאלָהָא סִבְרָךְ וְאוֹדַעְתָּךְ יוֹמָנָא הָדָא

## רש"י

כוכבים: נעום ה'. מי שהקב"ה שונאו כזו ונופל בה: זעום. כזוף מלפניו: (טז) עושק דל להרב'.. לו. עושר: נותן לעשיר. סוף שנותן ממונו למלכי עובדי כוכבים ומזלות העשירי' ואך למחסור הוא בא: (יז) הט אזנך ושמע דברי חכמים. ללמוד תורה מהכם כל שהוא: ולבך תשית לדעתי. ואם רבך רשע לא תלמוד ממעשיו: (יח) כי נעים. יהי לך לאחר זמן אם תשמרם ותצפנם בבטנך שלא תשכחם ואימתי יהיו שמורים בלבך בזמן שיכונו על שפתיך כאשר תוציאם בפיך: (יט) להיות בה' מבטחך הודעתיך. אני מודיעך שתבטח בה' ותעסוק בתורה ולא

## אבן עזרא

יפול שם. אבל הנער אע"פ שהאולת קשורה בלבו ראוי להכותו בשבט מוסר כי הוא ירחיק האולת ממנו: (טז) עושק. אך. למעט מה שיחשוב להרבות לו כלומר עושק דל להרבו' לנפשו או לתתו לעשיר אך בעבור מחסור שיבואהו עשקו: (יז) הט. כי. להיות. הלא. להודיעך. ה' דבקים. לדעתי. ללמוד דעת. כי נעים דעתי או כי תהיה נעים כשתשמרם בבטן רמז ללב. יכונו הדברים על שפתיך להיות זכרון. שלישים דברים שלישים כתוב בוי"ו והטעם אתמול שלשום כתבתי להודיעך אמרי אמת בספר מועצות ודעת. קשט ע"ד הפועלים כמו ישט. אמרים אמת הנכון אמרי אמת וכן טורים אבן סיגים כסף אילים למר וכן רבים ע"ד קצרה. וטעם להשיב כענין וישב משה את דברי העם אל ה' כלומר כשאודיעך קשט דברי אמת כמו כן אשיב לו אמרים כענין נעשה ונשמע. לשולחיך לשם שלהני אליך ליסרך כי השכל

## רלב"ג

ליסר בנו בתחלת ענינו כי אז יוכל להקנותו מוסר: (טז) עושק דל להרבות לו. מי שהוא עושק הדל והוא הכח המתעורר לתאות הגופיות שלא יתן לו מתאוותיו דבר הנה זה הוא להרבות לו כי כל מה שיתמיד להתנהג תמעט תאותו לאלו הדברים ולזה יהיה תמיד שבע ומי שיתן לעשיר תאוותיו והוא האיש הנמשך אחר התאוות הנה זה לו למחסור כי תמיד יהיה יותר רעב בסבת רוב תאוותיו כאמרם אבר קטן יש לו לאדם משביעו רעב מרעיבו שבע או ירצה בזה הנה אם הדל העושק כבר יש לו השתדלות מה כי הביאהו ולזה שם מגמתו להרבות לו קניניו אך הדל הנותן לעשיר הנה אין לו בזאת המתנה תועלת רק לחסר קנינו כי העשיר לא יחשוב מאד המתן הזה עם שהוא יבזה הדל ויתעיג עליו על מה שנתן לו ולא ישתדל להשיב לו גמול וזה מפורסם מהעשיר והנה הביאור הראשון הוא יותר נכון: (יז) הט אזנך ושמע דברי חכמים. ללמוד חכמתם ושים עם זה לבך לדעתי ולא תשען על דברי החכמים לבדם רק במה שיסכים מהם עם מה שהודעתי לך המיוסד על יסודות התורה כי התורה היא המישרת להשיג מה שיקצרו מהשגתו בדרך החכמה: (יח) כי נעים. ומתוק הוא לנפש כי תשמור דברי החכמים בלבך ויכונו יחדיו עם דעתי שהישרתיך אליו על שפתיך: (יט) להיות בה'. אך אתה אחרי הגיעך לזאת המדרגות שזכרתי הודעתיך היום שלא תשען על חכמתך ובינתך אך יהיה תמיד בה' מבטחך עם כל מה שתשיג מהסבות להגעת הטוב כמו שנזכר

## מצודת ציון

מלבון זר: זעום. ענין כעס: (יז) תשית. תשים כמו שת לי אלהים זרע (בראשית ד'): (יח) נעים. ענין מתיקות וערבות:

## מצודת דוד

קשורה. דבוק הוא במעשה האולת כאלו קשורה בלבו אבל שבט המייסר ירחיק ממנו את האולת: (טז) עשק דל. דבר בהוה על כי אין העשיר מניח לגזול הימנו בחוזק יד: להרבות לו. בחושבו בזה יתרבה הונו: נתן לעשיר. וכן הנותן מתן לעשיר: אך למחסור. בשתי אלה לא יבוא יתרון כי אם חסרון בעשרו כי הגזל יאבד עוד את בנו ובאת מתן לעשיר בעצמו מחסר עשרו והמקום לא ימלא החסרון כי לא עשה מצות ה' במתן ההוא: (יז) ולבך. ר"ל לא שמיעת האוזן בלבד כי גם לבך שים לדעת התורה להבינה ולזכרה: (יח) כי נעים. נעים תהיה כאשר תשמרם בלבך הנתון בבטן וכאשר כל דברי התורה יחדו יהיו נכונים על שפתיך מבלי גמגום ובלבול ולזה שים לבך להם. כי השומע מבלי הבנת הלב לא

words of wisdom, they must be spoken, because habitually reciting them will facilitate their memorization.—[*Rabbenu Yonah*] *Mezudath David* explains that you will remember words of wisdom when they will be established straight on your lips, i.e. when you are able to recite them without error.

19. **That your trust shall be in the Lord, I have made known to you**—*I make known to you that you should trust in the Lord and engage in the Torah, and you shall not say, "How*

the rod of discipline will drive it far from him. 16. He who
exploits a poor man to increase for himself will give to a rich
man only to want. 17. Incline your ear and hearken to the
words of the wise, and put your heart to my knowledge, 18. for
it is pleasant that you guard them in your innards; they will be
established together on your lips. 19. That your trust shall be
in the Lord,

The one God hates and wishes to put to death will stumble upon her, for God will not enlighten his eyes to save him from her.—[*Mezudath David*]

15. **Foolishness is bound in a child's heart**—A child is bound to deeds of foolishness, but discipline with a rod will drive it far from him.—[*Mezudath David*] Although foolishness is bound to his heart, his father should not despair of training him, for the rod of discipline will drive it far from him.—[*Ibn Nachmiash*] If an adult commits a foolish act, he realizes its folly and will not repeat it. A child, however, is bound to foolishness and requires discipline to drive it away from him.—[*Gra*]

16. **He who exploits a poor man to increase for himself**—*money.*—[*Rashi*]

**will give to a rich man**—*He will ultimately give his money to the rich pagan kings, and it will be only to want.*—[*Rashi*]

*Mezudath David* renders: He who exploits a poor man to increase for himself and he who gives to a rich man are only to want. Both the person who exploits the poor with the expectation of increasing his property, and the one who gives a gift to a rich man will suffer a loss, because the one who exploits the poor will lose his money, and the one who gives to the rich will not profit thereby.

17. **Incline your ear and hearken to the words of the wise**—*to learn the Torah from a sage of any stature.*—[*Rashi* from *Hagigah* 15b]

**and put your heart to my knowledge**—*But if your teacher is wicked, do not learn from his deeds.*—[*Rashi* from aforementioned source] The *Gemara* explains that King Solomon exhorts people to learn Torah even from a teacher who is a heretic, but only to hearken to his knowledge of Torah and not follow his deeds or his views. They deduce this from the expression, "to *my* knowledge," not to their knowledge, meaning to his knowledge of Torah, not to his own views.

18. **for it is pleasant**—*It will be* [pleasant] *for you at a later time if you preserve them and hide them in your innards lest you forget them. Now when will they be preserved in your heart? When they are established on your lips, when you utter them with your mouth.*—[*Rashi* from *Erubin* 54a] In order to remember

הוֹדַעְתִּיךָ הַיּוֹם אַף־אָתָּה׃ כ הֲלֹא
כָתַבְתִּי לְךָ שָׁלִשׁוֹם בְּמֹעֵצוֹת וָדָעַת׃
כא לְהוֹדִיעֲךָ קֹשְׁטְ אִמְרֵי אֱמֶת לְהָשִׁיב
אֲמָרִים אֱמֶת לְשֹׁלְחֶיךָ׃ כב אַל־תִּגְזָל־
דָּל כִּי דַל־הוּא וְאַל־תְּדַכֵּא עָנִי בַשָּׁעַר׃
כג כִּי־יְהוָה יָרִיב רִיבָם וְקָבַע אֶת־
קֹבְעֵיהֶם נָפֶשׁ׃ כד אַל־תִּתְרַע אֶת־

ת"א הלא כתבתי. מגלה ז': אל תגזל. ב"ק קיט ב"מ קיב סנהדרין ז' (ברכות י'): שלשים קרי

אַף אַנְתְּ׃ כ וְהָא כְּתַבִית
אִנּוּן לָךְ עַל תְּלָתָא
זִמְנִין בְּעֵצְתָא וִידִיעְתָא׃
כא לְאוֹדָעָךְ קוּשְׁטָא
וּמִלֵּי דִתְרִיצוּתָא
דְתַהְפֵּיךְ מִלְּתָא
דְקוּשְׁטָא לִמְשַׁדְּרָיךְ׃
כב לָא תִגְזוֹל לְמִסְכְּנָא
מְטוּל דְמִסְכֵּינָא הוּא
וְלָא תְמַכֵּיךְ עַנְיָא
בְתַרְעָא׃ כג מְטוּל
דֶאֱלָהָא דָאֵן דִינְהוֹן
וּמִתְפְּרַע פוּרְעֲנוּתְהוֹן
דְנַפְשְׁהוֹן׃ כד לָא
תִתְחַבַּר עִם מָרֵי

### רש"י

תאמר איך אבטל ממלאכתי ואיך אתפרנס: (כ) הלא כתבתי לך שלשים. תורה נביאים וכתובים: (כא) להודיעך קושט. שלישים כתבתי לך כדי שתבין מתוכם קושט אמרי אמת: להשיב אמרים אמת לשולחיך. לשואלך הוראה: (כב) אל תגזל דל. אל תגזלנו כי תראנו דל בעבור שהוא דל ואין לו כח לעמוד נגדך: (כג) כי ה' יריב ריבם וקבע. ויגזול את הנפש: קובעיהם. גוזליהם ובלשון ארמי קביעה גזילה במסכת ראש השנה אתא ההוא גברא לקמיה אמר ליה קבען פלניא וכו': (כד) אל תתרע. אל תתחבר לשון רעות:

### אבן עזרא

שליח הכס. לשולחיך בל' רבים כמו אליה עושי: (כב) אל. כי דל הוא. ויפה נער כדלותו על כן אל תגזלהו. בשער. שם עזרך כענין כי אראה בשער עזרתי: (כג) וקבע. יחכל אי יגזול כמו היקבע אדם אלהים: (כד) אל. פן. שניהם דבקים. תתרע תהי רע. את כמו עם. לנפשך בעבור נפשם

### מנחת שי

הבי"ת רפויה: (כ) שלשום. שלישים קרי:

### רלב"ג

במה שקדם כי לגואו יוקדמו הסבות אם מאת השם לא נסיה הדבר: (כ) הלא כתבתי לך. דברים נכבדים לסיביך למועלות בדברים המדיניים ולדעת בדברים העיוניים ואתבוד שקראם שלישים כי כמו שהמלך ינהג כל עם המלכות וכן העניין במשנה אך השלישים ינהיגו כל אחד חלק מהכלל ההוא כן קרא שלישים ההישרות שנתן בדברים החלקיים בתבונה ותבונה ובדעת ודעת: (כב) אל תגזל דל. והטעם שהוא הלוב ולא יגיע ממנו לך נזק כי דל היא ולא יוכל לעמוד כנגדך ואל תדכא עני בשער לזאת הסבה כי תראה שם עוזרך ולעני אין עוזר: (כג) כי ה' יריב ריבם. כי יש שם חזק ממך לקחת נקמתו ממך והוא הש"י כי הוא יריב ריבם ויגזול נפש הגוזל אותם מדה כנגד מדה כי הגוזל את הדל גוזל ממנו חייו: (כד) אל תתרע. אל תתחבר עם איש כעס להיות לו רע ולא תבוא את איש חמות להתחבר ללכת

### מצודת דוד

יוכל להוציא דבר מפלי שגיאה ואף מהר ישכחם: (יט) הודעתיך היום. בהדברים האלה הודעתיך עתה להיות מבטחך בה' ופנה מכל עסקיך להעמיק בדברי חכמים בכל לב: אף אתה. ר"ל גם אתה רק עומד לעצמך ואינך גדול כשמלמד להאריס מכל מקום אף אתה בטח בה' כי יש תקוה גם לך: (כ) הלא כתבתי. ר"ל וכי תאמר איך אבטח בה' לפנות לבבי מכל עסקי להעמיק בדברי מלמדי שמא פוגים גם המה בדברי התורה ואין מקום לבטוח בהם ולקבל בכר ונז"א הלא כתבתי לך בספר התורה דברים השובים ונכבדים אמורים במועצות ודעת: (כא) להודיעך. ר"ל דברי התורה היא עשויים המה להודיעך אמיתת אמרי אמת לדעת להבדיל בין האמת ובין השקר ולא תירא אם כן עוד פן ידיחוך בשגגתם כי תוכל להשיב אמרי אמת והשיבה נולחת למטעים ומגרשים אותם מדרך האמת: (כב) כי דל הוא. ר"ל בחשבך כי דל הוא ואין לאל ידו לעמוד לנגדך: ואל תדכא. אל תכתת העני בשער המשפט כאשר ישפוט עמך: (כג) כי ה'. ר"ל אם אין לאל ידו לריב ריבו הנה ה' יריב ריבם ומן קובעיהם יקבע את הנפש כי ימות ויאבד נפשו: (כד) אל תתרע. אל תתחבר עם בעל אף ולא תבוא בדרך אחד עם

### מצודת ציון

(כ) שלישים. שרים ונכבדים כמו ומבחר שלישיו (שמות ט"ו) ור"ל דברים השובים ונכבדים וכן שמעו כי נגידים אדבר (לעיל ח'): במועצות. מל' עצה: (כא) קושט. ענין אמת כמו מפני קושט סלה (תהלים ס'): לשלחיך. ענין טרוד וגירושין כמו כן יבלה איב (ירמיה ג'): (כג) וקבע. ענין גזל כמו היקבע אדם אלהים (מלאכי ג'): (כד) תתרע. מלשון ריע וחבר:

**the gate**—Do not judge him unfairly in the gate of judges, where he comes with his cause.—[*Mezudath David, Isaiah da Trani*] It is well-known that the judges in Biblical times would convene at the gate of the city. *Isaiah da Trani* also suggests: you should not oppress the poor man when he comes to your door to beg for alms.

23. **For the Lord will plead their cause and rob**—Heb. וְקָבַע. *And will rob the life.*—[*Rashi*]

**those who rob them**—Heb. קֹבְעֵיהֶם, *those who rob them; in Aramaic* קְבִיעָה *means robbery. In tractate Rosh Hashanah* (26b): *A certain man came before him and said to him, "So-and-so robbed me* (קַבְעָן)*" etc.*—[*Rashi*]

24. **Do not befriend**—Heb. תִּתְרַע,

I have made known to you this day, even you. 20. Have I not written to you thirds with counsels and knowledge, 21. to make known to you the certainty of the true words, to respond with words of truth to those who send you? 22. Do not rob a poor man because he is poor, and do not crush the poor man in the gate. 23. For the Lord will plead their cause and rob those who rob them, of life. 24. Do not befriend

*will I be idle from my work, and how will I earn a livelihood?"*—[*Rashi*]

**even you**—Although you are only learning for yourself and you are not as great as the one who teaches others, even you should trust in the Lord for there is hope even for you.—[*Mezudath David*]

20. **Have I not written to you thirds**—*The Torah, the Prophets, and the Hagiographa.*—[*Rashi* from *Midrash Mishle*]

21. **to make known to you the certainty**—*I wrote thirds for you in order that you should understand from them the certainty of the true words.*—[*Rashi*]

**to respond with words of truth to those who send you**—*To those who ask you for instruction.*—[*Rashi*]

*Mezudath David* renders the verses as follows: "Have I not written to you mighty words with counsels and knowledge? To make known to you the certainty of the true words, to respond with words of truth to those who would mislead you." Should you ask, "How can I trust in the Lord and give up all my affairs to delve into the teaching of my mentors? Perhaps they too are erring in the words of the Torah and there is therefore no basis for trusting in the Lord and receiving reward." To this, Scripture replies: Have I not written for you, in the Torah, mighty words, stated with counsels and knowledge? The words of this Torah are geared to make known to you the certainty of words of truth, to know how to differentiate between what is true and what is false. You should therefore not fear that your mentors may mislead you with their errors because you will be able to respond with true words and with an irrefutable argument to those who would mislead you and drive you from the way of truth.

22. **Do not rob a poor man**—*Do not rob him because you see that he is poor and has no strength to resist you.*—[*Rashi*] From *Midrash Mishle* it appears that this is the reason for the admonition. Do not rob the poor man—do not add to his troubles by robbing him. This interpretation is followed by *Ibn Ezra* and *Isaiah da Trani*. *Ibn Nachmiash* quotes exegetes who interpret the verse to mean that if you customarily give the gifts due the poor to one poor man, do not deprive him by giving them to another.

**and do not crush the poor man in**

בַּעַל אָף וְאֶת־אִישׁ חֵמוֹת לֹא תָבוֹא׃
כה פֶּן־תֶּאֱלַף אֹרְחֹתָו וְלָקַחְתָּ מוֹקֵשׁ
לְנַפְשֶׁךָ׃ כו אַל־תְּהִי בְתֹקְעֵי־כָף
בַּעֹרְבִים מַשָּׁאוֹת׃ כז אִם־אֵין־לְךָ לְשַׁלֵּם
לָמָּה יִקַּח מִשְׁכָּבְךָ מִתַּחְתֶּיךָ׃ כח אַל־
תַּסֵּג גְּבוּל עוֹלָם אֲשֶׁר עָשׂוּ אֲבוֹתֶיךָ׃
כט חָזִיתָ אִישׁ מָהִיר בִּמְלַאכְתּוֹ לִפְנֵי־
מְלָכִים יִתְיַצָּב בַּל־יִתְיַצֵּב לִפְנֵי

ארחתיו קרי

**תרגום**

מְרִירוּתָא וְעִם גַּבְרָא
חֲמְתָנָא לָא תֵּעוֹל׃
כה דְּלָא תֵּילַף אָרְחָתֵיהּ
וְתַשְׁכַּח פַּחָא לְנַפְשָׁךְ׃
כו לָא תֶּהֱוֵי מְשַׁלֵּם אִידָךְ
בְּעַרְבוּתָא עַל חַבְרָךְ׃
כז אִם לֵית לָךְ דְּפָרֵיעַ
נְסַב בְּיָן תַּשְׁוְיָתָךְ
מִתַּחְתָּיךְ׃ כח לָא תַשְׁנֵי
תְּחוּמָא דְּמִן עָלְמָא
דַּעֲבַדוּ אֲבָהָתָךְ׃ כט אִין
חֲזֵיתָא גַּבְרָא דְּמַוְהֵי
בַּעֲבִדְתֵּיהּ קֳדָם מַלְכֵי
נְקוּם וְלָא נְקוּם קֳדָם

ת"א אם אין. שבת לב ר"ה ו' סנהדרין כב זבחים כט: חזית. כס קד:

## רש"י

(כה) פן תאלף. פן תלמד: (כו) אל תהי בתוקעי כף בעורבים משאות. הלוות כמו משאת מאומה (דברים כ"ד): (כח) אל תסג גבול עולם אל תשוב אחור ממנהג אבותיך ואמרו רז"ל המניח כלכלה תחת הגפן בשעת בצירה כדי שיפול בתוכו הפרט על זה נאמר אל תסג גבול וגו': תסג. כמו ויסוגו אחור (תהלים קכ"ט):

## מנחת שי

(כה) תאלף. האל"ף בחטף סגול ברוב ספרים: ארחתו. ארחתיו קרי: (כח) אל תסג גבול עולם. פ"ה דפיאה מי שהיו מניח את העניים ללקוט וכו' הרי זה גוזל את העניים על זה נאמר אל תסג גבול עולים. כלומר אל תקרי עולם אלא עולים והכי איתא במדרש ילמדנו סוף פר' ויבלה ועיין בפירוש המשנה להרמב"ם וכסף משנה ותוספת יו"ט ומ"ש במנחתי סימן ב': (כט) לפני מלכים. במחריך ובמקף:

## אבן עזרא

בתלכד במוקש ותמות בעונך: (כז) משכבך. בשכבך עליו אם אין לך זולתו: (כח) אל. חזית. שנים דבקים. עשו תקנו הגבול אבותיך. אבל התעסק במלאכה מי בהיות מהיר במלאכתו תגדל מעלתו עד שיעמוד לפני מלך: (כט) חשובים. עניים והתרגום דלות השיכן מן העם הדלים

## רלב"ג

עמו: (כה) פן תאלף. פן תלמד דרכיו ויהיה זה סבה בתקח מוקש לנפשך כי האיש הכעסן יבואו לו רעות גדולות ממיתות אותו: (כו) אל תהי בתוקעי כף. נהככים עצמך בשעבוד תחת רעיהם לפרוע חובן והם האנשים שהם עורבים ההלואות בעבור זולתם: (כז) אם אין לך לשלם. בזאת המלוה להפרע מאומה למה תביא עצמך אל שיקח משכבך מתחתיך ולא תשאר לך מטה תשכב בה וזאת ג"כ הערה טובה שישמור השכל מהיות ערב בעד הנפש המתאוה: (כח) אל תסג גבול עולם. ר"ל שלא תשנה הגבול שגבלו הראשונים בענין הקרקעות כדי לעשוק מרעהו ולהוסיף על קרקעו וזאת ג"כ הערה שלא ישנה הגדרים הקודמים שגדרו הראשונים כי בכלם תועלת: (כט) חזית איש. אמר לשבח תכונת הזריזות ולהרחיק העצלה הנה כשראית איש מהיר וזריז במלאכתו תמצא שבכבר יתיצב לפני המלכים והגדולים כי הם יקרבוהו אליהם מצד זריזותו ולא יתיצב לפני הקשי יום והקודרים וכאילו באר בזה שזריזותו תעלה אותו לגדולה ותשמרהו

## מצודת ציון

(כה) תאלף. תלמד כמו כי יאלף עונך פיך (איוב ט"ו): (כו) משאות. ענין הלואה כמו משאת מאומה (דברים כ"ד): (כח) תסג. ענין ההחזרה לאחור כמו הגיד מסיג גבול (שם כ"ז): (כט) חזית. ענין ראיה כמו והחזה אנכי (לקמן כ"ד): חשכים. שפלים ופחותים כי כמו שנקראים השרים חורים מלשון חיור ולובן כן יקראו הפחותים חשוכים מלשון חושך ושחרות:

## מצודת דוד

בעל חמה וכפל הדבר במלות שונות: (כה) פן תאלף. פן תלמוד דרכו ותקח בזה מוקש לנפשך: (כו) בתוקעי כף. בחברת אנשים התוקעים כף בעבור זה להיות ערב בהוצו בשעבוד מקוים: בעורבים. בחברת אנשים העושים ערבים על ההלואות וכפל הדבר במ"ש: (כז) אם אין וגו'. ר"ל אם לא יהיה לך לשלם למה תגרום שהמלוה יקח ממך מלצות משכבך: (כח) אל תסג. הדרך לעשות דבר לסימן בין שדה האיש לשדה רעהו לדעת גבול השדות ואמר בימן הגבול אשר מעולם אשר עשו אבותיך אל תחזיר לאחור אל תוך שדה רעך להרחיב את גבולך: (כט) חזית. כאשר תראה איש מהיר וזריז במלאכתו דע כי סופו יעמוד לפני מלכים לשמשם ולא יבא לנגדה זו לעמוד ולשמש בפני שפלים ופחותים:

*up*. This may refer to those who came up from Egypt, or it may be a euphemism for those who went down, meaning the poor who lost their property.

**remove**—Heb. תַּסֵּג, *as in* (Ps. 129:5) *"and shall draw backwards* (וְיִסֹּגוּ)."—[*Rashi*]

29. **Have you seen, etc.**—When you see a man quick and eager to do his work, you should know that ultimately he will stand before kings to

a quick-tempered person, neither shall you go with a wrathful man; 25. lest you learn his ways and take a snare for your soul. 26. Do not be one of those who give their hands, who stand surety for debts. 27. If you do not have what to pay, why should he take your bed from under you? 28. Do not remove an ancient boundary that your forefathers set. 29. Have you seen a man quick in his work? He will stand before kings; he will not stand before poor men.

*do not befriend, an expression of friendship* (רֵעוּת).—[*Rashi*]

**neither shall you go with a wrathful man**—Heb. אִישׁ חֵמוֹת. This expression denotes one who is more prone to anger than the quick-tempered person mentioned at the beginning of the verse. חֵמוֹת is derived from חם, *heat,* denoting one who becomes totally heated up from anger. Therefore, Scripture warns against going with him on the road, even without befriending him.—[*Ibn Nachmiash*]

25. **lest you learn**—Heb. תֶּאֱלַף.—[*Rashi*] *Rabbenu Yonah* explains this in three ways: 1) He will anger you, because there is no one who can anger others like a quick-tempered man; 2) you will feel that you are permitted to become angry at him, seeing that he is so easily angered, and eventually, you will be angry with others; and 3) the trait of anger will no longer be repugnant to you after you have become accustomed to it.

**and take a snare for your soul**—You will take for your soul a trait that will be snare for it, as it is stated (25:28): "A man who has no control over his spirit is like an open city without a wall."—[*Rabbenu Yonah*] *Ralbag* explains: You will endanger your life, because a wrathful man brings upon himself a great risk of being killed.

27. **why should he take your bed**—If you stand surety for a loan, and the debtor does not have the money to pay it, the creditor will sue you—and if you have no money, he will take your bedding from under you.—[*Mezudath David*] The Rabbis interpret this to mean that, if a person makes a vow and does not keep it, his wife will die [interpreting מִשְׁכָּבְךָ, your wife with whom you lie]. Cf. *Shabbath* 32b, *Rosh Hashanah* 6a.

28. **Do not remove an ancient boundary**—*Do not turn away from the custom of your forefathers. Our Sages of blessed memory said: If one places a basket under a vine at the time of vintage so that the fallen grapes should fall into it, concerning this was stated: "Do not remove an ancient boundary, etc."*—[*Rashi* from *Peah* 7:3]

*Rav* to *Peah* 5:6 explains that the Mishnah interprets עוֹלָם, *ancient,* as though it said עוֹלִים, *those who went*

חֲשֻׁבִים: כג א כִּֽי־תֵשֵׁב לִלְחוֹם אֶת־
מוֹשֵׁל בִּין תָּבִין אֶת־אֲשֶׁר לְפָנֶיךָ:
ב וְשַׂמְתָּ שַׂכִּין בְּלֹעֶךָ אִם־בַּעַל נֶפֶשׁ
אָתָּה: ג אַל־תִּתְאָו לְמַטְעַמּוֹתָיו וְהוּא
לֶחֶם כְּזָבִים: ד אַל־תִּיגַע לְהַעֲשִׁיר
מִבִּינָתְךָ חֲדָל: ה הֲתָעוּף עֵינֶיךָ בּוֹ

חֲשׁוּבֵי: א אִין יְתִיבְתָּא
לְמֵיכַל עִם שַׁלִּיטֵי
אֶתְבַּיַן בְּמוֹ דִשְׁיִם
קֳדָמָיךְ: ב וּתְשִׁים
סַכִּינָא בְלוֹעָךְ אִין מָרָא
דְנַפְשָׁךְ אַתְּ: ג לָא
תִתְרַגַג לְבִישׁוּלוֹי וְהָנוּן
מֵיכוּלְתָא דְכַדְבוּתָא:
ד לָא תִקְרַב לְעַתִּירָא
אֶלָּא בְבִיוּנְתָךְ פְּרַק
מִנֵּיהּ: ה אִין תְּצַר עֵינָךְ
בֵּיהּ לָא מִתְחֲזֵי לָךְ

**ת״א** כי תשב. חולין ו׳ עקידה שער כד לב: ושמת סכין. (ע״ג מד): התעיף. ברכות ה׳ מגלה יח חגיגה יג סוטה ה׳:

## רש״י

**כג (א) כי תשב ללחום.** לאכול: **בין תבין.** תן לבך לדעת מי הוא אם עינו צרה או יפה: **(ב) ושמת שכין בלעך.** בלהייך אם ראית עינו צרה אל תאכל משלו: **אם בעל נפש אתה.** אם רעבתן אתה ותאב לאכול טוב לתחוב סכין בין שיניך. ורבותינו דרשו בתלמיד היושב לפני רבו אם יודע ברבו שיחזיר לו תשובה על כל דבר שישאלהו ידקדק וישאל שמועתו ואם לא ישתוק: **(ג) אל תתאו למטעמותיו.** אלא פרוש ממנו ולך לפני רב הגון ולא תביישהו בשאלות אחר שלא ידע להשיב: **(ד) אל תיגע להעשיר.** לעשו׳ גירסתך חבילות הבילו׳ כי סוף שתשכחנ׳: **(ה) התעיף עיניך בו.** כרגע שתכפול עיניך לעמלו ואין אותה גירסה מצויה בך. התעיף כמו יכפלת ת״א ותעיף:

## אבן עזרא

עמא חשוכא: **כג (א) כי. ושמת. אל.** ג׳ דבקים: **ללחום.** לאכל לחם. **בין תבין** לשון עיון וכן אבינה בבנים כלומר את העומדים לפניך להתענג במדת המאכל תבין בהם. וי״ו **ושמת** תחת או. **בלועך** הוא בית הבליעה כלומר, או תשים סכין בלועך אם אתה בעל נפש המתאוה ומושל עליה והזכיר הלחם כי הוא עיקר הסעודה או הוא כלל המאכלים כענין נותן לחם לכל בשר. **כזבים.** הפך אים כלומר אם הוא לחם אים מדבר כזב אל תתאו לחמו ומטעמותיו: **(ד) מבינתך.** שתבין לקבץ עושר הדל ממנה: **(ה) התעיף.** יתכן להיותו

## מנחת שי

**כג** (א) את מושל בין. המסורת שלפנינו בעשרים וארבע גדולה מלאה בלבושים אבל במסרה כ״י כך מלאתי בין ג׳ ב׳ חסר וחד מלא וסימנן אם בן הכות. דברי הגיל בן יקה. בין תבין את אשר לפניך. וחד שבן לילה היה ובן לילה אבד. וכל בן זגן דכוותה ועיין עוד מה שכתבתי למעלה בסימן י״ד: (ד) להעשיר. הא״ד בגעיא: (ה) התעוף. התעיף קרי: ואיננו. הוא״ו בגעיא בס״ם:

## רלב״ג

מהטובי׳ והדלות כאמרם שתין בנין הוה כפנא ואבנא דהומנא לא תניף: (א) כי תשב ללחום את מושל. והוא מזון החכמה שיזונו בו עם המושל באדם והוא השכל הנה יקרא לך מהתישבותיך לקבל החכמה שתבין את אשר לפניך. אם בעל נפש אתה ללחום ולהזין ממזונו והוא בעל תאוות המושל בשכלו: (ב) ושמת. הנה תשים קוצים בגרונך ובבית הבליעה שתחנק בהם: (ג) אל תתאו למטעמותיו. ואם ישים ערבים לפניך כי מזונו הוא לחם כזבים והבלים שאין בו תועלת ואחרית כלל: (ד) אל תיגע להעשיר. אחר שמלאת מה שיספיק לך כי זה ימנע לך מבינתך בסבת כלוי זמנך בענין העושר בהפך המכוון מענין העושר כי המכוון בו הוא שיהיה בו עזר לאדם אל שיהיה נכון פנוי בבקשת החכמה והבינה: (ה) התעיף עיניך בו ואיננו. ומה בלע בענין העושר הנה כמו השיעור המועט מהזמן בתוכל להגיע

## מצודת דוד

**כג** (א) **כי תשב ללחום.** כאשר תשב לאכול לחם עם המושל בו הוא בעל הסעודה: **בין תבין.** תן דעתך להבין את הדברים אשר לפניך להתבונן בהם אם עינו יפה או רעה: (ב) **ושמת.** ר״ל אולי תתבונן בדבר וייטיב לך להשים סכין בבית הבליעה משתאכל ממנו: **אם בעל נפש אתה.** אם יש לך נפש משכלת למאוס ברע: (ג) **אל תתאו.** אל תתאוה למאכליו המוטעמים וטובים: **והוא.** ר״ל מאכלו כוזב מפעולתו כי דרך המאכל להבריא גוף האדם ולא כן הבא מבעל עין רעה: (ד) **אל תיגע.** להרבות עסק להרבות הון: **מבינתך חדל.** ר״ל ואם מבלי עלותי הדל מזה מבינת עצמך כי מה תועלת במרבית ההון: (ה) **התעיף.** ר״ל מה בלע בעושר וכי הוא דבר המתקיים הלא פעמים אבודה בשעה קלה עודך מגעגע עיניך להסתכל בו ואיננו

## מצודת ציון

**כג** (ב) **שכין.** כמו סכין בסמ״ך וכן התמלא בסוכת עורו (איוב מ׳): **בלעך.** ענין בליעה וכן יעלעו דם (שם ל״ט) והבי״ת ה״א בי״ת השמוש: (ג) **למטעמותיו.** דברים מוטעמים ומבושלים כמו ועשה לי מטעמים (בראשית כ״ז): (ד) **תיגע.** מלשון יגיעה: (ה) **התעיף.** מלשון עפיפה והגועה:

*but leave him and go* [to study] *before a competent teacher, and do not embarrass him with questions, since he does not know what to answer.*—[*Rashi* from aforementioned source]

**bread of lies**—Instead of enhancing your health, it will bring harm to you.—[*Mezudath David*]

4. **Do not weary yourself to grow rich**—*To make your learning into bundles because you will ultimately forget it.*—[*Rashi* from an unknown midrashic source] The intention is that if one studies a large amount of material without reviewing or digesting it, he will not retain it.

5. **Should you blink your eyes at it**—*The moment you blink your eyes*

## 23

1. If you sit down to dine with a ruler, you should understand well who is in front of you, 2. and you shall put a knife into your jaw if you are a man with a hearty appetite. 3. Do not desire his delicacies, for it is bread of lies. 4. Do not weary yourself to grow rich; cease from your own understanding. 5. Should you blink your eyes at it,

serve them; he will not fall to the level of standing before low-class people to serve them.—[*Mezudath David*] As is apparent from his commentary, *Mezudath David* defines חֲשֻׁכִּים as low-class people. In *Mezudath Zion,* he explains that חוֹרִים, *princes,* is derived from חִוָּר, *white;* and חָשֹׁךְ, *dark,* from חשֶׁךְ, *darkness,* is used to depict people of low class.*

1. **If you sit down to dine**—Heb. לִלְחוֹם.—[*Rashi*] This word is derived from לֶחֶם, *bread,* sometimes used to mean food in general, as in Psalms 136:25, depending on the context. This verse is a continuation of the preceding verse, which deals with a man who has attained the rank of a courtier of the king. It was customary for those at the court to eat at the king's table, as we find in I Kings 2:7, regarding the sons of Barzilai the Gileadite, and in Jeremiah 52:33, regarding Jehoiachin. King Solomon therefore warns the man who has attained this rank—the privilege of dining with the king—to observe strictly the laws of etiquette that this post demands.—[*Ibn Nachmiash*]

**you should understand well**—*Give thought to know who he is, whether he is stingy or generous.*—[*Rashi*] *Ibn Ezra* explains: Give thought to those standing before you. Think of the king's servants who stand before you to enjoy the measure of the king's foods. *Ibn Nachmiash* elaborates that one should give thought to the servants who are acceptable to the king and emulate their behavior.

2. **and you shall put a knife into your jaw**—Heb. בְּלוֹעֶךָ, *into your jaw. If you see that he is stingy, do not eat of his* [food].—[*Rashi*] This appears to be the translation of the *Targum,* as is explained by *Isaiah da Trani,* that the word לוֹעָא in Aramaic means "jaw." *Ibn Ezra* and *Mezudath David,* however, define בְּלוֹעֶךָ as "into your throat." It is better to cut your throat than to dine with the ruler.

**if you are a man with a hearty appetite**—*If you are a glutton and long to eat, it is better that you thrust a knife between your teeth. Our Sages expounded this as referring to a disciple sitting before his teacher: If he knows that his teacher will give him an answer for everything he asks, let him investigate the subtle points and ask concerning his tradition, but if not, let him keep his peace.*—[*Rashi* from *Hullin* 6a]

3. **Do not desire his delicacies—**

וְאֵינֶנּוּ כִּי עָשֹׂה יַעֲשֶׂה־לּוֹ כְנָפַיִם כְּנֶשֶׁר
וְעָיף הַשָּׁמָיִם׃ ו אַל־תִּלְחַם אֶת־לֶחֶם
רַע עָיִן וְאַל־תִּתְאָו לְמַטְעַמֹּתָיו׃ ז כִּי
כְּמוֹ־שָׁעַר בְּנַפְשׁוֹ כֶּן־הוּא אֱכוֹל וּשְׁתֵה
יֹאמַר לָךְ וְלִבּוֹ בַּל־עִמָּךְ׃ ח פִּתְּךָ־אָכַלְתָּ
תְקִיאֶנָּה וְשִׁחַתָּ דְּבָרֶיךָ הַנְּעִימִים׃
ט בְּאָזְנֵי כְסִיל אַל־תְּדַבֵּר כִּי־יָבוּז לְשֵׂכֶל

מְטוּל דְּמֶעְבַּד עָבֵד לֵיהּ גַּפְּתָא הֵיךְ נִשְׁרָא דְּטָיֵס בִּשְׁמַיָּא׃ ו לָא תֵיכוּל עִם גַּבְרָא דְּבִישָׁא עֵינֵיהּ וְלָא תִתְרַגַּג לְבִישׁוּלוֹי׃ ז מְטוּל דְּאֵיךְ תַּרְעָא רָמָא הָכֵן הוּא רָם בְּנַפְשֵׁיהּ אֱכִיל וְאִשְׁתֵּי אָמַר לָךְ וְלִבֵּיהּ נְכִיל צְדָךְ׃ ח וְלַחְמָא דְּאַכַלְתָּא מְתִיבַת לֵיהּ וּמְחַבְּלַת מִלָּךְ דְּבְסִימָן׃ ט בְּאֶדְנֵי דְּסַכְלָא לָא תְמַלֵּל מְטוּל דְּשָׁיֵט

ת"א אל תלחם. סוטה לח חולין ז׳ זוהר נבא ובלק: פתח באתנח יעוף קרי מליך

### רש"י

(ז) כי כמו שער. שער זה נקוד חציו פתח וחציו קמץ וטעמו למטה לכך הוא פעל ולא שם דבר שאם היה שם דבר היה פתח וטעמו למעלה ככל שער שבמקרא ופתרונו כאלו ספק האוכל הזה מרה בנפשו של רע העין כן הוא: שער. מן לשון כתאנים השוערים. המריס (ירמיה כ"ט): (ח) פתך. שאכלתו בביתו סוף שתקיאנה מפני הבושה:

### מנחת שי

ועיף. יעוף קרי: (ז) שער. חציו קמץ וחציו פתח וטעמו למטה כב"י וכן נמסר עליו לית מלרע: אכול ושתה. בספרים מדוייקים מלא

### אבן עזרא

מן העופה וטעמו אם תאיר עינך להביט בעושר: (ז) כי. פתך. באזני. ג׳ דגשים. רע עין רעה ורעה עינך הוא חסר אים וכן טוב עין הוא יבורך והראוי אים טוב עין. שער פועל עבר מן מלה שערים כלומר כאים ישים שיעור בנפשו לומר לך אכול ושתה כן הוא עושה. ולבו בל עמך שלא יהחבך באכלך לחמו: (ח) תקיאנה. כי בעין רעה הביט אליך. ושחת שתחשב בולע ולא יהיו דבריך הנעימים נחשבים מאומה: (ט) אל תדבר.

### רלב"ג

ראותך בו יסור העושר כי בקלה שבסבות יסור ימלאו סבות רבות מעבירו׳ העושר כי העושר בעצמו יסור ויעשה לו כנפי׳ לעוף השם מבית העשיר לזולתו כקלות הנשר לעוף בשמים. אחר שהזהירנו מללחם עם רב התאוה הזהירנו שלא ילחם את לחם הכילי ואמר אל תלחם את לחם רע עין שתלע עינו במה שתאכל ממנו ואל תתאו למטעמותיו כי כמו שער בנפשו דבר המזון הזה שיקבה לו מאד אלך ממנו ואע"פ שיאמר בפיו אכול ושתה כן הלחם שאכלת ממנו יקבה לו להתערב במעיך ויבקש לצאת דרך הפה ותשחית דבריך הנעימים שתדבר עמו על שלחנו. והנה ידמה והוא הנכון שקרא רע עין מי שיש לו עיון רע וכוזב בדעות ולזה אמר שלא יתאוה למטעמותיו כי אין מדקך הכילי שיעשה מטעמים ואמר זה כי הנאותיו בהתחלות ובשרשים ערבות מאד לאיש שיערב לו הנאות בהגלות הנוף כמו שזכרנו במה שקדם והוא מבואר שלב המזון הזה אינו עמך כי הוא כלו כזבים והבלים והוא יסבב שמה שאכלת פתך אכלת מפתך הסוב תקיאנה ותשחית דבריך הנעימים אחר גדלת על שאמנתם ואמר שלהם שאיש הרע העיון הוא כמו שער ופתח בנפשו בלריך שיעמיד פתוח תמיד כי מה שאחר ההתחלות ההם לביותו חולק על אלו ההתחלות והשרשים ילעקך שישיבהו תמיד אל ההתחלות ההם וידחקו להניח עיניו באופן שלא יחלוק על מה שהטביעהו והפך זה הוא בשרשים ובהתחלות אמתיות כימה שאחר ההתחלות יעיד על אמיתת ההתחלות ולזה אמר כי ההתחלה הכוזבת והיא לחם רע עין היא כמו שער ופתח והנה הוא יאמר לך אכול ושתה בקניין ההתחלה הזאת והיא תוביקך אל מה שאחר ההתחלה ולב זאת ההתחלה אינו עמך להביאך אל מה שאחר ההתחלה: (ט) באזני כסיל אל תדבר. דברי חכמה

### מצודת ציון

(ז) שער. מלשון השערה ואומדן כמו מאה שערים (בראשית כ"ו): (ח) תקיאנה. היא החזרת המאכל לחוץ וכן קיא צואה (ישעיה כ"ח): (ט) מליך. מאמריך כמו אין מלה בלשוני (תהלים קל"ט):

### מצודת דוד

כי פתאום יאבד וכאלו עשה לעצמו כנפים לעוף ממך כמו כנשר הזה הממהר לעוף אל השמים ונכסה מהעין: (ו) אל תלחם. אל תאכל לחם ולתוספות ביאור פירש ואמר את לחם וגו׳: (ז) כמו שער. כמו המשער בעצמו דבר מה שאין בזה שום ממש כ"א דמיון ומחשבה בעלמא כן המאכיל הזה אף כי יאמר לך אכול ושתה הנה לבו בל עמך ולא יחפוץ שתאכל באמת ואין ממש בדבריו: (ח) פתך. הפת שנתן לך אחר אכלת סופה תקיאנה מגופך כי הביט עליך בעין רעה בעת אכלך. והנה שחת דבריך הנעימים אשר דברת עמו רכות והודאתו טובה והגות על האכילה כי נמפרע היו בחנם הואיל ותקיא המאכל: (ט) אל תדבר. מה מדברי החכמה כי

erly. Consequently, you will vomit.

**and you will lose your sweet words**—*The gratitude that you extended and spoke to him tender words—you lost everything.*—[*Rashi*] All this will be wasted since you will vomit the food that you ate.—[*Rashi*] *Rabbenu Yonah* interprets this clause as referring to the words of wisdom spoken at the table. Since the host sat by sadly, watching you consume his food, the words of wisdom were burdensome to him and had no effect.

9. **Do not speak into the ears of a fool**—Just as a stingy person will not listen to words of wisdom when he sees his food being consumed,

it is not here; for it will make wings for itself, like the eagle, and it will fly toward the heavens. 6. Do not dine upon the bread of a stingy person and do not desire his delicacies; 7. for it is as though it poured gall into his friend, so is he. He will tell you to eat and drink, but his heart is not with you. 8. You will vomit out your morsel that you ate, and you will lose your sweet words. 9. Do not speak into the ears of a fool, for he will despise the sense of your words.

*to close them, that study will no longer be found with you.*—[*Rashi* according to *Berachoth* 5a, *Megillah* 18b] הֲתָעִיף, *like "and you shall fold"* (Ex. 26:9), *which Onkelos renders:* וְתָעֵיף.—[*Rashi*]

*Mezudath David* explains the verse as referring to earthly riches. Why weary yourself to become rich? Riches are very temporary and can easily be lost.

7. **for it is as though it poured gall**—Heb. שָׁעַר. *This* שָׁעַר *is vowelized half with a "pattah" and half with a "kamatz," and the accent is at the end of the word; therefore, it is a verb and not a noun; for were it a noun, it would be* [vowelized completely with] *a "pattah" and the accent would be at the beginning of the word, like every* שַׁעַר *in Scriptures. Its meaning is that it as though this food poured gall into the soul of this stingy man, so it is.*—[*Rashi*] [*Rashi's* intention is that the apparent meaning is as the *Targum* renders the verse: For it is like a high gate; so is his soul haughty. *Rashi* rejects that interpretation on the grounds that the word should be שַׁעַר, not שָׁעַר as it actually appears. He therefore interprets the word as a verb, as explained further.] שָׁעַר, *from the expression of* (Jer. 29:17): *"the loathsome* (הַשֹּׁעָרִים) *figs," the bitter ones.*—[*Rashi*]

Others render: It is as though he has reckoned within himself. He reckons that you will not accept his invitation. He invites you in order to demonstrate his friendliness, but he has no intention of giving you food and drink.—[*Ibn Nachmiash*] *Mezudath David* renders: It is as though he imagines to himself. Just as one imagines something that has no substance, so does this stingy person who invites you to dine with him have no intention that you will, in fact, do so.

8. **your morsel**—*that you ate in his house, you will ultimately vomit because of embarrassment.*—[*Rashi*] That is because he will stare at you begrudgingly while you are eating.—[*Mezudath David*] *Rabbenu Yonah* depicts the scene graphically: When you sit to dine with him, you will see that his face looks unfriendly and you will recognize that his heart is not with you. Therefore, you will eat your food in sadness, and your stomach will not digest it prop-

מליך: י אל־תסג גבול עולם ובשדי
יתומים אל־תבא: יא כי־גאלם חזק
הוא־יריב את־ריבם אתך: יב הביאה
למוסר לבך ואזניך לאמרי־דעת:
יג אל־תמנע מנער מוסר כי־תכנו
בשבט לא ימות: יד אתה בשבט תכנו
ונפשו משאול תציל: טו בני אם־חכם
לבך ישמח לבי גם־אני: טז ותעלזנה
כליותי בדבר שפתיך מישרים: יז אל־

ת"א אל תסג. סוטה י' (פאה יט): בני אם חכם. ברכות ד' שבת יד עירובין כה: אל יקנא. ברכות ח' מגלה ו':

**תרגום**

לסכולא דמליך: י לא
תשני תחומא דמן
עלמא ובחלקא דיתמי
לא תעול: יא מטול די
פרוקהון תקיף והוא
נדון ית דנהון עמך:
יב אעול לבך למרדותא
ואודנך למימרי
דירעתא: יג לא תמנע
מן טליא מרדותא מטול
דאין מחית ליה בשבטא
לא מאת: יד אנת
בשבטא מחית ליה
ונפשיה מפלטת מן
שיול: טו ברי אם חכים
לבך אף אנא חדי אנא
בלבי: טז ויגרון
כליותי כד ימללון
ספותיך תריצתא: יז לא

**רש"י**

ושחת דבריך הנעימים. חנות שההוזקת ולכרת לו דברים רכים הכל הבדת: (י) ובשדי יתומים. בלקט סככה ופחה הראוי להם: (טז) בדבר שפתיך מישרים. על ידי שהכם לבך:(יז) אל יקנא לבך בחטאים.כהללהת'

**אבן עזרא**

ליסרו כי הוא יבוז לשכל מליך והם דבריך הנעימי': (י) אל תסג. פעם שנית בעבור ובשדה יתומים אל תבוא ופירוש אל תבוא בשדהו לקצור תבואתו או לא תכנס בו בהזקה כי השם שהוא גואלם שיגאל השדה מידך חזק הוא שלא תעמוד לפניו: (יב) הביאה. אל. אתה. ג' דגשים. למוסר שתביאו למקום מוסר החכמה ושלא תמנע מנער מוסר: (יד) תציל. שלא תמות הנפש במיתת הגוף. או תציל שלא ימות טרם עתו: (טז) כליותי. מן כלתה לישועתך כי מדת

**מנחת שי**

וא"ו וכן מסורת יחזקאל ב' נמסר ה"א הכול מלא וזה אחד מהם: (יד) בשבט תכנו. הבי"ת רפויה: (טז) ותעלזנה. העי"ן בחטף

**רלב"ג**

כי הוא יבזה ויגנה שכל מליך והחכמה שבהם: (י) אל תסג גבול. הקרקעות להשענך כי אשר תעשוק מהם הקרקע הם חלושים כי הם יתומים: (יא) כי גואלם חזק. כי יש להם גואל חזק ממך יריב ריבם אתך כאמרו לעק ילעק אלי ושמעתי כי חנון אני: (יב) הביאה למוסר לבך. הביאה לבך לקנין המוסר והוא הפילוסופיא המדינית ואחר זה הישר אזנך לשמוע אמרי דעת החכמים הנבונים: (יג) אל תמנע מנער מוסר. מפני לעירית ימיו כי בהכאתך אותו בשבט תשמרנו שלא ימות מיתת הגוף בלא ימיו ושלא ימות ההלך אשר בו שאפשר שישיג החיים הנצחיים: (יד) אתה בשבט תכנו. ותציל נפשו מהפסד והכליון והאבדון: (טו) בני אם חכם לבך ישמח לבי גם אני. המשיל אותך אל השלימות: (טז) ותעלוזנה כליותי. מחשבותי כשמעי כי תדברנה שפתיך מישרים בדבר החכמה: (יז) אל יקנא לבך

**מצודת דוד**

להסרון דעתו יבזה מאמריך הנאמרים בהשכל: (י) אל תסג. אל תחזיר לאחור סימן הגבול הנעשה מעולם לקחת מה מגבול רעך: אל תבא. לקצור תבואתם לעצמך בחשבך שאין לאל ידם לעמוד למולך: (יא) כי גואלם חזק. אם המה חלושי כח הלא ה' הגואל אותם הוא חזק והוא יריב עמך את ריבם: (יב) הביאה. הכנע לבך לשמוע אל המוסר ואזנך וגו': (יג) מוסר. הכאת שבט מוסר: כי תכנו. אם תכנו בשבט הלא לא ימות בזה ורק הוא לעזר בעלמא: (יד) אתה. הנה אתה תלערו בהכאת השבט ובזה תצילו מן השאול כי יכשיר מעשיו ומוטב לו לער השבט מלער השאול: (טו) אם חכם. כאשר יחכם לבך על כי תשמע אמרי אלה הנה אז ישמח לבי גם אני כשמחת לבבך הואיל ומידי באה לך החכמה: (טז) בדבר. בעת

**מצודת ציון**

(יד) מישאול. מגיהנם: (טז) ותעליזנה. ענין שמחה כמו יעלזו חסידים (שם קמ"ט): כליותי. תאות השמחה היא בכליות:

the wisdom came to you through me.—[*Mezudath David*]

16. **when your lips speak right things**—*since your heart has grown wise.*—[*Rashi*]

10. Do not remove an ancient boundary, and do not enter the
fields of the orphans— 11. for their Redeemer is mighty; He
will plead their cause with you. 12. Bring your heart to disci-
pline and your ears to words of knowledge. 13. Do not with-
hold discipline from a child; when you strike him with a rod, he
will not die. 14. You shall strike him with a rod, and you will
save his soul from the grave. 15. My son, if your heart has
grown wise, my heart too will rejoice. 16. And my reins shall
rejoice when your lips speak right things.

neither will a fool listen to words of wisdom at any time. Therefore, one should not tell him words of wisdom because he will despise them. It is analogous to throwing pearls before swine.—[*Rabbenu Yonah*]

10. **and . . . the fields of the orphans**—*The gleanings, the forgotten sheaves, and the corner that is due them.*—[*Rashi* from *Peah* 5:6] *Mezudath David* explains simply: Do not enter the orphans' fields to reap their grain, believing that they have no one to protect them and that they are unable to defend themselves. *Ibn Ezra* explains this similarly.

11. **for their Redeemer is mighty**—Although they are weak, their Redeemer is mighty.—[*Mezudath David*] *Ibn Ezra* interprets this as an allusion to the close relative who redeemed the fields of his poor relatives if they were compelled to sell them because of their poverty. Here, too, God is the Redeemer of the orphans. He will not allow their fields to remain long in your possession.

12. **Bring your heart to discipline, etc.**—The wise king relates discipline to the heart and words of knowledge to the ears. Discipline represents wisdom that governs one's deeds. He therefore exhorts the reader to bring his heart, his desire, to discipline, to fulfill the words of wisdom that govern his deeds. Words of knowledge, however, are not matters that govern one's deeds, so he exhorts his reader to hearken with his ears to these words of knowledge and to know them.—[*Rabbenu Yonah*]

13. **he will not die**—He will merely experience a little pain.—[*Mezudath David*]

14. **You shall strike him with a rod, etc.**—You shall inflict slight pain upon him by striking him with a rod, and thereby you will save him from the grave, for he will improve his ways. Better the pain of the rod than the pain of Gehinnom.—[*Mezudath David*]

15. **if your heart has grown wise**—When your heart has grown wise by hearkening to my words of discipline, *my* heart will rejoice because

יְקַנֵּא לִבְּךָ בַּחַטָּאִים כִּי אִם־בְּיִרְאַת
יְהֹוָה כָּל־הַיּוֹם: יח כִּי אִם־יֵשׁ אַחֲרִית
וְתִקְוָתְךָ לֹא תִכָּרֵת: יט שְׁמַע־אַתָּה
בְנִי וַחֲכָם וְאַשֵּׁר בַּדֶּרֶךְ לִבֶּךָ: כ אַל־
תְּהִי בְסֹבְאֵי־יָיִן בְּזֹלְלֵי בָשָׂר לָמוֹ: כא כִּי־
סֹבֵא וְזוֹלֵל יִוָּרֵשׁ וּקְרָעִים תַּלְבִּישׁ
נוּמָה: כב שְׁמַע לְאָבִיךָ זֶה יְלָדֶךָ וְאַל־

תבוז

נטן לבך בחטאי אלא
ברחלתא דאלהא כל
יומא: יח מטול דתהוי
לך אחריתא טבתא
וסבורך לא נגמר:
יט שמע את ברי
ואתחכם ותרץ לבך
לארחא: כ לא תהוי
כאלין דאסיטון
בבישרא ובאלין דרוין
חמרא: כא מטול דרוי
ואסיט מתמסכן ובזעתא
נלבש ניומא: כב קבל
מן אבוך דין ילדך ולא
תשוט מטול דסיבת

אמך

ת״א אל תהי. סנהדרין ע׳ וע״א: כי סובא. בב עא: ואל תבוז. ברכות נו כג:

### רש״י

להיות רשע כמותם: (יח) כי אם יש אחרית. אם זה משמש בל׳ אשר כלו׳ אשר בעבור זה יש אחרית ותקוה אליך: (יט) שמע אתה בני והכם ואשר בדרך לבך. מאשר שתתחכם תוכל ללכת בדרכי לבך כי לב חכם לא ישיאך לעבירה: (כא) כי סובא וזולל יורש. מתמסכן: וקרעים תלביש נומה. העצלות והתנומה תלביש אותך בגדים

### מנחת שי

פתח: (כ) בזללי. הבי״ת רפה: (א״ה אלה דברי הרב בעצמו ולא ידענא לאפוקי מאי ואי לא דקא מספקינא הוה אמינא דטעות סופר

### אבן עזרא

התאוה בהם נודעת על כן תעלוזנה: (יז) בחטאים. הידועים על כן נפתח הבי״ת: כי אם. בהיות יראת ה׳ תקנא: (יח) אם. לאמת הדבר: אחרית. שתהיה והאחרית רמז לזקנה או לבניו הנשארים אחריו. ותקותך שתקוה לאל להטיב לך: (יט) ואשר. בדרך מוסר. לבך: (כא) תלביש. פירוש התנומה היא תלביש בגדי׳ קרועים לישן: (כב) כי זקנה. הע״פ שזקנה אמך אל תבוז לה:

### רלב״ג

בחטאים. אל תאמר לעשות כמעשיהם אך תמיד תהיה ביראת ה׳ במעשיך ובמחשבותיך לא תתעסק כי אם במה שיש אחרית ותועלת בו וסם הפעולות המשובחות וההשגות העיוניות ותקותך באלו הטובות לא תכרת אך תתחזק ותתקיים תמיד: (יט) שמע אתה בני והכם ואשר בדרך לבך. בדרך המשובחת בדעות ובמדות: (כ) אל תהי. בחברת הזוללים והסובאים כי מי שינהג זה המנהג יאבד הונו וישאר עני והרחיק ג״כ מדת העצלה שתפיל בשבעה תרדמה ונומה כי היא תלביש האדם בגד קרעים ובלויי סחבות מצד העוני והרש המגיע בסבתו: (כב) שמע לאביך זה ילדך. המשיכך שתלמד החכמה ואע״פ שאמך והיא הנפש המרגשת אשר ממנה תלקחנה המוחשות שמהם יגיע קנין המושכלות אל הבוז מפני זה החכמה וההשוב כי היא נפסדת בהפסד המביא אליה והמשיל לה כמו שחשבו הרבה מהפילוסופים כי השכל הנקנה נפסד לזאת הסבה וכבר באררנו בטול זה הדעת בראשון מספר מלחמות ה׳ ושם התבאר במה שאין ספק בו כי השכל

### מצודת ציון

(יח) כי אם יש. כי אשר יש: (יט) ואשר. ענין מלעדים ופסיעות כמו ואשרו בדרך בינה (לעיל ט׳): (כ) בסבאי. ענין רבוי השתיה: בזוללי. ענין רבוי האכילה כמו סורר ומורה וגו׳ זולל וסובא (דברים כ״א): (כא) נומה. מלשון תנומה ושינה:

### מצודת דוד

ידברו שפתיך מישרים ליישר עוד את הזולת: (יז) בחטאים. בהצלחת החוטאים: כי אם. ר״ל רק עסוק כל היום ביראת ה׳ ואז תבין אל הצלחתם כי שלך טובה משלהם: (יח) כי אם וגו׳. ר״ל כי שלך היא דבר אשר יש לה אחרית כי הזכות יעמוד לך באחרית הימים ותקות הגמול לא תכרת ובוא תבוא: (יט) וחכם. למוד חכמה: ואשר. אז תוכל ללכת בדרך לבך כי לבב חכמה לא ישיאך לעבירה: (כ) בסבאי יין. בחבורת סובאי יין לשתות הרבה: למו. ר״ל להנאת עצמם לא לענג שבתות וי״ט וחוזר גם על היין: (כא) יורש. יהיה רש ועני: וקרעים. התנומה הזאת מלבשת בעלי׳ בגדים קרועים כי המתמיד בתנומה יורש גם הוא ולא ימלא ידו ללבוש בגדים שלמים: (כב) זה ילדך. ר״ל הלא זה ילדך ובודאי יחפוץ בתקנתך: כי זקנה. אף כי זקנה אמך לא תבוז אמריה לומר לא בספי טעמא אף כי דרך נשים לה להרבות אמרים

Sabbath, but to fill his stomach. He may even overeat to the point that he vomits, thereby transgressing the Rabbinic prohibition against taking an emetic on the Sabbath, in addition to other sins.—[*Zikkukin d'nura* ad loc.]

21. **for the guzzler and the glutton** **will become impoverished**—Heb. יִוָּרֵשׁ *will become impoverished.*—[*Rashi* from *Targum*]

**and slumber will clothe [you] with tatters**—*Laziness and slumber will clothe you with tattered clothing.*—[*Rashi*] Scripture equates the two undesirable traits: Just as laziness

17. Let your heart not envy the sinners, but fear of the Lord all day— 18. for because of this, there is a future, and your hope will not be cut off. 19. Hear you, my son, and grow wise, and walk in the way of your heart. 20. Do not be among wine-guzzlers, among gluttonous eaters of meat for themselves, 21. for the guzzler and the glutton will become impoverished, and slumber will clothe [you] with tatters. 22. Hearken to your father; this one begot you, and do not

17. **Let your heart not envy the sinners**—*their success, to be wicked like them.*—[*Rashi*]

**the sinners**—The definite article denotes known sinners.—[*Ibn Ezra*]

**but fear of the Lord all day**—Instead, engage all day in fear of the Lord with your deeds and your thoughts.—[*Ralbag, Mezudath David*] *Ibn Ezra* explains: But you should envy a person who fears the Lord. This means you should be envious of the God-fearers and emulate their deeds.—[*Ibn Nachmiash*]

18. **for because of this, there is a future**—Heb. כִּי אִם. *This* [word] אִם *is used as an expression of "that"; i.e. for because of this there is a future and hope for you.*—[*Rashi*] Others render: For there surely is a future.—[*Ibn Nachmiash*] Yours is something that has a future, for your merit will stand you in good stead at the end of days, and the hope of reward will not be cut off, but will surely come.—[*Mezudath David*]

*Ibn Ezra* explains that the future refers to one's old age or to his posterity. This is in contrast to the future of the sinners, which is compared to the lamp that flickers.—[*Ibn Nachmiash*]

19. **Hear you, my son, and grow wise, and walk in the way of your heart**—*Since you will grow wise, you will be able to walk in the ways of your heart, for the heart of a wise man will not entice you to sin.*—[*Rashi*] Solomon warns against pursuing one's desire, explaining that if you wish to do all that your heart desires, you must grow wise. Another interpretation is: and lead your heart on the way—the way of wisdom and discipline.—[*Ibn Nachmiash;* second explanation following *Ibn Ezra*]

20. **among wine-guzzlers**—Do not be in a group of wine-guzzlers.—[*Mezudath David, Ralbag*]

**for themselves**—For their own pleasure, not for the enjoyment of the Sabbaths and festivals, when it is obligatory to drink wine and eat meat.—[*Mezudath David*]

*Eliyahu Rabbah* (ch. 26) limits even the consumption of wine and meat on the Sabbath, for if one overeats, he indicates that he is not eating and drinking in honor of the

תבוז כי־זקנה אמך: כג אמת קנה ואל־
תמכר חכמה ומוסר ובינה: כד גול יגול
אבי צדיק יולד חכם וישמח בו:
כה ישמח־אביך ואמך ותגל יולדתך:
כו תנה בני לבך לי ועיניך דרכי
תרצנה: כז כי־שוחה עמוקה זונה
ובאר צרה נכריה: כח אף־היא כחתף

אמך: כג קושטא קני
ולא תזבין חכמתא
ומרדותא וביונא:
כד מדוין נדוין אבוי
דצדיקא ומן דמוליד
חכימא נחדי ביה:
כה יחדי אבוך ואמך
ותדוין תולדתך: כו הב
לי ברי לבך ועינך
תנטרן ארחתי: כז מטול
דגומצא עמיקא זניתא
ובירא דעקא נוכריתא:
כח והיך מטרף עינהא
כמנא וצאר אבנא

ת"א אמת קנה. [illegible] (ר"ה כט מגלה ט'): גיל יגיל. זוהר במדבר: ישמח אביך. ברכות [illegible] תענית כו): תנה בני. (ברכות ג'): כי שוחה [illegible]:

גיל קרי יגיל קרי ויולד קרי ישמח קרי תצרנה קרי

### רש"י

קרועים: (כג) אמת קנה. ואם לא תמצא ללמוד בחנם למוד בשכר ואל תאמר כשם שלמדתי בשכר כך אלמדנה בשכר: (כז) ובאר צרה. (אשטרייט"א בלע"ז. כרש"י כ"י אשטרייט"ר בל"א ענג שמאל): (כח) אף היא כחתף.

### אבן עזרא

(כג) אמת. המלה חסרה ספרי אמת קנה ואל תמכור: (כד) ויולד חכם. מי שיוליד בן חכם ישמח בו על כן: (כה) ישמח אביך ואמך. ויולדתך. כפל הדבר: (כו) תנה בי. אף. והנה הזהיר להשמר מן הזונות. תנה בני היא כונת הלב לקבל הדבור. תצרנה כתיב ופירוש עיניך ירוצו דרכי המצות: (כז) שוחה. הסר כ"ף. צרה הפך רחבה והטעם שלא יוכל איש להתהפך מנגד אל נגד: (כה) כחתף. כאשר היא תוכל לחטוף או תארוב. תוסיף

### מנחת שי

הוא ועל פי"ת בכבלי או בשר קאי עד כאן): (כד) גול. גיל קרי: יגול. יגיל קרי כן הוא בכמה ספרים אבל בספר א' כתיבת יד מוגה יגיל בכתיב וכן נראה ממסורת הגדול שבמערכת אות היו"ד יש אלפ"א בית"א כתיב וא"ו באמצע תיבותא וקריין יו"ד ולא נמנה בה רק מלת גול: יולד. ויולד קרי: וישמח. ישמח קרי עיין זוהר פרשת במדבר דף קי"ט ובסוף ספר הזוהר בהגהה קצת טעיות שנפלו בדפוס: (כו) תרצנה. תצרנה קרי: (כז) עמקה. מתחלפת

### רלב"ג

הקנינים נצחי לא יפסד: (כג) אמת. הנה השגת האמת קנה ואע"פ שהוא זה הנה מ"מ הוא לא יפסד כמו שחשב הפילוסוף בכל הוה שהוא נפסד הנה לא תוכל למסור ולהסיר ממך קנין בקנית בכל החכמה ובפילוסופיא מדינית ובחכמה האלהית אשר נקראת בינה כי השכל הנקנה הוא נצחי כמו שזכרנו וכבר ביארנו זה אחר שהאדם שישכח ההשגה השכלית במאמר הראשון מספר מ"י ובביאורים לספר הנפש: (כד) גיל יגיל. ועתה ראה מה זה הקנין אשר לא יסור מבעליו ועוד ימשך לו מהתועלת שיגיל הב' האיש הצדיק בדעותיו ובתכונותיו ומי שיולד בן חכם ישמח בו ליושר פעולותיו וענייניו עם שבסבתו תדבק בו השגחת הש"י וישמח בזה אביו ואמו ותגל יולדתו לסבה בעינה אשר יביאם לצער וכאב לאב ולאם אם היה הבן כסיל: (כו) תנה בני לבך לי. שלא תהיה כוונתך ורצונך כי אם לקנין השלימות ועיניך תצרנה דרכי אשר העירותיך אליהם בזה הספר להרחיק התאות הגשמיות ולכוון בשלימות השכל ולפי שהתאוה אשר ימשך האדם יותר אחריה הם הזנות ובתאות היין הזהיר בהם יותר להתרחק מהם ואמר להרחיק מהזונה כי שוחה עמוקה זונה וגו': (כח) אף היא. שהיא תארוב

### מצודת דוד

מבלי השכל: (כג) אמת קנה. למוד תורה בשכר אם לא מצאת ללמוד בחנם ועכ"ז אל תמכור ללמדה לאחרים בשכר כ"א למוד בחנם: חכמה וגו'. את אלה לא תלמוד בשכר כי המה תורה שבע"פ ואסור לקחת עליה שכר אבל לקרות מקרא יוכל לקבל שכר כן אחז"ל: (כד) ויולד. המוליד את החכם ר"ל המלמד ומוליד החכמה בלב התלמיד: (כה) ישמח וגו'. מוסב על האמור למעלה אמת קנה לומר הלא גיל יגיל וגו' לזה קנה אמת וישמח אביך וגו': יולדתך. המלמדתך המולידה החכמה בלבך: (כו) תנה. הכן לבבך להבין אמרי ואז עיניך דרכי תצרנה כי תשכיל שהיא דרך הישר: (כז) כי שוחה. ר"ל כי באמרי תבין שהזונה כבור עמוק שקשה מאוד לעלות ממנו כי כן קשה להפרד מן הזונה אחר שנכשל בה ונאמר למשל על המינות: נכריה. זונה נכריה אשר לא מבנות ישראל הנה היא כבאר צרה ודחוקה שאי אפשר להתהפך בה מצד אל צד להתהפך לעלות ממנה: (כח) אף היא. ועם כי אינה מבנות ישראל ואינה רגילה כל כך עם היהודים מ"מ כאשר תוכל לחטוף מי

### מצודת ציון

(כד) גיל. ענין שמחה: (כח) כחתף. כמו כחטף בטי"ת ועניינו מהירות הלקיחה כמו וחטפתם לכם (שופטים כ"א):

26. **My son, give me your heart—** Prepare your heart to understand my words. Then your eyes will keep my ways because you will understand that they are the straight ones.—[*Mezudath David*]

*Rabbenu Yonah* sees God as the speaker in this verse. He admonishes: "Give your desire to fear Me and to love Me. Then your eyes will keep My ways." Everyone is required to refrain from desiring anything not related to God's service. All his desires must be only those things that help him to serve God. God's ways, mentioned in this verse, are the precepts and good deeds.

despise your mother when she has grown old. 23. Buy truth and do not sell; [also] wisdom, discipline, and understanding. 24. The father of a righteous son will rejoice greatly, and he who begets a wise son will have joy with him. 25. May your father and mother rejoice, and may she who bore you have joy. 26. My son, give me your heart, and let your eyes keep my ways. 27. For a harlot is like a deep ditch and a foreign woman like a narrow well. 28. She, too, will suddenly

and slumber will clothe a person with tatters, because he will not be able to afford new clothing when his old clothing wears out, so will wine guzzling and gluttony bring poverty upon a person.—[*Ibn Nachmiash*]

22. **Hearken to your father; this one begot you**—Since he begot you, he surely disciplines you for your benefit.—[*Mezudath David*]

**and do not despise**—Even when your mother has grown old, do not despise her talk, saying that old people have no sense and that women tend to prattle senselessly.—[*Mezudath David*]

23. **Buy truth**—*If you do not find to learn for nothing, learn for pay* [pay to learn], *but do not say, "Just as I learned for pay, so will I teach it for pay."*—[*Rashi* from *Bechoroth* 29a] The Talmud (ad loc.) explains that, just as Moses taught the Torah without receiving pay, so must every Jew teach Torah without receiving pay. Should one find that no one is willing to teach him without pay, however, he should pay a teacher to teach him. The Rabbis tell us that this interdict does not apply to one who cannot afford to give up his work and teach Torah. In that case, one may receive pay for idling from his usual work. *Ibn Ezra* explains: Buy books of truth and do not sell them.

24. **and he who begets a wise son, etc.**—He who begets a wise son will also experience joy.—[*Ibn Ezra*] *Mezudath David* explains: He who begets a wise man—who creates a wise man by teaching a student wisdom. *Rabbenu Yonah* explains that שִׂמְחָה is greater than גִּילָה. King Solomon ascribes שִׂמְחָה to the father of the wise son, who is also righteous, for a man is only called "wise" if he is also righteous. Therefore, the father's joy is double because his son is both righteous and wise.

25. **May your father and mother rejoice**—Therefore, buy truth so that your father and mother will rejoice.—[*Mezudath David*]

**and may she who bore you have joy**—*Ibn Ezra* interprets this as a repetition of the previous clause. *Mezudath David* interprets it as referring to the mother who inculcates wisdom into her child. *Ibn Nachmiash* renders: your nurse.

תֶּאֱרֹב וּבוֹגְדִים בְּאָדָם תּוֹסִף: כט לְמִי
אוֹי לְמִי אֲבוֹי לְמִי מִדְוָנִים וּלְמִי־שִׂיחַ
לְמִי פְּצָעִים חִנָּם לְמִי חַכְלִלוּת עֵינָיִם:
ל לַמְאַחֲרִים עַל־הַיָּיִן לַבָּאִים לַחְקֹר
מִמְסָךְ: לא אַל־תֵּרֶא יַיִן כִּי יִתְאַדָּם כִּי־

מדינים קרי

**תרגום**

שַׁבְרֵי: כט לְמַן וַי לְמַן דְוָיָא וּלְמַן תִּגְרֵי וּלְמַן שׁוּחָא וּלְמַן פּוּדְעָתָא מַגָּן וּלְמַן סוּמְקָנוּת עַיְנוּי: ל לְהָלֵין דִמְאַחֲרִין עַל חַמְרָא וְאָזְלִין וּמְעַקְּבֵי בֵּית מְזָגָא: לא לָא תֶחֱמֵי חַמְרָא דְסִימוּק וְיָהֵב בְּכָסָא עֵינֵיהּ

ת"א למי אוי. סנהדרין ע': אל תרא. פסחים קה בתרא לז סנהדרין ע' מנחות פו (פסחים ל'): כי יתן. יומא עד עקידה ש' מז:

## רש"י

פתאום: ובוגדים באדם תוסיף. מרבה בישראל בוגדים לה' ועל האפיקורסין מדבר: (כט) למי אוי למי אבוי. לשון צעקה ויללה: למי מדנים למי שיח. למי שיש לו מדינים עם הבריות ושיחה יתירה לו אוי ואבוי כי ברוב דברים רב פשע: למי חכלילות עינים. מרוב יין מאדימין עיניו וגנאי הוא: (ל) ממסך. ממזג והוא שם דבר כמו ממכר: לחקור ממסך. שחוקרין ובודקין היכן מוכרין יין טוב: (לא) אל תרא יין כי יתאדם. אל

## מנחת שי

עמוקה: (כח) תארב. בחטף סגול האל"ף ברוב ספרים: באדם תוסף. בכמה ספרים מדוייקים חסר יו"ד ונמסר עליו ג' חסרים וכבר נתבאר זה הענין בעמוס ה: (כט) למי מדונים. מדינים קרי: (ל) למאחרים. המ"ם רפה והמ"ד מועמדת בגעיא. מכלול

## אבן עזרא

על הבוגדים אחרים כמותם: (כט) למי אוי. כאילו הזהיר להשמר מן היין או שיקרא על קורותיו אוי. אבוי שם דבר מן אביון: למי שיח. נגעים: למי פצעים חנם. ביבואהו הנס: חכלילות. אודם העינים מרוב שתיית יין: (ל) למאחרים. חסר וכן הוא למאחרים שבת על היין. ממסך שם התאר ע"מ ממשה וטעמו יין מסוך מן מסכה יינה: (לא) אל תרא. אל תהפוך לראות אע"פ שהוא נותן היין בכוס יפה: עינו. כלומר מראהו. יתהלך. בכוס.

## רלב"ג

לאדם להמיתו כאיש חטף וזה תעשה במרמה בשתקרא לו לזנות עמה ולא יחיה נשמר ממנה ותמית אותו ותוסיף בחברתה בוגדים באדם יתחברו עמה להרוג. האנשים אשר תפילם ברשת הפתוי נבא אליה וזה מפורסם מעניה היום כי היא תתחבר עם הרולאים ותביא האנשים בפתויה נבא בנקום אשר יפלו שם ביד הרולאים למי נזק והפסד ולמי ריב וקטטה וקינה ונהי ולמי מכאוב ופצעים בלי סבה תהייה זה חבל בחנם ולמי ימלא ההודם בעינים והפסדם: (ל) למאחרים. הנה לאנשים השוקדים על שתיית היין ובאים לחקור איזה יין היא יותר חשוב לשתות ממנו להמבכס לזאת התאוה תמיד וזה יהיה סבה כי בסבת היין ישתכרו ויגיעו רעות גדולות להם מקלת השכולים לקלת: (לא) אל תרא יין כי יתאדם. כי בכוס מראהו ויתהלך למישרים במנהג היין הטוב שתחלה הדק יראה למעלה בכוס ומולם היין אשר נהפכו בו שמריו העליונים תמלא באינו הולך למישרים כי מה שיהיה עליון ממנו בכוס ימלא נוטה אל הבהרות והנה

## מצודת ציון

(כט) שיח. ענין דבור כמו יערב עלי שיחי (תהלים ק"ד): פצעים. מכות המגולות דם כמו פצע תחת פצע (שמות כ"א): חכלילות. אדמימות כמו חכלילי עינים מיין (בראשית מ"ט): (ל) למאחרים. מלשון אחור ועכוב: ממסך. ענין מזיגה והוא התערובות המים ביין כמו מסכה יינה (לעיל ט'): (לא) יתאדם.

## מצודת דוד

מהם אז תארוב עליו ועל ידי פתויה הולכת ומוספת בוגדים בבני אדם. ומוסב למעלה לומר כאשר תבין כל זה על ידי אמרי ידעתי שעיניך דרכי תלורנה ולא תכשל בזה: (כט) למי אוי. למי מיוחד לעקת אוי ואבוי והם לעקת יללה: מדינים. דין ומריבה עם אנשים: שיח. ר"ל רבוי דברים בלא השכל ובלא סדר: פצעים חנם. דרך השכור להתקוטט ונפלוע בחבירו וכאשר יחזור חבירו ויפלע בו נראה כאלו פלעו על חנם כי זה שפלע תחלה לא מדעת עשה כי הי' מבולבל ביינו: חכללות עינים. אדמימות עינים מרוב שתיית היין והיא דבר גנאי: (ל) למאחרים. כל הדברים האלה מיוחדים המה להמאחרים שבת על היין ולהבאים לחקור אחר יין שמזיגתו יפה: (לא) אל תרא יין. אל תתן עיניך ביין אשר יתאדם במראיתו והוא נחמד ומשובח: כי יתן. כי מי אשר יתן מראות

one who has strong desires. If you ask, "Who has contentions?" I will reply that it is he who raves and rants senselessly, shouting imaginative epithets at his neighbor. He will constantly appear in court to make amends for insulting his neighbor. If you ask, "Who has wounds without cause?" I will reply, "He who has bloodshot eyes." If you ask, "Who has bloodshot eyes?" I will answer that it is those who sit late over wine, and after lingering the whole night over their wine, rise in the morning to search for the most expert wine mixer.

*Rabbenu Yonah* explains as follows:

**[29]Who cries, "Woe!" Who, "Alas!"**—for his sins, for wine leads to lewdness. Therefore, these verses were written immediately after the verses dealing with the harlot and the foreign woman.

**Who has contentions?**—Wine also causes quarrels and contentions.

lurk, and she will increase the faithless among men. 29. Who
cries, "Woe!" Who, "Alas!" He who has quarrels. He who
talks too much. Who has wounds without cause? Who has
bloodshot eyes? 30. Those who sit late over wine, those who
come to search for mixed wine. 31. Do not look at wine when
it is red; when

27. **For a harlot is like a deep ditch**—From my words, you will understand that a harlot is like a deep ditch, from which it is very difficult to climb; so is it hard to part with a harlot. This metaphor represents apostasy.—[*Mezudath David*]

**and a foreign woman**—A gentile harlot is like a narrow well, in which it is impossible to turn from side to side in order to climb out.—[*Mezudath David*]

**a narrow well**—*(etroitte in French, in German, eng, schmal.)*—[*Rashi*]

28. **She, too**—Although she is not an Israelite and does not mingle with them, when she can seize one of them she will lurk for him, and through her seduction, she increases the faithless among men.—[*Mezudath David*]

**suddenly**—Heb. כְּחֶתֶף, *suddenly.*—[*Rashi*] As mentioned above in *Mezudath David's* interpretation, he interprets it as "seizing," the "thav" being substituted for a "teth." This definition follows *Ibn Ezra.*

**and she will increase the faithless among men**—*She increases in Israel those who are faithless to God. He is referring to apostasy.*—[*Rashi* from an unknown source]

29. **Who cries, "Woe!" Who, "Alas!"**—*An expression of crying and yelling.*—[*Rashi*]

**He who has quarrels. He who talks too much**—*To him who has quarrels with the people and talks too much, woe and alas, for transgression does not stop with much speech.*—[*Rashi*] *Mezudath David* renders: Who has quarrels? Who raves? Who has wounds etc.? It is customary for the drunkard to quarrel and to wound his friend, and when his friend retaliates, it appears as though he wounded him without cause, as though he had been the first to attack; the one who actually attacked first did so unknowingly while confused from drinking wine.

**Who has bloodshot eyes?**—*From drinking much wine, the eyes become red, and that is embarrassing.*—[*Rashi*]

30. **Those who sit late over wine**—All these afflictions come to those who sit late over wine and who search for wine that is mixed in the proper proportions.—[*Mezudath David*]

**to search for mixed wine**—*Who search and hunt where good wine is sold.*—[*Rashi*]

*Malbim* explains as follows:

**[29]Who cries, "Woe!" He who has strong desire. Who has contentions? He who raves. Who has wounds without cause? He who has bloodshot eyes.**—If you ask who cries, "Woe!" I will reply that it is

יִתֵּן בַּכּוֹס עֵינוֹ יִתְהַלֵּךְ בְּמֵישָׁרִים:
לב אַחֲרִיתוֹ כְּנָחָשׁ יִשָּׁךְ וּכְצִפְעֹנִי יַפְרִשׁ:
לג עֵינֶיךָ יִרְאוּ זָרוֹת וְלִבְּךָ יְדַבֵּר
תַּהְפֻּכוֹת: לד וְהָיִיתָ כְּשֹׁכֵב בְּלֶב־יָם
וּכְשֹׁכֵב בְּרֹאשׁ חִבֵּל: לה הִכּוּנִי בַל־

עֵינֵיהּ וּמְהַלֵּךְ תְּרִיצָאִית:
לב וְאַחֲרִיתָא הֵיךְ חִוְיָא
נָכְתָא וּכְחוּרְמָנָא דְּפָרִיחַ:
לג וְיֶחֱרוֹן עַיְנָךְ
בְּנָכְרִיתָא וְלִבָּךְ יְמַלֵּל
תַּהְפּוּכְתָא: לד וְתֶהֱוֵי
הֵיךְ דְּשָׁכֵב בְּלִבֵּיהּ
דְיַמָּא וְהֵיךְ מַלָּחָא
דְּדָמֵךְ בְּאִלְפָּא:
לה וְתֵימַר מְחוֹנַנִי וְלָא

בכוס קרי

### רש"י

תתן בו עיניך: כי יתן בכוס עינו יתהלך במישרים. המרבה שכרות כל עבירות דומות לו למישור כל הדרכים ישרים בעיניו: בכוס. בכיס כתיב כלו' השותה נותן עין בכוס והעוני בכיסו של זה: (לב) יפריש. לשון עקילה (פוזיי"ט בלע"ז. בל"א פעננק שטעכענ"ד) במלמד הבקר תרגום כפרש תורי ובגמרא דנקיט פרשא (אגויילן בלע"ז. בל"א שטאכעל' גטוואהנאייזען. וכן שופטים ג' ל"א ש"ב ה' א' ירמיה ל"א י"ח) ויש פותרין מפרישו מן החיים: (לג) עיניך יראו זרות. כשתשתכר היין בוער בך ומסיתך להביט בזונות: (לד) והיית. משוגע כשוכב בלב ים: וכשוכב בראש חבל. התורן הספינה נע לפול ממנו: (לה) הכוני בל חליתי וגו'. כשיקץ מיינו אינו מרגיש

### אבן עזרא

במישרים יחשוב שהוא ישר ולא יזיק לו: (לב) אחריתו. לאחר שיהא נשתה ואחר שתייתו כנחש ישוך אותך ויפרש אותך כענין ישך ומזה הענין נקרא פרש בעבור הפריבין אשר ברגליו: (לג) זרות. הסר כלומר יראו נשים זרות והטעם יהפלו לראותם: (לד) כשוכב בלב ים. כי יחשוב שהוא חונה והוא נוסע. חבל שם והוא החבל שקשור בברזל הספינה והענין שלא תרגיש עת הניתך ונסעך. ותאמר כאשר ישך אותך היין הכוני מכים לא אדע עת חליתי מן המכות:

### מנחת שי

דף י"א: (לא) בכים. בכום קרי ובמדרש אגדה יש בויקרא רבה פרשת י"ב ובמדבר רבה פרש' י' ומדרש אסתר ריש פרשה ה' ומדרש משלי דף ע"ב וילמדנו פרשת שמיני: (לד) וכשכב בראש חבל. במדבר רבה פרש' י' חבל כתיב זה היה אמן שנחנק בחבל:

### רלב"ג

כזהירו שלא יפתהו טוב מראה היין וייטב עיניו: (לב) אחריתו. כי אחריתו הוא לרע לאשר ימשך אל ההנהגה הזאת כי כבר ישוך האדם כנשיכת הנחש וכלפעוני יעקון וזה מבואר מהרעות הנפלאות הנמשכות מהשכרות מלד הסרון הדעה הנמשך ממנו: (לג) עיניך יראו זרות. ולהעיר על זה אמר הנה השכרות יראה לעיניך זרות ר"ל דברים שאינם כן מלד רוב האידים העולים אל המוח. ולבך ידבר תהפוכות ודברים כוזבים או דברי בגעון לזאת הסבה בעינה: (לד) והיית כשוכב בלב ים. כספינה שחוזק הנועת הספינה יבלבל מוחו ויראה לו דבריו לא כן וכמי ששוכב בראש הספינה שיתבלבל יותר מפני ראותו הים ורואה מהירות התנועה: (לה) הכוני. ואז

### מצודת דוד

פינו ותפלו בכוס היין הולך הוא במישרים. ר"ל אין דרך מעוקם לפניו על כולם יחשוב כי ישרים המה כי לא יבחין עוד מעתה:

### מצודת ציון

מלשון אודם: (לב) ובצפעוני. הוא מין נחש: (לג) זרות. מלשון

(לב) אחריתו. ר"ל אם בעת השתיי' יערב לחיך הלא אחריתו מרה והרי הוא כנחש נושך בעקב איש ולא ירגיש ואחריתו ישגא מאד כי יטעע ונופח עד הקדקוד: יפריש. המפריש חיי האדם ממנו ע"י ארסו וכפל הדבר במ"ש: (לג) יראו זרות. דברים שאינם באמת כי מרוב השכרות ידמה ברואה דבר מה ואין כל מאומה: תהפוכות. הפוך השכל והאמת: (לד) בלב ים. אנשי הספינה ההולכת באמצע הים כשהרוח חזק דרכם להיות שוכבים בעבור חוזק הנועת הספינ': בראש חבל. הוא תורן הספינ' שכל החבלים תלוים בו והשוכב שם דעתו מבולבלת מפני ראיית הים ומהירות התנוע': (לה) הכוני. עודך מתנמנם יהיו שפתיך דובבות על המשכב לאמר מה בכך שהכוני

Unfortunately, that printer was guilty of several errors: 1) The reference from Judges is repeated because that is the example of בְּפָרָשׁ תּוֹרֵי; 2) the reference from Jeremiah is erroneous; and 3) a reference from I Sam. 13:20 was omitted.]

33. **Your eyes will see strange women**—*When you will become drunk, they will burn in you and entice you to ogle harlots.*—[*Rashi*] *Mezudath David* renders: strange things; you will see hallucinations.

**confusedly**—The opposite of the true and the logical.—[*Mezudath David*]

34. **And you shall be**—*mad like one lying in the midst of the sea.*—[*Rashi*] He will think that he is resting when he is, in fact, traveling.—[*Ibn Ezra*] *Mezudath David* explains that the drunkard loses his equilibrium like one traveling on the high seas, who must lie down because of the violent rocking of the boat.

**and like one lying at the top of a mast**—*The mast of a ship sways to fall from it.*—[*Rashi*] This is called

he puts his eye on the cup, it goes smoothly. 32. Ultimately, it
will bite like a serpent, and sting like a viper. 33. Your eyes will
see strange women, and your heart will speak confusedly.
34. And you shall be like one lying in the midst of the sea and
like one lying at the top of a mast. 35. "They struck me but I
did not

**Who has talk?**—Wine causes people to talk overly much, as above (20:1): "Wine is a scorner, strong drink a roisterer."

**Who has wounds without cause?**—Over-imbibing wine causes ailments and illnesses to a person's body.

**Who has bloodshot eyes?**—It causes the eyes to become bloodshot.

**[30]Those who sit late over wine, those who come to search for mixed wine**—They do not dilute it to weaken its potency, but only to improve its flavor, and they search for the ratio of the wine to enhance its taste.

*Gra* explains that three groups of people complain about the drunkard: The members of his household, his relatives, and the public in general.*

31. **Do not look at wine when it is red**—*Do not put your eye on it.*—[*Rashi*] Do not gaze at wine when it is red, and it is beautiful and of high quality.—[*Mezudath David*]

**when he puts his eye on the cup, it goes smoothly**—*Whoever is habitually drunk—all transgressions appear to him to be straight; all ways appear straight.*—[*Rashi* from *Yoma* 75a]

**on the cup**—Heb. בַּכּוֹס. *The masoretic text reads:* בַּכִּיס, *on the pocket; i.e. the drinker puts his eye on the cup, and the storekeeper puts his eye on this one's pocket.*—[*Rashi* from *Midrash Mishle*] The simple meaning is that the wine gives its appearance into the cup, and the drunkard feels that it is smooth and will not harm him.—[*Ibn Ezra*]

32. **Ultimately**—Although it is delicious while he drinks it, his end will be bitter. It is like a snake that bites a person on the heel, where he does not feel it, but then the venom permeates his entire body, even to the top of his head.—[*Mezudath David*]

**and sting**—Heb. יַפְרִשׁ, *an expression of stinging (pointe in French, in German stechend).* (Jud. 3:31): *"With an ox-goad" is translated into Aramaic as* בְּפַרְשׁ תּוֹרֵי, *and in the Gemara* (*Baba Mezia* 80a): *"The one who holds the colter* (פַּרְשָׁא)*," aiguillon in Old French, in German stachel, Gewohneisen, and so in* Jud. 3:31, II Sam. 8:1, and Jer. 31:18. *Others interpret the word to mean that it separates him from life.*—[*Rashi* from *Midrash Mishle*] [Note that the cross-references do not originate from *Rashi* but were inserted by the printer of the Lublin edition. This is evidenced by the fact that they do not appear in any other editions.

חָלִיתִי הֲלָמוּנִי בַּל־יָדָעְתִּי מָתַי אָקִיץ
אוֹסִיף אֲבַקְשֶׁנּוּ עוֹד : כד א אַל־תְּקַנֵּא
בְּאַנְשֵׁי רָעָה וְאַל־תִּתְאָו לִהְיוֹת אִתָּם :
ב כִּי־שֹׁד יֶהְגֶּה לִבָּם וְעָמָל שִׂפְתֵיהֶם
תְּדַבֵּרְנָה : ג בְּחָכְמָה יִבָּנֶה בָּיִת
וּבִתְבוּנָה יִתְכּוֹנָן : ד וּבְדַעַת חֲדָרִים
יִמָּלְאוּ כָּל־הוֹן יָקָר וְנָעִים : ה גֶּבֶר־חָכָם
בַּעוֹז וְאִישׁ־דַּעַת מְאַמֶּץ־כֹּחַ : ו כִּי
בתחבולות

אַפְרַחִית וּבַזּוּנַנִי וְלָא
יָדְעִית לְאִימַת אֶתְּעַר
וְאוֹסִיף אֶבְעֵינֵיהּ עוֹד :
א לָא תְתַטַּן בְּמָרֵי בִישְׁתָא
וְלָא תִתְרַגְרַג לְמֶהֱוֵי
עִמְהוֹן : ב מְטוּל דִּרְכוּנָא
רָגֵן לִבְּהוֹן וְעַוְלָא
שִׂפְוָתְהוֹן מְמַלְּלָן :
ג בְּחָכְמְתָא מִתְבְּנֵי
בֵּיתָא וּבְבִיוּנָא מִתַּקַּן :
ד וּבְיָדִיעֲתָא קִיטוֹנֵי
מִתְמַלְיָן כָּל מְזָלָא
יַקִּירָא וּבְסִימָא : ה טָב
גְּבַר חַכִּימָא מִן עַשִּׁינָא
וְגַבְרָא דִידִיעֲתָא מִן
הוּא דְזָרֵיז בְּחֵילֵיהּ :
ו מְטוּל בְּמַדְבְּרָנוּתָא

ת"א ובדעת. סנהדרין לב : כי בתחבולות. סנהדרין מב זוהר ויחי :

### רש"י

בכל הרעות שעברו עליו וחוזר לשתות : כד (ה) גבר חכם בעוז. איש חכם הוא תמיד בעוז :

### מנחת שי

כד (ד) ימלאו. בס"א כ"י יִמָּלְאוּ. ואין לחוש עליו דבהדיא כתב רד"ק במכלול דף ע"ג שנשאר עם השוא כאשר היה בלתי הפסק והראוי בליר"י : (ה) בעוז. הבי"ת קמוצה ברוב

### אבן עזרא

(לה) הלמוני. הולמי' ולא הרגשתי ההולם. מתי אקיץ מיינו אוסיף לבקשו לגלה: כד (א) אל. כי. בהם הזהיר מן האישים הרעים. באנשי רעה. לעשות כמעשיהם. כי לעשות שוד יהשוב לבם : (ג) בחכמה. הזהיר להדבק בחכמה כי בעבורה ימלא הבית והחדרים מכל הון : (ד) יקר. והון נעים : (ה) גבר.

### רלב"ג

תאמר הכוני מכים. בל חליתי. כי השכרות ימנע ההרגש בלער המכות שברוני מכים ופולעים ולא ידעתי מפני העדר ההרגש או ועכ"ז ימשיכך היין אליו עד שתאמר מתי אקיץ מזה השכרות שאוכל להוסיף ולבקש היין עוד כי זה דרך השכורים : (א) אל תקנא. ותחמוד באנשי רשע השכורים תמיד לעשות רעה לאנשים ולא תתאו להיות אתם כי לבם לא התעסק כי אם לשבור האנשים ודבריהם תהיינה בעמל : (ב) כי שוד. ר"ל שלא ידברו כי אם דברי שקר אשר יוליאם האדם מפיו בעמל גדול מפני המחשבה אשר בלב המקבלים למה שבפיו זה מה שיקרה מהמשך אל התאוות והרשע מהרע וההפסד : (ג) בחכמה. ואולם בחכמה יבנה בית בנין האדם כי היא חלקו מכל עמלו והנשאר ממנו אחר מותו ובתבונה יגיע היופי והשלימות בבית הזה : (ד) ובדעת. הקדושים ימלאו חדרי זה הבית והוא השכל. כל הון יקר ונעים. כי זה השלימות ערב ויקר למי שישיגהו השלימות מכל הון יקר כמו שקדם : (ה) גבר. הגבר יקנה החכמה בעוז שיהיה לשכלו לכבוש תאוות החומר ולנלח אותו. ואיש דעת הוא מחזק ומאמץ ידי כלח אשר לשכל להכניע שאר הכחות לעבודתו וזה כי למעלת הידיעה והחשק הנפלא אשר לבעליה לשקוד בה תהיה כל השתדלותו בה ובזה האופן יכנעו שאר הכחות אל זאת הדרישה : (ו) כי בתחבולות תעשה לך מלחמה עם היצר הרע והוא הכח המתעורר אל התאוה

### מצודת ציון

אי ונכר : (לה) חליתי. ענין מכות: הלמוני. מלשון חולי : הלמוני. ענין מכות משברות כמו יהלמני לדיק (תהלים קמ"א) : אקיץ. אעיר מן השינה : כד (ב) יהגה. יחשוב כמו והגיון לבי (שם י"ט) : (ה) מאמץ. מחזק :

### מצודת דוד

בעת השכרות הנה לא חליתי ומה בכך שהלמו אותי בהכאות הלא לא הרגשתי ולזאת מתי אקיץ מהתנומ' ואוסיף שוב לבקש את היין ולזה הזהר בה מאוד כי קשה לפרוש ממנה :

כד (א) באנשי רעה. בהצלחת אנשי רעה : להיות אתם. לעשות כמעשיהם : (ב) כי שד. כי מחשבותם על הגזל ומדברים עמל ע"כ הרחק מהם כי מעשיהם מגונים : (ג) בחכמה. בעבור עסק החכמה יבנה בית האדם ובעבור התבונה יתכונן ויתקיים הבית : (ד) ובדעת. בעבור הדעת ימלאו החדרים כל הון וגו' : (ה) בעוז. עומד בחזקו בדבר יראת ה' : ואיש דעת. בעל דעת העדיף מחכם הוא מאמץ כח בהוראה ומוסיף והולך : (ו) כי

states that if one engages in wisdom, understanding, and knowledge, he will achieve tranquility and riches, in addition to what the soul will achieve in the future (verse 14): "And there is a future, and your hope will not be cut off."—[*Rabbenu Yonah*]

5. **A wise man is with strength**—*A wise man is always with strength.*—[*Rashi*] A wise man maintains his strength in the fear of God.—[*Mezudath David*]

**and a man of knowledge**—who is superior to the wise man, maintains his strength in instructing people in the ways of the Torah, and he will constantly progress in that field.—[*Mezudath David*]

*Rabbenu Yonah* explains that, just

become ill; they beat me but I did not know it. When will I awaken? I will continue; I will seek it again."

## 24

1. Do not envy men of evil; do not desire to be with them;
2. for their heart thinks of plunder, and their lips speak of wrongdoing. 3. A house is built with wisdom, and it is established with understanding. 4. With knowledge, the rooms are filled with all riches, precious and pleasant. 5. A wise man is with strength, and a man of knowledge maintains strength.

חֲבֵל because of the ropes (חֲבָלִים) hanging from it, and one who lies there is confused by the view of the water and the vibrations of the ship.—[*Mezudath David*]

35. **"They struck me but I did not become ill, etc."**—*When he sobers himself up from his wine, he does not feel any of the evils that passed over him, and he drinks again.*—[*Rashi*]

When you are still slumbering, you will talk in your sleep, saying, "So what if they hit me when I was drunk? I didn't get sick. So what if they beat me up? I didn't feel it. When will I get up, so that I can look for wine again?" Therefore, be very careful not to become addicted to alcohol because it is very difficult to withdraw from it.—[*Mezudath David*]

1. **Do not envy men of evil**—Do not envy the success of men of evil.—[*Mezudath David*]

**to be with them**—To emulate their deeds.—[*Mezudath David*] *Malbim* explains:

**Do not envy men of evil**—Do not envy their success and try to emulate their deeds.

**do not desire to be with them**—Do not even desire to live with them in love and brotherhood (even if you do not practice their deeds), in order to derive benefit from them.

2. **for their heart thinks of plunder**—They always think of robbing and speak of wrongdoing. Therefore, distance yourself from them because their deeds are shameful.—[*Mezudath David*]*

3. **A house . . . with wisdom**—For the sake of engaging in wisdom, a person's house will be built, and for the sake of understanding, it will be established and will endure.—[*Mezudath David*]

4. **With knowledge**—For the sake of knowledge, the rooms will be filled with all precious and pleasant riches.—[*Mezudath David*]

The author has warned against envying the success and the wealth of the wicked and their tranquility, and against desiring their company in order to profit by it. He now

בְתַחְבֻּלוֹת תַּעֲשֶׂה־לְּךָ מִלְחָמָה
וּתְשׁוּעָה בְּרֹב יוֹעֵץ׃ ז רָאמוֹת לֶאֱוִיל
חָכְמוֹת בַּשַּׁעַר לֹא יִפְתַּח־פִּיהוּ׃
ח מְחַשֵּׁב לְהָרֵעַ לוֹ בַּעַל־מְזִמּוֹת יִקְרָאוּ׃
ט זִמַּת אִוֶּלֶת חַטָּאת וְתוֹעֲבַת לְאָדָם
לֵץ׃ י הִתְרַפִּיתָ בְּיוֹם צָרָה צַר כֹּחֶכָה׃

ת"א התרפית. ברכות סג זוהר וילא וישלח:

הצל

הַעֲבֵד לָךְ קְרָבָא
וּפוּרְקָנָא בְסוּגְעָא
דְמַלְכָּנָא: ז מִתְרְעֵם
שַׁטְיָא בְּחָכְמְתָא
וּבְתַרְעֵי לָא פָתַח
פּוּמֵיהּ: ח מַן דְּחָשֵׁב
לְמַבְאָשָׁא נִקְרוּן לֵיהּ
מָרֵי תַרְעִיתָא בִישְׁתָא:
ט תַּרְעִיתָא דְשַׁטְיָא
חֲטָאָה וּמְרַחַקְתָּא דְבַר
נָשָׁא חַכִּימָא מְמַקְנוּתָא:
י אִין תִּתְרַפֵּי בְיוֹמָא
דְעָקְתָא מִתְהְעִיק חֵילָךְ:

## רש"י

(ז) ראמות לאויל חכמות. מין אבן יקרה שאינה מצוי כמה דתימא ראמות וגביש (איוב כ"ח) כלומר כל חכמה דומה לכסיל כאבן יקרה וכמרגליות לקנות לומר איך אעסוק בתורה מתי תעלה בידי אבל החכם שונה היום מעט ולמחר מעט: (ח) מחשב להרע. הורש תחבולות רשע: לו בעל מזמות יקראו. גורם לו רעה שהבריות קוראים לו בעל מזמות עלת רשעים: (ט) זמת אולת. עלת אולת: חטאת. לבעליה: ותועבת לאדם לץ. ליצנות היא המתעבת את האדם על הקב"ה ועל הבריות: (י) התרפית. מהתורה. ביום צרה צר כוחכה. מלאכי השרת לא יהיו מאמצין כחך זה מדרש חכמים ולפי פשוטו התרפית ביום צרת אהובך לעמוד מנגד: צר כוחבה.

## אבן עזרא

שהיא בעוז כמלא. מאמן. פועל יוצא כלומר איש שיש לו דעת הוא מאמן: (ז) ראמות. שלא יוכל להגיע אליהם. בשער שהם החכמים: (ח) מחשב להרע לו. זמת. כ' דבקים. כלומר מי שיחשוב רע יקראו הקוראים לו בעל מזימות כענין ויקרא לו אל אלהי ישראל והטעם יקראו את שמו ונקרא כן כי מזמת איש אולת ומחשבתו לעשות חטא וזהו זמת אולת חטאת. והועבת נסמך כמו שנת לעיני ופי' לבני אדם איש לץ תיעבת שהם יתעבוהו: (י) התרפית. הצל. בי. ג' דבקים. התרפית ביום צרה הבאה על חברך ולא הצלתו: צר כחכה. בעת צרתך פי' הצל אם

## מנחת שי

הספרים ועיין מה שכתבתי במלאכי ב' אלל ומה האחד: (י) צר כחכה. מלא ה"א בסוף תיבה ובזוהר פרשת וילא קנ"ג ופרשת וישלח

## רלב"ג

סגופיות והתשועה ממנו תהיה ברבות היועץ לתת עלה על זה או יהיה הרלון באמרו ברב יועץ ברבוי היועץ וגדולתו כי אז הדברים יותר בשמעים ויתחכם יותר להמליא התחבולות אשר יגולא בהם הילר הרע עם שאז יקל יותר לנלחם כי השגות החכמות והעלנו' הנפלא אשר בהשגתם יכניע הכחות הגופיות כלם והנה זה הספו' מבאר הסבה במה שאמר ואיש דעת מאמן כח: (ז) ראמות. הנה החכמות רמות לאויל לא ישאר בעלמו שיוכל להשיג ולזה לא יפתח פיהו בהיותו בשער את החכמים ובאר אחר זה הסבה ואמר מחשב להרע הנה האיש המחשב לבו להרע לו המחשבות ולהכרם אליו ישתדל בזה האופן שיהיה בעל המחשבות הנופלות בזה בכלם הנה החכמות יקנאו אליו שיקנה אותם כי זה הוא דרך אשר יגע בה השגתה לאדם כמו שזכר הפילוסוף בספר הנלוח ובמה שאחר הטבע כי בזה יוכל לברור הלודק מהם מהבלתי לודק ותגיע לו הידיעה בזה בלא שום ספק כמו שהתבאר שם: (ט) זמת אולת. אך איש אולת הוא רחוק מאד מזה כי הזמה והמחשבה הוא לאיש אולת חטאת וחסרון לפי שהוא יעשה פעולותיו בלא הסתכלות ומחשבה כמו שזכרנו במה שקדם וכן הזמה והמחשבה הוא דבר מתעוב ונמאס לאדם לן כי אינו כי אם בדברי לעג בזולת ישוב והסתכלות או ירלה בזה כי זמת איש אולת הוא חטאת וחסרון כי הוא לא ישלים המחשבות אבל יעשה לפי המחשבה העולה על לבו ראשונה ותועבת הזמית תמלא לאדם לן כי הוא לרוע ענינו לא יקח מן המחשבות כי אם מה שהוא יותר מתועב ויותר מרוחק כי הוא הנרלה אללו: (י) התרפית. הנה אם התרפית מהשתדלות הראוי בקנין

## מצודת דוד

בתחבולות. ע"י תחבולות הדעת תוכל לעשות מלחמה מול היצה"ר המסית לעבירה: ותשועה. התשועה ממנו היא באה ברבות מעלת היועץ בגדולתו בדעת ולזה מאמן כח בכל פעם כאשר יתחכם בדעת החכמה: (ז) ראמות. החכמות המה להאויל כאבן יקר אשר תקשה השגתו וחדל מהם לזה לא יפתח פיו בשער מקום שבת החכמים כי לא למד מאומה: (ח) מחשב להרע. עם כי לא עשה הרעה סוף יגולה קלונו ויקראו לו בעל מחשבות רעות: (ט) זמת. מחשבת אולת ורשע נחשבת כחטאת עם כי לא עשה מעשה: ותועבת וגו'. ר"ל הליצנות מתעבת את האדם בעיני כל עם כי אין בה כ"א פקימת שפתים: (י) התרפית. אם היית מרפה ידך מתברך מלעזור לו ביום צרתו אזי יהיה כחך צר ודחוק מלעזור לעצמך בעת

## מצודת ציון

(ו) ברוב. ענינו גדולה והשיבות כמו ורבי המלך (ירמי' מ"א): (ז) ראמות. שם אבן יקר וכן ראמות וגביש (איוב כ"ח): (י) התרפית.

*man an abomination to the Holy One, blessed be He, and to people.*—[*Rashi*] *Ibn Ezra* renders: And what makes him an abomination to man is scorn.

10. **If you have become lax**—*in the Torah.*—[*Rashi*]

**on a day of trouble your strength will be weak indeed**—*The ministering angels will not maintain your strength. This is the midrash of the Sages* (*Midrash Mishle* ad loc., *Berachoth* 63a). *But according to its simple meaning, you have become lax*

6. For you shall wage war for yourself with strategies, and the victory results from the superiority of the counselor. 7. Wisdom is as pearls to the fool; in the gate he will not open his mouth. 8. He who plots to do evil is called a man of wicked designs. 9. The counsel of folly is sin, and what makes man an abomination is scorn. 10. If you have become lax, on a day of trouble your strength will be weak indeed.

as wisdom brings riches, so does it bring strength and might. *Ibn Ezra* and *Rabbenu Yonah* explain that the man of knowledge maintains the strength of others and assists them in their time of need, as in the following verse.

6. **with strategies**—Through strategies of knowledge, you will be able to wage war against the evil inclination, which entices you to sin.—[*Mezudath David*]

**and the victory**—The victory over the evil inclination results from the superiority of the counselor in his knowledge. Therefore, he must constantly maintain his strength when he gains knowledge of wisdom.—[*Mezudath David*] *Rabbenu Yonah* explains that one must use strategy to wage war. The strategists must study the ways in which the enemies can gain superiority and outwit them.

7. **Wisdom is as pearls to the fool**—Heb. רָאמוֹת, *a type of rare precious stone, as it is stated* (Job 28:18): *"Pearls* (רָאמוֹת) *and beryls." All wisdom appears to the fool as unattainable,* [as difficult] *to purchase as precious stones and pearls, saying, "How will I learn Torah? When will I attain it?" But the wise man studies a little today and a little tomorrow.*—[*Rashi*] Cf. *Lev. Rabbah* 19:2, *Deut. Rabbah* 8:3.

*Ibn Ezra* defines the word as unattainable, an expression of רָם, *high.* This is similar to the midrashic interpretation that compares the Torah to a loaf of bread hanging in the air, and to a hillock, which seems impossible to remove.

**in the gate he will not open his mouth**—Among the wise men of the Sanhedrin, the fool is ashamed to open his mouth because he did not learn Torah.—[*Deut. Rabbah* 8:3]

8. **He who plots to do evil**—*He plans strategies of wickedness.*—[*Rashi*]

**is called a man of wicked designs**—*He brings harm to himself, for people call him a man of wicked designs, a counsel of the wicked.*—[*Rashi*]

9. **The counsel of folly**—Heb. זִמַּת אִוֶּלֶת, *the counsel of folly.*—[*Rashi*]

**is sin**—*for those who perpetrate it.*—[*Rashi*] Although the design was not executed, it is regarded as a sin.—[*Mezudath David*]

**and what makes man an abomination is scorn**—*Scorn is what makes*

יא הצל לקחים למות ומטים להרג אם־
תחשוך: יב כי־תאמר הן לא־ידענו
זה הלא־תכן לבות ׀ הוא־יבין ונצר
נפשך הוא ידע והשיב לאדם כפעלו:
יג אכל־בני דבש כי טוב ונפת מתוק
על־חכך: יד כן ׀ דעה חכמה לנפשך
אם־מצאת ויש אחרית ותקותך לא
תכרת: טו אל־תארב רשע לנוה צדיק

אל

ת"א כצל. (בבא מציעא י'):

**תרגום**

יא פצא לאלין דמתנסבין
למותא ומתדברין
לקטלא חסוך: יב ואין
תימר דלא ידענא דא
הלא תרעיתא דלבא
אלהא בצי ודנטר נפשך
הוא ידע ופרע לבר
נשא היך עובדוי:
יג ברי אכול דובשא
מטול דטב וכבריתא
דחליא על חכך:
יד היכנא אתחכם
בנפשך דאין משכחת
קדמיתא אתיא אחריתא
דטבא מנה וסבויך לא
נגמר: טו לא תכמן
רשיעא לדיריה דצדיקא

## רש"י

ביום פורענותך דכתיב אם החרש תחרישי וגו' (אסתר ד): **(יא) הצל לקוחים וגו'.** להציל את הלקוחים למות: **ומטים להרג אם תחשוך.** מלהצילם על זה אמרתי לך כחכה: **(יב) כי תאמר.** שמא תאמר וזהו כי משמש בל' דילמא: **(יג) אכל בני דבש.** כלו' דרך בני אדם לאכול דבש כי טוב הוא אף כן דעה חכמה לנפשך וכשם שאתה רודף לאכול דבש כן תהא רודף לדעת חכמה: **(יד) אם מצאת.** איתה אז יש אחרית:

## מנחת שי

דף קע"ד נדרש לך כה כה: (יב) הלא תכן לבות. הה"א בגעיא

## אבן עזרא

תחשוך מן הלקוחים למות בבא צרתם שתאמר לא היינו יודעים עת נלקחו למות הלא תוכן לבות לעשות רצונו ונוצר נפשך ממות הוא יבין וירא שלא אבית להצילם וישוב לאדם כמוך כפעלך שתהיה בצרה כמוהו ולא תמצא מציל: **(יג) אכל.** (יד) **כן דעה.** נווי והראוי בקמץ כמו ו דה בא בסגול כמו ידעה סלה. וכן הפירוש אכל דבש והנופת שהם מתוקים להיך גם כן דעה החכמה בעבור נפשך שתחיה: **אם מצאת.** חכמה: **ויש אחרית.** רמז לזקנה או לבנים שישארו אחר מותו כמו ולא לאחריתו. **ותקותך.** להטיב לך השם: **(טו) אל תארוב.** אל תאוה לרשע שיהא אורב לנוה צדיק. פ"א

## רלב"ג

בחכמה הנה בבא יום צרה אז כחך צר וקצר מעמוד כנגד הצרה ההוא: (יא) הצל. אם תמנע עצמך להציל הלקוחים למות ומטים להרג. והם הכחות השכליות כי הצלתם תהיה בקנין החכמה והשלימות ובזולת זה ימותו ויפסדו: (יב) כי תאמר. הן לא נוכל לדעת אלו המחשבות אשר קבולם מביא לקנין המחשבה הלא הש"י שהוא תוכן הלבבות ומבלים אותם והוא שומר נפשך הוא יודע אם השתדלת בזה הקנין כאשר תמצא ידך והוא ישיב לאדם גמול כפעלו: (יג) אכל. על כן השתדל לאכול זה הערב לנב כדבש ונופת אל החיך והוא החכמה: (יד) כן דעה. כן ידיעת החכמה ימתק מאד לנפשך אם מצאת החכמה תשיג בזה אחרית טוב והוא ההצלחה האנושית. ותקותך לא תכרת כי היא תייך החיים הנצחיים אשר לא ישיגם מות: (טו) אל תארוב. אתה האיש הרשע אל תארוב לנוה הצדיק להזיק לו ולשוללו אל תשדד

## מצודת ציון

מלשון רפיון: כוהכה. כמו כחך: (יא) ומטים. מלשון נטיה: תחשוך. תמנע: (יב) תוכן. מלשון תוך: (יג) ונופת. ענין הזלה ונטיפה כמו וגופת צופים (תהלים י"ט): חכך. מלשון

## מצודת דוד

בוא צרה עליך: (יא) הצל וגו'. מוסב על אם תחשוך האמור בסוף המקרא לומר אם תחשוך להציל הלקוחים למות והמטים להרג: (יב) כי תאמר. כי תכחש לומר הן לא ידענו אם לקוחים המה למות: **הלא.** ר"ל לא יועילו דבריך כי הלא ה' שהוא בתוך לבות בני אדם הוא יבין אם ידעת אם לא ידעת: ונוצר וגו'. כפל הדבר במלות שונות: והשיב. הוא ישיב גמול האדם כמפעלו ואם ידעת והתרפית יהיה לך כחך מדה במדה: (יג) אכל. כשם שמאכל דבש טוב הוא וכשם שהנופת טיפין מדבר מתוק על החך: (יד) כן דעה. כ"כ דע חכמה לתקן נפשך אם מלאת אותה ויש לך לב משיג: **ויש אחרית.** ר"ל וטובה היא מן הדבש כי בזה יש אחרית טוב אבל הדבש לפעמים יזיק באחרונה: ותקותך. הגמול שאתה מקוה בעבורה הנה לא תכרת כי בוא יבוא וכפל הדבר במלות שונות: (טו) אל תארב רשע.

honey, for it ensures your future, whereas honey sometimes causes harm to one who eats it.—[*Mezudath David*]

**future**—This alludes to old age or to posterity.—[*Ibn Ezra*]

**and your hope**—That God will benefit you.—[*Ibn Ezra*] *Malbim* explains: You will have a future in the world to come, and your hope in this world will not be cut off.

15. **Wicked man, do not lurk by the dwelling, etc.**—You wicked man, when you see a righteous man fall-

11. If you refrain from rescuing those taken to death and those
on the verge of being slain— 12. will you say, "Behold, we did
not know this"? Is it not so that He Who counts hearts under-
stands, and He Who guards your soul knows, and He will
requite a man according to his deed? 13. Eat honey, my son,
for it is good, and the honeycomb is sweet to your palate.
14. So too, know wisdom for your soul; if you have found it,
you will have a future and your hope will not be cut off.
15. Wicked man, do not lurk by the dwelling of a righteous
man;

*on the day of your friend's trouble, and stand from afar.*—[*Rashi*]

**your strength will be weak indeed**—*on the day of your punishment, as it is written* (Esther 4:14): *"For if you remain silent, etc."*—[*Rashi*] [*Rashi* refers to Mordecai's admonition to Esther that if she should remain silent and refuse to appear before the king to intercede for her people, they would be saved in any case, but she and her father's household would perish.]

11. **rescuing those taken, etc.**—*To rescue those taken to death.*—[*Rashi*]

**If you refrain**—*from rescuing them, concerning this I said, "Your strength will be weak indeed."*—[*Rashi*]

12. **will you say**—Heb. כִּי תֹאמַר. *And this instance of* כִּי *is used as an expression of "perhaps."*—[*Rashi*] [*Rashi* draws upon the Talmudic principle (*Rosh Hashanah* 3a) that the word כִּי can be used in four different senses: If, perhaps, but, and because.] Will you lie and say that you did not know that they were being taken to their death?—[*Mezudath David*]

**Is it not so**—Your words will not avail you because God, Who is within the hearts of all men, knows whether you knew or not.—[*Mezudath David*]

**and He Who guards your soul**—from death understands and sees that you did not wish to rescue them. Therefore, He will requite a man like you according to his deed, and when he is in trouble, no one will be available to rescue him.—[*Ibn Ezra*]

13. **Eat honey, my son**—*It is customary for people to eat honey because it is good; so too know wisdom for your soul, and just as you run to eat honey, so should you run to know wisdom.*—[*Rashi*]

14. **So too, know wisdom for your soul**—So too should you know wisdom to rectify your soul.—[*Mezudath David*] To resurrect your soul.—[*Ibn Ezra*]

**if you have found**—*it, then you will have a future.*—[*Rashi*] If you have found wisdom.—[*Ibn Ezra*]

**you will have a future**—In this respect, wisdom is better than

אַל־תְּשַׁדֵּד רִבְצוֹ׃ טז כִּי שֶׁבַע ׀ יִפּוֹל
צַדִּיק וָקָם וּרְשָׁעִים יִכָּשְׁלוּ בְרָעָה׃
יז בִּנְפֹל אויביךָ אַל־תִּשְׂמָח וּבִכָּשְׁלוֹ
אַל־יָגֵל לִבֶּךָ׃ יח פֶּן־יִרְאֶה יְהוָה וְרַע
בְּעֵינָיו וְהֵשִׁיב מֵעָלָיו אַפּוֹ׃ יט אַל־
תִּתְחַר בַּמְּרֵעִים אַל־תְּקַנֵּא בָּרְשָׁעִים׃
כ כִּי ׀ לֹא־תִהְיֶה אַחֲרִית לָרָע נֵר רְשָׁעִים
יִדְעָךְ׃ כא יְרָא אֶת־יְהוָה בְּנִי וָמֶלֶךְ עִם־

אויבך קרי

וְלָא תַרְכֵּין בֵּית מַשְׁרְיֵהּ׃ טז מְטוּל דְשׁוּבְעָא זִמְנִין נָפֵל צַדִּיקָא וְקָאֵי וְרַשִׁיעֵי מִתְתַּקְלִין בְּבִישְׁתָּא׃ יז בְּמַפְּלוּתֵיהּ דִּבְעֵיל דְּבָבָךְ לָא תֶּחְדֵּי וְכַד יִתְקַל בְּבִישְׁתָּא לָא יְדוּץ לִבָּךְ׃ יח דְּלָא יִבְאַשׁ בְּאַפּוֹי דַּאֲלָהָא כַּד יֶחֱזֶה וִיהַפֵּךְ רוּגְזֵיהּ מִנֵּיהּ׃ יט לָא תִתְחַסֵּם בְּבִישַׁיָּא וְלָא תְּטַן בְּרַשִׁיעַיָּא׃ כ מְטוּל דְּלָא הֲוְיָא אַחֲרִיתָא טָבָא לְבִישֵׁי וּשְׁרַגְהוֹן דְרַשִׁיעֵי נִדְעָךְ׃ כא דְּחַל מִן אֱלָהָא בְּרִי וּמִן מַלְכָּא

ת"א כי שבע. סנהדרין ז׳: בנפל אויבך. ברכות נס מגלה יז נדרים מ׳ אבות יא; ירא את ה׳. סוטה כב:

## רש"י

(יט) **אל תתחר**. להיות כמותם כמו איך תתחרה (ירמיה י"ב) כי אתה מתחרה בארז (שם כ"ב): (כא) **ירא את ה׳ בני ומלך**. ירא את ה׳ ויירא את המלך כ"ו ובלבד שלא יסירך מיראת ה׳ לעולם יראת ה׳

## אבן עזרא

אל תארוב את הרשע לנוה הצדיק להרגו. רבצו. מקו׳ שירבצו שם עדריו: (טז) **שבע**. כענין רבות רעות לדיק. וקם. נגד מכלם יצילנו ה׳. יכשלו ברעה. בחושבים על הצדיק: (יז) **אל תשמח**. הזהיר שלא ישמח אדם על גזרת השם אפילו יהיה אויבו: (יח) **ורע בעיניו**. כלומר אינו חפץ שתשמח כשתקח נקמה ממנו. והשיב מעליו אפו. כשתשמח בהכשלו והשבות האף שיבטל הגזרה וידחה עליו כאשר לא תרחמהו: (יט) **תתחר**. התערב בהם לעשות כמעשיהם: (כ) **כי לא תהיה אחרית**. וסוף לרע והטעם לא ישאר לו בן ונכד אחרי מותו. נר. שתמות נפשם טרם קצם: (כא) **ירא**. עומד במקום שנים. שונים מן ישנא הכתם

## מנחת שי

בס"ס: (יז) אויביך. אויבך קרי: ובכשלו. משפטו ובהכשלו ונפלה הה"א נמסמכתב: (כא) עם שונים. בס"א כ"י מוגה ועם בוא"ו וכן בדפוס שונצין. והכי איתא בסוטה פרק היה נוטל ובמדבר רבה

## רלב"ג

במקום בהצדיק רובץ שם: (טז) כי שבע. וזה כי אם תחשוב לעשות זה לא יעלה בידך כי הצדיק יפול פעמים רבות ויקום בכל פעם ופעם ותדבק השגחת הש"י בו אך הרשעים יכשלו ויפלו ברעה אחת לבד: (יז) בנפול אויבך אל תשמח. כשיפול אויבך אל תשמח במפלתו ואל יגל לבך בהכשלו: (יח) פן יראה ה׳. רוע תכונתו בזה הענין וישיב מעל אויבך אפו וישיבהו עליך מפני רוע תכונתך כי אין ראוי שישמח ברע כי הש"י הרחיק מלאותו לפי מה שאפשר ומה שיגיע יגיע במקרה ובנית כמו שנתבאר במקומותיו: (יט) אל תתחר. בהגשיב המרעים והמשחיתים להתקוטט עמהם פן ישחיתוך ואל תקנא בהצלחה שתמלא לרשעים לאמוד ללכת בדרכיהם: (כ) כי לא תהיה אחרית והשארות לאיש הרע. אך רשעים ידעך ויכלה. אויהיה הרצון באומרו אל תתחר במרעים שלא יתערב בהם ללכת בדרכיהם והוא יותר נכון: (כא) ירא את ה׳ בני ומלך. לשמור מצותיו ותורתו ויירא עם זה המלך לעשות מצותו ולא תקל בו אך יראתך המלך תהיה נמשכת

## מצודת דוד

אתה רשע בראותך כי מטה יד הצדיק אל תארב על מדורו ואל תגזול מקום רבצו בחושבך כאשר החל לנפול לא יוסיף לקום: (טז) כי שבע. כי אף אם הצדיק נופל שבע פעמים יחזור ויקום אבל הרשעים הם הנכשלים מבלי תקומה בבוא עליהם הרעה: (יז) ובכשלו וגו׳. כפל הדבר במלות שונות: (יח) ורע בעיניו. על שאתה שמח בתקלתו והשיב מעליו. ר"ל עליך ישיב האף מעליו כי ממנו יסור ועליך יטיל: (יט) אל תתחר. אל תתערב עם המרעים לעשות כמעשיהם ואל תקנא בהצלחת הרשעים: (כ) לא תהיה אחרית. ר"ל לא תהיה האחרים כמו הראשית כי סופה לאבדון ויוכבה נר נשמתם: (כא) ירא וגו׳. אתה בני מתחילה ירא את ה׳ ואחר כך את המלך

## מצודת ציון

איך: (טו) תשדד. מלשון שדידה וגזלה: רבצו. מקום רבצו והוא המקום אשר ישכב שמה לנוח כמו כרע רבץ כאריה (בראשית מ"ט): (יט) תתחר. ענין התערבות להדמות כמו ואיך תתחרה את הסוסים (ירמיה י"ב): (כ) ידעך. ענין כבוי וקפילה כמו דועכו כאש קוצים (תהלים קי"ח). וזהו כבוי הנר שקופץ השלהבת מן הפתילה:

*compete* (תְּתַחֲרֶה)?" *Also,* (ibid. 22:15): *"for you compete* (מְתַחֲרֶה) *with the cedar."*—[*Rashi*]

**do not envy**—the success of the wicked.—[*Mezudath David*]

*Malbim* renders: Do not be vexed at the success of the evildoers; do not envy the wicked. Although you have no intention of emulating the deeds of the evildoers, you may be vexed at their success. King Solomon therefore admonishes: "Do not be vexed, etc." Should you be jealous of the wicked and intend to emulate their deeds, he warns: "Do not envy the wicked."

do not plunder his resting place. 16. For a righteous man can
fall seven times and rise, but the wicked shall stumble upon evil.
17. When your enemy falls, do not rejoice, and when he stum-
bles, let your heart not exult, 18. lest the Lord see and be dis-
pleased, and turn His wrath away from him. 19. Do not com-
pete with evildoers; do not envy the wicked— 20. for there will
be no future for an evil one; the lamp of the wicked will flicker.
21. My son, fear the Lord and the king;

ing into poverty, do not lie in wait to take possession of his dwelling and do not plunder his resting place, thinking that since he has commenced to fall, he will never rise again.—[*Mezudath David*]

**his resting place**—This may mean the place where the righteous man lies down to rest, as *Mezudath David* interprets it, or it may mean the place where he lets his flocks lie down to rest, as *Ibn Ezra* interprets it.

*Malbim* explains that the author admonishes the wicked man to stop striving for possession of the righteous man's property either for monetary gain or to wreak vengeance upon him, taking his resting place only because its owner is righteous.

16. **For a righteous man, etc.**—For even if a righteous man falls seven times, he will rise up again, but the wicked stumble when evil befalls them, never to rise.—[*Mezudath David*] *Malbim* notes that the righteous is referred to in the singular and the wicked in the plural. The intention is that even one righteous man who falls seven times will rise, whereas the wicked, although they are many, will stumble upon the evil they have planned for the righteous, never to rise again.

17. **When your enemy falls, etc.**—Just as falling is greater than stumbling, so is joy greater than exultation. For this reason, Scripture admonishes a person not to rejoice when his enemy falls and not to exult when he stumbles.—[*Ibn Nachmiash*] *Malbim* explains that שִׂמְחָה is a constant joy, whereas גִּיל is a sudden joy at a report of good news. Scripture admonishes a person not to rejoice constantly if his enemy falls from his status, and not to exult when he stumbles and commences to fall.

18. **lest the Lord see and be displeased**—When the Lord sees your cruelty and your vengeful feeling, He will compare your deeds to his, and your deeds will displease Him to the extent that your enemy will appear righteous in comparison to you—and God will turn away His wrath from him and direct it to you.—[*Malbim*]

19. **Do not compete**—*to be like them, as in* (Jer. 12:5): *"How will you*

שׁוֹנִים אַל־תִּתְעָרָב׃ כב כִּי־פִתְאֹם יָקוּם
אֵידָם וּפִיד שְׁנֵיהֶם מִי יוֹדֵעַ׃ כג גַּם־אֵלֶּה
לַחֲכָמִים הַכֵּר־פָּנִים בְּמִשְׁפָּט בַּל־טוֹב׃
כד אֹמֵר ׀ לְרָשָׁע צַדִּיק אָתָּה יִקְּבֻהוּ
עַמִּים יִזְעָמוּהוּ לְאֻמִּים׃ כה וְלַמּוֹכִיחִים
יִנְעָם וַעֲלֵיהֶם תָּבוֹא בִרְכַּת־טוֹב׃

## תרגום

מַלְכָּא וְעִם שַׁטְיֵי לָא
תִתְחַלַּט׃ כב מְטוּל
דְּבִשְׁלְיָא אָתֵי תַּבְרְהוֹן
וְסוֹפָא דִּשְׁנַיְהוֹן מַן
יָדַע׃ כג אַף הָלֵין
לְחַכִּימֵי אֲמַרְנָא לְמִסַּב
אַפֵּי בְּדִינָא לָא שַׁפִּיר׃
כד דְּיֵימַר לְרַשִׁיעָא צַדִּיק
אַנְתְּ יְלִיטוּנֵיהּ עַמְמֵי
וְיִבְרוּנֵיהּ אוּמְתָא׃
כה וְלַמַּכְסְנֵי יִבְסַם
וַעֲלֵיהוֹן תֵּיתָא בִּרְכְתָא

ה"א אומר לרשע. כה מב עקידה ש' סב: ולמוכיחים. תמיד כח:

## רש"י

קודמת: עם שונים אל התערב. האומרים שתי רשויות יש: (כב) ופיד שניהם. שכר ע"א מעכו"ם עלמה ושכר עובדיה: (כג) גם אלה לחכמים. כל הדברים שבענין שלמטה אמורים לחכמים היושבים בדין שלא יכירו פנים

## מנחת שי

פ' ט"ו ובתנחומא וכן הוא בתרגום ובמפרשים רבים אבל ברוב הספרים הוא בלא וא"ו וכן בברשים ומאיר נתיב ובמסורת שונים ב' בתרי ליבני ומלא וסימנהון עם שונים אל תתערב וכליס מכלים שונים: (כג) הכר פנים. במקצת ספרים הכר פנים בליר"י הכ"ף והטעם בה"א וי"ס הכר פנים הטעם בכ"ף ועיין לקמן בסימן כ"ה: (כד) אמר לרשע. במקצת ספרים ישנים הלמ"ד בקמץ וברוב

## אבן עזרא

הטוב תרגום ההליף. פירוש ירא השם והמלך שהמליך השם לעשות משפט. ועם שונים שישתנו במעשים הרעים אל תתערב: (כב) כי פתאום. יקום אידם עליך אם לא תירא מהם. ופיד ואיד אחד הם וטעמ' צרה ולוקה. שניה'. השם והמלך. מי יודע עת בא אידם ופידם: (כג) גם. אומר.

ולמוכיחים. שפתים. ד' דבקים. גם אלה הדברים ידועים להכמים הם הכמי המשפט כי הכרת הפנים במשפט לא טוב הדבר והשופט האומר לרשע בדינו לדיק אתה יקבוהו עמים בעבור שלא עשה משפט כמשפט. ולמוכיחים הרשעים על רשעם יבא להם נועם ה'. ברכת טוב כנגד יקבוהו וטעם ברכת טוב שברכתו הבא עליו. ומשיב דברים ישרים

## רלב"ג

ליראת ה' לא חולקת עליו ר"ל במה שהוא כנגד יראת ה'. ועם האנשים השונים מלות הש"י ומלות המלך ר"ל שהם עוברים על מלותיהם ועושים הפך מה שלוו אל תתערב: (כב) כי פתאם יקום אידם. וזה מבואר בעוברים על מלות הש"י כי ימשכו להם מזה רעות נפלאות פתאומיות ואמנם בעוברים על מלות המלך יתבאר זה ג"כ לפי שכל דבר לא יכחד מן המלך לרב האנשים המכספים להיות אוהבים למלאות והם יגלו לו הדברים הנעשים כנגד מלותיו למלא חן בעיניו. וא"ת שכבר תקה עלה להמלט מהרע ההוא הנה לא תוכל כי מי יודע הפיד והרע הבא מה' לחוטא שיוכל החוטא להתחכם להנצל ממנו וכן העניין ברע הבא מהמלך לעובר על דבריו כי לא תהיה לחוטא בזה הקדמת הודעה אבל ישימוהו תקף בבית האסורים עד שיתבאר משפטו: (כג) גם אלה. האזהרות הם לחכמים הנה הכר פנים במשפט להטות הדין מפני ההנופה הוא דבר לא טוב ר"ל שהוא דבר רע: (כד) אומר לרשע. וכן הדבר במי שהוא שופט אם יאמר על צד החנופה לרשע שהוא לדיק יקללוהו עמים וישנאוהו רבים כי זה יביא האנשים לאהוב הרשע ולשנוא הלדיק והולך למוכיחים הרשעים על רשעם ומיישרים אותם אל הטוב עליהם יהיה נועם וחן מהאנשים ועליהם תבוא מהאנשים ברכת טוב ואפשר שכל זה דבק אל השופטים שיאמרו אל מי שהוא רשע בדין שהוא לדיק ויהיה הכרת פנים במשפט נתינת כבוד לאחד מהחלקים הבאים לדין כי זה ממה שיבא ללאת המשפט מעוקל כי בזה יפתחמו טענות ההולק עמו לחשבו שדעת הדיין קרובה אל שכנגדו. או ירלה בזה ולמוכיחים ינעם הנה האיש המשיב דברים נוכחים וישרים הוא אהוב אללם כאילו נשקם בפיהם כי השקר שנוא והאמת אהוב והנה המכוון בזה לאהובה בזה המאמר הוא אזהרה שלא יכיר פנים לאחד מחלקי הסותר כדי שלא ימנעהו זה מלחקור חקירה שלימה במה שיחקור עליו לרב התפתחותו והמשכו ואהבו אחד מחלקי הסותר. ואם בזה האופן מהחקירה יאמר לדעת הכוזב שהוא אמת תשיגהו קללה מרבים ולאשר יוכיחו האמת בדרוש בחקרם בזה מחקר שלם ינעם ויערב מה שישיגוהו ויברכוהו הבאים אחריהם הרואים דבריהם כשנתרלו לחקור בדברים מחקר שלם:

## מצודת ציון

(כא) שונים. מלשון השתנות וחלוף כמו ודתיהם שונות (אסתר ג'): תתערב. מלשון תערובות: (כב) אידם. ענין שבר ומקרה רע כמו שמח לאיד (לעיל י"ז): ופיד. ענינו כמו איד וכן אם בפידו להן שוע (איוב ל'): (כד) יקבוהו. יקללוהו כמו מה אקוב (במדבר כ"ג): יזעמוהו. מלשון זעם וכעס: לאומים. אומות: (כה) ינעם.

## מצודת דוד

לעולם יראת ה' קודמת: עם שונים. עם אנשים שמשנים מפקודות השם ומפקודת המלך וילכו בשרירות לבם הרע. עמהם אל תתערב: (כב) יקום אידם. שבר של העוברים על מלות ה' ודבר המלך: ופיד שניהם. עונש העובר על מלות ה ועונש המדיח מפקודת המלך: מי יודע. מה גודל העונש: (כג) גם אלה לחכמים. ר"ל עם כי נראה שהדברים האלה כל הכם יבין מדעתי ואין מהלורך להזהירו מכל מקום אמורים המה גם לחכמים. והם יוסיפו לקח להבין תוכיות הדברים: הכר פנים. ר"ל אף לעשות אמת ולומר להיולא זכאי הנה הכרתי פניך לזוכתך הנה לא טוב ידבר כי יש בדבר ח"ה לפני הזכאים: (כד) יקבוהו עמים. כי כאשר יראה הרשע שקוראים אותו לדיק יתפקר עוד יותר לעשות רע לכל האומות בכלל ולזה יקללו כולם את הקורא אותו לדיק: יזעמוהו לאומים. כפל הדבר במלות שונות: (כה) ולמוכיחים. אבל להמוכיחים את הרשע ינעם הדבר לומר לו בתוכחותיהם הלא באמת לדיק אתה רק בדברים אחדים תשגה לזאת הסר ממך גם את אלו: ועליהם. על המוכיחים ההם תבוא ברכת טוב כי הטיבו לעשות כי

reckless and do more harm to people. Consequently, all peoples will curse the one who called him righteous and who is responsible for his recklessness.—[*Mezudath David*]

25. **But for those who reprove, etc.**—But those who reprove the wicked will receive the pleasantness of God and the good blessing. This is in contrast with the peoples' curse

do not mingle with dualists. 22. For suddenly their misfortune will rise, and the ruin of both of them who knows? 23. These too are for the wise: To have respect [for persons] in judgment is not good. 24. He who says to a wicked man, "You are righteous"—peoples will curse him; nations will be wroth with him. 25. But for those who reprove it will be pleasant, and a good blessing shall come upon them.

20. **for there will be no future, etc.**—Their end will not be like their beginning, for they will end in destruction, and the lamp of their soul will be snuffed out.—[*Mezudath David*]

21. **My son, fear the Lord and the king**—*Fear the Lord and fear the mortal king, but only if he does not turn you away from the fear of the Lord, for the fear of the Lord is always first.*—[*Rashi, Yalkut Machiri, Yalkut Shimoni* from *Tanhuma, B'haalothecha* 9, Buber 16] The midrash gives an example of Hananiah, Mishael, and Azariah, who defied Nebuchadnezzar's orders to prostrate themselves before his idol.

**do not mingle with dualists**—Heb. שׁוֹנִים, *who say that there are two powers* [governing the world].—[*Rashi* from the aforementioned midrash]

The midrash interprets שׁוֹנִים as derived from שְׁנַיִם, *two*, hence dualists. Others define שׁוֹנִים as those different—those who differ from the rest of the populace in their evil deeds.—[*Ibn Ezra*] Others render: dissenters; those who wish to change the commands of both God and the king, and to follow their own whims.—[*Mezudath David*]*

22. **their misfortune**—The ruin of those who transgress the Lord's commandments and the king's orders.—[*Mezudath David*] *Ibn Ezra* explains: The misfortune the Lord and the king will visit upon you if you do not fear them.

**and the ruin of both of them**—*The ruin of the idol and the ruin of its worshippers.*—[*Rashi*] The ruin of the one who transgresses the commandments of God and the one who incites rebellion against the king.—[*Mezudath David*]

23. **These too are for the wise**—*All the statements in the following section are addressed to the wise who sit in judgment, that they should not show respect to persons in judgment, for it is not good.*—[*Rashi*] Although it does not seem necessary to admonish the wise concerning these matters, these words are nonetheless said for the wise, who will understand the profundity of these matters and draw conclusions therefrom.—[*Mezudath David*]

24. **He who says, etc.**—When the wicked man sees that he is called righteous, he will become more

טָבְתָא׃ כו שִׂפְוָתְהוֹן
נֶנְשְׁקוּ דְאִלֵּין דִּמְהַפְּכִין
מִלֵּי תְרִיצָתָא׃ כז אַתְקֵן
לְבָרָא עֲבִידְתָךְ וְעַתְּדָהּ
לָךְ בְּחַקְלָא וּבָתַר כֵּן
בְּנֵי בֵיתָךְ׃ כח לָא
תֶהֱוֵי סָהֲדָא רַגְלָא
בְּחַבְרָךְ וְתִשְׁרְגַג
בְּשִׂפְוָתָךְ׃ כט לָא תֵימַר
הֵיךְ דַּעֲבַד לִי כֵּן אֶעְבַּד
לֵיהּ וְאַהֲפֵךְ לֵיהּ הֵיךְ
עוֹבָדוֹי׃ ל עַל חַקְלֵי

כו שְׂפָתַיִם יִשָּׁק מֵשִׁיב דְּבָרִים נְכֹחִים׃
כז הָכֵן בַּחוּץ מְלַאכְתֶּךָ וְעַתְּדָהּ בַּשָּׂדֶה
לָךְ אַחַר וּבָנִיתָ בֵיתֶךָ׃ כח אַל־תְּהִי עֵד־
חִנָּם בְּרֵעֶךָ וַהֲפִתִּיתָ בִּשְׂפָתֶיךָ׃ כט אַל־
תֹּאמַר כַּאֲשֶׁר עָשָׂה־לִי כֵּן אֶעֱשֶׂה־לּוֹ
אָשִׁיב לָאִישׁ כְּפָעֳלוֹ׃ ל עַל־שְׂדֵה אִישׁ־

ת"א שפתים ישק. גיטין ט': הכן בחוץ. סוטה מד זוהר תולדות: על שדה. סנהדרין קג עקידה שער סה:

## רש"י

במשפט כי לא טוב: (כו) שפתים ישק. ראוים כל שפתים לנשקו: (כז) הכן בחוץ. זה מקרא: ועתדה בשדה. זו משנה: אחר ובנית ביתך. זה גמרא. ד"א כמשמעו בתחלה קח לך שדות וכרמים ואח"כ ועתדה לשון עתודים (בראשית ל"א) שים לך בהמות בשדה ואח"כ ובנית ביתך תקח אשה: (כח) והפתית בשפתיך. תתפתה לרעיך בדבורך: (ל) איש עצל. שאינו חוזר על גרסת למודו:

## אבן עזרא

בדין השפתים נושק כלומר יעמדו דבריו כנשיקת שפתים: (כז) הכן. נוכח הבן המוזכר ידבר: ועתדה. העמידה עתד אחר ההכנה. וי"ו ובנית תחת או כלומר או תבנה ביתך אם אין לך בחוץ מלאכה: (כח) והפתית. ה"א התימה כלומר לא תעיד עדות שקר ולא תפתה אחר להעיד. פ"א ואם תפתה רעך: (כט) אל תאמר כאשר עשה לי רעה. כן אעשה אפתנו אולי אשיב לו כפעלו כענין מי

## מנחת שי

הספרים בשו"א: (כז) ועתדה בשדה. הה"א במפיק כנוי למלאכה שזכר כמ"ש בשרשים ולפיכך הבי"ת דגושה וכן כתב בעל מקנה אברהם: אחר ובנית ביתך. התי"ו בקמץ:

## רלב"ג

(כז) הכן מלאכתך בחוץ והוא מה שיצטרך לך להקדים מהמוחשות והכן בשדה לך מה שעתיד להצטרך לך בחקירותך אל המוחשות ואח"ז תוכל לבנות ביתך בעיוניות: (כח) אל תהי עד חנם ברעך. לספר כזבים בספוריך הראויי' להיישיר על דרכי החכמות כי בזה תסבב להטעות האנשים בדעות וכן אם תמלא דעת לקודמים בלתי ישר בעיניך אין ראוי שתמלא ספורים בשפתיך בלתי צודקים לשבר הדעת ההוא וכן אם נעזר בעל הדעת ההוא בספורים כוזבים אין ראוי שתעשה כן במה שתביא מהמוחשות לסתר דעתו כי זה יבלבל המעיינים בזאת החקירה בלבול חזק: (כט) אל תאמר. ולזה אין ראוי שתאמר כאשר עשה לי לאמת דעתו בספורים כוזבים כן אעשה לו לבטל דעתו להשיב כפעלו שיחשוב היותו דבר ראוי. והנה העיר עם זה להרחיק מעדות שקר לשבר חבירו בשפתיו שיחשוב שאין בו חטא כי הוא אינו עושה בעלמות דבר כנגדו אך ימשך לו הרע מדברו ואע"פ שגמלו רע אשר יעיד עליו עדות שקר אין ראוי לו שיקח נקמתו ממנו בזה האופן ואח"ז הזהיר מהעצלה בפעולות ובעיון כי העצלה בפעולות תשחית קנייני האדם ותהיה סבה שלא יהיה לו מהם פרי והעצלה בבקשת העיון תסבב שיהיו הקניינים העיוניים פחותים ומזיקים במדרגת הקוצים שיזיקו לכל הקרב אליהם: (ל) על שדה איש. ולזה אמר על שדה איש עצל עברתי שמרוב העצלה לא ישתדל לחרוש ולזרוע והנה עלו בו עשבים רעים וקוצים וגדר אבניו שנבנית סביבו לשמור פריו נהרסה כי עצלותו לא ישתדל לתקנה וכן הענין בכרם אדם חסר השכל שנטעה הש"י לתת פרי הטוב המשמח אלהים ואנשים והוא השכל ההיולאני אשר לו כח להשיג המושכלות והנה לעצלותו בבקשת החכמה לא עלו לו כי אם דעות כוזבות ומזיקות

## מצודת דוד

אם יאמרו לו בפה מלא רשע אתה פן יעיז פניו לומר שהדין עמו. אבל בדברים כאלה ימשוך לבבו אליו לשמוע בקולו: (כו) שפתים ישק. כי עתה בדברים כדברים האלה אז הרשע הזה ישק שפה העליונה בהתחתונה ולא יפתחם לדבר עזות מול המוכיחים ואדרבה יהיה עוד משיב להם דברים נכוחים לומר גם בדברים האלה אעשה כאשר אמרתם: (כז) הכן. בתחילה הכן מלאכתך בחוץ והם מלאכת שדה וכרם: ועתדה. הזמן לך בשדה די מחסורך אחר זה בנה ביתך לשבת בו כי אם לא תכין די מחסורך לא תוכל שבת בית כי תהיה נודד ללחם: (כח) עד חנם. ר"ל דבר שלא ידעתו ועם כי היא בדבר חנם שאין בדבר היזק ממון: ברעך. בעבור אמונת רעך ר"ל על כי ידעת שדבריו אמת: והפתית. ר"ל אף אם בשום פעם פתית אתה לרעך בשפתיך לעשות כזאת עם כל זה אתה לא תעשה כן: (כט) אל תאמר. אל תחשוב אשיב להאיש הזה כפעלו כאשר האמין לי והעיד כן אאמין לו: (ל) על שדה וגו'. הוא ענין מליצה

## מצודת ציון

מלשון נעימות ויופי: (כו) ישק. מלשון נשיקה ור"ל חבור השפתים וכן צדק ושלום נשקו (תהלים פ"ה) שר"ל תלוים ומחוברים זה בזה: נכוחים. אמיתים וישרים כמו ונכחה לא תוכל לבוא (ישעי' נ"ט): (כז) ועתדה. ענין הזמנה כמו התעתדו לגלים (איוב ט"ו):

think, "I will repay this man according to his deed; just as he believed me and testified on my behalf, so will I believe him and testify on his behalf."—[*Mezudath David*]

30. **a lazy man**—*who does not review the memorization of his studies.*—[*Rashi* from *Avoth d'Rabbi Nathan,* ch. 24] The statement by King Solomon that he passed by a field of a lazy man means that he pondered the deeds of the lazy man.—[*Mezudath David*]

26. Lips should kiss him who gives a right answer. 27. Prepare
your work outside and make it fit in the field for yourself; after-
wards you shall build your house. 28. Do not be a witness
without cause for your friend, that you should be enticed with
your lips. 29. Do not say, "As he did to me, so will I do to him;
I will repay the man according to his deed." 30. By the fields of
a lazy man,

inflicted upon him who flatters the wicked and calls him righteous.—[*Ibn Ezra*] *Mezudath David* explains that although one who calls a wicked man righteous will be the butt of the peoples' curse, if one calls him righteous for the sake of reproving him, it is pleasant and proper for him to do so. He may say to him, "You are really a righteous man, except that you err in a few things. Rectify these few faults."

**and a good blessing shall come upon them**—Upon the reprovers, since they followed the right path in telling the wicked man that he is righteous. Should they have said that he is wicked, he would have brazenly answered that he is right, but in this manner they influenced him to repent.—[*Mezudath David*]

26. **Lips should kiss**—*It is fitting that all lips kiss him.*—[*Rashi*] *Mezudath David* renders: He will smack his lips and give a right answer. The wicked man, upon hearing a pleasant reproof, will smack his lips; instead of opening his mouth to answer brazenly, he will keep his mouth shut. Then he will give a right answer, that he will indeed try to rectify his faults.

27. **Prepare ... outside**—*This refers to Scripture.*—[*Rashi*]

**and make it fit in the field**—*This is Mishnah.*—[*Rashi*]

**afterwards you shall build your house**—*This is Talmud* (Sotah 44a). *Another explanation according to its apparent meaning: In the beginning, buy yourself fields and vineyards, and afterwards make it fit,* Heb. וְעַתְּדָהּ, *an expression concerning goats* (עַתּוּדִים). *Stock your field with livestock, and afterwards you shall build a house, meaning that you shall take a wife.*—[*Rashi*]

28. **Do not be a witness without cause**—To testify something that you do not know, even if it concerns an inconsequential matter, from which no monetary loss will result.—[*Mezudath David*]

**for your friend**—Because you trust your friend that he would not lie.—[*Mezudath David*]

**that you should be enticed with your lips**—*You should be enticed by your friend with your speech.*—[*Rashi*] *Mezudath David* renders: although you enticed with your lips. Although once you enticed him to testify for you, you should not do it.

29. **Do not say, etc.**—Do not

עָצֵל עָבַרְתִּי וְעַל־כֶּרֶם אָדָם חֲסַר־לֵב׃
לא וְהִנֵּה עָלָה כֻלּוֹ ׀ קִמְּשֹׂנִים כָּסּוּ פָנָיו
חֲרֻלִּים וְגֶדֶר אֲבָנָיו נֶהֱרָסָה׃ לב וָאֶחֱזֶה
אָנֹכִי אָשִׁית לִבִּי רָאִיתִי לָקַחְתִּי מוּסָר׃
לג מְעַט שֵׁנוֹת מְעַט תְּנוּמוֹת מְעַט ׀ חִבֻּק
יָדַיִם לִשְׁכָּב׃ לד וּבָא־מִתְהַלֵּךְ רֵישֶׁךָ
וּמַחְסֹרֶיךָ כְּאִישׁ מָגֵן׃ כה א גַּם־אֵלֶּה

ת"א גם אלה. זס קה : פתח באתנח משלי

דִּגְבַרָא עַטְלָא עֲבָרִית וְעַל כַּרְמֵיהּ דְּבַר נָשָׁא חֲסַר רַעֲיָנָא : לא וְהָא סְלֵיק פּוּלֵיהּ יַעְרֵי וְכַסְיוּ אַפּוּי חוּרְלֵי וְסַיְגָא דְּכֵיפוֹי אִתְעֲקַר : לב וַחֲזֵית אֲנָא וְשָׁמֵית לִבִּי וַחֲמֵית וְקַבְּלֵית מַרְדוּתָא : לג קַלִּיל תְּנוּם קַלִּיל תִּדְמוּךְ קַלִּיל תְּשִׂים יְדָךְ עַל חַדְיָךְ וְתִדְמוּךְ : לד וְתֵיתֵי וְתִדְרְבָךְ מִסְכֵּנוּתָךְ וּצְרִיכוּתָךְ הֵיךְ גַּבְרָא טַבְלָרָא : א אַף אִלֵּין

### רש"י

(לא) קמשונים. קוצים: כסו פניו חרולים. גדולים מקמשונים והרי הם חדים כקוצים: וגדר אבניו נהרסה. כך מי שאינו חוזר על תלמודו מתחלה משכח ראשי פרקים וסוף מחלף דברי חכמים מזה לזה שאומר על טהור טמא ועל טמא טהור והוא מחריב את העולם: (לד) מתהלך רישך. הדברים שאתה רש מהם יבואו לך במרוצה: כה (א) גם אלה משלי שלמה אשר העתיקו. חזר לדורשם כשנתמנה חזקיה למלך והוא הושיב

### מנחת שי

(לא) קמשונים. במקצת ספרים חסר וא"ו: נהרסה. ברוב הספרים הס"א בחטף סגול: (לד) רישך. ביו"ד: ומחסריך. ביו"ד ועיין מה שכתבתי בסימן ו': כה (א) גם אלה משלי שלמה וגו'. בספרים המדוייקים זה הוא

### אבן עזרא

יפתה את אחאב: (לא) עלה. בלשון יחיד על כל אחד מהקמשונים ידבר. קמשונים וחרולים לשון קוצים: (לג) מעט. פירשתיו: (לד) מתהלך. חסר או משרת כי כ"ף כאיש משרת במקום כ"ף כנגד הבן המוזהר:

אפרש החלק השלישי זה החלק יתכן להיותו חלק ספר בפני עצמו בינות ספרי שלמה ואנשי חזקיהו החכמים העתיקו משליו הנעימים וחברום עם אלה:

כה (א) גם אלה משלי שלמה. זה הפסוק הסופר אמרו ויתכן שהיה שבנא כי הוא היה סופר המלך

### רלב"ג

לאדם בהצלחתו המדעית והמדינית והוסר הגדר שהיה סביבו בדרך שישאר לו מדרכו לשאר כחות הנפש: (לב) ואחזה אנכי. וכאשר ראיתי זה הרע הבא מן העצלה בפעולות ובדעות שמתי לבי אל זה ולקחתי מוסר להמלט מהעצלה אשר ימשוך ממנה זה הרע וראיתי שהעצלה הנכונה בזה למי שירצה להמלט ממנה הוא שיישן מעט ויתנמנם מעט ומעט יחבק ידיו לשכב לתת מנוחה לאיבריו וכאשר תעשה כן לא יהיה לך ריש וחסרון מתמיד כי התרשלות יהיה סבה להמציא לך מזונך בקלות ולהמציא לך הדרוש אשר תדרוש בהשגתו: (לד) ובא מתהלך רישך. ולזה כשיבוא לך ריש וחסרון יבא כמהלך שלא יתעכב עמך כמו הענין באיש מגן שהיה בא כמהלך. ובכלן נשלם מה שהגבלנו באורו בזה המקום. והתועלות שמגיעות ממנו הם מבוארים מדבריו: (א) גם אלה משלי שלמה אשר העתיקו.

### מצודת ציון

(לא) קמשונים. חרולים. מיני קוצים כמו קמוש וחוח במבצריה (ישעי' ל"ד) וכמו תחת חרול יסופחו (איוב ל'): וגדר. כותל: נהרסה. מלשון הריסה ונתיצה: (לב) ואחזה. ענין ראיה כמו חזית איש מהיר (לעיל כ"ב): (לג) תנומות. היא השינה הקלה: (לד) מתהלך. הראוי כמתהלך ותחסר הכ"ף: רישך. מלשון רש ועני:

### מצודת דוד

לומר הנה התבוננתי במעשה העצל: (לא) כלו. על כל השדה עלו הקוצים כי בעבור העצלות לא חרש כראוי לחתוך שרשי הקוצים לבל יגדלו: וגדר. גדר האבנים שהיה סביב נהרסה כי העצל סר השגחתו: (לב) ואחזה. וכאשר ראיתי אני את כל זה שמתי לבי להבין מה העצלות עושה וכאשר ראיתי לקחתי מוסר לעזוב את דרך העצלות: (לג) מעט שנות. ר"ל ראיתי כי דרך הנכון למעט בשינה ותנומה וגו': חבק ידים. דרך השוכב לנוח מחבק ידיו זה בזה: (לד) ובא. ר"ל אם כן תעשה אז אף אם פעם תבוא לך העוני לא תתמיד כי תלך לה כדרך המהלך בדרך שאינו מתעכב זמן רב במקום אחד: ומחסריך. אף אם יבוא לך חסרון מה בעושר לא יתעכב החסרון וכדרך האיש המלובש במגן לרדת אל המלחמה שאין דרכו להתעכב במקום מהמקומות וכפל הדבר במלות שונות: כה (א) גם אלה. יראה כי מתחלת הספר עד הנה היה מועתק

speeding along, and his wants like an armed man, who comes quickly into battle. See *Rashi, Ibn Ezra,* and *Ibn Nachmiash,* who appear to follow their previous commentaries.

1. **These too are Solomon's proverbs, which . . . maintained**—*When Hezekiah was appointed king, he returned to expound upon them* [Solomon's proverbs]. *Now he placed disciples in every city, as it is stated in chapter "Chelek"* (*Sanh.*

I passed and by the vineyard of a man without sense. 31. And behold, thistles had grown all over it; nettles had covered its surface, and its stone fence had been torn down. 32. And I, myself, saw; I applied my heart; I saw and learned a lesson. 33. Little sleep, little slumber, little clasping of the hands to lie down. 34. Then your poverty will come strolling and your wants like an armed man.

## 25

1. These too

31. **thistles**—Heb. קִמְּשׂוֹנִים, *thistles.*—[*Rashi*]

**nettles**—Heb. חֲרֻלִּים. They are *larger than thistles, and they are as sharp as thorns.*—[*Rashi*]

**and its stone fence had been torn down**—*Thus, one who does not review his studies first forgets the beginnings of the chapters and at the end confuses the names of the Sages from this one to that one, thereby saying "unclean" for something that is clean and "clean" for something that is unclean, and he destroys the world.*—[*Rashi* from the aforementioned midrash with variations]

32. **And I, myself, saw, etc.**—And when I saw all this, I applied my heart to understand the result of laziness, and when I saw it, I learned a lesson to abandon that undesirable trait.—[*Mezudath David*]

33. **Little sleep, etc.**—I saw that the proper way is to sleep little, even to slumber little.—[*Mezudath David*]

**little clasping of the hands**—One who lies down to rest often clasps his hands.—[*Mezudath David*]

34. **your poverty will come strolling**—*The things that impoverish you will come to you quickly.*—[*Rashi*] *Mezudath David* explains that, if you follow this routine, even if poverty will occasionally befall you it will not last, but will come like a runner who does not stop long anywhere along the way.

**and your wants**—Even if your riches will sometimes be wanting, that want will not be permanent, but will leave like an armed man going into battle, who does not stop anywhere for any length of time.—[*Mezudath David*] Although from the context it would appear that this interpretation is correct, it does not coincide with the interpretation given in 6:10f., where the almost identical phrasing is interpreted as the words of the lazy man, even by *Mezudath David.* For that reason, most commentators explains verse 33 as the words of the lazy man, who says that he will sleep a little, slumber a little, etc. Verse 34 warns him that his poverty will come

משלי שלמה אשר העתיקו אנשי
חזקיה מלך־יהודה: ב כבוד אלהים
הסתר דבר וכבוד מלכים חקר דבר:
ג שמים לרום וארץ לעמק ולב מלכים
אין חקר: ד הגו סיגים מכסף ויצא
לצרף

מתלוי דשלמה עמיקי
דכתבו רחמוי דחזקיה
מלכא דיהודה: ב יקרא
דאלהא מן דמטשי
מלתא ויקרא דמלכי מן
דבצי מלתא: ג שמיא
רמין וארעא עמיקא
ולבא דמלכי לא
מתבצי: ד גבו
סולאנא מן סומא דנפוק
מאן מן צרפא:

ת"א כבוד אלהים. שבת קנג: שמים לרום. שבת יא:

### רש"י

תלמידים בכל עיר כדאמרינן בפרק חלק בדקו מדן ועד באר שבע ולא מצאו עם הארץ: **העתיקו**. החזיקו: **(ב) כבוד אלהים הסתר דבר**. כגון מעשה מרכבה ומעשה בראשית: **וכבוד מלכים חקר דבר**. כשאתה דורש בכבוד חכמים ובסייגים שעשו לתורה ובגזרות שגזרו בהם יש לך לחקור ולדרוש ולשאול טעם לדבר אבל כשתדרוש במעשה מרכבה ובמעשה בראשית ובחוקים הכתובים בתורה כגון חוקים ודברים שהשטן מקטרג עליהם ומשיב עליהם כאכילת חזיר וכלאי כרם ושעטנז אין לך לחקור רק להסתיר ולומר גזרת מלך היא: **(ג) אין חקר**. לרום שמים ולעומק הארץ וללב מלכים אין חקר שכמה דינים באים לפניהם וכמה מלחמות וצריכים לתת לב לכולם ואם כל הלשונות מדברים וכל הידים כותבין אינם יכולין לכתוב הללה של רשות: **(ד) הגו סיגים מכסף**. משוך כמו כאשר הוגה מן המסילה (שמואל ב׳ כ׳) כשם שאין הכלי של כסף יוצא למלאכת צורף עד שיוציאו ממנו סיגים של נחשת שבו

### אבן עזרא

וספר בו סבת העתק׳ ומלת גם לרבות הראשוני׳: **העתיקו**. לזה להעתיק המשלים האלה מספריו להיות מחברת אחת ותחלת זה החלק היה כבוד אלהים: **(ב) כבוד**. **שמים**. **הגו**. ד׳ דגשים. וכן הפירוש כבוד אלהים דבר כבודו בספור מעשיו הנבראים יש מאין הסתירהו כי מי יוכל למלל כבודו ולהגיע אל תכליתו ואין לתמוה אם מלאכו ספרו בגוים את כבודו והגידו את כבודו בעמים כי זה הכתוב מדבר בהשמד האויבים והושיע האוהבים. **וכבוד** מלכים מה שהוא כבוד להם חקור הדבר ואל תחקור מעשה אלהים כי שמים הם למעלה מאדם והאדם לעומק מתחתיו והמלכים שיש בהם יכולת להתעסק בחכמה בלבד אין חקר והטעם אינם יכולים לחקור כבודו ולדעת מה למעלה ומה למטה אף כי תחקרנו אתה כאשר יסיר ויהגה הצורף סיגי הכסף אז יצא לו מן המצורף הכלי כאשר יחפוץ וכן המלך

### רלב"ג

שחכמים שהיו בדורו של חזקיהו וידמה שבעבור זה הפרידם מהמשלים האחרים כי אלו המשלים לקטום ממשליו החכמים ההם ואולם המשלים שקדם זכרם נמצאו באופן הנזכר בדברי שלמה: (ב) כבוד אלהים הסתר דבר. ר"ל כי במה שיבקשו מהש"י לא יהיה כבוד הש"י שיודיע שאלת׳ כי הש"י יודע הכל הלא תראה כי אשת ירבעם היתה מתנכרת בבואה אל אחיה השילוני וטרם שהגידה לו דבר אמר לה אחיה את דבר בקשתה כאשר גלה אזנו הש"י ואולם כבוד מלכים הוא בהפך זה ר"ל לחקור הדבר הבא לפניהם באופן שלם כדי שיוציא משפט אמת כי הם אינם יודעים מהדברים רק מה שיודיעום הפך מה שנמצא בזה בש"י: (ג) שמים לרום. הנה המעלה והמטה אע"פ שאינם נגדרים מצד טבע הקו היושר שילוייך בו התוספת בצ׳ צדדיו וזה תמיד הנה המציאות יגבילם ושם השמים המעלה אשר בתכלית ומרכז הארץ שם המטה אשר בתכלית ואמנם לב מלכים והשקפתם במה שיצטרכו שיסתכלו בו מהעניינים הבאים לפניהם הוא לאין קץ כי יתחלפו הנושאים ויתחדשו מזה עניינים רבים לאין קץ במין האחד מהדברים ויתחלפו העניינים במין האחד בענין מהדברי׳ כדי שיגיע החלק לכל אחד הראוי לו: (ד) הגו סיגים. הנה כמו שכאשר יוציאו הסיגים מהכסף יצא ממנו לצורף כלי כסף לרוב כן כשיסירו מחברת המלך הרשע שהיה לפניו והיה מאנשי עצתו אז יכון כסאו בצדק והנה אמר זה כי צריך למלך ליזהר שלא יהיה במשרתיו ובאנשי עצתו רשע או רשעים פן יביאוהו להטות משפט צדק והוא לא ידע והנה אפשר שהעיר באלו הפסוקים על דבר השכל האנושי שהוא שמלך

### מצודת דוד

ביד הכל ומכאן ועד סופו לא היה מועתק כי אם בידי אנשי חזקיה מלך יהודה אשר העתיקו הדברים האלה מספרי שלמה אשר נזדמן להם. ולזה אמר גם אלה משלי שלמה ר"ל עם כי לא נמצאו ביד הכל מכל מקום גם אלה דבריו אשר העתיקו אנשי חזקיה והמה נאמנים על הדבר שמפי שלמה יצאו: (ב) **כבוד אלהים**. כבוד ה׳ היא להסתיר דבר גדולת רוממות וכי אי אפשר לבוא עד התכלית ומוטב להמעיט מלהרבות וכמו שכתוב לך דומיה תהלה (תהלים ס"ה) אבל כבוד מלכים היא לחקור דבר גדולת רוממות׳ הואיל ואפשר לבוא עד התכלית אם כן הממעיט יחשב כאלו כבר בא עד התכלית ומוטב להרבות מלהמעיט: (ג) **אין חקר**. ר"ל אלו שלשה הדברים דומים זה לזה שאי אפשר לחקור ולדעת רום השמים ועומק הארץ ורוחב לב המלך כי הרבה משפטים באים לפניו ושאר עניני בני אדם וצריך לתת לב לכולם: (ד) הגו. כמו כאשר יוסר הסיגים מן הכסף יצא אז לצורף כלי מהודר כי יוכל אז לטהמו ולישרו כפי צורך

### מצודת ציון

**כה** (א) העתיקו. כותב הדברים מספר אל ספר יקרא מעתיק לפי שנראה כאלו מעתיק ומסיר הדברים ממקום לכתבם באחר ועם כי נשארו גם בראשון מכל מקום נראה הוא כאלו מסיר משם: (ב) חקור. ענין חפוש ודרישה: (ג) לרום. מלשון הרמה וגבהות: (ד) הגו. ענין הסרה כמו כאשר הוגה מן המסילה (שמואל ב כ׳): סיגים.

*the Torah.* This appears more accurate.]

3. **are unsearchable**—*The height of the heaven and the depth of the earth and the heart of kings are unsearchable, for many judgments come before them, as well as many wars, and they must apply their heart to all of them. And if all tongues would speak, and all hands would*

are Solomon's proverbs, which the men of Hezekiah, king of Judah, maintained. 2. The honor of God is to conceal a matter, whereas the honor of kings is to search out a matter. 3. The heaven for height, the earth for depth, and the honor of kings are unsearchable. 4. Remove dross from silver, and a vessel emerges

94b): *"They searched from Dan to Beersheba and could not find an ignoramus."*—[*Rashi*]

**maintained**—Heb. הֶעְתִּיקוּ.—[*Rashi*] [*Rashi's* intention is not clear. He may be alluding to *Midrash Mishle* and *Avoth d'Rabbi Nathan,* where we are told that the Sages found fault with certain statements in Proverbs, Ecclesiastes, and the Song of Songs. Hezekiah's followers studied the material carefully and explained it satisfactorily, thereby maintaining this material as Holy Writ.] Perhaps we should translate הֶעְתִּיקוּ as "strengthened," meaning that they strengthened these proverbs, not allowing them to become apocryphal. However, the aforementioned midrashim define הֶעְתִּיקוּ as "explained." They also state that Hezekiah's followers were very deliberate in their legal decisions, allowing the case to "age" before they promulgated their decisions. Thus, it may be said that they allowed the proverbs to age, הֶעְתִּיקוּ.

Other commentators assert that Hezekiah's followers copied and consolidated these proverbs from various books left over by King Solomon. The *Gemara* (*Baba Bathra* 15a, *Rashi* ad loc.) states that Hezekiah's followers copied the entire book of Proverbs, as they did Isaiah, the Song of Songs, and Ecclesiastes. *Rashi* claims that the assertion that they copied Proverbs is based on this verse. Apparently, they understand it to mean that these too, in addition to the previous ones, are Solomon's proverbs which Hezekiah's men copied. See Introduction.

2. **The honor of God is to conceal a matter**—*For instance, the account of the Merkavah and the account of the Creation.*—[*Rashi*] Cf. commentaries on *Hagigah* 2:1.

**whereas the honor of kings is to search out a matter**—*When you expound on the honor of the Sages and on the safeguards that they enacted to the Torah, and on the decrees that they decreed upon them, you should search, seek, and ask the reason for the matter. When you expound on the account of the Merkavah or on the account of the Creation, or on the statutes written in the Torah—like the statutes and things that Satan denounces and refutes, such as eating pork, mingled species in a vineyard, and shaatnes—you should not search, but only conceal* [the reason] *and say, "It is the King's decree."*—[*Rashi*] [Salonica ed. reads: *Or on accounts written in*

לַצֹּרֵף כֶּלִי: ה הָגוֹ רָשָׁע לִפְנֵי־מֶלֶךְ וְיִכּוֹן
בַּצֶּדֶק כִּסְאוֹ: ו אַל־תִּתְהַדַּר לִפְנֵי־מֶלֶךְ
וּבִמְקוֹם גְּדֹלִים אַל־תַּעֲמֹד: ז כִּי טוֹב
אֲמָר־לְךָ עֲלֵה הֵנָּה מֵהַשְׁפִּילְךָ לִפְנֵי
נָדִיב אֲשֶׁר רָאוּ עֵינֶיךָ: ח אַל־תֵּצֵא
לָרִב מַהֵר פֶּן מַה־תַּעֲשֶׂה בְּאַחֲרִיתָהּ
בְּהַכְלִים אֹתְךָ רֵעֶךָ: ט רִיבְךָ רִיב אֶת־

ה נִתְטְרִיד רַשִׁיעָא מִן קֳדָם מַלְכָּא וְיִתְּקַן בְּצִדְקְתָא כּוּרְסֵיהּ: ו לָא תִשְׁתַּבְהַר קֳדָם מַלְכָּא וּבְדוּכְתָּא דְרַבְרְבֵי לָא תְקוּם: ז מְטוּל דְּטָב דְּנֵימַר לָךְ סוּק הָכָא מִן דְּמַשְׁפְּלָךְ קֳדָם שַׁלִּיטָא מִן דְּחָזְיָן עֵינָךְ: ח לָא תִפּוּק בְּדִינָא מְסַרְהֲבָאִית דְּלָא תְדוּן בְּאַחֲרִיתֵהּ כַּד יַחְמֵיץ יָתָךְ חַבְרָךְ: ט דִּינָךְ דוּן עִם חַבְרָךְ

ת"א הגי רשע. זוהר שמיני: כי טוב. מ"ק כח: אל תצא. סנהדרין מד: ריבך. שם:

### רש"י

כך אין לצור נפטרין מעוגם עד שיוציאו מתוכם הרשעים ויעשו בהם דין: (ו) אל תתהדר לפני מלך. להראות כבודך ולהתגאות לפני מי שגדול ממך כי טוב שיאמרו לך עלה הנה משתבוא בלא רשותו ויאמרו לך לא: (ז) אשר ראו עיניך. שדבר זה אמת: (ח) פן מה תעשה. פן תבא לידי שלא תדע מה לעשות באחריתה: (ט) ריבך ריב

### מנחת שי

ר"אם הפרשה: (ז) אמר לך. בספרי ספרד האל"ף בגעיא וכספר אחד כתיבת יד אמר לך בחולם המ"ם ואין לסמוך עליו כי בספרים אחרים בקמץ חטוף: עלה הנה. בספרי ספרד העי"ן בגעיא: (ח) אל תצא לרב. אישתבשי כמה נוסחי דדפוסא דכתיב בהו לריב מלא יו"ד אבל בכולהו נוסחי כתיבת יד חסר ומסורת כוותייהו אזלא והכי איתא בפסיקתא אל תצא לרב מהר. לרב

### אבן עזרא

יסיר הרשע שהוא לפניו ואז יכון בצדק כסאו וזהו כבודם ותפארתם בדין לחקור עד שיהיו נזהרין במשפטי המלוכה; (ו) אל. כי. ב' דבקים: תתהדר. תהיה הדור במלבוש ומרכבה כמוהו. ובמקום גדולים שיעמדו שם אל תעמוד. כי טוב שיאמר לך עלה הנה ועמוד עמנו מהשפילך לפני נדיב באומרו לך סור מעלי. ראו השפלתך. ראו. תחת יראו: (ח) אל. ריבך. פן. תפוחי. נזם. ה' דבקים. אפניו

### רלב"ג

בכחות האדם הנפשיים לפי מה שיסד הש"י לאדם ביום הבראו ואמר בכאן דבר עמוק מאד מהכבודות האלהים והוא כי מפני שהיה נימוס הנמצאות וסדרם ויושרם המושכל בנפש הש"י ידענו בצד אשר הוא בו אח' כמו שבארנו מה' מספר מ"י ובראשון ממנו לא בצד אשר הוא בו רבים שיחלוק המציאות והאמר מה שאינו מחולק אלא ציור הש"י הוא מבואר שכבוד הש"י במושכל דבר דבר מאלו הוא בסתר דבר כי לא יראה ויתבאר המושכל ההוא מהשאר אלא הש"י איך ישיגהו עם שאר המושכלות בצד אשר הם בו אחד שילך מהם מהלך השלימות והצורה. ואמנם כבוד מלכים הוא לחקור דבר ודבר ביחוד מחקר שלם באופן שיוסרו ממנו כל המחשבות המקבילות לו והוא מבואר שהכח אשר לשכל האנושי על השגת המושכלות הוא עלום ונפלא עד שלגודלו יאמר שאין לו קץ: (ה) הגו רשע. ואמר שכמו שיצא לצורף כלי ראוי כשיוסרו הסיגים מהכסף כן כשיוסר הרשע שהוא לפני מלך והוא הכח המתעורר לדרך שיגיע לעבודת השכל עד שלא יתאוה לתאוות הגופיות אז יכון כסאו בצדק ויהיה סבה שיגיע לו האמת בדרושיו: (ו) אל תתהדר לפני מלך. לתת מעלה וגדולה לעצמך אבל תעמוד לפניו בשפלות. ובמקום גדולים לתת לעצמך מעלה כמעלתם לשבת עמהם במקומם כי טוב שיאמרו לך עלה הנה מרוב השפילך עצמך מהשפילך לפני נדיב וגדול אשר ראו עיניך והורגלת עמו מקדם ואולם אמר זה כי מי שהורגל עם אדם והאה"כ עלה במעלה יתירה לעצמו להתנהג עמו כבראשונה ואין זה ראוי לו שיחלוק כבוד לפי מה שהוא עתה: (ח) אל תצא לריב מהר. ולמחלוקת אבל ראוי לך להרחיק עצמך מזה לפי מה שאפשר הבט מה תעשה באחרית הריב כשיכלים אותך רעך באמרו דברים מגונים כנגדך או בהכותו אותך הלא טוב לך להשמר שלא תבא לזה התכלית והתכונה: (ט) ריבך ריב את רעך. כשיקרה שיהיה לך מחלוקת עם רעך תהיינה דבריך עמו

### מצודת דוד

המלוכה: (ה) הגו רשע. ר"ל כאשר יוסר הרשע העומד לפני המלך יהיה אז כסאו נכון בצדק מה שאין כן כשהרשע לפניו עומד ומטעה את המלך לעוות את הצדק: (ו) אל תתהדר. אל תעשה עצמך הדר ויפה להתגאות במלבושי פאר כאשר תעמוד לפני המלך ואל תדחוק עצמך לעמוד במקום שהגדולים והחשובים עומדים שם: (ז) כי טוב. יותר טוב לך לשבת במקום השפלים והאומר יאמר לך עלה הנה לשבת במקום הגדולים משתגביה לשבת ויאמר לך השפל ורד לפני הנדיב ואל תשב במקומו: אשר ראו. אשר כן ראו עיניך שיקרה כזאת אשר אומרים להעולה רדה: (ח) אל תצא. אל תתגרה במריבה מהר עד אשר תחקור אם יש בזה דבר אשמה על שכנגדך כי פן לא תדע מה תעשה באחרית המריבה בעת יכלים אותך רעך לומר הלא אין אשמה בידי והנה השכלת עצו להתקוטט עד לא חקרת האמת: (ט) ריבך ריב. אף אם מצאת בו אשמה אחר החקירה מכל מקום ריב ריבך רק עמו לבזות אותו לבד אבל לא תגלה סוד של

seen"; that your good sense recognizes the rules of court etiquette. Thus, your humility will raise you up.

8. **Do not go out quickly to quarrel**—before you have investigated the matter thoroughly and are convinced that your opponent is at fault.—[*Mezudath David*]

**lest [you will not know] what you will do at its end**—*Lest you come to a situation that you will not know what to do at its end.*—[*Rashi*]

**when your friend puts you to**

for the refiner. 5. Remove the wicked man before the king, and his throne will be established with righteousness. 6. Do not glorify yourself before a king, and do not stand in the place of great men; 7. for it is better that he say to you, "Come up here," than to humble you before a prince, as your eyes have seen. 8. Do not go out quickly to quarrel lest [you will not know] what you will do at its end, when your friend puts you to shame. 9. Have your quarrel with

*write, they would not be able to inscribe the intricacy of political government.*—[*Rashi* from *Shabbath* 11a]

4. **Remove dross from silver**—Heb. הָגוֹ, *draw away, as in* (II Sam. 20:13): *"When he was removed* (הֹגָּה) *from the highway." Just as the silver vessel does not emerge for the work of the refiner until the copper dross is removed from it, similarly, the community cannot be freed from punishment until they remove the wicked from their midst and execute judgment upon them.*—[*Rashi*]

5. **Remove the wicked man, etc.**—The throne is established to insure that justice be executed. The throne requires officers and counselors to facilitate that function, and if they are all honest and uncorrupted, the throne is compared to refined silver. But should there be corrupt officials among them, a just verdict will not be reached. Just as the dross must be removed from the silver before it can be made into a vessel, so must the wicked man be removed from the king's court in order for the throne to be established with righteousness. This is the meaning of the comparison to the refiner.—[*Malbim*]

6. **Do not glorify yourself before a king**—*to show your honor and to be proud before one who is greater than you, because it is better that they say to you, "Come up here," than that you should go without his permission, and they should tell you, "Go down, get out."*—[*Rashi*]

7. **as your eyes have seen**—*that this thing is true.*—[*Rashi*] *Malbim* explains: Do not preen yourself before a king because your honor is insignificant in the presence of his majesty. Similarly, do not stand in a place befitting your status if you are in the presence of great men. Stand in a place below your status rather than in a place above it. Should you stand in a lower place, and they invite you to come up higher, that will be an honor for you. Should you stand in a higher place and be told to descend from your place, before a prince whom your eyes have seen, and whom you considered your equal—it will be embarrassing for you. Moreover, if you take a lower place, the courtiers will recognize "that your eyes have

(בְּאַחֲרִיתָא) וְרָזָא
אוּחֲרָנָא לָא תְגַלֵּי:
י דְּלָא נַחְסְדָךְ מַן דְּשָׁמַע
וְטִיבָךְ לָא הָפִיךְ:
יא חֲזוּרֵי דְדַהֲבָא בְּנִגוּדֵי
דְסָמָא מִלְּתָא דְמַלֵּל
פְּסִיאִית: יב קְדָשֵׁי
דְדַהֲבָא וּמָנֵי דְזִמַרְגְדָא
מַכְסְנוּתָא דְחַכִּימָא עַל
אוּדְנָא דְשָׁמְעָא: יג אֵיךְ
קְרִירוּתָא דְתַלְגָא בְּיוֹמָא
דְחַצְדָא הֵיכְנָא אִזְגַּדָא

רִֽיבְךָ רִ֭יב אֶת־רֵעֶ֑ךָ וְס֖וֹד אַחֵ֣ר אַל־תְּגָֽל׃ י פֶּן־יְחַסֶּדְךָ֥
שֹׁמֵ֑עַ וְ֝דִבָּתְךָ֗ לֹ֣א תָשֽׁוּב׃ יא תַּפּוּחֵ֣י זָ֭הָב
בְּמַשְׂכִּיּ֣וֹת כָּ֑סֶף דָּ֝בָ֗ר דָּבֻ֥ר עַל־אָפְנָֽיו׃
יב נֶ֣זֶם זָ֭הָב וַחֲלִי־כָ֑תֶם מוֹכִ֥יחַ חָ֝כָ֗ם עַל־
אֹ֥זֶן שֹׁמָֽעַת׃ יג כְּצִנַּת־שֶׁ֨לֶג ׀ בְּי֬וֹם קָצִ֗יר

ת"א כלנת. זוהר שלח: ציר

## רש"י

את רעיך. ואם על כרחך אתה צריך לריב ולהוכח עם רעך. מ"מ: וסוד אחר אל תגל. לא תזכיר לו דופי אבותיו שמהו שאין הכל יודעין אותו ואתה מגלהו: (י) פן יחסדך שומע. חרפת מצרים (יהושע ה') מתרגמינן חסודא דמצראי פן יחסדך השומע ויקראך מוציא דבה: (יא) תפוחי זהב. כעין כפתורים מצויירין על משכיות כסף: במשכיות. כלים המצופין בכסף כמו ושכותי כפי (שמות ל"ג): דבר דבור על אפניו. על כנו. ודוגמתו כשאתי אימיך אפונה (תהלים פ"ח) מבוססת ומיושבת בקרבי ואין זה מגזרת אופן וגלגל (ישעיה כ"ח) שאלו כך היה נקוד פת"ח תחת הפ"א כמו (יחזקאל א') האופנים ולא יפול בו נקודת הטף קמץ: (יב) נזם זהב וחלי כתם. עדי קבולת זהב וחלי כמו (הושע ב') ותעד נזמה וחליתה וכמו (שיר ז') חלאים: כתם. לשון תכשיט זהב וכן כתם פז (שם ה'): (יג) כצנת

## אבן עזרא

האל"ף נוסף כאל"ף מי הפסים אזרוע או היא שרש מן אופן עגלה והטעם על סבובו ומשכיות מלפונות ומסתרים. וכן הפירוש אל תלא מהר לריב במריבת אחרים פן תהיה נכלם. מה תעשה באחרית המריבה להמלט בהכלימך רעך ויחפרך אבל ריב שלך ריב עם רעך. וסוד שהודיעך אחר על רעך אל תגלהו במריבתך: (י) פן יחסדך. יחרפך שומע ויקראך רכיל ודבת הסוד שגלית לא תשוב כלומר שלא תשיב מה שדברת: (יא) תפוחי זהב. כלומר כצורת תפוחי זהב במלפוני כסף כלומר שהם גנוזים עם הראוי להם כן דבר שהוא דבור על הפנים הראויים ולא לגלות סוד אחר. פ"א הראויים ולא לגלות. דבור תרגום וינהג כלומר נהוג על אפניו וכנזם זהב וחלי כתם כן משים התוכחות על אזן שומעת: (יג) כצנת שלג. קרירות ויתכן להיותו מן צנה וסוחרה בעבור שהגין על האדם בעת קציר מפני החום כן ציר נאמן: ונפש. הסר

## מנחת שי

כתיב. לעולם אל תהי כן אחר השררה למה פן מה תעשה באחריתם וגו'. למחר באים ושואלים לך שאלות מה אתה משיבם: (יא) על

## רלב"ג

בדברי ריבך לבד ולא תגל סוד אחר לביישו פן יחסדך שמא יסיה לך זה לחרפה מהשומע דבריך בגלותך הסוד והדבה שתשיגם מזה לא יתכן שתשוב אחור: (יא) תפוחי זהב. והנה אחר שהזהיר מהדבור המגונה הישיר אל הדבור המשובח ואמר כי כמו תפוחי זהב במשכיות כסף שיש בהם נקבים דקים יראה דק העיון מהם תפוחי הזהב כן הדבר שהוא דבור על אפניו כי בו תועלת במה שיובן ממנו בתחלת העיון וכאשר יפליג להתבונן בו האיש דק העיון ימלא בתוכו תפוחי הזהב. ובזה יבוארו רבים מפסוקי זה הספר לפי מה שביארנו מהם: (יב) נזם זהב. הנה כמו נזם זהב שיאות להשלים קשוט מי שיש לו חלי זהב עד שלא יאות זה בלא זה כן התוכחה הישרה כשתוכיח לאוזן שומעת כי התוכחה ההיא תשלים קשוט השומע למוסר ובזולת האזן השומעת לא יאות התוכחת ולא יועיל כאמרו אל תוכח לץ פן ישנאך: (יג) כצנת שלג. הנה כצנת שלג ביום קציר שהיא ערבה מאד ושומרת החום הטבעי שלא יתפזר מפני חום האויר בעת ההיא

## מצודת דוד

אחר להטיל פגם באבותיו בדברים שאינם ידועים לכל כי מה לך להם לבזותם: (י) פן יחסדך. פן כל השומע יחרפך לקרות לך הולך רכיל: ודבתך. הדבה אשר הוצאת מפיך לא תוכל להשיב אחור אחר זה ותתחרט ולא תוכל לתקן: (יא) תפוחי זהב. כמו ציורי תפוחי זהב אשר חקוקים על מכסה כלי כסף שהוא דבר מפואר כן הוא דבר המדובר על אופניו ר"ל דבר הראוי לענינו וחוזר אליו כאופן העגלה המתגלגל וחוזר למקומו: (יב) נזם זהב. כמו נזם זהב עם עדי קבולת הכתם שהנזם יפה היא לעדי הכתם ולא בלעדה כן יפה הוא תוכחת החכם על אוזן השומעת כי אם אין שומע לה לא ניכר יפיה: (יג) כצנת. כמו קרירת השלג הוא לנחת אם מי ימלאנו בעת הקציר להקר בו את הגוף כן ציר נאמן הוא נחת למשלחו

## מצודת ציון

הוא פסולת הכסף: (י) יחסדך. ענין חרפה כמו חסד הוא (ויקרא כ'): ודבתך. על הרוב יאמר על דברי גנאי ומעלמו יובן: (יא) במשכיות. מלשון סכך וכסוי וכן ואבן משכית (שם כ"ו): אפניו. מלשון אופן עגלה: (יב) נזם. שם תכשיט הניתון על האף: וחלי. ענין עדי ותכשיט כמו ותעד נזמה וחליתה (הושע ב'): כתם. זהב יקר וטוב וכן בכתם אופיר (תהלי' מ"ה): (יג) בצנת.

**jewelry of finest gold**—*A collection of golden jewelry, as in* (Hos. 2:15): *"and adorned herself with her earrings and her jewelry* (וְחֶלְיָתָהּ)," *and like* (Song 7:3): *"jewels* (חֲלָאִים)."—[*Rashi*]

**finest gold**—Heb. כָּתֶם, *an expression of a golden ornament, and likewise* (Song 5:11): *"His head is as a jewel* (כֶּתֶם) *of the finest gold."*—[*Rashi*]

**a wise man, etc.**—Just as a golden earring (or nose-ring) is beautiful only with a collection of golden jewelry, so is the reproof of a wise man beautiful only if it falls on ears

your friend, but do not divulge another's secret— 10. lest one who hears embarrass you, and your slander cannot be taken back. 11. Like golden apples on silverplated vessels, is a word spoken with proper basis. 12. Like a golden earring and jewelry of finest gold, is a wise man giving reproof to an ear that listens. 13. Like the cold of snow on the day of harvest,

**shame**—when he claims to be blameless. Then you will make a fool of yourself if you have not investigated the matter thoroughly.—[*Mezudath David*]

9. **Have your quarrel with your friend**—*But if, perforce, you must quarrel and debate with your friend, in any event,*

**do not divulge another's secret**—*Do not mention to him the disgrace of his ancestors, which not everyone knows, and you are revealing it.*—[*Rashi*] *Ibn Ezra* explains: But the secret someone else told you about your friend you shall not divulge in your quarrel. *Ibn Nachmiash* quotes another explanation: another secret you shall not divulge. In the course of your quarrel, do not bring up another secret, another injustice of which you accuse your opponent, which is not relevant to the quarrel.

10. **lest one who hears embarrass you**—Heb. יְחַסֶּדְךָ (Josh. 5:9) *"The reproach of the Egyptians" is rendered:* חִסוּדָא דְמִצְרָאֵי. *Lest one who hears embarrass you, and they will call you a slanderer.*—[*Rashi*]

**and your slander cannot be taken back**—The secret that you revealed about your friend cannot be recalled. Even if you regret it, you will not be able to rectify it.—[*Ibn Ezra, Mezudath David*] Alternatively: your infamy will not be taken back. The reputation that you have gained by revealing his secret will stick to you.—[*Isaiah da Trani*]

11. **golden apples**—*Like knobs depicted on silverplated vessels.*—[*Rashi*]

**silverplated vessels**—Heb. מַשְׂכִּיּוֹת כָּסֶף, *vessels plated with silver, as in* (Ex. 33:22): *"and I will cover* (וְשַׂכֹּתִי) *you with My hand."*—[*Rashi*]*

**a word spoken with proper basis**—Heb. אָפְנָיו, *on its basis. An example of it is* (Ps. 88:16): *"I bear your terrors, it is settled* (אָפוּנָה) [in my heart]," *based and settled within me. This is not from the root of* (Isa. 28:27f): אֹפַן *and* גַּלְגַּל, *wheel, for, were it so, it would be vowelized with a "pattach" under the "fe" as in* (Ezek. 1:16) "הָאוֹפַנִּים, *the wheels.*" *The vowelization of the short kamatz is inappropriate for it.*—[*Rashi*] Nevertheless, *Mezudath Zion* does define the word אָפְנָיו as derived from אוֹפַן, *a wheel.* The intention is that a word spoken in such a way that it refers back to the topic for which it was spoken, as a wheel turns, is as beautiful as the golden apples depicted on the silverplated covers.—[*Mezudath David*]

12. **Like a golden earring and**

צִיר נֶאֱמָן לְשֹׁלְחָיו וְנֶפֶשׁ אֲדֹנָיו יָשִׁיב׃
יד נְשִׂיאִים וְרוּחַ וְגֶשֶׁם אָיִן אִישׁ מִתְהַלֵּל
בְּמַתַּת־שָׁקֶר׃ טו בְּאֹרֶךְ אַפַּיִם יְפֻתֶּה
קָצִין וְלָשׁוֹן רַכָּה תִּשְׁבָּר־גָּרֶם׃ טז דְּבַשׁ
מָצָאתָ אֱכֹל דַּיֶּךָּ פֶּן־תִּשְׂבָּעֶנּוּ

ת"א נשיאים. יומא עה תענית ח' יבמות עח סנהדרין כט (סנהדרין כג קדושין סה): ולשון רכה. גיטין סח: דבש מצאת. חגיגה יג (חגיגה טו):

**תרגום**

מְהֵימְנָא לִמְשַׁדְּרוֹ וְנַפְשֵׁיהּ דְּמָרֵיהּ מְהַפֵּךְ: יד לְיוֹמָא דַעֲנָנֵי וְרוּחָא דְמִטְרָא לָאִית מְדַמֵּי גַבְרָא דְמִשְׁתַּבְּהַר בְּמָהוֹבְתָא דְשִׁקְרָא: טו בְּנִגְדוּתָא דְרוּחָא מִשְׁתַּרְגֵג רְשָׁאנָא וּמִלְּתָא רְכִיכְתָא תָּבְרָא גַרְמָא: טז דִּבְשָׁא מַשְׁכַּחַתְּ אֱכוֹל סוּפְקָנָךְ דְּלָא תִשְׂבַּע וְתִתְבְּנֵיהּ:

## רש"י

שלג. כקור ימי שלג שאדם מתאוה לו בימי קציר ולא שלג ממש שהשלג לא טוב הוא בשעת קציר: (יד) **נשיאים ורוח וגו'**. כאשר יהיה תוחלת שוא כשהשמים מתקשרים בעבים והרוח מנשבת ואדם מצפה שיבא גשם ולא בא והם

## כלא

מצטערים וכלות עיניהם כך איש מתפאר לומר כך וכך לצדקה אתן ליד גבאי והוא משקר וכלות עיני עניים למתנתו ואינה באה: (טו) **באורך אפים יפותה קצין**. כשעוד שהקב"ה מאריך אפו ואינו נפרע יתנו לב החוטאים לפתותו בתשובה

## מנחת שי

אפניו. האל"ף בקמץ חטוף וכן כתב רש"י ז"ל: (יג) ציר נאמן.

## אבן עזרא

וטעמו כתאות נפש אדניו ישיב לו מענה וכן כי נפש הוא חובל חסר חי. פ"א ונפש אדוניו כאילו נפש האדון דבקה בציר בלכתו ובשובו ישיבם אל קרבו באמונתו: (יד) **נשיאים.** נקראו כן העננים בעבור שינשאו מקצה הארץ ורוח נושאם. וגשם אין. כנשיאים להמטיר. כן איש משקר ומכזב שיתן ואין לו מאומה מדומה לעננים ואין נכון לעשות כן: (טו) **בארך אפים**. בעבור שהקצין האריך אפו על זעומיו ולא נקם מהם אז יפתוהו שונאיו ויוכלו לו ולשונם הרכה תשבר גרם: (טז) **דייך**. מה שהוא די לך לאכלו: **והקאתו.**

## רלב"ג

וישיבהו לפנימי הגוף כן ציר נאמן לשולחיו וישיב לאדוניו נפשו והיינו במה שהשלים תשוקתו באופן שלם בענין השליחות אשר שלחו: (יד) נשיאים ורוח. הנה האיש המתהלל במתן ולא יתנהו ר"ל שיראה עצמו חפץ לתת ולא יתן דומה לעננים ורוח כשיבואו שיבטחו הרואים שיהיה מטר ואח"ז לא יהיה מהם גשם והנה גנה זה החלק מהדבור כי הוא מגונה מאד: (טו) בארך אפים. בהארכת האף והכעס יפותה השליט כשיכעס על האדן ר"ל שאם לא יכעס מדבריו אך יסבול אותם הנה זה יהיה סבה להסיר ממנו הרע שחשב להביא עליו פתאום אך לא יסיר ממנו רעתו בשלימות אך לשון רכה תשבר העצם שהוא מהדברים היותר קשים והיותר תקיפים ר"ל שכבר תשב' קשי החמה והאף ותהרס בשלימות או ירצה בזה כי אם היה הקצין ארך אפים הנה בזה יפותה שלא יגיע ממנו רע בלתי ראוי וזה ממה שיורה שאם היה רב הכעס הנה רב כעסו יבלבל עניניו ולא יוכל אדם לפתותו לבלתי עבות מה שיתחייב מכעסו והשאר יתבאר באופן הקודם. או ירצה בזה כי הקצין יפותה בשיכעס על אדם בארך אפים ר"ל בשלא יבקשו ממנו להמלט הפיב ההוא אבל האריך האף זמן מה ובזה האופן אולי ימלט בזאת העת ההוא כי אולי תשוך חמתו וזאת תחבולה טובה במה שבקש ראובן מאחיו בעבור הצלת יוסף אך לשון רכה תשבר קושי האף תכף: (טז) דבש מצאת. כשמצאת דבש והם עניני החכמה כמו שקדם אכול ממנו הראוי לך לבד ולא תחקור במה שלא תוכל

## מצודת ציון

מלשון לכה וקור וכד' רבותינו ז"ל בשר צונן (פסחים ע"ו): **ציר**. שליח כמו וציר בגוים שולח (עובדי' א'): **ישיב**. ענין השקט והנחה כמו בשובה ונחת (ישעי' ל'): (יד) **נשיאים**. עננים ע"ש שמתנשאים עצמם למעלה: **מתהלל**. מלשון הלול ושבח: **במתת**. מלשון מתנה: (טו) **קצין**. שר ומושל כמו קצין תהיה לנו (שם ג'): **גרם**. עצם כמו

## מצודת דוד

ומשיב נפשו: (יד) **נשיאים**. כמו אם יבואו עננים וינשב הרוח וילפו אז על המטר ולא יבוא שאז מרובה צער המצפים כן איש המשבח עצמו בתת מתן למי וישקר באמריו כי בזה ירבה צער המצפה: (טו) **בארך אפים**. אם הקצין יכעוס על מי והוא מאריך אפו לסבול הכעס ולא ישיב אמרים אז בעבור זה יפותה ממנו הקצין ותנוח חמתו: **ולשון רכה**. ואם יוסיף לדבר למולו רכות אז כדבר כזה תשבר ותבטל קושי הכעס מכל וכל: (טז) **דבש**. כמו אם מצאת דבש מהראוי הוא שתאכל ממנו מעט להיות די לך להשיב הנפש

guage, his wrath will completely subside.

16. **If you have found honey, etc. . . .**—

is an emissary faithful to his sender, who refreshes his master's soul. 14. Clouds and wind, but no rain—so is a man who boasts with a false gift. 15. The Ruler is won over with slowness to anger, and a gentle tongue will break a bone. 16. If you have found honey, eat enough for you, lest you become sated with it

that pay attention.—[*Mezudath David*]

13. **Like the cold of snow**—*Like the cold of the days of snow* (winter), *for which a person longs at harvest, but not actual snow, because snow is not beneficial during harvest.*—[*Rashi*] As the cold of snow would afford pleasure to anyone who would find it at harvest, to cool oneself, so does the faithful emissary afford pleasure to his sender and refresh his soul.—[*Mezudath David*] *Ibn Ezra* suggests that when one sends out an emissary, it is as though his soul is attached to that emissary until the latter returns.

14. **Clouds and wind, etc.**—*When there is a false hope—when the heavens thicken with clouds and the wind blows—people hope that it will rain. Now if it does not rain, they are troubled and their eyes languish. So is a man who boasts, saying, "So much and so much charity I will give to the collector," but he lies, and the eyes of the poor languish for his gift, but it does not come.*—[*Rashi*] Our Sages see here an allusion to the punishment of those who publicly promise to give charity, but do not make good on their word. That punishment is the withholding of rain.—[*Ta'anith* 8b; *Midrash Mishle; Yerushalmi, Ta'anith* 3:3]

15. **The Ruler is won over with slowness to anger**—*As long as the Holy One, blessed be He, holds back His anger and does not requite, the sinners will apply their hearts to win Him over with repentance and prayer.*—[*Rashi* from an unknown midrashic source]

**and a gentle tongue**—*with prayer and supplications.*—[*Rashi*]

**will break a bone**—Heb. גָּרֶם, *a bone, the severity of the decree.*—[*Rashi*]

*Exodus Rabbah* 42 interprets verses 14 and 15 as referring to the Israelites in the desert, who promised to keep the commandments by declaring, "We will do and we will hear," yet they transgressed them shortly afterwards by making the golden calf. Then Moses ascended the mount a second time to win over the Lord so that He would not destroy the people. *Mezudath David* explains: If the prince is wroth with a person, and that person is patient in bearing that anger, and he does not answer him, in this way the prince's anger will be assuaged completely. And if he speaks to the prince afterwards with tender lan-

וְהֲקֵאתוֹ׃ יז הֹקַר רַגְלְךָ מִבֵּית רֵעֶךָ פֶּן־
יִשְׂבָּעֲךָ וּשְׂנֵאֶךָ׃ יח מֵפִיץ וְחֶרֶב וְחֵץ
שָׁנוּן אִישׁ־עֹנֶה בְרֵעֵהוּ עֵד שָׁקֶר׃
יט שֵׁן רֹעָה וְרֶגֶל מוּעָדֶת מִבְטָח בּוֹגֵד
ביום

ת״א הוקר רגלך. חגיגה ז׳: מפיץ וחרב. סנהדרין כט:

יז כְּלֵא רִגְלָךְ מִן בֵּיתֵיהּ
דְּרָחֲמָךְ דְּלָא נִסְבְּעָךְ
וּמְסַנְיָךְ׃ יח אֵיךְ פְּרִיעָא
וְסַיְפָא וְגִירָא שְׁנִינָא
גַּבְרָא דְּמַסְהֵד עַל
חַבְרֵיהּ סַהֲדוּתָא
דְּשִׁקְרָא׃ יט אֵיךְ שִׁינָּא
בִּישְׁתָּא וְרִגְלָא מוֹעַדָא
הֵיכְנָא סַבְרֵיהּ דְּבָזוֹזָא

## רש״י

ותפלה: ולשון רכה. בתפלה ותחנונים: תשבר גרם. עלם קושי הגזר׳: (טז) דבש מצאת וגו׳: (יז) הוקר רגלך. כשם שאם מלאת דבש והוא מתוק להכך אתה לריך שלא תאכל ממנו פן תשבענו והקאתו כך הוקר רגלך מבית רעך. אעפ״י שהוא מקרבך מגע מלבא שם יום יום פן ישבעך וישנא אותך. ולענין מדרשו אל תהי רגיל להטוא שוגג ולהביא תמיד חטאות ואשמות לבית ה׳ שנקרא ריע לישראל דכתיב זה דודי וזה ריעי (ש״ה ה׳): (יח) מפיץ וחרב. שם כלי מלחמה: (יט) שן רועה. רצוצה: מועדת. כמו (תהלים י״ח) ולא מעדו קרסולי: מבטח בוגד. מכזב

## אבן עזרא

כי הדבש חם והגוף לא יכילנו על כן תקיאנו: (יח) מפיץ. חסר נו״ן. ודוגמת מפץ אתה לי והוא שם כלי וכן נו״ן נשיתי טובה ולור ילדך תשי והראוי תנשי ע״מ תטעי: עד שקר. עדות והוא שם דבר ויתכן להיות שם התואר כלומר איש עד שקר: (יט) שן. מענין חץ שנון ונאמר שגיא כי שם שתי מערכות: רועה. שם מן תרועם: מועדת. ע״מ יושבת והשורק תחת חולם כשן נשבר בעת האוכל או כרגל מועדת בעת המרולה כן מבטח הבוגד שיבגוד בעת לרה הבוטח בו. פ״א נכון להיות שן כשן הסלע ויהיה שן ורגל

## מנחת שי

הה״א בחטף סגול ברוב הספרים: (טז) והקאתו. במקלת ספרים הא״ף בחולם ובמדוייקים כהה: (יז) פן ישבעך. העי״ן בחטף פתח בכל המדוייקים וטעות נפל בכל הדפוסים שהעי״ן בסגול:

## רלב״ג

להשיגו שמא מביאך זה להקיא מה שהשגת מפני השבוש שיקרה בזאת ההשגה והמשיל זה הענין בדבש כי כן דרך הדבש כמו שזכר הרב המור׳ כי מי שיאכל ממנו כראוי יקח בו תועלת ומי שיוסיף לקחת ממנו יותר ממה שראוי ימשך לו מזה שיקיאנו מלד קלקולו האלטומכה: (יז) הקר רגלך מבית רעך. שלא תתמיד לבא בביתו יותר מן הראוי כי זה יהיה סבה שישבעך ותסור אהבתו ממך וזה מבואר כי מה שיפקוד אדם בו אינגו חשוב בעיניו אלא אם יהיה לעתים רחוקים. והנה המשיך זה הפסוק לפסוק הקודם להתיחסות אשר ביניהם וידמה שבו הערה ג״כ לבקשת החכמה שלא יטריד האדם בו עיונו יותר מהראוי כי ילאו כחותיו ויהיה זה סבה אל שיתשבש בהשגתו: (יח) מפיץ וחרב. הנה איש עונה ברעהו עד שקר דומה בזה הפועל לבעל מפיץ וחרב וחץ שנון שיהרוג האנשים: (יט) שן רעה. הנה הבטחון שיש לו לאדם שיבגוד בו אוהבו דומה לשן הנשברת כשיבטחן האדם בה המזון ולרגל המועדת בהלכד האדם בה בדרך כי האדם יבטח שיעזר בשיניו בעת לקיחתו המזון וברגליו בעת לכתו ולזה לא יהיה לאדם תועלת בשן והרגל שיהיו בזה האופן וכן לא יהיה לו תועלת

## מצודת דוד

כי כשתאכל הרבה כדי שביעה פן תקיא את הכל ותאבד גם המעט שאכלת בתחלה: (יז) הקר. כן עשה את רגליך יקרים וחשובים מבלי יבואו תדיר בבית רעך כי פן ישבע ממראית פניך וישנא אותך כי האוהב הנראה לפרקים אהוב ביותר וכשיתמיד להראות מאבד מאהבה הראשונה: (יח) מפיץ וגו׳. המעיד בחבירו עדות שקר הורגו בלשונו ככלי קרב: (יט) שן רעה. כמו שן הנשבר בעת

## מצודת ציון

תיבש גרם (לעיל י״ז) ור״ל הקושי: (טז) והקאתו. ענין החזרת המאכל מן הגוף וכן וספק מואב בקיאו (ירמי׳ מ״ח): (יז) הוקר. מלשון יקר: (יח) מפיץ. שם כלי המשבר וכן מפץ אתה לי (שם נ״א): שנון. ענין חדוד: ענה. מעיד כמו לא תענה (שמות כ׳): (יט) רעה. ענין שבירה כמו תרועם בשבט ברזל (תהלים ב׳): מועדת. ענין החלקה והשמטה כמו ולא מעדו קרסולי (שם י״ח):

and the one about whom it was said. The one who says it is killed in a manner similar to the club, as he is in its immediate vicinity. The one who believes it is killed in the manner of the sword, since he is nearby. The one about whom it was said is killed as with an arrow, because although he may be in some distant place, he suffers because of the report spread about him.—[*Malbim*]

19. **a broken tooth**—Heb. רֹעָה, *broken.*—[*Rashi*] [*Rashi* relates the two roots רצץ and רעע, both meaning *to break.*] *Ibn Ezra* cites Psalms 2:9: "You shall break them (תְּרֹעֵם)."

**unsteady**—Heb. מוּעָדֶת, *as in* (Ps. 18:37): *"and my ankles have not slipped* (מָעֲדוּ)."—[*Rashi*]

**trust in a traitor**—*He disappoints him on the day of his trouble like a broken tooth and an unsteady* [foot].—[*Rashi*] A traitor in time of trouble resembles a broken tooth when one is eating, or an unsteady foot while one is running. This may also be rendered: Like a broken cliff

and vomit it. 17. Visit your neighbor sparingly, lest he become sated with you and hate you. 18. A man who testifies falsely against his friend is like a club, a sword, and a sharpened arrow. 19. Like a broken tooth and an unsteady leg is trust in a traitor

17. **Visit your neighbor sparingly**—*Just as, if you find honey, and it is sweet to your palate, you must not eat [too much] of it lest you become sated with it and vomit it, so should you visit your neighbor sparingly; although he is from your midst [of your kin], refrain from going there daily lest he become sated with you and hate you.* [Bracketed words appear in Salonica edition only.] *According to its homiletic interpretation, do not accustom yourself to sin inadvertently and to constantly bring sin-offerings and guilt-offerings to the house of the Lord, Who is called a friend to Israel, as it is written* (Song 5:16): *"This is my beloved and this is my friend."*—[*Rashi* from *Hagigah* 7a]

The Talmud (*Hagigah* 14b) relates that four Sages entered the *Pardes. Rashi* explains that they ascended to heaven by uttering God's Name. *Tosafoth* explain that it appeared to them that they had ascended to Heaven. One of them, Ben Zoma, glanced toward the Shechinah and became deranged. The Talmud applies verse 16 to him; he overstepped the boundaries of deriving pleasure from a sweet thing, similar to overeating honey.

*Rambam* (*Guide,* vol. 1, ch. 32) explains this *Aggadah* as referring to philosophic study. Although knowledge of philosophy is very sweet and pleasant, comparable to eating honey, man's intellect has limits and boundaries. If a person oversteps these boundaries, he may become deranged like Ben Zoma or become a heretic like Elisha ben Avuyah, known as *aher,* the other one. This is quoted by *Ralbag* and *Ibn Nachmiash.* Verse 17 also teaches us not to overburden our intellect with thoughts of theology lest we come to err.—[*Ralbag*]

18. **like a club, a sword**—*Names of weapons.*—[*Rashi*]

**a club**—Heb. מֵפִּיץ, lit. a shatterer or a scatterer; either a war club or a huge hammer used to shatter the enemy in war.—[*Michlol Yofi*]

The club or hammer destroys stones and bones in the immediate vicinity. The sword cuts those that are nearby. The arrow pierces those standing at a distance. False testimony sometimes acts as a hammer, scattering those nearby, causing quarrels among brothers. Sometimes it acts as a sword, killing those nearby, and sometimes it kills people far away like a sharpened arrow.

This verse may also allude to the Rabbinic description of slander as "the triple tongue," the tongue that kills three people—the one who says it, the one who hears and believes it,

בְּיוֹם צָרָה׃ כ מַעֲדֶה־בֶּגֶד ׀ בְּיוֹם קָרָה
חֹמֶץ עַל־נָתֶר וְשָׁר בַּשִּׁרִים עַל לֶב־
רָע׃ כא אִם־רָעֵב שֹׂנַאֲךָ הַאֲכִלֵהוּ לָחֶם
וְאִם־צָמֵא הַשְׁקֵהוּ מָיִם׃ כב כִּי גֶחָלִים
אַתָּה חֹתֶה עַל־רֹאשׁוֹ וַיהוָה יְשַׁלֶּם־
לָךְ׃ כג רוּחַ צָפוֹן תְּחוֹלֵל גָּשֶׁם וּפָנִים

ת"א מעדה. חולין קלג: אם רעב. סוכה נב מגלה טו זוהר פנחס: כי גחלים. סוכה שם: רוח צפון. תענית ז':

**תרגום**

בְּיוֹמָא דְעָקְתָא׃ כ דְשָׁקֵל מַרְטוּטָא מִן חַבְרֵיהּ בְּיוֹם דְקָרְתָא הֵיךְ הוּא דְרָמֵי חַלָּא עַל נִתְרָא וּמְצָרֵף לְלִבָּא כֵּיבָא הֵיךְ סָסָא לְמָנָא וְאֵיךְ מַלְטִיתָא בְקִיתָא הֵיכְנָא בַּרְיוּתָא מְחַדְּא לְבֵיהּ דְגַבְרָא׃ כא אִין כָּפֵן סָנְאָךְ אוֹכְלֵיהּ לַחְמָא וְאִין צָחֵי אַשְׁקֵיהּ מַיָּא׃ כב מְטוּל דְגוּמְרֵי דְנוּרָא חָתֵי אַנְתְּ עַל רֵישֵׁיהּ וֶאֱלָהָא נְשַׁלְמֵיהּ לָךְ׃ כג רוּחָא גַרְבִּיתָא בָּטְנָא מִטְרָא הֵיכְנָא אַפֵּי בְגִיסְתָא וְלִישָּׁנָא

### רש"י

בו ביום לרתו כשן רעולה ומועדת: (כ) **מעדה בגד ביום קרה**. בגד עדים בגד מוסר בלוי שהוא ראוי להסירו מעליו לפי שהוא בלוי כדמתרגמינן ויסר ויעדי וזה. פתרונו בגד בלוי הרי הוא ביום קרה כחומץ על נתר: **נתר**. מין אדמה רכה כגון אדמה שלנו הנקרא (קריד"ה) והיו חוקקין אותה ועושין כלים ואם יפול בו חומץ ממסמסו ונשחת. אף: **ושר בשירים על לב רע**. דומה לגניחם ומה הוא שר בשירים זה המלמד תורה לתלמיד רשע אשר אין בלבו לקיימה:

### מטשיא

(כא) **אם רעב שונאך**. כמשמעו ורבותינו פירשוהו על יצר הרע אם רעב הוא ואומר לך להשביעו בעבירות משוך את עצמך לבית המדרש והאכילהו מלחמה של תורה וכן השקהו מים מימיה של תורה: (כב) **כי גחלים**. הם לו שאתה חותה ושואב מן המדורה לתת על ראשו: **חותה**. כל שאיבת גחלים מתוך ההסק קרוי חותה כד"א לחתות אש מיקוד (ישעיה ל'): **וה' ישלם לך**. ישלימנו עמך שלא יתגבר עליך: (כג) **רוח צפון תחולל גשם**. תוליד ותברא

### מנחת שי

(כ) מעדה בגד. במקף בין שתי המלות: (כא) האכלהו לחם. במקצת ספרים מלא יו"ד: (כג) תחולל גשם. מלא תחולל בבני

### אבן עזרא

מגל אחד והטעם כשן נכברת ותמעד הרגל העומד' עליה כן מבטה הבוגד: (כ) **מעדה בגד**. תרגום ויסר ולא עדה עליו שהל ביום קרה והומץ על נתר מדוגים וכן שר בשירי שמחה על לב רע. ונתר ידוע להתכבס בו והגה אם המים יפרפרוהו כל שכן ההומץ כלומר מסיר או מעביר בגדיו מעליו והולה מדומה לגניחם ומלא רע מן תרועם כלומר שבור וזה דרך מוסר שלא יכעים החולה ולא יכביד עליו בשיריו ודבריו: (כא) **רעב**. **וצמא**. עוברים: **שנאך** נפתח בעבור אות הגרון: (כב) **כי גחלים**. בזכרו המאכל והמשקה שנתת לו תתרפנו כאילו גחלים הבאת על ראשו לשרפו ויאמר מעשות לך רע: **ישלם לך**. גמול טובתך: (כג) **תחולל**. דבק בפסוק פנים יאחור והוא מן

### רלב"ג

באוהב בשלא יהיה נעזר בו בעת צרה: (כ) מעדה בגד. הנה עדי הבגד וקבוטו לא יועיל להציל מקור ביום קרה וכן לא יועיל החומץ אחר הנתר להסיר כתם הבגדים או ירצה בזה שהחומץ בשיושם על נתר אין בו תועלת להעביר הכתם ואע"פ שכל אחד מעביר הכתם בפני עצמו כשיתערבו יפסיד האחד את האחר וזה דבר ראוי שיתבאר מן החוש כן הוא אשר שר בשירים אל לב רע במרוב יגונו אינו מתפעל להרהיב לבו בשירים כי אין לו בשיריו תועלת או ירצה בזה שכמו מי שיש לו קור ביום קרה וילבש על בגדיו בגדי עדי וקבוש אשר בהם ב' תועלות להשלים ההללה מהקור ולהתקשטו וכמו מי שיעביר חומץ על הבגד שיש לו כתם אחר שהעביר בו הנתר שיש בו תועלת להשלים העברת הכתם ולהקנות לבגד ההוא ריח החומץ אשר הוא מסיר העפושים כן מי ששר בשירים רבים על לב רע כי השיר הטבי ישלים הולאת היגון מהלב ויקנה עוד שמח' בנפש וזה הפי' השני שפירשנו הוא הנכון לפי מה שאחשוב: (כא) אם רעב שונאך. לא תמנע מלהון עליו להאכילו לחם ואם הוא צמא השקהו מים כי זאת מדה משובחת מאד להיטיב לכל האנשים לאוהב ולשונא ואם ירע לבך איך תיטיב לו תחת אשר עשה לך רעה תדע באמת כי אתה עם גמלך בזה הראוי לנפשך מטוב המדות הנה לוקח נקמתך ממנו: (כב) כי גחלים וגו'. כי זה הענין קשה לו כאילו אתה חותה גחלים על ראשו לשרפו מרוב בשתו על הטוב שיקבל ממך תחת הרעה אשר גמלך וה' ישלם לך טובה תחת הטובה אשר גמלת אותו: (כג) רוח צפון. הנה כמו שהרוח הצפונית תברא הגשם בירושלם כי היא תביא שם האידים העולים מהים

### מצודת ציון

(כ) מעדה. מל' עדי וקשוט: קרה. מל' קרירות: נתר. מין אדמה רכה עשוי לכבס בו כמו אם תכבסי בנתר (ירמי' ב'): רע. מובבר כמו שן רועה: (כב) חותה. ענינו שאיבת האש מהיקוד כמו לחתות אש מיקוד (ישעי' ל'): (כג) תחולל. ענין בריאה והולדה כמו הן בעון חוללתי

### מצודת דוד

יטחון בו המאכל וכמו רגל השומטת ומחלקת בעת ירוץ בדרך כן הוא מבטח הבוגד בבוא עת צרה והיא העת הצריך אל הבטחון והוא בוגד אז בו כמו בן ורגל הבוגדים בעת הצורך: (כ) מעדה. כמו המעלה על גופו בגד מקושט ביום קרה ונחמד הוא למראה הענין אבל אין בזה ביום תועלת להגן מהקור וכמו השופך חומץ על נתר שמעביר רכות הנתר ומוזק החומץ יוסדק סדקים ממעל אבל לא יגבר כח החומץ נחלקו לחלקים מפורדים כן הוא השר בשירי שמחה על לב כבבד המלאה לה תוגה. כי אף אם יפתח פיו למלא שחוק מכל מקום הלעצ במור בלבו ולא הלך לו: (כא) האכילהו. ואל תטור לו בנאה: (כב) כי גחלים. במה שתאכיל אותו יצר לו כאלו שאבת מן היקוד גחלים לתת על ראשו כי יבוש מאד על אשר תגמול לו טובה על הרעה. ועם כי תחשב זה לנקמה מכל מקום ישלם לך ה' שכר לדקה: (כג) רוח צפון. כמו שרוח לפוני מוליד את הגשם כן לשון הרע

on a day of trouble. 20. A worn-out garment on a cold day is
like vinegar on chalk, and so is one who sings songs to a broken
heart. 21. If your enemy is hungry, feed him bread, and if he is
thirsty, give him water to drink; 22. for you will be scooping
coals on his head, and the Lord will reward you. 23. As the
north wind begets rain, so a backbiting tongue [begets]

and an unsteady foot etc. If one is standing on a cliff and it breaks off, his foot will slip. So will a traitor betray his friend who relies on him in time of need.—[*Ibn Ezra*]

20. **A worn-out garment on a cold day**—מַעֲדֶה־בֶּגֶד, synonymous with (Isa. 64:5): "בֶּגֶד עִדִּים, *a discarded garment," a worn-out garment that is fit to be taken off since it is wornout, as we translate into Aramaic* "וְיָסַר" (Ex. 7:24) *as* וְיַעֲדֵי, *and He shall remove. Now this is its interpretation: A worn-out garment on a cold day is like vinegar on chalk.*—[*Rashi*]

**chalk**—Heb. נָתֶר, *a kind of soft earth, like our earth that is called creide, which they would hew and make vessels therefrom, and if vinegar falls on it,* [the earth] *is dissolved and ruined. So. . .*

**is one who sings songs to a broken heart**—[lit. on a bad heart. This one] *resembles them both. Now what is one who sings songs? This is one who teaches the Torah to a wicked student, who has no intention in his heart to fulfill it.*—[*Rashi* from *Hullin* 133a]

*Rashi* ad loc. defines נָתֶר as *alum*, explaining that just as wearing a worn-out garment on a cold day is of no use, and vinegar on alum only destroys it, so is it useless to teach the Torah to a pupil who has no intelligence to understand it. *Mezudath David* explains that singing joyful songs to one who is brokenhearted is of no use.

21. **If your enemy is hungry**—[to be explained] *according to its apparent meaning. Our Rabbis, however, explained it as referring to the evil inclination. If he is hungry and tells you to sate him with sins, draw yourself into the study hall and feed him the bread of Torah, and likewise, give him the water of Torah to drink.*—[*Rashi* from *Sukkah* 52a]

22. **for . . . coals**—*they are to him, that you are scooping from the fire to heap upon his head.*—[*Rashi*]

**scooping**—Heb. חוֹתֶה. *Any scooping of coals from a fire is called* חוֹתֶה, *as it is stated* (Isa. 30:14): *"to scoop* (לַחְתּוֹת) *fire from a hearth."*—[*Rashi*]

**will reward you**—Heb. יְשַׁלֶּם־לָךְ, *will cause him to make peace with you, that he should not overpower you.*—[*Rashi* from *Sukkah* 52a] [This definition probably follows the homiletic interpretation of the Rabbis, that the passage refers to the evil inclination. According to the apparent meaning, however, it appears that the text should be rendered as in our translation. See *Ibn Ezra, Mezudath David.*]

נִזְעָמִים לְשׁוֹן סָתֶר: כד טוֹב שֶׁבֶת עַל־
פִּנַּת־גָּג מֵאֵשֶׁת מִדְוָנִים וּבֵית חָבֶר:
כה מַיִם קָרִים עַל־נֶפֶשׁ עֲיֵפָה וּשְׁמוּעָה
טוֹבָה מֵאֶרֶץ מֶרְחָק: כו מַעְיָן נִרְפָּשׂ
וּמָקוֹר מָשְׁחָת צַדִּיק מָט לִפְנֵי רָשָׁע:
כז אָכֹל דְּבַשׁ הַרְבּוֹת לֹא־טוֹב וְחֵקֶר
כבדם

מְטַשְׁיָא: כד טָב לְמִיתַב
עַל קַרְנָא דְאִגְּרָא מִן
דִּלְמֶעְמַד עִם אִתְּתָא
תִגְרָנִיתָא וּבֵיתָא טַרְקָא:
כה מַיָּא קְרִירֵי עַל נַפְשָׁא
מְשַׁלְהַתָא הֵיכְנָא
שְׁמוּעֲתָא טַבְתָּא מִן
אַרְעָא רְחִיקְתָא: כו הֵיךְ
דְּכָבִיר אֱנִישׁ מַעְיָנָא
וּמַבּוּעָא מְחַבֵּל צַדִּיקָא
דְּנָפֵל קֳדָם רַשִׁיעָא:
כז לְמֵיכַל דּוּבְשָׁא סַגִּי לָא

ת"א מים קרים. יומא פג זוהר אחרי מות : מעין נרפש. עקרים מ"ד פט"ו : מדונים קרי

### רש"י

את הגשם : ופנים נזעמים. תהולל לשון סתר. לשון הרע גורם שיהיו פני הקב"ה נזעמים וכן דמיון פתרון המקרא רוח צפון עשוי' להולל גשם ול' סתר עשויה לפנים נזעמים : (כד) טוב שבת על פנת גג. על סלוק השכינה נאמר : מאשת מדינים. כנסת ישראל שהרשיעו את מעשיהם והקניטו להקב"ה : ובית חבר. בית שחברו בו ע"א לשכינה : (כה) על נפש עיפה. עשוים להשיב נפש עיפה : ושמועה טובה. אף היא בזה להם וכן כשיעקב ותחי רוח יעקב אביהם (בראשית מ"ה) : (כו) מעין נרפש. עכור ברגלים : צדיק מט לפני רשע. כשהצדיק מט לפני הרשע וירא להוכיח על פניו דרכו שנאוי הדב' כמעין נרפש ומקור נשחת : (כז) אכול דבש. לאכול דבש יותר מדאי. רמז

### אבן עזרא

חלילה כלומר התנגע. פ"א מן הולל אילות כענין תחוללו באבנים ראתה ותהל הארץ יחיל ה' מדבר קדש כלו' אחזה חיל וכן פירוש רוח צפון היא תביא חיל לגשם ותבריעהו עד שיכלא ולא ירד על הארץ כי הפזור העבים לפאות וכן פנים נזעמים יהוללו לשון סתר שמדבר הרכילות בסתר יתנו לה הפנים חיל בראיות הזעם בהם עד אשר ימנענה מן הרכילות וזה דרך מוסר שלא יקבל אדם לשון הרע : (כה) מים קרים. מדומים לתועלת הגוף וראוי כל אדם לבשר טובות ולהמנע מבשורות רעות : (כו) מעין. אבול. ב' דגקים. מעין ומקור כפל דבר כלומר כמעין שהרגל תרפשהו וכמקור המים שהוא נשחת כך הצדיק שימוט לפני רשע ודימהו למעין כי פיהו מקור המוסרים ואין נכון שירפשו אותו הרשעים : (כז) אכול. נווי כלומר אכול דבש אבל הרבות

### מנחת שי

טעמים : (כד) מדונים. מדינים קרי : (כו) מעין. העי"ן בשוא

### רלב"ג

כי היה הוא לפיני לה כן לשון סתר שיספר אדם לחבירו דברי רכילות יברא פנים נזעמים ויהדש' והנה הזהיר בכאן מזה הדבור המגונה בזה האופן: (כד) טוב שבת. טוב לאיש שישב בלא חבורה על פנת גג משישב עם אשת מדינים שתעורר ריב וקטטה לו תמיד ואע"פ שהוא בבית שיש בו חבורה מהאנשים: (כה) מים קרים. הנה כמו שהנפש העיפה תקח הנאה ותועלת במים הקרים להשיב לפנימי הגוף החום הטבעי שהתפזר מפני התנועה כן יקח האדם הנאה גדולה ותועלת בשמועה טובה שתגיע לו מארץ מרחק בקרוביו ואוהביו כי זה ישיב נפשו אליו כמו שישיבו המים הקרים נפש העיף אליו: (כו) מעין. הנה מעין שמימיו נובעים אשר נתטנף ברפש עד שנשחת המקור שמשם נובעים מי המעין מטנוף הרפש ידמה לצדיק אשר הוא מתמוטט לפני רשע ונכנע תחתיו כי הרשע משחית הוד הצדיק ומטנף אותו בדרך שירחיק האנשים מלכת בדרכו כמו שירחיק טינוף הרפש השתיה ממי המעיין: (כז) אכול דבש. אכילת הדבש יותר מן הראוי לא טוב והוא

### מצודת דוד

שנאמר בסתר מוליד פנים של זעם מן האמור עליו על האומר : (כד) על פנת גג. מבלי מחסה ויחידי מבלי חברת אנשים : מאשת. מלבבת בית עם אשה מדינים ואף במקום חבורת אנשים : (כה) מים קרים וגו'. שני אלו האחן שוה והם מים קרים הנשפכים על נפש העיפה מרוב החום ושמועה טובה הבאה לאדם ממרחק : (כו) מעין נרפש. כמו מעין הנרמס והנדרך ברגל שהנה נעכר המים ולא ישתוהו מעתה : ומקור משחת. הנשחת ברמיסת הרגל וכפל הדבר במלות שונות : צדיק. וכן כאשר ימוט הצדיק לנפול לפני הרשע היא סיבה לבל יבקשו עוד תורה מפיו באמרם אם לעצמו לא הועיל מה יועיל לזולתו : (כז) אכל דבש. לאכול דבש הרבה לא טוב כי מעוטו יפה ורובו קשה אבל מרבית חקירת כבודם של צדיקים לכבוד

### מצודת ציון

(תהלים כ"א) : נזעמים. מלשון זעם וכעס : (כד) פנת. זוית : (כו) נרפש. ענין רמיסה כמו ברגליכם תרפשון (יחזקאל ל"ד) :

The Rabbis of the Midrash (*Gen. Rabbah* 75:2) explain that just as it is impossible for a spring to be muddied or for a fountain to be ruined, so it is impossible for a righteous man to fall before a wicked man. Therefore, they take the patriarch Jacob to task for humbling himself before Esau on his way home to his father Isaac.

*afraid to reprove him for his way to his face, the matter is hateful like a muddied spring and a ruined fountain.*—[*Rashi*] *Ibn Nachmiash* explains that, when the righteous man falls before the wicked man, and he no longer teaches the public to fear God, it is like a spring that has been trampled upon and destroyed so that the water no longer flows.

an angry countenance. 24. It is better to sit on the corner of a roof than a quarrelsome wife and a house of companionship. 25. As cold water to a faint soul, so is good news from a distant country. 26. A righteous man slipping before a wicked man is like a muddied spring and a ruined fountain. 27. Eating honey to excess is not good, but fathoming

23. **As the north wind begets rain**—*It begets and creates the rain.*—[*Rashi*]

**an angry countenance**—*A backbiting tongue begets* [an angry countenance]. *Slander causes the countenance of the Holy One, blessed be He, to be angry, and this is the comparison* [of the interpretation] *of the verse:* [The bracketed words do not appear in the Salonica edition, which seems more correct than our edition.] *The north wind is accustomed to beget rain and a backbiting tongue is accustomed to [beget] an angry countenance.*—[*Rashi*] [Bracketed word appears in ms. emendations in Jerusalem edition of Hebrew Bible, 1974. This appears accurate.]

*Mezudath David* explains that a backbiting tongue causes the one slandered to be wroth with the one who slandered him.

24. **It is better to sit on the corner of a roof**—*This is stated concerning the withdrawal of the Shechinah.*—[*Rashi*]

**than a quarrelsome wife**—*The nation of Israel, who dealt wickedly and provoked the Holy One, blessed be He.*—[*Rashi*]

**and a house of companionship**—*A house in which they associated idolatry with the Shechinah.*—[*Rashi*] Cf. verse 21:9. *Mezudath David* explains that it is better to sit on the corner of a roof without any shelter and without any company than to live in a house with a quarrelsome wife although it is sheltered and there are companions. [Here we adopted *Mezudath David's* interpretation for our translation, because *Rashi* does not state the simple meaning of the verse, and the translation matches the midrashic interpretation.]

25. **to a faint soul**—*It* [cold water] *is accustomed to revive a faint soul.*—[*Rashi*]

**so is good news**—*That too is equal to it, and so was it with Jacob* (Gen. 45:27): *"And the spirit of Jacob their father was revived."*—[*Rashi*] [When Jacob was informed that Joseph was still alive in Egypt, his soul was revived.] Another example is that of Abraham and Isaac, who, while still standing on Mt. Moriah after the *akedah,* heard that the latter's match, Rebecca, had been born. [*Gen. Rabbah* 57:2, quoted by *Yalkut Shimoni, Yalkut Machiri,* and *Ibn Nachmiash*]

26. **a muddied spring**—*Muddied by the feet.*—[*Rashi*]

**A righteous man slipping before a wicked man**—*When a righteous man slips before a wicked man and is*

כְּבֹדָם כָּבוֹד׃ כח עִיר פְּרוּצָה אֵין חוֹמָה
אִישׁ אֲשֶׁר ׀ אֵין מַעְצָר לְרוּחוֹ׃
כו א כַּשֶּׁלֶג ׀ בַּקַּיִץ וְכַמָּטָר בַּקָּצִיר כֵּן
לֹא־נָאוֶה לִכְסִיל כָּבוֹד׃ ב כַּצִּפּוֹר לָנוּד
כַּדְּרוֹר לָעוּף כֵּן קִלְלַת חִנָּם לֹא תָבֹא׃

ת״א עיר פרוצה. עקידה ש׳ ח׳ וש׳ כ׳: כצפור. מכות יא (מכות כה): לו קרי שוט

שַׁפִּיר אַף לָא לְמִבְצְיָא מִלֵּי מְיַקְּרָתָא׃ כח הֵיךְ קַרְתָּא דִתְרִיעָא וְלָא אִית לַהּ שׁוּרָא הֵיכְנָא גַבְרָא דְּלָא מַצְעַר רוּחֵיהּ׃ א אֵיךְ תַּלְגָא בְּקַיְטָא וְהֵיךְ מִטְרָא בְּחַצְדָא הֵיכְנָא לָא יָאֵי לְסַכְלָא יְקָרָא׃ ב הֵיךְ צִפְּרָא דְטָאֵס וְהֵיךְ פַּרְחָתָא דְּפָרְחָא הֵיכְנָא לְוָטְתָא דְּמַגָּן לָא

### רש״י

הדבר לדורש במעשה מרכבה ובמעשה בראשית לגלות לרבים ועמי הארץ מלגלגים על הדברים ושואלים מה למעלה מה למטה: וחקר כבודם כבוד. והיכן החקר ראוי להיות בדברי חכמים אשר כבודם כבוד בגזירותיהם יש לשאול מה טעם גזרו כך ולמה סייגו בכל גזירה וגזירה:

כו (א) כשלג בקיץ. בשעה ששוטחין התאנים בחמה ליבשן ולעשות קציעות כדאמר הלחם והקיץ לאכול הנערים (ש״ב ט״ז): (ב) כצפור לנוד. שהוא נד וכדרור שהוא הוזר לקנו כן: קללת חנם לו תבוא. למי שהוציאה בפיו: דרור. הוא עוף הנקרא (רונדל״ע בלע״ז. נ״ל כמו

### מנחת שי

לבדו: (כח) מעצר. ברוב הספרים הצי״ן בשוא לבדו והלד״י בקמץ: כו (ב) לעוף כן. הכ״ף בלי״ר״י במדוייקים: קללת חנם. הלמ״ד בשוא לבדו כמו שכתוב בפרשת כי תצא ושופטים והם ג׳ במסורת: לא תבוא. לו קרי ובזוהר פרשת ויגלה דף קע״ה רבי יוסי אמר כתוב קללת חנם לא תבוא ואוקמוה לו בוא״ו ואי קללת לדיקא הוא אפילו דלא אתכוון בה כיון דנפקא מפומיה נטיל לה ההוא ילר הרע יקטרג בה בשעתא דסכנה כמו שאירע ליעקב כשאמר עם אשר תמצא את אלהיך לא יחי׳ וגו׳ כדאיתא בבראשית רבה פ׳ ע״ד סימן ג׳ ומדרש קהלת פסוק כשגגה שיולא מלפני השליט. ועיין פרק ב׳ דמכות ובמסורת הברית הגדול אזהרה לאדם שלא יקלל את חבירו שודאי לו למקלל תבוא אי נמי שישמור שלא יקללוהו חנם דלו תבוא כמאמרם ז״ל אל תהי קללת הדיוט קלה בעיניך שהרי

### אבן עזרא

לא טוב כי מאכל הדבש כראוי הוא טוב. וחקר כבודם של לדיקים הוא כבוד להקיר ור״ל שיחקור חכמתם שהיא כבודם ותפארתם והנה זה אכול דבש ראוי מדומים וכמוהו אכול בני דבש כי טוב וכתיב בתריה כן דעה: (כה) פרוצה. שנעשית פרלה בחומותיה: אין חומה. שלא נבנתה חומה במקום פרץ לעבור אנשים ויצא מי שירצה כן איש אשר אין מעצור לרוחו לנפשו לעצור מאחריו והנה שתיקה טובה להם:

כו׳ (א) כשלג. לא נאה בקיץ ומטר שלא נאה בקציר כן לא נאה לכסיל כבוד שיכבדוהו אחרי׳: (ב) כצפור.

שום. אל. ענה. ד׳ דבקים. וטעם שמות העופות והבהמות אשר פירשו הראשונים הם כהלומות בלי פתרון

### רלב״ג

ההשתדלות בדעת קדושים כי יספיק שילמד מהחכמה על שהם נמצאים לא שיפליג לחקור מה הם ואיך ענינם כי ההרבות בחקר כבודם אינו כבוד כי לא יוכל השכל האנושי להשיג על אמתת זה באופן שלם: (כח) עיר פרולה. הנה האיש אשר לא יוכל למשול בו כרלונו דומה לעיר פרולה שאין לה חומה לשמור העיר שלא יכנסו בה משחיתים וזה שלא ימשול ברלונו מוכן לרעות רבות מפני המסרו ביד תאותו ורלונו והשליט בתאותו הוא כמו חומה לשמור שלא יעלה שם הפורץ מפני תאותיו המגונות: (א) כשלג. הנה כירידת השלג בקיץ שהוא מורה שלא יתכן לפי המנהג הטבעי וכמטר בקליר שהוא מזיק ובלתי נאות כן לא יאות לכסיל כבוד כי אין מחקו לפי הנהוג לתת לו כבוד ונתינת הכבוד לו הוא דבר מזיק להמון העם יבא לחשוב שאין יתרון לחכם על הכסיל: (ב) כלפור לנוד. הנה כמו הלפור שהוא נד ממקומו בקנות

### מצודת ציון

מם. מלשון נטיה: (כח) פרוצה. ענין שבירה: מעצר. ענין מניעה כמו ותעלר המגפה (במדבר י״ז): לרוחו. ענין דבור כמו וברוח שפתיו (ישעיה י״א) על שם שבאה ברוח הפה:

כו (א) בקיץ. הוא עת שטיחת התאנים ליבש כמו וקיץ והורף (בראשית ח׳): נאוה. נאה כמו נאוה תהלה (תהלים ל״ג): (ב) כדרור. הוא עטלף ונקרא דרור על שם שמקננת בבתים כאלו היתה חפשית מבני אדם כי דרור הוא ענין חירות כמו וקראתם

### מצודת דוד

יחשב ר״ל מהראוי להרבות לחקור חכמתם שהיא כבודם ותפארתם: (כח) עיר פרוצה. כמו עיר שנפרלה חומתה ולא נבנית חומה במקום הפרלה הנה בזה נתקלקלה שמירת העיר כי כל הרולה בא בה. כן איש אשר לא יוכל למנוע רוח אמרי פיו כי בזה מקלקל שמירת נפשו וכמו שכתוב שומר פיו ולשונו שומר מלרת נפשו (לעיל כ״א) אם כן מי שלא שמר רוח אמרי פיו מקלקל שמירת הנפש:

כו (א) כשלג. כמו אם יורד השלג בעת שטיחת התאנים ומטר בעת הקליר שהמה דברים שאינם נאים כי מפסידים התאנים והתבואה כן לא נאה לכבד את הכסיל שאז יחשוב שאין יתרון לחכמה: (ב) כצפור. כמו לפור הפורח מקנו להיות נודד נהביג מאכלו וכמו הדרור הפורח מקנו לעוף השמים הנה הם חוזרים ובאים לקנם כן קללת חנם אל המקלל עלמו

*the one who uttered it with his mouth.*—[*Rashi*]

**swallow**—Heb. דְּרוֹר. *This is the bird known as arondele in Old French,* [hirondelle in modern French, schwalbe in German,] *which is called* דְּרוֹר, *because it lives* (דָּר) *in a house as in a field.*—[*Rashi*] *Mezudath David* explains that דְּרוֹר means freedom. The swallow feels free to nest in houses despite the presence of humans.

**come home**—According to the *keri,* לוֹ, this should be rendered: will come *to him,* meaning that it will come back to the one who curses.

their honor is honor. 28. Like a broken city without a wall, so is a man whose spirit is unrestrained.

## 26

1. Like snow in the summer and like rain at harvest, so is honor unbefitting for a fool. 2. Like a wandering sparrow and like a flying swallow, so will a vain curse come home.

27. **Eating honey**—*To eat honey to excess. The topic symbolizes one who expounds on the account of the Merkavah and the account of the Creation to the public; the ignoramuses will ridicule the words and ask what is above and what is below.*—[*Rashi*] *Rashi* alludes to *Hagigah* 2:1, 2, where the dissemination of the esoteric parts of the Torah is limited to one student for the Creation and not even to one student for the Merkavah unless he is sufficiently wise and understanding to be taught the broad outline and to comprehend the rest on his own. The Mishnah also forbids speculation on what is above the finite universe and what is below it. Cf. *Rav, Tifereth Israel;* also above 25:16.

**but fathoming their honor is honor**—*But when is fathoming appropriate? In the words of the Sages, whose honor is honor: We may ask why they decreed such and such a decree, and why they enacted a safeguard in each decree.*—[*Rashi*] *Mezudath David* explains: Eating too much honey is not good, but fathoming the wisdom of the righteous, which is their honor, is indeed honorable, as that brings them honor and glory.

28. **Like a broken city, etc.**—Just as a city whose wall is broken and not rebuilt is insecure because anyone can enter it unrestrained, so is a person who cannot control his mouth and talks about whatever enters his mind. He destroys the security of his soul.—[*Mezudath David*]

1. **Like snow in the summer**—*when they spread the figs in the sun to dry them and to make fig cakes, as is stated* (II Sam. 16:2): *"the bread and the dried figs for the young men to eat."*—[*Rashi*] [It appears from *Rashi* that קַיִץ is actually the fig-drying season, which falls in the summer. Therefore, the season is known as קַיִץ, whether or not there are figs to be dried.]

Should it snow when the figs are being spread in the field or should it rain when the wheat is being harvested, this would constitute a calamity because the figs or the harvest would deteriorate. So is it unfitting to honor a fool lest he think that wisdom has no superiority.—[*Mezudath David*]

2. **Like a wandering sparrow**—*that wanders and like a swallow that returns to its nest, so . . .*—[*Rashi*]

**will a vain curse come home**—*to*

ג שוט לסוס מתג לחמור ושבט לגו
כסילים: ד אל־תען כסיל כאולתו פן־
תשוה־לו גם־אתה: ה ענה כסיל
כאולתו פן־יהיה חכם בעיניו: ו מקצה

תעול: ג שוטא לסוסא
ומגלבא לחמרא
ושובטא לגושמיהון
דסכלי: ד לא תתל
פתגמא לסכלא היך
שטיותא דלא תדמי ליה
אף אנת: ה אלא מלל
עם שטיא בחכימותך
דלא נסבר בנפשיה דחכימא הוא: ו מן

ת"א אל תען. שבת ל' תליעה פ"ד: פן תשוה. עקידה ש' ל':
ענה. שבת שם: פן יהיה. עקידה שם:

## רש"י

בירמיה ח' ז' ארונדעל"ע בל"א שוואלבע) ונקרא דרור שדרה בבית כבשדה: (ג) שוט לסוס. הוא עשוי ואף שבט נכון לגו כסילים. יסורין מוכנים לרשע: (ד) אל תען כסיל. בדברי ריב ומלה פן תשוה לו: (ה) ענה כסיל. הבא להסיתך לעבודת כוכבים ומזלות הודע לו אולתו: פן יהיה חכם בעיניו. וטעם שני פסוקי' אלו מפורש בתוכם אל תען. בדבר שתשוה לו אם תענהו ענה כסיל. בדבר שאם לא תענהו יהיה חכם בעיניו: (ו) מקצה רגלים חמס שותה. מי ששולח דברים ביד כסיל הוא מקצה רגלי שלוחים הרבה לחזור ולשלוח לתקן מה שעיות הראשון אשר

## אבן עזרא

והזכיר הצפור והדרור כי הם דרות בבתים עם בני אדם וצריכין לנוד מהרה ממקום למקום מפני העוברים והשבים כן מהרה קללת הנם לו לכסיל המקלל תבא והעד אל תען כסיל וכתיב לא באל"ף להודיע כי למקלל תבא ולאשר יקולל לא תבא: (ג) שוט. כמו שבט. ומתג ידוע להודיע כי ג' ראויים להכותם: (ד) אל תען כסיל. כאשר יקללך: תשוה. כמו תדמה: (ה) אבל ענהו בדבר הכמה כנגד אולתו והודיעהו סכלותו שלא יהיה חכם בעיניו: (ו) מקצה. וקוצץ ענין אחד כמו שוגג ומשגה כורת רגליו ושותה חמס שיהמסהו הכסיל. פ"א מקצה מן קצה האחד ואחרי הקצות את הבית הסר הקצות והוא הטיט אשר על האבנים ופי' מקצה מרחיק אל הקצה רגליו ואינו הולך לצרכו וטעם חמס שותה מהמם שעושה בשלוח ביד כסיל דבריו ישתנו:

## מנחת שי

אבימלך קלל את שרה הנה הוא לך כסות עינים ונתקיים בזרעה דכתיב ותכהין עיניו מראות: (ה) ענה כסיל. בספרי ספרד הע"ן בגעיא וכן מצאתי במסרה כתב יד כלשון הזה תהי־לו תהי־ ידך שאו־זמרה תנה־עון עשה־אתי למען־שמך עלי עשור ענה־כסיל. כל אלו והדומים להם געיא ומקפן לא טעמן שופר וכל דקרי׳ לאחד מנהון שופר טעי ויש כמותם אני אמרתי. אני ראיתי אני חכמה וכל אני געיא ושופר עד כאן ול"ע בחילופים כי משם נראה שמלת ענה בגעיא הוא לב"נ אך לא

## רלב"ג

וכדרור לעוף אל הבית שילא ממנו כן קללת חנם לא תבא אל המקולל בה כך תהיה נדה ממנו בקלות ותשוב לאשר יצאה הקללה מפיו כמו שישוב הדרור לבית אשר יצא ממנו: (ג) שוט לסוס. הנה הכסילים דומים לבהמות שלסבת חסרונם יצטרך האדם בהנהגתם להכותם כי האדם ינהיג הסוס כאשר ירצה כשיהיה לו שוט יכה בו וינהיג החמור כשיעקן אותו האדם במתג כמנהג החמורים כן ינהיג האדם הכסילים כאשר ירצה כאשר יכה אותם בשבט בדרך שיקבלו מוסר: (ד) אל תען כסיל כאולתו. במה שיטיח כנגדך מהדברים לחסרון דעתו כי אין ראוי שתטה אזנך לשגעונותיו. פן תשוה לו גם אתה ר"ל שהיה זה סכלות ממך אם תעריך דבריו באופן שתתפעל מהם: (ה) ענה כסיל כאולתו. להסירו מהטעות שנכשל בו בדברי חכמה. פן יהיה חכם בעיניו במה שמלא מזה וישאר עם הדעת הנפסד ההוא והנה בזה אין ראוי לך לשתוק כי הוא הראוי שתסיר המכשולות מלפני האנשים בחזקת היד: (ו) מקצה וגו'. הנה מי ששולח דברים ביד כסיל קוצץ הרגלים לאשר רצונו ללכת ולא ישאר לו כלי ילך בו כן אין כלי לכסיל להוביל הדברים ששמת בפיו אל המקום אשר הוא שולחו

## מצודת דוד

מפיו יצאו ואל קרבו יבואו: (ג) שוט. הנה שוט הוכן להכות בו את הסוס להטותו הדרך ומתג הוכן לחמור למשכו בו אל מקום הנרצה ושבט הוכן לגוף הכסילים לייסרו לעזוב אולתו כי לא יוסר בדברים: (ד) אל תען. אל תשיב לכסיל כאשר ידבר אולתו בדברי ריב ומלה כי כשתשיב לו תהיה דומה לו בעיני השומעים כי אין הפרש בין מאמריך למאמריו ויחשבו גם אותך לכסיל כמהו כי בודאי לא יחשבו שניהם לחכמים כי אין דרך החכמים להתקוטט זה בזה. (וקצר הכתוב ולא פירש לומר בדברי ריב ומלה כי מסוף המקרא יובן שהוא בדבר שדברי שניהם דומים): (ה) ענה. השב תשובה לכסיל כאשר ידבר אולתו בדברי התורה והראה לו טעותו כי פן יחזיק עצמו לחכם כי יאמר שלא מצאת מענה ולכן ענהו ולא תחשב כזה כמוהו כי הכל יראו שדבריו אולת ודבריך בהשכל. (וקצר הכתוב גם בזה הואיל ומאליו יובן מסוף המקרא): (ו) מקצה וגו'. הרגלה לאת

## מצודת ציון

דרור (ויקרא כ"ה): (ג) שוט. שרכים ושבט כמו קול שוט (נחום ג'): מתג. הוא כעין רסן עשוי להנהיג בו כמו במתג ורסן עדיו (תהלים ל"ב): לגו. לגוף כמו אחרי גוך (יחזקאל כ"ג): (ד) תען. מלשון ענייה ותשובה: תשוה. מלשון השואה ודמיון: (ו) מקצה.

he should not be answered.

*Ibn Nachmiash* suggests other solutions. One is that in a place where the fool and the wise man are known, the wise man should not answer the fool, since it will only make him appear foolish. If they are not known, however, he should answer him to set the record straight as to who is the wise man and who is the fool. Another solution is that he should not answer the fool if the matter comes up once or twice, but if the fool persists in thinking that he is right, the wise man must answer him.

3. A whip is for the horse, a bridle is for the donkey, and a rod is for the body of fools. 4. Do not answer a fool according to his folly lest even you become like him. 5. Answer a fool according to his folly lest he be wise in his sight.

According to the *kethib*, לא, it should be rendered: will *not* come, meaning that it will not come upon the one against whom it was directed.—[*Ibn Ezra*]

3. **A whip is for the horse**—[It] *is made for the horse, and also a rod is prepared for the body of fools. Tortures are prepared for the wicked.*—[*Rashi*]

**a bridle is for the donkey**—The donkey, being less intelligent than the horse, requires the guidance of a bridle.—[*Malbim*] *Redak (Shorashim)* and *Ibn Nachmiash* define מֶתֶג as a goad, thus making all three instruments alike in the sense that all are used for striking.

**and a rod is for the body of fools**—Cf. 10:13, 19:29. Words of advice are insufficient to keep them on the right course. More forceful means must be employed, much like for dumb animals.—[*Malbim*]

*Exodus Rabbah* (8:9) interprets all three creatures deserving of blows as representing three rulers who were punished by God for oppressing the Jewish people or their forebears. The horse represents the first Pharaoh, the one who abducted Sarah and was sorely smitten with plagues. The donkey represents Abimelech, who likewise abducted Sarah and was restrained from sinning with her, as represented by the bridle, which is a restraint for a donkey. The fool represents the Pharaoh and Egyptians who enslaved the Jewish people and were smitten with ten plagues.

4. **Do not answer a fool**—*with words of quarrel and contention lest you become like him.*—[*Rashi*] If you answer him, you will appear like him to your audience, because there will be no difference between his words and yours. They will consider you a fool like him. They certainly will not consider both of you wise men, because wise men do not engage in quarrels.—[*Mezudath David*]

5. **Answer a fool**—*who comes to win you over to idolatry; let him know his folly.*—[*Rashi*]

**lest he be wise in his sight**—*The meaning of these two verses is explained in* [the verses] *themselves:*

**Do not answer**—*in a matter in which you will become like him if you answer him.* **Answer a fool**—*in a matter in which he will be wise in his sight if you do not answer him.*—[*Rashi*]

The Talmud (*Shabbath* 30b) relates that the Sages wished to declare the Book of Proverbs apocryphal because of the inconsistency of these two verses. After studying the matter thoroughly, they concluded that, in matters related to Torah, the fool should be answered lest he think that he is wise and has refuted the Torah. In other matters,

רַגְלַיִם חָמָס שֹׁתֶה שֹׁלֵחַ דְּבָרִים בְּיַד־
כְּסִיל׃ ז דַּלְיוּ שֹׁקַיִם מִפִּסֵּחַ וּמָשָׁל בְּפִי
כְסִילִים׃ ח כִּצְרוֹר אֶבֶן בְּמַרְגֵּמָה כֵּן
נוֹתֵן לִכְסִיל כָּבוֹד׃ ט חוֹחַ עָלָה בְיַד־
שִׁכּוֹר וּמָשָׁל בְּפִי כְסִילִים׃ י רַב מְחוֹלֵל

ת"א כלרור. חולין קלג עקידה ש' שב:

**תרגום**

דְרָהֲטָא בְּרִגְלוֹי שָׁתֵי
חֲטוּפָא מַן דִּמְשַׁדֵּר מִלֵּי
בְּיַד סִכְלָא׃ ז אֵין תֵּהַל
הִלְכְתָא לַחֲגִירָא תְּקַבֵּל
מִלְּתָא מִן פּוּמֵיהּ
דְּסִכְלָא׃ ח הֵיךְ נָקְצָא
דְּטָסָא בְּקִלְעָא הֵיכְנָא
מַן דְּעָבֵד יְקָרָא לְסִכְלָא׃
ט כּוּבָא סָלֵק בִּידָא
דְּרַוְיָא וְשַׁטְיוּתָא
בְּפוּמֵיהּ דְּסִכְלָא׃ י סַגֵּי חָיֵשׁ בְּשָׂרֵיהּ דְּסִכְלָא

## רש"י

שלחו בתחלה ושותה חמס שחבירו זועף עליו על שליחות כסיל: (ז) **דליו שוקים מפסח**. גבהו כמו (ישעיה ל"ח) דלו עיני. השוקים של כל אדם נראין לפסח גבוהים ממנו. ודבר זה משל בפי כסיל האומר אותו על למוד החכמה איך אנו באים ללמוד החכמה נפלאה וגבוהה היא ממנו. המשל אומר דליו שוקים מפסח: (ח) **במרגמה**. (פרונדול"א בלע"ז. מלה נושנת בלשון. פראנדעל"ע בל"א איינע שליידער) שאבן שצוררין בה לא להתקיים היא גם שעומד להזרק כך הנותן לכסיל כבוד אינו של קיימא. ורז"ל דרשו על המלמד תורה לתלמיד שאינו הגון שהוא כזורק אבן למרקולים: (ט) **חוח עלה ביד שכור**. כחוח שהוא נדבק ביד שכור כן המשל האמור למטה נדבק בפי הכסיל להיות בהם להוח ולקוץ מכאוב. ומהו המשל: (י) **רב מחולל כל**. הקב"ה ברא את הכל וזן את הכל ככסיל כהכם. אין אנו ורויא

## מנחת שי

**לכ"א**: (ז) דליו. בספר ספרד ישן כ"י מלאתיהו קמוץ וכן כתבי ר' יהודה חיוג עם הטובלים בבנין הקל ורד"ק כתב בשרש דלה ואנחנו מלאנוהו פתח הדל"ת. וכן כתבו רבי יעקב בן אליעזר ואם כן הוא לווי מהדגוש ברפיון הלמ"ד ומשפטו להדגש: (י) מחולל כל. בשני טעמים:

## אבן עזרא

(ז) **דליו**. מן כי דליתני שטעמו הרימותני והוא חסר ה"א התימה כלומר הדליו והרימו השוקים מפסח אחר שאין לו רגלים כלומר משל בלי שכל כגוף בלי רגל. פ"א דליו כמו דללו וי"ו דליו כאל"ף בזאו נהרים כלומר דללו השוקים מהפסח מבלי רגלים וכן משל בלי שכל: (ח) **כצרור אבן**. אבנה ראויה יקרה בעבור שאיננה מתוארת ביוקר. ומרגמה. דבר משובח והכרו ארגמן וכן רגמתם שטעמו תפארתם וכן פירוש כצרור שיצרור אדם אבן דקה במרגמה בתוך צרור כן נותן לכסיל כבוד מדמה הצרור כנגד הנותן והאבן כנגד הכסיל ומרגמה כנגד הכבוד: (ט) **ההוה**. שעלה ביד שכור להכאיב בו בני אדם. ומשל בפי כסילים. מדמה להוח המכאיב בעבור שידבר משל ואין לו שכל: (י) **רב**. מן רבי המלך כלומר כי הרב והגדול בעם הוא מחולל הכל ומושל ונותן שכר לכסיל ומכריחו בעבודתו וכן

## רלב"ג

גם כי אין לו דעת לשמור צורת הדברים ההם באופן אשר שמם בפיו והוא שותה חמס במה שישיב לו הכסיל מהדברים וזה מב' צדדים הא' לפי שהכסיל לא יאמר הדברים באופן אשר צוה בהם ויהיה זה סבה אל שלא תהיה תשובת המשיב ערבה והאותה אל מה שבלח לו שולח הדברים ויהיה מפני זה חמס השולח על המשיב על לא חמס בכפיו כי הכסיל סבב זה והצד הב' כי הכסיל לא ישיב הדברים באופן שלוהו המשיב ויהיה זה סבה אל שיבאו הדברים שלוהו המשיב מבולבלים ובלתי נאותים: (ז) דליו שוקים. גבהו שוקים מפסח שהאחד גבוה מחבירו וזה גורם שאינו יכול ללכת ביושר וכן הענין במשל אשר בפי כסילים כי לא יסכים המשל לנמשל מפני מה שיוסיפו או יחסרו בזכרם המשל: (ח) כצרור. הנה כצרור שבו אבן יקרה בגל אבני מרגמה שאינו ראוי שיושם בו המורגלים בזאת כן אין ראוי שיתן לכסיל כבוד והוא החכמה כי אינו ראוי לה ונקראת החכמה כבוד כי הוא כבוד האנשים והודם ולזה אמר כבוד חכמים ינחלו: (ט) חוח. הנה כמו שביד שכור עלה חוח אשר יוזק בו ועזב מלקחת הדברי' או אשר יועילו לו שלא יוזק בהם כן הענין במשל שהוא בפי כסילים כי מכל הכוונות אשר אפשר שיובנו בו לא יביאו מהם הכסילים רק מה שיוזקו בו: (י) רב מחולל כל. האיש הריב שהוא בעל קטטה ומחלוקת ממית הכל ומשחית אותה

## מצודת ציון

מלשון קלילה וכתיתה: **חמס**. דברי סרה וקרוב לענין נחמסו עקביך (ירמי' י"ג) שהוא הסרה: (ז) **דליו**. ענין הרמה כמו דלו עיני למרום (ישעי' ל"ח): **שוקים**. שוקי הרגלים: **מפסח**. מחגר: (ח) **כצרור**. ענין קשיר' כמו צרור כספו (בראשית מ"ב): **במרגמה**. כן יקרא הקלע על כי בו רוגמים ומשליכים האבנים והוא מלשון באבן ירגמו (ויקרא כ'): (ט) **חוח**. מין קוץ כמו כחוח אשר בלבנון (מלכים ב' י"ד): (י) **רב**. מלשון מריבה: **מחולל**. מלשון חלל

## מצודת דוד

מרגוע לרגליו ושולח אחריו ביד כסיל הנה הכסיל לא בדעת ידבר ומהפך הכוונה בע"כ צריך הוא לכתת רגליו לרוץ מהרה לתקן מה שקלקל הכסיל. ושותה עוד חמס כי חבירו יזעף עליו בעבור דברי השליח הנאמרים בלי דעת כי יחשוב שכן יצאו מפי המשלח: (ז) דליו. כמו שהשוקים מן הפסח המה גבוהים זה מזה ולזה יפסח כן המשל בפי הכסילים לא תשוה אל הנמשל: (ח) כצרור. כמו הצורר אבן בכלי הקלע שזמן מועט ישאר בתוכו כי הוא עומד לזרוק כן הנותן לכסיל כבוד כי מעט זמן ישאר בכבודו כי מהר יבזה את עצמו במעשה כסילות: (ט) חוח. כמו הקוץ העולה ביד שכור שהוא נוקב כפיו ומזיק בו לאחרים כן המשל אשר בפי הכסילים יזיק לעצמו ולאחרים: (י) רב. איש ריב ירבה חללים כל הקרב ואין מי יגש אליו אבל ישכיר את הכסיל ואת העוברים על דת למען

fool. Just as a pebble is of no use in a slingshot, so does honor have no value to a fool.

9\. **A thorn came up in a drunkard's hand**—*Just like a thorn that is stuck to a drunkard's hand, so is the parable stated below stuck in the mouth of a fool to be for him as a thorn—yea, a painful thorn. Now what is the parable? . . .*—[*Rashi*]

6. He who sends a message by the hand of a fool wears out legs and "drinks violence." 7. The thighs seem raised to a lame man, and [that is] a parable in the mouth of fools. 8. He who gives honor to a fool is as binding a stone in a slingshot. 9. A thorn came up in a drunkard's hand and a parable in the mouth of fools. 10. The Master created

6. **wears out legs and "drinks violence"**—*He who sends a message by the hand of a fool wears out the legs of many messengers by repetitively sending* [them] *to rectify what the first one, whom he sent at the beginning, distorted. And he "drinks violence," for his fellow is wroth with him for sending a fool.*—[*Rashi*] *Mezudath David* explains that if someone sends a fool to deliver a message because he wishes to rest his feet by sending a messenger rather than delivering it himself, he will only wear out his legs because he will be compelled to go and rectify what the fool distorted. And he will suffer violence because his friend will be wroth with him, thinking that the original message was in fact correct.

7. **thighs seem raised to a lame man**—*Heb.* דַּלְיוּ, *as in* (Isa. 38:14): *"My eyes were lifted* (דַּלּוּ)*." Every man's thighs appear to the lame to be higher than he. This phrase is a parable in the mouth of the fool, who says it in reference to the study of wisdom, "How can we come to study wisdom? It is hidden and raised up higher than I am. The parable states, 'Thighs seem raised to a lame man.'"*—[*Rashi*] *Mezudath David* explains that, just as the thighs of a lame man are not even, but one is higher than the other, so is the parable in the mouth of the fools; it does not match the lesson it is meant to represent.

8. **in a slingshot**—Heb. בְּמַרְגֵּמָה, *fronde in French, Schleuder in German, in which the stone tied will not remain, for it is destined to be thrown, so is it with one who gives honor to a fool—it is not permanent. And our Sages* (*Hullin* 133a) *explained it homiletically as referring to one who teaches Torah to an unfitting student, that he is tantamount to casting a stone to a merculis.*—[*Rashi*] This was the Roman deity, Mercurius, which was worshipped by casting stones upon it. The word "honor" is understood as representing Torah. Hence, one who gives honor to a fool, i.e. who teaches Torah to one unfit for it, is tantamount to casting a stone upon a *merculis.*

*Ibn Ezra* derives מַרְגֵּמָה from אַרְגָּמָן, *purple,* the dye used for royal raiment. If one gives honor to a fool, he is like one tying a pebble in a purple garment. Just as a pebble is inappropriate in a precious purple garment, so is a fool inappropriate to receive honor. *Isaiah da Trani* explains: Like a pebble in a slingshot, so is he who gives honor to a

כל ושכר כסיל ושכר עברים: יא ככלב
שב על־קאו כסיל שונה באולתו:
יב ראית איש חכם בעיניו תקוה
לכסיל ממנו: יג אמר עצל שחל בדרך
ארי בין הרחבות: יד הדלת תסוב על־
צירה ועצל על־מטתו: טו טמן עצל
ידו

ת"א ככלב. יומא פו פז (יומא מה):

ורויא עבר ימא: יא היך
כלבא דהפך על תיוביה
היכנא סכלא דתני
בסכלותיה: יב אין
חזיתא גברא דחכים
בעיני נפשיה סכלא טב
מניה: יג אמר עטלא
שחלא בארחא אריא
בינת שוקי: יד היך
תרעא דמכרך על
צירתה היכנא עטלא
על ערסיה: טו עטלא
מטשי אידיה בשחתא

## רש"י

צריכין לשום חכמה: ושוכר כסיל. לא כבשר ודם שלא ישכור אלא פועלים בקיאים ולא ישכור אלא העוסקים במלאכתו אבל הקב"ה מהולל כל ושוכר הכסילים ושוכר עוברי דרכים הבטלנים מכל מלאכה. ומדרש אגדה ושוכר כסיל. מלשון ויסכרו מעינות תהום (בראשית ח') ול' עושי שכר (ישעיה י"ט) הקב"ה סוכר מזל כסיל המשמש בימות החמה מתשרי ואילך ומאז הוא סוכר וסוגר את כל עוברי הים לילך בו עד הפסח. ובדברי ר' משה ראיתי רב מחולל כל. עשיר יש לו פעולות הרבה. ואם שוכר כסיל במלאכתו הנה הוא כשוכר כל עוברי דרך שרואין בקלקול המלאכה

## מנחת שי

(יא) קאו. בליל"י והסר יו"ד:

## אבן עזרא

שוכר עוברים והם הסרבנים כמו מדוע אתה עובר. פ"א זה הפסוק דבק בעליון ומלת רב הרבה כמו רב לכם וכן פי' הכסיל הממשל משלים רבים מחולל כל אדם כהוא ביד שכור ומי ששוכר הכסיל ונותן שכר לעוברים עובד מלות שאין יכולת להכריחם תדומה וכן עברו ונענשו: (יא) ככלב. אחר שיקיאנו ישוב ויאכלנו כן הכסיל שונה פעם שנית לעשות אולת ולא יתביים: (יב) חכם בעיניו. למראה עיניו והוא העצל והעד חכם עצל בעיניו. תקוה טעמו יקוה להיות כסיל. ממנו מן העצל. פ"א יש לכסיל תקוה שיביאהו מה שיקוה לאל יותר מן העצל: (יג) שחל בדרך. עילה ותואנה כדי שלא יצא להתעסק במלאכה והזכיר ענין העצל לבלתי הדמות אליו: (יד) הדלת. התי"ו שרש כתי"ו קשת או התי"ו תחת ה"א. תסוב. דבק בפסוק פנים ואחור. צירה. מן תרגום תרתין צירין והם הפותות וכן הפירוש הדלת תסוב על צירה בהסג' ובהפת' וכן עצל יסוב על מטתו מצד אל צד

## רלב"ג

אך הוא מטיב לכסיל ולבעלי עבירה כדי שיתחברו עמו או ירצה בזה הרבה ימצא מי שיבא לעזר וכאב לכל האנשים והוא עם זה מטיב לכסיל ולבעלי עבירות להיותם נאותים אל שיהיו חברים לו או ירצה בזה השליט שהוא מביא חיל ואימה על כל האנשים מרוב ההיזק אשר יגיע להם ידמה הכסיל ובעלי העבירות שהוא שוכר אותם מרוב שמחתם לאיד זולתם ולא ירגישו שהם יזוקו ג"כ בו וזה ממה שיתפרסם בו חסרון דעתם ורוע תכונתם: (יא) ככלב שב אל קאו. הנה כמו הכלב ששב לאכל המאכל שהקיא אותו ולא ירגיש כי קרה לו ממנו היזק כן הענין בהכסיל שהוא שונה באולתו אחר התבאר לו שכבר קרה לו רע ממנה: (יב) ראית איש. שהוא חכם בעינו ואם אינו חכם לפי האמת הנה יש תקוה לכסיל יותר ממנו לקנות קנין החכמה כי החכם בעיניו יספיק לו מה שהוא בו מהחכמה לפי דעתו ולא משתדל לקנות ממנה עוד ואולם הכסיל שאינו חכם בעיניו מכיר חסרונו וישתדל בקנין החכמה: (יג) אמר עצל. הנה לעצלות העצל לא ירצה לצאת מביתו לעשות שום פעולה ולא ישתדל בעיון וידמה אליו כשיביאהו הכרוז לצאת מביתו שיש שחל בדרך אשר ילך בה ארי בין הרחובות שיטרפהו ולזה לא יצא מפתח ביתו: (יד) הדלת תסוב על צירה. הנה כמו שהדלת תסוב על צירה ואינה נפרדת ממנו כן דבק העצל אל מטתו לרוב הכבו השינה כי עלתה תפיל תרדמה ואמר על צד ההפלגה כי לעצלות העצל לא יתן ידו אל פיו להביא בו מזון כאלו טמן ידו בצלוחית

## מצודת דוד

ישיו הם בחברתו להכשיל עמהם את הבריות: (יא) ככלב. כמו כלב אשר דרכו לחזור ולאכול את המאכל אשר קאה מגופו ולא יבין כי בעבור רוע המאכל קאה אותו ומה לו לאכלו שוב כן הכסיל שונה לעשות שוב אולתו אשר נכשל על ידו ולא יבין: (יב) ראית. כאשר תראה איש חושב עצמו בעיניו לחכם ולא כן הוא הנה יש תקוה להמחזיק עצמו לכסיל יותר ממנו כי הוא ילמד ויתחכם אבל המחזיק עצמו להכם לא יתפון ללמוד מזולת: (יג) אמר עצל. לרוב העצלות יגזום לומר איך אלך הלא שחל בדרך וגו' ואהיה נטרף: (יד) הדלת. כמו הדלת תסבב עצמה על הציר הנה והנה ולא תלא ממנה כן העצל יתהפך על מטתו ולא יקום: (טו) טמן. הנה העצל

## מצודת ציון

והרג: עוברים. ר"ל בעלי עבירה עוברים על דת: (יא) קאו. מלשון הקאה: שונה. מלשון שנים: (יג) שחל. שם משמות האריה: (יד) צירה. רגל הדלת הנתון בחור המפתן וכן נאמר

does the fool shamelessly repeat his folly. *Mezudath David* explains that the dog does not realize that he vomits the food because it does not agree with him. Therefore, he eats it again. Neither does the fool realize that his foolish deeds are harmful to him, and he repeats them.

12. **for a fool**—For one who considers himself a fool, because the latter will strive to learn wisdom—not the former, who considers himself wise.—[*Mezudath David*]

13. **The lazy man says, etc.**—He will always find an excuse not to work.—[*Ibn Ezra*]

all, and He hires a fool, and He hires transients. 11. As a dog
returns to his vomit, so does a fool repeat his folly. 12. If you
see a man who is wise in his own eyes, there is more hope for a
fool than for him. 13. The lazy man says, "There is a middle-
sized lion on the road, a mature lion is between the streets."
14. As a door turns on its hinge, so does a lazy man on his bed.
15. The lazy man buries

10. **The Master created all**—*The Holy One, blessed be He, created all and sustains all, the fool like the wise man. We do not need any wisdom.*—[*Rashi*]

**and He hires a fool**—*Unlike a mortal, who hires only expert workers, and who hires only those engaged in his work, the Holy One, blessed be He, creates all and hires the fools and hires wayfarers, who are idle from all work.* [According to] *Midrash Aggadah,* וְשֹׂכֵר כְּסִיל *is from an expression of* (Gen. 8:2) *"And the fountains of the deep were closed* (וַיִּסָּכְרוּ)*," and an expression of* (Isa. 19:10) *"who make dams* (שֶׂכֶר)*." The Holy One, blessed be He, closes up the constellation of Orion* (כְּסִיל)*, which serves in the summer from Tishri on, and from then on, He closes off all who traverse the sea from going into it until Passover. And in the words of Rabbi Moses, I saw:* רַב מְחוֹלֵל כֹּל*, A wealthy man has many activities, and if he hires a fool, it is as though he is hiring all wayfarers who witness the deterioration of the work, to instruct how to rectify it and how he should work. This is, however, an empty thing and has no connection here.*—[*Rashi*]

*Ibn Nachmiash* quotes *Rashi's* first interpretation, commenting that this parable discourages fools from engaging in any work. He quotes another interpretation in the name of the Sages, which differs from *Rashi* only insofar as *Ibn Nachmiash* renders: וְשֹׂכֵר עֹבְרִים, and He hires transgressors. He hires fools as well as wise men and transgressors as well as righteous men. This also appears in *Sefer Hashorashim* by *Redak*. *Mezudath David* renders: A contentious man kills everyone, and he hires fools and he hires transgressors. He hires them with the evil intent of inflicting pain upon the populace.

11. **As a dog returns, etc.**—A dog eats disgusting things, and when he vomits them up, they become even more repugnant. Nevertheless, he returns and eats them again. So it is with the fool; he performs repugnant acts, and when he repeats these acts, they become even more repugnant because he should have learned his lesson when he saw the first time that he was vulnerable to temptation. Instead, he succumbed to it a second time.—[*Sha'arei Teshuvah*, 1:4]

*Ibn Ezra* explains that, just as the dog again eats what he vomited, so

יָדוֹ בַּצַּלָּחַת נִלְאָה לַהֲשִׁיבָהּ אֶל־פִּיו׃
טז חָכָם עָצֵל בְּעֵינָיו מִשִּׁבְעָה מְשִׁיבֵי
טָעַם׃ יז מַחֲזִיק בְּאָזְנֵי־כָלֶב עֹבֵר
מִתְעַבֵּר עַל־רִיב לֹּא־לוֹ׃ יח כְּמִתְלַהְלֵהַּ
הַיֹּרֶה זִקִּים חִצִּים וָמָוֶת׃ יט כֵּן־אִישׁ
רִמָּה אֶת־רֵעֵהוּ וְאָמַר הֲלֹא־מְשַׂחֵק
אָנִי׃ כ בְּאֶפֶס עֵצִים תִּכְבֶּה־אֵשׁ וּבְאֵין

לְעֵי דְנֶהְפְּכֵי לְפוּמֵיהּ׃
טז עַטְלָא חַכִּים בְּעֵינוֹי
טַב מִן שׁוּבְעָא יָהֲבֵי
טַעֲמָא׃ יז דְּלָכֵד בְּאֶדְנוֹי
דְּכַלְבָּא נָצֵי וּמִתְנְצֵי עַל
דִּינָא דְּלָא דִּילֵיהּ׃
יח אֵיךְ הוּא דְּמִתַּחַת
דְּפָשֵׁט גִּירֵי שְׁנִינֵי
דְּמוֹתָא׃ יט הֵיכְנָא
גַּבְרָא דִּמְרַמֵּי בְּחַבְרֵיהּ
וְאָמַר מְגַחֵךְ נַחְכֵית׃
כ הֵיכְנָא דְּלֵית קִיסֵי
דְּעָבְּא נוּרָא וְהֵיכְנָא
דְּלֵית שְׁגוּשְׁיָא יִשְׁתַּתֵּק

### רש"י

להורות איך יתקן ואיך יש לו לפעול. ודבר ריק הוא ואינו ענין כאן: (טו) בצלחת. כיורה חמה נותן ידו מפני הקור: (טז) משיבי טעם. חכמים: (יז) מחזיק באזני כלב. העובר להתעבר על ריב לא לו הרי הוא כאוחז באזני כלב הגורם שישכנו על חנם: (יח) במתלהלה. כמתיגע לירות זיקים של אש. כמו ובזיקות בערתם (שם נ') מלשון זקוקים דינור. ד"א זקים. (פרוגזולא"ש בכ"י רש"י פרינדול"א. כמו לעיל פסוק ה') מלשון אבני קלע (זכריה ט') וכן בגמר' זיקתא פסוק לן. ויורה חצים ומות: (יט) כן איש רמה. מפתה ומסית את חבירו מדרכי חיים לדרכי מות כשחבירו מרגיש שהוא מתעה אותו. אומר מצחק אני: (כ) באפס עצים. כלומר שני דברים אלו שוין כשם שבאפס עצים תכבה אש

### מנחת שי

(יח) כמתלהלה. בגעיא הכ"ף בספרי ספרד: (יט) הלא משחק אני.

### אבן עזרא

ולא יקום לבקש מחייתו על כן אחריו טמן. פ"א הדלת תסוב על שיפתחו הדלתות לצאת היא ואיש למלאכתו ועדיין העצל על מטתו: (טו) נלאה. מרוב הפוש כדי שישיבנה אל פיהו ולא ימלא מחומה על כן צריך האדם לבקש מזונותיו: (טז) משבעה. יתכן שהם רואי פני המלך. משיבי טעם. אחר שהמלך ישאל דברו אין ללמוד ממנו: (יז) מחזיק באזני כלב. חסר כ"ף כמחזיק באזני כלב שאין ראוי לעשות כן מדומה להתעבר על ריב לא לו ומתעבר כועס במריבה ומדת עברה שעברה על מדת הרצון: (יח) כמתלהלה. כמשתטה כמו ותלה ארץ מצרים כלומר נסתכל' ענינם כלומר כמשתטה היורה זקים כלומר משליך גילולות והצים וכלי מות: (יט) משחק. אחרים כן המרמה חברו ואמר לרעהו המתרעש ממנו משחק אני ממך רמיתיך ואין נכון לעשות כן: (כ) באפס. פחם. כאפס. כאין.

### רלב"ג

קטנה שלא יוכל להוציאה משם וכאילו באה בזה כי אפילו לצורך מזונו לא יעזבוהו ידיו לרוב עצלותו: (טז) חכם עצל. הנה האיש העצל הוא חכם בעיניו יותר מרבים מן החכמים שישיבו טעם לכל מה שישאלו מהם: (יז) מחזיק וגו'. מי שהוא עובר ומתעבר על ריב לא לו דומה למי שיבקש מזון מהכלב ויחזיק מפני זה באזני הכלב כאילו מבקש שישכהו כמו מי שמראה עצמו כאילו הוא נואה ובלתי יכול לעשות דבר רע: (יח) כמתלהלה. ואח"ז כי מלא מקומו יורה זיקי אש וחצים ומות כאמרו ידכה ישוח ונפל בעצומיו חלכאים: (יט) כן איש רמה את רעהו. ויבין לחשוב שכל מה שעשה עשה על דרך השחוק והלעג: (כ) באפס עצים. הנה כמו שבאשר יעביר העצים תכבה אש כן

### מצודת ציון

כדרך שאלה נהפכו עליה ציריה (שמואל א' ד'): (טו) בצלחת. שם כלי בשול כמו ובדודים ובצלחות (דברי הימים ב' ל"ה): נלאה. ענין עייפות כמו ונלאו מצרים (שמות ז'): (יח) כמתלהלה. ענין יגיעת ועייפות כמו ותלה ארץ מצרים (בראשית מ"ז): היורה. ענין השלכה כמו ירה בים (שמות ט"ו): זקים. גילולות כמו מאזרי זיקות (ישעי' נ'): (כ) באפס. הוא כענין לא כמו ואפס כמוני (שם

### מצודת דוד

יתעצל במלאכה וכל היום עוסק באכילה וידיו טמונים בצלחת לקנח את התבשיל המתדבק בו והנה בסופו יהיה נלאה ועיף להשיב ידו אל פיו להשים בה המאכל והוא ענין מליצה לומר שיחסר לחמו וכאלו נלאה להשים המאכל אל פיו: (טז) חכם עצל. העצל הוא חכם בעיני עצמו יותר משבעה רואי פני המלך היודעים להשיב טעם על כל אשר ישאלו כי בעבור העצלות יתחכם למצוא טעם על בטול המלאכה: (יז) מחזיק. כמו האוחז באזני כלב הנה הוא גורם לעצמו נשיכת הכלב כן המתמלא עברה וזעם להתעבר ולכעוס על ריב שאין נוגע אליו כי כאשר יוזק בדבר הזה הוא גרם לעצמו: (יח) כמתלהלה. כמו המתייגע לזרוק גלגלים של אש הנכוים טרם יבואו אל מי שזורקם ולא יזיקו אותו הנה עכ"ז לא יגע לריק כי כוונתו לאמן ידו ולזרוק בו חצים ודברים הממיתים: (יט) כן איש. כן המרמה את רעהו וכאשר ילגלג בדבר ישיב לומר הלא לשחוק פתיתי זאת וכוונתי היתה לגלות לך הנה ידוע תדע שלא כן היא והשמרו ממנו כי דעתו לרמות כאשר ימלא ידו: (כ) באפס וגו'.

now bark and bite him since he grabbed it by the ears, so will he suffer from the quarrel in which his involvement is completely his own fault. [Although this does not coincide with the accents, it has the support of *Gen. Rabbah* 75:3.]

18. **Like one who wearies himself**—*Like one who wearies himself shooting sparks of fire, as in* (Isa. 50:11): *"and in the flames* (וּבְזִיקוֹת) *you have kindled"; from the expression* זִיקוּקִים דִּינוּר (*Ber.* 58b), *flames of fire. Another explanation:* זִקִּים, *fron-*

his hand in the cauldron; it wearies him to bring it back to his
mouth. 16. A lazy man in his own eyes is wiser than seven men
who give advice. 17. A passerby who becomes embroiled in a
quarrel that is not his is like one who grabs a dog by its ears.
18. Like one who wearies himself shooting firebrands, arrows,
and death, 19. so is a man who deceives his friend and says,
"Am I not joking?" 20. Just as without wood, the fire goes out,
so without

14. **As a door turns, etc.**—Just as a door turns on its hinge and does not leave it, so does a lazy man turn over on his bed and never get up.—[*Mezudath David*] Alternatively: the door turns on its hinge every morning when people leave for work and open and close the door, but the lazy man stays in bed.—[*Ibn Nachmiash*]

15. **in the cauldron**—*He buries his hand in a hot cauldron because of the cold.*—[*Rashi*] The lazy man, too lazy to go to work, spends the entire day eating, with his hands buried in a cauldron, from which he wipes the remnants of the food that was cooked there. He will ultimately be too tired even to bring his hand back to his mouth. This means he will not have anything to eat, which is similar to not being able to bring his hand back to his mouth with food clinging to it.—[*Mezudath David*]

16. **A lazy man in his own eyes is wiser**—A lazy man considers himself wiser than the seven wise men who sit before the king and advise him in all his matters, as in Esther 1:14.—[*Ibn Nachmiash*]

**who give advice**—*wise men.*—[*Rashi*] *Rashi* explains the expression שִׁבְעָה מְשִׁיבֵי טָעַם as "many wise men," as does *Ralbag*. The number seven is commonly used in Scripture in this sense. See 24:16.

*Mezudath David* explains that the lazy man considers himself wiser than the seven men sitting before the king, who respond to everything the king asks them with a reason. So does the lazy man have many excuses for not working. This appears to be the explanation of *Deut. Rabbah* 8:6, which depicts the lazy man's excuses for not going to learn Torah, when someone attempts to encourage him to go by telling him seven different words of encouragement. Cf. *Redal* ad loc., *Ibn Nachmiash*.

17. **one who grabs a dog by its ears**—*One who passes by and becomes embroiled in a quarrel that is not his is like one who grabs a dog by his ears, who causes him to bite him for no reason.*—[*Rashi*]

*Malbim* renders: One who becomes embroiled in a quarrel that is not his is like one who grabs a passing dog by the ears. The dog was not bothering anyone. Just as the dog did not bark at him, but will

נִרְגָּן יִשְׁתֹּק מָדוֹן׃ כא פֶּחָם לְגֶחָלִים
וְעֵצִים לְאֵשׁ וְאִישׁ מִדְוָנִים לְחַרְחַר־
רִיב׃ כב דִּבְרֵי נִרְגָּן כְּמִתְלַהֲמִים וְהֵם
יָרְדוּ חַדְרֵי־בָטֶן׃ כג כֶּסֶף סִיגִים מְצֻפֶּה
עַל־חָרֶשׂ שְׂפָתַיִם דֹּלְקִים וְלֶב־רָע׃

מדינים קרי · בשפתיו

תַּרְגָּם: כא מַרְתְּקָל
לְגוּמְרֵי וְקִיסֵי לְנוּרָא
וְגַבְרָא תִּגְרָנָא מְחָרֵה
בְּהוּתָא: כב מִלּוּי
דְשִׁגּוּשָׁא מַרְכְּנָן לֵיהּ
וְהִנּוּן נָחֲתָן לְגַוָּה
דְכַרְסָא: כג הֵיךְ כַּסְפָּא
מְסַלְיָא דְקָרֵים עַל
חַסְפָּא הֵיכְנָא שִׂפְוָתָא
דְדָלְקָן וְלִיבָּא בִּישָׁא:

## רש"י

כך כאין נרגן שלבון הרע המסכסך בעלי ריב ישתוק מדון: (כא) **פחם לגחלים ועצים לאש**. פחם בל אש עשוי להבעיר גחלים עמומות ועלים עשוין להסיק אש ואיש מדון להרחר ריב: (כב) **כמתלהמים**. ל' מתלהמים. ורז"ל פרשו כמתלהמים כמת להם דברי המרגלים היו להם למיתה: **חדרי בטן**. היא מיתת הדרוקן: (כג) **מצופה על חרש**. כסיגי כסף המדובקים על החרס שצורפין אותו בו והוא מבהיק הכלי כאלו הוא כסף ואין בו תועלת כן שפתים דולקים ולב רע הרודפים אחר הבריות להסיתם בהלקות ומדברים אחד בפה ואחד בלב: **ולב רע**. נראין

## אבן עזרא

ישתוק התרגום מחריש שתיק כלומר ישתוק איש מדון: (כא) **פחם**. מן ימטר על רשעים פחים ופחים על משקל אהים וזה הפסוק הפך הראשון: **לחרחר**. מן אל תתחר והוא אל תתערב: (כב) **כמתלהמים**. הפוך מן הלמה סיסרא והוא פיעל יוצא כמו התגלהו את גזרו פירוש כמכים כן דברי הנרגן והוא הרכיל כענין לכו ונכהו בלשון והם הדברים: **בטן**. רמז ללב: (כג) **כסף**. **בשפתיו**. **כי**. **תכסה**. **כורה**. ה' דבקים. כסף סמוך אל סיגים: **דולקים**. מן דלקת והזכיר הכסף כי לבת הדולקת היא שמדמה אליו והחרס מדומה למחשבת השנאה וכן הפירוש ככסף מזוקק מסיגים שהוא מצופה על חרש כן שפתים דולקים ובוערים מדומים לכסף כלומר ככסף שהוא נכר כשהוא מצופה על החרס כן בשפתיו הדולקים ינכר שונא. ובקרבו כלו' בקרב לבו ישית המרמה שיחשוב לרמות רעהו. וכי ידבר תחנונים השונא אל תאמן בו כי שבע תועבות שיתעבם השם הם בלבו לעשותם והם הנזכרים למעלה בפסוק שש הנה. ותכסה השנאה בלב השונא בעבור משאון שיבואהו יכסה ויעלים השנאה כי אז תגלה רעתו הנגזרת עליו בתוך קהל בגלוי והמשל כורה שחת בה יפול והגולל אבנים להכות אחר אליו תשוב כי השם ישיבה אליו ע"י אחר ויהיה מוכה בה. פ"א גולל כמו ונגלו את האבן כלומר וגולל אבן גדול

## מנחת שי

הה"א בגעיא בספרי ספרד: (כא) ואיש מדונים. מדינים קרי:

## רלב"ג

בהעדר הנרגן המעורר מדינים ישתוק המדון ויגוח: (כא) פחם לגחלים. הנה כמו שהפחם מוכן להיות ממנו גחלים שמשחיתים ושורפים כל אשר ידבקו בו וכן העצים מוכנים להיות אש להשחית אשר סביבם כן מוכן איש מדינים לחרחר ריב בין האנשים להשחיתם: (כב) דברי נרגן הם כמו מתחברים כי כן דרך הכסילים והמסכסכים שיראו עצמם כאילו ישתברו דבריהם ואומרים לא אספר לך הכל או לא אומר לך הכל ובזה יצא הפעלות חזק בנפש שומע דבריהם ויורידו דבריהם לחדרי לב השומע בזה האופן כי יחשוב שמה שלא יגיד מזה הוא יותר קשה ממה שיגידו: (כג) כסף סיגים. הנה כמו כסף עם סיגים שהוא לפוי לחרש אשר הנראה יחשב היותו טוב מזולת שיהיה כן זאשר הוא בתוכו דבר פחות מאד כן הענין בשפתים שהם דולקים ורודפים חברת האדם ואהבתו הולכי רע כי יחשוב לפי דבריו היותו

## מצודת דוד

שני אלו שוין המה כמו שאין עלים תבערה האש מעלמו כן כשאין נרגן המתהלך ריב ישתוק המריבה מעלמו: (כא) **פחם**. כמו הפחמים מוכנים המה להבעיר האש כן איש מדון מוכן הוא לחרחר ריב: (כב) דברי נרגן. דברי מתלונן המה קשים כמכות המשברות ועוד המה יורדים חדרי בטן אבל המכות המה על הגוף ממעל ולאומר הנה המכות אשר המה ממעל נוח לרפאות ולא כן מכות חדרי בטן וכן קשה לרפאות דברי המתלונן: (כג) כסף סיגים. כמו המצפה כלי חרס בכסף המעורב בסיגים הנה כאשר יראה הרואה כי סיגים המה יתן לב לבחון בפנימיותם וימצאם חרס כן השפתים הרודפים אחר אהבת הבריות ובלבו יחשוב מרמה הנה

## מצודת ציון

מ"ו): נרגן. מתלונן: (כא) **פחם**. הם גחלים כבוים כמו באש פחם (שם י"ד): לחרחר. להבעיר אש המריבה והחרון והוא מלשון והעלמות יחרו (יחזקאל כ"ז): (כב) כמתלהמים. ענין הכאה המשברת והוא הפוך מן יהלמני לדיק (תהלים קמ"א): (כג) סיגים. הוא פסולת הכסף: מצופה. מחופה: דולקים. ענין רדיפה כמו

explains: Just as when one overlays an earthenware vessel with silver mixed with dross and, seeing that the silver contains dross, examines the inside of the vessel and discovers it to be earthenware, so it is with lips that pursue people with love and affection while the heart thinks only of deceit. As soon as even a little evil is discovered in his lips, you should know that his heart is full of wickedness. *Malbim* explains that the hypocrite is worse than the grumbler depicted above, hence the sequence of the verses.

a grumbler the quarrel quiets down. 21. As charcoal is for coals and wood is for fire, so is a quarrelsome man for kindling strife. 22. Words of a grumbler are as though waging battle, and they penetrate the innermost parts of the body. 23. Burning lips and a wicked heart are like silver dross overlaid on earthenware.

*deles in Old French, slings, from an expression of slingstones* (Zech. 9:15), *and so in the Talmud* (*Baba Mezia* 94a) זִיקָתָא פָּסוּק לָן, *"slingers are assigned to us." He shoots arrows and death.*—[*Rashi*] [Cf. *Rashi* to Isa. 50:11.]

19. **so is a man who deceives**—*He wins over and entices his friend from ways of life to ways of death, and when his friend realizes that he is misleading him, he says, "I am joking."*—[*Rashi*]

20. **without wood**—*That is to say: These two things are analogous: Just as without wood the fire goes out, so without a grumbler, who slanders and incites quarrelers, strife quiets down.*—[*Rashi*]

**the quarrel**—Heb. מָדוֹן. This denotes a quarrel concerning matters that are subject to litigation. It has already been explained that hatred brings about such quarrels, for if there is no hatred, neighbors will not quarrel over petty differences and will concede to one another. Therefore, if there is no grumbler who begrudges his neighbor even a penny that he does not deserve, the quarrel will quiet down, just as fire will go out when there is no wood.—[*Malbim*]

21. **As charcoal is for coals and wood is for fire**—*Charcoal on fire is capable of igniting dying embers, and wood is capable of kindling fire, and a quarrelsome man of kindling strife.*—[*Rashi*]

22. **as though waging battle**—Heb. כְּמִתְלַהֲמִים, *an expression of* מִתְלַחֲמִים. *Our Sages however, explained* כְּמֶת לָהֶם ,כְּמִתְלַהֲמִים, *like death to them. The words of the spies became their death.*—[*Rashi* from an unknown midrashic source]

**the innermost parts of the body**—lit. they go down into the chambers of the stomach. *This is the death of dropsy.*—[*Rashi*] Others render: The words of a grumbler are like stunning blows, that penetrate etc. Not superficial wounds, but internal injuries. Just as it is difficult to cure internal injuries, so it is difficult to cure the blows delivered by the grumbler.—[*Mezudath David*]

23. **overlaid on earthenware**—*Like silver dross attached to the earthenware in which it is refined, making the utensil shine as though it were silver although it has no use, so are burning lips and wicked heart, which pursue people to entice them with smooth and hypocritical talk.*—[*Rashi*]

**and a wicked heart**—*They appear to be friends, but they are enemies.*—[*Rashi*]

**burning**—Heb. דֹּלְקִים, *as in "you pursued* (דָלַקְתָּ) *me so hotly"* (Gen. 31:36).—[*Rashi*] *Mezudath David*

כד בִּשְׂפָתוֹ יִנָּכֵר שׂוֹנֵא וּבְקִרְבּוֹ יָשִׁית
מִרְמָה׃ כה כִּי־יְחַנֵּן קוֹלוֹ אַל־תַּאֲמֶן־בּוֹ
כִּי שֶׁבַע תּוֹעֵבוֹת בְּלִבּוֹ׃ כו תִּכַּסֶּה
שִׂנְאָה בְּמַשָּׁאוֹן תִּגָּלֶה רָעָתוֹ בְקָהָל׃
כז כֹּרֶה שַּׁחַת בָּהּ יִפֹּל וְגֹלֵל אֶבֶן אֵלָיו
תָּשׁוּב׃ כח לְשׁוֹן־שֶׁקֶר יִשְׂנָא דַכָּיו וּפֶה
חלק

בשפתיו קרי

ת"א תכסה. סוכה ס': וגלל. עקידה שער סב:

**תרגום**

כד מַן שִׂפְוָתֵיהּ מִתְיְדַע סָנְאָה וּבְגַוֵּיהּ סָאֵם רַמְיוּתָא: כה וְאִין מְחַנֵּן בְּקָלֵיהּ לָא תְהֵימִן בֵּיהּ מְטוּל דְשַׁבְעָא בִּישָׁתָא אִית בְּלִבֵּיהּ: כו דִמְכַסֶּה סְנוּאֲתָא בְּמוּרְסְתָא תִּתְגְּלֵי בִּישְׁתֵיהּ בִּכְנִשְׁתָּא: כז דְחָפֵר גּוּמְצָא בֵּיהּ נָפוּל וְדִמְעַרְגֵל כֵּיפָא עֲלוֹי הָפְכָא: כח לִישָׁנָא דְשִׁקְרָא סָנֵי אָרְחָתָא

**רש"י**

כאוהבין והם אויבים: דולקים. כמו דלקת אחרי (בראשית ל"א): (כד) ינכר שונא. בדבורו מתנכר השונא שלא יכירו שהוא שונא ינכר (דיסקוייש"ט בלע"ז. ובכ"י רש"י דיסקנוטר"א בל"א פרעקעננען וכן כתב הרד"ק ענין ההכחשה והזרות והוא הפך ההכרה): (כו) תכסה שנאה. העושה מעשה במחשך ומכסה במשאון שהוא שואת חשך את הדבר השנאוי להקב"ה סוף שהקב"ה מגלה רעתו בקהל שיכירו בו שהוא רשע: (כז) כורה שחת. כגון בלעם שהשיא עצה לבלק להחטיא את ישראל והפיל מהם כ"ד אלף ובא למדין לתבוע שכרו ונהרג ביד ישראל: וגולל. כלומר סופו של המעמיד מכשול שיכשול בו: וגולל אבן. מגללו ממקום למקום שיכשלו בו בני אדם. ואגדה פותרו באבימלך שהרג שבעים אחיו על אבן אחת. וסוף מת באבן שנאמר (שופטים ט') ותשלך אשה אחת פלח וגו' ותרץ את גלגלתו וגו': (כח) ישנא דכיו. מי שמקבל לשון הרע שונא את הנדכאים תחתיו. שכן על לשון הרע רדף שאול

**מנחת שי**

(כד) בשפתו. בשפתיו קרי: (כו) תכסה. במקצת ספרים כתוב תכסה בשו"א התי"ו ורפי הכ"ף וטעות נפל בהם כי הוא מההתפעל והראוי תתכסה וכן כתב רד"ק בשרשו: בקהל. יש ספרים שהבי"ת בפתח והרוב בשו"א: (כח) לשון שקר. בגעיא הלמ"ד בספרי ספרד: ל' שקר. בדפוס נאפולי כתוב דבר שקר ושקר הוא דובר:

**אבן עזרא**

סביב תשוב אליו ג"כ מסבב רעה לרעהו אליו תשוב: (כח) ישנא דכיו. דבק בפסוק פנים ואחור כלומר לשון דבור שקר ישנא איש דכיו וישנא פה דובר חלקות אשר יעשה מדחה לדחות אחר:

**רלב"ג**

אהוב ובתוכו מה שאין בו תועלת ודבריו הם נראים ככסף והם כסף סיגים שנראה ככסף מצופה ביהיה כן: (כד) בשפתיו ינכר. הנה השונא יסבב בשפתיו שלא יכירו שנאתו אך בקרבו ישית מרמה ללכוד שונאו ברשתו: (כה) כי יחנן קולו. כי יאמר דברי חן אל תאמין בו אחר שידעת שהוא שונא כי בלבו תועבות רבות ואע"פ שבפיו יאמר דברי חנופה וחלקות: (כו) תכסה שנאה. כאשר תתכסה השנאה בעבור שאון ר"ל שהוא מקוה שימלאהו באבן שואה ומשואה ולא ישמור ממנו בעבור היותו מרבה לו כאוהב והוא ישחיתהו ולא יראה אדם הנה הש"י יסבב שמה שעשה בסתר יגלה במקום רואים ובקהל ויקח ענשו הראוי לו על מה שעשה בסתר או יגלה בזה שהש"י יעניפהו כשיביא עליו רע בהפך מה שחשב הוא כסה שנאתו כדי להגיע רע לשונאו במקום משאון אשר לא עבר אדם שם והש"י יביא לו רעה נגלית לכל במקום רואים. או יגלה בזה שהש"י יסבב שרעתו אשר חשב להביא לשונאו תגלה ותודע בקהל: (כז) כרה שחת. וזה יהיה כשיפילהו בשחת אשר כרה להפיל בו שונאו ולא יתברר לכל כי כרהו להפיל בו שונאו וישוב אליו האבן אשר גלל להשחית שונאו וזה הוא הגמול הראוי לו על זה: (כח) לשון שקר ישנא. איש לשון שקר ישנא הנדכאים בשקריו אע"פ שלא גמלוהו רע אך ישנאם לבד מפני

**מצודת ציון**

דלקת אחרי (בראשית ל"א): (כה) שבע. ר"ל הרבה וכן שבע יפול צדיק (לעיל כ"ד): (כו) במשאון. בחושך כמו אמש שואה ומשואה (איוב ל'): (כז) כורה. חופר כמו בור כרה (תהלים ז'): שחת. בור כמו ויפול בשחת (שם): וגולל. מל' גלגול וסבוב: (כח) דכיו.

**מצודת דוד**

כאשר ימלא בשפתיו מאומה רע ואם מעט הוא ידוע תדע שלבו מלא זדון: (כד) בשפתיו. בחלקלקות שפתיו יעשה השונא עלמו כאלו הוא נכרי מן השנאה ואינה עמדו אבל בקרב לבו ישים המרמה ואינו עוזבה: (כה) כי יחנן. אם ישא קולו בתחנונים אל תאמין בו כי שבע תועבות בלבו: (כו) תכסה. כאשר תתכסה השנאה בחושך ר"ל העושה דבר השנאה והרעה במקום שאין אנשים רואים הנה סוף הדבר תגלה רעתו בקהל רב ואז יקבל גמול הרעה: (כז) כרה. החופר בור לרגלי חבירו סופו הוא עצמו יפול בה וכן הגולל אבן על חבירו סופו תשוב אליו וכפל הדבר במלות שונות ור"ל המחרש רעה על חבירו הוא עצמו יכשל ברעתו: (כח) לשון שקר. איש שקר ישנא את הנדכאים בשקריו ואף אם לא גמלוהו רע כי הוא

**and a smooth mouth**—*A mouth of flattery.*—[*Rashi*]

**effects rejection**—*It makes him rejected, for it rejects the one who accepts it from upon the Holy One, blessed be He.*—[*Rashi*] *Mezudath David* explains: A man of lies hates those that are crushed by his lies even if they did him no harm, because he thinks that they are his enemies. But a smooth mouth will push off that hatred; if they speak to him smoothly to show him that they know nothing of his lies, then that hatred will be pushed off by itself.

24. An enemy dissembles with his lips and within him he places
deceit. 25. When he entreats with his voice, do not believe him,
for there are seven abominations in his heart. 26. When the
hatred is covered with darkness, his evil will be revealed in
public. 27. He who digs a pit will fall into it, and he who rolls a
stone—it will return to him. 28. [He who has] a false tongue
hates those crushed under him, and a smooth mouth

24. **An enemy dissembles**—*With his speech, an enemy dissembles, so that it is not recognizable that he is an enemy.* Heb. יְנָּכֵר, *deconnoitre in French,* (verkennen in German, and so did *Redak* write, that it is an expression of denial and making oneself strange, the opposite of recognition (הַכָּרָה).)—[*Rashi*]*

25. **When he entreats with his voice**—When he raises his voice in entreaties, do not believe him; he harbors many abominations in his heart.—[*Mezudath David*] *Ralbag* renders: When he is fairspoken.

**for there are seven abominations**—This may allude to the seven enumerated above (6:16), or it may be an expression of many abominations. *Gen. Rabbah* 65:11 considers each abomination as consisting of ten; hence seventy abominations.—[*Ibn Nachmiash*]

26. **When the hatred is covered with darkness**—*If one performs his deed in the darkness and conceals with* מַשָּׁאוֹן, *which is pitch darkness* (שׁוֹאַת חֹשֶׁךְ), *the thing that is hated by the Holy One, blessed be He,* [then] *ultimately the Holy One, blessed be He, will reveal his evil in public, so that they should recognize that he is wicked.*—[*Rashi*]

27. **He who digs a pit**—*For example, Balaam, who persuaded Balak to cause Israel to sin and caused twenty-four thousand of them to fall. He came to Midian to demand his pay and was slain by Israel.*—[*Rashi* from *Num. Rabbah* 22:4]

**and he who rolls**—*That is to say that whoever places a stumbling block will ultimately stumble on it.*—[*Rashi*]

**and he who rolls a stone**—*He rolls it from place to place so that people will stumble on it. The Aggadah* (*Tanhuma Buber, Vayera* 28, see footnote 157) *interprets it in reference to Abimelech, who slew his seventy brothers on one stone and his end was that he died by a stone, as it is said* (Jud. 9:53): *"And a certain woman cast a piece of an upper millstone upon Abimelech's head and crushed his skull."*—[*Rashi*] Many such incidents are related in Scripture in this vein, illustrating that God pays in kind, and that he metes out punishment according to what a person himself metes out.—[*Ibn Nachmiash*]

28. **hates those crushed under him**—*He who accepts slander hates those crushed under him, for Saul pursued David because of slander and slew Nob.*—[*Rashi*]

וּפֶה חָלָק יַעֲשֶׂה מִדְחֶה׃ כז א אַל־תִּתְהַלֵּל
בְּיוֹם מָחָר כִּי לֹא־תֵדַע מַה־יֵּלֶד יוֹם׃
ב יְהַלֶּלְךָ זָר וְלֹא־פִיךָ נָכְרִי וְאַל־
שְׂפָתֶיךָ׃ ג כֹּבֶד אֶבֶן וְנֵטֶל הַחוֹל וְכַעַס
אֱוִיל כָּבֵד מִשְּׁנֵיהֶם׃ ד אַכְזְרִיּוּת חֵמָה
וְשֶׁטֶף אָף וּמִי יַעֲמֹד לִפְנֵי קִנְאָה׃

דקושטא ופומא דפליג
עביד תרכונתא׃ א לא
תשתבהר ביומא
דלמחר דלא ידעת מנא
יליד יומא׃ ב ושבחנך
חילוני ולא פומך
נוכראה ולא שפותך׃
ג יקרא כיפא ונטול
חלא ורוגזיה דשטיא
יקיר מן תרויהון׃
ד נכזריותא היא חימתא
וחיפא היא רוגזא ומנו
קאים קדם קנאתא׃

ת"א יהללך זר. נדרים סב סנהדרין מב זוהר בלק :

טובה

### רש"י

לדוד והרג נוב: ופה חלק. פה של חלקלקות: יעשה מדחה. עושה דחוי שדוחה את מקבלו מעל הקב"ה: כז (א) אל תתהלל. אל תתפאר עכשיו בדבר שעתיד להיות ליום מחר: כי לא תדע מה ילד יום. שמא היום יולד שום רעה שיבטל מחשבות מחר: (ג) ונטל. משא: וכעס אויל. שהאויל מכעים להקב"ה גורם להביא כעס לעולם: (ד) ומי יעמוד לפני קנאה. מי יעמוד לפני קנאתו של קנא ונוקם:

### אבן עזרא

כז (א) אל. יהללך. ב' דגשים. פי' אל תתהלל על מעשה הצדקה בעבור יום מחר שתאמר מחר אעשה: ילד. כמו תולדות יעקב ענין קורות וכן זה כאילו היה נולד המקרה שלו כי לא תדע מה יקרך מקורות היום ולא תוכל עשותו ביום מחר כענין אם לא עכשיו אימתי: (ב) יהללך זר. אחר המעשה: ולא פיך. קודם המעשה. נכרי. כפל דבר: (ג) כובד. סמוך. ונטל. תרגום וישא פר כובד אבן ומשא החול מדומה בכבדו'. וכעס אויל יותר כבד: (ד) אכזריות. דבקה זאת המלה בהכמה כי היא יוצאה ממנה. ושטף רמז למעשה העושה באפו שהוא כמים שוטפים כלומר אכזריות מן החמה ושטף מן האף מדומים שהם קשים ומי יוכל לעמוד לפני איש קנאה שהיא קשה ועזה משניהם. כי היא היולדת אותם והעד כי קנאה חמת גבר

### מנחת שי

כז (א) מה ילד. במקצת ספרים היו"ד בסגול:

### רלב"ג

הרעה שעשה להם להשבו שהם שונאים אותו על הרע שגמלם אך פה חלק יעשה מדחה לזאת השנאה ויסיר ר"ל כשידברו הנדהאים דברי חלקות לאשר הרע להם וירצה שהם בוטחים בו ושאינם חושבים בשום פנים שיהיה הוא סבת נפילת הרע עליהם: (א) אל תתהלל. במה שתבטח לעשותם ביום מחר כי לא תדע מה מקרה היום כי אולי יתחדשו לך מקרים מונעים מהביא מחשבתך לפועל: (ב) יהללך זר ולא פיך. וזה כמה בעשית אין ראוי שתהלל עצמך כי זאת תכונה פחותה טוב שיהללך זר ולא פיך נכרי ואל שפתיך: (ג) כובד אבן. הנה האבן יכבד מאד לנשאו וכן הענין במעמס החול אך שאת כעס אויל הוא כבד משניהם: (ד) אכזריות. הנה החמה תביא לאכזריות כי בעל החמה לא ירחם על אשר יכעס עליו והאף כמו שטף מים שישחית הכל אך הקנאה היא יותר קשה מאוד כי בעל הקנאה ירע לו בראותו טוב לזולתו ויבחר הרע לו ולזולתו יותר מטוב לו ולזולתו כמו שסופר מהמקנא והחמדן שאמר להם המלך מפני הכירו תכונותיהם שהוא מוכן לעשות להם טוב כיד המלך ישאל הא' מהם ויתן לו ולב' יותן כפלים והנה החמדן לא רצה לשאול כדי שיהיה לו כפל מאת המקנא והמקנא לא רצה לשאול שום טובה לעצמו לדאגתו על הטוב שיהיה לחברו ומיהר לשאול מהמלך שינקרו עינו האחת שישאר חבירו עור משתי עיניו:

### מצודת דוד

יחשוב שאוהבים המה לו על כי נדמה בשקריו אבל פה חלק ידחה את השנאה ההיא. ר"ל אם דברו אליו חלקלקות להראות בעצמם כאלו אינם יודעים מדברי שקריו אז השנאה ההיא נדחית מעלמה: כז (א) אל תתהלל. אל תשתבח עצמך במה שתבטיח לעשות ביום מחר כי לא תדע מה דבר יקרה כי פן יקרה דבר אשר לא יוכל עשותה: (ב) יהללך. ר"ל אף בדבר שכבר עשית יהללך זר וגו' נכרי וגו'. הוא כפל במ"ש: (ג) כבד. הנה האבן יש לה כובד רב וגם החול משא רב אמנם כעס האויל כבד לשאת ולסבול יותר משני אלו כי מחסרון הדעת ירבה לכעוס: (ד) אכזריות. החמה מביא לידי אכזריות והאף יביא לשטוף ולאבד ומלפני בעל קנאה מי יוכל לעמוד ולהתקיים כי קשה היא עוד יותר מהחמה והאף כי בעל הקנאה יבחר ברע כשתהיה גם לזולתו משיבחר הטוב לו ולזולתו:

### מצודת ציון

ענין שבירה וכתיתה כמו או דכו במדוכה (במדבר י"א): מדחה. מלשון דחיה: כז (א) תתהלל. מלשון הלול ושבח: ילד. ענינו מקרה וכן אלה תולדות יעקב (בראשית ל"ז) ולפי שהזמן מוליד הקורות אמר ילד יום: (ג) ונטל. ענין משא כמו נטילי כסף (צפניה א'):

due to his lack of intelligence, is heavier than both stone and sand.

4. **Cruelty of wrath**—Cruelty which comes as a result of wrath.—[*Ibn Ezra, Mezudath David*]

**and destruction of anger**—Destruction comes as a result of anger. A person obsessed with uncontrollable anger runs rampant like flood waters. Both of these are heavy to bear, but who can stand up before jealousy, which is heavier than both of them?—[*Ibn Ezra, Mezudath David*]

effects rejection.

27

1. Do not boast for tomorrow, for you do not know what the day will bear. 2. May a stranger praise you and not your mouth, an alien and not your lips. 3. The weight of a stone and the burden of sand—the anger of a fool is heavier than both. 4. Cruelty of wrath, and destruction of anger, but who can stand up before jealousy?

1. **Do not boast**—*Do not boast now concerning a thing that is destined to be tomorrow.*—[*Rashi*]

**for you do not know what the day will bear**—*Perhaps the day will bear some evil that will nullify it.*—[*Rashi*] This simply means that one should not boast about something he promises to do on a future day because something may occur that will prevent him from doing it.—[*Mezudath David*]

*Ibn Nachmiash* quotes Rabbinic maxims that reflect this idea: "Do not say, 'When I am free, I will study,' for perhaps you will not become free." "Do not believe in yourself until the day of your death" (*Avoth* 2:5) for Yochanan the High Priest served in that office for eighty years and later became a Sadducee (*Ber.* 29a). These maxims show how a person cannot rely on his future deeds. *Ibn Ezra* quotes: "And if not now, when?" (ibid. 1:14). This also shows that a person should do what he can at the present, and not procrastinate; he does not know his future situation.

2. **May a stranger praise you**—after the deed.—[*Ibn Ezra*]

**and not your mouth**—before the deed.—[*Ibn Ezra*] *Mezudath David* explains: Even after the deed, let a stranger praise you, not your own mouth. The Talmud (*Nedarim* 62a) qualifies this verse as referring only to a place where a person is known. In a strange place, where a person is not known, he may tell of his accomplishments. This is evidenced by Obadiah's announcement (I Kings 18:12): "And your servant was God-fearing from my youth."

3. **and the burden**—Heb. וְנֵטֶל, *a burden.*—[*Rashi*] A stone has tremendous weight, and sand has a heavy burden.—[*Mezudath David*]

**the anger of a fool**—*that a fool angers the Holy One, blessed be He, causes* [Him] *to bring anger to the world.*—[*Rashi*] *Mezudath David* explains that the anger of a fool, who is inclined to lose his temper

ה טוֹבָה תּוֹכַחַת מְגֻלָּה מֵאַהֲבָה
מְסֻתָּרֶת׃ ו נֶאֱמָנִים פִּצְעֵי אוֹהֵב
וְנַעְתָּרוֹת נְשִׁיקוֹת שׂוֹנֵא׃ ז נֶפֶשׁ
שְׂבֵעָה תָּבוּס נֹפֶת וְנֶפֶשׁ רְעֵבָה כָּל־מַר
מָתוֹק׃ ח כְּצִפּוֹר נוֹדֶדֶת מִן־קִנָּהּ כֵּן

**תרגום**

ה טָבְתָא מַכְסְנוּתָא
דִמְגַלְיָא מִן רַחֲמוּתָא
דִמְטַשְׁיָא׃ ו שַׁפִּירָן אִנּוּן
פּוּדְעָתֵיה דְרָחֲמָא וּבִישָׁן
נוּשְׁקָתָא דְסָנְאָה׃
ז נַפְשָׁא דְשַׂבְעָא דָיְשָׁא
כַּבְרִיתָא וְנַפְשָׁא דְכַפְנָא
כָּל מִידַם דְמָרִיר חָלֵי
לָהּ׃ ח הֵיךְ צִפְּרָא
דְמִשְׁנָא מִן קִנָּהּ הֵיכְנָא
הוּא

**ת״א** נאמנים. תענית כ׳ סנהדרין קה: נפש שבעה. בבא קמא לב: כצפור. ברכות נז חגיגה ט׳:

### רש״י

(ו) ונעתרות. ל׳ גודל כמו העתרתם עלי (יחזקאל ל״ה): (ז) תבוס נופת. תרמוס ברגל כמו יבוס קמינו (תהלים כ״ד): כל מר מתוק. כל דבר מר מתוק לה. ויש לפתרו בתלמוד תורה המראה את עצמו כשבע שאינו מתאוה לד״ת לתאות נפש. תבוס נופת. אף הטעמי׳ המיושבי׳ על הלב קיהם הטובי׳ עליו. והמתאוה לה אפילו דברים הבאים לו במרירות ובגיגיעה הם מתוקים לו: (ח) נודדת מן קנה. שהולכת ומטלטלת כן האיש הנודד ממקומו ת״ח הנודד מן הלמוד

### מנחת שי

(ו) ונעתרות. נפתחה הנו״ן:

### אבן עזרא

והטעם כי הקנאה מולדת חמתו: (ה) טובה תוכחת מגולה. מלת תוכחת עומדת במקום שנים. כלומר תוכחת מגולה שיוכיחהו בגלוי טובה מתוכחת אהבה מסותרת כלו׳ שאוהביו יוכיחוהו בסתר טובה ממנה המגולה כי בגלוי יתבייש ויוסר: (ו) נאמנים. חזקים הם פצעי אוהב שיפצע וידכא בגלוי הראוי להוכיח עד שיוסר והשונא נשקהו נשיקות חזקות ונעתרות ולא יוכיחהו כדי שילכד בפשעו. ופירוש נעתרות עבות. פ״א נעתרות חזקות כנגד נאמנים כמו העתרתם עלי: (ז) תבום. תרמום: ונפש. שהיא רעבה כל מר מתוק הוא לה. על כן כאשר הצפור שהיא נודדת מקנה אחר מחייתה כן איש נודד ממקומו לבקש

### רלב״ג

(ה) טובה. התוכה׳ והקטטה שיעשה האדם את רעהו בגלוי להוכיחו על רשיעתו יותר מהאהבה שהיא מסותרת ולא יראה ממנה רושם בגלוי כי לא יהיה תועלת בזאת האהבה: (ו) נאמנים. הנה פצעי האוהב הם נאמנים וישרים כי הם לתכלית טוב אם להוכיחו אם למנעו מרע כמו שיקרה לאדם בהיותו כי אהיו או קרובו הפליג לעשות רע לאחרים או נומר הרפות קשות כנגדם והם ידמו לקחת נקמתם ממנו ולהציל מידם ימהר להכותו בפניהם על מה שעשה או אמר כנגדם ובזה יתפייסו וימנעהו מידם אך נשיקות שונא הם נהפכות כי מראה לו אהבה להכשילו להפילו ברשת רגלו: (ז) נפש שבעה. בעל נפש שבעה והוא האיש המסתפק בשמה בחלקו יבוס גם הדברים המתוקים ר״ל שאינו נבהל להון ולא יפנה לקנין ההון אפי׳ במה שיושג מתנו בדרכים ערבים ומתוקים וישרים. ואולם בעל נפש רעבה הוא נבהל להון באופן חזק עד שאפילו מה שיושג ממני במרירות ובקושי ובעברה הוא מתוק לו לגודל תשוקתו לאלו הקנינים והנה זה המאמר לפי פשוטו היה מבואר האמת וכאלו הערה הוא שלא ישתדל האדם לקחת מהמזון שיעור רב הכמות כי זה יביאהו למאום אפי׳ הדברים הערבים ושלא יטיב עצמו מאד כי זה יביאהו להשוק גם בדברים המרים אך יִנהג בדרכים הממוצעים וידמה שקשר זה הפסוק לפסוק הקודם להעיר כי נשיקות שונא דומות ללקיחת נופת בנפש שבעה שיהיה סבה להקיא המזון אשר בבטנו ופצעי אוהב דומים ללקיחת המזון המר בנפש רעבה כי מלד הרעב לא יורגש במרירותו ויגיע ממנו ויהיה בו בהפך הענין בלקיחת הנופת בנפש שבעה: (ח) כצפור

### מצודת ציון

(ו) פצעי. הם מכות המוציאות דם: ונעתרות. ענין רבוי כמו ועתר ענן הקטורת (יחזקאל ח׳): (ז) תבוס. ענין רמיסה כמו יבוס צרינו (תהלים ס׳): נופת. ענין נזלה והתכה וכן נופת צופים (שם י״ט) ותחסר מלת צופים והוא מובן מעצמו: (ח) מן קנה. מן מדורה:

### מצודת דוד

(ה) תוכחת מגולה. אף המוכיח בפרסום ומגלים למוכח מכל מקום טובה היא אם באה מאהבה המסותרת בלב המוכיח וכוונתו לייסר דרכי המוכח ולא לקנתור: (ו) נאמנים. האוהב הפוצע לאוהבו למען ייסר לכת הנה הפצעים ההם נאמנים המה כי עשו פעולתם והועילו לזה כי בעבורם ייטיב דרכו אבל מן השונא אפילו הנשיקות מרובות המה והנם לשוא הועיל ואין בהם תועלת: (ז) תבוס. בעבור שבעה תרמוס אף נופת צופים: כל מר. כל דבר מר נחשב לה למתוק: (ח) כצפור. כמו שקשה לצפור מה שנודדת מקנה כן

*Mezudath David* explains that just as it is a hardship for a bird to wander from its nest, so is it a hardship for a man to wander from his place.

*Ralbag* explains that just as a bird does not wander away from its habitat except for a very pressing reason, such as extreme heat or cold or lack of food, so is it inadvisable for a person to move from his dwelling except for a very pressing reason. He gives examples of Abraham and Isaac, who left their homes because of famine.

*Ibn Nachmiash* suggests that Scripture advises against moving from where one's family and friends reside, to relocate in a strange land, even if there are prospects of financial advancement. He also suggests

5. Open rebuke is better than concealed love. 6. Wounds of a
lover are faithful, whereas kisses of an enemy are burdensome.
7. A sated soul tramples honeycomb, but to a hungry soul all
bitter is sweet. 8. As a bird wandering from its nest, so

**but who can stand up before jealousy**—*Who can stand up before the jealousy of He Who is jealous and vengeful?*—[*Rashi*]

5. **Open rebuke, etc.**—*Ibn Ezra* explains this verse as an ellipsis. Open rebuke is better than rebuke hidden out of love. Public rebuke is more effective than his friends' rebuke given in secret. The former embarrasses him and is therefore more effective. This interpretation, however, is contrary to *Sifra* on Leviticus 19:17, quoted in *Arachin* 16b, which prohibits rebuke if the rebuked person's countenance changes, meaning if he blushes in embarrassment.—[*Ibn Nachmiash*]

*Mezudath David* renders: Open rebuke is good if it is the result of hidden love. Although the rebuked person is embarrassed, the rebuke is still good if it is the result of hidden love. [This also does not follow the Rabbinic teachings.] Another explanation is: Open rebuke is better than concealed love. It is better to rebuke your friend and tell him openly that he has sinned than to hide it in your heart because you love him. It may also mean that to rebuke someone even in public, if it produces results—although it is not proper—is better than love hidden in the heart, which does not produce results.—[*Ibn Nachmiash*]

6. **Wounds of a lover are faithful**—The wounds of a lover, who wounds his friend in order to guide him to the straight path, are faithful because they carry out their purpose and cause the friend to improve his ways.—[*Mezudath David*]

**are burdensome**—Heb. נַעְתָּרוֹת, *an expression of largeness, as in* (Ezek. 35:13): "*You have multiplied* (הַעְתַּרְתֶּם) *against Me.*"—[*Rashi*] *They seem numerous and are therefore burdensome.*—[*Rashi* to Gen. 25:21]

7. **tramples honeycomb**—Heb. תָּבוּס, *tramples by foot, as in* (Ps. 44:6): "*we will trample* (נָבוּס) *those who rise up against us.*"—[*Rashi*] Because the soul is sated, it tramples even honeycomb.—[*Mezudath David*]

**all bitter is sweet**—*Every sweet thing is bitter to it. This can be interpreted in regard to the study of the Torah. If one shows himself to be sated, that he has no desire for words of the Torah as a desire of his soul, he tramples honeycomb. [That is,] even the reasons that are acceptable to the heart are not important to him, but he who yearns for it, even the things that come to him with bitterness and toil are sweet to him.*—[*Rashi*]*

8. **wandering from its nest**—*that goes and wanders, so is a man who wanders from his place, i.e. a Torah scholar who wanders away from his studies, from reviewing what he learned.*—[*Rashi* from *Hagigah* 9b]

אִ֭ישׁ נוֹדֵ֣ד מִמְּקוֹמ֑וֹ: ט שֶׁ֣מֶן וּ֭קְטֹרֶת
יְשַׂמַּח־לֵ֑ב וּמֶ֥תֶק רֵ֝עֵ֗הוּ מֵֽעֲצַת־נָֽפֶשׁ:
י רֵֽעֲךָ֨ וְרֵ֪עַה אָבִ֡יךָ אַֽל־תַּעֲזֹ֗ב וּבֵ֥ית
אָחִ֗יךָ אַל־תָּ֭בוֹא בְּי֣וֹם אֵידֶ֑ךָ ט֥וֹב שָׁכֵ֥ן
קָ֝ר֗וֹב מֵאָ֥ח רָחֽוֹק: יא חֲכַ֣ם בְּ֭נִי וְשַׂמַּ֣ח

הוא גַבְרָא דְמְשַׁנֵי דוּכְתֵיהּ: ט מִשְׁחָא וּבוּסְמָא דְמַחֲדִין לִבָּא הֵיכְנָא גַבְרָא דְמְבַסֵים לְחַבְרֵי בְּתַרְעִיתָא דְנַפְשֵׁיהּ: י חַבְרָךְ וְחַבְרֵיהּ דַאֲבוּךְ לָא תִשְׁבּוֹק וּבְבֵיתָא דַאֲחוּךְ לָאתְעוֹל בְּיוֹמָא דְתַבְרָךְ טָב שְׁכָבְנָא קָרִיב מֵאָח רָחִיק: יא אִתְחַכַּם בְּרִי

ת"א טוב שכן. בבא מציעא קח: חכם בני. ברכות ד' שבת יד עירובין כא (יבמות כ' סוטה יח קדושין כד):

## רש"י

מלחזור על גרסתו: (ט) שמן וקטורת. ריח שמן אפרסמון וריח קטורת משמחין לב: ומתק רעהו מעצת נפש. מי שחברו מקרבו וממתק לו בדבריו הוא טוב ממה שנפשו יועצתו. ד"א ומתק רעהו. המכשיר מעשיו שהן מתוקין להקב"ה טוב לו ממה שהוא ממלא תאות לבו: (י) רעך ורע אביך. הקב"ה שנקרא ריע לישראל וריע אביך שהשב את אבותיך: אל תעזוב. ואם עזבת יבא עליך פורענות: ובית אחיך. אל תבטח בבני עשו וישמעאל שיקרבוך מליהו כשגלו ישראל לבבל היו אומרים למוליכיהם בקילר בבקשה מכם הוליכונו בדרך אחינו בני עשו וישמעאל והיו בני ישמעאל יוצאים לקראתם ומקדמין אותם במיני מליחים ונודות נפוחים: מאח רחוק. טוב שישכון ביניכם הקרוב לקוראיו משתבואו אצל אח שנתר חק לאמר יקרבו ימי אבל אבי וגו' (בראשית כ"ז): (יא) חכם בני. התחכם בני:

## אבן עזרא

מחייתו ויהיה שבע: (ט) שמן. למשחה. וקטרת להריח נותן שמחה ללב וכן ישמח לב מתק רעהו מעצת נפש שיעצהו מתק סוד כאשר יועץ לנפשו המתק ישמחהו כמו אשר יחדיו נמתיק סוד נתייעץ מתק סוד: (י) אל הבא ביום אידך. כי ישנאך כענין כל אחי רש שנאוהו: טוב שכן קרוב. שיהיה קרוב לעזרך מאח רחוק מאידך על כן אל תעזוב רעיך: (יא) חכם. ללמוד חכמה: חרפי. בעבור שלא היה

## מנחת שי

(י) רעך ורעה. ורע קרי:

## רלב"ג

נודדת מן קנה. לסבת חזקה בשלא תוכל להיות בארץ מפני הזוק התוכו או הוזק הקור כן איש נודד ממקומו ר"ל שאין ראוי שיהיה נודד ממקומו אם לא נדמיון הסבה הזאת כמו שמלאנו באברהם ובזולתו שהתעוררו להעתק ממקומם לסבת הזקה והיא הרעב שהיה שם או ילאו בזה שכמו שהצפור נודדת מקנה תמצא בלי קן ותלטרך לבנותו כן איש נודד ממקומו יחסר לו כל: (ט) שמן וקטרת. הנה הסבה בשמן והרבות הקטיר ע"כ הריח ישמח הנפש והם דברים באים מחוץ כן מתק סוד האדם עם רעהו ללקיחת העלה טוב מהעלה שיקח האדם בנפשו בלי עזר אחר: (י) רעך ורע אביך. מי שהיה רעך ורע אביך אל תעזבהו כי טובה לך אהבתו מאד ולא תבטח שתבא אל בית אחיך ביום אידך ותבטח בזה לעזוב אהבת רעך כי טוב לך שכן קרוב יותר מהאח שהוא רחוק לך רחוק המקום כי רחוק המקום הוא ממה שימנע שקר האהבה והוא השכן הקרוב יהיה מוכן לך תמיד לעזר ולהועיל בכל עניניך: (יא) חכם בני. אתה בני התחכם ותשמח בזה הענין לבי ותשכרני בזה שאוכל להשיב דבר למחרף אותי על החרפות שיחרפני לך אם תוכל תסבב שלא אוכל להשיב חורפי דבר מיכלתי

## מצודת דוד

יקנם לאיש הנדידה ממקומו: (ט) ישמח. ר"ל משמח את הלב: ומתק. וכן ישמח אמרי מתק מחבירו הבאים מעצת נפש ולא להחניף ולרמות: (י) רעך. האוהב אותך וגם את אביך אהב ומתגלגלה בשרשה האהבה ולזה אל תעזוב את אהבתו. ואל תבטח לומר הנה תבוא עלי יום איד אבוא אל בית אחי לשאול מעמו עזרה כי יותר טוב שכן הקרוב עמך בכל עת כרעים האוהבים מהאח הרחוק ממך ולא יתחבר עמך: (יא) חכם בני. כן אמר שלמה לבנו התחכם בני ושמח לבבי ואוכל להשיב בדבר החרפה לאשר

## מצודת ציון

(ט) וקטורת. עשן בשמים: (י) אידך. מלשון איד ומקרה רע:

(Gen. 27:41): *"When the days of mourning for my father are at hand, etc."*—[*Rashi* from an unknown midrashic source] *Ibn Nachmiash* quotes a *Midrash Aggadah* that interprets "a distant brother" as referring to all humans. Scripture exhorts Israel to turn to God in times of trouble rather than to appeal to human beings, who are far from you when you need them. He quotes others who render: A neighbor is good, but it is rare that he should be closer than a brother.

11. **Be wise, my son**—Heb. חֲכַם, *become wise, my son.*—[*Rashi*]

**and cause my heart to rejoice**—*and let my heart be happy with you.*—[*Rashi*]

is a man wandering from his place. 9. Oil and incense make the
heart rejoice, and the sweet words of his friend more than one's
own counsel. 10. Do not forsake your friend and your father's
friend, and do not enter your brother's house on the day of
your misfortune; a close neighbor is better than a distant
brother. 11. Be wise, my son, and cause my heart to rejoice,

that Scripture is here depicting the plight of the stranger, evoking sympathy for him.

9. **Oil and incense**—*The scent of balsamum oil and the scent of incense cause the heart to rejoice.*—[*Rashi*]

**and the sweet words of his friend more than one's own counsel**—*He whose friend draws him near with words is better than what his* [own] *soul advises him. Another explanation:*

**and the sweetness of his friend**—*who improves his deeds, that they should be sweet to the Holy One, blessed be He, is better for him than gratifying the desires of his heart.*—[*Rashi*]

*Mezudath David* explains:

**Oil and incense**—each one causes the heart to rejoice, and so do the sweet words of his friend that originate from the counsel of the soul—sincere words, not meant as flattery. *Ibn Nachmiash* explains that oil and incense are two different types of pleasure—oil for anointing and incense for smelling. Just as these two pleasures are superior to one pleasure, so is one's friend's sweet counsel superior to one's own counsel, at which he arrived without consulting his friend. He compares the word וּמֶתֶק to (Ps. 55:15): "together we took sweet counsel (נַמְתִּיק סוֹד)," as does *Ibn Ezra*.

10. **your friend and your father's friend**—*The Holy One, blessed be He, Who is called a friend to Israel; and your father's friend, for He endeared your forefathers.*—[*Rashi* from *Ex. Rabbah, Yithro* 1; *Tanhuma, Yithro* 25] See *Yalkut Machiri*, Greenhut, where the publisher theorizes that this quotation originates from the lost *Midrash Yelammedenu.*

**Do not forsake**—*And, if you do forsake Him, retribution will befall you.*—[*Rashi* from above sources]

**and . . . your brother's house**—*Do not rely on the children of Esau and Ishmael that they should befriend you. We find that when Israel was exiled to Babylon, they would say to those who led them in neck irons, "We beg of you, lead us on the way of our brethren, the sons of Esau and Ishmael," and the sons of Esau went out toward them and welcomed them with various kinds of salty foods and blown up flasks.*—[*Rashi* from the above sources]

**than a distant brother**—*It is better that the One Who is near to those who call Him dwell among you than that you should come to your brother who distanced himself by saying*

לבי ואשיבה חרפי דבר: יב ערום ראה
רעה נסתר פתאים עברו נענשו: יג קח־
בגדו כי־ערב זר ובעד נכריה חבלהו:
יד מברך רעהו בקול גדול בבקר
השכים קללה תחשב לו: טו דלף טורד

וחדי לבי ואחזר מלתא לאלין דמחסדין לי: יב ערימא חזא בישתא ומטשי ושברי עברין עלה וחסרין: יג מתנסיב מרטוטי דמן דעריב לנוכראה ועל אפי נוכריא משכניה: יד דמברך לחבריה בקלא רמא בצפרא בקידומא לוטתא תתחשב ליה: טו איך דלפא דנטף ביומא דסגרירא

ת"א מברך רעהו, ערכין יד: דלף טורד, יבמות ס"ג:

### רש"י

ושמח לבי. ותהא לבי שמח כך: (יב) ערום ראה רעה. רואה פורענות הבא על הארץ ונסתר הימנה שמסך ידו מן העבירה ופתאי' לא נסתרו אלא עברו בדרך רעה: ונענשו. נפסדו: (יג) כי ערב זר. אדם שנעשה ערב גורם שאומר הדיין למלוה קח בגדו: (יד) מברך רעהו. יש משבח את חבירו יום יום והברכה נהפכה לקללה שאומרים עליו שהוא וותרן בממונו ועשיר והכל באין ושואלים ממנו והמלכות מתגרת בו לגבות ממון כך נדרש במסכת ערכין. עוד יש במדרש ר' תנחומא כנגד בלעם שהיה מברך את ישראל בקול רם שנאמר וישא משלו וגו' (במדבר כ"ג) לשון נשיאות קול וסופו יעץ להטיאם: (טו) דלף טורד. גשם הנוטף מן הגג לתוך הבית וטורד את בני הבית: ביום סגריר.

### מנחת שי

(יב) נסתר. בדפים נאפולי כתוב ונסתר בוא"ו וטעות הוא שנתחלף להם זה עם אותו שהוא בסי' כ"ב דכתיב יסתר וקרינן ונסתר: פתאים. הא"ף נחה והיו"ד נעה: נענשו. ברוב הספרים העי"ן בחטף סגול ובדפו"י כתוב ונענשו בוא"ו וכן מצאתי בס"א כ"י אמנם בשאר ספרים לא

### אבן עזרא

לו בן משכיל: (יב) ערום. פתאים עברו. הוא מלוה על כן יענשו הפתאים וימותו בלא עתם: (יג) קח. מברך. שנים דבקים. מברך רעהו הוא שהיה ערב בעבור זר ומברך רעהו המלוה בקול גדול כדי שישמעו אחרים הברכה למצוא חן בעיניו שלא יקח בגדו בבקר השכם שישכים למלאכתו ויברכהו יחשוב לו רעהו המברך כאלו קללו ולא יחמול מקחת בגדו: (טו) דלף. היא טפת המטר כמו ידלוף הבית: טורד. מגרש תרגום ויגרשם וטרדינון: סגריר. כפול הלמ"ד

### רלב"ג

שיספר מומיך: (יב) ערום. מי שהוא ערום וחכם ראה דעת הגוף והבליו ונסתר מהרעה ההיא במשלו על תאוותיו אך הפתאים הנפתים להאוות עברו בהם והשיגם רע והוא שכולם ערב שלם אל הנפש המתאוה ולוקח מהשכל לבושו וקשוטו והוא מה שיש לו כח עליו מהשגת המושכלות: (יד) מברך רעהו. מי שמברך רעהו בקול גדול והוא רגיל בכך וישכים לברכו בבקר יום יום זה הענין יחשב לו לקללה מאת הש"י כי עושה מאדם כמו אלוה ויתן לו התודה והברכה בדמיון מה שראוי לתת לש"י או ירצה שכאשר יברך את רעהו בקול גדול על הטובה שהטיב והנגו בדרך שישמעו דבריו לא יתאחר הזמן שתחשב לו לקללה כי זה יסבב שיבואו אנשים בלתי הגונים לבקש מרעהו מאותו הדבר אשר ברכהו עליו והמשל שאם ברך ראובן לשמעון בקול גדול על שבלא אשישה יין טוב הנה ישמעו דבריו אנשים רעים וילכו לשמעון שיתן להם מהיין ההוא ויגרום לו בזה הפסד תחת אשר הועילהו וכמו זה הענין צריך האדם להזהר שלא יתן כלום לחבירו במה שאפשר שיגיעהו נזק והמשל שבשבר יקרה שאל שר גדול משמעון שישלח לו מיינו ואמר שאין לו יין טוב ובאותו מעמד בא ראובן וברך את שמעון על מה שנתן לו מיינו הטוב כי זה יהיה סבה שיכעס על שמעון השר הגדול ההוא והנה רבו מאד המינים אשר אפשר שיגיע בהם נזק מזאת הברכה ואפשר שירצה בזה עוד שאשר יברך בקול גדול מחשבתו אשר באה אליו תחלה בחקרו בעיון מה ויהיה זה סבה שיקצר מחקור בו עוד על שאר המחשבות הנופלות בו הנה זה הענין תחשב לו לקללה כי זה ממה שיסגור לפניו שערי העיון: (טו) דלף טורד. הנה כמו

### מצודת ציון

(יב) נענשו. גם הפסד ממון נקרא עונש וכן וענשו אותו מאה כסף (דברים כ"ב): (יג) חבלהו. ענין משכון כמו אם חבול תחבול (שמות כ"ב): (יד) מברך. ענין התפארות כמו כאשר המתברך בארץ (ישעי' ס"ה): (טו) דלף. ענין טפטוף כמו

### מצודת דוד

יחרפני כי אם תהיה סכל בע"כ אשים יד לפה כי אפחד שלא יגלה את מומך: (יב) ערום. כשראה הערום הרעה המעותדת לבוא נסתר ממנה ר"ל שמר את עצמו מן הרעה טרם בואה אבל הפתאים עברו דרך הרעה ולא נשמרו והשיגה אותם הרעה ובא להם העונש וההפסד: (יג) קח בגדו. קח בגד הערב למשכון ולא תאשם בזה כי מעצמו נעשה ערב בעבור הזר והכניס עצמו בזה: ובעד נכריה. כפל הדבר במ"ש ואומר בין ערב בעבור איש בין בעבור אשה עניה סוערה: (יד) מברך. המשבח את רעהו בקול גדול בפרסום רב בכל בוקר בהשכמה ר"ל בתמידות ובזריזות הנה לקללה תחשב לו כי כאשר ישבחוהו בנדיבות לב רבים יחלו פניו ומחסרים עשרו: (טו) דלף. הנה טפטוף המטר לא יעריד בני הבית כ"א ביום בוא

lized by an alien woman, and his desire to acquire wealth, symbolized by the stranger. Should he fail to do this, he loses his desirable character traits—both those that deal with his relations with his fellow man, symbolized by the garment worn on the outside, and those that deal with his relations with God, symbolized by the pledge taken from within his house.

14. **He who blesses his friend**—*Someone blesses his friend daily, and the blessing is converted into a curse, for people say about him that he is generous with his money and wealthy, and everyone comes and borrows from him, and the government pro-*

that I may answer him who taunts me. 12. A cunning man saw harm and hid, but fools passed and were punished. 13. Take his garment because he stood surety for a stranger, and hold him in pledge for an alien woman. 14. He who blesses his friend in a loud voice early every morning, it shall be considered a curse for him. 15. A constant dripping

**that I may answer him who taunts me**—For, if you are a fool, I will be compelled to remain silent lest he reveal your blemish.—[*Mezudath David, Ralbag*] If you have not accepted the rules of wisdom until now, from now on become wise so that I will be able to answer him who taunts me regarding your foolishness.—[*Malbim*] This verse illustrates the prestige the father gains when he has a wise son. The same applies to a teacher who has wise pupils.—[*Meiri*]

12. **A cunning man saw harm**—*He sees the retribution coming upon the earth and hides from it by withdrawing from sin, but the fools did not hide and passed on the way of harm.*—[*Rashi*]

**and were punished**—*They suffered loss.*—[*Rashi*] See above 22:3, where *Rashi* explains a similar verse slightly differently. *Ibn Ezra* explains that the fools transgressed the law of the commandment, and were therefore punished with premature death. *Ibn Nachmiash* also renders: transgressed, alluding to a midrash that identifies the fools as Nadab and Abihu, who brought strange fire into the Sanctuary and were punished by death.

13. **Take his garment**—Take the garment of the one who stands surety and you will not bear guilt for it, because he himself stood surety for a stranger and brought himself into this situation.—[*Mezudath David*]

**because he stood surety for a stranger**—*A man who stood surety brings about that the judge should say to the creditor, "Take his garment."*—[*Rashi*] *Ralbag* explains the previous verse to mean that the cunning man sees the evil of the body and its vanities. He therefore hides from that evil by controlling his desires. But the fools who fall prey to their desires passed through them and were overtaken by harm. Harm befell them because their intelligence stood surety to the soul of desire, which took from their intelligence its garment and ornament, the power it has to achieve wisdom. Cf. 20:16 for other interpretations.

*Gra* points out that although the Torah prohibits the creditor from entering the debtor's house to take a pledge, it does not prohibit him from taking a pledge from the one who stood surety, surely if it was for an alien woman. He interprets this verse as symbolic of a person who takes upon himself to guard over his lust for physical pleasure, symbo-

דסגרירא היכנא אתתא תגרנותא דנציא: טו רוחא גרביתא קשיא ובשמא דימינא מתקריא: יז פרזלא בפרזלא לטיש וגברא לטיש אפיה דחבריה: יח דנמר תינתא אכיל פירהא ודזהיר במריה נתיקר: יט היך מיא והיך פרצופי דלא דמין חד לחד היכנא לביהון

ביום סגריר ואשת מדונים נשתוה:
טז צפניה צפן־רוח ושמן ימינו יקרא:
יז ברזל בברזל יחד ואיש יחד פני־
רעהו: יח נצר תאנה יאכל פריה ושמר
אדניו יכבד: יט כמים הפנים לפנים כן

ת"א ברזל. תענית ז': נוצר תאנה. ברכות נז עירובין נד:

## רש"י

יום הגשם שהכל נסגרים בבתיה': ואשת מדינים נשתוה. שניהם שוין: (טז) צופניה צפן רוח. מי שסבור לשומרה מתזנותיה לפונת רוח הוא כשם שאי אפשר לצפון הרוח כן היא לא תצפנה: ושמן ימינו יקרא. קורא הוא הצרעת לבא עליו עד שיצרכנה כמצורע המטהר בשמן בבהן ידו הימנית: (יז) יחד פני רעהו. יחדד. ת"ח מחדדין זה לזה בהלכה: (יח) יאכל פריה. וכן שומר אדוניו יכובד ויאכל פרי מעלליו: (יט) כמים. הללו הפנים שאתה מראה לתוכן הן מראות לך: כן לב האדם לאדם. הכירו לפי מה שאדם יודע שחבירו אוהבו כן הוא מראה לו פנים:

## אבן עזרא

על משקל זרזיף כלומר ביום שיסגרו בני אדם מפני דלף המטר הטורד והמגרש אותם. או המטר נקרא סגריר. ואשת מדינים נשתוה לדלף שהיא מגורשת משכניה והרוצה לצפון אותה שלא ירצה לשלח מדנים יצפון רוח והכל אפילו שמן מור שתמשח ימינו האשה. יקרא לה לפתותה רוח הוא כי לא יוכל ליסרה ותהפוכות הרוח רבות ואין יכולת באדם לאחוז בה על כן דמה האשה לרוח ובענין שהימין מוכנת לכל דבר אמר ושמן ימינו וכמוהו הנה ימינך: (יז) ברזל בברזל. בי"ת בברזל מוכנת במקום שנים והטעם בפני רעהו וטעם הבי"ת בעבור. יחד. שנים שרשים חדד יחד ונקרא הזועם פנים בעבור שיראה בהם כמו שמצינו פני ה' חלקם ופניה לא היו לה עוד וענינו זעם והרון וכן פי' ברזל בעבור ברזל הוא מהודד וכן הוא איש יחד בעבור פני רעהו כלומר שהוא מהדר לריב עמו בעבור חמות רעהו: (יח) נוצר תאנה. יתכן שיהיה דבק למעלה שאין ראוי להתחדד עם אדניו כמו עם רעהו ומי שישמרהו מכל דבר רע האדון יכבדהו: (יט) במים. שאול. פירוש כמים שנכרו בעבור

## מנחת שי

נמלא בוא"ו רק אותו שבסימן כ"ב: (טו) ואשת מדונים. מדינים קרי וגם זה אחד מן הששה הכתובים בוא"ו ונקראים ביו"ד. והסימן נמסר בהאי ספרא סימן כ"א במ"ג ועיין בשרשים שרש רן:

## רלב"ג

שיקשה ביום שילטרך האדם לעמוד נסגר בביתו מפולס המטר כשיהיה דולף בביתו עד שלא יוכל להגן עליו מהמטר כן הענין באשת מדינים כי האדם יבעת בבואו לביתו כי שם יגות לו והיא מטרדת אותו ומכאבת לבו בלד שאין לו תחבולה מהלטער עליה: (טז) צופניה. מי שידמה לצפנה לכסות קלונה לא יוכל על זה כי היא תגל' נבלות' כמו שלא יוכל האדם לצפון הרוח שלא נודע במקום שהוא בו כי בנשיבתו הוא מודיע מליאתו ומקומו וכמו שלא יוכל לצפון שמן אשר ימושחו ידו כי ימינו יקרא לאנשים שיש לו שמן מפני רושם השמן שיש בו: (יז) ברזל בברזל יחד. הנה כמו שהברזל מתחדד בברזל כן החברים מתחדדים זה את זה בדבר העיון: (יח) נולר תאנה. הנה כמו שנולר התאנה יאכל פריה ולולי שמירתו אותה יאכלו אחרים פריה כן מי ששומר אדוניו ישיגו ממנו הפרי הראוי ואחשוב שרמז באדוניו אל החלק המושכל באדם והוא השכל כי כאשר ישמר אותו שלא ימשלו בו שאר כחות הנפש יקרה הכבוד והחכמה: (יט) כמים הפנים. הנה כמו שיורשמו

## מצודת דוד

המטר אשר דרך בני אדם להיות נסגרים בתוך הבית כי אז ישטוף המטר אל הבית ויטריד את בני הבית ממקום למקום אבל כשאין מטר אין שטפון ואין טרוד. אבל אשת מדינים נשתוה בכל העתים להטריד את בעלה: (טז) צפניה. החושב להסתיר הדבר בפני הבריות דומה הוא למסתיר את הרוח לבלוא אותו כי אז ירעיש בקולו נפלאות וכן בעלת מדנים כל עוד שירצה להסתיר את הדבר היא מוספת והולכת: ושמן. כמו המושח עלמו בשמן אם ירצה להעלים לא יוכל כי ידו הימנית אשר ימשח בו היא תכריז על המשיחה כי היא נותנת ריח לכל הקרב וכן א"א להעלים מריבת האשה: (יז) ברזל. כמו הלוטש ברזל הסכין באחר נעשית חדה ושנונה כן יחדד איש את פני רעהו ר"ל ת"ח היושבים יחד ועוסקים בתורה הנה מחדדים זא"ז: (יח) ניצר. כמו השומר אילן תאנה הנה יאכל פריה נוסף על השכר כן השומר אדוניו יאכל פרי גמול מעשיו כי עוד מכובד מן האדון נוסף על התשלומין: (יט) כמים.

## מצודת ציון

דלפה עיני (איוב ט"ז): טורד. ענין גרושין כמו ולך טרדין (דניאל ד'): סגריר. מלשון סגירה: נשתוה. מלשון השואה ודמיון: (יז) יחד. מלשון חדוד ושנון:

because of iron, and a man is sharpened because of his friend's anger—is driven to quarrel because of his friend's anger.

18. **shall eat its fruit**—*and so will one who guards his master be honored and eat the fruit of his deeds.*—[*Rashi*] The Sages of the Midrash (*Mishle*) see the fig tree as symbolizing the study of Torah. He who studies the Torah in this world will eat its fruit in the world to come.

19. **As in water**—*the face that you show it, it shows you.*—[*Rashi*]

on a rainstormy day, and a quarrelsome woman, are alike.
16. He who guards her guards the wind, and he calls "the oil of
his right hand." 17. Iron sharpens iron, and a man sharpens
the countenance of his friend. 18. He who guards a fig-tree
shall eat its fruit, and he who guards his master shall be
honored. 19. As in water, face answers to face, so

*vokes him to collect his money. In this manner, it is interpreted in tractate Arachin* (16a). *Besides this, it appears in the midrash of Rabbi Tanhuma* (*Balak* 15) *as regards Balaam, who blessed Israel with a loud voice, as it is stated* (Num. 23:7): *"And he took up his discourse, etc.," an expression of raising the voice, and he later counseled to cause them to sin.*—[*Rashi*]

15. **A constant dripping**—*Rain that drips from the roof into the house and drives out the inhabitants of the house.*—[*Rashi*]

**on a rainstormy day**—Heb. סַגְרִיר, *a rainy day, when all are shut in their houses.*—[*Rashi*]

**and a quarrelsome woman, are alike**—*They are both the same . . .*—*Rashi*]

The dripping of the rain does not drive out the inhabitants of the house except on a rainy day, when people are usually confined to their house, for then it drips into the house and drives the inhabitants from place to place. But when it is not raining, there is no dripping and no driving out of the house. A quarrelsome woman, however, is always driving out her husband.—[*Mezudath David*]

16. **He who guards her guards the wind**—*He who thinks to watch her from her lewdness guards the wind; just as it is impossible to guard the wind, so will she not be guarded.*—[*Rashi*] *Mezudath David* explains that it is impossible to keep the secret of her quarrelsome nature just as it is impossible to keep the presence of the wind a secret. If one tries to confine it, the wind will roar. So it is with a quarrelsome woman; the more you try to keep it a secret, the more the matter spreads.

**and he calls "the oil of his right hand"**—*He calls "tzaraath" to come upon him until he drives her out like a "metzora," who is purified with oil on the thumb of his right hand* [as in Lev. 14:17].—[*Rashi*] [By marrying a quarrelsome woman, one brings dire trouble upon himself, symbolized by "tzaraath," euphemized as "the oil of his right hand." This may have been an expression used in Biblical times.]*

17. **Iron sharpens iron**—Just as one who wishes to sharpen a knife sharpens it against the blade of another knife.—[*Mezudath David*]

**sharpens the countenance of his friend**—Heb. יָחַד, *sharpens. Torah scholars sharpen each other in halachah.*—[*Rashi* from *Ta'anith* 7a] *Ibn Ezra* renders: Iron is sharpened

לֵב הָאָדָם לָאָדָם: כ שְׁאוֹל וַאֲבַדֹּה לֹא
תִשְׂבַּעְנָה וְעֵינֵי הָאָדָם לֹא תִשְׂבַּעְנָה:
כא מַצְרֵף לַכֶּסֶף וְכוּר לַזָּהָב וְאִישׁ לְפִי
מַהֲלָלוֹ: כב אִם־תִּכְתּוֹשׁ אֶת־הָאֱוִיל ׀
בַּמַּכְתֵּשׁ בְּתוֹךְ הָרִיפוֹת בַּעֱלִי לֹא־
תָסוּר מֵעָלָיו אִוַּלְתּוֹ: כג יָדֹעַ תֵּדַע פְּנֵי

**תרגום**

דִבְנֵי נָשָׁא לָא דָמְיָן חַד
לְחַד: כ שְׁיוֹל וְאַבְדָנָא
לָא סָבְעָן וְעַיְנֵי דְגַבְרָא
לָא סָבְעָן: כא צָרְפָא
לְכַסְפָּא וְכוּרָא לְדַהֲבָא
וְגַבְרָא מִן פּוּמָא
דִמְשַׁבְּחָנוּי: כב אִין
מָחֵית לֵיהּ לְשַׁטְיָא
בְּמַכְתְּשֵׁי בְּגוֹ סִיַעְתָּא
וּבְאוּדְרָךְ לָא תַעֲבִיר
מִנֵיהּ שַׁטְיוּתֵיהּ: כג מַה
דְדָעֵי אַנְתְּ דַע אַפֵּי עָנָךְ

ת"א שאול. תמיד לב: אם תכתוש. סוטה מב כריתות יא:

**רש"י** ואבדו קרי ושים

(כ) שאול ואבדון לא תשבענה. מלקבל את הרשעים לתוכם כמו בעיני האדם רשע לא תשבענה מלשוט אחר יצר הרע ולמלאות תאותו: (כא) מצרף. כלי עשוי לצרוף כסף והכור עשוי לבחון זהב ואיש נצרף ומתחשב לפי מהללו ע"י שהבריות מהללות אותו במעשיו הטובים נבחן לרבים אם טוב אם רע: (כב) הריפות. חטים הנדוכים במכתש: במכתש. אסיטא (מורטי"ר בלע"ז. מארטע"ר בל"א מארזער): בעלי. הוא בוכנא פולין (מורטי"א בלע"ז. בכ"י רמ"י פילו"ן. בל"א שטאסעל. וכן פי' רש"י תהלים י"ב ז'). על שם שמעלין אותו ומכין בו תמיד נקרא עלי: (כג) פני

**מנחת שי**

כתוב. כתוב במכלול דף ק"ט שהוא מלעיל: (כ) שאול ואבדה. ואבדו קרי וכ"כ בברשים שנפל הנו"ן של אבדון ונכתב בה"א וי"ס שכתוב ואבדון בפסוק ואחרים בכתוב ואבדה קרי ואבדון וכולם משובשים: (כב) בעלי. במקצת ספרים הבי"ת בקמץ ובמכלול בא בלא כמנהג הבי"ת בפתח והעי"ן בשוא וסגול והמנהג ברוב כ"י

**אבן עזרא**

מים אחרים שיתערבו גם כן הפנים בעבור הפנים והטעם חמות כמים כן לב האדם מלא רע בעבור האדם שישנאהו והוא פי' נכון והזכיר שאול ואבדון כי השונאים רעיהם בלבבם הנם יורדים אליהם והם לא תשבענה ועיני האדם כמו כן לא תשבענה לראות כי כשתחזינה הולכין לאבדון לא תאמר שבענו מראותו ונוסר: (כא) מצרף. אם. ריפות החטים הכתושים וכן הפי' מצרף יש לכסף לצרפו וכור לזהב לזקקו. ואיש כלומר כל אחד נרוף וזקוק לפי מהללו כלומר לפי מה שנתכוון להללו. אבל אם תכתוש את האויל בתוך המכתשת בחזקה לא תסור אולתו מעליו כאשר תסור קליפת הריפות. ואיש כמו ואיש לא נעדר ואיננו בן אדם: (כג) ידוע.

**רלב"ג**

במים מפני המביט בהם ויחשב הרואה ההוא אל רעותו בדרך שיראה בזה אחר פניו כן ענין בלב האדם לאדם כי האדם ישיג מהות זולתו במה שישפט לו ממנו ומהשפט ההוא ישוב לב האדם לראות בו עצמו וזה מבואר מדברינו בספ' הנפש ובמאמר הא' מספר מלחמות ה' ושם התבאר איך ישכיל האדם זה הכח אשר לו להשגת המושכלות מופשט וערום מהמושכלות: (כ) שאול ואבדון. והוא החומר אשר הוא סבת ההפסד לא ישבעו בלבישתם הצורות כי תמיד יבקשו צורות אחרות בסבת בלתי השמע הכחות המתפעלות מהם אל הכחות הפועלות וכן לב האדם לא תשבענה מהמושכלות וזה כי אל סוד עמק מענין השכל וההיולי כי כמו שההיולי ערום מצד עצמו מהצורות ולו כח על קבולם כלם עד שיהיה ההיולי אל הצורות הוא יחס השכל ההיולאני אל המושכלות: (כא) מצרף לכסף. הנה יש לכסף מצרף לצרוף ממנו סיגיו וזה יודע לצורפי' ולזהב כור מיוחד ג"כ לבאר ממנו סיגיו וכן הענין בשאר הדברים כל אחד מהם בדרך המהוגן בו אשר נתבאר בנסיון שיתבררו בו סיגיו אך מהאויל אין תחבולה שתוכל בה לברר סיגיו ר"ל אולתו כי הוא יחשב היותו חכם: (כב) אם תכתוש. ולזה הוא מבואר שאע"פ שתכתוש אותו במכתש בתוך החטים שיכתשו בו בעלי להסיר קליפתם וסיגם לא תוכל להסיר מעליו אולתו והנה זכר זה בזה המקום לפי שאולת סבה חזקה למנוע השגת השלמות כי האויל יסתפק במה שיראה לו מהענינים בתחלת המחשבה: (כג) ידוע

**מצודת ציון**

(כ) שאול. בור הקבר: ואבדון. הגיהנם: (כא) מצרף וגו' וכור. שמות כלי הצורפים: (כב) תכתוש. ענין כתיתה ועמיכה: במכתש. שם הכלי שכותשים בו: הריפות. מלשון רפיון ור"ל החטים הנכתשים הנקלפים מקליפותיהן וכן ותשטח עליו הריפות (ש"ב י"ז): בעלי. הוא יד המכתש שדוכין בו וכן והעלות וכפות (דברי הימים ב' כ"ד): (כג) שית. ענין שימה:

**מצודת דוד**

כמו דרך המים מראה את הפנים בדומה להפנים המסתכלים בה אם הם שוחקות שוחקות ואם עצבות עצבות כן לב האדם לאדם אם לבו טוב על חבירו ייטיב גם לבו ואם רעה תדע גם היא: (כ) שאול. הקבר והגיהנם אינם שבעים מלקבל אנשים וכן עיני האדם לא תשבענה מן העושר ויחשק הוא להרבות עוד: (כא) מצרף. הכסף וזהב כאשר ירצו לדעת הטובים המה כמה יש בהם מן הסיג הנה יקחו מהם במשקל ידוע וישימו בכור והסיג ישרף ותשאר נקי ובזה יבחן הכל והאיש יבחן לפי מהללו כמו שמשבחים אותו בני אדם כן הוא: (כב) אם תכתוש. אם תכתוש את האויל במכתש בתוך החטים הנכתשים ועמהם תכתוש אותו ביד המכתש עכ"ז לא תסור ממנו אולתו כי לא יעזבה: (כג) ידע.

latter learned of this praise, he wept. When his disciples asked him why he wept, Aristotle replied, "I weep because perhaps he and I share a common trait. Therefore, he praises me."—[*Ibn Nachmiash*]

22. **grain**—Heb. הָרִיפוֹת, *wheat crushed in a mortar.*—[*Rashi*]

**in a mortar**—Heb. בַּמַּכְתֵּשׁ, *a mortar, in French mortier, Mörser in German.*—[*Rashi*]

**with a pestle**—Heb. בַּעֱלִי, *a pestle,*

is the heart of a man to a man. 20. The grave and Gehinnom
will not be sated, and the eyes of man will not be sated. 21. The
refining pot is for silver and the furnace for gold, and a man
according to his praise. 22. If you crush the fool in a mortar
among grain with a pestle, his folly will not leave him.
23. Know well the condition of

**is the heart of a man to a man**—*his friend. According to how much a man knows that his friend loves him, so he will show him his face.*—[*Rashi*] If you pour water into a vessel and look into it, it will show you your face. Similarly, if you have knowledge, will you be able to tell what is in your friend's heart. Another explanation is that, just as water reflects a person's countenance only when he is present and not when he goes away, so is one man's heart to his friend. The love is there only when he is there, not after he leaves.—[*Ibn Nachmiash* from *Sefer Hukkah*]

20. **The grave and Gehinnom will not be sated**—*from receiving the wicked therein, just as the eyes of a wicked man will not be sated from wandering around after temptation and gratifying his lust.*—[*Rashi*] Man's eyes are not sated from wealth, and he yearns for more.—[*Mezudath David*]

The Sages of the Midrash (Ecc. 7:13) state: No man leaves this world with half his desires accomplished. Note that Cain owned the whole world, but his eye was not sated until he slew Abel. Therefore, a person must be satisfied with his lot, because one who follows his eyes to obtain what he desires of the pleasures of this world will never be sated, just as the grave and the Gehinnom will never be sated from receiving the dead.

At the end of tractate *Tamid* (32b), the Talmud relates that Alexander the Great went to the elders of the southland and said to them, "I am a king; I am important. Give me something." They gave him a skull. He took it and weighed all his silver and gold against it, and they did not equal it. He asked the Rabbis, "What is this?" They replied, "The skull is the eye of flesh and blood man, which is never sated." "How do I know that this is true?" he queried. They took clods of earth and covered it. Immediately, the silver and gold outweighed it, as it is written: "The grave, etc."

21. **The refining pot**—*A vessel made to refine silver. The furnace is made to refine gold. A man is refined and considered according to his praise; according to how people praise him for his good deeds, he is tested by the public, whether good or bad.*—[*Rashi*] It may also mean that a person is judged by the qualities he praises in others. It is told that a man possessing ignoble character traits praised Aristotle. When the

צאנך שית לבך לעדרים: כד כי לא
לעולם חסן ואם נזר לדור *דור: כה גלה
חציר ונראה דשא ונאספו עשבות
הרים: כו כבשים ללבושך ומחיר
שדה עתודים: כז ודי | חלב עזים
ללחמך ללחם ביתך וחיים לנערותיך:

ושים לבך על קוטין:
כד מטול דלא לעלם
היא אחסנא אף שלם
דרא לדרא: כה שבח
עמירא ואתחמי דתאה
ואתכניש עשבא דטורי:
כו אמרי ללבושך וגדיא
לתגרותך: כז וסופקנא
דחלבא דעזי למיכולתך
ולמיכולתא דביתך וחיי

ת"א כי לא. יומא פז סנהדרין
ז': כבשים ללבושך. חגיגה
יג חולין פד: ודי חלב. ברכות מ
חולין כב כתובות ו':

ודור קרי

## רש"י

**צאנך**. אל יקלו בעיניך להתבונן בם תמיד מה הם צריכים: (כד) **כי לא לעולם חוסן**. שאם אתה עשיר בכסף וזהב שמא לא יתקיים לעולם. לכך אל תבזה דברים קטנים שלך: (כה) **גלה חציר**. כשנגלה החציר בימי ניסן ויראה הדשא ונאספו עשבים לאמות אז ייטב לך ביהיו גזותיהם של כבשים ללבושך: (כו) **ומחיר שדה**. יהיו לך העתודים כי תאכל הבשר ותמכור העורות: (כז) **ודי**. פרנסתך ללחמך ולחם ביתך תסתפק בחלב העזים הרי

## נסו

## אבן עזרא

**חסן. גלה. כבשים**. ודי. ה' דגושים. חוסן. אוצר. מחיר כסף חלוף כמו כסף מחיר זה ולפי דעתי ממנו מחיר כלב חלוף ותמורה. ונראה מהיום בעבור יכן הפירוש פני צאנך אשר שמו פניהם ללכת שם שית לבך שלא תשכחם ואל תשת לבך אל מעלה גדולה כי לא לעולם קיימים האוצר והמלוכה נראה הדשאי' והעשבים יאספו עמך ויהיו מאכל לצאנך והכבשים יהיו בעבור מלבושיך ועתודים חלף שדה והחלב כענין מאכלך ומאכל בני ביתך וחיים שתהיינה בו נערותיך:

## מנחת שי

בעי"ן בשוא ופתח: (כד) נזר לדור דור. ודור קרי: (כה) עשבות הרים. דגש הסי"ן לתפארת: (כז) ודי חלב עזים. בספר פתח דברי בשער המלות אות הדל"ת כתוב לשון זה ונמלא בחיר"ק ודי זהב. ודי חלב עזים עד כאן. וכן כתב רב פעלים בשער המלות ואין גירסא זו מלויה אללנו. ולא עוד אלא במסורת ריש פרשת תוריע נמסר סימן מן ו' די בליר"י וחד ודי חלב עזים: ללחמך. בגעיא הלמ"ד בספרי ספרד:

## רלב"ג

תדע. הנה כאשר תרלה לקחת המושכלות מהחוש דע פני צאנך יהם המוחשות אשר יערוך אליהם. ושית לבך לעדרים ר"ל למוחשות המסכימות אשר ישלם בהם ההשגות כי מהם תעמוד על המושכלות האמתיות ולא תסתפק במה שתגיע מהחוש בזולת ההשגות הראוי בו יקרה מזה הטעות הרבה בקנין המושכלות כמו שהתבאר במקומותיו והנה לזאת הסבה המשיל זה לצאן כמו שאמר בספר שיר השירים כעדר הרחלים לפי מה שביארנו שם: (כד) כי לא לעולם חוסן. ורלוי שתזדרז בקנין המחשבות בזה האופן כי לא יתמיד לאדם לעולם חוסן ותוקף וכח להשתדל באלו ההשגות ולקנותם כי במות האדם יסור ממנו זה הכח אשר לו מלד החומר ואע"פ שהנזר והמלכות שיהיה לשכל במה שקנה מהמושכלות הוא מתמיד לו לדור ודור כי השכל הנקנה הוא נלחי והוא ידע כי המוחשות יגיעו תחלה לחושים ואחר יגיע בהמלעותם אל החוש המשותף ומדרגה' בו קרובה אל המדרגה שהיתה להם בחוש חוש אלא שלא יתפעל החוש המשותף מהם באופן הפעולות החושים ממוחשיהם ואחר זה יתקרבו אל ההשגות אל הרוחניות ויוסרו מהם הרבה מהקליפות בהגיעם אל הזוכר והשומר והדמיון כמו שנתבאר בספר החוש והמוחש: (כה) גלה חציר. ולזה אמר שכאשר גלה חציר ושר והוא העשב ביולא חוב ממוחשיו אז יולא דשא בחוש המשותף: (כו) כבשים ללבושך. וכאשר נכרתו אלו העשבים יקבלם הכח הזוכר והשומר באופן שיהיה מהם כבשים ללבוש השכל לבוש עדיו ותמורת תבואת שדה יגיעו לך עתודים שהם יותר נכבדים מתבואת השדה לאין שיעור: (כז) ודי חלב. ויגיע לך מהם

## מצודת דוד

תן לבך לדעת בעלמך פני צאנך מה הם לריכים: **שית לבך לעדרים**. לתת להם די מחסורם וכפל הדבר במ"ש: (כד) **כי וגו'**. עם כי כביר מלאה ידך מ"מ גם מזה אל תנח ידיך כי לא לעולם יתקיים חוזק העושר ותהיה אז נושע בעדרי הצאן: **ואם נזר**. וכי נזר העושר הוא דבר המתקיים לכל ימי הדורות וכפל הדבר במ"ש: (כה) **גלה**. לפעמים נגלה החציר ונראה דשא ופעמים נאספו וכלו עשבות הרים לזה תן דעתך להכין לעת אשר לא תמלא: (כו) **כבשים**. גיזת הכבשים יהיה על צורך מלבושך והעתודים יהיה לך בערך שדה כי כמו תבואת השדה נקלרת בכל שנה ושנה והארץ לעולם עומדת כן גיזת העתודים תתמיד והעתודים ולדות הרבה ואף המה קיימים לבעליהם: (כז) **ודי חלב** עזים. יהיה לך די מחסורך חלב עזים למאכלך ולמאכל אנשי ביתך ובזה ימלא חיים לנערותיך ולא ימותו ברעב והוא כמשל לומר אף אם

## מצודת ציון

(כד) **חוסן**. ענין חוזק ויאמר על העוש' וכן חוסן ויקר יקחו (יחזקאל כ"ב): **נזר**. כתר: (כה) **ונאספו**. ענין כליון כמו אסף אסיפם (ירמי' ח'): (כו) **ומחיר**. ענין ערך הדבר ושווי כמו יקחו במחיר (דברי הימים ב' א'): **עתודים**. עזים זכרים: (כז) **ודי**. ענין ספוק הצורך: **ללחמך**. למאכלך: **ללחם ביתך**. כמו ולאנשי ביתך בוי"ו:

**the condition of your flocks**—*The teacher who is appointed over the congregation is required to carry them in his bosom and to lead them slowly.*

**For riches are not forever**—*and thereby, he eats the fruit, and the principal remains.*

**When the hay is carried away**—*When his laws are disseminated and the Torah is magnified through him, then these lambs will be his clothing, and the disciples shall be to him for a name and for raiment of glory and beauty.*—[*Rashi*] This section recommends that one subsist from

your flocks; give your attention to the herds. 24. For riches are not forever, neither is a crown for generations. 25. When the hay is carried away and the grass is visible, and the grasses of the mountains have been gathered, 26. there will be lambs for your clothing, and he-goats are the worth of the field; 27. and enough goat milk for your food, for the food of your household, and sustenance for your maidens.

*pilon in French, Stössel in German. Since they lift it up* (מַעֲלִין) *and beat with it, it is called* עֱלִי.—[*Rashi*]

23. **the condition of your flocks**—lit. the face of your flocks. *Do not think lightly of always paying attention to them to determine what they require.*—[*Rashi*] You shall not leave your affairs in the hands of strangers, but you personally should care for them until you recognize your flocks face to face, and you should strive to breed them until they grow to many herds.—[*Malbim*] *Mezudath David* explains: Give your attention to the herds to give them what they need.

24. **For riches are not forever**—*For, if you are rich with silver and gold, perhaps it will not last forever. Therefore, do not despise your small things.*—[*Rashi*]

**neither is a crown for generations**—You have no assurance that the crown of riches will last for generations.—[*Mezudath David*] *Malbim* defines this as the crown of royalty. Perhaps your children will not inherit the throne.

The Talmud (*Sanh.* 7b) relates that Mar Zutra Hasida would repeat this verse when great honors were bestowed upon him—when the people would carry him on their shoulders on the Sabbath preceding the festival—lest he become proud.

25. **When the hay is carried away**—*When the hay is carried away in the days of Nissan, the grass becomes visible, and the grasses are gathered to grow (?), then it will be beneficial to you, for you will have the fleece of the lambs for your clothing.*—[*Rashi*] Sometimes the hay is carried away and sometimes the grasses of the mountains are gathered up and consumed. Therefore, make sure to prepare for a time when you will not have what you need.—[*Mezudath David*]

26. **and . . . the worth of the field**—*The he-goats will be worth as much as a field because you will eat the flesh and sell the hides.*—[*Rashi*] *Mezudath David* explains: Just as the grain is harvested every year, and the earth remains, so does the hair of the goats grow constantly, and the he-goats are still alive. They impregnate the she-goats, who bear many kids for their masters.

27. **and enough**—*for your sustenance. For your food and the food of your household; you will have sufficient goat milk. This is the figure. The allegory is:*

כח א נָסוּ וְאֵין רֹדֵף רָשָׁע וְצַדִּיקִים
כִּכְפִיר יִבְטָח: ב בְּפֶשַׁע אֶרֶץ רַבִּים
שָׂרֶיהָ וּבְאָדָם מֵבִין יֹדֵעַ כֵּן יַאֲרִיךְ:
ג גֶּבֶר רָשׁ וְעֹשֵׁק דַּלִּים מָטָר סֹחֵף וְאֵין
לָחֶם: ד עֹזְבֵי תוֹרָה יְהַלְלוּ רָשָׁע וְשֹׁמְרֵי
תורה

ת״א ולדיקים. זוהר תרומה: עוזבי תורה. ברכות ז׳ מגלה ו׳:

**תרגום**

לְמַלְכוּתָךְ: א עָרְקִין רַשִׁיעֵי בְּדְלֵית דְּרָדֵיף לְהוֹן וְצַדִּיקֵי הֵיךְ אַרְיָא דְּמִסְתַּכֵּי לְמֵיכוּלְתֵּיהּ מְסַבְּרִין לְחָכְמְתָא: ב בְּחוֹבֵיהָא דְּאַרְעָא סַגִּיעִין רַבְרְבָנְהָא וּבְנֵי נָשָׁא דְּמִתְבַּיְנִין מִידִיעֲתָא נִגְדוּן: ג גַּבְרָא מִסְכְּנָא דְּעָשֵׁק לְמִסְכְּנֵי אֵיךְ מִטְרָא חֲבִיטָא דְּלֵית בֵּיהּ יִתְרָן: ד דְּשָׁבְקִין נִמוֹסָא מִשְׁתַּבְּחִין בְּרִשְׁעָא וְאִלֵּין דְּנָטְרִין אוֹרַיְתָא

## רש״י

מליאתו. והמשל כן הוא. פני לאנך. הרב המתמנה על הצבור יבאם בהיקו ויגהלם לאם. כי לא לעולם חוסן. ובזאת יאכל פירות והקרן קיימת: גלה חציר. כשיתפשטו שמועותיו ותגדל התורה על ידו אז יהיו הכבשים האלה לבושו ויהין התלמידים לו לשם ולבוש הוד והדר:
כח (א) נסו ואין רודף רשע. נסו הרשעים כשיבא אידם ויפלו בדבר קל מאין רודף: וצדיקים. אמיץ לבם בהקב״ה: ככפיר. אשר יבטח בגבורתו: (ב) בפשע ארץ רבים שריה. שזהו פורעניות לארץ בהיות שריה רבים ואין נשמעין לאדם: ובאדם מבין. ובשביל אדם מבין יתארך הפורעניות מלבוא: (ג) גבר רש. דיין עם הארץ: ועושק דלים. בדין על שאינו מתון בדין הרי הוא כמטר הסוחף את השדה ואין עושה פירות: סוחף. שוטף ובמשנה נסתחפה שדהו וכן (ירמיה מ״ו) נסחף אביריך. נשטפו

## מהגרין

## מנחת שי

כח (ב) בפשע. בגלגל ובמאריך: (ג) גבר רש ועשק. בספרי דוקני

## אבן עזרא

כח (א) נסו ואין רודף רשע. הרשעים ינוסו. או כמו נסים ואין רשע רודף אותם אבל רודף אותם קול עלה נדף: ככפיר. שיושב לבטח כן הם בוטחים ואינם נסים: (ב) בפשע ארץ. עם הארץ יש להם רבים שרי׳ להשחיתם ובעבור אדם מבין יודע דעת שישיבם מפשעם כן יאריך הענם: (ג) סוחף. שוטף או סוחב הזרעים: (ד) יהללו

## רלב״ג

חלב עזים מה שיספיק לאכלך והוא שיקנה מהם מהמושכלות ויספיק לנחם ביתך אשר יקנה בחכמה וכו חיים לנערותיך והם הכוחות המשרתות השכל וזה יהיה מפני ב׳ לדין הלך הראשון כי בחכמה יתיישר האדם להשיג לחם חקו בקלות כאמרו ארך ימים בימינה ובשמאלה עושר וכבוד והלך הב׳ כי בה יהיה האדם מושגח מהש״י וימלא לו מפני זה לחם חקו וישמר מהרעות הנכונות לבא עליו: (א) נסו ואין רודף. אך הרשע בדעותיו ובמדותיו כבר ימלאו מהם רבים שכל אחד מהם הוא נעזב ומשולח אל המקרים ולזה יפחד תמיד שיבואהו רע וינוס אע״פ שאין רודף לו אמנם כל אחד מהצדיקי׳ יהיה ביתו שלום מפחד ויבטח ככפיר שאין פחד שום דבר לנגד עיניו: (ב) בפשע ארץ. הנה בעבור פשע הארץ והיות העם אשר בו מהויידים כלים רבים שריה וזה יהיה כלי להשחיתם בקלות וכמו שרבוי השרים כלי להשחיתם בקלות כן יאריך קיומה ועמידתה בעבור אדם מבין יודע כי בזכותו יהיו מושגחים כאמרו אי נקי: (ג) גבר רש ועושק דלים. ידמה למטר סוחף שיסחית התבואות בדרך שלא ימלא לחם ומחכמת זה המשל כי המטר מכוין ראשונה לגדל הצמחים ויהיה בזה האופן כלי להשחיתם וכן הגעת הקניינים לאדם הוא להשיג מהמון מה שישלם בו הכרחי לעמידת גופו והגעתם בעושק הוא כלי אל שיחסר לו הכל: (ד) עוזבי תורה. יהללו הרשע על רשעו ויתגרו בשומרי התורה לחשבם שהתורה היא בלתי ראויה להתנהג בה או ירצה בזה עוזבי התורה יהללו הדעת הנפסד אשר לרשע בדעו׳ בענין השרשי׳ וההתחלות כי בזה יוכן להם פתח לעזוב התורה אך שומרי התורה יתגרו באותם הדעו׳

## מצודת ציון

כח (א) ככפיר. שם מבמות האריה: (ג) סוחף. ענין שטיפה וגריפה כמו נסחף אביריך (ירמי׳ מ״ו): (ד) יתגרו. מל׳

## מצודת דוד

חכמת בדברים עיונים למוד גם דברים פשוטים קלי העיון ותוכל לעסוק בהם לעת תחלש כח העיוני וללמד עם מי אשר קצרה דעתו להשכיל דברים עיונים ותחיה אותו בדברים פשוטים:
כח (א) נסו וגו׳. על הרשעים תפול אימת אלהים וינוסו מבלי מי ירדוף אף אחר אחד מהם לשיפחדו כולם כי רודף אין ועכ״ז יבוא המוכן בלבם אבל הצדיקים כל א׳ מהם אף כשהוא יחידי יהיה הוא בוטח ושאנן במשענת ה׳ ככפיר הבוטח בכוחו: (ב) בפשע. בעבור פשע עם הארץ ירבו שריה וכ״א עושק עם הארץ והנה נשחתה: ובאדם. בעבור אדם מבין יודע דעת להשיבם מפשעם יאריך המקום קיום הארץ אף בהיות כן שרבים שריה כי לא ירעו ולא ישחיתו: (ג) ועושק דלים. דבר בהווה כי העשיר אין מניחו לגזול עשרו כי אזק הוא ממנו: מטר. הרי הוא כמטר שוטף בחזקה וגורף הזרעים ואין לחם אף כי מדרך המטר להגדיל התבואה מ״מ לפעמים עוד יפסיד כן הרש הזה שחושב להרבות הונו בגזל עוד יבוא לו חסרון: (ד) עוזבי תורה. אלו שאחזו בתורה ועזבוה יהללו עוד את הרשע א״כ המה גרועים ממנו כי הרשע בעצמו יודע שלא טובים מעשיו אבל יעשם להתאוה אבל הם מהללים מעשיו

**flooding**—Heb. סֹחֵף, *and the language of the Mishnah* (*Keth.* 1:6): “*his field was ruined* (נִסְתַּחֲפָה),” *and similarly* (Jer. 46:15): “*Have your mighty men been swept away* (נִסְחַף)?” *They were flooded, they slipped and stumbled.*—[*Rashi*] Cf. Comm. Digest ad loc.

4. **Those who forsake the Torah**—Those who once adhered to the Torah but abandoned it will yet praise the wicked man. Consequently, they are worse than he, because the wicked man realizes that his deeds are not good, but he sins out of desire for physical pleasure. They,

## 28

1. The wicked flee without a pursuer, but the righteous are as trusting as a young lion. 2. Because of the sin of a land, its princes are many, but because of an understanding, knowledgeable man, so will [its retribution] be delayed. 3. A poor man who oppresses the poor is like a flooding rain that leaves no food. 4. Those who forsake the Torah praise the wicked, but those who keep

his livestock rather than from agriculture and, to preserve the livestock as far as possible, slaughter sparingly, only using the wool and the milk. Cf. *Yalkut Machiri.*

1. **The wicked flee without a pursuer**—*The wicked flee when their misfortune comes, and they fall on an insignificant thing without a pursuer.*—[*Rashi*]

**but the righteous**—*are courageous* [through their trust] *in the Holy One, blessed be He.*—[*Rashi*]

**as a young lion**—*which trusts its might.*—[*Rashi*] *Ibn Ezra* explains that the wicked flee although only the sound of a rattling leaf pursues them. The righteous, however, feel secure and stay in their place, as does a young lion.

*Mezudath David,* noting the apparent discrepancy between the nouns and the verbs in this verse—that in the first segment of the verse, the verb is plural and the noun is singular; yet in the second segment of the verse, the verb is singular and the noun is plural—explains: The terror of God will fall upon the wicked so that they all will flee although not even one wicked man is being pursued. With the righteous, quite the opposite is true; each individual righteous man, although he is alone, feels secure in his trust in God.

2. **Because of the sin of a land, its princes are many**—*This is the punishment of a land, viz. that it has many princes, and they do not respond to any man.*—[*Rashi*] *Mezudath David* explains that the many princes exploit the populace.

**but because of an understanding . . . man**—*But because of an understanding man, the retribution will be delayed from coming.*—[*Rashi*] Because of an understanding man, who knows how to bring them to repentance, the land will long endure in this manner.—[*Ibn Ezra, Mezudath David*] [Note that they interpret יַאֲרִיךְ differently from *Rashi.*]

3. **A poor man**—*An ignorant judge.*—[*Rashi* from *Tanhuma, Behukkothai* 5; *Buber* 7]

**who oppresses the poor**—*in judgment because he does not take his time in arriving at a verdict. He is like rain that floods a field, and it does not produce fruit.*—[*Rashi*]

תורה יתגרו בם: ה אנשי־רע לא־יבינו
משפט ומבקשי יהוה יבינו כל: ו טוב־
רש הולך בתמו מעקש דרכים והוא
עשיר: ז נוצר תורה בן מבין ורעה
זוללים יכלים אביו: ח מרבה הונו
בנשך ובתרבית לחונן דלים יקבצנו:
ט מסיר אזנו משמע תורה גם־תפלתו

ת״א מרבה הונו. מגילה כ׳: מסיר אזנו. שבת י׳:

### תרגום

מתגרין בהון דיתובון: ה בני נשא בישי לא מתבינין דינא ודבעי מן קדם יי מתבינין כולהון טבתא: ו טב מסכינא דמהלך בתמימותיה מן הוא דמעקמן ארחתיה והוא עתיר: ז דנטר אוריתא ברא הוא דמתבין ודמתחבר לזללי מחמין(?) אבוי: ח דמסגיע ממוניה בנכיתא וברבתא למן דמרחם על מסכני מכנשיה: ט דמסכר אודניה דלא נשמע אוריתא אף צלותיה

### רש״י

זמיתדו וכשלו: (ה) אנשי רע לא יבינו משפט. אינם משימים לב לפורעניות העתיד׳ שיתבוננו בה וישובו מדרכם ויגלו: ומבקשי ה׳ יבינו כל. טובה ורעה. משפט (יוסטיצ״א בלע״ז) כך פירש ר׳ תנחומא על דור המבול: (ו) טוב רש. אף עני שבתורה: הולך בתומו. במעשים טובים: (ז) ורועה זוללים. מחבר לזוללים והוא ל׳ רעים: (ח) מרבה הונו בנשך ותרבית לחונן דלים. הרשות שומעין עליו שהיא מתעשר שלא משפט ונוטלין ממונו ובונין בו

### אבן עזרא

רשע. בעבור שילך בדרכיהם: יתגרו בם. בעוזבי התורה: (ה) אנשי רע. שיתעסקו במעשה הרע לא יבינו משפטי ה׳: ומבקשי ה׳. בבית תפלתו אז יבוקש המשפט מפיהו ע״י נביא הם יבינו כל דבר טוב: (ו) בתומו. בדרך תומו: (ז) ורועה. מן רעה המלך: זוללים. המתאווים לאכול בשר והעד זוללי בשר: יכלים. יתן כלימה: (ח) לחונן. לאיש שיחון הדלים: (ט) גם תפלתו. שיתפלל

### מנחת שי

בלא וא״ו הכתוב: (ח) ובתרבית. ותרבית קרי כן הוא בספרים מדוייקים ונמנה במסורת עם ד׳ מלין יתרין ב׳ ולא קריין: יקבצנו. יש ספרים יקבצנו ובמדוייקים בבני שוחן וכתוב בכרכים שזהו מחלוקת ב״א וב״נ. דלב״נ מן הקל ולב״א מן הדגוש ולפי זה יש לתמוה על מה שנהגו בבני שוחן:

### רלב״ג

שמזונו׳ וישתדלו לבאר מומם: (ה) אנשי רע. ולזאת הסבה הנה האנשים הבוחרים ברע לא יבינו משפט אמת בדעות כי הם יבחרו מה שיאות אל מה שהוטבע בו מעשיית הרע וזה יהיה סבה שלא יעמדו על האמת בדברים העיוניים אך מבקשי ה׳ והם שומרי התורה יבינו כל הדברים על אמתת׳ כי אין להם תשוקה תמנעם מהשלמת החקירה בדברים אך יהיה להם עוד מהתורה עזר והישרה לעמוד על הדעות האמתיות כמו שהתבאר מדברינו בה: (ו) טוב רש. טוב מי שלא השיג במושכלות כי אם מעט והוא הולך בהם בתמימות ויושר ממי שעקש דרכיו בעיונו ולמד בזה האופן הרבה מהדרושים וזה מבואר בנפשו: (ז) נוצר תורה. הנה מי שישמור התורה הוא בן מבין כי היא תגיעהו אל השלימות במוסר ובדעה אך מי שיעזוב את התורה ויתחבר עם הזוללים להמשך אל תאות החומר הנה הוא יהיה כסיל אשר יכלים אביו לרוע פעולותיו ר״ל שמחרפיו יכלימוהו בזכרם לו מומי פעולות בנו ועניניו: (ח) מרבה הונו. מי שירבה הונו בנשך ובתרבית שהוא דומה לעושק מלך התורה שמנעה זה הנה הש״י ישיב גמולו להסיב ההון לאשר עשקו מהם באופן מה וזה כי הנשך והרבית יוקח מהדלים מפני צרכם אל ההלואה והש״י יסבב שיהיה העושר המקובץ בזה האופן לאיש אשר הוא חונן דלים וממנו יותן לו להון שעניים כמנהגו: (ט) מסיר אזנו. הנה מי שמסיר אזנו משמוע תורה לא די שפעולותיו תהיינה מתועבות מזה הצד כי שרה ממנו הסיבה

### מצודת דוד

וכמ״ש רז״ל שונה ופירש יותר מכולם: יתגרו בם. יעשו מריבה עם הרשעים אף אם רבים המה לא יחניפו אותם: (ה) לא יבינו משפט. אף בבוא עליהם משפט פורעניות לא יבינו שבגמול באה כי חושבים הכל למקרה: יבינו כל. כל דבר הבאה מן השמים יבינו למה באה ועל מה באה ואינם תולים שום דבר במקרה: (ו) הולך בתומו. שאינו מרמה בפיו לאסוף הון והרי הוא בעניו: מעקש. ממי שמעקש דרכיו לרמות את הבריות להרבות הון והרי הוא עשיר: (ז) נוצר. השומר את התורה יאמרו עליו שהוא בנו של איש מבין ובעבור הבינה הזהיר את בנו לשמור את התורה א״כ מכבד את אביו במעשיו. אבל המחבר עצמו לזוללים לרדוף אחר התאוה ויעזוב בזה את התורה הנה בזה יכלים את אביו כי יאמרו הבריות אביו היה סכל ולא למדו מעולם דעת התורה: (ח) מרבה הונו. המרבה הונו בנשך ותרבית הנה לא לעצמו יקבץ ההון כי המקום יקחנו ממנו ויתננו למי שחונן הדלים: (ט) מסיר וגו׳. על כי אינו

### מצודת ציון

תגר ומריבה: (ז) ורועה. ענין חבור וריעות: זוללים. מרבים באכילה: (ח) הונו. מלשון הון ועושר: בנשך ותרבית. נשך בכסף ותרבית באוכל וכן נאמר את כספך וגו׳ בנשך ובמרבית

**gracious to the poor**—*The government hears about him, that he is becoming wealthy by illegal means, and they confiscate his money, with which they build bridges and repair highways. This is being gracious to the poor. In this manner, Rabbi Tanhuma expounded on it.*—[*Rashi* from *Tanhuma, Mishpatim* 14, *Buber* 5] Here, too, Greenhut attributes the reference to the lost *Midrash Tanhuma.*

The Midrash explains this verse in reference to one who does not lend

the Torah contend with them. 5. Men of evil do not understand
judgment, but those who seek the Lord understand everything.
6. A poor man who walks innocently is better than one of per-
verse ways who is rich. 7. He who keeps the Torah is the son of
an understanding man, but he who befriends gluttons puts his
father to shame. 8. He who increases his riches with usury and
interest gathers it for him who is gracious to the poor. 9. He
who turns his ear away from hearing the Torah—even his
prayer is an abomination.

however, praise his deeds. This parallels the Rabbinic maxim (*Pesachim* 49b) "He who learned and abandoned is the worst of all."—[*Mezudath David*]*

5. **Men of evil do not understand judgment**—*They do not give attention to the ultimate retribution, that they should think about it and repent of their way and be saved.*—[*Rashi*]

**but those who seek the Lord understand everything**—*Good and evil.* מִשְׁפָּט *is justise in Old French. In this manner, Rabbi Tanhuma explained it as referring to the generation of the Flood.*—[*Rashi* from *Tanhuma Buber, Bereishith* 37] Greenhut on *Yalkut Machiri* speculates that *Rashi,* as well as *Machiri,* was in possession of the lost *Midrash Tanhuma,* from which they quote this interpretation.

*Mezudath David* explains that those who seek the Lord understand that whatever befalls them has a reason and nothing is merely a chance happening.

6. **A poor man . . . is better**—*Even one who is poor in Torah.*

**who walks innocently**—*with good deeds.*—[*Rashi*] One who does not deceive people to increase his wealth, and he remains in a state of poverty.—[*Mezudath David*]

**one of perverse ways**—One who perverts his ways to deceive people in order to increase his wealth, and he is wealthy.—[*Mezudath David*]

7. **He who keeps the Torah**—is judged to be the son of an understanding man. Because of his understanding, he exhorted his son to keep the Torah. Thus, he honors his father with his deeds.—[*Mezudath David*]

**but he who befriends gluttons**—Heb. וְרֹעֶה. *He associates with gluttons. This is an expression of friends* (רֵעִים).—[*Rashi*] Since he befriends gluttons to pursue worldly pleasures, he will ultimately abandon the Torah and bring shame and disgrace upon his father. People will say that his father was a fool who did not teach his son the Torah.—[*Mezudath David*]

8. **He who increases his riches with usury and interest . . . for him who is**

תּוֹעֵבָה׃ י מַשְׁגֶּה יְשָׁרִים ׀ בְּדֶרֶךְ רָע
בִּשְׁחוּתוֹ הוּא־יִפּוֹל וּתְמִימִים יִנְחֲלוּ־
טוֹב׃ יא חָכָם בְּעֵינָיו אִישׁ עָשִׁיר וְדַל
מֵבִין יַחְקְרֶנּוּ׃ יב בַּעֲלֹץ צַדִּיקִים רַבָּה
תִפְאָרֶת וּבְקוּם רְשָׁעִים יְחֻפַּשׂ אָדָם׃
יג מְכַסֶּה פְשָׁעָיו לֹא יַצְלִיחַ וּמוֹדֶה וְעֹזֵב
יְרֻחָם׃ יד אַשְׁרֵי אָדָם מְפַחֵד תָּמִיד

מְרַחֲקָא הִיא׃ י דְמַשְׁנֵי
תְרִיצֵי בְּאָרְחָא בִישְׁתָא
בְּגֻמּוּצָא הוּא נָפֵל
וּשְׁלִימֵי וּתְמִימֵי נָרְתוּן
טָבְתָא׃ יא גַבְרָא עַתִּירָא
חַכִּים הוּא בְּעַיְנוֹי
וּמִסְכְּנָא סוּכְלְתָנָא בָּצֵר
לֵיהּ׃ יב כַּד יְחַדּוּן
צַדִּיקַיָּא סַגִּיָּא שַׁבְהוֹרָא
וּבְקוּמָא דְרַשִׁיעֵי מִבַּצֵּי
בַּר נָשָׁא׃ יג דִּמְכַסֶּה
חוֹבוֹי לָא נִצְלַח וּדְמוֹדֵי
חָטוֹי וְשָׁבֵק נִרְחַם עֲלוֹי
אֱלָהָא׃ יד טוּבוֹהִי דְבַר
נָשָׁא דְּמַדְלִיחַ לִבֵּיהּ

ת"א ותמימים. אבות יב: חכם בעיניו. (הוריות מה): מכסה. יומא פו עקידה כ' סג עקרים פכ"ו זוהר בראשית: ומודה. תענית טז: אשרי אדם. ברכות ס' גיטין נה:

### רש"י

גשרים ומתקנין בו הדרכים וזהו הגינת דלים כך דרשו ר' תנחומא: (י) בשחותו. מלשון שחת: (יא) איש עשיר ודל מבין. כנגד רב ותלמיד הוא מדבר שהתלמיד חוקר ועל ידו הרב מתחכם: (יב) יחופש אדם. יתחפש בכל מיני עלילות: (יג) ומודה ועוזב. מודה פשעיו ועוזבם משוב בם עוד: (יד) מפחד תמיד. דואג מעונש וככך

### אבן עזרא

לשם בגרתו יתעב: (י) משגה. מדרכם אולי יכשלו בדרך רע: בשחותו. שעשה ללכדם הוא יפול: ינחלו טוב. אחרי מות המשגה: (יא) ודל מבין. יוכל לחקור בדבר שהוא חכם בעיניו: (יב) רבה. גדולה תפארת שיתפארו עם הארץ בראותם הצדיקים שמחים ועליזים: יחופש אדם. שהרשעים יחפשו הונם ויעשקום: (יד) מפחד

### רלב"ג

לתקון הפעולות אך גם תפלתו שיחשוב היותה עבודה לה' היא מתועבת כי מפני סורו מלמידת התורה והתנהג בדרכיה לא יתכן שתהיה כוונתו בה לאויה: (י) משגה ישרים. מי שמשגה ישרים ומטעה אותם כדי שילכו בדרך רע אשר חפר בו שחת להפילם הנה ישיב הש"י גמולו שהוא יפול בשחותו והתמימים ינחלו טוב בהפך מה שכוון המשגה אותם או ירצה בזה כי התמימים שיתנו לכל איש עצה הוגנת כדי שישיגו הטוב ינחלו הם בעצמם הטוב ובזה התבאר שמה שיכוין האדם להגיע לזולתו טוב או רע כמוהו יגיע לו: (יא) חכם בעיניו. האיש העשיר הוא חכם בעיניו מפני ראותו הצלחת דרכיו. ודל מבין יחקרנו מצד חכמתו ויסבב שיוציא העשיר בפיו מה שיתבאר מומו וחסרון מדתו כמו הענין בחקירת העדים שהוא לעמוד על מה שבדבריהם מהמומים והנה יתבאר לעשיר כי לא יוכל להשמר מעות על הדל המבין מה שהתבאר בו מום שבלו ובזה ג"כ הערה להיש"ר היודעים ללמד חכמתם לזולתם וזה האיש העשיר בדעות יקרה לו למהירות שכלו לעמוד על הדברים בקלות וזה יהיה סבה שלא יעמיק להפליג בהם להתיר כל הספקות הנופלות בהם וכשיבא לפניו תמיד קל ההבנה יחקרנו ויספק לו ספקות ישתדל הרב בהתירם וזה יהיה סבה להשלמת הידיעה בזה הדרוש ללמד שלא יהיה חכם בעיניו: (יב) בעלוץ צדיקים ובהצלחתם רבה תפארת בעולם כי הם ינהיגו האדם הנהגה ישרה ומשובחת ובתקומת הרשעים ורוממותם ירבה קלות בעולם כי מפני ידיעתם איך יעשו הרעות ישתדלו לחפש ולהראות כי גם הטובים עושים אותם הפעולות כי מחשבתם שתהיה הנהגת זולתם כהנהגתם כאמרו ומוכיח לרשע מומו או ירצה בזה כי בקום רשעים יחופש אדם לפי שבכל יסתר מפחדו כאומרו בקום רשעים יסתר אדם ולזה יחופש במקומו' אם יוכלו למצאו: (יג) מכסה פשעיו. מי שמכסה פשעיו ומעלים אותם כשיחקרו אותם מהם לא יצליח כי זה יהיה סבה אל שישקר בפשעו או שישיגהו בושת כשימצא בהם הפך דבריו ואמנם מי שבכל חטא ומודה ועוזב דרכיו הרעים ירוחם ויהיה שיהיה פשעו לה' או לאדם כי בכל ירחם עליו מי שפשע בו בראותו אותו מתחרט על מה שעשה מזה: (יד) אשרי אדם מפחד תמיד. למי שראוי לפחד ממנו כי זה

### מצודת ציון

וגו' אלכך (ויקרא כ"ה): לחונן. מלשון חנינה ומתנה: (י) משגה. מלשון שגגה: בשחותו. מלשון שחת ובור ור"ל תקלה וסכנה: (יב) בעלוץ. ענין שמחה כמו תעלוץ קריה (לעיל י"א): רבה. גדולה כמו אל ארץ רבה (תהלים ק"י): יחופש. ענין בקור ודרישה:

### מצודת דוד

מחשיב את דברי הזולת ולכן ישולם מדה במדה כי המקום ב"ה מתעב תפלתו ואינו מחשיבה ולא לרצון תהיה: (י) משגה. המכשיל את הישרים לשגות ללכת בדרך סכנה הנה המכשיל עצמו יפול בהסכנה ההיא אבל התמימים המוליכים בדרך ישר גם הם ינחלו טוב: (יא) חכם. העשיר מחזיק עצמו לחכם אבל לא כן הוא כי אף הדל אם הוא מבין יחקור בדברי החכמה יותר ממנו כי אין העושר סיבה אל החכמה: (יב) בעלוץ. בעת ישמחו הצדיקים על כי גדלה הצלחתם וכל דבר נעשה על פיהם אז רבה תפארת המקום כי לא ישמע בה קול נוגש ומעשקות אבל בעת יקומו רשעים למשול בם אז יחופש האדם כי הרשעים ההם יחפשום לעשוק את הונם: (יג) מכסה. המכסה פשעיו לומר לא עשיתי מאומה רע: ומודה ועוזב. המודה שפשע ועוזב אותו ולא יפשע עוד ירוחם מה' ומעביר פשעיו: (יד) מפחד תמיד. מהדבר המפחיד ונשמר

13. **He who conceals his sins**—saying that he did nothing wrong.—[*Mezudath David*]

**but he who confesses and abandons**—*He confesses his sins and abandons them, never to return to them.*—[*Rashi*] Many examples are given of these two contrasting personalities. *Ibn Nachmiash* sees in this verse an allusion to Saul and David. Whereas Saul denied that he had sinned by allowing the people to take the Amalekite livestock and by sparing Agag, David immediately

10. He who misleads the upright in an evil way will fall into his
own pit, but the innocent will inherit goodness. 11. A rich man
is wise in his own eyes, but a discerning poor man will search
him out. 12. When the righteous rejoice, there is much glory,
but when the wicked rise up, a person will be searched out.
13. He who conceals his sins will not succeed, but he who con-
fesses and abandons [them] will obtain mercy. 14. Fortunate is
the man who is always afraid,

his money to a Jew, from whom he may not take interest, but rather to a gentile, from whom he may take interest. Thus he deprives his fellow Jew of a much-needed loan.

9. **He who turns his ear away**—He has no respect for the words of others; neither will God have any respect for his words, and will disregard them when he prays for his needs.—[*Mezudath David*] *Ralbag* explains that, since he rejects the study of the Torah, which would perfect his deeds, his devotion to prayer is surely faulty.

10. **He who misleads, etc.**—He who brings the upright to go on a dangerous road, will himself fall into the danger he planned for his neighbor.—[*Mezudath David*]

**into his own pit**—Heb. בִּשְׁחוּתוֹ, from *an expression of* שַׁחַת, *a pit.*—[*Rashi*]

**but the innocent, etc.**—The innocent, who lead people on a straight road, will inherit goodness.—[*Mezudath David*] The Rabbis of the *Midrash* (*Tanhuma, Balak* 5, *Buber* 8) construe this verse as referring to Balaam, who brought about a sexual revolution in his time, lowering the morals of his generation. By plotting against Israel and causing them to sin, he ultimately met his fate.

11. **A rich man . . . but a discerning poor man**—*Scripture speaks about a teacher and a pupil, that the pupil searches out* [the understanding of the subject matter,] *and through him, the teacher gains wisdom.*—[*Rashi*]*

12. **When the righteous rejoice**—because of their prosperity, and the city is governed by them, the place enjoys extreme beauty because no oppression or injustice will take place.—[*Mezudath David*]

**when the wicked rise up**—to rule the city.—[*Mezudath David*]

**a person will be searched out**—*He will be searched out with all kinds of false accusations.*—[*Rashi*] The wicked will search out his property.—[*Ibn Ezra, Mezudath David*] *Ibn Nachmiash* quotes *Rabbenu Yonah,* who explains that when the righteous rejoice and rule the city, everyone adorns himself with his finery, but when the wicked rise up to rule, people are afraid to display their riches lest the rulers confiscate them. Therefore, all people disguise themselves in sackcloth.

וּמַקְשֶׁה לִבּוֹ יִפּוֹל בְּרָעָה: טו אֲרִי־נֹהֵם
וְדֹב שׁוֹקֵק מוֹשֵׁל רָשָׁע עַל עַם־דָּל:
טז נָגִיד חֲסַר תְּבוּנוֹת וְרַב מַעֲשַׁקּוֹת
שֹׂנֵא בֶצַע יַאֲרִיךְ יָמִים: יז אָדָם עָשֻׁק
בְּדַם־נָפֶשׁ עַד־בּוֹר יָנוּס אַל־יִתְמְכוּ־בוֹ:
יח הוֹלֵךְ תָּמִים יִוָּשֵׁעַ וְנֶעְקַשׁ דְּרָכַיִם

ת״א ארי נוהם. מגלה יא: אדם עשוק. יומא פז יוכר משפטים: שנא קרי ד׳ זעירא יפול

תְּדִירָא וּמַן דְּמַקְשֵׁי לִבֵּיהּ נָפֵל בְּבִישְׁתָא: טו אַרְיָא נָהֵם וְדוּבָא מַצְרִיחַ עַל רַשִּׁיעָא דְּמִשְׁתַּלִּיט עַל עַמָּא מִסְכְּנָא: טז שַׁלִּיטָא חֲסִיר הַוְנָא סַגִּיעַן עוּשְׁקוֹי וְאַנָא דְּשָׂנֵי טוּלְמַיָא נִגְדוֹן יוֹמוֹי: יז בַּר נָשָׁא דְּחָשֵׁשׁ בִּדְמָא דְּנַפְשָׁא עַד גּוּבָא נֶעְרוֹק לָא נְצוֹרוּנֵיהּ: יח דִּמְהַלֵּךְ בִּתְמִימוּתָא נִתְפְּרֵק

## רש״י

יתרחק מעבירה: (טו) ארי נוהם. הוא להם: ודוב שוקק. נהימה לארי ושקיקה לדוב שניהם לשון צעקה: (טז) חסר התבונות. מתוך שהוא חסר התבונה הוא רב מעשקות כי אינו נותן לב על היין ומרבה לעשוק שהרי השונא בצע יאריך ימים: (יז) אדם עשוק בדם נפש. (שיש עליו עושק דם) הוא המהטיא את חבירו ואבדה נפשו על ידו: עד בור ינוס. עד יום מותו ינוס לעזרה שיתכפר לו: אל יתמכו בו. משמים להספיק בידו לשוב שלא יהא

## אבן עזרא

תמיד. מן השם ולא יפחד: ומקשה לבו. לבלתי הבין התוכחות: יפול ברעה. שהשב לעשות: (טו) ארי. נגיד. חסר כ״ף: שוקק. מן שיק כלומר דורס כן מושל שהוא רשע על עם דל. וכן: (טז) נגיד שהוא חסר תבונה כמשל לארי ולדוב בעשקו העניים. שונאי ביו״ד להורות כי על המושל והנגיד ידבר: (יז) אדם עשוק בדם. כמו עושק וכן אגור כמו אוגר השודדה השכוני כמו השוכן מי שהוא עושק בדם נפש רוצח עונותיו יביאוהו לצרה שילך אל הבור להמית נפשו ולהשליכה במקום רע ולא ימצא מי ישיבנו. פ״א אדם עשוק ממונו ומעלמו בעבור דם נפש ששפך עד רדתו לבור הוא ינוס ממקום למקום כי הוא מפחד על נפשו והבור רמז לקבר: אל יתמכו בו. דרך אזהרה כלומר שלא יסמכיהו אחרים בנפלו ולא ירחמו עליו בשביל שהשחית הגולר בצלם אלהים: (יח) הולך. בדרך תמים

## מנחת שי

(טו) ארי. האל״ף בגעיא בספרי ספרד: (טז) שנאי. שנא קרי: (יז) אדם. לית דל״ת זעירא: עד בור ינוס. ברוב ספרים בור מלא וא״ו אבל בספר אחד כתיבת יד נגררה הוא״ו ומצאתי לו ראיה מהמסורה שאומרת ב׳ חסר וסימן כי יפתח איש בר וגו׳ תניינא דפ׳ עד בר ינוס. ואמנם לא מצאתי לבי לחלוק על רוב הספרים ועוד שבכלם נמסר בפרשת משפטים על כי יכרה איש בר לית חסר: (יח) ונעקש. בשו״א לבדו הע״ן בספרים מדויקים ובפתח

## רלב״ג

סבה אל שיתמכם בנקיות העלה ההוגנת להמלט מהרע אשר הוא מפחד ממנו והאלם מי שהוא מקשה לבו וגם לאל הדברים שראוי לפחד מהם הוא יפול ברעה באלה תראה כי הקשות הלב התריבה ב״ה הראשון והשני וזה שאם לא היה לדקיה מקשה לבו והיה משים אמרו תחת עול מלך בבל לא גלינו מאדמתנו אז וכן הענין בבית ב׳ לא היו נכנעין למלכות אחרת ונותנין לואדם תחת עולם: (טו) ארי נהם. הנה בדמיון הארי הנוהם על דברי הטרף והדוב השוקק והולך לטרוף ימלא הרשע המושל על עם דל אין כוונתו כי אם להשחית ולהרע להם ולעשקם בהפך מה שראוי שיהיה מחזק המושל: (טז) נגיד. וזה דרך הנגיד שהוא חסר תבונות ורב מעשקות אך הנגיד שהוא שונא בלע יאריך ימים המונהגים ממנו בהנהגתו הישרה ובשמירתו אותם מהרע ובהפך הענין ברשע שיכסף לטרפם או ירלה בזה הנה בדמיון הארי הנוהם שישמעו קולו החיות ויברחו כן הענין ברשע המושל על עם דל כי לא יוכלו שאתו ומרדו בו וכן הענין בנגיד חסר תבונות ורוב מעשקות אך מי שהוא שונא בלע יאריך ימים על ממלכתו: (יז) אדם עשק. בעבור חטא דם הנפש אשר חטא בו האדם יהיה ענשו מהש״י שהוא עשוק ורלון מאחריו בזולת רע שיעשה להם וינוס מרוב הרודפים אשר לו עד בואו אל קבר ואין איש סומך ומסייע אותו לאמר שלשוא רדפוהו ואנס כי חטא דם הנפש סבב לו זה: (יח) הולך תמים. בתמימות ויושר יושע מהרשע ומהרע הנכון לבא עליו ואע״פ שהיו

## מצודת דוד

ממנו: ומקשה. המחזק את לבו ולא יחת מדבר המפחיד ולא נשמר ממנו הנה הוא יפול בהרעה ההיא: (טו) ארי. כמו שאגת הארי והדוב מפחיד את הבריות כן מפחיד ממשלת הרשע על עם דל כי דרכו להזיק תשושי הכח: (טז) נגיד. כאשר יהיה המושל חסר תבונה ירבה מעשקות עם כי שונא הבלע מאריך ימים כי הכסיל לא יבין את זאת: (יז) אדם עשוק. מי שנפשו עשוקה בעון שפיכת דמים הנה עד כי ימות ויקבר ינוס מן פחד רודפים ולא ימלא מי יתמוך בידו כי מאד הרשיע לעשות: (יח) יושע. מן הלרות הרבות אשר סבבוהו: באחת. בבוא לרה אחת נופל בה

## מצודת ציון

(יד) ומקשה. מלשון קשה וחזק: (טו) נוהם. שוקק. שאגת הארי נקראת נהימה ושאגת הדוב שקיקה: (טז) נגיד. שר ומושל: מעשקות. מלשון עושק וגזל: בצע. עושק וגזל: (יז) עשוק. גזול ונשחת בעון: יתמכו. ענין סעד: (יח) ונעקש. ענין עקום:

*Heaven to give him the possibility to repent, so that he will not be in Paradise while his pupil is in Gehinnom. In this manner, it is expounded upon in Tractate Yoma* (87a).—[*Rashi*] *Mezudath David* explains: He whose soul is oppressed by the sin of bloodshed—until he is dead and buried, he will flee in terror of pursuers, and he will find no one to lend him support because he committed a grave sin.

but he who hardens his heart will fall into evil. 15. A wicked man ruling over a poor people is like a roaring lion and a growling bear. 16. A ruler who lacks understanding is a great oppressor, for he who hates unlawful gain will live long. 17. A man who is guilty of robbing one's lifeblood will flee to the pit, but no one will support him. 18. He who walks innocently will be saved, but he who is perverse in his way

confessed his sin with Bathsheba. *Ibn Nachmiash* also suggests that the intention is that if one denies his sin, believing that God does not see him, he will not succeed.

14. **who is always afraid**—*He is concerned with punishment, and therefore distances himself from sin.*—[*Rashi*] *Ibn Ezra* explains that he is always afraid of God and therefore does not sin.

*Ralbag* explains that a person who is constantly afraid of what warrants fear is fortunate, because he will take the proper steps to avoid that frightening thing. If, however, he hardens his heart and disregards warnings to beware of certain things, he will surely fall into that evil. An example of this is Zedekiah, king of Judah, who resisted Babylon instead of heeding the prophet's warning to surrender. Had he surrendered, he could have avoided the destruction and the exile. The same was true in the time of the Second Temple. Had the people surrendered to Rome rather than resist them, the destruction and the exile would have been avoided.

15. **like a roaring lion**—*he is to them.*—[*Rashi*]

**and a growling bear**—נְהִימָה, *roaring, to a lion, and* שְׁקִיקָה, *growling, to a bear, are both expressions of a cry.*—[*Rashi*] This interpretation is found in *Targum* and is followed by *Mezudath Zion.* Others render: a running bear.—[*Redak, Shorashim*] A ravenous bear.—[*Isaiah da Trani*] A crushing bear.—[*Ibn Nachmiash*]

*Rav Saadiah Gaon* sees the lion as the monarch and the bear as his viceroy. The Rabbis of the Talmud (*Megillah* 11a) see the lion as representing Nebuchadnezzar and the bear as representing Ahasuerus, both of whom oppressed the Jews, a poor people.

16. **who lacks understanding**—*As he lacks understanding, he is a great oppressor because he does not give any thought to his life.* [Therefore,] *he oppresses excessively, for one who hates unlawful gain will live long.* [Consequently, he who oppresses others will die young.]—[*Rashi*]*

17. **A man who is guilty of robbing one's lifeblood**—*(Upon whom the crime of robbing blood lies.) He is one who causes his fellow to sin, and his soul is lost because of him.*—[*Rashi*]

**will flee to the pit**—*Until his dying day, he will flee for aid, that it should be expiated for him.*—[*Rashi*]

**but no one will support him**—*from*

יִפּוֹל בְּאֶחָת: יט עֹבֵד אַדְמָתוֹ יִשְׂבַּע־
לָחֶם וּמְרַדֵּף רֵיקִים יִשְׂבַּע־רִישׁ: כ אִישׁ
אֱמוּנוֹת רַב־בְּרָכוֹת וְאָץ לְהַעֲשִׁיר לֹא
יִנָּקֶה: כא הַכֵּר־פָּנִים לֹא־טוֹב וְעַל־פַּת־
לֶחֶם יִפְשַׁע־גָּבֶר: כב נִבְהָל לַהוֹן אִישׁ
רַע עָיִן וְלֹא־יֵדַע כִּי־חֶסֶר יְבֹאֶנּוּ:

ת"א איש אמונות. זוהר מקץ:

וּדְמִעַקְמָן אָרְחָתֵיהּ
נְפוֹל בְּחַדָא: יט דְּפָלַח
בְּאַרְעֵיהּ נִסְבַּע לַחְמָא
וּדְרָדֵף סְרִיקוּתָא נִסְבַּע
מִסְכְּנוּתָא: כ גַּבְרָא
מְהֵימְנָא סַגִּיעַן בִּרְכָתֵיהּ
וּדְרָהֵט בְּעַוְלָא דְנִעְתַּר
לָא יִזְדַּכֵּי: כא מְסַב
בְּאַפֵּי לָא טָב וְעַל
פִּתְּתָא דְלַחְמָא נְחוּב
גַּבְרָא: כב דְּמִסְתַּרְהַב
לְמָמוֹנָא גַּבְרָא דְבִישׁ
עַיְנֵיהּ וְלָא יָדַע דְּחוּסְרָנָא אָתֵי עֲלוֹי:

## רש"י

הוא בגן עדן ותלמידו בגיהנם כך נדרש במסכת יומא: (יח) יפול באחת. ברעה אחת ואין תקומה למפלתו: (יט) ישבע ריש. עניות: (כ) איש אמונות. הנותן מעשרותיו באמונה שאין עד בדבר אלא הקב"ה רואה ומרבה לו ברכה: ואץ להעשיר. דוחק השעה להתעשר בשל עניים: (כא) יפשע גבר. המטה משפט: (כב) נבהל להון. ממהר להרבות הון וגוזל תרומותיו ומעשרותיו: כי חסר יבואנו. הסרון יבא לו שהמארה משתלחת

דמכם

## מנחת שי

הקו"ף: (יט) ישבע לחם. ישבע ריש. בספרי ספרד היו"ד במאריך בשניהם: ריש. בספר אחד כתיבת יד הרי"ש בציר"י. ורד"ק כתבו בחיר"ק וכן הוא בשאר ספרים: (כא) הכר פנים. הספרים מתחלפים בנקוד ובטעם על האופנים שכתבתי למעלה בסימן כ"ד: (כב) נבהל. יש ספרים שכתוב בהם נבהל בשו"א לבדו הבי"ת כמנהג. אמנם ברוב ספרים קדמונים המדוייקים הבי"ת בחטף קמץ והה"א בקמץ וכן משמע במסורת כתיבת יד שהה"א בקמץ שכן אומרת נבהל ג' ב' קמצין וחד פתח וסימן ותרא כי נבהל (שמואל א' כ"ח). הייתי נבהל. נבהל להון. קדמאה פתח וכן כתב רד"ק בשרשים ותרא כי נבהל מאד. פעל עבר כי הוא פתח והמסורה

## אבן עזרא

והעד ונעקש דרכים מלד דרכיו המעוקשי'. דרכים אינם שתים לבד והעד באחת שהבי"ת נקודה בשבא כלומר באחת מהן: (יט) ומרדף. פועל יוצא ללב. וריקים הם המורדפי' והרדיפה היא המהירות ללכת אותם ריקים שהם רשים שאין להם מאומה וכן נעור וריק: (כ) איש אמונות. שיעשה אמונות הוא רב ברכות כלומר שיברכוהו אחרים או השם והוא הנכון וסוף הפסוק לעד: ואץ. ממהר להעשיר לא יהיה נקי מן השכר: (כא) לא טוב. דבק בפסוק פנים ואחור וכן הוא הפירוש ובעבור פת לחם שיפשע וימרוד גבר לא טוב: (כב) נבהל להון. כפי' ואץ להעשיר כלומר נבהל

## רלב"ג

הדרכים המביאים אל הרע רבים והדרך הטוב אחד לבד ואשר הוא נעקש ועוזב דרכי יושר כשלא יהיו לפניו כ"א שני דרכים אחד טוב ואחד רע תביאהו עלתו לבחור הדרך אשר יפול ויכשל בה ויעזוב הדרך הטוב: (יט) עובד אדמתו. מי שישתדל לעבוד אדמתו ישבע לחם כי האדמה תתן פריה ומי שאינו מתעסק בישובו של עולם אבל הוא מרדף אמרים ריקים יחסר לו כל טוב והעיר ג"כ שמי שמשתדל בהוצאת מה שבכח מהשגת המושכלות אל הפועל ישבע קנין מהשגות ההם שהם מזון השכל ומי שהוא מרדף ריקי' ולא ישתדל בהשלמות נפשו ישאר בחסרון הדעת: (כ) איש אמונות. איש שמתעסק באמונה במדיניות ובדעות הוא רב ברכות מלד יושרו יללית כחפצו ומלד דבקו בש"י ומי שאינו מתעסק באמונה לא במדות ולא בדעות אך הוא מתעסק בעול בעסק הממון כדי שיתעשר במהירות ולא יזדקק בדעותיו כדי שיעבור בכל הדרושים במעט זמן הוא לא ינקה מרע וזה מבואר מאד: (כא) הכר פנים במשפט הוא דבר לא טוב כי כשיכבד השופט האחד מבעלי הדין יהיה זה סבה שיסתתמו טענות בעל דינו לחשבו שדעת הדיין קרובה אל שכנגדו ובסב' מעט שחד שיקח השופט יפשע ויטה הדין כי לאהבתו האיש אשר לקח ממנו שחד לא יוכל לראות לו חובה ויעלים ממנו אמתת הדין: (כב) נבהל להון. הנה האיש הכילי

## מצודת ציון

(כ) ואץ. ענין מהירות כמו ולא אץ לבא (יהושע י'): (כא) גבר. כלי תקומה:

## מצודת דוד

(יט) עובד אדמתו. בחרישה ובזריעה: ומרדף. ההולך אחר דברים ריקים שאין בהם תועלת יתרבה בו העוני עד כי ישבע ממנו לגודל הרבוי והוא ענין מליצה: (כ) איש אמונות. המתעסק באמונה ולא ירמה את הבריות מעותד הוא לרב ברכות אבל הממהר להעשיר את עצמו ולא יחדל מלרמות לא יהיה נקי מן הגמול הראוי: (כא) הכר. לא טוב לדיין להכיר פני האחד ולכבדו כי בזה יסתתמו טענות בעל דינו בחשבו שדעת הדיין קרובה אליו ויאמין לו ויזכהו בדין: ועל פת לחם. ר"ל שיתכן שבעבור מתנה מועטת שחושב הדיין לקבל ממי שמכיר לו פנים שיפשע בנפשו להוציא המשפט מעוקל: (כב) נבהל. הבהול להרבות הון בודאי

*justice.*—[*Rashi*] For any small amount of bribery, a man will sin, even for a piece of bread worth a penny.—[*Ibn Nachmiash*]

22. **He who hastens to [acquire] wealth**—*He who hastens to increase wealth and steals his heave-offerings and tithes.*—[*Rashi*]

**that want will come upon him**—*Want will come to him, for a curse will be sent upon the work of his hands.*—[*Rashi*]

will fall in one. 19. He who tills his soil will be sated with
bread, but he who pursues vain things will be sated with
poverty. 20. A trustworthy man will have many blessings, but
he who hastens to become rich will not go unpunished. 21. To
be partial is not good, but for a piece of bread a man will sin.
22. He who hastens to [acquire] wealth is a man with an evil
eye, and he does not know that want will come upon him.

18. **will be saved**—from the many troubles that surround him.—[*Mezudath David*]

**will fall in one**—*In one evil, and there will be no rising up after his downfall.*—[*Rashi*] As soon as one trouble befalls him, he will fall into it and never rise up.—[*Mezudath David*]

*Ralbag* explains: One who walks with innocence and integrity will be saved from the wickedness and the evil that is prepared to come upon him, although there are many ways leading to that evil, while the way leading to good is but one. But he who is perverse and abandons the ways of integrity—even if the only two ways before him lead to good or to evil—his counsel will bring him to choose the way in which he will fall and stumble, and to reject the way leading to good.

19. **He who tills his soil**—with plowing and sowing.—[*Mezudath David*]

**will be sated with poverty**—Heb. רֵישׁ, *poverty.*—[*Rashi*] His poverty will be so intense that it will be as though he has his fill of it.—[*Mezudath David*] *Ralbag* explains that, in addition to the simple meaning of the verse, Scripture intimates that one who exploits his intellectual potential will be sated with his accomplishments in the field of knowledge, but if he pursues vain things and does not utilize his potential, he will be intellectually impoverished.

20. **A trustworthy man**—*who gives his tithes faithfully, for there is no witness to the matter, but the Holy One, blessed be He, sees and lavishes blessings upon him.*—[*Rashi*] Others interpret this to mean that one who conducts his business transactions in good faith and does not cheat or deceive the people will receive many blessings.—[*Mezudath David*]

**but he who hastens to become rich**—*He hastens the time to become rich from the belongings of the poor.*—[*Rashi*]

21. **To be partial is not good**—lit. to recognize a face is not good. It is not proper for a judge to recognize one litigant and to honor him, as that would cause his opponent to think that the judge favors him and will believe his claims. He therefore cannot express his claims properly.—[*Mezudath David*]

**a man will sin**—*one who perverts*

כג מוֹכִיחַ אָדָם אַחֲרַי חֵן יִמְצָא מִמַּחֲלִיק
לָשׁוֹן: כד גּוֹזֵל ׀ אָבִיו וְאִמּוֹ וְאֹמֵר אֵין־
פָּשַׁע חָבֵר הוּא לְאִישׁ מַשְׁחִית:
כה רְחַב־נֶפֶשׁ יְגָרֶה מָדוֹן וּבוֹטֵחַ עַל־

כג דְמַכֵּס לְבַר נָשָׁא
קַדְמוֹי חֶסְדָא נַשְׁכַּח
טָב מִן הוּא דְמַפְלִיג
בְּלִישָׁן: כד דְגָזֵל לַאֲבוּי
וּלְאִמֵּיהּ וַאֲמַר לֵית
חוֹבָא חַבְרָא הוּא
לְגַבְרָא מְחַבְּלָנָא: כה גַּבְרָא רְחַב מְגָרֵג
תִּגְרֵי וְדִמְסַבַּר בֵּאלָהָא

**ת"א** מוכיח אדם. תמיד כח: גוזל אביו. ברכות לה סנהדרין קב זוהר תצא ופקודי ותזריע:

## רש"י

במעשה ידיו: (כג) **מוכיח אדם**. על עבירות שבידו ומפרישו מהם: **אחרי חן**. לאחר זמן חן ימצא בעיניו יותר ממחליק לשון. מצינו בבראשית רבה כל מקום שנאמר אחרי אינו אלא מופלג. אחר סמוך. בתנחומא על אלה הדברים. מוכיח אדם אחרי. זה משה שהוכיח את ישראל אחר הקב"ה שנקראו אדם שנא' (יחזקאל ל"ד) אדם אתם. ונאמר בו כי מצאת חן בעיני (שמות ל"ג). ממחליק לשון. זה בלעם האומר לישראל דברים מתוקנים מה טובו אהליך יעקב (במדבר כ"ד). משה מכריז השמרו לכם פן יפתה. ובלעם מכריז ומהניף עשו תאותכם ואינו מקפיד. לא איש אל ויכזב באומות (שם) אבל בכם אומר ולא יעשה ושלמה נוח על שניהם נאמנים פצעי אוהב ונעתרות נשיקות שונא (לעיל כ"ז): (כד) **גוזל אביו**. הקב"ה: **ואמו**. כנסת ישראל המחטיא את הרבים שגוזל הקב"ה מפריד ממנו בניו וגוזל מהם טובה: **משחית**. ירבעם: (כה) **רחב נפש**. להשיג כל תאותו: **יגרה מדון**. מגרה עליו מדת הדין:

## אבן עזרא

ואץ לקבץ הון יקרא איש רע עין שעינו רעה כמו ורעה עינך: **חסר**. כשיקבלנו ולא יתן לעני ממנו: (כג) **אחרי**. אמר שלמה מי שיוכיח אדם אחר מצותי חן ימצא בעין כל רואיו יותר מן המחליק לו לשונו: (כד) **אין פשע**. אין עלי פשע כי יאמר שלי הוא באמת: **חבר הוא לאיש משחית**. הוגו כי הוא יסיתהו לגזול אביו: (כה) **רחב נפש**. כענין שנפשו רחבה ואינה מפחדת מהשם: **יגרה מדון**. יערב:

## מנחת שי

עליו לית כוותיה פתח. נבהל להון. בינוני כי הוא קמון וחבי"ת מפוחל בקמץ חטוף עד כאן לשונו. וכן כתב החכם ר' יונה בספר הרקמה: ולא ידע כי חסר. מלת חסר ברי"ש וזה ברור והולכתי לכותבו מפני שבוש הדפוסים שהוא בדל"ת וקורא אני תגר על המדפיסים שבדקך בהם הולכים לבם חסר ובשמות רבה פרשה נ"א דרשו פסוק זה על פנים רבים וכלם מענין החסרון. והאד מהם כתבתי בפרשת חיי שרה על פסוק וישקל אברהם לעפרן. עיין שם: (כג) מוכיח אדם אחרי. בעשרים וארבע גדול כתיב אחרי בליר"י הרי"ש וגם בנוסחאות ישנות הבאות מספרד נכתבו כן בתחלה אלא שאחרי כן החליפו הליר"י לפתח ומי יודע מי היה היותר הכם מהם. ודברי רש"י ז"ל ברורים שהוא קורא אחרי בליר"י ומי אנכי שאבא אחרי הגדולים את אשר כבר עשו ומכללם הגאון רבי סעדיה ורבי יוסף קמחי ורבי דוד בנו ואחרים רבים מהמפרשים שכולם פירשו אחרי בפתח הרי"ש ומצאתי ראיה להם ממדרש דברים רבה ריש פרשת א' רבי פנחס בשם רבי חמא בר חנינא מוכיח זה משה. אדם אלו ישראל שנאמר ואתן צאני צאן מרעיתי אדם אתם. מהו אחרי אמר הקדוש ברוך הוא בשביל להביאן אחרי. חן ימצא זה משה דכתיב וגם מצאת חן בעיני. ממחליק לשון זה בלעם שהחליק בנבואות וגבה לבם ונפלו בשטים. דבר אחר מוכיח אדם אחרי א"ר יהודה בר סימון מהו אחרי אמר הקדוש ברוך הוא כביכול משה הוכיחני אחר ישראל. והוכיח לישראל אחרי. לישראל אמר אתם חטאתם. להקדוש ברוך הוא אמר למה יחרה אפך בעמך. עד כאן לשון המאמר לעניננו. ועיין עוד ברבינו בחיי ריש פרשת דברים. ותו גרסינן בגמרא פרק קמא דתמיד אמר רבי שמואל בר נחמני אמר רבי

## רלב"ג

נוהג בכילות להשבו שיקנה בזה הון ביותר מעט מהזמן ולא הרגיש כי זאת התכונה הפחותה היא סבה שיבואהו חסר כי אין נאים בזה אוהבים ולזה יתכן שיקרו לו נזקים והפסדים: (כג) מוכיח לאדם וילך בתוכחות אחרי שיודיע לו היזק שיקרהו לו בסוף אם לא יסור מהתכונה ההיא כמו שעשיתי אני בזה הספר קודם הנה ימצא חן בעיני האיש ההוא יותר ממי שמחליק לו לשון ומשבח לו תכונתו הפחותה ואילו היטיב בזה אל דרך התוכחת איך יהיה האופן שיקבל בו תועלת כי צריך שיהיה ממשיכת הלבבות מה שאפשר בדרך שירגיש הנוכח כי לתועלתו ולכבודו אמר לו המוכיח זה התוכחת או תהיה היו"ד באחרי נוספת והרצון בו כי מי שמוכיח האדם הנה אחר שיתבאר לנוכח הרע שקר' לו על מה שלא שמע תוכחתו ירגיש ויאמר בודאי אם שמעתי לעצת פלוני הייתי נמלט מזה וימצא לזאת הסבה חן בעיני הנוכח יותר ממחליק לשון כי הוא היה סבת נפלו ברע ולזה ישנאהו בסוף: (כד) גוזל אביו. מי שגוזל אביו ואמו ואומר אין פשע לפי שאחר מותם יהיה קניינם לו הנה הוא חבר לאיש משחית כי זה ירגילהו לגזול ולעשוק לאחרים וישחית האנשים מפני זאת התכונה: (כה) רחב נפש. מי שהוא רחב נפש והתאוה יסבב לו היזק כדיפתו התאוות שיגרה מדון כנגדו כי לא ימצאו לו וילטרך ברדפו השגתם שיעשה כנגד האנשים מה שיגרה בו מדון כנגדו אמנם מי שהוא בוטח על ה' ושם מפני זה כל תאוותיו נגדו הוא ידושן בהגעת חפציו ואפשר שילה בזה כי מי שהוא רחב נפש

## מצודת דוד

הוא רע עין כי ירע עינו לתת לדקה מהונו ולא יתן לב לדעת שבעבור מניעת הצדקה יבוא חסרון בעשרו: (כג) **מוכיח**. המוכיח את מי ומפרישו מן העבירה הנה אחר שפירש מן העבירה ימצא המוכיח יותר חן ממי שדיבר עמו חלקלקות וייפה מעשיו בעיניו: (כד) **אין פשע**. כי הלא הכל שלי המה אחרי מותם: **חבר הוא**. מ"מ הוא חבירו של האיש המשחית אנשים אחרים וגוזל רכושם כי סופו יהיה כמוהו לגזול משל אחרים: (כה) **רחב נפש**. המתאוה למלאות נפשו בכל דבר בשפע רב דרכו לחרחר ריב בעבור רוגז הלבב על כי יחסר לו בכל עת והוא דואג ועצב בעבור התאוה ובעבור המריבה ומשמן בשרו ירזה. אבל הבוטח בה' שהוא יזמין לו די מחסורו

## מצודת ציון

איש: (כה) **יגרה**. מלשון תגר ומריבה: **ידושן**. מלשון דשן ושמן

the food without paying the "tax" (the blessing) due on it—and people see that he treats the laws of blessings lightly, they too will follow suit. For this sin, God will withhold fruit and produce, causing the crops to fail. In this manner, he robs Israel of the plenty from which they would ordinarily benefit. Because he causes Israel to sin, he is akin to Jeroboam,

23. He who admonishes man after Me, will find more favor than he who speaks with flattery. 24. He who robs his father or his mother and says, "This is not a sin," is the companion of a destroyer. 25. A greedy man stirs up quarrels, but he who puts his trust in the Lord will be greatly gratified.

23. **He who admonishes man**—*for the sins he has committed and separates him from them.*—[*Rashi*]

**afterwards will find more favor**—*After a time, he will find more favor in his eyes that one who speaks with flattery. We find in Gen. Rabbah* (44:5): *"Wherever it says* אַחֲרֵי, *it means only long after;* אַחַר, *it is soon after.* [Note that *Rashi* reads אַחֲרַי, unlike extant editions of the Bible and the overwhelming majority of the commentators, who read אַחֲרַי. We translated the text according to the majority. See further in *Rashi.* The Midrash quoted by *Rashi* also makes it definite that the vowelization is אַחֲרֵי.] *In Tanhuma, in the portion entitled "These are the words": "He who admonishes man after Me"—this refers to Moses, who admonished Israel after the Holy One, blessed be He, who were called "man," as it is stated* (Ezek. 34:31): *"You are men," and it stated concerning him* (Ex. 33:17): *"For you have found favor in My sight."*

**more favor than he who speaks with flattery**—*This refers to Balaam, who said fine things to Israel* (Num. 24:5): *"How goodly are your tents, O Jacob!" Moses announces* (Deut. 11:16): *"Beware lest your heart be deceived," and Balaam announces and flatters, "Do what your heart desires; He does not care:* (Num. 23:19) *'God is not a man that He should lie,' concerning the nations, but concerning you, 'He says but He does not do.'" And Solomon cries about both of them,* (above 27:6): *"Wounds of a lover are faithful, whereas kisses of an enemy are burdensome."*—[*Rashi* from *Tanhuma Buber,* Addenda to *Devarim,* p. 4, see *Machiri*] [Note that, according to the Midrash, the reading is אַחֲרַי, *after Me.* See *Minchath Shai.* This reading is also apparent from *Tamid* 28a: "Whoever reproves his friend for the sake of Heaven merits to be in the compartment of the Holy One, blessed be He, as it is stated: 'He who admonishes a man is after Me.'"]

24. **He who robs his father**—*The Holy One, blessed be He.*—[*Rashi* from *Sanh.* 102a, *Ber.* 35b]

**or his mother**—*The people of Israel. He who causes the people to sin by robbing the Holy One, blessed be He, estranges His children from Him and robs them of goodness.*—[*Rashi* from the same sources] As in many other places, אֵם is here interpreted as אֻמָּה, *a nation.*

**destroyer**—*Jeroboam.*—[*Rashi* from the same sources]

The *Gemara* interprets this verse to mean that if one derives pleasure from this world and does not recite a blessing—thereby robbing God of

יְהוָה יְדֻשָּׁן׃ כו בּוֹטֵחַ בְּלִבּוֹ הוּא כְסִיל
וְהוֹלֵךְ בְּחָכְמָה הוּא יִמָּלֵט׃ כז נוֹתֵן
לָרָשׁ אֵין מַחְסוֹר וּמַעְלִים עֵינָיו רַב־
מְאֵרוֹת׃ כח בְּקוּם רְשָׁעִים יִסָּתֵר אָדָם
וּבְאָבְדָם יִרְבּוּ צַדִּיקִים׃ כט א אִישׁ
תּוֹכָחוֹת מַקְשֶׁה־עֹרֶף פֶּתַע יִשָּׁבֵר וְאֵין

**תרגום**

נִדְהוֹן׃ כו דְּתָכָל עַל
לִבֵּיהּ סַכְלָא הוּא
וְדִמְהַלֵּךְ בְּחַכִּימוּתָא
נִתְחַמֵּי מִן בִּישׁ׃ כז דְּיָהֵב
לְמִסְכְּנָא לָא נֶחְסַר לֵיהּ
וּדְמַחְמֵי עַיְנֵיהּ מִן
מִסְכְּנָא סַגִּיעִין לְוָטְתֵיהּ׃
כח בְּקוּמָא דְּרַשִּׁיעֵי
מִתְטַשֵּׁי בַּר נָשָׁא
וּבְאָבְדֵיהוֹן נִסְגּוּן צַדִּיקֵי׃
א גַּבְרָא דְּלָא מְקַבֵּל
מַכְסְנוּתָא וּמַקְשֵׁי קְדָלֵיהּ
בְּעֶגְלָא נִתְּבַר וְלָא תֶּהֱוֵי לֵיהּ אָסוּ׃

בסוגעא

### רש"י

(כז) נותן לרש. לדקה: (אין מחסור. להרבות לו לדקה סה"א). וכן הרב שאינו מונע תורה מפני התלמיד:
כט (א) מקשה עורף. מלשמוע: פתע ישבר. מהר ישבר:

### אבן עזרא

ידושן. ישבע דשן: (כו) בוטח בלבו הוא כסיל. והולך בדרך חכמים לבטוח בשם ימלט מצרה: (כז) נותן לרש. אין לו מחסור כי השם ימלא צרכיו כענין מלוה ה' חונן דל: ומעלים עיניו. מן העניים רוב מארות לו: (כח) יסתר אדם. הם עושי משפט שיסתרו מפני הרשעים וסוף הפסוק לעד:
כט (א) איש. שצריך תוכחות והם יוכיחוהו תמיד ומקשה

### מנחת שי

יונתן כל המוכיח את חבירו לשם שמים זוכה לפלגו (ס"א לחלקו) של מקום שנאמר מוכיח אדם אחרי חן ימצא. ופי' המפרש זוכה לחלקו של מקום למחילה שלו בתוך מחילתו שכן נאמר מוכיח אדם הרי הוא אחרי כלומר עמי. לשון אחר אדם אחרי. המוכיח יהיה אחריו. לשון אחר ממפרש קדמון המוכיח יהיה אחרי סמוך ליה. כל אלה הפירושים מכוונים לדעת אחד אלא שמתחלפים בפירושם ומכולם למדנו דקריאה אחת להם בפתח הרי"ש וראיתי גם כן לבעל באר שבע שכתב בפרק קמא דתמיד זה הלשון בספרים מדוייקים כתיב מוכיח אדם אחר. ולא אחרי. כן מלאתי כתוב בפסקי תוספית עד כאן. ולבי אומר לי דחילוף הספרים שכתבו בתוספות אינו באותיות רק בנקודות בין פתח לצי"י כמו שכתבתי ומעתיקי הספרים טעו בזה לפי שלא ראו הנקודות ולא ידעו להבחין בין זה לזה כמו שגם אנחנו לא נדע כוונת התוספות איזהו הניקוד של ספרים מדוייקים שלהם ואחרי כותבי ראיתי לבין התוספות במקומו באומר בספרים מדוייקים נקוד מוכיח אדם וגו' הרי שהמפרש הוא בניקוד. ה' יזכנו להיות בחלקו ולמלוא חן בעיניו אמן:

### רלב"ג

לפזר ולתת לאנשים כדי שיאהבוהו ויכבדוהו זה אל שיגרה מדון כנגדו כי יאבד הונו בזאת התכונה ויצטרך לעסוק לאנשים עם שהוא בוטח בזה באוהביו אשר קנה לפי מחשבתו בפיזורו להם עם שכבר יגרה ג"כ מדון כנגדו מהאנשים אשר פזר להם תחלה כי הם ידמו תמיד לקחת תועלת ממנו וכאשר ירחק סיכור תועלתו מהם בהתמוטט ידו תבוא ביניהם האהבה שנאה כי יחשבו שסבה אהבתו מהם ולזה מבך ידו מהם הנה בטחונו באנשים שיהיו זרועו סבב לו ההפך אך מי שישים מבטחו בש"י לבד ישיג חפציו ויהיה נחת שלחנו מלא דשן בהפך הענין ברחב נפש: (כו) בוטח בלבו. הנה הכסיל לא יתישב בדברים קודם התחלו לדרוך אל השגתם אך הוא בוטח בלבו שלא יחסר לו טוב העצה ולזה יקרה לו רע בהם ואולם מי שילך בחכמה הוא ימלט מכל רע ומכל מונע ממה שהוא דורך אליו כי כבר הקדים תחלה הסבות המביאות אל מה שידרוך בהגעתו והסיר הסבות המונעות: (כז) נותן לרש. מי שהוא נותן מהונו לעני יברכהו מפני זה הש"י ולא יהיה לו מחסור כמ"ש התורה כי בגלל הדבר הזה וגו' אך מי שהוא מעלים עיניו מהעניים הוא רב קללות ומארות וזהו מדה כנגד מדה: (כח) בקום רשע. בהיות שררה וממשלה לרשעים יסתר במה שהוא אדם והוא האיש הטוב וזה לשתי סבות האחת כי כל האנשים הטובים יברחו להמלט מן הרשעים והשני' כי מפני מה שיראו האנשים מהצלחת הרשע יהיה נכחד להם הרשע מהצדיק מאורך לזה כי הרשע המושל בהם ינהיגם בהנהגתו ובאבוד הרשעים אז ירבו לצדיקים בארץ לב' סבות הא' כשיאבדו אל המושלים ישובו אשר ברחו מהם והשני כי באבד הרשעים אז זה שיהיו יוכל לאנשים מום הרשע ויחזיקו מפני זה בצדק: (א) איש תוכחות. כשיהיה איש תוכחות שיבואו לו רעות מהש"י על דרך התוכחות והוכיח במכאובים להסירו מהרע שהוא בו במדות או בדעות והוא עם זה מקשה עורף ואינו רוצה לעזוב דרכו הנה ישבר ברגע בפתע פתאום שלא תהיה לו רפואה ממנו וזאת מדה כנגד מדה הוא לא רצה לרפאת וכל מה שהוכה עוד הוסיף

### מצודת ציון

וכן ידיון מדשן ביתך (תהלים ל"ו): (כז) ומעלים. מלשון העלמה: מארות. מלשון ארור:

### מצודת דוד

ולא יוסיף עלב הרי הוא נעשה דשן ושמן: (כו) בוטח בלבו. העומד בלבו והוא בוטח בתחבולות לבו הוא כסיל אבל ההולך בדרך החכמה לבטוח בה' הוא ימלט מן הצרה: (כז) אין מחסור. לא יחסר עשרו בעבור פזור הצדקה אבל המעלים עיניו מן הרש ועושה עצמו כאלו לא יראהו לבלי תת לו הנה יבא בעשרו הרבה קללות והיא תרד לעמיון: (כח) בקום. בעת יקומו הרשעים למשול בעם אז יסתר כל אדם שאינו מהם כי יפחדו מהם ובעת יאבדו הרשעים אז ירבו הצדיקים כי המה יתאספו מעירה ממקום מחבואם: כט (א) איש תוכחות. הצריך אל התוכחה ומקשה ערפו ולא

*Nachmiash* explains that everyone is afraid of the wicked lest they accuse him falsely.

**the righteous increase**—The righteous will come out of hiding and teach the people the ways of God.—[*Ibn Nachmiash, Mezudath David*]

1. **A man who requires reproof**—and who is often reproved, but refuses to accept the reproof.—[*Ibn Ezra*]

26. He who trusts his heart is a fool, but he who goes with wisdom will escape. 27. He who gives to a poor man will suffer no want, but he who hides his eyes will have many curses. 28. When the wicked rise up, people hide; but when they perish, the righteous increase.

## 29

1. A man who requires reproof but stiffens his nape, will suddenly be broken without cure.

who caused Israel to sin by erecting the calves in Dan and Bethel.

25. **A greedy man**—*to attain all his desire.*—[*Rashi*]

**stirs up quarrels**—*He incites the Divine standard of justice upon himself.*—[*Rashi*] *Mezudath David* explains that he seeks to gratify all his desires and becomes frustrated and resentful when he cannot. Therefore, he stirs up quarrels and his flesh becomes emaciated. But he who trusts in the Lord will not suffer sadness or frustration, and will be normally fat.

26. **He who trusts his heart, etc.**—One who is in straits and trusts in his own devices to extricate himself therefrom, is a fool.—[*Mezudath David*]

**but he who goes with wisdom**—He who follows the way of the wise, to trust in God, will escape from his predicament.—[*Ibn Ezra*] *Ralbag* explains that the fool does not plan ahead but is confident that he will attain his goal without problems. He who plans his activities with wisdom, however, will be spared all hindrances. *Ibn Nachmiash* explains that whoever trusts his heart to do whatever he desires is a fool, but he who follows the way of wisdom to guide him will be spared all troubles.

27. **He who gives to a poor man**—*charity.*—[*Rashi*]

**will suffer no want**—*(to give him much charity.) And so it is with the teacher who does not withhold Torah from his pupil.*—[*Rashi*] [The parenthetic words do not appear in all editions.] Other commentators explain that the giver will suffer no want and no loss because of his giving charity, as the Rabbis teach us: He who wishes to salt away his money should give some away. Others say: He should do kindness with it.—[*Ibn Nachmiash, Mezudath David*]*

**who hides his eyes**—pretending that he does not see him to give him charity, his money will be beset by many curses, and it will be lost.—[*Mezudath David*]

28. **people hide**—Those who perform just deeds, as is evidenced by the end of the verse.—[*Ibn Ezra*] *Ibn*

מרפא: ב ברבות צדיקים ישמח העם
ובמשל רשע יאנח עם: ג איש־אהב
חכמה ישמח אביו ורעה זונות יאבד־
הון: ד מלך במשפט יעמיד ארץ ואיש
תרומות יהרסנה: ה גבר מחליק על־
רעהו רשת פורש על־פעמיו: ו בפשע
איש רע מוקש וצדיק ירון ושמח:

ב בסוגעא דצדיקי חדי
עמא ובשולטנא
דרשיעי נתאנח עמא:
ג גברא דרחם חכמתא
נחדי אבוי ודמתחבר
בזניותא מוביד מזליה:
ד מלכא בדינא נוקים
ארעא וגברא עולא
עקר לה: ה גברא
דמתפלג על חבריה
מצודתא פרס על
הלכתיה: ו גברא בישא
בהוביה מתציד וצדיקא
דיץ

ת"א ברבות. מגלה יא: ורועה זונות. עירובין סד סוטה לו: מלך במשפט. כתובות קה סוטה מה סנהדרין ז' יד זוהר מקץ ובשמיני:

### רש"י

(ג) ורועה. מחבר לו זונות כמשמעו. ורבותינו אמרו האומר שמועה זו נאה אשנה וזו אינה נאה לא אשנה. וסיוע ממקרא שאין זונות במקרא מלא אלא זה בלבד: (ד) יעמיד ארץ. אם שופט אמת הוא יעמיד ארץ: ואיש תרומות. איש גאות שאינו חס להיות מתון בדין. ורבותינו אמרו אם הדיין דומה למלך שאינו צריך לקנות אוהבים וליקח שוחד הוא יעמיד ארץ. ואם דומה לכהן השואל תרומות על הגרנות הוא יהרסנה: (ה) מחליק. מדבר חלקות: (ו) בפשע איש רע. יבא מוקש: וצדיק. שלא הלך בדרכיו ירון ושמח:

### אבן עזרא

ערפו פתאו' ישבר ולא יהיה לו מרפא: (ב) ברבות צדיקים. כענין רבה תפארת: (ג) איש. ישמח. בן שמחה לאביו: ורועה. מן רעך או מענין כמרעיתם וישבעו כלו' מפרנס הזונות והטעם יאבד הון: (ד) ואיש תרומות. ידענו כי תרומות הנפילה שהוא לוקח מעם הארץ היא שבית היפה כלומר מלך בעבור משפט שיעשה יעמיד הארץ ואיש לוקח תרומות רבות יותר מן המדה הידועה יהרוס אותה: (ה) גבר. בפשע. מחליק. מדבר חלקות על רעהו אולי יוכל לרמות אותו: פעמיו. דבק עם גבר מחליק כענין ורשת אשר טמנו תלכדו והפסוק הבא לעד כלו' בעבור פשע יוקש רע מוקש או מוקש רע אחד: (ו) וצדיק

### מנחת שי

כט (ד) ואיש תרומות. זוהר פרשת שמיני דף מ' תרומת כתיב כד"א וזאת התרומה וכו' ובכל הספרים שלנו תרומות כתיב וכן במסורת ג' ב' חסר וחד מלא וסימן כל תרומת הקדשים הרי בגלבע (שמואל ב' א') ואיש תרומות חד בתורה חד בנביאים חד בכתובים וסימן כל טוריא דמלכא ובספרים מדוייקים זה דמשלי מלא והאחרים חסרים: (ו) בפשע איש רע מוקש. במקצת ספרים

### רלב"ג

סרה ולזה יבא לו רע לא יוכל להרפא ממנו: (ב) ברבות לצדיקים. בהרבות הצדיקים ישמח העם כי הם אוהבים המונהגים מהם וישתדלו בתקונם לפי מה שאפשר עם שבזה יהיו מושגחים מהש"י והפך זה כלו במשול רשע הענין מבואר: (ג) איש אוהב חכמה ישמח אביו. לטוב מוסרו ועניינו ומי שנמשך אל התאוות ורועה זונות הוא יאבד הון אביו ויאבד ממנו קנין כל הון וכל שלימות אנושי: (ד) מלך. המלך יעמיד ארץ במשפט כי זה יהיה סבה להצלחת תקון המדינה שלא יעשקו קצתם לקצתם ואם היה המושל מטה המשפט בעבור תרומה שיפרים לו מדבר העול שיעשו כאילו תאמר שאם חייב ראובן לשמעון ק' מנה יפטר ראובן אם יפרים ויריס לו מאה מנה כך מה שוא יהרוס הארץ ויפסידנה כי זה יגרום להתבלבל סדר המדינה כי כל א' יעשוק חבירו ויבטח בבטחו מה שיתן אל המושל יפטרהו והנה לא יקרא זה האיש מלך כי אין כמוהו ראוי להיות מלך: (ה) גבר מחליק. גבר שהוא מחליק הדרך בעבור רעהו שיפול בחלקלקות ההם הוא פורש רשת על פעמיו בעצמו תחת מה שחשב להפיל רעהו: (ו) בפשע איש. בעבור פשע אדם איש רע יתאחז יכשלו רבים עמו אוי לרשע ואוי

### מצודת דוד

יאבה לשמוע ישבר פתאום ואין מי ירפא לו: (ב) ברבות. בעת גדלו הצדיקים ומושלים בעם אז ישמחו כי בעבורם יהיו מושגחים מה': (ג) ורועה. המחבר את עצמו לזונות מאבד הון אביו בתת להן אתנן ויצער עוד את אביו: (ד) במשפט. בעבור המשפט אשר יעשה בין העם יתקיים המדינה כי יחדלו מעושק ידיהם כי הכל יביא במשפט. אבל אם הוא איש אוהב תרומות ר"ל כאשר יפרשו לו חלק מן העושק עוזב המשפט והוא מהרס את המדינה כי יתרבו העושקים: (ה) גבר מחליק. מי שמחליק את הדרך למען ימעדו בה רגלי רעהו ויפול לארץ הנה בזה פורש רשת על פעמי עצמו ר"ל הוא עצמו יוכשל ברעה אשר חשב על זולת: (ו) בפשע. בעבור פשע איש רע יבוא לו מוקש אבל הצדיק שלא

### מצודת ציון

כט (ב) ברבות. ענין גדולה כמו ורבי המלך (ירמי' מ"א): יאנח. מלשון אנחה: (ג) ורועה. מלשון ריעות וחבור: (ד) תרומות. ענין הפרשה כמו ויקחו לי תרומה (שמות כ"ה): (ה) פעמיו. רגליו כמו פעמיו ירחץ בדם הרשע (תהלים נ"ח):

mines justice, and will destroy his country.

5. **flatters**—Heb. מחליק, *talks smoothly.*—[*Rashi*] He talks smoothly to him, so perhaps he will be able to deceive him.—[*Ibn Ezra*]*

6. **When a wicked man sins**—*a snare will come.*—[*Rashi*]

**and a righteous man**—*who did not go in his ways, sings and rejoices.*—[*Rashi*]

2. When the righteous become great, the people rejoice, but when a wicked man rules, the people sigh. 3. A man who loves wisdom makes his father happy, but one who keeps company with harlots wastes his wealth. 4. A king establishes the country with justice, but a haughty man tears it down. 5. A man who flatters his friend spreads out a net for his feet. 6. When a wicked man sins, there is a snare, and a righteous man sings and rejoices.

**but stiffens his nape**—*not to listen.*—[*Rashi*]

**will suddenly be broken**—*He will quickly be broken.*—[*Rashi*]*

2. **When the righteous become great**—Heb. בִּרְבוֹת. This is *Ibn Ezra's* rendering. When the righteous are able to assert themselves and take charge of affairs.—[*Ralbag, Ibn Nachmiash, Mezudath David*] As an example, the Talmud (*Meg.* 11a) gives the victory of Mordecai over Haman, when the people were overjoyed with Haman's downfall.

3. **but one who keeps company with harlots**—Heb. וְרֹעֶה. *He joins harlots to himself, as its apparent meaning. Our Sages, however, said: "He who says, 'This tradition is acceptable, I will learn it, but this one is not acceptable, I will not learn it.' " The support* [for this view] *from the verse is that* זונות *throughout the Scriptures is not spelled fully* [with two "vavim"] *except this once only.*—[*Rashi* from *Erubin* 64a] *Rashi's* intention is that because the word is spelled זוֹנוֹת, it alludes to זו נָאָה, *this one is pretty.* The conclusion is that one who makes such a statement destroys the wealth of the Torah, i.e. the honor of Torah, and he will ultimately forget what he learned.—[*Rashi* ad loc.] *Ibn Nachmiash* suggests: and he who sustains harlots wastes his wealth.

4. **establishes the country**—*If he is an honest judge, he establishes the country.*—[*Rashi*]

**but a haughty man**—Heb. תְּרוּמוֹת, *a haughty man, who does not care to take time in judgment. Our Rabbis (Keth.* 105b) *stated: "If the judge is like a king, who does not have to acquire friends and accept bribes, he establishes the country. But if he is like a priest, who asks for terumoth in the threshing floors, he tears it down."*—[*Rashi*] *Rashi* to *Sanhedrin* 7b explains the analogy to the priest differently. If the judge is like a king—he has a wealth of knowledge, like the riches of a king—he establishes the country. If he is like a priest, who must go to ask for his due in the threshing floors—he must ask questions of the court because his knowledge is scant—he will tear it down. *Mezudath David* explains: If he receives a share of the loot, he will tear it down; if he shares the loot with the robbers, he under-

ז ידע צדיק דין דלים רשע לא־יבין
דעת: ח אנשי לצון יפיחו קריה וחכמים
ישיבו אף: ט איש־חכם נשפט את־
איש אויל ורגז ושחק ואין נחת: י אנשי
דמים ישנאו־תם וישרים יבקשו
נפשו: יא כל־רוחו יוציא כסיל וחכם
באחור

דין וחדי: ז ידע צדיקא דינהון דמסכני ורשיעי לא מתבינין ידיעתא: ח גברא ממקני ממללין כדבא וחכימי מהפכין רוגזא: ט גברא חכימא דין עם גברא שטיא ורגז וחאיך ולא מתתבר: י גברי דאשדין דמא סנין תמימותא ותריצי בעין לה: יא כולא חומתיה מפיק סכלא

ת"א יודע לדיק. שבת קנה: איש חכם. סנהדרין קג עקידה ש׳ לד:

### רש"י

(ז) דין דלים. יסורי דלים ומה הם לריכים ונותן להם לב: (ח) יפיחו. ילהיבו כלהבת אש הנפוחה ברוח: (ט) איש חכם נשפט. מתוכח עם האויל: ואין נחת. בין מראה לו פנים זועפות בין שמראהו פנים שוחקות אין נחת לא בזו ולא בזו אינו מולא קורת רוח. מלינו באמליה שהראה לו הקב"ה פנים שוחקות ומסר בידו אדום ושבו מהכותם (דה"י ב׳ כ"ה) ויבא את אלהיהם וגו׳ ולפניהם ישתחוה. לאחז הראה הקב"ה פנים זועפות ומסרו ביד מלכי ארם (שם כ"ח) ויזבח לאלהי דמשק וגו׳ כי אמר אלהי ארם מעזרים אותם: (י) יבקשו נפשו. לשון חבה ונראה שכן

### מנחת שי

כ"י מלת איש בטעם ימניח וכן משמע מפי׳ הרלב"ע: ירון. בא בסוף תחת חולם. מכלול דף קע"ו ושרשים שרש רנן: ושמח. בספרים אחרים כתובי יד ושמח ואינו כן בשאר ספרים וכ"כ בשרשים כי הוא במשקל פעל:

### אבן עזרא

ירון. כנפשו במוקשו: (ז) יודע צדיק דין דלים. בעבור שיתעסק לריב ריבם. ורשע לא יבין דעת ומשפט: (ח) יפיחו. יסבבו פחים. כלומר שהשם ישים פחים ללכדם בעבור אנשי לצון: וחכמים. בחכמתם ישיבו אף השם. ויגלגלו מן הפחים: (ט) איש. את. כמו עם כלומר חכם שילא למשפט עם איש אויל: ורגז. יחריד או ישחק אין נחת לחכם עמו: (י) אנשי דמים. שישפכו דם הם ישנאו התם ויהרגוהו: יבקשו נפשו. נפש התם וידרשו דמו. פ"א נפשו דבקה עם אחד מאנשי דמים וכן הוא וישרים יבקשו נפשו איש דמים להמיתם בעבור התם או מלת נפשו דבקה עם אחד מן וישרים ויהיה הענין כפול: (יא) כל. באחור. כמו נכשו אחור והוא שם דבר או שם תאר או שם והוא

### רלב"ג

לבבכו ואולי הלדיק ימלט מהרע ההוא וירון על המלטו ועל אבדן הרשע כאומרו באבוד רשעים רנה או ירלה בזה כי בעבור פשע איש רע יתחדש לו מוקש יפול בו והלדיק הוא בהפך זה כי יגיעו לו הטובו׳ ממנו עד שבכל ירון וישמח תמיד לרוב הללחתו מלד דבקו׳ ההשגחה האלהית בו: (ז) יודע לדיק. הנה הלדיק יודע הדין והחוק אשר לדלים וישתדל לתת להם חקם כן מכחות נפשו המשרתים את השכל כאמרו גומל נפשו איש חסד הן מהטעינים אשר יחסר להם לתת להם ושמלה והרשע לא יתן לו לשכלו חוקו מהדעות וזה בהפך הענין בלדיק כי הלדיק ישגיח בזולתו לתת להם חוקם ובחלקים הפחותים והרשע לא יתן חוקו גם לחלק היותר נכבד ממנו: (ח) אנשי לצון. האנשים הלילנים יסבבו שיתחדש ריב וקטטה וזה מבואר מעניכם ואולם החכמים הם בהפך זה כי הם סבה שיתחדש השלום וישיבו בחכמתם האף והכעס אשר מרגלת האנשים לקלחם: (ט) איש חכם. הנה כשישפוט איש חכם את איש אויל ונשאו ונתנו עמו בדברים הנה לא יניח האויל את החכם לדבר דבריו ולהשלימם אך פעם יכעס על מה שישמע מדברי החכם ולא יניחהו להשלימם ופעם ישחק וילעיג בשמע מדבריו ולא יתן לו נחת להשלמת דבריו כדי שיוכל להשלים התכלית אשר כוון לבארו בדבריו וכאילו הזהיר בזה המאמר החכם שלא יתוכח את האויל: (י) אנשי דמים. הם שונאים התום והיושר כי דרכו הפך דרכם ואולם הישרים יבקשו רלונו בכל עוז וידמה שקר׳ הוס הכח המתעורר מפאת השכל כי אין תאוותיו כי אם לתמימות ושלמות והנה אנשי דמים הולכים אחרי בעלי ריבו והוא הכח המתעורר אל התאוות ולזה ישגאוהו אך הישרים יבקשו רלונו בכל עוז כי תאוותיהם הם תמיד אל הטוב והתמימות: (יא) כל רוחו. הנה הכסיל יוליא כל רלונו ותאוותיו לפועל

### מצודת ציון

(ז) דין. משפט יסורים: (ח) יפיחו. ענין נשיבה כמו נופח באש (ישעי׳ כ"ד): קריה. עיר: (יא) רוחו. ענינו כעס וכן הניחו את

### מצודת דוד

הלך בדרכיו ירנן ויהיה שמח כי לא עליו תהיה המוקש: (ז) דין דלים. יסורי הדלים ודוחק עניים: לא יבין. לא יתן לב להבין ולדעת מחסורם: (ח) יפיחו. ילהיבו העיר בלהבת אש המחלוקת כמו הרוח המפיח באש להעלות השלהבת כי דרכם לאחרר ריב בין אנשים: ישיבו אף. דרכם לתווך השלום ולהשיב אף האיש מאחיו: (ט) איש חכם. כאשר החכם יבוא במשפט עם איש אויל הנה מאוד יקשה להחכם כי בין כעס עליו בין שחק עמו לא מלא נחת. כי בעת כעס אחז גם האויל בכעס ובעת שחק גבה לבו בעבור זה וכאלו הזהיר להתרחק מן האויל: (י) אנשי דמים. שופכי דמים: יבקשו נפשו. דורשים נפש התם להיטיב עמה: (יא) כל רוחו. דרך הכסיל בעת יכעס הוא מוליא מן השפה ולחוץ כל כעסו וקולו

10. **seek his soul**—[This is] *an expression of love, and it appears that it is so, as David said to Abiathar* (I Sam. 22:23): *"for he who seeks my soul seeks your soul." He who will deal kindly with me will deal kindly with you. The exegetes, however, do not agree with me.*—[Rashi]

11. **all his wind**—It is customary that when a fool is angry, he lets out all his anger with a loud noise, but the wise man comes at the end of the

7. A righteous man knows the judgment of thc poor; a wicked
man does not put his mind to knowing it. 8. Scornful men
inflame a city, but the wise turn away wrath. 9. When a wise
man contends with a foolish man, whether he is angry or he
laughs, he will have no contentment. 10. Murderous men hate
the innocent, but the upright seek his soul. 11. A fool lets out
all his wind, but afterwards a wise man

7. **the judgment of the poor**—*The torments of the poor and what they require, and puts his mind to them.*—[*Rashi*]

**to knowing it**—He does not put his mind to knowing the plight of the poor.—[*Mezudath David*] *Ibn Ezra* renders: A righteous man knows the cause of the poor. Since he is engaged in pleading their cause, he knows it thoroughly.

It was indeed customary in Talmudic times for the Sanhedrin to represent the orphans. We find in *Gittin* 37a that Rabban Gamliel and his tribunal were known as the father of the orphans.—[*Ibn Nachmiash*] Also, the chief of the court who preceded Shammai was known as Avtalion, formed from two words, Av talyon, *the father of the children,* meaning the orphans, whose biological fathers were no longer living.—[*Rav Avoth* 1:10]

8. **inflame**—Heb. יָפִיחוּ, lit. they blow. *They inflame it like a flame of fire that is fanned by the wind.*—[*Rashi*] They inflame the city with the fire of controversy like wind that fans the fire to cause the flames to rise, for it is their custom to foment discord.—[*Mezudath David*] *Ibn Nachmiash* suggests: Scornful men cause a city to despair, from "מַפַּח נָפֶשׁ, *desperation*" (Job 11:20). The scornful do not turn away wrath if it is decreed upon the city, and even if good is decreed upon the city, they prevent it from coming and cause the populace to despair. However, the wise not only bring good upon the city, but they also prevent the evil that is decreed upon it.

9. **a wise man contends**—Heb. נִשְׁפָּט, *debates with the fool.*—[*Rashi*]

**he will have no contentment**—*Whether he shows him an angry countenance or he shows him a laughing countenance, there is no contentment either in this or in that. He finds no satisfaction. We find in the case of Amaziah that the Holy One, blessed be He, showed him a laughing countenance and delivered Edom into his hands, and when he returned from defeating them,* (II Chron 25:14) *"he brought their* (sic) *gods, etc. and prostrated himself before them." To Ahaz, the Holy One, blessed be He, showed an angry countenance and delivered him into the hands of the kings of Aram* (ibid. 28:23): *"And he sacrificed to the gods of Damascus, etc. for he said, 'The gods of Aram are helping them.'"*—[*Rashi* from *Sanh.* 103a]

בְּאָחוֹר יְשַׁבְּחֶנָּה: יב מֹשֵׁל מַקְשִׁיב עַל־
דְּבַר־שָׁקֶר כָּל־מְשָׁרְתָיו רְשָׁעִים: יג רָשׁ
וְאִישׁ תְּכָכִים נִפְגָּשׁוּ מֵאִיר | עֵינֵי
שְׁנֵיהֶם יְהוָה: יד מֶלֶךְ שׁוֹפֵט בֶּאֱמֶת
דַּלִּים כִּסְאוֹ לָעַד יִכּוֹן: טו שֵׁבֶט
ותוכחת

וְחַכִּימָא בְּרַעְיָנָא
מְאַכֵּה: יב שַׁלִּיטָא
דְּצָאֵת מִלֵּי דְשִׁקְרָא
כֻּלְּהוֹן מְשַׁמְּשָׁנוֹי רַשִׁיעֵי:
יג מִסְכְּנָא וְגַבְרָא
מְצַעְיָא פְּגִיעוּ חַד בְּחַד
וֶאֱלָהָא מַנְהִיר עַיְנוֹי
דְּתַרְוֵיהוֹן: יד מַלְכָּא
דְּדָאֵן בְּקוּשְׁטָא לְמִסְכְּנֵי
כּוּרְסְיֵהּ לְעָלַם תַּקִּין:
טו שִׁבְטָא וּמַכְסְנוּתָא

ת"א מושל. חולין ד': רש. תמורה יו:

### רש"י

הוא כמ"ש דוד לאביתר (שמואל א' כ"ב) אשר יבקש את נפשי יבקש את נפשך מי שיגמול לי חסד יגמול לך ואף הפותרים מודים לי: (יא) באחור ישבחנה. כשיוציא הכסיל כל רוחו בא החכם וישפילנו במענה לשונו ודומה לו משביח שאון ימים (תהלים ס"ה) בשוא גליו אתה תשבחם (שם פ"ט): (יג) ואיש תככים. איש מזמות בעל תורה.

### אבן עזרא

הנכון למבין, ואחור רמז ללב שהוא אחר מולא השפתים וכן יכחידנה תחת לשונו רמז ללב שהוא תחת הלשון: ישבחנה. מן משביח שאון פי' ישקיט כלומר כל רוח דעתו יוציא כסיל ויודיעהו לאחרים כענין ובקרב כסילים תודע והכם בלב אשר הוא אחר המוציא ישבחו רוח דעתו וישקיטנה ולא יודענה לכסיל כענין בלב נבון תנוח חכמה: (יב) מושל. כשידברו לו שקר וישמע אז ישרתוהו רשעים: (יג) תככים. שהדלות ישברהו כמו מתוך ומחנום ומזה הענין תוכו לרגליך נשברו ויהיה תכך ותכה: נפגשו. כי הרש והדלות כאשר יגזרם השם וירדו משמים כמטר היורד על הארץ יפגשו בם והם נפגשו: מאיר. כי הם הולכים בחשך הדלות והשם יאיר עיניהם למלאת הסרונם והכל כפי המעשים. פ"א תככים שגזלו לו הונו בתוך ומרמה: (יד) מלך. באמת שיוציא דינם באמת המשפט ולא יהדר פני גדול: כסאו לעד יכון. לו ולזרעו: (טו) שבט. להכות והוכחת עם השבט יתן כל אחד חכמה לפתאים: משולח. שילך על פי רצונו ולא

### מנחת שי

(יב) משל. חסר וא"ו ע"פ המסורת: על דבר שקר. כן כתיב ולא על שפת שקר: כל משרתיו. במ"ג מלא כל במאריך אע"פ שהוא במקף וכן מצאתי בספר אחד קדמון כתיבת יד ובשאר ספרים שלפני אינכו: (יג) רש ואיש תככים. אף על פי שאיננו עתה בהגהת רש"י לא יכולתי להתעלם מלהעיד על טעות נפל בספרים שכתוב בהם איש מזמות במקום ואיש תככים והדרש שהביא הוא מפ"ב דתמורה ויקרא רבה פרשה ל"ד: מאיר עיני. ברוב ספרים מדוייקים הטעם

### רלב"ג

תכף שיתעורר אליה מזולת שיתישב בעניגה אם הוא ראוי שימשך אחריה אם לאו ולזה יקרו לו מזה רעות גדולות ואולם החכם ישקיט התאוה המגונה כשתעלה על לבו באחור ר"ל בשיאחר הולאתה לפועל עד שיתישב בה אם הוא ראוי אם לאו ובזה האיחור ישקיט התאוה המגונה ההיא או ירלה בזה כי החכם ישקיטנה באיחור ר"ל בשיפנה עורף ולא פנים אל התכונה ההיא וירגיל עצמו בהפכה כי כן תרופת אלו החליים או ירלה בזה כי הכסיל יוליא בפיו כל רוחו ורלונו מאין מעלור ברידו עם זולתו ולזה יאמר דברים רבים ורעים ומגונים ואולם החכם כשיראה זה הענין מן הכסיל ברידו עמו ישקיט רוח הכסיל בשיפנה אליו עורף ולא פנים ויסור מלפניו: (יב) מושל מקשיב. הנה כשהיה המושל מקשיב על דבר שקר אז יהפכו כל משרתיו להיות אנשי רשע כי המשרתים ישתדלו לעשות רלון אדניהם וכאשר יראו כי רלונו ברשע יתנהגו תכונת הרשע ואפשר שהעיר במושל המקשיב על דבר שקר אל הכח המתעורר אל התאות הגופיות כי כשהיה הוא מושל באדם הפך המכוון בו ויסוב השכל להיות משרת לו עם שאר כחות הנפש הנה גם השכל יהיה רשע בו כי הוא ישרתהו לקחת התחבולות אשר ישלם בהם הגעות מה שיתאוה אליו: (יג) רש ואיש תככים. הנה הרש והוא העני בעיון שאין אללו מחשבה יכנס ממנה אל העיון ההוא והוא נבוך מפני זה בעיון ואיש תככים שיש לו מחשבות רבות מקבילות בדרוש אשר יחקור בו נפגשו בענין המבוכה והדלות בעיון ואע"פ שהאיש התככים יחשוב שתהיינה לו ידיעות בדרוש וזה כי הוא להקבלת המחשבות יקרה לו כאילו הוא נלכד בקשר ומחוזק המבוכה לא ידע אנה יטה והנה הש"י הוא מאיר עיני שניהם במה שישפע ממנו על השכל האנושי להיישירו אל המקום אשר ממנו יתיישר להגעת הדרוש ההוא ובמה שישפע ממנו להיישירו ללאת מהמבוכה במחשבות רבות המקבילות ההם כי בזה מהקושי הנפלא בקלת הדרושים הגדולים וילטרך לזה עזר אלהי והתורה ממה שיתישר מאד להסרת המבוכה הזאת בהרבה מהדרושים הגדולים אשר יקשה לאדם בהם לברור המחשבות הלודקות מהבלתי לודקות באופן שנזכר בס' הגילות ובמה שאחר הטבע: (יד) מלך שופט. הנה המלך שהוא שופט באמת דלים להוליא לאור משפטם בהפלגת הקירות עם שכנגדו ועם זולתם על דבר זה הריב הנה יכון לעד כסאו וזה כי יאשרוהו השם על זה הדבר וישמחו בו ילוה לו ג"כ עזר אלהי להתמיד לו ממלכתו וזה שהעיר ג"כ בזה אל מה שקדם וקרא דלים חלקי הסות' שאין נראה האמת בקלתם יותר מקלת והמלך הוא השכל האנושי כמו שקדם כי הוא המושל באדם וכאשר ישפוט באמת באילו הדרושים הנה יכון לעד כסאו אך בזולת זה יהיה להפך כי השאלות אשר יקרה בהם זה הם ממה שיש בו רושם חזק בהגעת ההללחה האנושית והעדרה: (טו) שבט ותוכחת.

### מצודת דוד

שאון והחכם יבוא באחרונה וישקיט כעסו וישפילנו במענה לשון חכמה ובמתק שפתי דעת: (יב) משל. כאשר המושל מקשיב דבר שקר ומקבל לה"ר אז כל משרתיו מתהפכים לרשעים. כי למען ימלאו חן בעיניו מספרים לו לה"ר וחוטאים בנפשותם: (יג) רש וגו'. ר"ל בין הרש מעודו בין הנולד בעושר ואח"ז הוכה ונשבר בחלי העוני לא במקרה בא כי מה' ילא הדבר בגזרה היורדת מן השמים ופגשה בהם והם נפגשו מן הגזירה וכן מאיר וגו' ר"ל וכן כאשר יעשר העני או הנולד בעושר והוכה בחלי העוני כאשר יחזור לקדמותו לא במקרה יבוא כי ה' הוא המאיר עיני שניהם מחשכת העוני כי הרעה והטובה הכל בגזרה ולא במקרה: (יד) באמת. ולא ישא פני בעל דינו ועם הוא עשיר: (טו) שבט ותוכחת. שבט

### מצודת ציון

רוחי (זכרי' ו'): ישבחנה. ענין השפלה והשקטה כמו משביח שאון ימים (תהלים ס"ה): (יג) תככים. מלשון הכאה ושבירה: נפגשו.

teacher gains wisdom from teaching the disciple. This explanation is given by Rabbi Nathan. Rabbi Judah the Prince explains the verse in regard to a poor man who approaches a rich man for alms.

will quiet it. 12. A rulcr who hearkens to false words—all his servants are wicked. 13. A poor man and a man of deep thoughts were visited upon; the Lord enlightens the eyes of both of them. 14. A king who judges the poor justly—his throne will be established forever.

argument and humbles it with his reply, made with wisdom and discretion.—[*Mezudath David*]

**will quiet it**—*When the fool has let out all his wind, the wise man comes and humbles it with the reply of his mouth. Similar to this is* (Ps. 65:8): "*Who stills* (מַשְׁבִּיחַ) *the noise of the seas*"; (ibid. 89:10): "*when its waves rise up, You still* (תְשַׁבְּחֵם) *them.*"—[*Rashi*] [The concept of humbling appears to be synonymous with quieting or stilling as in *Mezudath Zion, Ibn Nachmiash.*]

*Ibn Ezra* renders: but the wise man keeps it quiet in the back. The wise man hides his wisdom in his heart, which is behind his lips, unlike the fool, who publicizes all he knows.

12. **A ruler**—When he is told lies to which he hearkens, the wicked will serve him.—[*Ibn Ezra*] *Mezudath David* explains: When a ruler listens to false accusations and believes slander, all his servants become wicked. They tell him slanderous tales in order to find favor in his sight. [*Midrash Psalms* 54:1 illustrates this with the incident of the Ziphim, who came to Saul to divulge David's whereabouts. When they saw that Saul accepted slanderous reports, they came to bring him more such reports. The same was true with Doeg the Edomite.]

The Talmud (*Hullin* 4b) deduces from this verse that a ruler who hearkens only to true reports will have only righteous servants. We learn also that if the ruler sins, the sins of the populace are attributed to him, because the populace will emulate the behavior of their ruler, whether good or bad.—[*Ibn Nachmiash*]

13. **and a man of deep thoughts**—*A man of thoughts, a Torah scholar. And our Sages explained it concerning a disciple who said to a teacher, "Teach me."*—[*Rashi*] *Rashi* alludes to *Temurah* 16a, where our verse is expounded upon in conjunction with 22:2, as follows: A disciple approaches his teacher and says to him, "Teach me the Torah." If he teaches him, the Lord enlightens the eyes of both of them. But if not, a rich man and a poor man are visited upon; the Lord makes both of them. He Who made this one wise makes him foolish; He who made this one foolish makes him wise. *Rashi* (ad loc.) explains that the teacher is not an accomplished scholar but one who has learned two or three orders of the Mishnah. He is called אִישׁ תְּכָכִים, *a man in the middle.* If he teaches his disciple, God assists him to learn the other orders; thus, both profit from his kind act. If not, he forgets what he has learned.

*Ibn Nachmiash* explains that the

וְתוֹכַחַת יִתֵּן חָכְמָה וְנַעַר מְשֻׁלָּח
מֵבִישׁ אִמּוֹ: טז בִּרְבוֹת רְשָׁעִים יִרְבֶּה־
פָּשַׁע וְצַדִּיקִים בְּמַפַּלְתָּם יִרְאוּ: יז יַסֵּר
בִּנְךָ וִינִיחֶךָ וְיִתֵּן מַעֲדַנִּים לְנַפְשֶׁךָ:
יח בְּאֵין חָזוֹן יִפָּרַע עָם וְשֹׁמֵר תּוֹרָה
אַשְׁרֵהוּ: יט בִּדְבָרִים לֹא־יִוָּסֶר עָבֶד כִּי־
יבין

ת"א יסר בנך. סוטה מ': בדברים. כתובות עז פקידה פ' קד:

### תרגום

יְהָבִין חָכְמְתָא וְטַלְיָא
דְלָא מְקַבֵּל בְּעֲתָא
מַבְהִית אִמֵּיהּ:
טז בְּסוּגְעָא דְרַשִׁיעֵי
חוֹבָא נְסְגֵי וְצַדִּיקַיָא
יֶחֱמוּן בְּמַפַּלְתְּהוֹן:
יז רְדִי בְּבְרָךְ וְנַיְחָךְ וְיִתֵּן
תַּפְנוּקֵי לְנַפְשָׁךְ:
יח בְּסוּגְעָא דְעַוְלָאֵי
מִתְהַתְּרַע עַמָּא וּדְנָטֵר
אוֹרַיְתָא טוּבוֹהִי:
יט בְּמִלֵּי לָא מִתְרְדֵי
עַבְדָּא דְיָדַע גִיר וְלָא

הליע

### רש"י

ורבותינו פירשו תלמיד שאמר לרב השניני פרק א' ומלמדו: (טו) ונער משולח. ששלחו אביו ללכת בדרכי לבו. סופו: מביש אמו. זה ישמעאל על שהיה רשע גרם לשרה שאמרה לאברהם גרש האמה וגו' (בראשית כ"א): (יח) באין חזון יפרע עם. כשגורמין ישראל שהנבואה מסתלקת מהם על ידי שהם מלעיבים בנביאים יפרעו בם פרעות ויוצאים לתרבות רעה: (יט) כי יבין ואין מענה. כיון שרואהו שמוכיחו שותק הוא חוזר ומקלקל לכך צריך ליסרו במכות

### מנחת שי

במ"ס ויש ספרים הטעם באל"ף ובספר אחד כתיבת יד מְאִיר בב' טעמים ובכולם אין פסיק אחריו: (טו) משלח. בקמץ הלמ"ד בספרים מדוייקים: (טז) במפלתם. בגעיא הבי"ת: (יח) יִפָּרַע עם. כן כתיב בב' טעמים:

### אבן עזרא

ייסרהו אביו הוא יתן בושה לאמו: (טז) ברבות. במפלתם. כענין פשעם. יראו צדיקים וישמחו: (יז) ויניחך. ויתן לך מנוחה: מעדנים. בקחתו מוסר: (יח) באין. איש חזון שאין לעם חזון להוכיח אותם אז יפרע עם ויגלה: אשרהו. אחרים יאשרוהו ברבות טובתו: (יט) בדברים. בלבד לא יוסר עבד בשבט ותוכחת ראוי ליסרו: כי יבין. אעפ"י

### רלב"ג

השבט והתוכחת יתן לנער חכמה כי בזה יקנה שלימות המדות ובזולתו אין לו דרך להגיע אל החכמה אך הנער שהוא משולח לרצונו הוא נעדר המוסר והחכמה והוא בזה מביש אמו לרוע ענייניו עם שאליה ייוחס הרבה מרוע תכונותיו כי יאמרו האנשים כי היא סבבה זה על שלא הקנתהו מוסר בקטנותו: (טז) ברבות רשעים. ברבוי הרשעים ירבה פשע בעולם נוסף על מה שהיה ראוי שיעשוהו לו היה כל אחד מהם נפרד מחבירו כי יעזרו קצת בקצת ויעשו יחד פשע בעולם שלא ישלם בשבת קבוצם והנה אף על פי שהם שונאים הצדיקים כמו שקדם וכאומרו אח"ז ותועבת רשע ישר דרך הנה לא יוכלו להזיק להם אך ימלטו מידם ויראו במפלתם כי סוף הרשעים ואחריתם הוא לרע: (יז) יסר בנך. בעודו קטן בדרך שתקנהו מוסר ויתן לך הנחה וקורת רוח מפני טוב מוסרו ויתן לנפשך מעדנים מרוב שמחתך בו עם שזה ייסירהו לקנין החכמה ובה יתן לנפשך מעדנים במה שתשמע מפיו מדברי חכמה: (יח) באין נבואה יפרע עם ויבוטל ממנו קנין המוסר ור"ל בנבואת התורה כי היא הגיעה בנבואה וזו מיוחדת להקנאת המוסר וההנהגה הישרה הן בקבוץ הבית הן בקבוץ המדינה ואין דרך בזולתה להקנאת המוסר' בקבוצים המדיניים כי האנשים להתחלף מזגיהם יתחלפו תכונותיהם מאד ויתבלבל מפני זה ענין קבוצם לולא התורה שתנהיגם יחד בהנהגה אחת וכימוס אחוי ומי שישמור תורה אשרהו כי בה יקנה המוסר באופן שלם והיא ג"כ דרך אל הגעת החכמה והבינה במה שיתיסר מהתחלותיהם ואפשר שירצה בזה כי בהעדר ראיות מה שיתכן שיקרה מדבר דבר בדרך שיודע אם ראוי להשתדל בהגעתו ואם ראוי איך יתכן שיגיעו אליו יפרע עם ויבוטל מהם מה שכוונו להגיע אליו או יפרעו מוסר בהשתדלם בהגעות מה שאין ראוי שישתדלו בהגעתו ואמנם שומר תורה אשרהו כי התורה תמנעהו מהשתדלו במה שאינו ראוי ובשמירתו התורה תישרהו למלא ספקיו: (יט) בדברים. הנה מי שהוא עבד תאותו לא יקנה המוסר בדברים אבל יצטרך שיכוהו בשבט ובמה שידמה לו ואמנם כאשר

### מצודת ציון

ענין פגימה: (טו) משולח. נעזב אל רצון עצמו כמו קן משולח (ישעי' ט"ז): (טז) ברבות. ענין גדולה: (יז) מעדנים. דברים המעודים כמו מעדני מלך (בראשית מ"ט): (יח) יפרע. ענין השבתה

### מצודת דוד

מוסר והתוכחה כל אחד מהן יתן חכמה בלב הפתאים. אבל הנער המשולח ללכת בדרכי לבו וימנעו ממנו שבט ותוכחה ישאר בלא חכמה ובזה הכל מביישים אמו לומר שהיא מנעה המוסר ממנו כי כן דרך הנשים לנעגע על בניהן א"כ הוא גורם לבייש את אמו כי לא נמצא בו חכמה: (טז) ברבות. בעת גדלו הרשעים ומושלים בעם יתרבה הפשע כי תאותם על הפשע והצדיקים שלא אחזו בפשע יראו במפלתם וישמחו על אשר לא נמשכו אחריהם: (יז) ויניחך. יתן לך מנוחה ולא תרגז בעבורו. ועוד יתן מעדנים לנפשך ר"ל תשמח עוד במעשיו: (יח) באין חזון. באין נבואה יבוטל העם מקנין המוסר. אבל השומר עסק התורה אשרי לו כי המאור שבה מחזירו למוטב: (יט) בדברים. ר"ל בדברים לבד זולת השבט לא יקבל מוסר כי אעפ"י שיבין דברי המוסר אין מענה בפיו לומר

**but he who keeps the Torah**—He who keeps up the study of the Torah is fortunate because the light of the Torah will bring him back to God's way.—[*Mezudath David*]

19. **with words**—With words alone, without the rod, a slave will not accept reproof, because even if he understands the words of reproof, he will not reply, "I will leave my ways and comply."—[*Ibn Ezra, Mezudath David*]

**because he will understand, but without response**—*As soon as he sees*

15. A rod and reproof give wisdom, but a child left free brings shame to his mother. 16. When the wicked attain greatness, transgression increases, and the righteous will see their downfall. 17. Chastise your son and he will give you rest, and he will grant pleasures to your soul. 18. Without vision the people become unrestrained, but he who keeps the Torah is fortunate.

19. A slave cannot be chastised with words, because

14. **the poor**—Scripture mentions the poor because they are helpless. If the king judges them justly, his throne will be established forever.—[*Ibn Nachmiash*]

15. **give wisdom**—The Hebrew is in the singular form, meaning that each of the two gives wisdom in the heart of the fools.—[*Mezudath David*] *Ibn Ezra* explains that if one castigates a fool with a rod and supplements his whipping with reproof, each of the two contributes to imparting wisdom to the fool. *Ibn Nachmiash* explains that the rod in the childhood years and reproof in the years of adolescence will each impart wisdom to a person.

**but a child left free**—*Whom his father set free to follow the dictates of his heart, ultimately . . .*

**brings shame to his mother**—*This is Ishmael; since he was wicked, he brought about that Sarah should say to Abraham* (Gen. 21:10): *"Expel this bondwoman and her son."*—[*Rashi* from an unknown midrashic source]

The shame is attributed to the mother rather than to the father because she is always at home, and the neighbors come to her to complain about her son. Consequently, she bears the shame of his faulty upbringing.—[*Ibn Nachmiash*] *Mezudath David* explains that the shame is attributed to her because she is the one who pities him and so spares him from discipline.

16. **When the wicked attain greatness, etc.**—When the wicked gain importance and prosper, transgression will increase, but ultimately, they will perish to eternity, and the righteous will witness their downfall and rejoice.—[*Meiri*] This resembles (Ps. 52:8): "And the righteous shall see and fear, and laugh at him."—[*Ibn Nachmiash*] *Malbim* explains that when the wicked prosper, the righteous foresee their downfall.

17. **and he will give you rest**—You will not be upset by his behavior.—[*Mezudath David*]

**and he will grant pleasures to your soul**—Not only will you not suffer frustration, but you will be happy with him.—[*Mezudath David*]

18. **Without vision the people become unrestrained**—*When Israel causes prophecy to withdraw from them by mocking the prophets, they will become unrestrained and will degenerate.*—[*Rashi*]

יָבִין וְאֵין מַעֲנֶה: כ חָזִיתָ אִישׁ אָץ
בִּדְבָרָיו תִּקְוָה לִכְסִיל מִמֶּנּוּ: כא מְפַנֵּק
מִנֹּעַר עַבְדּוֹ וְאַחֲרִיתוֹ יִהְיֶה מָנוֹן:
כב אִישׁ־אַף יְגָרֶה מָדוֹן וּבַעַל חֵמָה רַב־
פָּשַׁע: כג גַּאֲוַת אָדָם תַּשְׁפִּילֶנּוּ וּשְׁפַל־
רוּחַ יִתְמֹךְ כָּבוֹד: כד חוֹלֵק עִם־גַּנָּב

שונא

ת"א מפנק מנוער. סוכה נב: ובעל חמה. נדרים כב:

בְּלִיעַ: כ אִין חֲזֵיתָא גַּבְרָא דִמְעַרְקְלִין מִלּוֹי סִפּוּיָא דְטָב הוּא סַכְלָא מִנֵּיהּ: כא מִתְפַּנֵּק מִן טַלְיוּתֵיהּ לְעַבְדָא נֶהֱוֵי וּבְאַחֲרִיתֵיהּ יְהֵי מְנַסֵּה: כב גַּבְרָא רַגְזָנָא מְגָרֵג תִּיגְרֵי וְגַבְרָא חֶמְתָּנָא סַגִּיעִין חוֹבוֹי: כג רָמוּתָא דְבַר נָשָׁא תַּשְׁפְּלֵיהּ וּמַן דְמַכִּיכָא רוּחֵיהּ נִפְלֵג יְקָרָא: כד דְפָלֵג עִם גַּנָּבָא סָנֵי

## רש"י

ועונין ולא דבר על עבד ממש אלא על כל הממרים דבר השופטים: (כ) אץ בדבריו. ממהר ונבהל להשיב: תקוה לכסיל ממנו. יש לכסיל תקוה יותר ממנו: (כא) מפנק מנוער עבדו. יצר הרע: מנון. שליט וכן לפני שמש ינון שמו (תהלים ע"ב) וכן כל נין שבמקרא שהנין קם תחת אביו לשלוט בנכסיו: (כב) איש אף יגרה מדון. כמשמעו מדון מדת הדין: (כג) יתמך כבוד. יקרב אל הכבוד ותומך בו תמיד: (כד) אלה ישמע.

## אבן עזרא

שיבין המוסר לא יענה למייסר לומר כן אעשה: (כ) אץ בדבריו. ממהר לדבר או ממהר בעניניו: תקוה לכסיל. מפורש בשני ענינים כפ' ראית איש חכם בעיניו: (כא) מפנק. תחת מעדנים. ואחריתו שהוא מפונק יהפוך להיות כבן ויהוא מן נין ונאמר פועל מזה השם והוא ינון שמו כלומר קרא נין כענין אמר אלי בני אתה: (כב) איש אף. הוא יראה באפו ע"כ יקרא אף: יגרה. יערב: חמה. קשה מאף והעד והמתו בערה בו ואף בפנים לבד: (כג) יתמוך כבוד.

## מנחת שי

(כב) רב פשע. בפתח הרי"ש במדוייקים וכן נכון כי לא נמנה במסורת דברי הימים ב' כ"ח עם הקמוצים:

## רלב"ג

יבין האיש הנה לא ילמדך בקנין המוסר אפי' מענה ודבור כי יספיק לו מעט רמז או גערה קלושה כאמרו תחת גערה במבין: (כ) חזית איש. כשראית איש מהיר בדבריו לעבות בזולת התיישבות ולקיחת עצה הנה יש תקוה יותר ממנו למי שיש לו הסכלות שהוא העדר כי הוא מבטל כדבר סכלותו ומפני זה יבקש עצה בדבריו ולא יחזיק בדבריו ויחשוב שהוא חכם בעיניו ולא ישאל עצה: (כא) מפנק מנער עבדו. אשר יתן לעבדו תענוג בקטנו הנה לא יקוה שישרתהו אך יהיה אדון לו. וזה הערה שלא יתן האדם תענוגיו בעת הקטנות לכח המתעורר אל התאוות הגופיות אשר הוא ראוי שיהיה עבד לבעל האנושי כי אם יעשה הענין כן הנה הוא ישיב המלכות והשררה אליו באחרית ויהיה השכל עבדו תחת היותו ראוי להיות מושל עליו: (כב) איש אף. יסבב לגרות מדון כנגדו ברוב כעס מרוע דבריו ופעולותיו מצד כעסו וזה יהיה סבה להפילו ברעות גדולות וכמו שהכעס הוא סבה להשחית גופו כן הוא סבה להשחית נפשו כי מרוב כעסו לא תוכל התורה למנעו לעשות מה שיגיעהו אליו כעסו ויביאהו זה לעשות פשעים גדולים: (כג) גאות אדם. הנה גאות האדם תביאהו אל ההשפלה כי יקח לעצמו מדרגה בלתי ראויה ויהיה זה סבה אל שיורידוהו הגדולים אשר שם משם וישפילוהו יותר מהראוי לו וזה מבואר מאד מהחוש ומי שהוא שפל הנה בשפלותו ובענותו יתמוך ויחזק הכבוד לו כי יכבדוהו בראותם השפלתו עצמו מאד בפניהם: (כד) חולק.

## מצודת דוד

אעזוב דרכי: (כ) חזית. אם ראית איש הממהר בעניניו דע אשר יש להכסיל תקוה להצליח בעניניו יותר ממנו אם יעשה בישוב הדעת: (כא) מפנק. המענג את עבדו מנעוריו עודו לא נער שכמו לסבול עול עבודות הנה באחרית ימיו יהיה הוא שר ושליט על האדון כי יגבה לבו ויחדל מן המלאכה והוא מוטל על האדון לתת לו די מחסורו: (כב) איש אף. הכעסן דרכו להתגר ריב עם הבריות: רב פשע. כי בעת הכעס לא יבחין בתקון מעשיו. וכמ"ש רז"ל הכועס אפילו שכינה אינה חשובה נגדו: (כג) תשפילנו. יגאוה

## מצודת ציון

ובטול כמו ותפרעו כל עצתי (לעיל א'): (יט) מענה. מלשון עניה ותשובה: (כ) אץ. ענין מהירות כמו ולא אץ לבא (יהושע י'): (כא) מפנק. ענין עונג ועדון כמו מעדני מלך (בראשית מ"ט) ת"א תפנוקי מלכין: מנון. שר ושליט כמו לפני שמש ינון שמו (תהלים ע"ב): (כב) יגרה. ענינו התחלת המריבה: (כד) אלה. שבועה

simple interpretation of the verse is that, if one pampers his slave from his childhood, before he has learned to bear the yoke of bondage, he will become haughty and never work, compelling his master to support him. Thus, he will rule over his master.—[*Mezudath David*]

22. **stirs up strife**—*According to its apparent meaning,* מָדוֹן *is the*

the thousands group, making them interchangeable. Accordingly, the word מָנוֹן becomes סַהֲדָה, the Aramaic for *witness*. The intention is that if one pampers his evil inclination, over which he could rule, as God told Cain, and allows it to have what it desires, it will ultimately entice him to sin and testify against him. See *Aruch Completum* אַ"ט בַּ"ח. The

he will understand, but without response. 20. If you see a man
hasty with his words, there is more hope for a fool than for
him. 21. If one pampers his slave from childhood, he will ulti-
mately be a ruler. 22. A quick-tempered man stirs up strife,
and a wrathful man abounds in transgression. 23. A man's
haughtiness will humble him, but one of humble spirit will
grasp honor. 24. He who shares with a thief

*him* (sic) *that the one who was reproving him is silent, he reverts to his sins; therefore, one must chastise him with blows and punishments. He does not speak of an actual slave, but about all who disobey the words of the judges.*—[*Rashi*] *Malbim* renders: For though he understands, there will be no submission. The nature of a slave is completely physical. Therefore, he will not respond to verbal discipline. He responds only to physical coercion, like a horse or a donkey.

20. **hasty with his words**—*Who hurries and rushes to reply.*—[*Rashi*] Others render: If you see a man hasty in his matters.—[*Ibn Ezra, Mezudath David*]

**there is more hope for a fool than for him**—*A fool has more hope than he.*—[*Rashi*] If you see a man hasty in his matters, doing things without deliberation and without asking advice, there is more hope for a fool, who realizes his foolishness and asks for advice.—[*Ralbag*]

21. **If one pampers his slave from childhood**—[This refers to] *the evil inclination.*—[*Rashi* from *Gen. Rabbah* 22:6, *Sukkah* 62b]

**a ruler**—Heb. מָנוֹן, *a ruler, and so is* (Ps. 72:17): *"May His name be magnified* (יִנּוֹן) *as long as the sun exists." Similarly, every instance of* נִין *in the Bible, since the son rises in his father's stead to rule over his property.*—[*Rashi*]

Although *Rashi* interprets the verse as symbolic of the evil inclination in accordance with the Talmud and Midrash, he defines מָנוֹן as a ruler. The above-mentioned sources, however, interpret it as a witness. If one pampers his evil inclination from the time he is a child, it will later testify against him. This definition is based on the *alef-beth* of אַ"ט בַּ"ח. In this code, *alef* is interchangeable with *teth, beth* with *cheth, gimel* with *zayin,* etc. all equaling ten. *Yud* is interchangeable with *tzadi, kaff* with *pey, lamed* with *ayin,* etc. each equaling one hundred. The final letters are combined as follows: *Kof* is interchangeable with final *tzadi, resh* with final *fey, shin* with final *nun,* and *tav* with final *mem.* In this code, we give the final *tzadi* the value of 900, the final *fey* 800, the final *nun* 700, and the final *mem* 600. Thus, each of these groups equals 1,000. Three letters are consequently left out: *he* of the tens group, *nun* of the hundreds group, and final *chaf* of

שׁוֹנֵא נַפְשׁוֹ אָלָה יִשְׁמַע וְלֹא יַגִּיד׃
כה חֶרְדַּת אָדָם יִתֵּן מוֹקֵשׁ וּבוֹטֵחַ
בַּיהוָה יְשֻׂגָּב׃ כו רַבִּים מְבַקְשִׁים פְּנֵי־
מוֹשֵׁל וּמֵיְהוָה מִשְׁפַּט־אִישׁ׃ כז תּוֹעֲבַת
צַדִּיקִים אִישׁ עָוֶל וְתוֹעֲבַת רָשָׁע יְשַׁר־
דָּרֶךְ

**תרגום**

נַפְשֵׁיהּ נָפְסֵק מוֹמָתָא
וְלָא מוֹדֶה׃ כה תְּלוּמְיָא
דְבַר נָשָׁא עָבְדָא לֵיהּ
תְּקוּלְתָּא וּדְמַסְבַּר
בֵּאלָהָא נֶעֱשַׁן׃ כו סַגִּיעֵי
דְבָעְיָן אַפֵּי דְשַׁלִּיטָא
וּמִן קֳדָם אֱלָהָא דִינֵיהּ
דְגַבְרָא׃ כז מְרַחַקְתָּא
דְצַדִּיקֵי גַבְרָא עַוְלָא
וּמְרַחַקְתָּא דְרַשִׁיעֵי
גַבְרָא דְתָרִיצֵי אָרְחָתֵיהּ׃

**רש"י**

שמשביעין אותו אם ראית פלוני שגנב לי כך וכך ומתוך שהוא חולק עמו אינו מגיד: (כה) **חרדת אדם יתן מוקש**. מסורם הוא מוקש עבירה יתן חרדה לאדם. ד"א כמשמעו מתוך שאדם גר עין וחרד אם יעשה לדקה יצטרך אל הבריות חרדה זו תתן לו מוקש והראשון נוח לי: (כו) **פני מושל**. לדון לפניו: ומה' (כל) **משפט איש**. אם יזכה או אם יתחייב ובמלכי העובדי כוכבים ומזלות דבר הכתוב: (כז) **ישר דרך**. אדם שהוא ישר בדרכיו:

**מלוי**

**אבן עזרא**

אפי' בשפלותו יתמכהו שלא יפיל מעליו כבודו או כבוד השם יתמכהו: (כד) **שונא נפשו**. שהאלה תמיתהו כשישמענה ולא יגיד הגניבה כענין וכלתו את עציו: (כה) **חרדת**. פועל נופל על החרדה אם הוא הלשון כמו ויאכל את לב מתנה כלומר חרדת אדם שהוא מחריד אחר החורדת תתן מוקש לנפשו: **ישוגב**. השם ישגבהו מפני המחריד. פ"א שיחרדהו השם ויתן לו המוקש שישים ללכוד העניים. פ"א אים מפחד ולא יתן מבטחו בשם יבואהו מה שירא: (כו) **רבים**. גדולים בעבור מתנותיו או בעבור עזרו ומאת השם יבא משפט מעלת איש כי בידו המשרה

**רלב"ג**

מי שהוא חולק עם גנב הוא שונא נפשו ואע"פ שיש לו בזה התגללות מה כי הוא אינו גונב והוא מקבל בזה מתנה מהגנב הנה יביאהו זה להשא עונש שכבר ישמע אלה שיקלל ומי שיודע זה אם לא יגיד והוא יודע ולסבת סבושת העלום שיקרה לו מזה אם יגיד דבר הגניבה ימנע מהגיד ויקרה לו בזה חטא ועונש עלום: (כה) חרדת האדם. ופחדו על מה שאין ראוי לפחד ממנו יגרום מוקש ונזק והמשל שכאשר ימצא איש רע אחד בדרכו ויכיר שהוא מתפחד וחרד ממנו יתעורר מפני זאת הסבה להזיק לו ולשוללו להכירו שכבר יגלחוהו וכבר ירבו המשלים על זה ג"כ מלדדים אחרים מזולת זה ואמנם האיש הבוטח בה' ואינו מתפחד מדבר בעולם בטחונו בשם ואפילו במה שראוי לפחד ממנו באופן מה הנה הוא ישוגב ויתחזק להמלט מהרע ההוא כמו שתמצא בדוד שהתחזק באלהיו לרדוף אחרי הגדוד אשר שרפו לקלג וכמו שתמצא בחזקיה על דבר סנחריב: (כו) רבים מבקשים פני מושל. לחלות פניו שיעיין במשפט כראוי והם לא יבינו כי מה' משפט איש לא מהמושל ולזה ראוי לבקש מהש"י זה כי המשפט לאלהים הוא והמושל יטה לבו אל אשר יטנו השם יתעלה כאמרו פלגי מים לב מלך ביד ה' אל כל אשר יחפוץ יטנו ואפשר שהעיר בזה אל הדרושי' שלא יתכן שיגיע להם השכל מזולת מה שהישירה אליהם התורה ואמר כי נשוא יבקשו פני המושל באדם להשיגם כי לא ישלם המשפט לאיש בהם כי אם מה': (כז) תועבת לדיקים. הנה כמו שאיש עול הוא שונא ומתועב אל הלדיקים כן ישר דרך הוא מתועב אלל הרשעים וזה מבואר מן החוש ובכאן נשלם מה שהגבלנו ביאורו בזה המקום והנה התועלות

**מצודת ציון**

כמו ושמעה קול אלה (ויקרא ה'): (כו) **משפט**. ענינו דבר הראוי וכן על העמוד כמשפט (מלכים ב' י"א):

**מצודת דוד**

עלמה תהיה סיבה להשפיל אותו: **יתמך**. שוען הוא את הכבוד שלא תפול ממנו: (כד) **אלה ישמע**. ר"ל לזאת שונא נפשו כי שלא ישמע שמשביעין שיבואו היודעים ויעידו על הגניבה ועל כי חלק עמו לא יגיד וישא עונו ומאבד נפשו: (כה) **חרדת אדם**. החרדה שאדם חורד בבוא עליו מקרה רע הוא יוסיף לו עוד מוקש על כי לבו בל עמו קרוב הוא להיות נכשל בדבר קל. אבל הבוטח בה' ולא יחרד ביותר הנה יתחזק אף מהמקרה אשר הדביקתהו מאז: (כו) מבקשים. ישאלו ויבקשו ממנו ליתן להם שררה מה כאלו הדבר מסור בידו אבל לא כן הוא כי מה' כל משפט איש כמ"ש רז"ל אפילו ריש גרגותא מן שמיא מנו ליה: (כז) **תועבת**. כמו שאיש עול הוא מתועב לצדיקים כן איש ישר דרך הוא מתועב לרשע:

**but the judgment of a person**—*Any* [judgment], *whether he will be adjudged innocent or guilty. Scripture* [here] *speaks of the gentile kings.*—[*Rashi*] *Ralbag* explains that many supplicate the ruler to delve into their cases to judge them justly, although in reality the judgment is the Lord's, and the ruler will decide however God inclines his heart. Therefore, it is a mistake to beg of the ruler when one should pray to God.

*Mezudath David* explains that many seek the ruler's audience to request offices from him, but in reality, the appointment to every office—even the most insignificant one—is decreed by Heaven. *Ibn Ezra* also explains: Great men seek the countenance of a ruler to give them gifts or to assist them, whereas in reality, man's position comes only from the Lord.

27. **whose way is straight**—*A man who is straight in his ways.*—[*Rashi*]

hates his soul; he hears an oath but does not testify. 25. A snare brings terror to a person, but he who trusts in the Lord will be safeguarded. 26. Many seek the countenance of a ruler, but the judgment of a person is from the Lord. 27. An unjust man is an abomination to the righteous, and a person whose way is straight is an abomination to a wicked man.

*Divine standard of justice.*—[*Rashi*] Cf. 15:18. *Mezudath David* explains that a quick-tempered person often stirs up strife among people.

**abounds in transgression**—When he is angry, he cannot discern what may be done and what may not be done. Therefore, he is likely to sin.—[*Mezudath David*] The Talmud states that his sins are greater than his merits.—[*Nedarim* 22b]

23. **A man's haughtiness will humble him**—His haughtiness will be the cause of his being humbled, leading him to assume a position for which he is unfit. He will then be told by his peers to descend from that position to occupy one that is lower than he deserves.—[*Ralbag*]

**will grasp honor**—Heb. יִתְמֹךְ, *will come near the honor and constantly grasp it.*—[*Rashi*] *Ralbag* explains that if he is of humble spirit, people will honor him because of his humility. Thus, he will grasp honor through his humility. *Mezudath David* renders: will support honor. It is as though he is holding up honor so that he should not drop it. *Ibn Ezra* also explains the phrase in this manner, additionally suggesting that honor will support him—the honor of God will support him.

*Ibn Nachmiash,* quoting Rabbi Ephraim Abzimrah, explains that a haughty person always feels that, in view of the honor he deserves, no matter how much he receives, it does not suffice. In that manner, his haughtiness humbles him. But a person of humble spirit believes that he does not deserve honor and is therefore impressed by any honor he receives. This coincides with the Rabbinic maxim (*Tanhuma, Vayikra* 3): "Whoever pursues rulership, rulership flees from him, but whoever flees from rulership—rulership pursues him."

24. **hates his soul**—because he will be punished as a thief for his share of the loot.—[*Ibn Nachmiash*]

**he hears an oath**—*that they adjure him, "Did you see so-and-so who stole so much and so much from me?" And since he shares with him, he does not testify.*—[*Rashi*] In that way, he will bear his sin and destroy his soul.—[*Mezudath David*]

25. **A snare brings terror to a person**—*It is transposed. A snare of sin brings terror to a person. Another explanation: According to its apparent meaning, if a person is stingy and fears that if he gives charity he will require help from people, this fear will be a snare for him. I prefer the former* [interpretation], *however,*—[*Rashi*]*

26. **the countenance of a ruler**—*to litigate before him.*—[*Rashi*]

דֶּרֶךְ: ל א דִּבְרֵי ׀ אָגוּר בִּן־יָקֶה הַמַּשָּׂא
נְאֻם הַגֶּבֶר לְאִיתִיאֵל לְאִיתִיאֵל וְאֻכָל:
ב כִּי בַעַר אָנֹכִי מֵאִישׁ וְלֹא־בִינַת אָדָם
לִי: ג וְלֹא־לָמַדְתִּי חָכְמָה וְדַעַת קְדֹשִׁים

אדע

ת״א דברי אגור . עקידה ש׳ טו כל הפרשה : כי בער . סנהדרין נב :

א מִלּוֹי דְאָגוּר בַּר יָקֶה
דְקַבֵּל נְבִיוּתָא וְאָמַר
גַּבְרָא לְאִיתִיאֵל
לְאִיתִיאֵל גְאוּכָל :
ב מְטוּל דְבוּרָא דִבְנֵי
נָשָׁא אֲנָא וְלָא אִית בִּי
בְּיוּנָא דִבְנֵי נָשָׁא :
ג וְלָא יְלִיפֵית חָכְמְתָא
וְלָא יְדַעִית יְדִיעֲתָא

## רש״י

ל (א) **אגור בן יקה.** דברי שלמה שאגר את הבינה והקיאה כך פירשוהו חכמים: המשא. נבואה זו אמר על כן: **נאם הגבר לאיתיאל.** אמר הגבר זה שלמה המשא הזה על עצמו בשביל איתיאל על שסמך על חכמתו להרבות זהב וסוסים ונשים שהוזהר מלהרבות וכן אמר איתיאל ואוכל ארבה נשים ולא יסורו את לבבי ארבה זהב ולא אסור ארבה סוסים ולא אשיב את העם מצרימה. **לאיתיאל ואוכל.** בשביל שאמר איתי אל ואוכל לעשות ולא אכשל. לאיתיאל על איתי אל כמו ואמר **פרעה** לבני ישראל (שמות י״ד) על בני ישראל: (ב) **כי בער אנכי** על שסמכתי על חכמתי בדבר שהקב״ה דואג שמא יבא לידי עבירה: (ג) **ולא למדתי חכמה.** ולא דעת קדושים

## אבן עזרא

והשפלות: **חלק רביעי** ל (א) **דברי אגור.** היה בימי שלמה הולך ביושרו יודע דעת ונכבד בדורו על כן המלך שלמה אסף דברי חכמתו בספרו: **בן.** בחירק כמו בלר״י כמו ריש ורש בן נון בן לילה בן הכות: **המשא.** הנבואה כענין נושא השם לבן אדם: **נאום.** על משקל זבול: **הגבר.** הוא אגור כענין שנגברה חכמתו: **איתיאל ואוכל.** היו חכמים חברי אגור או תלמידיו:

## מנחת שי

ל (א) בן יקה. בחירק הבי״ת בספרים מדוייקים והמסורת מוכיח כמ״ש בזה הספר סימן כ״ג וכן כתב ן׳ עזרא ורד״ק: ואכל.

## רלב״ג

המגיעים ממנה מבוארים במעט עיון: (א) דברי אגור בן יקא וגו׳, עד דברי למואל דברי אגור ידמה ששלמה קרא עצמו אגור אלו הדברים שכלל אותם בזה הספר כמו שקרא עצמו קהלת אלו הדברים הנכללים בספר קהלת והנה אגור הוא מענין הקבוץ והאסיפה וקרא עצמו בן יקא ר״ל בן אשר יקא והרצון שהוא אגור בתוכו ומקובץ מהמחשבות המקבילות בדרושים הגדולים ורוצה להקיא המעטם והמשא מן המחשבות הבלתי צודקות כדי שיבאו לו הצודקות וספר שכבר אמר זה המאמר לחכם אחד ששמו איתיאל ואמרו ג״כ לו לחבירו שהיה שמו אוכל: (ב) כי בער. ולפי שאני בער מאיש ואין לי בינת אדם באלו הדרושים העמוקים: (ג) ולא למדתי חכמה. ואין בי כח לדעת דעת קדושים והם המניעים אשר לגרמים השמימיים הנה תקרא לי אלו חסרוני מבוכה חזקה באלו הדרושים שאזכיר ובדומיהם לולי מה שהושרשתי אליו התורה הא׳ הוא שכבר יפול ספק במה שנתפרסם שכבר ישפטו כחות מהשמים ישלם בהם מה שבארנו כמו שנראה שישפטו מהשמש

## מצודת דוד

ל (א) **דברי אגור בן וגו׳.** ר״ל אלה הם דברי שלמה אשר אגר ואסף את הבינה ובעבור מרבית הבינה הקיא את הנבואה כי נטלה ממנו: נאום הגבר. ר״ל על כי דברי הגבר הוא שלמה היה לו לומר בעבור איתיאל וחוזר ומפרש לומר שאמר בעבור איתיאל ואוכל. ר״ל ה׳ עמדי והוא נתן לי חכמה מפיו ולזה אוכל לעשות מה שלבי חפץ להרבות נשים וכסף וזהב כי עכ״ז לא יסור לבבי מה׳ כי אין חכם כמותי צריך גדר ושימור א״כ על כי סמך על אסיפת רב הבינה אמר ארבה נשים וגו׳ ולא אסיר וגו׳ ולבסוף נאמר בו נשיו הטו את לבבו (מ״א י״א) ואח״ז נאמר ויתאנף וגו׳ כי נטה לבבו וגו׳ הנראה אליו פעמים. וכאומר מה שנראה אליו פעמים כבר נראה אבל מעתה לא הוסיף להראות לו עוד בעון כי נטה לבבו מה׳ אם כן מרבית אסיפת הבינה היתה סבה לסילוק הנבואה: (ב) כי בער אנכי. רצה לומר ואלה דבריו שאמר עתה רואה אנכי שאני נבער מדעת איש ואין לי בינת אדם כי הגה דבר ה׳ מאסתי וחכמתי מה לי: (ג) ולא למדתי. הריני כאלו לא למדתי חכמה: ודעת. ולא האמור בתחלת המקרא משמשת בשתים כאלו אמר ולא

## מצודת ציון

ל (א) **אגור.** ענין אסיפה כמו אוגר בקיץ (לעיל י׳): **בן** מלשון בינה: יקה. מלשון הקאה: **המשא.** הנבואה: **נאום.** ענין אמירה: **לאיתיאל.** המלה הזאת מורכבת משתי תיבות אתי אל והלמ״ד היא כמו בעבור וכן פתח פיך לאלם (לקמן ל״א): **ואוכל.** מלשון יכולת: (ב) **בער.** סכל מבלי דעת כמו בהמה והיא מלשון אכחנו

ed wisdom, He would surely save him from any pitfalls, and he could do whatever he desired without fear of his heart turning away from God.—[*Mezudath David, Alshich*]

2. **For I am more boorish**—*Because I relied on my wisdom in a matter that the Holy One, blessed be He, is concerned lest one come to sin.*—[*Rashi*]

**than any man**—This alludes to Noah, referred to by the Torah as אִישׁ צַדִּיק, *a righteous man,* אִישׁ הָאֲדָמָה, *the master of the earth.* Said Solomon, "I should have learned a lesson from Noah, who became intoxicated from wine and was punished."—[*Midrash Mishle*]

**neither do I have man's understanding**—This alludes to Adam, "who had but one wife who turned away his heart, and I took one thousand wives."—[*Midrash Mishle*]

3. **Neither have I learned wis-**

# 30

1. The words of Agur, the son of Jakeh, the prophecy; the words of the man concerning, "God is with me; yea, God is with me, and I will be able." 2. For I am more boorish than any man, neither do I have man's understanding. 3. Neither have I learned wisdom, nor do I know the knowledge of the holy ones.

1. **The words of Agur, the son of Jakeh**—Heb. אָגוּר בִּן־ יָקֶה, *the words of Solomon, who gathered* (אָגַר) *understanding* (בִּינָה) *and vomited it* (וְהֱקִיאָהּ). *The Sages interpreted it in this manner.*—[*Rashi* from an unknown midrashic source] [A similar statement appears in *Song Rabbah* 1:1 and in *Tanhuma, Va'era* 5. However, these midrashim read that he gathered words of Torah, or that he gathered the Torah and wisdom. The closest to *Rashi's* wording is Buber's *Tanhuma, Va'era* p. 18, which reads: Why was he called Agur? Because he gathered the Torah. Bin? Because he understood it. Jakeh? Because he vomited it. Perhaps that is the correct reading in *Rashi.* Our reading is somewhat difficult because a person does not gather understanding—he may gather factual knowledge, but not understanding. This is the only midrash that expounds on the word בִּן.]

*Alshich* defines מַשָּׂא as a burden, rendering: who vomited the burden. He states that vomiting the Torah means casting off its yoke by not observing the precepts faithfully but subjecting them to one's own intellect. *Mezudath David* explains that the prophecy was taken from him; thus, in effect, he vomited it. *Ecc. Rabbah* 1:1 explains that he forgot the Torah.

**the prophecy**—*He said this prophecy on that matter.*—[*Rashi*]

**the words of the man concerning, "God is with me;**—*said the man—that is Solomon—this prophecy concerning himself because of "אִיתִיאֵל," because he relied on his wisdom to increase gold, horses, and wives, which he was forbidden to increase, and so he said, "God is with me, and I will be able. I will increase wives, and they will not turn my heart away; I will increase gold, and I will not turn away; I will increase horses, and I will not take the people back to Egypt."*—[*Rashi* from *Tanhuma, Va'era* 4]

**yea, God is with me, and I will be able"**—*Since he said, "God is with me, and I will be able to do it, and I will not stumble."* לְאִיתִיאֵל, *because of "God is with me," as in* (Ex. 14:3): *"For Pharaoh will say of the children of Israel* (לִבְנֵי)*," meaning of the children of Israel.*—[*Rashi* from *Tanhuma, Va'era* 5]

Solomon felt that since God was with him and gave him unprecedent-

אֵדָע: ד מִי עָלָה־שָׁמַיִם ׀ וַיֵּרַד מִי אָסַף־
רוּחַ ׀ בְּחָפְנָיו מִי צָרַר־מַיִם ׀ בַּשִּׂמְלָה מִי
הֵקִים כָּל־אַפְסֵי־אָרֶץ מַה־שְּׁמוֹ וּמַה־
שם

דְּקַדִּישֵׁי: ד מַן סְלֵק לִשְׁמַיָּא וּנְחַת מַן אֲחַד רוּחָא בְּחָפְנוֹי וּמַן צַר מַיָּא בְּשׁוּשִׁיפָא וּמַן אֲקִים בְּרִיָּתָא דְּאַרְעָא מַן שְׁמֵיהּ וּמַן שׁוּם בְּרֵיהּ

ת"א מי עלה. עקידה שם זוהר ויקהל:

## רש"י

ידעתי. שגרעתי או הוספתי על דברי משה: (ד) מי עלה שמים. כמשה: מי אסף רוח. פיה הכבשן: מי צרר מים. קפאו תהומות (שם ט"ו) נצבו כמו נד (שם) בתפלתו של משה: מי הקים. את המשכן שבהקמתו נתבססו כל אפסי ארץ. כך נדרש בפסיקתא: מה שמו ומה שם בנו. אם תאמר ככר היה דוגמתו אמור מה שם בנו איזה משפחה

## רלב"ג

תקיפות היום ותקופת השנה אשר להם מבוא נפלא בדברים הטבעיים בכלמה שתחת גלגל הירח וכלאה כמו זה בירח ר"ל שבכר יגיע נוגמן רושם באלו הדברים השפלים וכן הדבק בנשארים ואין הענין בקלתם יותר מפורסם ויותר נגלה מקלת והספק הוא על זה התואר: (ד) מי עלה שמים. מי מהדברים השפלים עלה לשמים או מי מהשמים ירד לארץ שיתכן שיהיה התיחסות בין השמים ובין הארץ באופן שיתכן שישפעו כחות מהשמים ישלם בהם מה שבארץ כי זאת השאלה עמוקה ומסופקת מאד מפנים רבים ונזכיר מהם היותר חזקים לקצר המאמר בזה האופן הא' הוא שבכר ידמה שיחוייב היות למשפיע בפועל בכח והמשל כי האש לא תשוב מה שהוא חם בכח חם בפועל אלא מפני שים לאש חום בפועל ובהיות הענין כן והוא מבואר במה שאין ספק בו שאין לגרמים שמימיים דבר מאלו האיכיות אשר ישפעו מהם באלו המגלאות השפלות ר"ל החום והקור והלחות והיובש הנה יפול ספק חזק איך ישפעו אלו האיכיות והגמשל להם מהגרמים השמימיים והאופן הב' והוא חזק העומק ג"כ הוא שבכר יחשוב חושב שהדברים המתחלפים יחוייב שתהיינה התחלותיהם מתחלפות ולזה ידמה שיהיה מחויב היות ההתחלה מתיחסת למה שהיא לו התחלה עד שתהיה התחלת הדברים הבלתי נפסדים זולת התחלת הדברים הנפסדים ולפי שהתחלת הדברים הבלתי נפסדים יחוייב היותה בלתי נפסדה הנה ידמה שיחוייב מזה היות התחלת הדברים הנפסדים נפסדת וזה ממה שירחיק היות השמים התחלה למה שבארץ אלא שאם יונח שעלה לשמים דבר מאלו הנמצאות השפלות והוא נפסד כמו הם ובעל תכלית וממנו ירדו וישפעו אלו הכחות וזה דבר בתכלית הזרות והביטול ואם רצונו להשלים הספק בזה הלשון נמאמר ארוך לא יכילהו זה הביאור ויספיק לנו מה שזכרנו מזה והספק הב' מי אסף רוח בחפניו השמים להיות נאצל מכלם רוח א' באופנים והם היסודות והיא רוח החיים אשר באופנים שקראו הפילוסופים הנפש הנאצלת מהגלגלים והתבאר מציאותם בס' ב"ח כי בזה גם כן ספקות עמוקות כמו שביארנו בה' מספר מ"י הא' איך ישפע א' בלתי מתחלק מרבים והב' איך יתכן בעלול שיהיה יותר שלם מכל א' מהעלות הקרובות אשר שפע מהם כי זה ענין הנפש הזאת שזכרנו עם מניעי הגרמים השמימיים בשפעה מהם וכבר יפול ספק עוד איך יתכן זה הרוח ביסודות ובאיזה אופן יתכן בו זה והספק הג' הוא מי צרר מים בשמלה באופן שיהיה רקיע בתוך המים העליונים מחלק מה מהם כמו שנזכר בתורה ויתבאר מדברינו בספר מלחמות ה' שיהיה מהוייב שיהיה שם בין גלגל לגלגל גשם בלתי שומר תמונתו הוא הנקרא מים העליונים והנה הספק בזה הוא כי זה הגר' העליון הוא נקי מהאיכיות אשר ישלם בהם הקדום והסתקבות לדברים ולא יתכן ג"כ שגניה חדוש העולם בהם מלד קור או חום יהיה סבת בהם הענין בגשמים אשר אצלינו שקלתם יקדשו מהקור וקלתם יקדשו מהחום כמו שיתבאר בס' האותות והנה השאלה עמוקה וקשה מאד ואם באנו להרחיב המאמר בה ובמה שיפול מזה מהספק במציאות המים העליונים אשר הספק ההוא הוא ג"כ בכח זאת השאלה הצטרכנו למאמר ארוך מאד וכב' יעמוד על זה במעט עיון מי שיראה מדברינו בנ"ה בה' מספר מ"י והספק הד' הוא מי הקים כל אפסי ארץ באופן שיהיה זה החלק נגלה ממנה לא יקיפוהו המים כמו שהיה ראוי לפי הסדור הטבעי וזה כי הם אמרנו שהסבה בזה מטבע הגרמים השמימיים כמו שזכר הפילוסוף הנה יתחייבו הספקות הנזכרות בספק הראשון מאלו ועוד שכבר בארנו בספר מ"י וביאורינו לספר השמים והעולם שא"א שייוחס זה אל הכוכבים שאם היה הענין כן היה מחוייב שיהיה הנגלה מהארץ שלם סביב כי הכוכבים ההם הם סובבים סביב הארץ סבוב שלם ואנחנו לא נמצא הנגלה מהארץ יותר מי"ב שעות כמו שזכר בטולמיוס היוני שנתבאר מהלקיות היכתים שסבינו מהם המזרחיים והמערביים ובכלל אין דרך לחכם לעמוד על סבת זה אם לא יעזר במה שזכרה התורה מזה: מה שמו ומה שם בנו כי תדע. הנה קרא לסבה הקרובה לזה הפועל בן כי היא עלולה מהעלה האחרת הנגדות ממנה ורלה בזה אמו' לי מה היא הסבה הפועלת בזה ואם אמרת שהסבה היא תפעל זה בהמלצות סבה אחרת יותר קרובה קרא שם לזאת הסבה הקרובה שיאו' שישפעו ממנו אלו הדברים לפי מה שיורה עליו שמו והמשל באלו השמות כי הגהנו נאמר כי הש"י ברא האדם בהמלצות השכל הפועל והשכל הפועל בראהו בהמלצות זרעי הזכר והנקבה הבאות להיות ממנו זאת הסוי' כמו שהתבאר בטבעיות ואולם באלו הספקות שזכרנו לא תוכל נקריא בם לא לפועל ולא לבנו באופן יאות להיות ממנו זאת ולזה לריך שתקרא אלו המחשבות המחוייבות ספק באלו הדברים ותשען על אמרת הש"י בתורה ובנביאים שהתבאר ממנה אמיתת אלו הענינים אשר נפל בהם הספק והוסר הספק מהם במה שזכרה מחדוש העולם כי לא נלטרך אחר זה לבקש באלו הדברים סבות ממין הסבות אשר יותנו בדברים הטבעיים

## מצודת ציון

ובעירנו (במדבר כ'): (ד) ויורד. עלשון ירידה או הוא ענין ממשלה ובלשנות כמו וירד מים עד ים (תהלים ע"ב): בחפניו. ענינו מלוא כפות הידים כמו ומלוא חפניו קטורת (ויקרא ט"ז): צרר. ענין קשירה כמו לרור כספו (בראשית מ"ב): בשמלה. בסדין: אפסי.

## מצודת דוד

דעת קדושים אדע ר"ל לא הבנתי דעת אמרי קודם כמה שאמר הכתוב ולא ירבה לו נשים ולא יסור וגו' (דברים י"ז) כי אין הכוונה לומר כשירבה שמא יסור כאלו היה הדבר תלוי ומסופק אלא הכוונה היא לומר שבודאי יסור ואין חכמה נגד תורת משה: (ד) מי עלה. מי עוד עלה השמים כמו שעלה משה השמים וירד בשלום או ר"ל שעלה לקחת התורה מיד המלאכים: מי אסף. כאשר זרק משה פיח הכבשן נתפזר על כל הארץ כאלו אסף הרוח בחפניו לפזרם על ידו ואמר מי אסף עוד כמוהו: צרר. כשבקע הים עמדו המים היורדים ולא הלכו בדרכם כאלו צרר אותם בשמלה. ומי צרר עוד כמוהו: מי הקים. כי עד לא נתנה התורה היתה הארץ מתמוטטת לפול וכאשר קבל משה את התורה הקים קצות הארץ לעמוד על עמדה ומי הקים עוד את הארץ כמוהו: מה שמו. הוא ענין מליצה כאומר לזולת אם היה מי כמוהו אמור נא מה שמו או אם שכחת שמו אמור שם בנו אם תדע שהיה מי מאז דוגמתו ורצה לומר ומאחר שלא היה מעולם מי יערוך אליו איך מלאה לבי לנטות

because of my philosophical speculation?" Solomon utters this plaint about his sins and in remorse for them.—[*Mezudath David*]

4. Who ascended to heaven and descended? Who gathered wind in his fists? Who wrapped the waters in a garment? Who established all the ends of the earth? What is his name and what is

**dom**—*nor do I know the knowledge of the holy ones,* [*Rashi* inserts the missing negative into the verse, indicating that it is implied by the negative at the verse's beginning] *for I subtracted or added to the words of Moses.*—[*Rashi* from an unknown midrashic source]

4. **Who ascended to heaven**—*like Moses?*—[*Rashi*] Who else ascended to heaven and returned safely? Alternatively, who else ascended to heaven to take the Torah from the angels?—[*Mezudath David*]

**Who gathered wind**—*The soot of the furnace.*—[*Rashi*] The allusion is to the plague of boils, which Moses and Aaron brought upon Egypt by taking handfuls of soot of the furnace and throwing it over all Egypt, as in Exodus 9:8-10. It was as though he gathered the wind in his fists [and harnessed it to scatter the soot over the entire land]. Who else ever accomplished such a feat?—[*Mezudath David*]

**Who wrapped the waters**—(Ex. 15:8): *"The depths were congealed"*; (ad loc.): *"The floods stood upright like a heap," through Moses's prayer.*—[*Rashi*] When Moses split the Red Sea, the waters flowing downwards stood still and ceased flowing. It was as though he wrapped them in a garment. Who else ever did anything of that sort?—[*Mezudath David*]

**Who established**—*the Tabernacle, through whose establishment all the ends of the earth were firmly established. In this way, it is expounded in the Pesikta.*—[*Rashi* from *Pesikta d'Rav Kahana,* pp. 5b, 6a]

Until the Tabernacle was erected, the existence of the world was pending; the world was shaking, so to speak. When Moses erected the Tabernacle, he set the world firmly on its foundation. Thus, Moses established the ends, or the extremities of the earth. As the Tabernacle represents the Divine service, it is postulated to be the second of the pillars upon which the world stands (*Avoth* 1:2), and the existence of the world was not ensured until, like the Torah, it was established in Israel. Cf. *Num. Rabbah* 12:11, *Pesikta d'Rav Kahana* pp. 5b, 6a, *Pesikta Rabbathi* 5:3.

**What is his name and what is the name of his son**—*If you say that there already was one like him, tell me what his son's name is; i.e. what family is descended from him, and we will know who he is.*—[*Rashi*] This is poetic, as one says to his friend, "If there was someone like him, tell me his name, or, if you have forgotten his name, tell me his son's name, if you know that there ever was one like him. Now, since there never was anyone like him, how did I have the audacity to deviate from his words

שֵׁם־בְּנוֹ כִּי תֵדָע: ה כָּל־אִמְרַת אֱלוֹהַּ
צְרוּפָה מָגֵן הוּא לַחֹסִים בּוֹ: ו אַל־תּוֹסְףְּ
עַל־דְּבָרָיו פֶּן־יוֹכִיחַ בְּךָ וְנִכְזָבְתָּ:
ז שְׁתַּיִם שָׁאַלְתִּי מֵאִתָּךְ אַל־תִּמְנַע

אִין יְדַעְתְּ: ה כּוּלְהוֹן מֵימְרוֹי דֶאלָהָא צְרִיפָן וּמְסַיְעָ לְאִלֵין דְמִתְרַחְצִין בֵּיהּ: ו לָא תוֹסֵף עַל מִלּוֹי דְלָא יַכְּסְנָךְ וְתִתְכַּדֵּב: ז תַּרְתֵּין שְׁאֵילַת מִנָּךְ לָא תִכְלֵי

ת"א אל תוסף. מגלה ז': שתים שאלתי. עקידה שער ט':

רש"י

ילאה ממנו ונדע מי הוא: כי תדע. אם תדע מי הוא ואיך לא יראת לעבור על דבריו: (ה) כל אמרת אלוה צרופה. מזוקקה ולא כתב דבר שלא לצורך והיה לי ליזהר: (ו) פן יוכיח בך ונכזבת. יוכיח על פניך שעל ידי תוספתך אתה בא לידי עבירה וכ"ש אם תגרע: (ז) שתים שאלתי מאתך. עכשיו מדבר לפני הקב"ה:

אבן עזרא

(ה) מגן. המ"ם נוסף וכן מגנך כמו מעברי אל: (ו) תוסף. מורכב מן יסף וספה בהיות ספות החטאת והעד עליו השבא אשר תחת הסמ"ך והפ"א והמורכב הוא מן תוסף ומן תוכף ע"מ ירד: ועתה אשוב לפרש ואומר כי דברי החכם הם ז' חלקים וכולם ע"ד מוסר וכל חלק מד' דברים לבד שתים שאלתי וכן נהגו הז"ל באמרם ד' מידות באדם ד' מידות בתלמידים ובתוך אלה ששה פסוקים הדבקים ספר ד' יסודו' והם שמים הן יסוד האש שהיא חמה ויבשה ורוח יסוד האויר והוא חם ולח ומים קרים ולחי' וארץ יסוד הקור והיבוש: וכן הפי'. דברי. עומד במקום שנים כאילו דברי אגור דברי המשא והנבוא' כענין עצת אחיתופל כאשר ישאל איש בדבר האלהי': נאם הגבר. יתכן ששאלוהו דברי הכמו' אלהיות איתיאל ואוכל והגבר השפיל עצמו ואמר להם איך תשאלוני כי אני בער יותר מאיש ואפילו בינת אדם אחד אין לי. ולא למדתי חכמה על ענין האלהי ולא דעת אל אדע כלומר אין לי חכמה ודעת: מי הוא שעלה שמים וירד. כלומר שיש בו כח לעלות אל השמים הגבוהים ולרדת אל הארץ שהיא לעומק לא אדעני בהכמתי: בחפניו. כדי שיבין השומע כי חפניו וידיו הם רצונו או שכלו. כלומר שיאסוף הרוח שלא תהיה נושבת: מי צרר מים. כאילו צררם בעבים הדומים לשמלה להמטיר על הארץ: כל אפסי ארץ. שלא ימוטו. והאפסים הם הקצוות העומדות על בלי מה. מה שמו ומה שם בנו שידעהו בחכמתו: כי תדע. אתה איתיאל אדם או בנו הגד לי שם אחד מהם שידעהו והטעם אינו יכול לדעתו ואין בנבראים שידעו בחכמתו: כל אמרת אלוה צרופה. כענין אמרות ה' אמרות טהורות והם המלות הצרופות כזהב המזוקק ובהם הכמת יראת השם ואין ראוי להתעסק בזולתה. על כן אל תוסף על דבריו אתה איתיאל כענין לא תוסיף עליו ולא תגרע ממנו: פן יוכיח בך. בענין שעבר על מצוה לא תעשה: ונכזבת. תהי נכזב בהתעסקך בהכמה אחרת זולת חכמת מצותיו. ונכזבת כענין בנים כחשים ונקראו כן ממרים פי השם. פ"א בן יקה בן יקהת עמים כי בשביל דוד נאמר לבן שלמה בן יקה וקהלת. ואגור הוא נאם הגבר. לאיתיאל בדבר הנבי' והסוסים שאמר ארבה ולא אסיר לבבי ואוכל: כי בער. איתיאל מתנהם אח"כ ואמר עויתי כמי שלא למד חכמה ולא ידע דעת קדשים ובקש קהלת שידע במשפט להצדיק ולהרשיע בלא עדים ולא אמרה תורה אלא על פי עדים ועל זה נאמר בקש קהלת וגו' שיצנה מן השמים ולא היה לו כן או אמר וכתוב יושר דברי אמת בשביל התורה כל אמרת אלוה צרופה אל תוסף וגו'. ואני לא שאלתי דבר נכון ששאלתי דבר שלא היה לי לישאל כילד היה לו למשה שעלה שמים וירד ואהרן שאסף רוח שנאמר ויעמוד בין החיים ובין המתים ואליהו שצרר מים בשמלה ויהושע שהקים כל אפסי ארץ שמש בגבעון דום: מה שמו. כי בניהם לא הגיעו לשמם ולדעתם. אף אני

מנחת שי

הכ"ף רפויה: (ו) אל תוסף. לית ומלא ודגש גם המכלול דף קכ"ז ודף ק"ן הביאו עם דומים אחרים שהשו"א האחרון נע כמו ויבך ויש ב ויש שקוראים כל שני שואים בסוף המלה נחים. ועיין בפירש רבי

רלב"ג

וכבר התבאר כל זה מדברינו במאמר ה' והו' מספר מלחמות ה': (ה) כל. הנה כל אמרת הש"י צרופה ר"ל שהיא נקייה מן הסיגים והדברים שילכו במדרגות המות' והוא מגן לחוסים בו לשמרם מהטעות ומהדברים בכמו אלו המקומות אשר הטעות מרחיק בהם האדם מהצלחתו האמתית ולזה נזכרו אלו השרשים הגדולים בתורה ובדברי הנביא': (ו) אל תוסף. על דברי הש"י אך יתבונן בהם באופן לא יספך למה שתבין מהם תוספת בדברים ההם שאם הקלת בעיונם עד שלהקל מעליך כשלא יתכן הבאור האמר שהוא חסר מלה או מלות כך שמא יוכיח בך הש"י באר האנשים מעטות כלה מפני עלם מה שיגיעו לך מהרע וההפסד עד שתשא' הבל וכזב מזולת השארות כלל: (ז) שתים שאלתי. אמר זה החכם מדבר אל הש"י שתי שאלות שאלתי מאתך אל תמנע ממני בטרם אמות כי אחר המות לא יתחדש

מצודת דוד

מדבריו על ידי אומדן הדעת ואמר כמתמעט על עצמו ותוסאה על ההשגות ומלגלג דעת לכל יאחז מי דרכו להשען על חכמתו: (ה) כל אמרת. עתה רואה אני אשר כל אמרת אלוה היא צרופה ומזוקקת מבלי סיג ומכשול והוא למגן ולמחסה להציל מן מכשול הטעות את החוסים בו ולא החוסים בחכמתם כמוני כי אם לא חסיתי במשען חכמתי לומר ארבה ולא אסור לא הייתי נכשל בעבירה כי לו אם הכוונה היא שהדבר תלוי ומסופק מכל מקום אין לשעון בחכמה ולסור ממנה: (ו) אל תוסף. הואיל ואמרתו צרופה מבלי סיג ומכשול טעות לזה אל תוסיף מה עליהם פן כשיבדל בדבר ימלאהו כזב ומוטעה ואיך א"כ תחובר לאמרת אלוה הצרופה: (ז) שתים.

מצודת ציון

קלות: ומה. הוי"ו היא במקום או: (ה) צרופה. זקוק מסיג כמו לשון לצרף לורף (ירמיה ו'): (ו) יוכיח. ענין בורר דברים כמו לכו נא ונוכחה (ישעיה א'): בך. ר"ל לומר בדבריך: ונכזבת. מלשון

*(Ibn Ezra)*, and the sayings were deemed worthy of wider publication by the compiler of Proverbs. The name Ithiel is repeated to show that he is esteemed over Ucal (*Gra*).*

**He is a shield**—to prevent them from erring with false theories.—[*Malbim*]

the name of his son, if you know? 5. Every word of God is refined; He is a shield for all who take refuge in Him. 6. Do not add to His words, lest He prove to you, and you be found a liar.
7. I ask two [things] of You; do not withhold them

**if you know**—*if you know who he is. Now how did you not fear to transgress His words?*—[*Rashi*]

5. **Every word of God is refined**—Heb. צְרוּפָה, *refined, and He did not write anything unnecessary.* [Therefore,] *I should have been careful.*—[*Rashi*] Solomon is saying: Now I see that every word of God is refined and purified without any flaws or stumbling blocks, and it is a shield and a shelter to save those who take refuge in Him from error. He does not save those who rely on their intellect, like me, for if I had not relied on my intellect to say that I would increase wives and not turn away from the Torah, I would not have stumbled on a sin. Even if I were right that the Torah means merely that there is a possibility that the king would turn away from the Torah, I should not have relied on my intellect to take the risk."—[*Mezudath David*]

6. **Do not add**—Since his word is refined of all impurities and possibilities of error, add nothing to it, lest your theories be found erroneous and in no way appropriate to be combined with God's refined word.—[*Mezudath David*]

**lest He prove to you, and you be found a liar**—*He will prove to your face that through your addition you have come to sin, and certainly if you subtract.*—[*Rashi*]

Other commentators, following *Targum,* reject the identification of Agur with Solomon. *Ibn Ezra* holds that he was a contemporary sage, renowned for his piety, whose sayings Solomon incorporated into Proverbs. *Gra* asserts that the Men of the Great Assembly incorporated into each Book what was written through Divine inspiration on topics similar to those treated in the Book. For example, the Book of Psalms includes many matters which were joined to it, some concerning instruction and admonition, and some which are songs of praise and thanksgiving to God. Preceding each section, the name of the author is recorded, e.g. Heman, Asaph, and Jeduthun. Similarly, in Proverbs, they arranged all that was expressed allegorically in matters of instruction. This section was authored by Agur son of Jakeh, and these are his words. *Malbim* also follows this theory, stating that Hezekiah and his followers incorporated Agur's speech into Proverbs. Accordingly, we offer alternative commentaries to the first five verses.

**[1]the prophecy, the words of the man**—The words of the man, Agur.—[*Ibn Ezra*] *Malbim* renders: The words of Agur son of Jakeh, the musician, the words of the man.

**to Ithiel, to Ithiel, and Ucal**—Agur addresses himself to these two men who were his friends or disciples

מִמֶּנִּי בְּטֶרֶם אָמוּת׃ ח שָׁוְא ׀ וּדְבַר־כָּזָב
הַרְחֵק מִמֶּנִּי רֵאשׁ וָעֹשֶׁר אַל־תִּתֶּן־לִי
הַטְרִיפֵנִי לֶחֶם חֻקִּי׃ ט פֶּן אֶשְׂבַּע ׀
וְכִחַשְׁתִּי וְאָמַרְתִּי מִי יְהוָה וּפֶן־אִוָּרֵשׁ
וְגָנַבְתִּי וְתָפַשְׂתִּי שֵׁם אֱלֹהָי׃ י אַל־
תַּלְשֵׁן עֶבֶד אֶל־אֲדֹנוֹ* פֶּן־יְקַלֶּלְךָ

מִנִּי עַד לָא אֱמוּת׃
ח רַגְלְתָא וּמִלְּתָא דְכַדְּבוּתָא
אַרְחֵיק מִנִּי מִסְכְּנוּתָא
וְעוּתְרָא לָא תִתֶּן לִי זוּנִי
לַחְמָא מִסְתִּי׃ ט דְלָא
אֶשְׂבַּע וְאֶכְפַּר וְאֵימַר
מַנּוּ אֱלָהָא וּדְלָא
אִתְמַסְכַּן וְאֶגְנוֹב וְאַחֲלֵיל
שְׁמֵיהּ דֶאֱלָהָא׃ י לָא
תַלְשֵׁן עַבְדָּא לְמָרֵיהּ
דְלָא נְצַעֲרִינָךְ וְתִתְחַיֵּב׃
דרא

**ת"א** הטריפני. עירובין יח ב"ק יז סנהדרין קח: אל תלשן. פסחים פז עקידה שער יט: פתח באתנח אדוניו קרי

### רש"י

(ח) **ראש**. דלות: **הטריפני**. לשון מזון וכן טרף נתן ליראיו (תהלים קי"א): (ט) **פן אשבע**. מתוך עושר: **וכחשתי**. בהקדוש ברוך הוא מרוב גאוה ומהו הכחש ואמרתי מי ה' כלומר אין אלהים: **ותפשתי שם אלהי**. להרגיל להשבע בו לשקר: (י) **אל תלשן עבד**. אל תמסור דין על אדם לנעיק עליו להקב"ה ואפי'

### מנחת שי

אלי' המדקדק בער שסי: (ח) ודבר. הוא"ו במאריך במדויקים: ראש. באל"ף: (ט) ותפשתי. אולי בעבור היות וגנבתי מלעיל היה הבא אחריו מלעיל. הרא"ע בספר מאזנים. ועיין מ"ש ביחזקאל מ"ג: (י) אדנו. אדניו קרי: ואשמת. אין בוא"ו געיא:

### אבן עזרא

שאני מהם. ועתה שתים שאלתי מעמך: **אלוה**. **אל**. **שתים**. ג' דבקים. ע"ד תפלה: (ח) **שוא**. כמו שקר: **ודבר כזב**. שלא אהיה עד כזב. וי"ו ועושר תחת או: **הטריפני**. מן ויהי טרף בביתי: **חקי**. הראוי לי להעמיד בו הנפש: (ט) **וכחשתי**. זהו ואמרתי מי ה'. כענין לא ידעתי את ה'. ותפשתי שאשבע על הגנבה. ואתפש בשבועות שם אלהי לשקר והתפישה בהזכרת השם: (י) **אל תלשן**. בפסוק הזה הזהיר מן הרכילות והזכיר עבד הבורח כי קשה מכל הרכילות. אל תלשן אל תגלהו ותודיעהו בלבונך והוא עבד הבורח מהאומות ע"ג לארץ ישראל להתגייר שלא ישיבוהו

### רלב"ג

לדאם קנין השלימות אם לא בחייו: (ח) שוא ודבר כזב הרחק ממני. בהשגותי שוא ודבר כזב שלא אשתבש ואתבלבל בעיוני ושלא יהיה עיוני בדבר הבל שאין לו מציאות כאילו תאמר שיהיה העיון במציאות הרקות וידמה שרמז בשוא אל מה שהוא שקר ודבר כזב אל מה שהוא הבל או הפך זה והנה תקרה לאדם החקירה והעיון במה שאינו נמצא לחשבו שהוא נמצא אם מפני שבוש המדמה אם מפני ספו' כוזב קרה לו אם מפני דעות ילבו בזה מזולתו והשאלה הב' היא שלא תתן לי עוני ודלות בדעות לקלר בדעות מה שאפשר לאדם השגתו ולא תתן לי ג"כ עושר לפנות להתחכם במה שאין לאדם השגתו אך הספיע לי בדעות המזון הראוי לבבלם לא פחות ולא יותר וזאת באמת היא שאלה גדולה לא יתכן שימלא איש יגיע אליה באלפים מן הב' אבל הוא ראוי שישתדל כל אחד מהאנשים המעיינים בזה כחזק' היד: (ט) פן אשבע. להתחכם במה שלא אוכל להשיגו ואומר מי הוא הש"י ר"ל מה הוא וזה דבר לא יתכן שיושג אלא לש"י ולזה תביא זאת החקירה אל שאכחש ואעשה אלוה מדבר בלתי נמצא כן כשאחייב לאלו' מהות בלתי נמצא כן ויביא זה לכפירה ולהאמין בזולתו ופן אורש ואקלר מהחקור במה שאפשר לאדם השגתו ויהיה זה סבה אל שלא אעמוד על חיוב היות שם אלוה הוא הפועל לכל הנמצאות ויהיה קלורי סבה שאגנוב האלוה מהנמצאות ואומר שאין שם אלוה כמו שהיה אומר אפיקורוס וסיעתו ואחשוב לי לא תפשתי בזה כי אם השם לבד כי המקרה בו אין לו מציאות ויהיה זה יותר קשה באופן מה ממה שיגיע מהפסד בסבת התחכם יותר ממה שראוי: (י) אל תלשן. והוסיף להזהיר שנית על דברי התורה שלא יחטא בעיונו בהם וישתבש ויתלה בזה בדברי תורה ולפי שהתורה הוא כמו עבד לש"י לשרתו בה בהגעת השלימות בה לאדם הזהיר שלא יתלה האדם בדעותיו המשובשות בדברי התורה כי בזה כאלו הלשין העבד אל אדניו לומר לו שהטעה אותו עבדו ואמר שאם תעשה כן אולי יקללך אדניו והוא הש"י ותהיה לשממה והפסד מפני היותך מיקל בתורתו והמשיל ואמר כי זה הפועל המגונה מהבנת דברי התורה בזה האופן החס' ידמה אל הדבור שמקלל הוריו אשר גדלוהו והביאוהו אל המציאות בלד מה

### מצודת ציון

כזב: (ח) **ראש**. עניות: **הטריפני**. ענין מזון כמו טרף נתן ליראיו (תהלים קי"א) והוא מושאל מלשון מזון החיה הבא על ידי טרף: **חוקי**. הקצוב לי וכמו ואכלו את חוקם (בראשית מ"ז): (ט) **ותפשתי**. ענין אחיזה: (י) **תלשן**. מלשון מלשינות ולשון הרע: **ואשמת**. מלשון שממה

### מצודת דוד

עתה ידבר מול המקום ב"ה ואמר שני דברים אני שואל ממך ואל תמנעם ממני בטרם אמות ר"ל כל ימי חיי לא יהיו מנועים ממני: (ח) **שוא ודבר כזב**. היא היא וכפל הדבר בשמות נרדפים כמו אדמת עפר (דניאל י"ב): **הרחק**. ר"ל תן בלבי לדבר אמת ולמאס בשקר: **הטריפני**. פרנסני מאכל קצוב די הסיפוק להחיות הנפש ולא יותר: (ט) **פן אשבע**. ר"ל כי כשיהיה לי עושר רב פן אשבע ביותר ואתגאה ואכחש בה' לומר מי ה' כלומר אין אלהים: **ופן אורש**. ואם אהיה עני פן כשאהיה רש ביותר אגנוב הון למלאות נפשי המתאוה ואתפוש בפי להזכיר את שם ה' להשבע בו על שקר: (י) **אל תלשן**. אל תדבר לה"ר על העבד לפני אדוניו. ודבר בהווה כי דרך לכוון הרע לאמרו לפני מי שהנאמר עליו מוכנע לו ויראה מפניו: **יקללך**. פן העבד יקללך ותהיה לשממה. [ועם אף כי לא יקללו ענש יענש מכל מקום ממהרין ליפרע ע"י הלועק ומקלל]:

translation follows the *Targum*. *Ibn Ezra* renders: and you were already guilty because he fled to you in honor of God, to take refuge under His wings.

from me before I die. 8. Distance falsehood and the lying word from me; give me neither poverty nor wealth; provide me my allotted bread, 9. lest I become sated and deny, and I say, "Who is the Lord?" And lest I become impoverished and steal, and take hold of the name of my God. 10. Do not inform on a slave to his master, lest he curse you, and you be found guilty.

7. **I ask two [things] of You**—*Now he addresses the Holy One, blessed be He.*—[*Rashi*]

**do not withhold them from me, etc.**—Give them to me all my life, even until my dying day.—[*Mezudath David*]

8. **Distance . . . from me**—Inspire me always to speak the truth and to despise lying.—[*Mezudath David*]

**falsehood and the lying word**—These are synonymous.—[*Mezudath David*] *Ibn Ezra* interprets the lying word as false testimony.

**poverty**—Heb. רֵאשׁ, *poverty.*—[*Rashi*]

**provide me**—Heb. הַטְרִיפֵנִי, *an expression of food, and similarly* (Ps. 111:5): *"He has given food* (טֶרֶף) *to those who fear Him."*—[*Rashi*]

**my allotted bread**—The bread I require for my sustenance, but no more.—[*Ibn Ezra, Mezudath David*]

9. **lest I become sated**—*from wealth.*—[*Rashi*]

**and deny**—*the existence of the Holy One, blessed be He, out of my extreme haughtiness. Now what is the denial? And I say, "Who is the Lord?" Meaning, there is no God.*—[*Rashi*]

**And lest I become impoverished**—If I am extremely impoverished, I fear that I will have nothing to eat and will steal to buy food to satiate my hunger.—[*Mezudath David*]

**and take hold of the name of my God**—*to become accustomed to swearing by it falsely.*—[*Rashi*]

10. **Do not inform**—*Do not deliver your case against a person to complain about him to the Holy One, blessed be He, even if he is wicked, who curses his father and possesses all the abominations mentioned here, and the proof of the matter is from Hosea son of Beeri, as is stated in Pesachim* (87b) *in the chapter entitled "The Woman," that he informed on Israel and said, "Exchange them for another nation." Replied the Holy One, blessed be He, "Go, take yourself a wife of harlotry"* (Hos. 1:2).—[*Rashi*] Cf. Comm. Digest ad loc.

*Ibn Ezra* interprets this as a gentile slave belonging to a gentile, who flees to the Holy Land with the intention of converting to Judaism. Do not reveal his whereabouts to his master—this is the worst instance of slander. Therefore, Scripture mentions this rather than any other type of slander. *Mezudath David* explains that it is common for one to slander a person before his superiors, whom he fears.

**and you be found guilty**—This

יא דָּרָא דַאֲבוּהִי נְצַעַר
וּלְאִמֵּיהּ לָא נְבָרֵךְ:
יב דָּרָא דְּדָכֵי בְּעַיְנוֹי
וּמְצָאֲתֵיהּ לָא אִשְׁתְּזַג:
יג דָּרָא דְּרָמוּ עַיְנוֹי
וּגְבִינוֹי מְנַטְּלִין: יד דָּרָא
דְּסָפְסְרֵי אִינוּן שִׁינוֹי
וְחָרִיפֵי אִנוּן נִיבוֹי
לְמֵיכַל מַסְכְּנֵי מֵאַרְעָא
וְלַעֲלִיבֵי מִן בְּנֵי נָשָׁא:
טו לַעֲלוּקָא תַּרְתֵּין בְּנִין

ת״א לעלוקה. ע״ג יז עקידה שם ושער כד:

וְאָשַׁמְתָּ: יא דּוֹר אָבִיו יְקַלֵּל וְאֶת־אִמּוֹ
לֹא יְבָרֵךְ: יב דּוֹר טָהוֹר בְּעֵינָיו וּמִצֹּאָתוֹ
לֹא רֻחָץ: יג דּוֹר מָה־רָמוּ עֵינָיו
וְעַפְעַפָּיו יִנָּשֵׂאוּ: יד דּוֹר ׀ חֲרָבוֹת שִׁנָּיו
וּמַאֲכָלוֹת מְתַלְּעֹתָיו לֶאֱכֹל עֲנִיִּים
מֵאֶרֶץ וְאֶבְיוֹנִים מֵאָדָם: טו לַעֲלוּקָה ׀

סגול באתנח

שתי

## רש״י

הוא רשע אשר אביו יקלל וכל התועבות האמורות כאן בו וראיה לדבר מהושע בן בארי כדאיתא (בפסחים בפרק האשה) שהלשין את ישראל ואמר החליפם באומה אחרת אמר לו הקב״ה קח לך אשת זנונים (הושע א׳): (יג) דור מה רמו עיניו. זה גסות הרוח: (יד) דור חרבות שניו. החיצונות: מתלעותיו. שיניו הפנימיות: ומאכלות. סכינים: (טו) לעלוקה. מנחם פתר לעלוקה כמשמעו למדנו שהוא ערבי והפותרים אומרים שהוא לשון שאול

## מנחת שי

(יד) מתלעתיו. בגעיה המ״ם בספרי ספרד:

## אבן עזרא

לו שנאמר עמך ישב בארצך, עבד אל אדניו שניהם אינם ישר׳ כענין לא תסגיר עבד אל אדניו ושם הזכיר שלא ילשינהו אל אדניו: ואשמת. וככר אשמת בעבור שברח אליך לכבוד השם לחסות תחת כנפיו: (יא) דור דור. דור. דור. לעלוקה. מי דור אביו יקלל ומלאתו לא רוחץ ד׳ דברים אלה דבקים בפי׳ עם ד׳ בנות והעד על זה דור אביו יקלל עין תלעג לאב לעלוקה כמו עוות וראוי להיות עקולה מן משפט מעוקל והיא תהפך כמו כשב כבש ירעף יערוף. ושתים ושלש. דרך אריכות. בנות. תולדות כלומר שהשם הולידם וכן בנותיו. והון. טעמו ממון. פ״א כמו רב לך הונך. ליקהת מן יקהת עמים וטעמו לחבור אם ופי׳ יש דור שאביו יקלל וראוי לכבדו: לא יברך. כי גמלתו וראויה לברכה ויש דור שהוא טהור ונכבד בעיניו. ומלואתו לא רוחץ כלומר ומי שלא יוכל לרחוץ את בשרו מלואתו ואיך ירחץ לבבו מרעתו ויחשוב שהוא טהור רמז למתגאי׳: (יד) חרבות. העשוקי׳ האביוני׳: (טו) לעלוקה.

## רלב״ג

ולא יתן להם הכבוד הראוי אך יקללם וכן הענין בזה המעיין עם התורה כי אלו היה נותן כבוד לדברי התורה היה מעמיק בהבנתם באופן ראוי וישמר בזה מהטעות בדבריה אך הוא מיקל בדברי התורה עם רוב הטובה שהיא משפעת לו במוסר ובדעות עד שהיא תגדל נפשו ותזונה מהמזונות אשר תקנה בהם החיים הנצחיים: (יב) דור טהור. ואמר ממשל על מי שנכנס בעיונו שוא ודבר כזב שהוא דומה אל הדור שהוא טהור בעיניו ולא רוחץ מטנוף והכלוך שיותר מגונה והיא הלואה שירגישו בעיפושה כל הקרובים אליו וכן הענין הזה כשוא כי השוא ודבר כזב אלא מזון הנפש הוא כמו הלואה אלא מזון הגוף כי הגוף יזון מהמזון והמותר שלא יאות ליזון ממנו היא הלואה והנפש תזון מהדעות יתקה האמת ותשליך השקר כי לא יאות להזון ממנו ואמר ממשל על מה שיתחכם יותר ויעיין במה שאין דרך אל השגתו שזה דומה לענין הדור שהוא עז פנים: (יג) דור שרמו עיניו ועפעפיו ינשאו בהפך מה שיעשה הביישן והיא מדה מגונה מאוד מביאה לחטאים גדולים וכן זאת התכונה מביאה בדעות בחטאים כמו שקדם: (יד) דור חרבות. ואמר ממשל על מי שיורש וגנב ותפש שם אלהיו שזה דומה אל הדור ששניו הם כמו חרבות לחתוך ולהשחית הדברים ומזונות מתלעותיו והם השינים הטוחנות הם לאכול עניים ולכלותם מן הארץ ולכלות אביונים ממין האדם וכן זה ישחית בזה כל עניני הדעות כי ישתבשו בקלות בדעותם החסרות ואולם החכמים לא יתכן שיזיקו בכמו אלו הדעות הנפסדות ואמר עוד ממשל על עולם אלו והשחתו בזה הדעת הנפסד רבים מחסרי הלב וזה תמיד לא ישבע כי ימלאו שתי בנות לעלוקה והיא התולעת הנקראת ארטוגים בלע״ז שהוא מוצץ הדם מן האדם לא ישבע עד שיתמלא ממנו מלוא נפלא ואחר יפול ויקיא הדם ואחר כן ישוב תמיד להתמלא בזה האופן לא ישבע וכל אחד מאלו השלש יאמרו הב הב לא השבענה: (טו) לעלוקה.

## מצודת דוד

(יא) דור וגו׳. מוסב למעלה לומר אפילו הדור פרוץ אשר יקלל אביו וגו׳ ופן תחבוב להלשין ביניהם למען יהיה חרב איש ברעהו ויאבדו בעונם על״ז הזהיר לך אל תלשן: לא יברך. לא יזכירה בלשון ברכה אלא בלשון קללה: (יב) דור טהור. אף אם הדור ההוא מחזיק עצמו לטהור ונקי מעון ועי״ז לא נרחץ מטנוף המעשים כי המחזיק עצמו לחוטא מהרהר פעם בתשובה ולא כן המחזיק עצמו לטהור: (יג) דור מה רמו. אף אם הדור ההוא מה מאד רמו עיניו וגו׳ ר״ל המה גסי הרוח: (יד) חרבות. אף אם הדור ההוא שיניו דומים לחרבות ומתלעותיו למאכלות לאכול בהם את העניים לכלותם מן הארץ ולהשחית את האביונים מבני אדם ר״ל אוכלים בכל פה ומשחיתים אביונים עד כי לא יחשבו מן בני אדם וגדלה א״כ רעתם עד מאד ואף אם כל אלה בהם על״ז אל תלשן ביניהם: (טו) לעלוקה. דימה בור הקבר לעלוקה כי מוצצת ושואפת כל הבריות אליה כדרך העלוקה המוצצת את הדם: שתי בנות. הם

## מצודת ציון

כמו עדרי לאן נאשמו (יואל א׳): (יב) ומצואתו. מלשון צואה וטנוף: (יג) רמו. גבהו: ועפעפיו. אישון העין: (יד) חרבות. מלשון חרב: ומאכלות. סכינים כמו ויקח את המאכלת (בראשית כ״ב): מתלעותיו. הם השינים הפנימים וכן מתלעות עול (איוב כ״ט): (טו) לעלוקה. היא תולעת הגדלה בנהרות המוצצת דם עד

*Mezudath David* explains that the grave is compared to a leech that sucks blood; so does the grave draw people to itself. It is as if to say that the righteous man should not think that Paradise is overcrowded and that he will have no room there, and the wicked man should not think that Gehinnom is overcrowded, and that he will find no room there.

11. A generation that curses its father and does not bless its mother. 12. A generation that is pure in its eyes, but is not cleansed of its filth. 13. A generation—how lofty are its eyes! And its eyelids are raised. 14. A generation whose teeth are [like] swords, and its molars are [like] knives, to devour the poor of the land and the needy of men. 15. The leech has

11. **A generation that curses its father**—Even if the generation is so profligate that people curse their fathers and you wish to report the sinners so that they should fight among themselves and perish for their sins, I still exhort you not to inform on a slave.—[*Mezudath David*] These verses may also be explained as the curse of the slave upon the informer. He calls him all these epithets enumerated in verses 11-14. It may also mean that some people possess very undesirable traits, from which a person should distance himself.—[*Ibn Nachmiash*] They curse their fathers because they disciplined them.—[*Ibn Nachmiash*]

**and does not bless its mother**—despite the fact that she bore him and suffered with him in pregnancy and childbirth, and she consoles him in his time of despair.—[*Ibn Nachmiash*] *Mezudath David* explains that he does not bless her but curses her.

12. **A generation that is pure, etc.**—One should not slander even a generation that is pure in its own eyes, and since it thinks itself pure, it does not cleanse itself of its filth. Only one who regards himself as a sinner repents of his sins, not one who thinks himself pure.—[*Mezudath David*]

13. **A generation—how lofty etc.**—*This refers to haughtiness.*—[*Rashi*]

14. **A generation whose teeth are [like] swords**—[These are] *the outer* [teeth].—[*Rashi*]

**and its molars**—*Its inner teeth.*—[*Rashi*]

**[like] knives**—Even if the generation is so bad that their teeth are like swords and their molars like knives to devour the poor, to destroy them from the earth, and they destroy the needy until they are not considered human—you may not slander them.—[*Mezudath David*]

15. **The leech has**—*Menachem* (*Machbereth* p. 134) *interprets* עֲלוּקָה *according to its apparent meaning. We learn that it is Arabic, but the commentators say that it is an expression of the grave and the descent. Indeed, we learn this in Midrash Psalms* (31:9), *which interprets the "two daughters" as Paradise and Gehinnom. This one says, "Give me righteous people!" and this one says, "Give me wicked people!"*—[*Rashi*] The apparent meaning is the leech, as in *Avodah Zarah* 12b. The evidence that it is Arabic is obscure. See *Shem Ephraim.*

שתי בנות הב הב שלוש הנה לא
תשבענה ארבע לא־אמרו הון׃
טז שאול ועצר רחם ארץ לא־שבעה
מים ואש לא־אמרה הון׃ יז עין תלעג
לאב ותבז ליקהת־אם יקרוה ערבי־

הב הב תלת אינון דלא
שבען וארבע דלא
אמרן מסתא׃ טז שיול
ואחדת רחמי וארעא
לא שבעא מיא ונורא
לא אמרה מסתא׃
יז עינא דמצריא לאב
ושיטא קשישותא
דאמא נחצוניה עורבי
דנחלא ויסמון יתיה בני

ת״א שלש הנה. ברכות יד: שאול. ברכות יד סנהדרין צב עקידה שם: עין תלעג. עקידה שם וש׳ אם (פאה טו קדושין פא):

ב׳ זעירא פתח באתנח פתח באתנח

## רש״י

ומורד וכן במדרש תהלים למדנו כן שפותר שתי בנות גן עדן וגיהנם זו אומרת תנו לי לדיקים וזו אומרת תנו לי רשעים: ארבע לא אמרו הון. הרבה יש לנו: (טז) ועוצר רחם. השמים: (יז) ליקהת אם. לקמטים הנקבצים ונקהין בפני אמו מל׳ יקהת עמים (בראשית מ״ט) קבוצת עמים והיו״ד יסוד כמו יפעת ויעלת חן: יקרוה. לשון תנקר נקרת הנור (שמות ל״ג. פורזי״ר בלע״ז. מקולקל בדפוס ל״ל כמו שפי׳ רש״י במדבר כ״ד י״ז איוב ל׳ י״ז פורי״ר בל״א באהרען גרהבען) יבוא העורב שהוא אכזרי על בניו ויקרוה ולא יאכלנה ולא יהנה בה ויבא נשר שהוא רחמני

## מנחה שי

(טו) הב הב. בי״ת דהב קדמאה זעירא וכן מסור עליו לית בי״ת זעירא: (יז) תלעג. במאריך התי״ו: ותבז ליקהת. היו״ד נחה והקו״ף

## אבן עזרא

כענין העקולים והעוותי׳ שעושין הד׳ דורות יש בנות ותולדות ד׳ אשר כם ידינם השם: (טז) שאול. שישליכו בו הדור המקלל וימותו בלא עתם כענין מקלל אביו ואמו מות יומת: ועוצר רחם. שיעצור הרחם פה הבטן ולא יולידו בעבור הדור שלא רוחץ מטומאת זנות ושלא יהיה לו בנים ולא יהיה לו זרע: וארץ לא שבעה מים. באין מטר ויבשו זרועים ויהיו מושפלים הגאים והרמים ברעב: ואש. היא היורדת מן השמים לאכול הדור האוכלים העניים ועושקים האביונים כאש שירדה עליהם בימי אליהו וכן ותצא אש מלפני ה׳ או האש רמז לחום המייבש כאש ולא ירד הגשם והזכיר האב והאם פעם שנית כי זה הדור הלועג והמקלל רע מהג׳ דורות ועין שתלעג לאב המיסר אותו ותבוז להכרת אם המיסרת אותו יהי הלל ויגהרו עיניו עורבי נחל שאין מרחמין על בניהן ולא יאסף לקבורה כי המכבד אותם

## רלב״ג

הב הב לא תשבענה ג׳ הנה אשר לא תשבענה וד׳ שלא אמרו הון די הון הא׳ היא שאול והיא ההיולי הראשון ודמהו אל המטה המוחלט להיות מלאותו החסר שבמציאות היסודיות והוא מבואר שלא ישבע בלבישתו הצורות א׳ אחר אחת וכן עוצר רחם והיא ההריון כי אז יעצור הזרע ברחם ויעצר פי רחם והוא לא ישבע מצד טבעו כי תמיד יבקש ההריון וכן הארץ לא שבעה מים לזון הצמחים כי אם ימטר עליה תצטרך אחר זה למטר וזה תמיד לא יכלה או ירצה בזה והוא יותר נכון כי תמיד יתהוו המים בבטנה לא יסורו מלהתהוות במקורותיה ואולם הד׳ היא היותר דומה לזה הענין המשל ולזה הבדילה מהשאר והיא האש שלא אמרה הון כל מה שיתמיד להמלא אלא מה שאפשר שיבער בו האש וכן הענין באלו הדעות הנפסדות אשר יקרו מפני הדלות בדעות כי הם לא יסורו מלהשחית האנשים כל מה שהתמיד להמלא חסר דעת יתכן שיטעה בהם: (יז) עין תלעג לאב. ואחר שהשלים זה המשל שב להמשיל שנית על הטועה בכוונות התורה מצד הקלות בה והוא אשר המשיל בדור אשר אביו קלל ואת אמו לא יברך ואמר כי עין הלב שתלעג לאב והיא התורה ותבוז לקבוץ האם והוא ג״כ דברי התורה שלא ייטיב העיון במה שיתחייב מדבר דבר מדבריה ומקבוץ דבריה והסדר שלהם קלתם עם קלת על ביהיה זה סבה אל שיטעה בכוונותיה יקבו העין ההוא העופות הדורסים הממהרים לבא אליה בקלות ר״ל שפתאום יבא אידו כמו

## מצודת ציון

כי נתמלא כל גופה וכד׳ רבותינו ז״ל סבלת עלוקה (ע״ז י״ב): הב. תן כמו הבה לי בנים (בראשית ל׳): הנה. הוא כמו המה לזכרים: הון. ענין די והרבה וכן יאמר על רבוי הממון: (טז) ועוצר רחם. מניעת ההריון וכן כי עצור עצר ה׳ בעד כל רחם (בראשית כ׳): (יז) ליקהת. ענין קבוץ ואסיפה כמו ולו יקהת עמים (שם מ״ט):

## מצודת דוד

גן עדן וגיהנם הגן עדן אומרת תן לי לדיקים והגיהנם אומרת תן לי רשעים. והוא ענין מליצה כאלו יאמר אל יחשוב הצדיק כי יצר לו המקום בגן עדן ואל יחשוב הרשע אשר הגיהנם כבר נתמלא מפה אל פה ולא ימצא לו מקום כי לא כן הוא. כי כל אחת מתאוות עוד על אנשים כי הנה לחבות ידים וכל אחד יבוא אל מקומו: שלש הנה. רלה לומר עם כי שלש הנה המשפטים הנראים אשר לא תשבענה מלשפוט שפוט ולא יקוצו במשפט עכ״ז יש עוד אחריהם הרביעית אשר תקח עוד משפט ומרבית מיני היסורין שבה לא יאמרו די לנו לעשות המשפט כי לא ירפו ידיהם ממנה: (טז) שאול. הוא הקבר אשר לא תשבע מפגרים מתים אשר ימותו בחוליים או באלאיהם לעיניהם: ועוצר רחם. כמה נמלא אשר נעצרה רחם האשה ולא תוליד בנים והמה הולכים ערירים: ארץ. רבות פעמים ירד הגשם בשיעור מועט ואין די בו להשביע למאת הארץ ובני אדם כלים ברעב והנה שלשה המשפטים הנה מתמידות: ואש. ר״ל אחר מות האדם נשפט הוא בעיני אש הגיהנם והיא שורפת והולכת כי לא תכבה ולא תאמר די: (יז) עין תלעג. העין המלעגת בלמיזתה על מוסר האב ומבזה לקבולי תוכחות האם וסדרי אמרי׳ כי דרך נשים לה: יקרוה. גנול פנסו הוא שהעורבים

*Tanhuma, Ekev* 2; *Tanhuma Buber, Ekev* 3]

*Ibn Nachmiash* associates this verse with verse 11, the generation that curses its father and mother. The other three generations enumerated grow progressively worse. The generation that curses its father and mother is very bad, but there is still hope for them because they may hearken to reproof. The generation that is pure in its own eyes is worse

two daughters, "Give" and "Give." There are three that are not sated, and four that do not say, "Enough!" 16. The grave, the confined womb, and the earth, which is not sated with water, and fire, which does not say, "Enough!" 17. The eye that mocks the father and despises the mother's wrinkles—may the ravens of the valley pick it out,

Indeed, they both yearn for occupants and call, "Give, give!"

**four that do not say, "Enough!"**—Heb. הוֹן, lit. wealth. *We have much* [wealth].—[*Rashi*] The meaning is that, although there are but three punishments that appear insatiable and will never tire of judgment, there is nevertheless a fourth one, which never says, "Enough!"—[*Mezudath David*]

16. **the confined womb**—*Sexual intercourse.*—[*Rashi*] In *Sanhedrin* 92a, *Rashi* elaborates that the entrance to the womb is short and narrow and is never sated with intercourse. *Rav Saadiah Gaon* explains that all these insatiable things are compared to the leech, which sucks blood from both ends. So is the grave never sated with the dead, the female genitalia with intercourse, the earth with water, and fire with wood to burn. Since the four generations are mentioned in verses 11-14, these four insatiables are mentioned here.

*Mezudath David* explains that these four are judgments which appear insatiable: The grave often takes young people or children during the lifetime of the parents; the barren womb longs for children but is often deprived of them; the earth sometimes is deprived of enough water to sate it, when there is sparse rainfall; and fire represents the torments of Gehinnom—it continues to burn, for no one extinguishes it, and it does not say, "Enough!"

17. **The eye that mocks**—The eye that mocks the father's discipline with its winks.—[*Mezudath David*]

**the mother's wrinkles**—Heb. לִיקְּהַת, *the wrinkles that gather* (נִקְהִין) *in his mother's face, from the expression of* (Gen. 49:10): *"a gathering* (יִקְּהַת) *of peoples." The "yud" is a radical, like* יִפְעַת, *splendor;* (יַעֲלַת חֵן) (Prov. 5:19), *a graceful mountain goat.*—[*Rashi*] [The "yud" is not a prefix denoting the future tense, but a radical, the first letter of the root.]

**pick it out**—Heb. יִקְּרוּהָ, *an expression of* (Num. 16:14): *"will you pick* (תְּנַקֵּר)*";* (Ex. 33:22) *"In the cleft* (בְּנִקְרַת) *of the rock." Forer in French, to bore through. Let the raven, which is cruel to its young, come and pick it and not eat it and not derive benefit from it, and let the eagle, which is compassionate with its young, come and eat it and derive benefit from it. The raven is cruel, as it is stated:* (Ps. 147:9): *"to the young ravens which cry," and the eagle is compassionate, as it is stated* (Deut. 32:11): *"It bears its young on its wing."*—[*Rashi* from

נחל ויאכלוה בני-נשר: יח שלשה
המה נפלאו ממני וארבע לא
ידעתים: יט דרך הנשר בשמים דרך
נחש עלי-צור דרך-אניה בלב-ים
ודרך גבר בעלמה: כ כן דרך אשה
מנאפת אכלה ומחתה פיה ואמרה

נשרא: יח תלת אינון
דגניזן מני וארבע דלא
ידעית אינון: יט ארחא
דנשרא בשמיא
ואורחיה דחויא על
שועא ואורחא דאלפא
בלביה דימא וארחא
דגברא בעולמתא:
כ היכנא ארחא דאתתא
גירתא אכלא ומכפרה
פומה ואמרה לא עבדית

ת"א שלשה המה. עקידה שער ט':
כל הפרשה: דרך הנשר. חולין קלט: דרך חויה. שבת פג: ודרך גבר. קדושין ב': כן דרך. שם: אכלה ומחתה. יומא עה כתובות יג סה:

## רש"י

על בניו ויאכלנה ויהנה בה. העורב אכזרי הוא כמו שנא' (תהלים קמ"ז) לבני עורב אשר יקראו והנשר רחמני שנא' ישאהו על אברתו (דברים ל"ב): (יח) נפלאו ממני. נכסו משחלפו מעיני ואיני יודע להיכן הלכו שממהרין להסתר מן העין: (כ) ומחתה. כופה פיה שלמטה כדכתיב כאשר ימחה הצלחת מחה והפך על פניה (מ"ב כ"א):

## אבן עזרא

יאריכון ימיו: (יז) בני נשר. שירחמו על אבותם ובניהם: (יח) שלשה. דרך. כן. ג' דבקים: נפלאו. נעלמו: (כ) ומחתה. מן מחיתי כעב. וכן הפי' ד' הם שנפלאו ממני ולא ידעתי אות' בחכמתי. הנשר לא אדע איך הוא מעופף ברקיע באויר השמים והוא לא ידע אנה ינוח על הארץ. ודרך נחש איך יתכן ללכת על סלע בלי רגלים ואינו יודע באיזה מקום יוכל לנוח: ודרך אניה בלב ים. המסתכנת לעבור בלב ים ולא תדע לאי זה מחוז יוליכנה הרוח: בעלמה. בזנותו עמה שלא יירא מהשם בעברו על מצות לא תנאף ולא יתבונן סופו. ג"כ דרך אשה מנאפת למה לא תירא מהשם כי הנשים בכלל האנשים וכאשר אכלה ומחתה מאכל מפיה כדי שלא תדע שאכלה כן תזנה ותכחש ואמרה

## מנחת שי

דגושה: ויאכלוה. בגעיא הוא"ו: (יח) וארבע. וארבעה קרי: (יט) אניה. האל"ף בחטף קמץ ברוב הספרים: (כ) ומחתה פיה. הפ"א רפה:

## רלב"ג

שהעיר באמרו פן יקללך ואשמת אמר ממשל על זה הענין מהסתכל בדברי התורה עד שיטעה בדברים שלא ירגש בתורה אי זה הדרך עבר בה שהובילוהו אל זה הטעות: (יח) ג' המה נפלאו ממני דרכיהם ואינם משאירים רושם בדרך ההוא. וד' הם שלא ידעתים והנה הד' יהיה ממנו רושם מגונה ואם לא נודע והראשון הוא דרך הנשר באויר שלא יוכר באויר רושם מהדרך ההוא ודרכו לטרוף טרף. והשני הוא דרך נחש עלי צור ולא יוכר בסלע ההוא דרכו אשר דרך בה אך תכלית דרכו להשחית ולהזיק כמנהג הנחש. והשלישי הוא דרך אניה בלב ים שלא יודע אי זה דרך עברה האניה שטבעה בים. והרביעי הוא דרך גבר בעלמה שהיא בעולה שלא יוכר בה אך הוא הפחות מעלת הדרך ההוא בזה המשגל המגונה עד שתשוב זאת העלמה מגונה בעיניו אשר היתה חביבה ויקרה בעיניו וכן הענין במי שדרך בחקירותיו בדברי התורה זה מנהג החסר כי הוא ימלא בהם בזה האופן המגונה דברים מגונים תשוב להיות אלו מגונה תחת אשר היתה יקרה: (כ) כן דרך אשה. ולזה המשיל זאת העלמה לאשה מנאפת והיא ג"כ דרכה שתנאף ותקנח הערוה ואמרה לא פעלתי און

## מצודת דוד

שמלויים אלל הנהל המה ינקרו העין. יבוא העורב האכזרי שנאמר לבני עורב אשר יקראו (תהלים קמ"ז) ויפדע כמי שהראה אכזריות להלעיג אל האב והאם. אולם המה לא יאכלו את העין כי אכזרים המה ולא יהנו מן האכזר: ויאכלוה. בני הנשר הרחמנים שנאמר כנשר יעיר קנו וגו' (דברים ל"ב) הם יאכלו את העין ויהנו מן האכזר: (יח) שלשה המה. ר"ל כמו שאלה השלשה המה נפלאו ונעלמו ממני לבלי לדעת דרך מהלכם אחר שהלכו כן דבר הרביעי לא ידעתי אותו להכיר הדבר אחר שנעשה: (יט) דרך הנשר. הדרך שהלך בו הנשר כאשר פרח לגד אויר השמים אין לדעת אותו כי פרח באויר ואין הדרך ניכר: דרך נחש. הדרך שהלך בו הנחש על הסלע אין לדעת אותו כי אין מדרך הרגל ניכר על הסלע אף כי הנחש הולך על גחון ועקבותיה לא נודעו: דרך אניה. הדרך שהלכה בו הספינה בתוך חוזק עומק הים אין לדעת אותו כי מיד כשהלך ממקום מהלכה ישובו המים לאיתנם ולא יוכר: ודרך גבר. ויבוא להם דבר הרביעי והוא דרך לנאוף גבר בעלמה רלה לומר בבעולה שלאחר המעשה לא יוכר הדבר גם בשניהם בנואף ונואפת מה שאין כן בבתולה כי יוכר בה בהסר' בתולי': (כ) כן דרך. ר"ל כי כן הוא הדרך של האשה המנאפת מסתרת זנותה ומקנחת פיה של מטה אחר הזנות ותכחש לומר לא פעלתי און הואיל ואין מי

## מצודת ציון

יקרוה. ענין נקיבה כמו וינקרו את עיניו (שופטים ט"ז): (יח) נפלאו. ענין העלמה כמו כי יפלא ממך (דברים י"ז): (יט) בלב ים. חוזק הדבר נקרא לב וכן לב השמים (שם ד') והוא מושאל מלב בעל חי שהוא חזקו: ודרך. הבעילה תקרא בשם דרך כן אמרו רבותינו ז"ל (קידושין ב'): בעלמה. הרלה בשנים תקרא עלמה ועם היא בעולה כמו הנה העלמה הרה (ישעיה ז'): (כ) ומחתה. מלשון

adulterous woman; she conceals her adultery.—[*Mezudath David*] *Ibn Ezra* explains: Just as the man conceals his sin, so does the adulterous woman—for the women are included among the adulterous persons—and just as one eats and wipes his mouth so that no one should recognize that he ate, so does the adulteress deny her sin and claim that she has not sinned. Therefore, one must beware of her.

**and [she] wipes**—Heb. וּמָחֲתָה, *she turns over her lower orifice, as it is*

and the young eagles devour it. 18. There are three things that
are concealed from me, and four that I do not know: 19. The
way of the eagle in the heavens, the way of a serpent on a rock,
the way of a ship in the heart of the sea, and the way of a man
with a young woman. 20. So is the way of an adulterous
woman; she eats and wipes her mouth, and she says,

because they do not hearken to reproof. The generation whose eyes are raised is worse still, as haughtiness is a very serious sin, to the extent that the Sages regard a haughty person as tantamount to one who denies God's existence. The generation whose teeth are like swords is even worse, because this includes all kinds of evil behavior. Scripture states here that even the mildest of the four generations deserves to have the ravens of the valley pick out its eyes and the young eagles devour them—how much more do the other evil generations deserve it!

18. **are concealed from me**—*They are covered after they passed from my eyes, and I do not know where they went, because they hasten to hide from the eye.*—[*Rashi*] There is no trace of their path after they have left.—[*Mezudath David*]

**and four that I do not know**—There is a fourth one that I do not know.—[*Ibn Nachmiash*]

19. **The way of the eagle in the heavens**—The way the eagle flew is undetectable, because it flies in the air, where it leaves no trace.—[*Mezudath David*]

**the way of a serpent on a rock**—The way a serpent crawled on a rock is undetectable because no marks are made on a rock, especially by a serpent, which crawls on its belly.—[*Mezudath David*]

**the way of a ship in the heart of the sea**—The way a ship sailed in deep water is not discernible because as soon as the ship passes by, the water returns to its place.—[*Mezudath David*]

**and the way of a man with a young woman**—He compares them to the way of a man with a young woman, i.e. an adulterous union with a non-virgin. Because she was already deflowered, this union is indiscernible. With a virgin, however, the adultery can be detected, because she has lost her virginity.—[*Mezudath David*]

*Ibn Ezra* explains that the author remarks that he cannot fathom how these four things take place: How the eagle flies so high in the air with no place to rest; how the serpent crawls on the rock without legs to grasp it; how the ship sails on the sea, not knowing where the wind will lead it; and how a man commits adultery with a young woman and does not fear the Lord, Whose commandment he desecrates.

20. **So is the way of an adulterous woman, etc.**—For so is the way of an

לֹא־פָעַלְתִּי אָוֶן׃ כא תַּחַת שָׁלוֹשׁ רָגְזָה
אֶרֶץ וְתַחַת אַרְבַּע לֹא־תוּכַל שְׂאֵת׃
כב תַּחַת עֶבֶד כִּי יִמְלוֹךְ וְנָבָל כִּי יִשְׂבַּע־
לָחֶם׃ כג תַּחַת שְׂנוּאָה כִּי תִבָּעֵל
וְשִׁפְחָה כִּי־תִירַשׁ גְּבִרְתָּהּ׃ כד אַרְבָּעָה
הֵם קְטַנֵּי־אָרֶץ וְהֵמָּה חֲכָמִים מְחֻכָּמִים׃
כה הַנְּמָלִים עַם לֹא־עָז וַיָּכִינוּ בַקַּיִץ
לַחְמָם

מִדַּעַם רְעָתָא׃ כא תְּחוֹת
תְּלָת רוּגְזָא אַרְעָא
ותְחוֹת אַרְבַּע לָא יָכְלָא
לְמִסְבְּרָא׃ כב תְּחוֹת
עַבְדָּא כַּד נִמְלוֹךְ
וְטַפְשָׁא דִישְׂבַּע לַחְמָא׃
כג תְּחוֹת שְׂנוּאַתָא
דְהָוְיָא לְגַבְרָא וְאַמְתָא
דִי יָרְתָא לְרִבּוֹנְתָהּ׃
כד אַרְבְּעָא אִנּוּן דִזְעִירִין
בְּאַרְעָא וְהִנּוּן חַכִּימִין
וּמְחַכְּמִין׃ כה שׁוּמְשְׁמָנֵי
לָא עֲשִׁין עַמְהוֹן וּמִתַּקְנִין
בְּקַיְטָא מֵיכַלְהוֹן׃

ת"א תחת שלש. זוהר והאזינו עקידה שער סז: ארבעה. עקידה שער עא: סגול באתנח

## מנחת שי / אבן עזרא

(כד) ארבעה הם. לית מלעיל ומנה בסוף מסורה גדולה בביטא לא פעלתי און והאדם ראוי להשמר ממנה. פ"א דרך הנשר שלא יעזוב אחריו דרך שיראה אדם מאין עבר וכן כלם אשה מנאפת יכול בעלה מכסה דבר. בשתים ואחר בשלש ואחר בארבע: (כא) תחת. בעבור רגז הארץ רמז לעם הארץ: (כב) תחת עבד. שהמליכו השם עליהם בעבור חטאתם ואינו מרחם על משלו ירגזו העם. ונבל בהיות שבע ומוכל בעבור פשעם. ותחת אשה כאשר היא בעולה כי תשנא את שונאיה שמאסוה ולא יכילוה על כן יפחדו ויתכן שנבעלה בעבור עין שונאיה. ושפחה. שהיא יורשת גבירתה ומושלת עליה בגלל פשע הגברת ע"כ ראוי לאדם להשמר מעון ולא ימשלו הנבזים על הנכבדים: (כד) ארבעה. חמשה פסוקי׳ דבקים: קטני. קטנים מן הנבראים בארץ: מחוכמים. והשם החכימם לעשות כן: (כה) לא עז. שאין כח בהם:

## רלב"ג

ואמר עוד ממשל על מי שיכנס שוא וכזב בעיונו: (כא) תחת ג׳. כי תחת שלש הרדה ותחת ד׳ לא תוכל לסבול. הא׳ הוא תחת עבד כי ימלוך כי אינו ראוי למלוך כמו שאין ראוי למלוך הכזב והשוא ויגיע אל השכל חק ראוי שידחה ויוסר ויגיע אל השכל האמת לבדו והנה השקר הוא כמו עבד ומשרת למלאת האמת. והב׳ הוא תחת האיש הנבל המרדף חברת הריקים כי ישבע לחם כי אינו ראוי לכך כי דרכו זאת ראוי שתביאהו אל הדלות והעוני עד שיחסר לו לחם ושמלה כאמרו ומרדף ריקים ישבע ריש מפני שאינו עוסק בישובו של עולם וכן הענין בשוא ודבר כזב שאינו מישובו של עולם אבל הם דברים בלתי נמצאים. והשלישי תחת שנואה כי תבעל כי אין ראוי שיתחבר האדם אל האשה שהיא שנואה לו וכן הענין בשבור שוא ודבר כזב אל השכל כי הם שנואים אל השכל. והד׳ תחת שפחה כי תירש גבירתה ותשוב הגבירה משרתת לה כן הענין בשוא ודבר כזב עם השכל כי הדעת הכוזבת היא כמו שפחה ומשרתת אל האמתית כמו שזכרנו והיה ראוי שינהל בשכל הדעת האמיתית ושפחתה תוליאנה מהחברה עם השכל בכאן כפס׳ אחר לשכל בשוא ודבר כזב ועליו ידמה גם כן שאמר ושפחה כי תירש גבירתה והוא שכבר ביארנו בראשון מספר מלחמות ה׳ שאלה. חביה לשכל במושכלות הרבות אבל השיג מהלד שהם כו אחד ויקרה מהתערב המושכל הכוזב במושכלות האמתיות שתהיה לורת האחדות המגעת מכללות המושכלות דבר שאינו כן ויפסיד בזה זאת ההצלחה הנפלאה המגעת לו מהמושכלות במה שהם אחת וזה עיון נפלא מאד ועמוק והוא מבואר מאד ממה שביארנו מאלו העמוקות בא׳ מספר מלחמות ה׳ ואמר עוד ממשל על העשיר בדעת שיתחכם יותר שני מבלים במשל הראשון באר בהחכמה היא ממה שראוי שילאה אליו הקוטן: (כד) ואמר שארבעה הם קטני ארץ והם חכמים מחוכמים ביאור על שאר הבעלי חיים להורות כי החכם לריך שיהיה קטן בעיניו ולזה ראוי שיירא מחקור בדברים הגדולים אשר אין דרך לו להשגתם ובזה ישמר מהסריסה להתחכם יותר מהראוי לו כי יכיר

## מצודת ציון

מחיה וקנוח כמו מחה והסך על פניה (מ"ב כא): (כא) רגזה. חרד׳: שאת. מל׳ משא וסבל: (כב) ונבל. איש פחות ונבזה: (כג) גבירתה. האדונית שלה: (כה) הנמלים. שם בריה קטנה: עם. יאמר כן כדרך השאלה וכן

## מצודת דוד

מכיר ואחז במשל כאלו אכלה דבר מה ומקנחת פיה לבל יהיה נראה אם אכלה. וכאלו יגנה אותם לומר הלא על כי ידמו בדבר ההסתר אל שלשת האלה מגלה לבם לעשות מעשיהם והנה מה׳ לא יראו עם כי אין כל דבר נעלם ממנו: (כא) תחת. בעבור שלשה דברים ירגזו יושבי הארץ ובעבור הרביעי לא תוכל לסבול הרוגז והחרדה כי רב הוא: (כב) תחת עבד. האחד הוא בעבור העבד כאשר ימלוך. כי לא ידע תכסיסי המלוכה ובשגעון ינהג: ונבל. השנית כאשר הנבל ישבע לחם כי רבים לומדים ממעשיו באמרם הלא לא יחסר לחמו ובעבור זה יתרבה הרוגז והחרדה: (כג) תחת שנואה. השלישית הוא בעבור אשה השנואה במעשיה זונה מנאפת כאשר תנשא לבעל כי אז תוכל לתלות הריונה בבעלה ותרבה לפתות אנשים לזנות עמה ובעבור זה יתרבה הרוגז והחרדה: ושפחה. הרביעית היא כאשר שפחה יורשת ממשלת גברתה ותשוב הגברת משרתת לה ובעבור פחיתות מעלתה וסכלות דעתה לא תשכיל לכבד את מי הראוי לכבוד ויתרבה החרדה עד למאוד כי זהו דבר קשה יותר מכולם ואף מעבד כי ימלוך הואיל והיא אשה קלה דעתה ובל ידעה מה: (כד) קטני ארץ. בריות קטנות אשר בארץ: מחכמים. רלה לומר עם כי המה קטני ארץ ואין הכמה גדולה ראוי להם לפי לורך השגת די מזונם מכל מקום המה מחוכמים מה׳ בהשגחה פרטית למען ילמדו דעת את העם: (כה) ויכינו. עם כל חולשתם יתחזקו להכין מאכלם בעת הקין עת מלוא התבואה בשדה ולהטמין על ימות החורף והמה מלמדים דעת את העצלנים

smallest creatures on earth, and they do not require great wisdom to obtain their sustenance, God granted them wisdom so that people should learn lessons from them.—[*Mezudath David*]

25. **yet they prepare**—Despite their weakness, they exert them-

"I have committed no sin." 21. Under three things the earth quakes, and under four it cannot endure: 22. Under a slave who rules and a wretch who is sated with food; 23. under a hated woman who is married, and a maidservant who inherits her mistress. 24. There are four small creatures on the earth, yet they are exceedingly wise: 25. The ants are a people not strong, yet they prepare their food in summer.

*written* (II Kings 21:13): *"as one wipes* (יִמְחֶה) *a dish, he wipes* (מָחָה) *and turns it upside down."*—[*Rashi*]

**she eats**—*Scripture speaks euphemistically.*—[*Rashi*] [*Rashi's* commentary is very obscure. Perhaps he means that she changes her position to conceal the fact that she was engaged in adultery. However, the proof from the verse in Kings is indeed perplexing because the word יִמְחֶה means "he wipes," not "he turns over," which is mentioned further in the verse. See *Rashi* ad loc. Other editions read: "she turns its mouth over." This may mean that she turns over the plate on its opening to conceal the fact that she has eaten. The second difficulty, however, applies to this reading as well. We have therefore followed the explanation of all other commentators.]

21. **Under three things the earth quakes, etc.**—Because of three things the inhabitants of the earth shudder, and because of the fourth they cannot endure the quaking and shuddering, because it is so great.—[*Mezudath David*]

22. **Under a slave who rules**—When God enables a slave to rule over the land as punishment for the people's sins, and he shows no compassion for his subjects.—[*Ibn Ezra*] The people are upset because the slave is unfamiliar with the tactics of governing.—[*Mezudath David*]

**and a wretch who is sated with food**—and rules over the people as punishment for their sin.—[*Ibn Ezra*] When the wretch has plenty to eat, people learn from his deeds, since despite his low character, he has plenty to eat.—[*Mezudath David*]

23. **under a hated woman who is married**—A woman who is guilty of performing hated deeds, such as adultery, who becomes the wife of an influential man, thus frightening those who hate her.—[*Ibn Ezra, Ibn Nachmiash*] She may have been granted this position because of the sins of those who hate her.—[*Ibn Ezra*]

**and a maidservant who inherits her mistress**—and rules over her because of her sins. Therefore, people must beware of sin so that these low people will not rule over them.—[*Ibn Ezra*]

24. **yet they are exceedingly wise**—Although they are some of the

לֶחְמָם׃ כו שְׁפַנִּים עַם לֹא־עָצוּם וַיָּשִׂימוּ
בַסֶּלַע בֵּיתָם׃ כז מֶלֶךְ אֵין לָאַרְבֶּה
וַיֵּצֵא חֹצֵץ כֻּלּוֹ׃ כח שְׂמָמִית בְּיָדַיִם
תְּתַפֵּשׂ וְהִיא בְּהֵיכְלֵי מֶלֶךְ׃ כט שְׁלֹשָׁה
הֵמָּה מֵיטִיבֵי צָעַד וְאַרְבָּעָה מֵיטִבֵי
לָכֶת׃ ל לַיִשׁ גִּבּוֹר בַּבְּהֵמָה וְלֹא־יָשׁוּב

ט וְחַנְסֵי דְעַמְהוֹן לָא
תַּקִּיף וְעָבְדִין לְהוֹן
בֵּיתָא בְּקַתְרִין׃ כז וְקַמְצֵי
דְמַלְכָּא לֵית לְהוֹן
וּמִתְכַּנְשִׁין כֻּלְּהוֹן כַּחֲדָא׃
כח וְאַקְמְתָא דִמְסַכְּכָא
בִּידָהָא וְעָמְדָא בְּבֵיתָא
דְמַלְכֵי׃ כט תְּלָתָא אִנוּן
דְשַׁפִּירָן הֲלִיכָתְהוֹן
וְאַרְבְּעָא דְשַׁפִּיר
מְהַלְּכִין׃ ל אַרְיָא גְּבַר
בִּבְעִירָא וְלָא הָפִיךְ מִן

### רש"י

כצ"ל

אבלה. לשון נקיה דבר הכתוב: (כח) שממית. ארניי"א בלע"ז. נ"ל ארייני"א כמו בתהלים ק"מ ד' בל"א איינע ספינגע): בידים תתפש. בידה היא אוחזת ומתדבקת בכותלים: (כט) מטיבי צעד. הולכי' ומצליחים בגבורתם:

מפני

### אבן עזרא

ויכינו. מאכלם כפי יכלתם: (כו) לא עצום. טעמו רב כמו וירבו ויעצמו. בסלע ביתם. להסתר שם: (כז) חוצץ. פועל עומד כמו יורד כמו חדשיו חוצצו כלומר נקבצו ונאספו כענין כי מלאו ימי וכן ויצא חוצץ יצא מאוסף ומקובץ כענין אסף החסיל. פ"א מן חצצון תמר: (כח) שממית. שם חיה ויתכן שהיא החיה הנמשלת לאדם בצורה ובדמות והטעם שהי' חיה בידיה תתפש כלומר שתופשת מה שיתנו לה היא נמצא בהיכלי מלך בעבור חכמתה ואלה הד' הם מחוכמים והנוצר ראוי ללמוד מהם דרך ארץ: (כט) שלשה. ה' דבקים. ג' וד' דרך אריכות. לעד ולכת כפל כלומר שהולכים בנחת: (ל) ליש. מטיב לכת בעבור שהוא גבור ואינו מפחד מבהמה

### מנחת שי

חדא דכל חד וחד מלעיל ולית דכוותיה: (כח) שממית. בספרים כתובי יד מדויקים בשי"ן שמאלית וכן כתב בהדיא בעל מאיר נתיב ובעל הלשון ואף הביאו בשרש בסני עלמו לפי שאינו בשרש האחר שהביא בשי"ן ימנית: (כט) מיטבי לכת. בספרים מדוייקים מלא יו"ד בתר מ"ם וחסר יו"ד בתר טי"ת וכן דינו מכח מסורת

### רלב"ג

שפלותו ושפעתו קלרה להשיג זה הראשון הם הנמלים שהם עם לא עז ביחס אל שאר ב"ח ואע"פ שהם תקיפים ביחס גודל גופם כי הם נושאים בפיהם כפלים רבים ממשקלם והם מתחכמים להמציא הלכיך להם מזון בקין והוא העת אשר ימלא בו לחם וזה ממה שייעיר החכם שלא ישתדל בחקירה כי אם בעת שיתכן שימלא לו כל שכן שאין ראוי שיתחיל בחקירה שלא יתכן שתמלא בעת מהעתים וכבר זכר שלמה במה שקדם אופן חכמת הנמלים במה שיכינו בקין לחמם כאמרו לך אל נמלה עלל השני הם שפנים שהם עם לא עלום ובחרו לשום בסלע ביתם ובמקום חזק משכנם וזאת גם כן הערה שלא יעמיק אדם לחקור רק במה שיש לו תוקף וחכמה להשיג אמתתו לא במה שיהיה מרמס לכל הולך יבא ויהלוך עליו כי אין לו טענה ראויה ידחהו בה מעליו: (כז) מלך אין לארבה. הארבה אין לו מלך שיעמיד בהסכמה אחת והוא יוצא כלו בעת מוגבל אשר יתכן לו לכרות עשבי התבואות להיותם לו למזון וזה ג"כ הערה לחכם שלא ישתדל לחקור במושכלות רק בעת הראוי ובשיעור שנוכל עליהם: (כח) שממית. והוא העכביש היא ג"כ בריה קטנה ובחכמתה תעשה בידיה יריעה הוא כמו רשת תתפש בה הזבובים והדבורים וזולתם מהב"ח אשר יתכן שיתפשו בה כי בזה תשיג מזונה כמו שנזכר בספר ב"ח והיא באה ג"כ בהיכלי מלך ומשם חסרה אוכל לה. וזה ג"כ הערה לחכם שלא יירא מחקור בדברים הגדולים אשר אפשר לו לעמוד על אמתתם כמו השממית דרך משל לא תירא מלבא בהיכלי המלך אחר שכבר תוכל להשיג משם די טרפה ואפשר שנאמר כי אמרו בהיכלי מלך הוא לבאר כי עם

### מצודת דוד

להכין די מחסורם בעוד היות לאל ידם: (כו) וישימו. עם כל חולשתם יתחזקו לעשות לעצמם מקום מדור בתוך הסלע כי יחפרו בו מעט מעט עד כי יכחיבו מקום לשבת והמה מלמדים דעת את העם לבל יעזבו חכמת התורה על כי ארוכה מארץ מדה אלא ישנה מעט מעט עד כי יגמור את כולה: (כז) מלך אין לארבה. להנהיגם יחד באסיפה אחת כדרך הנהגת המלך ועל כל זה בוחרים מעצמם ללכת יחד באסיפה אחת ולא יפרדו אלה מאלה והאסיפה היא להם רב התועלת כי אם הלכו יחידים היו בני אדם לדים אותם אבל כשהם יחד רבי המספר כולם חדלים מהם הואיל ואי אפשר ללוד את כולם וילמדו דעת את העם אשר אף אם לא מלאו מנהיג להיות מתאחדים על ידו בהסכמה אחת מכל מקום הם מעצמם יתאחדו ואיש את אחיו יעזורו: (כח) בידים. במעשה ידים תלכד די מחסורה כי אורגת כעין יריעות והזבובים נסבכים ונלכדים בהם והמה לה למאכל ואף כי היא בהיכלי מלך מקום נמצא שם הרבה מטעמים מכל מקום תבחר לאכול ממעשה ידים ותלמד דעת להיות האדם נזון מיגיע כפיו ולא להנות משל אחרים: (כט) שלשה המה. כמו שאלו השלשה המה צועדים והולכים בטוב ר"ל בבטחון והצלחה כן הרביעי הוא מן המטיבים ללכת ודומה להם בבטחון והצלחה: (ל) ליש. האריה הגבור שבכל הבהמות והחיות כי חיה בכלל בהמה שנאמר זאת הבהמה וגו' איל לבי ויחמור (דברים י"ד): ולא

### מצודת ציון

עדת דבורים (שופטים י"ד): (כו) שפנים. שם בריה מה: עצום. חזק: (כז) חצץ. מאוסף ומקובץ וכן נקרא אסיפת אבנים קטנים כמ"ש ויגרס בחצץ (איכה ג'): (כח) שממית. היא עכביש: תתפש. מלשון תפישה ולכידה: (כט) צעד. ענין הלוך ופסיעות כמו כי צעדו (שמואל ב' ו'): (ל) ליש. שם משמות האריה וכן ליש

*They walk and succeed with their might.*—[*Rashi*] The first three mentioned below are outstanding in their step, insofar as they walk with confidence and success; so is the fourth one considered outstanding in its walk as it resembles them in that respect.—[*Mezudath David*] *Ibn Ezra* explains that these four creatures walk slowly because of their confidence.

30. **The lion**—is outstanding in his step because he is mighty and unafraid of all beasts, such as other

26. The hyraxes are a people not strong, yet they make their home in the rock. 27. The locusts have no king, yet they all go out in a troop. 28. The spider grasps with [her] hands, and she is in a king's palaces. 29. Three are outstanding in their step, and four are outstanding in their walk: 30. The lion is the mightiest of the beasts, who is undaunted

selves to prepare their food during the summer, when grain is available to lay away for the winter, when no food can be found. They teach lazy people to be industrious and to prepare for their needs while they can.—[*Mezudath David*] Although ants do this instinctively, which humans do not, the intelligence of a human being is highly superior to the instincts of the lower creatures, and what the four tiny creatures of the earth do through instinct can surely be done by human beings through their intelligence.—[*Rav Saadiah Gaon*]

26. **The hyraxes**—Heb. הַשְׁפַנִּים, a small, harelike creature that lives in the crags in the rocks. It is mentioned in Leviticus 11:5 as one of the animals prohibited for consumption because it has no cloven hooves. It is also mentioned in Psalms 104:18, described as in our verse, taking shelter in the rocks. This translation is based on the Septuagint and the Vulgate. See Kaplan, *The Living Torah*, Leviticus 11:5; Feliks, *Nature and Man in the Bible*, pp. 223f.; *Daath Mikra* to our verse. Some identify שָׁפָן with the rabbit. Cf. *Ibn Nachmiash*, Hirsch's translation of the Pentateuch.

**yet they make their home in the rock**—The hyraxes dig in the rock without implements of iron or of any other metal. They teach the people to persevere in the study of the Torah, not to give up, but to persist in learning the Torah little by little until the entire Torah has been completed.—[*Rav Saadiah Gaon, Mezudath David*] *Ibn Ezra* explains that they have an instinct for making their home in the rock, where they can take refuge from predators.

27. **The locusts have no king**—to lead them in one group as a king leads his people. Nevertheless, they choose by themselves to travel in one group. They teach the people that even if they have no leader to unite them, they themselves should unite.—[*Mezudath David*]

28. **The spider**—*Érinée in Old French.* [Araignée in modern French.]—[*Rashi*]

**grasps with [her] hands**—*With her hands, she grasps and clings to the walls.*—[*Rashi*] *Mezudath David* explains that with her handiwork, she sustains herself: by spinning a web, she preys on flies and other insects with no further effort, as they become entangled in the web. Even if she is in the king's palaces, she chooses to eat the food obtained through her own diligence rather than feast on the delicacies of others.*

29. **outstanding in their step**—

מִפְּנֵי־כֹל׃ לא זַרְזִיר מָתְנַיִם אוֹ־תָיִשׁ
וּמֶלֶךְ אַלְקוּם עִמּוֹ׃ לב אִם־נָבַלְתָּ

ת"א זרזיר. סנהדרין פב (ר"ה ט) : אם נבלת. ברכות סד נדה כו (יבמות יג) :

בהתנשא

כָּל מְרָעֵם׃ לא וְאַכְּבָא דְמִזְדָּרֵז בֵּינָת הַרְגְּוֹלֵי וְתַיְשָׁא דְאָזֵל בֵּית גִּיוֹרָא וּמַלְכָּא דְקָאֵם וּמְמַלֵּל בֵּית עַמְמֵיהּ׃ לב לָא

## רש"י

(לא) זרזיר מתנים או תיש. לא ידעתי מהו ולפי המשמע הוא חיה תשובה מתנים: **ומלך אלקום.** לא ידעתי מה הוא לפי פשוטו. ומדרש אגדה פותרין חמש פרשיות אלו של ארבע דברים כנגד ד' מלכיות לפי שנתאמלה ממשלתן על ישראל בעון שעברו על המשה חומשי תורה הזכירם המשה פעמים: **שאול ועוצר רחם.** שאול מלכות בבל שנאמר בנבוכדנצר הרחיב כשאול נפשו (חבקוק ב') ועוצר רחם זו היא מדי שבימיהם עצרו רחמים מישראל שנא' להשמיד ולהרוג ולאבד (אסתר ג'): **ארץ לא שבעה מים.** זו יון שלא שבעה מלגזור גזירות על ישראל: **ואש לא אמרה הון.** כנגד עשו שעשה בחמה בוערת על ישראל שאמר להשמיד טף ונשים ביום אחד. וכן: **דרך הנשר.** זו בבל הנשר הגדול ארך האבר: **נחש.** זו מדי: **דרך אניה בלב ים.** זו יון שהיא קלה בגזרותיה: **ודרך גבר בעלמה.** זו אדום שהיא אמרה לעולם אהיה גברת: **כן דרך אשה מנאפה.** זו הרעה גרמה להם לכנסת ישראל שנאפה בע"ז וכדי הוא הפורעניות לבא לה: **ואמרה לא פעלתי און.** כדאמר הנני נשפט אותך על אומרך לא חטאתי. ע"כ לשון רש"י שבמק"ג): **רגזה ארץ.** א"י: **תחת עבד.** זה נבוכדנצר שהיה עבד למרודך בלאדן וכותב אגרותיו כדגרסינן בחולין: **ונבל כי ישבע לחם.** זה אחשורוש שעשה משתה מאה ושמונים יום: **שנואה כי תבעל.** כנגד יון: **ושפחה כי תירש גברתה.** זה עשו שהיה לו לעבוד ליעקב ונהפך הדבר: **הנמלים עם לא עז.** זו בבל שנא' (ישעיה כ"ג) הן ארץ כשדים זה העם לא היה: **ויכינו בקיץ לחמם.** נבוכדנצר עשה כבוד אחד להקב"ה בימי מרודך בלאדן אשר שלח ספרים להזקיהו וכתב שם שלם למלכא חזקיהו שלם לקרתא דירושלם שלם לאלהא רבא ונבוכדנצר כותב אגרותיו היה ולא היה שם אותו היום וכשבא וספרו לו מה שעשו. א"ל אלהא רבא קריתו ליה וכתיבתו ליה בסוף רץ אחר השליח והחזירו בשביל אותה מרוצה זכה למלכות הרי שהכין בקיץ לחמו כדרך הנמלה: **שפנים עם לא עצום.** זה מדי ופרס: **וישימו בסלע ביתם.** שבנו בית המקדש: **שממית בידים תתפש.** זה היה עשו שנא' והידים ידי עשו (ברא' כ"ז): **בהיכלי מלך.** שנכנס להיכל מלך והחריבו: **ליש גבור בבהמה.** זה נבוכדנצר שנא' (ירמיה ד') עלה אריה מסובכו: **זרזיר מתנים.** זו מדי ופרס שזרזו מתניהם והרגו לבלשצר ונטלו מלכות בבל: **או תיש.** זה יון שנקראת תיש שנאמר (דניאל ח') והצפיר השעיר (הוא) מלך יון: **ומלך אלקום עמו.** זו אדום שאמר אני ואפסי עוד אין נגד לעומתו: **אלקום.** אין עומד עמו: **(לב) אם**

## מנחת שי

דיחזקאל סימן ל"ג: (לב) אם נבלת בהתנשא. הבי"ת רפויה:

## אבן עזרא

כאריות ונמרים ודובים ולא ישוב מפני כלם כי הוא גבור מכלם: (לא) **זרזיר.** שם חיה סמוך למלת מתנים כלומר זרזיר ממתנים והזכירו כי הוא קל ברגליו וייטיב לכתו כי בעת הצורך יוכל להשיג טרפו. פ"א דבורים. פ"א נשר: **או תיש.** ייטיב צעדו בלכתו כי הצאן לא תעבורנה לפניו והענין כעתודים לפני צאן. אל איננו ל' פיום. קום. פעול כמו סוג לב כלומר שאין אדם קום להלחם עמו אז ייטיב צעדו כי בעבור לבו אין שטן מוקם כנגדו: **(לב) אם נבלת.** לנגד איתיאל ואוכל דבר ואם זמות שים יד לפיך ואל תדבר.

## רלב"ג

הנמלה תטעה בזה כי היא כוונה מה שלא ישלם לה ממנה תועלת אבל תגרום לה המות וההפסד כי היא בהיכלי מלך לא יעזבו המשרתים המנקים אותם יריעות העכביש אך יכבדום ויסירום וזה קרה לה מפני הרבה לבא בהיכלי מלך והיא אינה ראויה לבא בהם וכן הענין במי שיתהלך יותר ר"ל שלא יגיע לו מזה פרי אך יגרום לעצמו ההפסד והמשל הב' זכר בו ג' הנה מטיבי צעד ר"ל שהם ממהרי התנועה לכל הדברים מזולת שיכהו הראוי מהשלתי ראוי וד' הם מטיבי לכת בדמיון הקודם בג' הראשונים והנה הבדיל הד' מן הג' להתיחסו יותר אל הנמשל והיא העשיה בדעת המתהלכים יותר מהראוי לו הא' הוא ליש שהוא גבור בבהמה והוא רץ לטרוף איזה ב"ח שימלא לא ישוב מפני כל על רוב בטחו על גבורתו וכבר יקרה לו מזה רע בעתים מה בהלחמו עם שתקיף ממנו כמו שנמלא בספורים הב' הוא זרזיר מתנים והוא הכלב דק המתנים שיוליכוהו הציידים ללוד ועניינו ג"כ שימהר לרוץ מזולת שיכיע אם הוא תקיף מהב"ח שהוא רודף אותו או הענין הוא בהפך וכבר יקרה לו מזה הרבה מהרע וההפסד והג' הוא התיש והוא קל המרוץ וירוץ מפני זה להלחם עם מי שתקיף ממנו ויקרה לו מפני זה הפסד ורע והד' הוא המלך שאין תקומה עמו לא' ממי שנלחם עמהם כי כמו זה המלך יתעורר תמיד לרוץ להלחם לכבוש ארצות מפני ראותו רוב הצלחתו ולא יתיישב תחלה אם ראוי להלחם לו אם לא ויביאהו זה להלחם תמיד כמו שקרה לאלכסנדר עד שיפול ביד שתקיף ממנו וכזה יקרה לעשיר בדעת כי הוא נבטן על חכמתו ולא יתישב מתחלה במה שיחקור אם הוא ראוי שיחקור בו אם לא ולזה יפול בזה הטעות אשר יגרום לו הפסד רב: (לב) אם נבלת. ונאית ממלות מה שתחקור בו הנה הסבה בזה היא גאותך שנבטנת על הכמתך בחמלאהו ולא הסתכלת תחלה אם יתכן לך לעמוד על אמתתו אם לאו אם היה שיתכן לך זה לא הכיונת תחלה מה שראוי שיהיה מוכן לך להעמידך על אמתת החקירה ההיא או יהיה הרצון באמרו אם נבלת אם נפלת כי הגאוה בחכמה היא סבת הנפילה כמו שקר' ואם זמות יד לפה ר"ל שאם השבת לחקור בא' מהדרושים הגדולים לא תמהר להכנס בזאת החקירה מנע עלמך מזה עד התישבך אם יש לך פתח להכנס ממנו בזאת החקירה ואמר יד לפה לפי המשל כי החושב לדבר אין ראוי שימהר עד שיתישב בדברים

## מצודת ציון

אובד (איוב ד'): (לא) זרזיר. רלה לומר הגור כי ויעשו להם חגורות (בראשית ג') תרגומו זרזין: **תיש.** הוא זכר העזים: **אלקום.** המלה היא מורכבת משנים אל קום רלה לומר אין עומד: **עמו.**

## מצודת דוד

ישוב. כרדפו אחר מי לא ישוב לאחוריו עד ישיג ויטרף טרף: (לא) זרזיר מתנים. הוא כלב הציידים שהוא דק במתניו כאלו אזור באזור וירוץ קל מהרה ללוד היות בבטחון גדול ומלליח בדרכו: **או תיש.** גם הוא מיטיב לעד כי הוא קל המרוץ וילך בעדר תחלה כמ"ש כעתודים לפני צאן (ירמיה נ') ויבטח במרולתו ומתגבר על כל: ומלך אלקום עמו. כן הרביעי ייטיב לכת כמוהם והוא מלך גבור אשר אין עומד נגדו במלחמה כי הלך ילך בבטחון רב ויללה בכל אשר יפנה ולמד דעת שאין למלך ללכת בטח למלחמה ולעזוב הדבר אל המקרה אם לא כשימלא בעלמו גבורה אז יבטח וילליח ע"פ הרוב כמו האלו שע"י שמולאים גבורה בעלמם הולכים בטח ומלליחים: (לב) אם נבלת. אם נעשית נבל ר"ל אם חרפך מי ובדבורו עשה אותך לנבל עכ"ז תהא אתה בהתנשאותך ר"ל אל תשיבו

by anyone. 31. The greyhound and the he-goat, and the king against whom no one dares to rise up. 32. If you have been put to shame,

lions, leopards, or bears. Because he is the mightiest of them all, he is undaunted by them.—[*Ibn Ezra*]

31. **The greyhound**—Heb. זַרְזִיר מָתְנַיִם. *I do not know what it is, but from the context, it appears to be an animal with weak loins.*—[*Rashi*] *Ibn Nachmiash* states that this is a dog, whose loins are girded for the hunt.*

**and the king against whom no one dares to rise up**—Heb. וּמֶלֶךְ אַלְקוּם. *I do not know what it is according to its simple meaning, but the Aggadic midrashim interpret these five sections of four as corresponding to the four kingdoms. Since their rule over Israel was strengthened because of the iniquity of having transgressed the five Books of the Pentateuch, Scripture mentions them five times.*

**[16]The grave and the barren womb**—*The grave represents the kingdom of Babylon, for it is stated regarding Nebuchadnezzar* (Hab. 2:5): *"who widened his desire like the nether-world." And the barren womb, that is Media, in whose time mercy* (רַחֲמִים) *was held back from Israel, as it is said* (Esther 3:13): *"to destroy, kill, and cause to perish."*

(**the earth, which is not sated with water**—*This represents Greece, which was not sated with issuing decrees on Israel.*

**and fire, which does not say, "Enough!"**—*Corresponding to Esau, who acted with burning wrath against Israel, for he said to destroy children and women in one day. And likewise . . .*

**[19]The way of the eagle**—*This is Babylon, the great eagle, with the long wings* (Ezek. 17:3).

**the way of a ship in the heart of the sea**—*This represents Greece, who was swift with its decrees.*

**the way of a man with a young woman**—*This represents Edom, who said, "I will be a mistress forever."* [גֶּבֶר is interpreted as גְּבֶרֶת, *a mistress*, and בְּעַלְמָה as לְעוֹלָם, *forever.*]

**[20]So is the way of an adulterous woman**—*The people of Israel brought this evil upon themselves because they played the adulteress with idolatry, and they deserved that the retribution should befall them.**

**[21]the earth quakes**—This refers to *Eretz Israel.*

**under a slave**—*This refers to Nebuchadnezzar, who was the slave and secretary of Merodach-baladan, as appears in Hullin.* [To my knowledge, this does not appear in *Hullin*, but in *Helek*, the eleventh chapter of *Sanhedrin*, 96a.]

**and a wretch who is sated with food**—*This refers to Ahasuerus, who made a banquet for one hundred and eighty days.*

**[23]a hated woman who is married**—*Corresponding to Greece.*

**and a maidservant who inherits her mistress**—*This refers to Esau, who should have served Jacob, but the matter was reversed.*

**[25]The ants are a people not strong**—*This refers to Babylon, as it is stated* (Isa. 23:13): *"Behold the land of the Chaldees, this people has*

בְּהִתְנַשֵּׂא וְאִם־זַמּוֹתָ יָד לְפֶה: לג כִּי מִיץ
חָלָב יוֹצִיא חֶמְאָה וּמִיץ־אַף יוֹצִיא דָם
וּמִיץ אַפַּיִם יוֹצִיא רִיב: לא א דִּבְרֵי
לְמוּאֵל

תִתְרוֹרָם דְּלָא תִתַפֵּשׁ
וְלָא תוֹשִׁיט אַיְדָךְ
לְפוּמָךְ: לג דְמַן דְמָיְצָא
חֲלָבָא נַפְקָא חֶמְאָתָא
וּמַן כְּבוּשָׁא דְרוּגְזָא נָפוּק
דְמָא וּמַן חַרְיָנָא דְאַפֵּי
גְפוּק דִינָא: א מִלּוֹהִי

ת"א כי מיץ. ברכות כג: דברי למואל. זוהר ויחי:

## רש"י

נבלת בהתנשא. אם נתנבלת על ידי דבורך שחירפת (ונדפת) את עלמך. סופך להנשא בדבר: ואם זמות. בלבך להתקוטט שים יד על פה ושתוק: (לג) כי מיץ חלב. כי כאשר תלא חמאה ע"י מיץ חלב ודם ע"י מיץ החוטם יותר מדי כן ילא ריב ע"י מיץ אפים של כעס: מיץ. סחיטה (פרימדור"א בלע"ז. הוא לשון איטאלי"א. בל"א. פרעססען דרוקקען) כמו (שופטים ו) וימץ טל וגו'. ורבותינו פירשו אם נבלת עלמך על דברי תורה לדרוש ולשאול ספיקותיה לרבך ואפי' נראית לו כשוטה בלא לב סופך שתהא מנושא ואם זמות אם שמת זמם על פיך וחסמת אותו ולא שאלת לו הכל סופך כשישאלך דבר הלכה תתן יד לפה ותאלם שלא תדע לענות כלום בו. כאשר מיץ חלב יולא חמאה כן מיץ אפים שרבך כועס בך שלא הבינות מהר ואתה מתנבל עליה סוף יוליא מפיך אחר זמן הלכות רבות והוראות: לא (א) דברי למואל מלך. דברי שלמה המלך שאמר למו הקב"ה כלומר בשביל שהטוה כנגד הקב"ה:

## אבן עזרא

פ"א אם נבלת המלה לשון עבר תחת עתיד והטעם אם תהיה נבל כלומר אם תעשה נבלה בעת שתתנשא למלוכה או אם זמות והשבת לעשות נבלה שים יד לפה ולא תעבוד המזמה. פ"א ואם עברת שחשבת להתנשא לפניו ואם זמות שים יד לפיך. פ"א אם נבלת השוב בלבך בהתנשא בעזר הבורא ואם זמות בעבור רשעך שים יד לפה: (לג) מיץ. ג' שרשים הא' אפס המן והב' ימלו וישתו והשלישי למען תמולו ומיץ החלב והאף הטעם בהמן אחד מאלה ילא מהם כדבר העומד בכה ללאת ע"י מעשה כחמאה והדם. ואפים יקראו נחרים בעבור שיראו בהם וטעמו כן מיץ אפי' שיחרה אפו בכל עת כאילו ימילנו המין יוליא ריב כלומר שיריב עם בני אדם ורלה לומר הזהר מן הנבלות כי הוא גורר הכעס והכעס גורר המריבה:

לא (א) דברי למואל מלך משא אשר יסרתו אמו. בתחלת הספר הודיע כי יסרו אביו על החכמה וספר כאן שיסרתו אמו בת שבע אחר מות אביו ללמדו הכמה להתרחק מן הנשים ומן היין כי הם סבת הרשע והפשע ובעבור הכמתם וכבודם שבח האשה החכמ' ע"ד אלפא ביתא

## רלב"ג

ההם אם הם ראויים אם לא אך ישים ידו לפיו למנוע פיו מלדבר או ירלה בזה ואם חשבת מה שתלטרך בעבורו לשים יד לפה והוא הטעות שיקרה לך בהשגת הש"י אשר יביאך לכחש בה הנה סבת זה היה ג"כ בהתנשא כי גאותך סבבה לך להכנס בזאת החקירה אשר אין לך דרך להשגתה ולזה הובילה אותך אל הטעות הנפלא לכחש בש"י והנה אמר יד לפה הדמיון מ"ש איוב אם אראה אור כי יהל וירח יקר הולך ויפת בסתר לבי ותשק ידי לפי וזה כי מי שנשתבש בכמו זה לא יוכל להוליא מפיו שבושו כי ישחיתוהו שאר האנשים המאמינים בש"י ולפי זה פי' שפירשנו עתה אשר הוא נכון לפי מחשבתי יהיה הרלון באמרו אם נבלת בהתנשא אם לאית למלוא מה שראוי שתמליאהו הנה זה הליאות יגיע לך בעבור התנשאך וגאותך בחכמה כי בעבור זה נשענת על חכמתך ולא הכינות תחלה לדרוש אשר תחקור בו מה שראוי שיובן להיגיר אל השגתו וכן אם זמות והשבת מה שתלטרך בעבורו לשים יד לפה שלא ידעו האנשים מום דעתך כי כחשת לאל ממעל והנה זה הגיע לך בעבור התנשאך בחכמתך ולזה השיאך לבך להכנס בחקירות אשר אין דרך להכנס בהם והמגס היה שבקלת החקירות הגדולות ימלא לאדם פתח אחר היגיעה הרבה ובקלתו לא ימלא לו פתח להכנס בהם ולזאת הסבה הישירנו שיתישב האדם תחלה בחקירות הגדולות אם יש לו דרך להכנס בהם לפי שכמו שתמלא בדברים הטבעיים אשר ילכו מדרגות המותרית שמקלתם יוליאו להאדם תועלת ומקלתם לא יוליאו כי אם נזק כן הענין בשוה באלו ההשגות הגדולות ההולכות לפי מה שיתשוב במדרגות המותרות אשר אין ראוי שיפנה השכל אליהם וזה כי בקלתם ימלא אחר הישוב פתח ודרך להכנס בהם ויושגו בהם אחר היגיעה דברים יקרים מאד ובקלתם לא ימלא להם פתח להכנס בהם ויותר נפלא מזה כי כבר ימלאו דרושים גדולים ויקרים מאד אפשריי ההשגה לאדם ודרושים אחרים למטה מהם לא ימלא לאדם פתח להכנס בהם והמשל כי האדם אין לו פתח להכנס בהם בו בידיעת ריבוע העיגול ר"ל דאיך יעשה שטח מרובע שוה לשטח עגול ישר ויכנס בחקירות גדולות ויקרות מזאת לאין שיעור וזה ממה שיחייב לאדם התישבות בדברים אשר יחקור בהם אם יש לו פתח להשיגם אם לא בדרך שיתבאר לו במלאכה מלאכה מהחכמות הדרושים אשר אפשר לו להשיגם מהדרושים אשר אי אפשר בהם זה: (לג) כי מיץ חלב. והנה הדברים הטבעיים אשר ימלא בקלת מותריהם תועלת ובקלתם לא ימלא הם אלו שזכר ודומיהם והוא שממיץ החלב בהוא מותר הגבינה יוליא האדם החמאה שהיא יותר טובה ויותר ערבה מהגבינה וממותר מיץ האף יוליא האדם דם ביגיעתו בו להוליאו וישחית בזה עלמו וממותר הכעס אשר ראוי שיעזב ויונח יוליא האדם ריב ומדון אשר הוא גורם השחתות והפסדים רבים: ובכאן נשלם ביאור זה החלק שהגבלנו ביאור בזה הספר והוא נפלא מאד ורב התועלת לקחת מוסר השכל ותועלת מבואר מדברינו בביאור: (א) דברי למואל. הנה קרא שלמה עלמו למואל מלך כדרך אמרו בתורה והוא כהן לאל עליון ר"ל שהוא היה לאל מלך כי ה' משחו והדברים מישרים לאל בהכלית מה שאפשר ואמר כי אלו הם הדברים אשר אמרה לו אמו במוסרה והנה זכרם בזה הספר להיותם רבי

## מצודת דוד

בקנתור ובקטטה כדבר אחד הנבלים רק שמור פתחי פיך כדרך אנשי המעלה: ואם זמות. אם תהיה מלא מחשבות קנתור וקטטה שים יד לפה לסתמו בחוזקה: (לג) כי מיץ. כי כמו שמלילת וסחיטת החלב מוליא החמאה ומלילת האף מוליא דם כן מלילת הכעס מוליא ריב. ר"ל התעוררת הכעס מוליא הוא את הריב ולזה סתום פיך ואל תעורר כעס המגבל אותך כי עוד יוסיף לריב ולדבר בדברי נבלה: לא (א) דברי למואל מלך. ר"ל אלה דברי המלך אשר הוא

## מצודת ציון

נגדו כמו והין עמך להתילב (דברי הימים ב' כ'): (לב) בהתנשא. מלשון התנשאות ורוממות: זמות. ענין מחשבה: (לג) מיץ. מלשון מלילה וסחיטה כמו וימץ טל מן הגזה (שופטים ו'): חמאה. הוא שומן החלב: אף. חוטם: אפים. מלשון אף וחימה:

*mately be exalted;* וְאִם זַמּוֹתָ, *but if you placed a muzzle on your mouth and muzzled it, and you did not ask him anything, your end will be that, when*

*they ask you a matter of halachah, you will put your hand to your mouth and you will be dumb, for you will not know to reply anything about it. Just*

you will be in your ascendency; and if you thought evil, put
your hand to your mouth. 33. For pressing milk will give out
butter, and pressing the nose will give out blood, and pressing
anger will give out strife.

31

1. The words of

*never been."*—[*Midrash Mishle*] [*Rashi* explains in Isaiah that it was not fit to be a people.]

**[26]The hyraxes are a people not strong**—*This refers to Media and Persia.*

**yet they make their home in the rock**—*For they built the Temple.*

**[28]The spider grasps with its hands**—*This refers to Esau, as it is stated* (Gen. 27:22): *"The voice is the voice of Jacob, but the hands are the hands of Esau."*—[*Midrash Mishle*]

**in a king's palaces**—*That he* [Esau] *entered the Temple of the King and destroyed it.*—[*Midrash Mishle*]

**[30]The lion is the mightiest of the beasts**—*This is Nebuchadnezzar, as it is stated* (Jer. 4:7): *The lion has come up from his thicket."* [from *Midrash Mishle, Megillah* 11a]

**the one who girds his loins**—*This refers to Media and Persia, who girded their loins and assassinated Belshazzar and seized the kingdom of Babylon.*

**[31]and the he-goat**—*This refers to Greece, as it is stated* (Dan. 8:21): *"And the rough he-goat is the king of Greece."*

**and the king against whom no one dares to rise up**—*This is Edom, who says, "I am it, and there is none besides me." No one opposes him.* אַלְקוּם, *no one stands with him.*—[*Rashi* from sources quoted and unknown midrashic sources]

32. **If you have been put to shame, you will be in your ascendency**—*If you were put to shame through your speech, that you derided yourself, you will ultimately ascend in the matter.*—[*Rashi*] *Mezudath David* explains: If someone derided you and you were put to shame thereby, remain in your ascendency and do not resort to insults and derision as coarse people do. Behave like a respectable person and guard the opening of your mouth.

**and if you thought evil**—*in your heart to quarrel, put your hand onto your mouth and remain silent.*—[*Rashi*]*

33. **For pressing milk**—*For, just as butter will come out by pressing milk and blood by pressing the nose too much, so will strife come out of pressing the nostrils of anger.*—[*Rashi*]

**pressing**—Heb. מִיץ, *pressing, preindre in Old French, as in* (Jud. 6:38): *"and wrung* (וַיִּמֶץ) *dew, etc." And our Sages explained* (*Ber.* 63b): *If you were put to shame because of the words of Torah, by seeking and asking your doubts of your mentor, even if you appear to him as a fool, without intelligence, you will ulti-*

לְמוּאֵל מֶלֶךְ מַשָּׂא אֲשֶׁר־יִסְּרַתּוּ אִמּוֹ:
ב מַה־בְּרִי וּמַה־בַּר־בִּטְנִי וּמֶה בַּר־
נְדָרָי: ג אַל־תִּתֵּן לַנָּשִׁים חֵילֶךָ וּדְרָכֶיךָ
לַמְחוֹת מְלָכִין: ד אַל לַמְלָכִים לְמוֹאֵל
אַל לַמְלָכִים שְׁתוֹ־יָיִן וּלְרוֹזְנִים אֵו שֵׁכָר:

דִּלְמוּאֵל מַלְכָּא נְבִיוּתָא
וּמַרְדוּתָא דְרַדְתֵּיהּ
אִמֵּיהּ וַאֲמַרַת לֵיהּ: ב וַוי
בְּרִי וַוי בַּר כְּרֵסִי וַוי בַּר
נִדְרַי: ג לָא תִתֵּן לִנְשֵׁי
חֵילָךְ וְאָרְחָתָךְ לִבְנַת
מַלְכִּין: ד אִזְדְּהַר מִן
מַלְכֵי לְמוּאֵל מִן מַלְכֵי
דְשָׁתִין חַמְרָא וּמִן
שִׁלְטוֹנֵי דְשָׁתִין שִׁכְרָא:
לא

ת"א אשר יסרתו. סנהדרין ע' זוהר בראשית: מה ברי. סנהדרין שם: ולרוזנים. שם מב: או קרי

## רש"י

למואל. לאל כמו (איוב מ') למו פי דברים לשמו של הקב"ה שאמר המלך: משא אשר יסרתו אמו. כשהתחתן עם בת פרעה ביום חנוכת בהמ"ק והכניסה לו כמה מיני כלי זמר ונעור כל הלילה וישן למחרת עד ארבע שעות כדאיתא בפסיקתא והיו מפתחות בהמ"ק תחת מראשותיו ועל אותה שעה שניהו על תמיד של שחר שקרב בד' שעות ונכנסה אמו והוכיחתו כל המשא הזה: משא אשר יסרתו אמו. משא של משל שיסרתו אמו: (ב) מה ברי. מה זאת עשית והגדת שאתה בני ולא בן אביך הכל יודעין שאביך לדיק גמור היה ואם אתה רשע יאמרו אמו גרמה לו: בר בטני. כל נשי אביך כיון שמתעברות אינן שבות לתשמיש ואני דחקתי ונכנסתי כדי שיהא לי בן מלובן ומזורז שהתשמיש יפה כל שנה חדשים אחרונים: ומה בר נדרי. כל נשי אביך היו נודרות שיהא להן בן הגון למלכות ואני נדרתי שיהא לי בן מלובן בתורה: (ג) אל תתן. אל תתיש: לנשים חילך. כחך: (ד) אל למלכים למואל. אין זה הדבר הגון למלכים שהם להקב"ה. למואל כמו למו פי (איוב שם): אל למלכים שתו יין. אין נאה להם להשתכר:

## מנחת שי

לא (א) אשר יסרתו. האל"ף בגעיא: (ג) מלכין. בנו"ן במקום מ"ם: (ד) אל למלכים למואל אל למלכים. בס"ס שניהם שלמ"ד בפתח וכמ"ם בלא דגש וי"ם בדגש: למואל. בגעיא הלמ"ד: או שכר. אי קרי וכפל מכלל יופי קורא אותו בחירק שכן כתב אי שכר חסר נו"ן ומשפטו אין שכר ואם הוא בחירק כמו ואין יש פה תחת ידך ע"כ. ודבריו לקוחים מהשרשים לש אי זה

## אבן עזרא

להיות לזכרון. למואל הוא שלמה ויתכן שנקרא כן כי בימיו היה להם אל אחד ולא עבדו לפסילים ג"כ נקרא העומד על כסאו עמנו אל: (ג) ודרכיך. עומד במקום שנים: למחות. מן מחיתי: מלכין. נו"ן תחת מ"ם כמו לקץ הימין. לא יאמין בחיין: (ד) אי. כמו אין ופעם בהירק כמו אי נקי כלומר

## רלב"ג

מתועלת וידמה שכבר אמר לה שלמה שתשאל ממנו ויעשה חפלה והיא אמרה: (ב) מה ברי. מה אבקש בני אשר גדלתיך מה בן בטני שהיית במעי בהיותי מעוברת ממך ואולם אמרה זה כי כבר יקרא בן מי שאינו בן בטנה כאמרו אלה בני מיכל בת שאול לפי שהיא גדלה אותם ואפ"ש שלא היו בניה כי הם בני מרב אחותה ומה שאבקש לך בן נדרי ר"ל שמרוב אהבתי אותך היו כל נדרי בך כמשפט האוהב שיהיו נדריו ושבועותיו בחיי אהובו או ירצה בזה שבעבורו היו נדריה תמיד לה': (ג) אל תתן לנשים. כחכה אשר לך בדרישת החכמה והשגתה וזה כי רוב העסק עם הנשים יסיר האדם מהשקידה על החכמה ויהיה לבו שוגה בהם תמיד ולא יהיו דרכיך למחות העלות והמחשבות הרבות אשר יצטרכו למי שירצה לחקור בחכמת מחקר כראוי ואמר זה כי ההתמדה עם הנשים תמנע התישבות באלו המועלות והמחשבות: (ד) אל למלכים. אתה בני שהוא למואל אל יהיו דרכיך דומים לדרכי המלכים אוהבי התענוגים שרודפים שתיית היין

## מצודת ציון

לא (א) למואל. המלה היא מורכבת משנים למו אל רלה לומר אל ה' כמו וידמו למו עלתי (איוב כ"ט): משא. נבואה: יסרתו. מלשון מוסר: (ב) ברי. הוא תרגום של בני: (ג) חילך. כחך כמו ביום חילך (תהלים ק"י): למחות. מלשון מחיה ומחיקה: מלכין. נו"ן במקום מ"ם וכן לקץ הימין (דניאל י"ב): (ד) ולרוזנים. ענין מושלים ושרים: אי. כמו אין וכן ימלט אי נקי (איוב כ"ב):

## מצודת דוד

אל ה' ומשיחו: משא וגו'. ר"ל בזה יספר את דברי המוסר אשר יסרתו אמו אשר נחשב בעיניו כמשא דבר ה'. ואמרו רבותינו ז"ל כשהתחתן שלמה עם בת פרעה ביום חנוכת בית המקדש הכניסה לו כמה מיני זמר והיה נעור כל הלילה והיה ישן למחרתו עד ארבע שעות על היום ומפתחות העזרה היו מראשותיו ולא יכלו להקריב התמיד ונכנסה אמו אצלו והיתה מייסרתו בדברים האלה: (ב) מה ברי. אתה בני אשר הגדלתיך מה זאת תעשה: ומה בר בטני. לפי שפעמים יקרא בן למי שלא ילדו כי אם גדלו כמו שאמר חמשת בני מיכל בת שאול (שמואל ב' כ"א) ומירב אחותה ילדה ומיכל גדלה. לזה הוסיפה לומר בר בטני לומר הנה כבטני היית אם כן אני ילדתיך ואני גדלתיך ומאוד חוששת אני בתקנתך: ומה בר נדרי. מה תעשה זאת אתה בר נדרי רלה לומר מרוב אהבתי בך היו כל נדרי עמך כמשפט האוהב שכל נדריו ושבועותיו המה בחיי אוהבו: (ג) אל תתן. רלה לומר אל תתיש כחך ברוב תשמיש עם הנשים (כי רוב התשמיש מחליש כח הזכר ומבריא הנקיבה וכאלו נותן מכחו להנקיבה): ודרכיך. אל תתן דרכיך למחות ולהשחית דרכי המלכים ר"ל אל תשנה משפט הראוי אל המלכים להיות זהירים במעשיהם על לד השווי והנכון: (ד) אל למלכים למואל. אין דבר זה הגון למלכים אשר המה אל ה' ומשיחיו: אל

3. **Do not give**—*Do not weaken.*—[*Rashi*]

**your strength to women**—Heb. חֵילֶךָ, *your strength.*—[*Rashi*] Do not weaken yourself with too much sexual activity. Since the male is weakened by sexual intercourse and the female's strength is enhanced, it is as though he is giving his strength to women.—[*Mezudath David*]

**nor your ways to the pleasures of kings**—Heb. לַמְחוֹת. Cf. Isaiah 5:17, Psalms 66:15.—[*Rashi* to *Sanhedrin* 70b] Others render: to destroy kings.

Lemuel the king: a prophecy that his mother chastised him:
2. What, my son, and what, the son of my womb, and what, the
son of my vows? 3. Do not give your strength to women, nor
your ways to the pleasures of kings. 4. It is not for kings,
Lemoel, it is not for kings to drink wine, neither is strong drink
for rulers.

*as pressing milk gives out butter, so will pressing anger that your mentor is wroth with you for not understanding readily and you were put to shame because of it, eventually bring out of your mouth after a time many* (רַבּוֹת) *halachoth and instructions.*—[*Rashi*]

1. **The words of Lemuel the king**—*The words of King Solomon, that he said for the Holy One, blessed be He, because he sinned against the Holy One, blessed be He.*—[*Rashi*]

**Lemuel**—*for God, like* (Job 40:4): "*to* (לְמוֹ) *my mouth." The words that the king said for the sake of the Holy One, blessed be He.*—[*Rashi* from *Song Rabbah* 1:10, *Ecc. Rabbah* 1:2, *Midrash Haseroth Vietheroth*, p. 232).

**a prophecy that his mother chastised him**—*When he married the daughter of Pharaoh on the day of the dedication of the Temple, she brought in for him many kinds of musical instruments, and he was awake all night and slept on the next day until four hours* [after dawn], *as is related in Pesikta* (unknown, but found in *Mid. Mishle* and in *Num. Rabbah* 10:8), *and the keys of the Temple were under his head. Regarding that time, we learned* (*Eduyoth* 6:1): "*Concerning the daily morning burnt-offering, that it was offered up at* [the conclusion of] *four hours. Then his mother entered and chastised him with all this prophecy.*"—[*Rashi*]*

**a prophecy that his mother chastised him**—*An allegorical prophecy with which his mother chastised him.*—[*Rashi*] *Rashi* to *Sanhedrin* 70b states that she noted that he sought pleasures and that he indulged in his meals; therefore, she chastised him.

2. **What, my son**—*What is this that you have done and told that you are my son, and* [you did] *not* [tell] *that you are the son of your father. Everybody knows that your father was completely righteous, and if you are wicked, they will say, "His mother made him that way."*—[*Rashi* from *Sanhedrin* 70b]

**the son of my womb**—*All your father's wives, as soon as they conceived, would not return for marital relations, but I pushed and entered in order to have a son well-formed and of strong vitality, because marital relations are beneficial during the last six months.*—[*Rashi* from *Sanhedrin* ad loc.]

**and what, the son of my vows?**—*All your father's wives would vow that they would have a son fit for the throne, but I vowed that I would have a son bright in Torah.*—[*Rashi* from the same source]

ה פֶּן־יִשְׁתֶּה וְיִשְׁכַּח מְחֻקָּק וִישַׁנֶּה דִּין
כָּל־בְּנֵי־עֹנִי׃ ו תְּנוּ־שֵׁכָר לְאוֹבֵד וְיַיִן
לְמָרֵי נָפֶשׁ׃ ז יִשְׁתֶּה וְיִשְׁכַּח רִישׁוֹ וַעֲמָלוֹ
לֹא יִזְכָּר־עוֹד׃ ח פְּתַח־פִּיךָ לְאִלֵּם אֶל־
דִּין כָּל־בְּנֵי חֲלוֹף׃ ט פְּתַח־פִּיךָ שְׁפָט־

ת"א סנו שכר. ברכות נז עירובין סה סנהדרין מג ע': פתח פיך. גיטין לז (סנהדרין כב):

ה לָא תִשְׁתֵּי וְתִטְעֵי
הֲוָנָךְ וּתְשַׁנֵּא דִּינְהוֹן
דְּכוּלְהוֹן בְּנֵי עַנְיֵי׃
ו הָבוּן שִׁכְרָא לַאֲבֵלֵי
וְחַמְרָא לִמְרִירֵי נַפְשָׁא׃
ז וְנִשְׁתּוּן וְנִטְעוּן
מִסְכֵּינַתְהוֹן וְשַׁחֲקֵיהוֹן
לָא נִזְכְּרוּן תּוּב׃ ח פְּתַח
פּוּמָךְ לְהָלֵין דְּלָא מִסְטוֹ
דִּין וְדוּן לְכוּלְהוֹן בְּנֵי
עַוְלֵי׃ ט פְּתַח פּוּמָךְ וְדוּן

## רש"י

אי שכר. כמו אין שכר: (ה) מחוקק. הכתוב בתורה וכל שכן מה שהוא בגרסא: (ו) לאובד. למי שסופו לאבד לרשעים: למרי נפש. המצטערין על עניים ועל אבלם: (ח) כל בני חלוף. אלו הן היתומים שחלפה עזרתם

## אבן עזרא

אין נקי: (ח) חלוף. שם דבר מן כליל יחלוף יגזור וכן הפי': דברי למואל המלך דברי משא ונבואה הם שיסרתו אמו: מה ברי. טעמו מה אתה כהשב ברי ובר בטני שאני ילדתיך: נדרי. שנדרתי בעת לדתי אותך אם אמלט מצירי יולדה על כן יסרתיך שלא תתן לנשים חילך ואל תתן דרכיך למחות דרכי המלכים כלומר שלא יהיה מנהגך לבנות מנהג המלכים כי לא יאות להם זנות ושתות יין ושכר פן ישתה כל אחד מהם וישכח מה שפי' מחוקק על ספר: עוני. שאחרים ענו אותו: רישו. שהיין משמח הלב על כן עמלו לא יזכור עוד בהתעסקו ביין. למ"ד לאלם כמו בעבור. בני חלוף בני תמותה בעבור משפט המות ואמר שיחקרו עליו היטב:

## מנחת שי

לשונו גם ולרוזנים אי שכר חסר נו"ן ומשפטו אין שכר וכן אי כבוד משפט אין כבוד ואם הוא בחיר"ק כמו ואין יש פה תחת ידך. ויתכן לפרש שניהן כמו איה ומלת אל למלכים עומדת במקו' שנים פירושו ואל לרוזנים שיאמרו איה שכר לשתות וכן אי כבוד כלומר איה כבוד שאינו בישראל היום עד כאן לשונו. והמכלול יופי טעה בהבנת הלשון וחשב שמה שאמר רד"ק ואם הוא בחירק וכו' מוסב על פסוק אי שכר ואינו כן רק על פסוק אי כבוד דסליק מיניה ואם על שניהם הוא אומר הל"ל ואם הם בחיר"ק וזה ברור. גם בעל הלשון טעה בזה שכתב בספרו כדברים האלה ועני' אחר והיא מלה עניינה כמו אין ולרוזנים אי שכר אי כבוד והם בחיר"ק כמו ואין יש פה תחת ידך ע"כ. הרואה יראה שחשב לתקן נבון ... השרשים והתיקון נהפך עליו לקלקול כי בכל הספרים חדשים וגם ישנים כתוב אי שכר בציר"י וכן כתב החכם אבן עזרא אי כמו אין ופעם בחירק כמו אי נקי כלומר אין נקי: (ו) תנו שֵׁכָר. כ"כ:

## רלב"ג

ושואלים איה שכר לשתותו כי אין למלך כמוך שהוא נאה נכון לעשות כן: (ה) פן ישתה וישכח. מזה הדין הבא לפניו בתורה ויהיה זה סבה אל שישנה דין כל בני עוני אשר הוא חטא נפלא כי בו ככלל חטא הטיית המשפט וחטא קביע' העני נפש וכל אחד מאלו הוא חטא נפלא ולזה זכר שינוי דין כל בני עוני שלא יתחדש מזה ג"כ שינוי בדין העשירים אבל זכר מה שיתחדש יותר מהרע מזאת התכונה כמנהג המוכיחים וכמו זה המנהג נהג שלמה ברוב התוכחות הנכללות בזה הספר: (ו) תנו שכר לאובד. הנה השכר והיין אינו ראוי כי אם למרי נפש ולאובד שישכח המר נפש לדין ולא ידע סדר טענותיו אשר בהם יתבאר משפטו ודינו ראוי שתפתח פיך לטייעו להגיד דברי ריבו והנה האלם הוא שאינו יודע להגיד כלל מדברי ריבו ובני חלוף הם בעלי התמורה שיאמרו הפך מה שבלבם וראוי לשופט השלם שיסבב שלא יפקד מהם משפטם מלד הסרוכם בדבור ובהגדת עניני ריבותם: (ט) פתח פיך. בענין שתשפוט לדק על דין עני ואביון ולא

## מצודת דוד

למלכים. אין הגון למלכים כאלה שתות רב יין ולרוזני' כאלה אין ראוי שכר וכפל הדבר במלות שונות: (ה) פן ישתה. פן כשישתה ישתכר וישכח דבר החקוק בתורה ועל ידי זה ישנה דין העניים וכפולה הם כן חטאתו כי גוא העניים ומעוות הדין: (ו) לאובד. למי שהוא אבוד ברב העוני: למרי נפש. למי שנפשו מרה לו בעבור מרבית העמל והיגיעה: (ז) ישתה. כי כאשר ישתה ישתכר וישכח רישו ועניו והעמל אשר המר לנפשו לא יזכר עוד בה בעת השכרות כי היין מפיג הלער: (ח) פתח פיך. אל תשתה היין ותהי' בדעת מיושבות ופתח פיך בעבור האלם רלה לומר אם מי יבוא לדין ויהי' כאלם לבלי דעת לסדר טענותיו אתה פתח פיך בעבורו להסדיר טענותיו: אל דין. גם פתח פיך אל דין כל הבנים הסכלים המחליפים דבריהם ממה שבלבם בעבור סכלותם ופתח פיך להיישירם אל הכוונה הנגלה להם כאשר יאות לעשות לשופט לדק להוציא הדין לאמיתו: (ט) פתח פיך. בדרישות והקירות ושפוט לדק ודון דין

## מצודת ציון

שכר. יין ישן: (ה) מחוקק. מלשון חקיקה וכתיבה: וישנה. מלשון השתנות וחלוף: (ז) רישו. מלשון רש ועני: (ח) לאלם. הלמ"ד היא במקום בעבור וכן לאחיאל (לעיל ל'): חליף. מלשון

cense in a cup of wine in order to confuse them. Another maxim was based on this verse: "Wine was not created except for the purpose of consoling the mourners and rewarding the wicked" (ibid. 70a). *To give them pleasure in this world, so that they receive the reward for the precepts they kept, in this world,* [leaving them with nothing in the hereafter.]—[*Rashi* ad loc.]

7. **Let him drink, etc.**—Wine is appropriate only for such unfortunates so that they become confused and forget their misery.—[*Mezudath David*]

8. **Open your mouth for the dumb**—Do not drink wine, but sit

5. Lest he drink and forget what was made law, and change the
judgment of all the impoverished. 6. Give strong drink to the
one who is perishing and wine to those of bitter soul. 7. Let
him drink and forget his poverty, and let him remember his
misery no more. 8. Open your mouth for the dumb, to the
cause of all whose help has passed. 9. Open your mouth, judge

Do not engage in activities that destroy the ways of the kings. Instead, avoid extremes and do everything in moderation.—[*Ibn Ezra, Mezudath David*]

4. **It is not for kings, Lemoel—** *This matter is not fit for kings who are for the Holy One, blessed be He. Lemoel is like* (Job 40:4): *"to* (לְמוֹ) *my mouth."*—[*Rashi*] I.e. those who are for God and who are His anointed.—[*Mezudath David*]

**it is not for kings to drink wine—** *It is not proper for them to become intoxicated.*—[*Rashi*]

**neither is strong drink—** Heb. אִי שֵׁכָר, *like* אֵין שֵׁכָר, *there is no strong drink.*—[*Rashi, Ibn Ezra*] *Ralbag* interprets אִי as a contraction for אַיֵּה, *where.* Neither is it for rulers to ask, "Where do we get strong drink?"

**strong drink—** Old wine.—[*Mezudath Zion*]

**for rulers—** For such rulers who are dedicated to God and who are His anointed.—[*Mezudath David*]

*Malbim* renders: You are no longer fit to be counted among the kings, Lemoel, for it is not fit for kings to drink wine, nor is it fit for the kings' advisors to drink strong drink. Even if they may drink ordinary wine, they may not drink strong drink, which renders them unfit to give advice. The Talmud (*Sanh.* 70b) explains: You have no reason to associate with kings who drink wine, become drunk, and say, "Why do we need God?" Neither is it for one to whom all the secrets (רָזֵי) of the world are revealed to drink wine and become intoxicated. It is not for such people to say, "Where do we get strong drink?" Another explanation is: Should the one to whose door all the rulers of the world come early in the morning, drink wine and become intoxicated?

5. **Lest he drink, etc.—** Lest, when he drink, he forget the law inscribed in the Torah and pervert the judgment of all the impoverished, thereby compounding a felony by perverting justice and robbing the poor.—[*Mezudath David*]

**what was made law—** *What is written in the Torah—and surely the tradition that is committed to memory.*—[*Rashi*]

6. **to the one who is perishing—** *To him who will ultimately perish—to the wicked.*—[*Rashi*]

**to those of bitter soul—** *Who suffer pain because of their poverty and their mourning.*—[*Rashi*] The Talmud (*Sanh.* 43a) derives from this verse the practice of giving those sentenced to death a grain of frankin-

צֶדֶק וְדִין עָנִי וְאֶבְיוֹן: י אֵשֶׁת חַיִל מִי
יִמְצָא וְרָחֹק מִפְּנִינִים מִכְרָהּ: יא בָּטַח
בָּהּ לֵב בַּעְלָהּ וְשָׁלָל לֹא יֶחְסָר:
יב גְּמָלַתְהוּ טוֹב וְלֹא־רָע כֹּל יְמֵי חַיֶּיהָ:
יג דָּרְשָׁה צֶמֶר וּפִשְׁתִּים וַתַּעַשׂ בְּחֵפֶץ
כַּפֶּיהָ: יד הָיְתָה כָּאֳנִיּוֹת סוֹחֵר מִמֶּרְחָק

**תרגום**

צִדְקְתָא וְדוּן לְעַנְיֵי וְלַעֲלִיבֵי: י אִתְּתָא כְּשַׁרְתָּא מַנּוּ יִשְׁכַּח יַקִּירָא הִיא מִן כֵּיפֵי טָבְתָא טִימְהָא: יא דְּתָכֵל עֲלָהּ לִבֵּיהּ דְּבַעֲלָהּ וְלָא מִתְבְּזָא וְלָא חָסְרָא: יב פָּרְעָתֵיהּ טָבְתָא וְלָא בִישְׁתָא כָּל יוֹמֵי חַיָּהָא: יג תְּבַעַת עַמְרָא וְכִתָּנָא וַעֲבַדַת הֵיךְ צְבִיָּנָא דְּאִידָהּ: יד וַהֲוָת הֵיךְ אִלְפַת דְּתַגְרָא דְּמִן רָחִיק מֵיתְיָא

**ת״א** אשת חיל. עקידה שער ה׳ זוהר תזריע: דרשה. זוהר קדושים ועקידה ש׳ נב: היתה. מליצה פד:

### רש״י

והלכה לה: (יא) ושלל לא יחסר. כלומר לא יחסר טוב:

### מנחת שי

(יד) היתה כאניות. הה״א בחטף קמץ לא בחטף פתח:

### אבן עזרא

(י) **אשת חיל מי ימצא.** חיל ממון כמו אשה שתקנה חיל וממון בחכמתה מי יוכל למצוא: **מכרה.** מן תמכרו אותם: (יא) **בטח בה.** בעבור תכין: **ושלל.** שהיא קונה לא יחסר הבעל על כן יבטח בה: (יב) **גמלתהו.** תשיב לו גמול טוב. בעבור שבטח בה ולא גמלתו רע: (יג) **דרשה.** לקנות צמר ופשתים: **בחפץ כפיה.** כאילו הכפים חפצות לעשות והפך זה כי מאנו ידיו לעשות: (יד) **באניות.** ההולכות

### רלב״ג

יפקד מהם משפטם מפני חולשתם וחוזק אשר כנגדם: (י) אשת חיל. הנה חתם זה הספר בתואר החומר המשרת אל השכל שרות שלם באופן שיגיע לו קנין שלמותו ותאר אותו בנקבה כמנהגו וקראה אשת חיל מלד שלמות כחה להגיע אל השכל מה שיצטרך לו ממנה מהמלאכות המוחשות ואמר שהוא קשה המצא׳ ורחוק מכרה וערכה מערך הפנינים כי אין לו יחס עמה: (יא) בטח בה. הנה לב בעלה בטח בה שתמציא לו מה שיצטרך להקדים מן החוש בדרושו ולא יחסר שלל להיות טרף לבית השכל: (יב) גמלתהו טוב. כל ימי חייה גמלתהו טוב ונכנעה לעבודתו ולא נטתה כלל מעבודתו: (יג) דרשה צמר ופשתים. להיות טווה בהם למה שיצטרך לביתה מהלבוש ועשתה זה בחפץ כפיה כמשפט המשרת החושק לעשות רצון אדוניו ולא כמשפט המשרת על צד ההכרח ואמנם אמר זה לפי שהמגיע מהמוחשות אל השכל יתוקן בתקונים רבים קודם הגיעו אליו ובזה יוסרו מהם הרבה מהמשיגים החומרים ויתקרבו אל המליאות הרוחני כמו שנזכר בספר החוש והמוחש: (יד) היתה כאניות. הסוחרים הגדולים שיביאו סחורותיהם מארץ מרחק כן תביא מזונה ממרחק למה שיצטרך אל השכל

### מצודת ציון

תחלפות ותמורה: (י) **אשת חיל.** ר״ל זריזה וישרה: **מפנינים.** הם המרגליות: (יא) **ושלל.** ענין ביזת המלחמה:

### מצודת דוד

**עני ואביון** ולא יפקד מהם מבפטים בעבור חולשתם עם חוזק בעלי דינם: (י) **אשת חיל.** כהתימו לספר מוסרי אמו חזר לשבח אשת חיל לכבוד אמו למען היות לה לזכרון: **מי ימצא.** מי יוכל למצוא אשת חיל כי היא דבר יקר ומלתא דלא שכיחא: **ורחוק.** אם היו רוצים למכרה אז שויה רחוק מכל שווי הפנינים כי היא שווה יותר והוא ענין מליצה: (יא) **בטח.** כשאין האיש בביתו יבטח בה שתשמור כל אשר בבית ובמקום שהוא שם לא יחסר מלשלול שלל כי לא יהיה נבהל וממהר לביתו מפחד חסרון מה בבית: (יב) **גמלתהו טוב.** בכל ימי חייה כאשר בעלה היטיב עמה גמלה לו טוב לעומת הטובה אבל את הרע לא גמלה לו כמפעלו: (יג) **דרשה.** בעלמה חפשה אחר צמר ופשתים לטוות אותן עם כי אין על האשה אלא לטוות ולא לחזור אחריהן: **בחפץ כפיה.** לא עשתה מלאכתה על ידי כפיה ונגישה כי אם ברצון כפיה וכאלו הכפים עצמן רוצים במלאכה: (יד) **באניות סוחר.** כספינות הסוחרים ההולכים למרחוק כן היא תביא מאכלה ממרחק כי תשלח שם מסחר להיות ניזונת מזה אף שבעל

[*Rashi*] According to the Midrash this refers to the Matriarch Sarah, in whose merit Abraham became wealthy when she was taken by Pharaoh.

12. **She requites him with good and not with evil**—All her life, she repays her husband for the good he does her, but she does not repay him for the evil he may have done to her.—[*Mezudath David*] The Midrash sees here an allusion to the Matriarch Rebecca, who was kind to Isaac when he was mourning for his mother Sarah. *Misgav Immahoth* explains that Isaac suspected Rebecca of intimacy with Eliezer when he brought her from Aram-Naharaim, yet she never provoked him because of his distrust of her.

13. **She seeks wool and flax**—She seeks to purchase wool and flax.—[*Ibn Ezra*] She herself seeks wool and flax without being coerced by her husband to purchase it and spin it.—[*Mezudath David*]

justly and plead the cause of the poor and the needy. 10. A
woman of valor who can find, for her price is beyond pearls.
11. Her husband relies on her, and he will lack no gain.
12. She requites him with good and not with evil all the days of
her life. 13. She seeks wool and flax, and she works it with the
will of her hands. 14. She is like the merchant ships, she brings

down to judgment in a stable state of mind, so that you will be able to open your mouth for the dumb, i.e. to present the case for those who are not articulate enough to present their own cases properly.—[*Mezudath David, Isaiah da Trani*]

**all whose help has passed**—Heb. בְּנֵי חֲלוֹף. *These are the orphans, whose help has passed and gone away.*—[*Rashi*] *Ibn Ezra* renders: to the cause of those accused of capital crimes, who may pass from this world.

9. **plead the cause of the poor, etc.**—so that they are given redress for their grievances against their more affluent and powerful opponent.—[*Mezudath David*]

**needy**—According to *Targum,* miserable, low.

10. **A woman of valor**—As a conclusion to his mother's discipline, he returns to praise the valiant woman as a remembrance of his mother.—[*Mezudath David*]

**A woman of valor**—Heb. אֵשֶׁת חַיִל, *Targum:* אִתְּתָא כְּשֶׁרְתָּא, a pious woman. *Mezudath Zion:* eager and upright. *Ibn Ezra:* Capable of acquiring wealth.

**for her price is beyond pearls**—She is far dearer than pearls.—[*Isaiah da Trani*] The Midrash, in explaining the verse, presents the well- known narrative of the death of Rabbi Meir's two sons and how his wife broke the news to him in a gradual, intelligent manner, describing the sons as a deposit entrusted to them by God. She asked him whether she should return the deposit to the one who entrusted her with it, not revealing the identity of the deposit. When he replied that she certainly should return it, she revealed to him that their two sons were the deposit, claimed by God.

Another interpretation presents the passage as representing many of the famous women mentioned in the Bible, who stood by their husbands and supported their activities in serving God, such as Sarah, who equalled Abraham in charity and kindness; and Noah's wife, whose deeds equalled those of Noah and was therefore saved from the flood.

11. **Her husband relies on her, etc.**—When he is away from home, he relies on her to watch everything in the house, so that wherever he is, he will be able to earn money and will not be compelled to hurry home to protect his property.—[*Mezudath David*]

**and he will lack no gain**—lit. no plunder, *i.e. he will lack no good.*—

תָּבִיא לַחְמָהּ׃ טו וַתָּקָם ׀ בְּעוֹד לַיְלָה
וַתִּתֵּן־טֶרֶף לְבֵיתָהּ וְחֹק לְנַעֲרֹתֶיהָ׃
טז זָמְמָה שָׂדֶה וַתִּקָּחֵהוּ מִפְּרִי כַפֶּיהָ
נְטַע* כָּרֶם׃ יז חָגְרָה בְעוֹז מָתְנֶיהָ
וַתְּאַמֵּץ זְרוֹעֹתֶיהָ׃ יח טָעֲמָה כִּי־טוֹב
סַחְרָהּ לֹא־יִכְבֶּה בַלַּיְל* נֵרָהּ׃ יט יָדֶיהָ
שִׁלְּחָה בַכִּישׁוֹר וְכַפֶּיהָ תָּמְכוּ פָלֶךְ׃

מַיְתְיָא מֵכְלוּתָא׃
טו וְקָמַת בְּלֵילְיָא וִיהֲבַת
מְזוֹנָא לְבֵיתָהּ וּפוּלְחָנָא
לְטַלְיָתָהָא׃ טז וְאִתְחַשְׁבַת
בְּתַרְעִיתָא וּנְסֵבַת
חַקְלָא וּמִן פֵּרֵי דִידָהָא
נְצִבַת כַּרְמָא׃ יז וְאַסְרַת
בְּעוּשְׁנָא חַרְצָהָא וְזָרְזַת
דְרָעָהָא׃ יח וּטְעַמַת
מְטוּל דְטָבְתָא תַגְרוּתָהּ
וְלָא דָעֵךְ בְּלֵילְיָא שְׁרָגָהּ׃
יט יְדָהָא פְּשַׁטָא
בְכוּנְשְׁרָא וִידָהָא לְבְבִין
מעזלא

נטעה קרי בלילה קרי

## רש"י

(טו) טרף. מזון: וחוק. גם הוא מזון הקצוב להם: (יט) בכישור. שקורין (ווירטו"ל בלע"ז. ברש"י כ"י נוסף שקורין בל"א ווירטי"ל) המכשיר את הפלך לטוות: פלך. כפה (פוסי"ל בלע"ז פוסעל"ע בל"א שפינדעל אוס שפינגען):

## אבן עזרא

למרחוק: (טו) לילה. קודם עלות השחר: לביתה. לבניה. וחוק. מאכל כענין והאכלו חקם לחם חק: (טז) זממה. חשבה לקנות שדה: מפרי. רמז להון יגיע כפיה כלומר מפרי כפיה נטעה יטע לה כרם כי אין מנהג הנשי' לנטוע: (יז) בעוז מתניה. כאילו העוז חגרה: (יח) טעמה. כמו ברוך טעמך כלומר יעלה כי טוב להתעסק בסחורה על

## מנחת שי

(טז) נטע* כרם. נטעה קרי: (יז) חגרה בעוז מתניה. במקצת ספרים חגרה בטעם ימנית בעוז בגלגל והבי"ת דגושה אבל ברוב המדוייקי' בשני גלגלים והבי"ת רפויה. וכן נראה מפירושי המפרשים ובספר אחד כתיבת יד ישן מלאתי בי"ת בעוז קמוצה וכן משמע מפירוש ן' עזרא ואינו כן בשאר ספרים כי אם בשוא וכן מוכיח המסורת שנמסר בעוז ב' חד מלא וחד חסר וסימנהון ועמד ורעה בעוז ה' (מיכה ה'). חגרה בעוז מתניה: (יח) טעמה. פעל עבר וטעה מי שכתב טעמה מפיק ה"א וחשב שהוא שם: בליל* נרה. בלילה קרי

ודרש בשוחר טוב מזמור קל"ו על חנה בת פנואל שהיתה בכורה ובתפלתו של משה גילולה דכתיב לא יכבה בלילה נרה ליל כתיב

## רלב"ג

בדרושים יקשה לעמוד מן החוש אם לא בשוסס באמונות או בעדות מהקודמים אשר ראוי לבטוח בהם שיגידו האמת: (טו) ותקם בעוד לילה. בחריצות וזריזות לתת טרף לביתה וחוק לנערותיה להעמיד בריאות הגוף כי בו יעמוד בריאות הנפש והנה תמצא בזה בספר מחריצות בדמיון זה הענין קבלתו לשרות בעלה וקבלתו להעמיד בריאות הגוף שהוא גם כן לשרות השכל עד שבכר זממה שדה קנתה שדה ונטעה כרם להוציא מהם פרי אל השכל: (יז) חגרה בעוז מתניה. לרוב בזריזות לחפליה ואמצה זרועותיה לעשות פעולותיה בחריצות: (יח) טעמה. הכירה כי סחרה הוא טוב מלד הפרי המגיע ממנו לשכל ולזה תנהיג בזריזות בשרותו עד שלא יכבה נרו בלילה להתרחק מן העצלה: (יט) ידיה

## מצודת דוד

הנשא לזונה: (טו) בעוד לילה. קודם אור היום: ותתן. מאכלת מזון לבני ביתה: וחוק. מזון הקצוב תחלק לנערותיה: (טז) זממה. כאשר חשבה על השדה ונתנה עיניה בה לא תשקוט עד אשר תקנה: מפרי כפיה. משכר מעשה ידיה נטעה כרם: (יז) חגרה וגו'. חגרה מתניה בכח וגבורה רלה לומר היתה מתגברת בעצמה לעשות מלאכתה: ותאמץ. חזקה זרועותיה במלאכה והוא כפל ענין במלות שונות: (יח) טעמה וגו'. כאשר יעלה בעצמה כי טוב סחרה נמצא בה ריוח אז לא יהיה נרה כבוי בלילה ועוסקת בסחורה אף בלילה: (יט) ידיה. עם כי חושבת בסחורה מכל מקום לא זזה ידיה ממלאכת נשים ותושיט ידיה לאחוז בכישור ולסמוך בפלך והם כלי הטווי:

## מצודת ציון

(טז) זממה. חשבה כמו כאשר זממתי (זכריה ח'): (יח) טעמה. ענין עלה כמו וטעם זקנים יקח (איוב י"ב): (יט) שלחה. ענין הושטה כמו שלח אלבע (ישעיה נ"ח): בכישור. הוא הכלי שהפשתן כרוך בו ואין לו דומה: תמכו. ענין השענה: פלך. הוא הכלי שבו המטוה ודומה לו

18. **[When] she advises, etc.**—When she herself perceives that her merchandise is good, she works on it at night as well as by day. In the Midrash, this refers to Hannah, who "tasted the taste of prayer" when she prayed for a son. Therefore, she merited a son—Samuel—who was likened to Moses and to Aaron. The beginning of his prophecy is described with the words (I Sam. 3:3): "And the lamp of God had not yet gone out, and Samuel was lying down, in the Temple of the Lord, . . .

19. **onto the distaff**—Heb. כִּישׁוֹר, *that is called vertel, verteil, vertay in Provençal, which prepares* (מַכְשִׁיר) *the spindle to spin.*—[*Rashi*]

**the spindle**—Heb. פָּלֶךְ, *fusele in French.*—[*Rashi*] Although her mind is on her business venture, she does not neglect her work, and she stretches out her hands to work on the distaff and the spindle. In the Midrash, this refers to Jael, who

her food from afar. 15. She rises when it is still night; she gives
food to her household and an allotted share to her maidens.
16. She contemplates a field and purchases it; from the fruit of
her hands she plants a vineyard. 17. She girds her loins with
vigor and strengthens her arms. 18. [When] she advises that
her merchandise is good her lamp does not go out at night.
19. She stretches forth her hands onto the distaff, and her
hands support the spindle.

**and she works it with the will of her hands**—She need not be coerced to do the work, but it is as though her hands wish to spin the wool and the flax.—[*Mezudath David*] Not only did she spin the soft wool willingly, but even the hard flax fibers.—[*Misgav Immahoth*] This represents Leah, who joyfully accepted Jacob into her tent when she bartered her mandrakes to Rachel for his company.—[*Midrash Mishle*]

14. **She is like the merchant ships**—As the merchants' ships sail afar to bring merchandise from distant lands, so does she bring her food from afar, because she sends merchandise to sell, with which she purchases her food although her husband is, in fact, required to support her.—[*Mezudath David*] The Midrash understands this verse as an allusion to Rachel, who was always ashamed of her lack of children. Accordingly, her son, Joseph, supported the entire world like a ship that is full of all good foods.

15. **She rises when it is still night**—She rises before dawn to distribute the daily rations to the members of the household and the staff.

**food**—Heb. טֶרֶף.—[*Rashi*] See above 30:8.

**and an allotted share**—Heb. וְחֹק. *This too is the food that is allotted to them.*—[*Rashi*] The Midrash interprets this as referring to Bithyah the daughter of Pharaoh, who saved Moses from the Nile. Since she nurtured Moses, she is counted among the pious Jewish women.*

16. **She contemplates a field**—When she plans to buy a field, she does not rest until she buys it.—[*Mezudath David*] According to the *Midrash,* this refers to Jochebed, who bore Moses. He was equal to the entire people of Israel, and was known as "the vineyard of the Lord of Hosts."

17. **She girds her loins with vigor**—She exerts herself to perform her labor.—[*Mezudath David*] This refers to Miriam, who prophesied that her mother would bear a son who would redeem Israel. When Moses was born, and the slavery became heavier, her father hit her on the head and said, "Where is your prophecy?" Then he spat in her face. But she adhered vehemently to her prophecy, even watching her brother from a distance.

כ כַּפָּהּ פָּרְשָׂה לֶעָנִי וְיָדֶיהָ שִׁלְּחָה
לָאֶבְיוֹן: כא לֹא־תִירָא לְבֵיתָהּ מִשָּׁלֶג
כִּי כָל־בֵּיתָהּ לָבֻשׁ שָׁנִים: כב מַרְבַדִּים
עָשְׂתָה־לָּהּ שֵׁשׁ וְאַרְגָּמָן לְבוּשָׁהּ:
כג נוֹדָע בַּשְּׁעָרִים בַּעְלָהּ בְּשִׁבְתּוֹ עִם־
זִקְנֵי־אָרֶץ: כד סָדִין עָשְׂתָה וַתִּמְכֹּר
וַחֲגוֹר נָתְנָה לַכְּנַעֲנִי: כה עוֹז־וְהָדָר

מְעִזְלָא: כ יְדַהּ פְּשָׁטָא
לְעַנְיָא וּדְרָעֲהָ מוֹשְׁטָא
לְעַלִּיבֵי: כא לָא יִדְחֲלוּן
בְּנֵי בֵיתָהּ מִן תַּלְגָא
מְטוּל דְּכוּלְהוֹן בְּנֵי
בֵיתָהּ לְבִישִׁין הֲווֹ
זְהוֹרִיתָא: כב תַּשְׁוִיתָא
עַבְדַת לָהּ בּוּצָא
וְאַרְגְּוָנָא לְבוּשָׁהּ:
כג יְדִיעַ הֲוָה בֵּינַת
מְדִינְתָא בַּעְלָהּ כַּד יָתֵיב
הוּא עִם סָבֵי אַרְעָא:
כד פְּתָנָא עַבְדַת וְזַבְּנַת
וְזוּנָּארָא יְהַבַת
לִכְנַעֲנָאָה: כה עוּשְׁנָא
וְהַדְרָא

ה"א לא תירא. זוכר ויתי ותקח: נודע בשערים. זוכר וירא: סדין עשתה. פסוקים כ':

## רש"י

(כא) לא תירא לביתה. לבני ביתה: משלג. מלגה: לבוש שנים. בגדי לצבועין: (כב) מרבדים. מלעות נאוה למטה כמו מרבדים רבדתי (לעיל ז'): (כג) נודע בשערים בעלה. ניכר הוא בין חביריו מפני מלבושיו שהם נאים: (כד) לכנעני. תגר: (כה) ליום אחרון. ביום מיתה נפטרת בשם טוב: ותשחק. כל ימיה על יום

## אבן עזרא

כן לא יכבה: (כ) פרשה. לחם לעני: לביתה. בניה כלומר לא תירא משלג היורד על הארץ כי כל אחד מביתה לבוש מתולעת שני או כל ביתה לבוש שנים שם ממין פשתים וארגמן ממין הצבעים והוא אדום: (כג) זקני. הזקנים ויושבו בעלה עמהם בעבורה: (כד) לכנעני. סוחר כמו כנעניה נכבדי ארץ: (כה) עוז. כאילו העוז וההדר לובשת: ליום אחרון. לעת זקנתה תוכל לעמוד משחקת ואינה מפחדת מן החסרון או לעה"ב:

## רלב"ג

בלחה בכישור וכפיה תמכו פלך. לטוות הצמר והפשתים: (כ) כפה פרשה לעני וידיה שלחה לאביון. וזה משלימות חריצותה שתעשה מה בתשלם בה לשכל חוקי לקנותו מההון מה שיספיק לה ולביתה ולתת לעניים חוקם: (כא) לא תירא וגו'. בגדי שני אמר זה מלך אח' להורו' על חריצות' לקנות מה שיצטרך מההון ומלך אחר אמר זה להיות מה שתכין אל השכל מהמוחשות רחוק מלהטעות השכל והנה עשתה לה מרבדים אקשוטים במדו': (כב) שש וארגמן לבושה. רול' לומר בגדי' חמודי' ונקיים במדות המשובחות לא בגדים צואים במדות המגונות: (כג) נודע בשערי'. והנה בעלה הוא נודע בחכמה בשבתו עם חכמי ארץ מלך רב להישרה שתישרהו לקנין החכמה: (כד) סדין עשתה ותמכר וחגור אשר עשת' נתנה לסוחר למוכרו לו כדי שיהיה לה הון לקנות בו ככל אשר תשאל נפשה: (כה) עוז והדר לבושה. הנה לבושה הוא עוז והדר ר"ל שישלם במדותיה היופי והתוקף להכניע תאוותיה הגופיות וזה ממה שישלם בשתנהג בדרכי התורה ותשחק ליום המות כדרך אנשי המעלה שלא יחרדו מן המות כי אין רצונם לחיות כי אם להשלי' השכל ואחר השלמו כמעט שיתפלו במות כי יהיה המיים להם:

## מצודת ציון

ומחזיק בפלך (שמואל ב' ג'): (כב) מרבדים. מלעות המטות וכן מרבדים רבדתי (לעיל ז'): שש. פשתן משובח: וארגמן. לבוש בצבע אדום ושמו ארגמן כמו ותכלת וארגמן וגו' ושם (שמות כ"ה): (כד) סדין. מין לבוש עשוי להתעטף: והגור. חגורה ואזור:

## מצודת דוד

(כ) פרשה. לקחת מידה מתנתה ולא קפצה יד: שלחה. הושיטה לתת ליד מי שנכלם לקחת בעצמו: (כא) לא תירא. לא תפחד בעבור אנשי ביתה מקרירת השלג. כי כ"א מאנשי ביתה מלובש במלבוש לבוש תולעת שני כי צבע השני שהוא אדום טבעו לחמם מאוד: (כב) מרבדים. מלעות נאות עשתה לעצמה ולובשת מלבושי שש וארגמן אשר עשתה ממעשי ידיה: (כג) נודע. בעבור מלבושי הפאר בעשתה לבעלה הוא נודע וניכר בין חביריו בעת יושב עמהם בשערים מקום ישיבת הזקנים והחשובים כמו שכתוב ועלתה יבמתו השערה (דברים כ"ה): (כד) סדין וגו'. מלבד מה שעשתה לצרכה עשתה למכור לתגרי': (כה) עוז והדר. מלבושה חזק ודבר המתקיים ומהודר ביופי: ותשחק. כל ימיה תשמח על הכבוד שיהיה לה

when he was pursued by her father. Scripture (I Sam. 19:18) relates that David fled to Samuel in Nayoth in Ramah. The Sages (*Midrash Samuel* 22:4) tell us that Samuel taught him things that a distinguished scholar would not be able to learn in a hundred years. Thus, thanks to Michal's rescue, David gained tremendously in Torah scholarship, and he related to Samuel that Michal instructed him to publicize her faithfulness to him. Hence, David was known as Michal's husband when he was in the gates among the elders of the land, because his scholarship was due to the fact that he was Michal's husband, and she had therefore risked her life to save him.—[*Misgav Immahoth*]

24. **She makes a cloak and sells it**—In addition to making garments

20. She spreads out her hand to the poor man, and she
stretches her hands out to the needy. 21. She fears not for her
household for snow, for all her household are dressed in crim-
son. 22. She makes beautiful bedspreads for herself; fine linen
and purple wool are her raiment. 23. Her husband is known in
the gates, when he sits with the elders of the land. 24. She
makes a cloak and sells it, and she gives a belt to the trafficker.
25. Strength and beauty

killed Sisera with a tent peg rather than with a sword. This is because a sword is a man's weapon, and wearing it constitutes a transgression of "No male article shall be on a woman" (Deut. 22:5).

20. **spreads**—She opens her hand so that the poor man can take her gift; she does not close her hand to keep it.—[*Mezudath David*] *Ibn Ezra* renders: With her hand, she breaks bread for the poor man. In the Midrash, this refers to the widow in Zarefath, who fed Elijah with bread and water (I Kings 17).

21. **She fears not for her household**—*For those who live in her house.*—[*Rashi*]

**for snow**—*For the cold.*—[*Rashi*]

**are dressed in crimson**—*Colored clothing.*—[*Rashi*] Crimson has the property of generating warmth. Therefore, she need not fear the cold.—[*Mezudath David*] *Ibn Ezra* conjectures that שָׁנִים is a type of linen. In the Midrash this refers to Rahab the harlot, who had no fear of the Israelite armies because the spies gave her the sign of the crimson thread in her window.

22. **beautiful bedspreads**—Heb. מַרְבַדִּים, *beautiful spreads for the bed, as in* (above 7:16) *"I have bedecked my couch with covers* (מַרְבַדִּים רָבַדְתִּי)."—[*Rashi*]

**fine linen and purple are her raiment**—that she herself made.—[*Mezudath David*] *Ralbag* interprets this as symbolizing admirable character traits; repugnant ones are symbolized by soiled clothing. *Midrash Mishle* identifies this woman as Bathsheba, the mother of King Solomon, who was clothed in raiment embroidered with fine linen and the royal purple, and who ruled from one end of the world to the other.

23. **Her husband is known in the gates**—*He is recognizable among his peers because of his garments, which are beautiful.*—[*Rashi*] When he sits with his peers in the gates, the place where the elders and the wise men convene, as in Deut. 25:7.—[*Mezudath David*] According to *Ralbag*, the husband receives recognition because his wife has encouraged him to acquire wisdom.

In the Midrash, this verse refers to Saul's daughter, Michal, who saved her husband David from death

לְבוּשָׁהּ וַתִּשְׂחַק לְיוֹם אַחֲרוֹן׃ כו פִּיהָ
פָּתְחָה בְחָכְמָה וְתוֹרַת־חֶסֶד עַל־
לְשׁוֹנָהּ׃ כז צוֹפִיָּה הֲלִיכוֹת בֵּיתָהּ וְלֶחֶם
עַצְלוּת לֹא תֹאכֵל׃ כח קָמוּ בָנֶיהָ
וַיְאַשְּׁרוּהָ בַּעְלָהּ וַיְהַלְלָהּ׃ כט רַבּוֹת
בָּנוֹת עָשׂוּ חָיִל וְאַתְּ עָלִית עַל־כֻּלָּנָה׃
ל שֶׁקֶר הַחֵן וְהֶבֶל הַיֹּפִי אִשָּׁה יִרְאַת־
יְהוָה הִיא תִתְהַלָּל׃ לא תְּנוּ־לָהּ מִפְּרִי

הליכות קרי

וְהַדְרָא לְבוּשַׁהּ וְנָחֲכָא
בְיוֹמָא אַחֲרָיְתָא׃
כו פּוּמַהּ פְּתַחַת
בְחָכְמְתָא וְנִימוּסָא
דְחִסְדָא עַל לִישָׁנַהּ׃
כז וְגַלְיָן אָרְחָתָא דְבֵיתַהּ
וְלַחְמָא חֲבִינָנוּת לָא
אָכְלָא׃ כח קָמוּ בְנָהָא
וִיהַבוּן לַהּ טוּבָא בַעְלַהּ
וּמְשַׁבְּחָהּ׃ כט סַגִּיעָן
בְנָתָא דְקַנְיָ עֻתְרָא וְאַתְּ
עֲבַרְתְּ עַל כֻּלְהוֹן׃
ל מְטוּל דְשִׁקְרָא הוּא
חִנָּא וּסְרִיק הוּא שׁוּפְרָא
אִתְּתָא דְחַלְתֵּיהּ דַאלָהָא
הוּא מִשְׁתַּבְּחָא׃
לא הָבוּ לַהּ מִן פֵּרֵי

ת"א פיה. ברכות י׳ זוהר תולדות: קמו בניה. עקידה נשלת שערים: ותורת חסד. סוכה מט (שם כ׳): רבות בנות. סנהדרין כ׳: שקר החן. תענית כו:

## רש"י

(כז) צופיה. היא בביתה מיתתה שיהא נכבד בשם טוב: נותנת לב על נורכי בני ביתה איך ינהגו באמת ובצניעות: (כט) רבות בנות. כך מאשרין אותה בעלה ובניה: (ל) שקר החן. אשת חן ויופי אין מהללין אותה אלא הכל

## אבן עזרא

(כו) חסד. שהיא מוכנת לעשות חסד: (כז) עצלות. אשת עצלות: (כח) קמו. בבקר בניה כילא יכבה בלילה נרה: ויהללה. זה המהלל שיאמרו לה רבות בנות עשו חיל. קנו חיל: (כט) עלית. כמו ותעל אחד מגוריה כלומר גדלה על כלנה: (ל) שקר החן. גם זה הפסוק מהלל בניה הוא שהם אומרים לשקר אשת החן והבל הוא היופי: (לא) תנו. הבעל אומר לבניו תנו לה מפרי ידיה עד שיהללוה המהללים על מעשיה או מעשיה הם יהללוה והנתינה בדבור כענין תנו לה׳ אלהיכם כבוד: נשלם ספר משלי

## מנחת שי

כד"א ליל שמורים: (כז) צופיה. בס"א כ"י הצד"י גדולה וכן נמסר עליו לית לד"י גדולה ולא מצאתי כן בשאר ספרים ועיין מה שכתבתי בישעיה כ"ו: הילכות. הליכות קרי: (ל) אשה יראת ה׳. לב"א היו"ד במאריך ובמקצת כ"י יראת היו"ד בשו"א והרי"ש בפתח והאל"ף נחה והם שלש טעיות בתיבה אחת: (לא) תנו

## רלב"ג

(כו) פיה פתחה בחכמה. כי ממנה ילקחו התחבולות ונימוס החסד שעשה הש"י בנמצאות יתבאר על נכונה במה שיגיע אל החוש מזה הענין אשר הפליא הש"י חסדו בילירותיו: (כז) צופיה. תמיד היא צופיה ומבטת ההליכות והדרכים אשר יובילוה אל ביתה אשר תתחבר בו אל השכל להשפיע לו מהחוש המצטרך לו בחקירות ולא תאכל מזון העצל שהוא חסר התיקון אך כל מה שתקנה מאלו הצורות הדמיוניות יהיה שלם התיקון להביא אל השכל הנה האשה אשר כה משפטה תבונה מלד כחות הנפש ומלד השכל: (כט) רבות בנות. ויאמרו כי רבות בנות עשו חיל אך את עלית על כלנה: (ל) שקר החן. אשר במה שתכין אל השכל פעמים יביא זה לטעות בדרושים העמוקים אשר לא תחובר להם יראת ה׳: (לא) תנו לה. הנה לאשה אשר כזאת יותן מפרי ידיה כי ימשך מהשגחה הדבקה בשכל טוב לא גם בדברים הגופיים

## מצודת דוד

ביום מותה: (כו) פיה פתחה. כל מאמריה המה בחכמה: ותורת חסד על לשונה. לימוד של חסד על לשונה רלה לומר מלמדה ומזרזת לעשות חסד עם הבריות: (כז) צופיה. מבטת בהליכות אנשי ביתה ומיישרת דרכם בצניעות וביראת ה׳: ולחם עצלות. רלה לומר לא תשהה כאילתה להתעכב בה זמן הרבה כדרך העצל אלא תנהג בם וזוזת למלאכתה: (כח) קמו. בעבור כל זה קמו בניה ובעלה ומשבחים ומהללים אותה: (כט) רבות. וכה יאמרו הן אמת יש הרבה בנות אשר קנו וכנסו הון רב במעשה ידיהן אבל את גדלת לעלות על כולהן: (ל) שקר החן. חן האשה ויפיה הם שקר והבל. ר"ל אין באלה תועלת רב עד להלל את האשה באלה אבל אשה יראת ה׳ היא הראויה להללה בזה: (לא) תנו לה. לזאת תנו לה מפרי ידיה. ר"ל שלמו לה גמול מעשיה להללה ולשבחה:

## מצודת ציון

לכנעני. תגר כמו בת איש כנעני (בראשית ל"ח): (כז) צופיה. ענין הבטה כמו צופות רעים וטובים (לעיל ט"ו): (כח) קמו. ענין התעוררות לדבר מה כמו קום נא שבה (בראשית כ"ז): ויאשרוה. ענין שבח והלול כמו אשרי האיש (תהלים א׳): (כט) עשו. ענינו קנין וכניסה כמו ואת הנפש אשר עשו בחרן (בראשית י"ב): חיל. עושר: עלית. מלשון עליון: (ל) שקר. והבל. ענינם דבר שאין בו ממש: תתהלל. מלשון הלול ושבח:

sion is to II Kings 4:1. Cf. Commentary Digest ad loc.

28. **Her children rise**—Because of all these admirable acts, "her children rise and call her fortunate, [also] her husband, and [he] praises her."—[*Mezudath David*]*

29. **"Many women, etc."**—*In this way, her husband and children call her fortunate.*—[*Rashi*] In the Midrash, this verse refers to Ruth the Moabitess, who entered under the wings of the Shechinah.

30. **Charm is false**—*No one*

are her raiment, and she laughs at the last day. 26. She opens her mouth with wisdom, and instruction of kindness is on her tongue. 27. She supervises the ways of her household and does not eat bread of idleness. 28. Her children rise and call her fortunate; [also] her husband, and praises her. 29. "Many women have acquired wealth, but you surpass them all." 30. Charm is false and beauty is futile; a God-fearing woman is to be praised. 31. Give her of the fruit of

for herself and her family, she makes garments to sell to others.—[*Mezudath David*]

**cloak**—Heb. סָדִין. This was a garment in which one would enwrap oneself.—[*Mezudath Zion*] *Ibn Nachmiash* defines it as a linen night garment, worn next to the body. Some are made to enwrap oneself by day.

**to the trafficker**—Heb. כְּנַעֲנִי, *a merchant.*—[*Rashi, Ibn Ezra*]*

25. **Strength and beauty**—Her garments are strong and durable, and also beautiful.—[*Mezudath David*] *Ibn Ezra* explains: It is as though she is adorned with strength and beauty. *Ralbag* explains that her character traits are beautiful, and she possesses the strength to overcome her physical desires. She achieves these traits by following the ways of the Torah.

**at the last day**—*On the day of her death, she departs with a good name.*—[*Rashi*]

**and she laughs**—*all her life about the day of her death, that it should be honored with a good name.*—[*Rashi*] *Ibn Nachmiash,* apparently quoting *Rashi,* states: when she will be buried with a good name. [The sequence is reversed, without any apparent reason.] *Mezudath David* explains that she rejoices at the honor that will be bestowed on the day of her death. *Ibn Ezra* suggests that in her old age she remains happy, for she need not fear any want. Alternatively, it may refer to the hereafter.*

26. **She opens her mouth, etc.**—All her statements are with wisdom.—[*Mezudath David*]

**instruction of kindness**—She teaches and encourages people to do kindness with others.—[*Mezudath David*] *Targum* renders: the right conduct of kindness. In the Midrash, this refers to the wise woman mentioned in II Sam. 20:16, who saved the city where Sheba the son of Bichri had taken refuge. She was Serah the daughter of Asher.

27. **She supervises**—*In her house, she pays attention to all the needs of her household, how they should act with truth and with modesty.*—[*Rashi*] In the Midrash, this refers to the wife of Obadiah, who saved her sons, and they consequently did not worship idols with Ahab. The allu-

# יְדֶיהָ וִיהַלְלוּהָ בַשְּׁעָרִים מַעֲשֶׂיהָ׃

דִידָהָא וְנִשַׁבְּחוּנָא עוֹבָדָהָא בְתַרְעֵי׃ חזק

## חזק

סכום פסוקים של ספר משלי. תשע מאות וחמשה עשר ותשר דבורה סימן. וסדריו שמונה. אז הלך לבטח דרכך סימן:

### רש"י

הבל ושקר אבל אשה יראת ה' היא לבד תתהלל: (לא) מעשיה. כשרון מעשיה מעיד עליה להללה בשער העיר כל יוצא ובא זו המליצה שפירשתי. אבל לפי המשל על התורה ולומדיה הפרשה מתבארת: (י) אשת חיל. היא התורה: מי ימצא. אשרי הזוכה למצוא אותה: מפנינים. מרגליות: (יא) ושלל לא יחסר. אוכל פירות בעוה"ז ובעוה"ב: (יג) דרשה צמר ופשתים. לפי שהמשילה לאשה דבר לפי המליצה בדרכי מלאכת הנשים והמשל כך היא. דורשת התורה מקרא משנה מדרש ומחזרת אחריהם שהם צרכי התלמידים: (יד) היתה כאניות סוחר. מביא' היא ללומדיה ברכה ומזון: (טו) ותקם בעוד לילה. משכימים באשמורות: ותתן טרף לביתה. שונה הרב לתלמידים החוק הקצוב להם: (טז) זממה שדה. זממה בזמם וברסן את עשו איש שדה: ותקחהו. מן העולם להאבידו: מפרי מעשיה נטעה כרם. ישראל לקיימם לחיי העולם הבא: (יח) טעמה. דבורה: לא יכבה בלילה נרה. בליל כתיב חסר ה' בליל שמורים שנגפו המצרים האירה לישראל והגינה עליהם: (יט) בכישור. בכשרון מעשיה: המכו פלך. משען ומשענה כמו (שמואל ב' ג') מחזיק בפלך: (כ) כפה פרשה. כל מי שמשים עצמו עליה כעני בו היא מתקיימת: (כא) לא תירא לביתה משלג. שדנין בו הרשעים מאש לשלג: לבוש שנים. ברית דם מילה ד"א מלובשים בכפל כתון תתן (דברי' ס"ו) פתוח תפתח (שם) העניק תעניק (שם) כל אלו מצילין אותן משלג גיהנם כך הוא נדרש בתנחומא: (כד) סדין עשתה. לבוש תפארת נותנת לחכמים: וחגור נתנה לכנעני. למי שהוא חגור בסוחרתה נותנת אזור למתניהם: (כה) ליום אחרון. אין להם להתעצב מיום הדין כי ינצלו ממנו וכל ימי חייהם ישחקו ליום הדין מי שאינו צריך לדאג נופל בדבר לשון לחוק כמו (איוב י"א) וישחק לרעם כידון: (כז) צופיה הליכות ביתה. התורה מלמדתם דרך הטוב לפרוש מעבירה: (כח) קמו בניה. התלמידים: בעלה. הקב"ה: (ל) שקר החן. שבמלכי העו"ג: והבל. גדולתן ויופין: (לא) תנו לה. לעתיד לבא: מפרי ידיה. תפארת וגדולה עוז פאר וממשלה:

### מנחת שי

לה. בכ"א כ"י הסי"ו בוציא ואין כן בספרי ספרד: בשערים. הכי"ת כפה: ספר משלי נשלם ונגמר. תהלות לאל אשר בריתו שבר:

### רלב"ג

כמו שביארנו בד' מספר מלחמות ה' ויהללוה מעשיה בשערים שבם יוספר נועם מדותיה וטוב מוסרה ויראתה מהש"י והנה התועלת בזה המאמר לפי הנמשל מבואר וכו תועלת עוד לפי המשל להיישיר האשה שתשתדל בעבודת בעלה ובתיקון ביתה בזה האופן:

### מצודת דוד

ויהללוה וגו'. ר"ל כשרון מעשיה יהללו אותה בשערים מקום מושב החשובים ואין א"כ מהצורך לפרסם שבחה כי מעשיה הם מעידים עליה והם המהללים אותה. וכל הענין אמורה גם למשל על הנפש המשכלת שהיא עזר לבעליה כאשה לבעלה: (י) אשת חיל מי ימצא. מי הוא המוצא נפש משכלת על שלימותה לדעת ולהבין מעצמו כל דבר הכמה והשכל וכאומר הלא זה קשה במציאות אבל נמצא און ותחבולה לדעת סכל והיא על כי מכירת פעולתה רחוקה היא מסחל הפנינים ואין לה ערך ודמיון עמה כי מוכר הפנינים יקח המחיר והמה יוצאים מתחת ידו אבל המלמד חכמה לזולת במחיר למוד חכמה אחרת נשארו שתיהן ביד כל אחד ואחד א"כ בעל נפש יוכל להשכיל בזה חכמות מרובות: (יא) בטח. בעל נפש משכלת יבטח בה ולא יחסר מלשלול שלל החכמות מן הזולת כי יש ללמד תמורתן: (יב) גמלתהו. הנפש המשכלת תדריך בעליה בנתיב ישר לטוב לו ולא תשיאו ללכת ארחות עקלקלות לרע לו וכל הימים לא יארע לו תקלה על ידה: (יג) דרשה. הן תשכיל לחקור מלפוני טעמי המצות שהשטן משיב עליהם כלבישת שעטנז למר ופשתים יחדיו והדומים ועם כי לא השכילה עד התכלית עם כל זה תעשה בחפצה מבלי התרשלות: (יד) היתה. תשכיל דברים עיונים קשי ההבנה ע"פ הלעות מרובות וראיות מחולפות כספינה הזאת המביאה סחורה מארץ מרחק: (טו) ותקם. עודנה נבוכה ומשוטטת בדבר המחקר עוד חשכו נגוהות הסיקם והרי ההשכלה תמלא אז בדרך עיונה דברים מושכלים בחכמות אחרות: (טז) זממה. כל מה שתכסוף להשכיל תשכיל ותשיג ותתחכם עוד להבין דבר מתוך דבר ועושה עוד לילים ופרחים: (יז) חגרה. זריזה היא ומשתדלת מאד לחקור ולהעמיק בדברים מושכלים: (יח) טעמה. כאשר תחל לחקור במושכלות ותמצא מוצא הדבר אז לא תרפה ידיה ולא תשקוט עד תבוא אל התכלית ולא יעלימה עומק המושג כי תתחכם להציל המאפל נלרף וללבן: (יט) ידיה. כשתהלם כח העיוני תשייל בדברים קלי העיון: (כ) כפה. תמתיק אמריה במליצה נאותה להכנים חכמה והשכל בלבות חלושי הדעת ודלי התבונה: (כא) לא. אינה מתפחדת מרוע המקרים ומהצרות המתרגשות כי הזכות והמע"ש שבידה המה לה למגן ומחסה: (כב) מרבדים. על כי הרבתה מעשים ישרים ונכוחים תתעדן בדשן בעולם הגמול: (כג) נודע. בעל הנפש היפה נודע הוא בשערי ג"ע ולא יגיעו הדלתות מפניו אף הוא נודע בשבתו בחבורת ישיבה של מעלה כי יכינו לו מקום שבת בראש: (כד) סדין. חקרה והשכילה מדעתה דברים נפלאים ומאורה תשפיע להניק לזולת במחיר מושכלות אחרות: (כה) עוז. מעשה המצות עשתה במיטב הענין ובכוונה רצויה לכן עוד היותה על האדמה תשמח בזכרה עת הפרדה מן הגוף כי תבטח במפעלם לשוב אל מקור הקדש אשר ממנה נחלבה: (כו) פיה. אין עסקה כי אם השתדלות החכמה ותשפיע לזולת אף בחסד בלי תשלום גמול אם לא מלאה ידו די חכמה לתתה לה תמורת חכמתה: (כז) צופיה. בכל עת מבטת ומעלה על זכרונה הליכות עולם כי שם ביתה שמימי הנצחי לזאת לא תתעצל בשקידת החכמה עודה בארץ: (כח) קמו. המלאכים שבראה בקיום המצות. ובעלה אדון כל הנשמות כולם כאחד מהללים ומפארים אותה: (כט) רבות. כן אמת אשר בכל החכמות למיניהם ימצא בהם דברים טובים אבל תועלת חכמת התורה גברה על כולן: (ל) שקר. העיונים הדקים והתחכמות החקירות הנפלאות בשאר החכמות אין תועלתן רב מול חכמת התורה כי כמוהם כאין נגדה: (לא) תנו. אל הנפש המשכלת בחכמת התורה יש שכר בעמלה וכיא המלמדת מעשים הגונים לא כן שאר החכמות כולן לכן היא העולה על כלנה:

תם ונשלם

her hands, and her deeds will praise her in the gates.

*praises a woman of charm or beauty; everything is futility and false, but a God-fearing woman alone is praised.*—[*Rashi*] This verse also refers to Ruth, who forsook her mother, her ancestors, and her riches, and went to the Holy Land with her mother-in-law to convert to Judaism. Therefore, she merited to be the great-grandmother of King David, who sated the Holy One, blessed be He, with songs and praises.

31. **her deeds**—*The skill of her deeds testifies for her so that all passersby praise her in the gate of the city. This is the figure, as I explained it, but according to the allegory, the chapter is explained as referring to the Torah and those who study it* [cf. *Midrash Mishle*].

**[10]A woman of valor**—*This is the Torah.*

**who can find**—*Fortunate is he who merits to find it.*

**than pearls**—Heb. מִפְּנִינִים, [also referred to as] מַרְגָּלִיּוֹת.

**[11]and he lacks no gain**—*He eats the fruit in this world and in the next.*—[*Rashi*] Salonica ed. and Etz Chaim ms. read: *and the principal remains for the world to come.* [This coincides with *Peah* 1:1 and appears to be the correct reading. The intention is that the reward for the mitzvah is depicted as a tree growing in the world to come. The tree produces fruit, which is bestowed upon the performer of the commandment during his lifetime, leaving the tree for the hereafter. God grants this additional reward only for the performance of certain mitzvoth, namely those enumerated in *Peah* 1:1 and those added to the Mishnah in *Kiddushin* 39b and *Shabbath* 127. (See daily prayer-book, after the blessings for the Torah.) The study of the Torah is listed as being equal to all of them.]

**[13]She seeks wool and flax**—*Since it* [the Torah] *is compared to a woman, Scripture speaks according to the figure concerning the requirements for the work of women, and the allegory is as follows: The Torah seeks Scripture, Mishnah, and Midrash, and searches for them, as they are the requirements of the students.*

**[14]She is like the merchant ships**—The Torah *brings those who study it blessing and sustenance.*

**[15]She rises when it is still night**—*They rise early in the* [morning] *watch.* [At the beginning of the final third of the night, after which comes the dawn. *Rashi* to *Berachoth* 3a and Exodus 14:24 explains that the angels are divided into three groups, each one reciting songs of praise to God during one third of the night. These shifts are known as watches; the third one, which immediately precedes the morning, is the morning watch. In some editions, the reading is: *They rise early in the watches.* This may mean that the students rise at the beginning of the second watch, or that they rise at midnight, which precedes one and a half watches, as King David did. Cf. *Berachoth* 3a. Indeed, *Zohar, Emor,* 90a, praises those who rise at midnight to learn the Torah.]

**she gives food to her household**—*The teacher teaches the pupils the* *lesson allotted to them.* [Cf. *Zohar* ad loc.]

**[16]She contemplates a field**—Heb. זָמְמָה. *The Torah muzzles Esau, the "man of the field," with a muzzle and a bridle.*

**and purchases it**—*lit. and takes him—from the world to destroy him;*

**from the fruit of her deeds she plants a vineyard**—*Israel, to keep them alive for the life of the world to come.*

**[18]She advised**—*Its speech.* [*Rashi's* intention is obscure.]

**her lamp does not go out at night**—*It is written* בַּלֵּיל, *with the "he" missing; on the night of watching* (לֵיל שִׁמֻּרִים), *when the Egyptians were plagued, it shone for Israel and protected them.* [See *Midrash Psalms* 136:6]

**[19]onto the distaff**—Heb. בַכִּישׁוֹר, *through the skill of its deeds.*

**support the spindle**—Heb. פָלֶךְ, *a support, as in* (II Sam. 3:29): *"one who leans on a staff* (מַחֲזִיק בַּפֶּלֶךְ)."

**[20]She spreads out her hand**—*Whoever makes himself like a poor man on its account—in him it* [the Torah] *endures.*

**[21]She fears not for her household for snow**—*with which they judge the wicked from fire to snow.*

**dressed in crimson**—*The covenant of the blood of circumcision. Another explanation: They are dressed with the commandments expressed in double language:* (Deut. 15:10): *"You shall surely give* (נָתוֹן תִּתֵּן)," (ibid. verse 8): *"you shall surely open* (פָּתֹחַ תִּפְתַּח)," (ibid. verse 14): *"you shall surely furnish him liberally* (הַעֲנֵק תַּעֲנִיק)." *All these save them from the snow of Gehinnom. So it is expounded in Tanhuma.*

[The first interpretation appears in *Tanhuma Buber, Lech Lecha,* p. 82. It appears that the blood of the circumcision is intimated because it is crimson. The second interpretation reads שָׁנִים as שְׁנַיִם, *two.* This alludes to all commandments expressed in double language. This appears in *Tanhuma Buber, R'eh* p. 23, printed edition *R'eh* 13. Although this Midrash includes the circumcision, which consists of two parts—the cutting and the drawing back of the membrane—as well as *tzitzith* and *tefillin, Rashi* does not quote these, only those expressed in double language. Moreover, he does not mention the two parts of the mitzvah. Therefore, I am convinced that *Rashi's* derivation of the blood of the covenant is not from that Midrash.]

**[24]She makes a cloak**—*It grants a glorious* [raiment] *to the Sages.*

**and she gives a belt to the trafficker**—*To the one who is girded with its merchandise, she gives a belt for their loins.*

**[25]to the last day**—*They need not grieve over the day of judgment because they will be saved from it, and all the days of their life they will rejoice at the day of judgment. An expression of* צְחוֹק, *laughter, applies to anyone who need not be concerned, as in* (Job 41:21): *"and he rejoices at the din of a spear."*

**[27]She supervises the ways of her household**—*The Torah teaches them the good way, to separate from sin.*

**[28]Her children**—*The pupils.*

**her husband**—*The Holy One, blessed be He.*

**[30]Charm is false**—[The charm] *of the kings of the nations.*

**and . . . is futile**—*Their greatness and their beauty.*

**[31]Give her**—*in the future.*

**of the fruit of her hands**—*Glory and greatness, strength, beauty, and ruling power.*—[*Rashi*]

[Although the woman of valor is interpreted by *Midrash Mishle* as a figure representing the Torah, it does not follow through each verse to show how it fits with that interpretation. Consequently, *Rashi's* commentary, although seemingly midrashic, appears to be mainly original. Our attempts to discover midrashic sources for *Rashi* have been largely unsuccessful.]

# APPENDIX

**1:1**

*Yad Avshalom* quotes *Rabbi Joseph Hivan* and *Rabbi Joseph Kimchi,* who explain that, since the Song of Songs appears to be a love song, Solomon omitted mention of his father's name in that work. In his younger years, when he was feared throughout Israel, Solomon was described as "king of Israel." In his old age, when he had lost his prestige, he was known merely as "king in Jerusalem." *Yad Avshalom* goes on to state that he believes that the two latter titles are synonymous because Jerusalem is the capital of Israel.

**1:3**

*Ibn Ezra* explains: Hearing and learning from the one transmitting a doctrine is known as receiving.

**1:4**

The word is translated as "youth," after the Targum. However, *Rashi* explains it as one devoid of knowledge, as does *Gra. Mezudath David* and *Malbim,* following *Targum,* explain it as a youth who has not yet accumulated knowledge and wisdom, and performs all his deeds without thinking.

**1:7**

If you do not first acquire the fear of the Lord, it is no use acquiring wisdom, for fools and wicked men despise wisdom and discipline. Therefore, you will despise the wisdom you acquire.—[*Mezudath David*]

**1:8**

*Mezudath David* explains: Accept discipline from your father because he means it for your benefit, and do not forsake your mother's teachings.

*Midrash Mishle* explains this verse as referring to the commandment of honoring one's father and mother. Another explanation given is that the discipline of the father represents the Written Law, and the instruction of the mother represents the Oral Law.

**1:25**

A friend will first offer good advice, to follow the proper path. Should his companion disregard this advice and take the wrong path, he will then reprove him; hence the sequence of the verse.—[*Gra*]

**1:27**

Others explain this as a storm which causes destruction, desolation, and devastation.—[*Meiri; Redak, Shorashim*]

**1:28**

*Ibn Nachmiash* explains that wisdom speaks to the fools who neglected to learn when they were young. Now that they have grown old, they wish to start learning, but find it very difficult to do so; just as the Mishnah (*Avoth* 4:20) describes the one who learns in his old age as "ink written on erased paper." It may also mean that they seek to learn after their death, when it is impossible.

**1:31**

The Talmud (*Kiddushin* 40a) explains that this is true only if the sins have produced fruits. If a sin bears no fruit, the punishment is meted out completely, either in this world or in the next.

*Rashi* explains the desecration of God's name as an example of a sin that produces fruit; e.g., if an esteemed person commits a sin, he desecrates God's name, for others learn from him and follow suit. Therefore, such a sin is like a tree, constantly producing fruit, and, although the sinner is punished in this world, the principal remains in the next world, where he is punished after his death.—[*Mezudath David*]

**2:3**

The Rabbis expound the word as though it were vowelized אֵם; for you shall call understanding "Mother," meaning, you shall grow close to understanding as though it were your mother and nurtured you.—[*Meiri*] Cf. *Minchath Shai*.

**2:20**

*Gra* explains that "the good" are those who do good to others. The righteous are those who are charitable to others. In regard to collecting damages for the cask, Rav ordered Rabbah to do good to the porters and relinquish his claim. But as for paying the wages, this was pure charity, which was required of Rabbah because of his righteousness.

**3:3**

*Rabbenu Yonah* interprets the trait of kindness similarly: to bestow favors upon others either with one's money or with oneself, to grant them satisfaction or benefit them in various ways—surely not to cause them pain or distress. He interprets truth to mean honesty in judgment of others—neither to honor those undeserving of honor nor to disgrace those undeserving of disgrace; neither to justify the innocent nor to condemn the guilty in any quarrel or controversy. *Rabbenu Yonah* cites two Talmudic texts to illustrate his interpretation. The first (*Shevuoth* 31a) explains that if a student is sitting before his mentor when a case comes up before the mentor, and the student perceives a favorable decision for the poor litigant and an unfavorable decision for the wealthy litigant, he must not remain silent but must express his view. The second (*Sotah* 42a) states that four groups do not receive the presence of the Shechinah: the flatterers, the liars, the scoffers, and those who speak ill of others.

The trait of truth also means that if one argues with his friend and sees that the latter's argument is correct, he must admit his error and not seek to justify himself.

**bind them upon your neck**—Perform kindness and truth in the open.— [*Ibn Nachmiash*]

**inscribe them upon the tablet of your heart**—Follow these traits in your heart. So says the Psalmist in Psalm 15, verse 2: "And speaks truth in his heart." The Talmud (*Makkoth* 24b) attributes this characteristic to Rav Safra, who excelled in speaking truth in his heart.—[*Ibn Nachmiash*] *Ibn Nachmiash* and *Gra* (quoted in *Kol Eliyahu,* p. 93, and *Reishith Hochmah,* chapter *Derech Eretz,* first gate) construe this as an allusion to *Hullin* 94b:

Mar Zutra the son of R' Nahman was once going from Sikara to Mahuza, while Rabbah and R' Safra were going to Sikara; and they met on the way. Believing that they had come to meet him he said, 'Why did the Rabbis take this trouble to come so far [to meet me]?' R' Safra replied, 'We did not know that the Master was coming; had we known of it we should have put ourselves out more than this'. Rabbah said to him, 'Why did you tell him this; you have now upset him'? He replied, 'But we would be deceiving him otherwise'. 'No. He would be deceiving himself'.

From this incident, we see that Rav Safra was very stringent in keeping to the truth, even if the other party deceived himself.

*Rivan* to *Makkoth* (ad loc.) explains that Rav Safra was once praying, when someone came to him and wished to purchase his donkey. He said to him, "Give me your donkey for five dinars," but Rav Safra did not reply. "Give me your donkey for ten dinars," but still he did not reply. The man waited until he finished praying and said, "Do you wish to sell it to me for fifteen dinars?" Rav Safra replied, "I will accept from you only five dinars as I had in mind originally."

**3:9**

The parenthetic material in *Rashi* is found in neither midrash. These midrashim expound on the verse by encouraging one who was endowed with a pleasant voice to use it in God's service by leading the prayers. *Pesikta Rabbathi* relates that Naboth the Jezreelite had a pleasant voice, and when he would go to Jerusalem, all Israel would gather to hear his singing. Once he failed to go to Jerusalem, at which time Jezebel hired false witnesses against Naboth so that Ahab could take possesion of his vineyard. Had he gone to Jerusalem and honored God with his voice, the incident would not have happened, as the Torah states (Ex. 34:24): "And no one will covet your land."

**3:27**

**Do not withhold good from the one who needs it**—After admonishing [the reader] concerning the observance of the entire Torah in general, Solomon then warns people away from improper character traits, to purify their deeds and their ways. First he says, "Do not withhold good from the one who needs it, because you are required by the commandment of the Lord to benefit him, as it is stated (Deut. 15:7):

"Do not harden your heart."—[*Rabbenu Yonah*]

**3:28**

**Do not say to your fellow, etc.**—If you vowed to give a gift of your own volition, hasten and try to fulfill what you promised as soon as possible.—[*Rabbenu Yonah*]

**4:8**

*Ibn Ezra* and *Ibn Nachmiash* explain: Exalt her and she will exalt you, measure for measure. *Mezudoth* explain the phrase as an expression of tapping; constantly tap it and feel it—review it—and it will exalt you. *Ibn Kaspi* renders: Grasp it; *Rabbi Joseph Kimchi:* Support it.

**4:19**

They are like people walking on a dark road, unable to beware of the unseen obstacles upon which they may stumble. Similarly, the wicked go astray in their thoughts, wandering from the way of truth, until they do not know what to beware of.—[*Mezudath David*]

**4:23**

According to this interpretation, the expression "out of it" refers to the interdict. Another interpretation is that "it" refers to "your heart," for the issues of life emanate from the heart, which is the king of all the organs. It sees, hears, and understands all their deeds.—[*Ibn Nachmiash*] Since the issues of life come from the heart, how can you use it to harbor thoughts that destroy life?—[*Mezudath David*]

**4:27**

**keep your feet from evil**—In all other matters, one should not go to extremes; but from evil, one must distance himself completely. This is known as the "golden path," advocated by *Rambam* in his commentary on the Mishnah (*Avoth* 2:1).—[*Mezudath David*]

**5:8**

The Rabbis construe this warning as a safeguard against sin, interpreted variantly as a warning to stay away from apostates, from sectarianism, and from brothels, lest one be tempted to sin. It is also construed as a warning to stay away from government agents, who were known to exploit the people and confiscate their money. Cf. *Avodah Zarah* 17a, *Avoth d'Rabbi Nathan* 2:7.

*Ralbag* explains the verse to mean that one should not yield to the temptation to follow his lusts.

**5:14**

[*Rabbi Joseph Kara's* explanation obviously does not follow *Rashi's,* but is an independent interpretation. Whereas *Rashi* explains that the sinner moans that there is but a step between himself and Gehinnom as he lies on his death bed, *Kara* explains that he is moaning that because of a little thing—not obeying his instructors—he was in all kinds of trouble. Undoubtedly, this is a later addendum.]

**5:16**

*Ibn Ezra* interprets these two verses as referring to one's relationship with his wife. Instead of going astray after a strange woman, "drink water from your own cistern"; cling to your own wife and to no other woman. The water of your spring will then gush forth until your fountains will spread out into the squares—you will be blessed with many children.

**5:18**

*Ibn Ezra,* following his own interpretation of the preceding verses, continues to explain that King Solomon is saying that he who listens to his teachings and clings to his own wife will be blessed with legitimate children, upon whom there is no suspicion that someone else is the father. See also *Ibn Nachmiash.*

**5:20**

*Mezudath David,* using *Ibn Ezra's* interpretation of the preceding verse, offers: If you are considered errant for loving your wife overmuch, how much more will you be considered so for loving an alien woman?

**6:22**

According to these midrashic sources, the verse is figurative of this world and the next. According *Aggadath Tehillim,* quoted by *Ibn Nachmiash,* it will protect the person from the worms of the grave. According to *Sifre* (Deut. 6:7), "and when you awaken" refers to the Messianic era. *Rashi's* expression, that the verse refers to the judgment after the resurrection of the dead, and that the Torah will defend those who engage in it, coincides more closely with that of *Zohar,* vol. 1 p. 185a than with any other of the midrashim.

*Mezudath David* explains:

**When you walk, it shall lead you**—on the straight path.

**when you lie down, it shall guard you**—from robbers of the night.

**it shall speak with you**—like a good friend, who speaks with his friend to entertain him.

**6:33**

It may also refer to bodily punishment inflicted by the court.—[*Isaiah da Trani*] *Mezudath David* explains that the adulterer will suffer wounds inflicted by God and disgrace inflicted by man.

**6:34**

*Ibn Ezra* and *Mezudath David* explain simply that the husband's wrath will be kindled against the adulterer, and he will not have pity on the adulterer on the day he finds it possible to wreak vengeance upon him.

**7:1**

**my commandments**—These are the commandments of the Torah. Keep these in your heart to observe them. —[*Ralbag*]

**7:10**

*Ralbag* explains that the woman would come toward him as a harlot, lifting up her dress and exposing her private parts to seduce the men passing by. *Redak (Shorashim)* renders: bedecked as a harlot.

**7:11**

**her feet do not dwell in her house** —unlike the modest woman described in Psalms 45:14.—[*Ibn Nachmiash*]

**7:14**

*Ibn Nachmiash* explains that she does not mean that she has paid her vows by bringing peace-offerings. The peace-offerings symbolize a great feast. She tells him that she vowed to prepare a great feast when she would satisfy her lust for him, and now she has fulfilled it.

**7:16**

*Ibn Ganah* defines the covers as curtains hanging on the sides of the bed, suspended on braided linen ropes imported from Egypt.

**8:1**

*Malbim* explains that Scripture contrasts wisdom with the harlot mentioned above. Whereas the harlot comes out clandestinely at night in the dark, wisdom calls out in public. He then proceeds to explain the difference between wisdom and understanding: Whereas wisdom comes from above and is received from God, understanding emanates from human intellect. Therefore, wisdom is depicted as calling out to man to hearken to the statutes of God's wisdom. But understanding is depicted as giving forth a voice to let man know that he has the potential to make deductions and to draw conclusions from the God-given wisdom, and man feels that voice in the depths of his soul. He calls to understanding and draws it out of his intellect.

**8:3**

*Rav Saadiah Gaon* explains this verse similarly, except that he draws the contrast between verse 2, which states, "At the top of the heights," and verse 3, which states, "Beside the gates."—[*Ibn Nachmiash*]

*Meiri* explains it in a similar manner. He notes, however, that King Solomon himself states in Ecclesiastes 7:23: "I said that I would gain wisdom, yet it is far from me." The solution is that there Solomon refers to the depth of understanding. To understand God's reason thoroughly is impossible for the human intellect. He therefore states that it is "far from me." The wisdom of the Torah, though, is indeed accessible to the human intellect.

**8:11**

However, extant editions of *Yerushalmi* yield the opposite reading: 'All desirable things' represent jewels and precious stones. 'All *your* desirable' things represent commandments and good deeds, which are the essence of the person, unlike his material possessions, which are merely his property. The Babylonian Talmud (*Moed Katan* 9b) construes this verse as an indication that the study of Torah takes precedence over the performance of commandments, whereas the verse that states that Torah is superior to all *your* desirable things denotes that the desirable things of Heaven take precedence over the study of Torah.

The Talmud solves this discrepancy by establishing a rule that, if one is engaged in the Torah and the occasion arrives to perform a commandment—a commandment that no one else can perform—the commandment takes precedence. But if the commandment is one that can be performed by others, he may not interrupt his studies to perform it.

**8:12**

R' Eliezer of the Mishnah states that, if one teaches his daughter Torah, it is tantamount to teaching her levity, for she will know how to avoid being tested by the bitter waters given the suspected adulteress.

*Ibn Ezra* explains that cunning requires wisdom, for it cannot be established without it. *Mezudath David* explains this as referring to the cunning to extricate oneself from the web of temptation, which can only be learned through Torah study.

**8:16**

**all judges of righteousness**—This reading appears in all extant editions. However, we find in some old editions: כָּל־שֹׁפְטֵי אָרֶץ, *all the judges of the earth.* In some, one word is written in the text (כְּתִיב) and another is read (קְרִי). In some editions, the text reads "earth," and "righteousness" is read aloud, and in others the opposite is true. Cf. *Ibn Nachmiash* and *Minchath Shai. Targum* supports our reading.

**8:17**

*Ramban,* in his introduction to his commentary on the Pentateuch, explains that each gate represents the knowledge of one type of creation in the world. The fiftieth gate is the knowledge of God, which was not given to any creature. All these gates are alluded to in the Torah, either explicitly or through the numerical values of the letters, the shapes of the letters, or the crowns on them.

**8:18**

**powerful wealth and charity**—God will grant powerful wealth, and it will be counted as charity, for He will not deduct from the reward in the Hereafter.—[*Mezudath David*]

**8:31**

*Ibn Nachmiash* explains that the Torah increases joy and happiness for those who study it, for there is no joy as great as the joy of understanding. The Psalmist expresses this thought in Psalms 19:9: "The commandments of the Lord are straight, causing the heart to rejoice."

The Torah is the delight of the wise, as King David states (Ps. 119:92): "Were Your Torah not my delight, then I would have perished in my affliction."

**8:34**

*Malbim* explains that King Solomon depicts wisdom as the modest princess, secluded in her tower, who does not show her face in the street. The man who seeks it has to wait tirelessly at the door for it to open, so that he can catch a glimpse of wisdom.

*Alshich* interprets this verse in a similar manner. He presents the three prerequisites for the attainment of the wisdom of the Torah: 1) coming early to the study hall, 2) attending regularly, and 3) staying in the study hall all day until late at night. This is apparent from the change in the wording from "doors" to "entrances." The former denotes a closed door, the latter an open one, through which anyone can enter the study hall.

Accordingly, King Solomon's sequence begins: Fortunate is the man who listens to me to watch by my doors; i.e. to stand outside the doors of the study hall before they open in the morning, awaiting anxiously that they be opened so that he can enter the study hall. Secondly, he must do this day by day. Thirdly, he must sit and watch the doorposts of the entrances for as long as the study hall is open, and he must be the last of all to leave, as *Rashi* states.

**10:6**

While the righteous are living, people bless them, but while the wicked are living people curse them, that the violence they commit should come over their mouth and choke them.—[*Ibn Nachmiash*] The mouth of the wicked covers violence; they conceal the evil.—[*Ibn Ezra*]

**10:8**

*Ibn Ezra* explains: The wise-hearted accepts the commandments that others teach him, and he who talks foolishly will stumble. *Targum* renders: will be trapped. *Redak* in *Shorashim:* will be perverted. *Sefer Hukkah:* is hasty; is indecisive.

**10:15**

*Ibn Nachmiash* suggests that the verse be understood literally, speaking of monetary wealth and poverty, and then must be connected with the following verse: The rich think that their wealth is the city of their strength, and the poor think that their poverty is their destruction. But the truth of the matter is that "the act of the righteous is for life, etc."

**10:19**

One who speaks excessively will surely say something that is prohibited; since he talks so much, it is impossible to take care that all his speech should be free of slander and mockery.—[*Mezudath David*]

**10:23**

*Rabbenu Yonah* explains: It is like laughter for a fool to execute his thoughts, but it takes wisdom for a man of understanding. A fool's thoughts are not the result of wisdom and deliberation—they are accomplished almost spontaneously, just like laughter. But the execution of the thoughts of a man of understanding requires wisdom and deliberation.

**10:25**

The Sages interpret this verse as referring to the generation of the Flood: "When the whirlwind comes, the wicked man is no more—this refers to the generation of the Flood. But, the righteous is the foundation of the world—this refers to Noah."—[*Gen. Rabbah* 30:1]

*Ibn Nachmiash* compares the righteous man to the center of a circle, around which the circle is drawn. So was the world created because of the righteous, and they are the foundation of the world.

**10:27**

The Rabbis give an example of the contrast between the lifespan of the high priests who officiated in the First Temple and those who officiated in the Second Temple: In the First Temple, which lasted four hundred and ten years, eighteen high priests officiated, while in the Second Temple, which lasted four hundred and twenty years, over three hundred high priests officiated. Subtract the forty years in which Simon the Just officiated and the eighty years in which Johanan the High Priest officiated, the ten years of Ishmael ben Piabi, and, some say, the eleven years of Rabbi Eleazar ben Harsum. Accordingly, none of the others lived through the year in which they officiated. This was because they paid for the office.—[*Yoma* 9a]

**10:29**

Another interpretation is: The way of the Lord is to be a stronghold for innocence and ruin for those who work iniquity. The way of God serves as a stronghold and gives strength to those who follow the way of innocence to keep their way, but it is completely in opposition to those who practice violence and injustice.—[*Ralbag*]

**10:31**

Others render: But a tongue that is the opposite shall be cut off. It speaks the opposite of the truth, distorting good to bad and bad to good, preserving lies, and showing proof for falsity. It is therefore called a tongue of opposites: it speaks the opposite of the tongue of the righteous, which speaks only wisdom. Because of its hatefulness, Scripture places a curse upon the tongue that speaks the opposite of the righteous man's tongue.—[*Rabbenu Yonah*]

**11:16**

In the Salonica edition: *The children of Esau draw near to thefts of money and robbery.* Warsaw edition: *The children of Edom draw near to thefts of money and robbery. Etz Chaim* ms.: *The children of Esau draw near to the collection of money and riches.*

*Ibn Nachmiash* quotes *Rashi: but the strong men of the nations, the children of Esau, draw near to riches to collect money with robbery and deceit.* [The implication that the taxes collected by the nations are unjust was apparently expunged by the censor, remaining only in manuscripts just recently published.]

**11:17**

They also suggest: "He who weans himself is a kind man," meaning that he who deprives himself of pleasures in moderation is a kind man, "but he who troubles his flesh," mortifying his flesh to extremes, is a cruel person. Instead, everything must be done in moderation.

**11:19**

*Ibn Ezra* defines כֵּן in its usual

sense, rendering: "So is charity for life"; just as the reward for charity is true, so is charity for life, for the one who gives charity will merit life—spiritual life. *Ibn Nachmiash* renders: Just as charity is for life, so is one who pursues evil headed for his death.

*Mezudath David* explains: he who pursues evil with his charity—he gives charity so that people will regard him as a righteous person—will add another cause for his death, for his charity will not be regarded as a merit but as a fault.

**11:29**

Another explanation is: The lazy man, who troubles his household through his laziness—since he cannot support them—will inherit anger and quarrels, which are often referred to as wind.—[*Mezudath David*]

**12:1**

**but he who hates reproof is brutish**—If he refuses to listen to reproof, he is a fool, and his soul is drawn after his desires like a beast.—[*Rabbenu Yonah*]

If you see a person committing a sin because he was drawn after his desires, but was pleased when someone reproved him, you should know that he is a man of knowledge, and his soul accepts wisdom and chooses knowledge. He sinned merely because his temptation overwhelmed him, and he hopes that the reproof will aid him in overpowering it.—[*Rabbenu Yonah*]

**12:2**

He will overweigh the righteous in the world and thereby bring destruction to them.—[*Mezudath David*] Other commentators render: He will condemn, meaning that God will condemn the man of evil devices by showing him no leniency, for such a person is hateful to God.—[*Rabbenu Yonah, Ibn Ezra, Ibn Nachmiash*]

**12:3**

**but the root of the righteous**—This symbolizes their posterity that survives them. Another explanation: But the righteous are like a root, which cannot be shaken loose; so will they not be shaken loose.—[*Ibn Ezra*]

**will not be shaken loose**—even in time of distress.—[*Ibn Ezra*]

**12:4**

Since the husband clings to his wife, it is as though the rot is in his own bones, and he suffers disgrace because of her behavior.—[*Rabbenu Yonah*]

**12:21**

**but the wicked are full of evil**—They are overflowing with thoughts of evil and deceit. The contrast is aptly expressed by the Mishnah (*Avoth* 4:2): "One sin brings about another sin."—[*Ibn Nachmiash, Mezudath David*]

**12:22**

**but those who work faithfully are His delight**—Those who promise and keep their promise.—[*Rabbenu Yonah*]

*Ibn Ezra* explains that this verse refers to false witnesses and to judges who do not believe these false witnesses.

**12:26**

*Malbim* renders: A righteous man searches out his way from his neighbor, but the way of the wicked leads them astray. The righteous, who may not always be wise, searches out his way from his neighbor by consulting him; but the wicked, who consider themselves wise, are too stubborn to ask others, and are consequently misled by their own way.

**13:11**

**but he who gathers by hand will increase**—To learn a little, to review it, and then to learn more. Thereby, he will remember whatever he learns.— [*Eruvin* 54b, *Rashi* ad loc.] The simple meaning is that if one gains wealth through robbery and theft, it will diminish, but if he toils with his hands to earn it, it will increase.—[*Ibn Ezra*]

**13:13**

*Rav Saadiah Gaon* also explains the verse in this manner, giving examples of the Philistine king who harassed Isaac; Joseph's brothers who mocked him; and the people of Gilead who mocked Jepthah—all of whom later required the services of those whom they mocked. Most exegetes, however, render: He who despises a thing will be injured by it. He who despises any matter of discipline or ethics will be injured by that very thing he despised. An example of this is King David's severing the skirt of Saul's garment and later suffering to the extent that his garments afforded him no warmth.—[*Ibn Ezra, Ibn Nachmiash*]

**13:25**

*Malbim* explains that the righteous man does not eat to fill his stomach, but only enough to sate his appetite. But the wicked eat to fill themselves up, and because of their greed and gluttony, they are never satisfied—there is no end to their want. This accounts for Rabbi Chanina ben Dosa's diet of a *kab* of carob fruit for a week. He ate only to keep himself alive. All the pleasures of this world were as naught to him, for his sole pleasure was in the world to come. He was therefore truly satisfied with a *kab* of carob fruit.

**14:12**

*Gra* explains: Sometimes there is a road that appears to be one road, and it appears straight. However, it is found to branch out into many roads, all of which lead to death. Sometimes even a Torah scholar errs in such matters and must therefore not rely on his own reasoning.

**14:14**

*Ibn Ezra* renders: A person who has turned away from knowledge will have his fill from his ways, and a good man will have his fill from his leaves. He interprets סוּג לֵב as "one turned away from knowledge." Such a man will have his fill from his ways of futility. The good man, however, will have his fill from all his deeds, both from the fulfillment of the important precepts—referred to as fruit—and from the fulfillment of the less important ones—referred to as leaves. "Fill" represents the reward for good deeds.

**14:15**

**A fool believes everything**—to turn away from the straight road.

**but the cunning man understands his steps**—He understands the road he is to follow and does not turn away from it. Instead, the wise man turns away from evil, as in the following verse.—[*Ibn Ezra*]

**14:28**

*Rabbenu Yonah* explains this verse as connecting to the preceding one— he who fears God is more confident than a king, as the glory of a king is dependent upon his subjects, but not so he who is dependent on God alone.

**14:29**

Others render: exalts folly. One who is slow to anger humbles folly, but he who is quick-tempered exalts it in his anger. He exalts it over wisdom.—[*Targum, Ibn Ezra, Mezudath David*]

**14:31**

**but he who favors a poor man honors Him**—By favoring the poor, he acknowledges that God created rich and poor, and that it is the rich man's duty to support the poor.—[*Malbim*]

**16:8**

*Rabbenu Yonah* suggests that this verse and the one preceding are connected to verse 6. As explained above, verse 6 deals with the repentant sinner, whose iniquity is expiated through loving-kindness and truth. If he has sinned against his fellow man, that sin cannot be expiated except by placating his victim and receiving forgivness from him. If God accepts his repentance, He will cause his enemies, those against whom he sinned, to make peace with him and accept his apology (verse 7). He then exhorts the repentant sinner not to spare the riches he accumulated through robbery and injustice, but to return them to their rightful owners—for the little that he has gained through honest means is better than all the riches he has accumulated through injustice.

**16:22**

This phrase may also be explained: The discipline of the fools is folly. To discipline fools is of no use; it is folly. It will only bring disgrace upon the one who is disciplining them. It may also mean that what the fools call discipline is, in fact, not discipline, but folly.—[*Ibn Nachmiash*]

**16:25**

Sometimes a person finds a way that appears straight, but he does not realize that it leads to evil and harm, for "its end is ways of death." The wise man, however, will go straight, to distance himself from such a way.—[*Ralbag*] See above 14:12. *Malbim* connects this verse with the preceding one, illustrating that the wise man, with his pleasant words, explains that "there is a way, etc."

**16:28**

*Mezudath David* explains that one who grumbles about people's deeds alienates the prince from the people, since they rebel against him, and he becomes their enemy. *Isaiah da Trani* and *Targum* render: and a grumbler separates a friend.

**16:32**

One who is slow to anger is better than a mighty man; and one who rules over his spirit is even better than one who conquers a city, who is greater than a mighty man. Because the mighty man and the conqueror of the city cannot control their own temptations, the one who controls his temptations is greater than they. Therefore, a pious man once told a king, "You are a slave of my slave." "How so?" queried the king. The pious man replied, "You are enslaved to your temptation, and temptation is my slave."

The verse may also be rendered: Slowness to anger is good from a mighty man, and ruling over one's spirit [is good] from a conqueror of a city. When a man is mighty, and is nevertheless slow to anger, he is praiseworthy. There is no praise due to the impoverished populace if they do not give vent to their anger, because they can do no harm.—[*Ibn Nachmiash*]

**17:1**

*Ibn Ezra* explains: It is better for those who rule over their spirit to eat dry bread in tranquility than to have "a house full of feasts of strife"; a house where there is always much feasting, but [also] quarrels and anger.

*Malbim* explains that worldly success is merely an illusion. Sometimes a wicked man is very wealthy and always feasting, while the righteous man subsists on a piece of dry bread, unable to afford even a whole loaf. Yet the poor man whose home is tranquil is more fortunate than the rich man whose house is full of strife.

**17:13**

**evil will not depart from his house**—He will find no one willing to intervene to rescue him from his straits since he does not appreciate any favors he receives.—[*Mezudath David*]

*Ibn Nachmiash* suggests that this verse is connected with the preceding one. It is better to encounter a bereft bear (a bear that has lost its cubs) than a fool with his folly, since the latter repays good with evil. Therefore, evil will not depart from his house. This includes any sinner, as God keeps him alive and sustains him, and he is ungrateful and rebels against God's word.

**17:15**

Although the latter is the more serious transgression, both are nevertheless abominations to the Lord, for we are enjoined to hate those who hate Him and to reveal their shame—and also to love and praise those who love Him.—[*Ibn Nachmiash, Rabbenu Yonah*] *Ralbag* explains this verse as referring to judges who vindicate the guilty party and condemn the innocent one.

**17:22**

*Redak* and his brother *Moshe* (pseudo-*Ibn Ezra*) render as follows: A happy heart enhances the body like a medicine. Their father, *Rabbi Joseph Kimchi,* renders: A happy heart enhances the healing. The medicine is more effective when the patient is in good spirits and desires to be cured. His courage will accelerate his cure much more than if he is sad and depressed.— [*Sefer Hashorashim, Redak*]

**17:26**

*Ibn Nachmiash* suggests several interpretations: Even to punish a righteous man is not good. It is obvious that one may not kill a righteous man, but even to punish him is not good. Another interpretation is: Also to punish a righteous man is not good. If one gives a bribe to pervert justice, in addition to the sin of bribery, he is guilty of punishing an innocent man. It is also not right to punish generous people even if it is for a just reason, such as if they cause one pain.

**18:2**

*Ralbag* explains: A fool does not delight in understanding except when his heart is revealed—except when the foolishness he has in his heart is revealed. When he is shown up in public as a fool, he wishes he were a wise man. Shortly afterwards, however, he forgets his desire for wisdom and reverts to his old ways.

**18:7**

*Ibn Ezra* connects verses 5 through 7, as follows: It is not good to be partial to the wicked man—the guilty party—in his judgment, to subvert the judgment of the righteous—the innocent party.

**A fool's lips**—meaning the wicked man mentioned above—enter a quarrel and bring it about by calling to blows, i.e. to strike the innocent person. Thereby, the fool's mouth brings about his ruin, and his lips bring about a snare for himself. And so, it is not right to be partial to him.

**18:13**

*Ibn Nachmiash* explains that the Rabbinic maxim which describes the wise man as one who does not hasten to reply (*Avoth* 5:10), is based on this verse. He also suggests that the verse be rendered: "before he hears"—before he hears the entire question. An example of this is the reply of the Gadites and the Reubenites to Moses. They listened to all his scolding before replying that they intended to accompany their brethren across the Jordan to assist them in the conquest of the Holy Land. Cf. Numbers 32:1-19.

**19:1**

*Malbim* explains that it is better to be seen as a poor man who nonetheless possesses inner wealth behaving with integrity, not veering from the straight path—than to appear wealthy on the surface and hide one's inner poverty by speaking perversely, as though he loves wisdom when in fact he loves to follow his lusts.

**19:5**

**and one who speaks lies**—In view of 6:19 and 14:5, this expression is synonymous with the false witness. Others explain that "the one who speaks lies" is one who lies in his everyday affairs, telling false tales, whereas the beginning of the verse deals with one who lies while testifying in court. This distinction accounts for the different expression used in reference to his punishment, "will not go unpunished." Some take this to mean that if the false witness is examined, he will not be able to clear himself of lies, for he will undoubtedly be forced to reveal his falsehood. The same is true of the storyteller. The true witness, however, will always be discovered to be telling the truth.—[*Ibn Nachmiash*]

**19:10**

*Ibn Nachmiash* explains that ruling gives one greater power than pleasure. Therefore, since pleasure is detrimental if bestowed upon those who do not deserve it, surely ruling over princes is detrimental if that power is in the hands of a slave, who does not deserve it.

**19:12**

*Ibn Nachmiash* explains that the king's good will is as beneficial as the dew, which moistens the grass and causes it to grow. Scripture teaches us to fear the earthly sovereign; surely we must fear the King of the world. The king's good will is compared to dew rather than to rain because his good will is not as apparent as his wrath. Similarly, dew is not as apparent as rain.

**19:16**

**will die**—This translation follows the *keri*, the traditional reading, יָמוּת. The *kethiv*, the written masoretic text, however, is יוּמָת, *shall be put to death*. If his sin of despising the commandments is discovered by the court, he is put to death. Otherwise, he dies prematurely, by the hand of Heaven.—[*Ibn Ezra*]

**19:24**

*Mezudath David* states that the lazy man does not work for a living, but thrusts his hand into a pot to wipe out the remaining food. Eventually, he will find nothing to put into his mouth. *Rav Saadiah Gaon* explains that King Solomon exaggerates the laziness of the lazy man, depicting him as putting his hand into a pot or jar to take out food and being too lazy to put it into his mouth. This applies to physical matters such as earning a livelihood as well as spiritual matters, such as prayer and kindness. Also, to matters of wisdom, which he can learn, but is too lazy to apply himself to them.

**21:2**

*Rabbenu Yonah* explains that all a person's character traits seem right to him. Therefore, he cannot find his faults to rectify them. Only God rectifies the hearts by inspiring him to seek the truth and rectify his faulty character traits. One can obtain this assistance by seeking God and striving to go in His ways.

**21:26**

**and does not spare**—although the lazy man himself is at fault for his difficulties.—[*Mezudath David, Ibn Ezra*] *Gra* explains that the lazy man is left with only his desire, having accomplished nothing in his whole life. But the righteous man teaches others and does not spare, studying by himself as well.

**21:29**

*Ibn Ezra* explains that a wicked man displays his brazenness on his face and is not ashamed, but an upright man understands the proper mode of behavior and is not brazen. The *Targum* renders according to the *kethiv*, the written masoretic text, which reads: יָכִין, *will prepare*.

**22:29**

*Ibn Ezra* renders: *poor men*, after its Aramaic cognate, as does *Targum*. The Rabbis of the Talmud (*Sanh.* 104b) interpret this verse as referring to King Solomon himself. He was quick in his work, giving priority to the construction of the Temple rather than to the construction of his palace. Moreover, he completed its construction in seven years, whereas he took thirteen years to complete the construction of his palace. By virtue of this merit, Solomon would stand before the kings in Paradise, not before the darkened ones in Gehinnom.—[*Ibn Nachmiash*]

**23:30**

**Who cries, "Woe!" Who cries, "Alas!"**—These are the members of his household, who have no food or raiment because their breadwinner spends all his money for wine.

**Who has quarrels?**—This refers to his relatives, who quarrel with him about his drunkenness.

**Who has speech?**—In his absence, they talk about how great his evil is.

**Who has wounds without cause?**—This refers to strangers, whom he strikes and who retaliate and inflict wounds upon him.

**Who has bloodshot eyes?**—In the street, they ridicule him for his bloodshot eyes.

**24:2**

*Malbim* explains: If you envy their success, you should know that it is very temporary and they are always in fear of being plundered.

**and their lips speak of wrongdoing**—If you seek merely peaceful coexistence, you should know that they always speak of wrongdoing, and you will surely learn to emulate their deeds.—[*Malbim*]

**24:21**

*Ibn Nachmiash* suggests that "king" may refer to a Torah scholar, often referred to by that appellation (8:15). Solomon exhorts his son to fear God and Torah scholars, but God's fear comes first. As the Rabbis state, wherever a profanation of the Divine Name will result, we may not respect a rabbi. He further suggests that Solomon may be admonishing Rehoboam, his son and successor, to fear God and thereby merit to retain his kingship over all Israel—and not to mingle with dualists, who wish to divide the kingdom into two. Since Rehoboam did not heed his father's warning, the kingdom was indeed divided.

**25:11**

*Rambam* (Introduction to *Guide*) interprets this expression as a silver net covering golden apples. From a distance, only the silver net is visible. *Rabbenu Bechaya* also interprets it in this manner, explaining that the commandments possess a physical benefit. This is the revealed part of the Torah, i.e. the benefit one derives in the matter of faith, which is inculcated in him by performing the commandments. The admirable character traits by which civilization is preserved also possess an esoteric benefit, which is the benefit to the soul in the world of reward. Solomon compares these two facets to golden apples in nets of silver. The word for nets is מַשְׂכִּיּוֹת, a covering that can only be pierced by human vision after close scrutiny. So can the esoteric benefit of the commandments be perceived through intensive study of the Torah.

**26:24**

The enemy, with the smoothness of his lips, pretends to be entirely unrelated and a stranger to hatred, but in his heart he harbors deceit and does not abandon it.—[*Mezudath David*] One must beware of such a person, as it is very difficult to detect his true intentions; and even despite extreme caution, one may be injured by him.—[*Ibn Nachmiash*] The *Targum* renders just the opposite: By his lips, the enemy is known, and within him etc., meaning that he who harbors deceit in his heart will inevitably reveal it with his lips.

**27:7**

*Ralbag* explains that the sated soul is the person who is satisfied with his lot, who does not strive to become wealthy even through pleasant, proper methods. The hungry soul, however, seeks all methods possible to gain wealth, considering even the bitter methods—those requiring toil and sin—as sweet. *Ibn Nachmiash* suggests that the verse refers to sexual desires. One who is satiated tramples even honeycomb —he engages even in permissible sexual relations with moderation— but he who is hungry will not hesitate to engage even in illicit sexual relations, which will have a bitter end, bringing punishment in their wake.—[*Ibn Nachmiash*]

**27:16**

*Mezudath David* renders: and the oil of his right hand announces. A person who has anointed himself with perfumed oil cannot hide that fact. The right hand retains the scent of the oil poured onto it, at once disclosing what has been done.

It may also be rendered: He who hides her hides the wind and the oil of his right hand that announces. Just as it is impossible to hide the wind or to hide one's right hand that has been anointed with perfumed oil, so is it impossible to hide the scandalous behavior of the quarrelsome woman.—[*Meiri, Ibn Nachmiash*]

**28:4**

**but those who keep the Torah contend with them**—They quarrel with the wicked; although the latter are many, they do not flatter them.—[*Mezudath David*] *Ibn Nachmiash* explains that Torah scholars who do not adhere to the Torah wholeheartedly praise the wicked; i.e. out of fear, they flatter them, since the wicked enjoy prosperity. But the truly righteous do not flatter the wicked; on the contrary, they contend with them.

**28:11**

*Yerushalmi* (*Horayoth* 3:5) depicts the rich man as one well-versed in Talmud, and the discerning poor man as one well-versed in Aggadah. While the expert in Talmud considers himself wise, the expert in Aggadah is victorious over him: he has many more listeners because his subject is much more popular with the public.

**28:16**

*Ralbag* connects this verse with the preceding one. This is the way of a ruler lacking understanding, but one who hates unlawful gain will merit longevity on his throne. *Ibn Nachmiash* adds that, although his punishment is not mentioned, it can be deduced from the end of the verse. Because he who hates unlawful gain lives long, he who oppresses the people only with the intention of exploiting them will not live out his years.

Another rendering is: One lacking in understanding, who is a great oppressor, will be drawn out of the world, but he who hates etc. Accordingly, the word נָגִיד is Aramaic, meaning to draw.

**28:27**

*Ibn Ezra* explains that he will never want because God will fill his needs, as in 19:17: "He who is gracious to a poor man lends to the Lord." *Tur Yoreh Deah* (ch. 247) states: "Let no one harbor the idea, thinking, 'How can I give away some of my money to the poor and cause it to be missing?' He should know that the money is not his, but a deposit to do with it according to the will of the Depositor, and His will is that he should distribute some of it to the poor. That is the best part of it . . . Moreover, it has been tried and tested that no one suffers want from giving charity; on the contrary, it brings him riches and honor . . ."

**29:1**

*Ibn Nachmiash* suggests: but stiffens his nape against the one who reproves him will suddenly be broken. He also suggests: A man who is chastised—a man who is chastised by God but does not realize that God sent the pains and ailments upon him. Instead, he stiffens his nape, saying that they are just chance happenings. He will be suddenly broken without a cure.

**29:5**

**his feet**—For the feet of the one who talks smoothly.—[*Ibn Ezra*] *Mezudath David* renders: makes the road slippery. If he makes the road slippery for his friend, he spreads a net for his own feet, for he will stumble on it also.

**29:25**

*Mezudath David* explains that any

fright a person experiences because of some evil occurrence will make him uneasy and likely to stumble on any insignificant thing. One who trusts in the Lord, however, and does not become frightened even after a calamity, will be safeguarded.

**30:6**

*Malbim* theorizes that at one time Agur replied to Ithiel and at another time he replied to Ithiel and Ucal. They approached Agur with profound philosophical questions regarding the creation of the world and devised theories in a philosophic vein, delving into the forbidden area of "what is above, what is below, what was before and what was after." Because their theories were the product of their own intellect, Agur replies that these matters cannot be fathomed by human intellect without Divine inspiration.—[*Malbim*]

**[2]For I am more boorish than any man**—He commences with the final step of knowledge, which results from drawing conclusions from elementary wisdom, telling them that he does not possess this knowledge.—[*Malbim*]

**neither do I have man's understanding**—I do not have the talent to derive conclusions from the facts I learn.—[*Malbim*]

**[3]Neither have I learned wisdom**—Not even the fundamental knowledge.—[*Malbim*]

**that I should know the knowledge of the holy ones**—Much less the knowledge possessed by holy men, upon whom God's inspiration has shone.— [*Malbim*]

**[4]Who ascended to heaven and descended**—How can I know how the two primeval matters from which heaven and earth were created were placed above and below?—[*Malbim*] [At the beginning of Creation, God created two types of matter, one from which the earth and its inhabitants were created and one from which the heavens and their inhabitants were created.]

**Who gathered wind in his fists?**—How can I know who confined the strata of atmosphere around the earth, thereby enabling creatures to breathe?— [*Malbim*]

**Who wrapped the waters in a garment?**—Who confined the waters to the oceans and the other bodies of water?

**Who established all the ends of the earth?**—Who suspended the earth in space, with nothing to support it, and who created gravity that everything around the earth be drawn toward it? It is apparent that [his friends] asked Agur about the four elements of the ancients. They asked first about the heavens, which are derived from the element of fire, then about air, water, and earth.—[*Malbim*]

**[5]Every word of God is refined**—In all these philosophical questions, we must rely on the testimony of the Torah, which is purified of error, unlike the theories of the philosophers, which are like dross silver, overlaid on earthenware. The Torah teaches us that the cosmos was created *ex nihilo,* out of nothing, purely from God's will.—[*Malbim*]

**30:28**

*Ibn Ezra* identifies שְׂמָמִית with the monkey, an animal that has human-like hands with which she grasps what is given her. Because of its cleverness the monkey is found in royal palaces. Similarly, a poor mortal human being may merit by his good deeds to stand before the Supreme King of kings, the Holy One, blessed be He.—[*Ibn Nachmiash*] Others, who identify שְׂמָמִית with the spider, render: you can grasp it with your hands, but it is in the king's palaces. Although it is so weak that you can catch it with your hands, it is found in such exalted places as the king's palaces.— [*Ibn Nachmiash*]

**30:31**

*Ibn Ezra* suggests that it is agile because of the strength of its loins. *Mezudath David* theorizes that its loins are thin, giving the impression that they are girded. *Ibn Ezra* also suggests the bee or the eagle.

**and the he-goat**—An unusual usage of the word אוֹ. See *Ibn Nachmiash.* The he-goat runs at the head of the flock, for the sheep will not run ahead of him.—[*Ibn Ezra*]

**and she says, "I have committed no sin."**—*As it is said* (Jer. 2:35): *"Behold I contend with you because you say, 'I have not sinned.' "*—[*Rashi* as appearing in *Mikraoth Gedoloth*]) [This section is missing in the Waxman edition. It does, however, appear in the Salonica edition and in the ms. appearing in the *Etz Hayim* edition, Jerusalem 1974. In the latter edition, mention of Greece and Edom is absent, as is the mention of Esau decreeing that women and children be killed in one day.]

**30:32**

If your mind is full of thoughts of derision and quarrel, put your hand to your mouth to close it forcefully. —[*Mezudath David*] *Ibn Ezra* suggests: If you would be a wretch, i.e. if you would do injustice when you ascend to the throne, or if you thought to do injustice, put your hand to your mouth and do not carry out your thoughts.

**31:1**

The Midrash relates that the people were grieved that on the very day of the dedication of the Temple, they could not offer up the daily sacrifice. But they feared to awaken the king, who was asleep under a tapestry that glistened like the stars of the heaven, giving the impression that it was still night. They called Bathsheba to awaken him, and she entered and chastised him with the following declaration.

*Ibn Ezra* states that at the beginning of the Book, we are told that Solomon's father chastised him concerning wisdom. Here we learn that after his father's death, his mother chastised him and admonished him to learn wisdom and to distance himself from women and wine, because they are the source of wickedness and sin. Because of her wisdom, and to bestow honor upon her, Solomon praises the wise woman with all the letters of the *aleph-beth* as a memorial. *Ibn Ezra* also suggests that Solomon was called Lemuel—meaning God is to them—because during his reign all the people worshipped the one God; there was no idolatry.

**31:15**

*Misgav Immahoth* explains that this verse alludes to the Rabbinical account of how Bithyah saved Moses. When she was still a gentile, sullied with pagan worship, she went down to the Nile to immerse and to cleanse herself of the idols of her father's house. When she saw the basket containing Moses, she sent one of her maidens to retrieve it. They opposed her, saying that when a king makes a decree, the royal family adheres to it even if no one else does. Now how do you intend to save a child of the Hebrews when your father decreed that they be drowned in the Nile? She rejected their criticism, and the angel Gabriel came and pushed the maidens into the earth. Concerning that, King Solomon says: "She arose when it was yet night," when she was still sullied with the darkness of paganism, and she tore off (טֶרֶף) her connections to her house and the rule of her maidens (i.e. the objection raised by her maidens).

**31:24**

In the Midrash, this verse refers to Hazelelponith, the mother of Samson, through whom Israel was saved from the Philistines. The allusion is to the thirty sheets that Samson promised to the Philistines if they could solve his riddle (Jud. 14:12). When they did discover the solution (verse 18), he became liable to give them thirty suits of clothes and thirty cloaks. When the Philistines demanded this prize, Samson's mother hastened to make the cloaks. Samson hurried to his parents' home (verse 19) to tell her that it was unnecessary, because he had paid them with the suits of the thirty Philistines whom he killed. Therefore, she sold the cloaks she had made, and gave a belt to the trafficker. Here, the definite article is used. It may refer to the trafficker mentioned in Gen. 38:2, who was Judah's father-in-law, or one of his descendants.—[*Misgav Immahoth*]

**31:25**

*Ralbag* also follows the latter interpretation, commenting that great people do not fear death because their whole desire in life is to perfect their intellect, and after they have done so, they virtually long for death, which is their life. [*Ralbag* obviously follows the view of the philosophers, who believe that the reward in the hereafter is the result of one's intellect. The traditional belief, however, is that one achieves his share in the hereafter by fulfilling the commandments. Moreover, he does not tell us how the woman of valor knows that she has already perfected her intellect to its fullest extent.]

*Gen. Rabbah* 62:2 states that the Holy One, blessed be He, shows the righteous their share in the hereafter while they are still living. After being shown their reward, they rejoice at the prospect of dying. *Midrash Mishle* interprets this verse as referring to Elisheba the daughter of Amminadab, who experienced four joys in one day. On the first day of Nissan in the second year that Israel was in the desert, her brother [Nacshon] was appointed the prince [of the tribe of Judah]; her husband [Aaron] was appointed High Priest; her brother-in-law [Moses] was made king; and her two sons [Eleazar and Ithamar] were appointed as young priests. *Pesikta Rav Kahana* (170a), however, states that her two sons [Nadab and Abihu] became assistants to the High Priest, but when they entered to sacrifice and came out burned up, her joy turned to sadness. For variations, see note 48 (ad loc.).

**31:28**

In the Midrash this refers to the Shunammite woman who supported Elisha when he came to Shunem (ibid, 8-18). Instead of inviting him into the house, she made a separate apartment for him. *Misgav Immahoth* quotes *Pirke d'Rabbi Eliezer* (ch. 33) that any woman who looked at Elisha's countenance would die. They therefore praised her for her wisdom in giving Elisha a small, walled, upper chamber. When she was later compelled to appear before him to tell him about the death of her son, she was miraculously saved through the merit of her supporting him. They praised her for this, too. He further notes that Scripture states that the children rise before the mother whereas the husband merely praises her. This is because the children are required by the Torah to honor their mother, but the husband is not.

# BIBLIOGRAPHY

## I. Background Material

1. Bible with commentaries ("Mikraoth Gedoloth"), commonly known as "Nach Lublin," including Rashi, pseudo-Ibn Ezra, Ralbag, and Minchath Shai.

2. Talmud Bavli or Babylonian Talmud. Corpus of Jewish law and ethics compiled by Ravina and Rav Ashi 500 C.E. All Talmudic quotations, unless otherwise specified, are from the Babylonian Talmud.

3. Talmud Yerushalmi or Palestinian Talmud. Earlier and smaller compilation of Jewish law and ethics, compiled by R. Johanan, first generation *Amora* in second century C.E.

4. Midrash Rabbah. Homiletic explanation of Pentateuch and Five Scrolls. Compiled by Rabbi Oshia Rabbah (the great), late Tannaite, or by Rabbah bar Nahmani, third generation *Amora.* Exodus Rabbah, Numbers Rabbah, and Esther Rabbah are believed to have been composed at a later date.

5. Midrash Tanhuma. A Midrash on Pentateuch, based on the teachings of R. Tanhuma bar Abba, Palestinian *Amora* of the fifth century C.E. An earlier Midrash Tanhuma was discovered by Solomon Buber. It is evident than this is the Tanhuma usually quoted by medieval scholars, e.g. Rashi, Yalkut Shimoni, and Abarbanel.

6. Midrash Mishle. Homiletic explanation of Book of Proverbs. Authorship not established. Jerusalem 1965

7. Pirke d'Rabbi Eliezer. Eighth century aggadic compilation, attributed to Rabbi Eliezer ben Hyrcanus, early Tannaite of first generation after destruction of second Temple. Also called Baraitha d'Rabbi Eliezer, or Haggadah d'Rabbi Eliezer. Commentary—Redal (R. David Luria) 1798-1855. Om Publishing Co., New York 1946

8. Yalkut Shimoni. Talmudic and Midrashic anthology on Bible, composed by R. Simon Ashkenazi, thirteenth century preacher of Frankfort on the Main. Earliest known edition is dated 1308, in Bodlian Library. Sources traced by Arthur B. Hyman, M.D. in "The Sources of the Yalkut Shimeoni," Mossad Harav Kook, Jerusalem 1965.

9. Pesikta d'Rav Kahana. Homiletic dissertations of special Torah readings and haftorah. Composed by Rav Kahana, early *Amora,* at time of compilation of Talmud Yerushalmi. Solomon Buber, latest edition Jerusalem 5723.

10. Pesikta Rabbathi. Later compilation similar to that of Rav Kahana. Composed 4605. Warsaw, 5673, Jerusalem—Bnei Brak 5729.

11. Midrash Tehillim, Or Shoher Tov. Homiletic explanation of Book of Psalms. Authorship not definitely established. New York 1947.

12. Midrash Sh'muel. Homiletic explanation of Book of Samuel. Authorship not established. Jerusalem 1965.

13. Mechilta. Tannaitic work on Book of Exodus. Some ascribe its authorship to Rabbi Ishmael, some to Rabbi Akiva, and others to Rav, first generation *Amora.* Printed with Malbim below text of Exodus.

14. Sifrei. Tannaitic work on Numbers and Deuteronomy. Some attribute its authorship to Rav. Printed with Malbim below text of Numbers and Deuteronomy.

15. Yalkut Machiri on Proverbs. Talmudic and Midrashic anthology on Proverbs by Rabbi Machir ben Abba Mari. Jerusalem 1964

## II. Medieval Commentaries and Source Material

1. Rav Saadiah Gaon, Arabic translation of and commentary on Proverbs, translated and annotated by Joseph Kafich, Jerusalem 1976.

2. Rabbenu Bechaye. Anthologized commentary from his various works.— Jerusalem, 1950

3. Rabbenu Yonah Gerondi. Commentary on Proverbs. New York 1946.

4. Rambam, Rabbenu Moshe ben Maimon, also known as Maimonides, 1134-1204. Leading medieval authority on halachah, philosophy, and medicine. After having fled Spain, his native land, he became court physician to the sultan of Egypt. His works include a commentary on the Mishnah, Sefer Hamitzvoth (a concise presentation of the 613 commandments of the Torah, together with comments of Ramban), Mishneh Torah or Yad Hachazakah—Rambam's magnum opus, containing decisions on all problems of Jewish law, whether discussed in the Talmud, Midrash, or later Gaonic writings, and a philosophic treatise entitled "Guide to the Perplexed." Relevant quotations appear in "Torath HaRambam, Neviim Uchtuvim," by Meir David ben Shem, Jerusalem 1978.

5. Ibn Nachmiash, Joseph, fourteenth century Biblical exegete. Commentary on Proverbs. First edition, Berlin 1912, recent Israeli ed., no date.

6. Rabbi Isaiah da Trani. Commentary on Proverbs, Job, Daniel, Ezra, Nehemiah, Five Scrolls. Wertheimer, Jerusalem 1978.

7. Sefer Hukkah, by Rabbi Joseph Kimchi.

8. Meiri, Rabbi Menachem. Commentary on Proverbs. Rabbi S. Waxman, Brooklyn, NY, no date.

## III. Modern Commentaries

1. Rabbi Elijah of Vilna, known as Gra. Commentary on Proverbs, appearing in Nach Etz Chaim. Jerusalem 1974

2. R. Meir Leibush Malbim. Commentary on Biblical literature, which combines ancient tradition with keen insight into nuances of meanings in the Hebrew language, by a leading nineteenth century scholar. 1809-1879

3. Shem Ephraim on Tanach by the renowned authority, R. Ephraim Zalman Margolis of Brodi. Emendations on Rashi text. Munkacz 5673, Eretz Israel 5732

4. R. Moshe Alschich, Rav Peninim. Biblical exegesis by renowned scholar in Safed. Brooklyn, 1988

5. Mezudath David and Mezudath Zion, by Rabbi Yechiel Hillel Altschuller. Simple and concise 18th century Bible commentary.

## IV. Other Sources

1. Machbereth Menachem. Lexicon by Menachem ben Saruk, early grammarian. Spain 920-980.

2. Teshuvoth Dunash. Dunash ben Labrat, opponent of Menachem ben Saruk. 920-990.

3. Sefer Hashorashim, Redak. Lexicon of Biblical roots. Berlin 5607, New York 5708

4. Sefer Hashorashim, R. Jonah ibn Ganah, earlier lexicon of Biblical roots, translated from Arabic. Berlin (5656) 1896, Jerusalem 5726

5. Aruch, R. Nathan of Rome. Talmudic dictionary by early medieval scholar. Died 4866

6. Aruch Completum, Dr. Alexander Kohut, critical edition of Aruch with elaboration and theories of word origins.